KB182826

소방공무원
필수과목
[국어/한국사/영어]

PREFACE

소방공무원은 국민의 생명과 재산을 보호하는 직업으로 희생정신과 봉사정신이 요구되며, 소방공무원은 화재발생 시 진화 및 소화업무, 구급업무 등 다양한 분야의 업무를 수행하게 된다. 소방공무원이 수행하는 소방업무는 소화업무, 방호업무, 예방업무, 점검업무 등이 있으며, 구급업무는 구급환자치료, 환자이송 등을 수행한다. 소방공무원 시험에 합격하기 위한 수험생이라면 누구나 시간 · 열정 · 자기관리에 투자하며 최선을 다한다. 노력한 만큼 최대의 효과를 얻기 위해서는 시험에 가장 적합한 효율적인 교재를 선택하는 것이 선행되어야만 한다. 좋은 책은 누구나 그 내용에 재미를 붙여 흥미롭게 접근할 수 있도록 안내자 역할을 하며, 그러한 책으로 공부한다면 수험생 누구나 완벽한 학습효과를 얻게 될 것이다.

이 책은 새롭게 변경된 소방공무원 시험과목 중 공통과목인 국어, 한국사, 영어의 3과목에 대하여 과목별 핵심이론을 요약 · 정리하고, 최근기출문제 및 출제예상문제를 상세한 해설과 함께 실어주어 실제시험에 만전을 기할 수 있도록 하였다.

본서와 함께 실력을 닦는다면 수험생 모두 반드시 합격의 영광을 얻게 될 것을 확신한다. 수험생 모두의 건투를 빈다.

출제경향

2020 소방공무원 필수과목 출제경향에 대하여...

1 국어

2019년 시험에 비해 깔끔해진 문제 유형을 보였다. 난도는 기존 시험과 유사한 정도로 꾸준히 공부해 온 수험생들이라면 고득점이 예상된다. 문법과 비문학 관련 문항 수가 줄어들고 고전문학 관련 문제가 다수 출제되었다. '중세 국어의 특징'을 묻는 문제에 당황했을 수 있지만, 난도 자체는 높지 않았다.

영역	문항 수	출제내용
문법	6	• 음운론 : 음운의 변동 • 의미론 : 문맥상 의미 • 문장론 : 문장의 짜임, 주체/객체 높임 • 고전 문법 : 중세 국어의 특징
어문규정	2	• 한글맞춤법 : 준말, 종결형 어미와 연결형 어미
현대문학	3	• 현대수필 : 박완서 '사랑의 입김' • 현대시 : 이육사 '절정'
고전문학	6	• 고전소설 : '춘향전' • 가사 : 정철 '속미인곡' • 고전시조 : 원천석 '눈 마ᄌᆞ 휘여진 ᄃᆡ를', 황진이 '동지ㅅᄃᆞᆯ 기나긴 밤을', 작자 미상 '두터비 파리를 물고'
비문학	2	• 독해 : 제목, 화제
한자	1	• 한자성어 : 정철 '훈민가' 관련 한자성어

2 한국사

문제가 공개되기 시작한 2018년 하반기 시험부터 총 3회의 시험 중 가장 높은 난도를 보였다. 2019년 시험과 마찬가지로 정치사가 압도적으로 높은 비중을 차지하였으며, 문화사가 그 뒤를 이었다. 20문제 모두 사료 제시형으로 출제되었다는 점에서 사료에 대한 학습의 중요성이 또 한 번 증명되었다.

영역	문항 수	출제내용
정치	13	• 고대 : 백제 관산성 전투, 신라 하대 정치적 혼란, 발해의 체제 • 중세 : 삼별초, 충렬왕 대 사실 • 근대 : 영조 탕평책, 흥선대원군 세도정치 개혁, 홍범 14조 • 일제강점기 : 독립운동 관련 사건 발생 순서, 을미의병/을사의병 • 현대 : 해방 후 총선거 실시 과정, 7 · 7 선언, 1 · 4 후퇴
경제	1	• 중세 : 시정전시과
사회	2	• 고대 : 고조선 범금 8조 • 일제강점기 : 3 · 1 운동 기미독립선언서
문화	4	• 중세 : 지눌 • 근대 : 이이 오죽헌/자운서원, 혼일강리역대국도지도 • 일제강점기 : 박은식

영어

2020년 영어는 유형과 난도 면에서 과거와 비슷하게 출제되어 무난하다고 느끼는 수험생들이 많았을 것이다. 독해 문항 수가 조금 줄어든 반면, 어휘 관련 문항 수가 증가하였고 2019년 시험에서는 출제되지 않은 생활영어도 1문제 출제되었다. 문법은 기초적인 수준으로 출제되었으며, 글의 순서를 바로 잡는 독해 문제가 조금 까다롭다고 느꼈을 수 있겠다.

영역	문항 수	출제내용
어휘 · 표현	5	• 빈칸 채우기 : choking, supervision, rescue • 유사 의미 : imprecise, devastated
문법	2	• 관계대명사 that/which • 주어/동사 수 일치
독해	12	• 가리키는 대상이 다른 하나 • 주장하는 바, 주제, 요지, • 글의 흐름과 관계없는 문장, 글의 순서 • 접속부사 • 글의 내용을 파악하여 빈칸 채우기 • 글의 내용과 일치/불일치
생활영어	1	• 전화 통화 : stay on the line

STRUCTURE

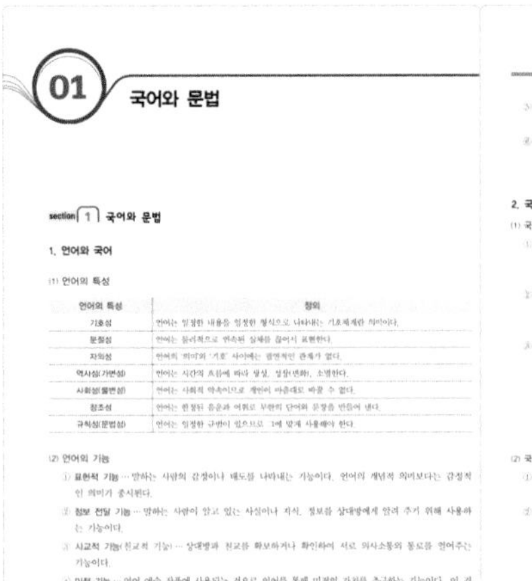

핵심이론정리

체계적으로 편장을 구분한 후 해당 단원에서 필수적으로 알아야 할 내용을 정리하여 수록하였습니다. 출제가 예상되는 핵심적인 내용만을 학습함으로써 단기간에 학습 효율을 높일 수 있습니다.

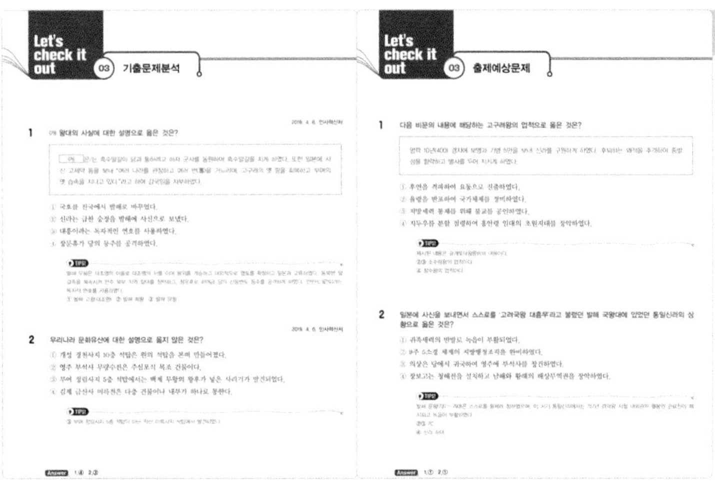

기출 & 출제예상문제

그동안 치러진 기출문제를 분석하여 출제가 예상되는 문제만을 엄선하여 수록하였습니다. 다양한 난도와 유형의 문제들로 연습하여 확실하게 대비할 수 있습니다.

상세한 해설

매 문제 상세한 해설을 달아 문제풀이만으로도 개념학습이 가능하도록 하였습니다. 문제풀이와 함께 이론정리를 함으로써 완벽하게 학습할 수 있습니다.

최근기출문제분석

2020년에 출제된 소방공무원 기출문제를 수록했습니다. 기출문제와 함께 최신경향을 파악할 수 있습니다.

CONTENTS

PART Ⅰ 국어

PART Ⅱ 한국사

PART Ⅲ 영어

PART 부록 최근 기출문제분석

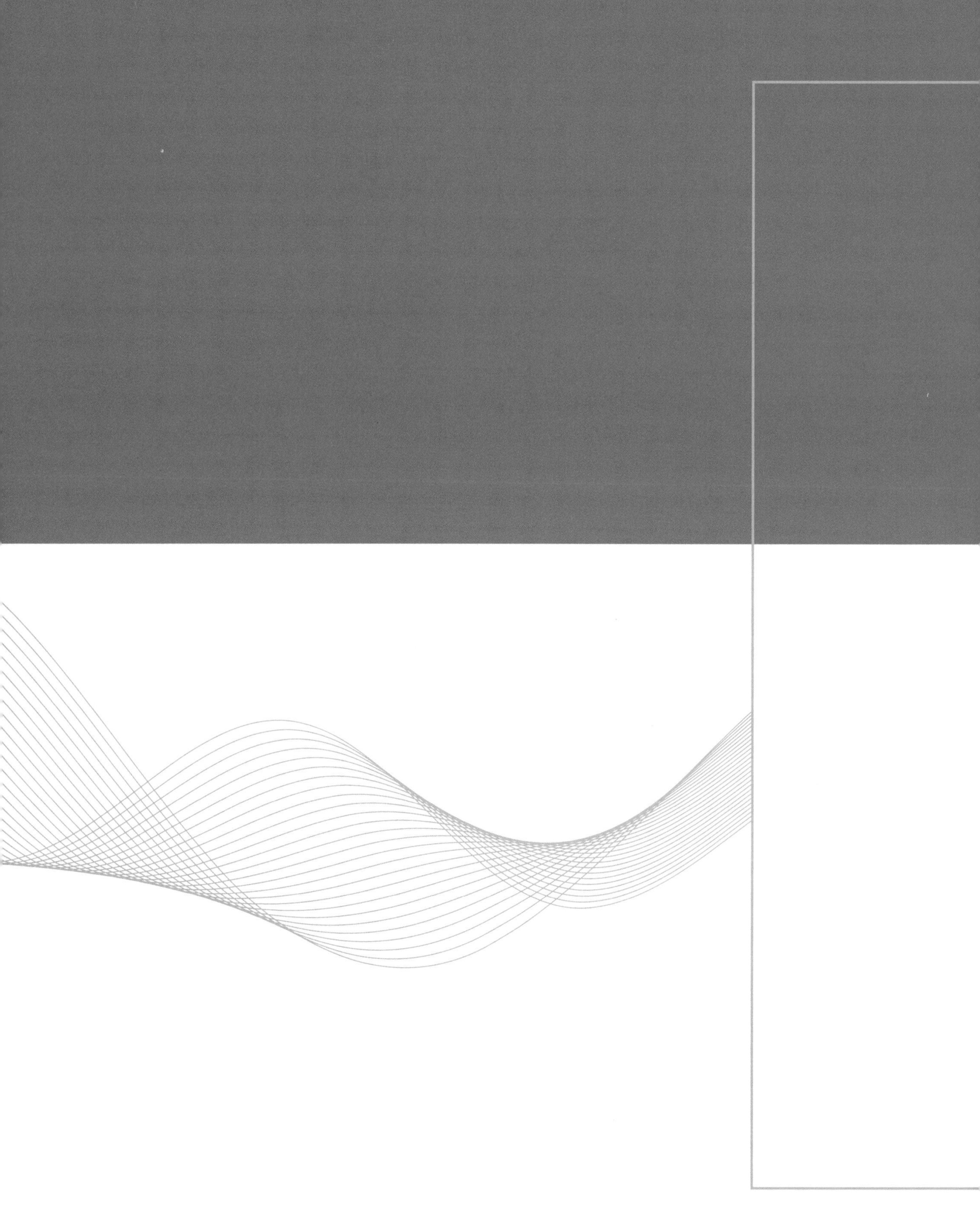

PART 01
국어

01 국어와 문법
02 국어 어문 규정
03 독서
04 화법과 작문
05 문학
06 국어 상식

국어와 문법

section 1 국어와 문법

1. 언어와 국어

(1) 언어의 특성

언어의 특성	정의
기호성	언어는 일정한 내용을 일정한 형식으로 나타내는 기호체계란 의미이다.
분절성	언어는 물리적으로 연속된 실체를 끊어서 표현한다.
자의성	언어의 '의미'와 '기호' 사이에는 필연적인 관계가 없다.
역사성(가변성)	언어는 시간의 흐름에 따라 생성, 성장(변화), 소멸한다.
사회성(불변성)	언어는 사회적 약속이므로 개인이 마음대로 바꿀 수 없다.
창조성	언어는 한정된 음운과 어휘로 무한의 단어와 문장을 만들어 낸다.
규칙성(문법성)	언어는 일정한 규범이 있으므로 그에 맞게 사용해야 한다.

(2) 언어의 기능

① **표현적 기능** … 말하는 사람의 감정이나 태도를 나타내는 기능이다. 언어의 개념적 의미보다는 감정적인 의미가 중시된다.

② **정보 전달 기능** … 말하는 사람이 알고 있는 사실이나 지식, 정보를 상대방에게 알려 주기 위해 사용하는 기능이다.

③ **사교적 기능**(친교적 기능) … 상대방과 친교를 확보하거나 확인하여 서로 의사소통의 통로를 열어주는 기능이다.

④ **미적 기능** … 언어 예술 작품에 사용되는 것으로 언어를 통해 미적인 가치를 추구하는 기능이다. 이 경우에는 감정적 의미만이 아니라 개념적 의미도 아주 중시된다.

⑤ **지령적 기능**(감화적 기능) … 말하는 사람이 상대방에게 지시를 하여 특정 행위를 하게 하거나, 하지 않도록 함으로써 자신의 목적을 달성하려는 기능이다.

⑥ **관어적 기능**(메타언어적 기능) … 영어의 'weather'가 우리말의 '날씨'라는 뜻이라면 이는 영어와 한국어가 서로 관계하고 있음을 나타낸다.

2. 국어의 이해

(1) 국어의 특징

① 국어의 문장

㉠ 정상적인 문장은 '주어 + 목적어 + 서술어'의 어순을 가진다.

㉡ 남녀의 성(性)의 구별이 없으며, 관사 및 관계대명사가 없다.

② 국어의 단어

㉠ 문법적 관계를 나타내는 말(조사, 어미 등)이 풍부하다.

㉡ 조어 과정에서 배의성(配意性)에 의지하는 경향이 짙다.

③ 국어의 소리

㉠ 음절 구성은 '자음 + 모음 + 자음'의 유형이다.

㉡ 자음 중 파열음과 파찰음은 예사소리, 된소리, 거센소리로 대립되어 3중 체계로 되어 있다.

㉢ 알타이어의 공통 특질인 두음 법칙, 모음 조화 현상이 있다.

㉣ 음절의 끝소리에 'ㄱ, ㄴ, ㄷ, ㄹ, ㅁ, ㅂ, ㅇ'의 일곱 자음 밖의 것을 꺼리는 끝소리 규칙이 있다.

㉤ 구개음화와 자음 동화 현상이 있다.

(2) 국어의 순화

① 국어 순화의 뜻 … 외래어, 외국어 등을 가능한 한 토박이말로 재정리하고, 비속한 말과 틀린 말을 고운말과 표준어로 바르게 쓰는 것이다(우리말을 다듬는 일).

② 국어 순화의 이유

㉠ 개인이나 사회에 악영향을 주는 말의 반작용을 막기 위해서 국어를 순화해야 한다.

㉡ 말은 겨레 얼의 상징이며 민족 결합의 원동력이므로 겨레의 참된 삶과 정신이 투영된 말로 순화해야 한다.

section 2 음운

1. 음성과 음운

(1) 음성

사람의 발음 기관을 통하여 나는 구체적이고 물리적인 소리이며, 말의 뜻을 구별해 주지 못한다.

(2) 음운

① 개념 … 말의 뜻을 구별해 주는 가장 작은 소리의 단위로 추상적이고 관념적이다.

② 종류

㉠ 분절 음운 : 자음이나 모음과 같은 음절을 구성하는 부분이 되는 음운이다[음소(音素)].

㉡ 비분절 음운

- 자음 · 모음이 아니면서 의미 분화 기능이 있는 음운[운소(韻素)]으로 소리의 길이, 높낮이, 세기 등이 분절 음운에 덧붙어서 실현된다.
- 우리말의 비분절 음운은 소리의 길이(장단)에 의존한다.

2. 국어의 음운

(1) 자음(19개)

말할 때 허파에서 나오는 공기의 흐름이 목 안 또는 입 안의 어떤 자리에서 장애를 받고 나오는 소리로 'ㄱ, ㄲ, ㄴ, ㄷ, ㄸ, ㄹ, ㅁ, ㅂ, ㅃ, ㅅ, ㅆ, ㅇ, ㅈ, ㅉ, ㅊ, ㅋ, ㅌ, ㅍ, ㅎ'로 19개이다.

① 소리내는 위치에 따라 … 입술소리(순음), 혀끝소리(설단음), 센입천장소리(경구개음), 여린입천장소리(연구개음), 목청소리(후음)로 나뉜다.

② 소리내는 방법에 따라 … 파열음, 마찰음, 파찰음, 비음, 유음으로 나뉜다.

③ 소리의 울림에 따라 … 울림소리, 안울림소리로 나뉜다.

④ 소리의 세기에 따라 … 예사소리, 된소리, 거센소리로 나뉜다.

자음 체계표

소리내는 방법 \ 소리나는 위치			두 입술	윗잇몸 혀끝	경구개 혓바닥	연구개 혀뒤	목청 사이
			입술소리	혀끝소리	구개음	연구개음	목청소리
안울림소리	파열음	예사소리	ㅂ	ㄷ		ㄱ	
		된소리	ㅃ	ㄸ		ㄲ	
		거센소리	ㅍ	ㅌ		ㅋ	
	파찰음	예사소리			ㅈ		
		된소리			ㅉ		
		거센소리			ㅊ		
	마찰음	예사소리		ㅅ			ㅎ
		된소리		ㅆ			
울림소리	콧소리(비음)		ㅁ	ㄴ		ㅇ	
	흐름소리(유음)			ㄹ			

(2) 모음(21개)

① 단모음 … 발음할 때 입술이나 혀가 고정되어 움직이지 않는 모음으로 'ㅏ, ㅐ, ㅓ, ㅔ, ㅗ, ㅚ, ㅜ, ㅟ, ㅡ, ㅣ'로 10개이다.

② 이중 모음 … 발음할 때 입술이나 혀가 움직이는 모음으로 'ㅑ, ㅒ, ㅕ, ㅖ, ㅘ, ㅙ, ㅛ, ㅝ, ㅞ, ㅠ, ㅢ'로 11개이다.

모음 체계표

혀의 높이 \ 혀의 앞뒤	전설 모음		후설 모음	
	평순 모음	원순 모음	평순 모음	원순 모음
고모음	ㅣ	ㅟ	ㅡ	ㅜ
중모음	ㅔ	ㅚ	ㅓ	ㅗ
저모음	ㅐ		ㅏ	

(3) 소리의 길이

① 긴소리는 일반적으로 단어의 첫째 음절에 나타난다.

㉮ 밤(夜) – 밤: (栗), 발(足) – 발: (簾), 굴(貝類) – 굴: (窟)

② 본래 길게 나던 단어도, 둘째 음절 이하에 오면 짧게 발음되는 경향이 있다.

㉮ 밤: → 알밤, 말: → 한국말, 솔: → 옷솔

③ 두 음절 이상이나 혹은 소리의 일부분이 축약된 준말, 단음절어는 긴소리를 낸다.

㉮ 고을 → 골: , 배암 → 뱀:

| 기출예제 01 2019. 4. 6. 소방공무원

다음에서 알 수 있는 '나'의 이름은?

> 안녕하세요? 제 소개를 하겠습니다. 먼저 제 이름은 아랫입술과 윗입술이 맞닿아서 나는 소리가 한 개 들어 있습니다. 파열음이나 파찰음은 없고 비음이 포함되어 있어서 발음하기 부드럽습니다. 제 이름을 발음할 때 혀의 위치는 가장 높았다가 낮게 내려가면서 저절로 미소가 지어지기도 합니다. 제 이름은 무엇일까요?

① 민애 ② 진주
③ 하은 ④ 정빈

✱

- 아랫입술과 윗입술이 맞닿아서 나는 소리 → 입술소리(ㅂ, ㅃ, ㅍ, ㅁ) 중 1개
- 파열음/파찰음 없음 → ㅂ, ㅃ, ㅍ, ㄷ, ㄸ, ㅌ, ㄱ, ㄲ, ㅋ / ㅈ, ㅉ, ㅊ 없음
- 비음 포함 → ㅁ, ㅇ, ㄴ
- 혀의 위치는 가장 높았다가 낮게 내려감 → 고모음에서 저모음으로

이 조건에 부합하는 이름은 ① 민애[ㅁ(입술소리, 울림소리, 비음), ㄴ(비음, 울림소리) / ㅣ(고모음), ㅐ(저모음)]이다.

답 ①

3. 음운의 변동

(1) 음절의 끝소리 규칙

국어에서는 'ㄱ, ㄴ, ㄷ, ㄹ, ㅁ, ㅂ, ㅇ'의 일곱 자음만이 음절의 끝소리로 발음된다.

① 음절의 끝자리의 'ㄲ, ㅋ'은 'ㄱ'으로 바뀐다.
  예 밖[박], 부엌[부억]

② 음절의 끝자리 'ㅅ, ㅆ, ㅈ, ㅊ, ㅌ, ㅎ'은 'ㄷ'으로 바뀐다.
  예 옷[옫], 젖[젇], 히읗[히읃]

③ 음절의 끝자리 'ㅍ'은 'ㅂ'으로 바뀐다.
  예 숲[숩], 잎[입]

④ 음절 끝에 겹받침이 올 때에는 하나의 자음만 발음한다.
  ㉠ 첫째 자음만 발음 : ㄳ, ㄵ, ㄼ, ㄽ, ㄾ, ㅄ
    예 삯[삭], 앉다[안따], 여덟[여덜], 외곬[외골], 핥다[할따]
  ㉡ 둘째 자음만 발음 : ㄺ, ㄻ, ㄿ
    예 닭[닥], 맑다[막따], 삶[삼], 젊다[점따], 읊다[읖따 → 읍따]

⑤ 다음에 모음으로 시작하는 음절이 올 경우

㉠ 조사나 어미, 접미사와 같은 형식 형태소가 올 경우 : 다음 음절의 첫소리로 옮겨 발음한다.

㉮ 옷이[오시], 옷을[오슬], 값이[갑씨], 삶이[살미]

㉡ 실질 형태소가 올 경우 : 일곱 자음 중 하나로 바꾼 후 다음 음절의 첫소리로 옮겨 발음한다.

㉮ 옷 안[옫안→오단], 값없다[갑업다→가법따]

국어

(2) 자음 동화

자음과 자음이 만나면 서로 영향을 주고받아 한쪽이나 양쪽 모두 비슷한 소리로 바뀌는 현상을 말한다.

① 정도에 따른 종류 … 완전 동화, 불완전 동화로 구분한다.

② 방향에 따른 종류 … 순행 동화, 역행 동화, 상호 동화로 구분한다.

③ 비음화 … 비음의 영향을 받아 원래 비음이 아닌 자음이 비음 'ㄴ, ㅁ, ㅇ'으로 바뀌는 현상을 말한다.

④ 유음화 … 유음이 아닌 자음이 유음 'ㄹ'로 바뀌는 현상이다.

한국사

2019. 4. 6. 소방공무원

〈보기〉와 같이 발음할 때 적용되는 음운 변동 규칙이 아닌 것은?

〈보기〉
홑이불 → [혼니불]

① ㄴ 첨가　　② 두음법칙

③ 자음동화　　④ 음절의 끝소리 규칙

영어

✱

홑이불→[혿이불](교체 : 음절의 끝소리 규칙)→[혿니불](ㄴ 첨가)→[혼니불](교체 : 비음화)

② 두음법칙은 한자어에서 단어의 첫음절 초성(두음)에서 'ㄴ, ㄹ'소리를 꺼리는 현상을 가리키는데, 이때 대개 'ㄹ → ㄴ'으로 'ㄴ→ㅇ'으로 교체하게 된다. 노인[로인(老人)], 여자[녀자(女子)] 등이 있다.

답 ②

(3) 구개음화

끝소리가 'ㄷ, ㅌ'인 형태소가 'ㅣ' 모음을 만나 구개음(센입천장소리)인 'ㅈ, ㅊ'으로 바뀌는 현상을 말한다.

㉮ 해돋이[해도지], 붙이다[부치다], 굳히다[구치다]

(4) 모음 동화

앞 음절의 'ㅏ, ㅓ, ㅗ, ㅜ' 등의 모음이 뒤 음절의 'ㅣ'와 만나면 전설 모음인 'ㅐ, ㅔ, ㅚ, ㅟ'로 변하는 현상을 말한다.

㉮ 어미[에미], 고기[괴기], 손잡이[손재비]

(5) 모음조화

양성 모음(ㅏ, ㅗ)은 양성 모음끼리, 음성 모음(ㅓ, ㅜ)은 음성 모음끼리 어울리는 현상을 말한다.

① 용언의 어미 활용 … -아 / -어, -아서 / -어서, -았- / -었-

　㉠ 앉아, 앉아서 / 베어, 베어서

② 의성 부사, 의태 부사에서 뚜렷이 나타난다.

　㉠ 찰찰 / 철철, 졸졸 / 줄줄, 살랑살랑 / 설렁설렁

③ 알타이 어족의 공통 특질이며 국어의 중요한 특징이다.

(6) 음운의 축약과 탈락

① 축약 … 두 음운이 합쳐져서 하나의 음운으로 줄어 소리나는 현상을 말한다.

　㉠ 자음의 축약 : ㅎ + ㄱ, ㄷ, ㅂ, ㅈ → ㅋ, ㅌ, ㅍ, ㅊ

　　예 낳고[나코], 좋다[조타], 잡히다[자피다], 맞히다[마치다]

　㉡ 모음의 축약 : 두 모음이 만나 한 모음으로 줄어든다.

　　예 보 + 아 → 봐, 가지어 → 가져, 사이 → 새, 되었다 → 됐다

② 탈락 … 두 음운이 만나면서 한 음운이 사라져 소리나지 않는 현상을 말한다.

　㉠ 자음의 탈락 : 아들 + 님 → 아드님, 울 + 니 → 우니

　㉡ 모음의 탈락 : 쓰 + 어 → 써, 가 + 았다 → 갔다

(7) 된소리되기

두 개의 안울림소리가 서로 만나면 뒤의 소리가 된소리로 발음되는 현상(경음화)을 말한다.

예 먹고[먹꼬], 밥과[밥꽈], 앞길[압낄]

(8) 사잇소리 현상

두 개의 형태소 또는 단어가 합성 명사를 이룰 때, 앞말의 끝소리가 울림소리이고, 뒷말의 첫소리가 안울림 예사소리이면 뒤의 예사소리가 된소리로 변하는 현상을 말한다.

예 밤길[밤낄], 길가[길까], 봄비[봄삐]

① 모음 + 안울림예사소리 → 사이시옷을 적고 된소리로 발음한다.

　예 뱃사공[배싸공], 촛불[초뿔], 시냇가[시내까]

② 모음 + ㅁ, ㄴ → 'ㄴ' 소리가 덧난다.

　예 이 + 몸(잇몸)[인몸], 코 + 날(콧날)[콘날]

③ 뒷말이 'ㅣ'나 반모음 'ㅣ'로 시작될 때 → 'ㄴ' 소리가 덧난다.

　예 논일[논닐], 물약[물냑 → 물략], 아래 + 이(아랫니)[아랜니]

④ 한자가 모여서 단어를 이룰 때

　예 物價(물가)[물까], 庫間(곳간)[고깐], 貰房(셋방)[세빵]

section 3 단어

1. 음절과 어절

(1) 음절

한 번에 소리낼 수 있는 소리마디를 가리킨다.

㉠ 구름이 흘러간다. → 구∨르∨미∨흘∨러∨간∨다(7음절).
철호가 이야기책을 읽었다. → 철∨호∨가∨이∨야∨기∨책∨을∨읽∨었∨다(11음절).

(2) 어절

끊어 읽는 대로 나누어진 도막도막의 마디로 띄어쓰기나 끊어 읽기의 단위가 된다.

㉠ 학생은∨공부하는∨사람이다(3어절).
구름에∨달∨가듯이∨가겠다(4어절).

2. 단어와 형태소

(1) 단어

자립하여 쓰일 수 있는 말의 단위로, 낱말이라고도 한다. 자립하여 쓰일 수 없는 말 중 '는', '이다' 등도 단어로 인정한다.

㉠ 철호가 이야기책을 읽었다. → 철호 / 가 / 이야기책 / 을 / 읽었다(5단어).

(2) 형태소

뜻을 가진 가장 작은 말의 단위로 최소(最小)의 유의적(有意的) 단위이다.

㉠ 철호가 이야기책을 읽었다. → 철호 / 가 / 이야기 / 책 / 을 / 읽 / 었 / 다(8형태소).

① 자립성의 유무에 따라 … 자립 형태소, 의존 형태소로 나뉜다.

② 의미 · 기능에 따라 … 실질 형태소, 형식 형태소로 나뉜다.

3. 품사

(1) 체언

① 명사 … 보통 명사, 고유 명사, 자립 명사, 의존 명사

② 대명사 … 인칭 대명사, 지시 대명사

③ 수사 … 수량이나 순서를 가리키는 단어

(2) 용언

① 동사 … 사람이나 사물의 움직임을 나타내는 단어를 말한다.

② 형용사 … 사람이나 사물의 상태나 성질을 나타내는 단어를 말한다.

③ 본용언과 보조 용언

㉠ 본용언 : 실질적인 의미를 나타내며 단독으로 서술 능력을 가지는 용언

㉡ 보조 용언 : 자립성이 없거나 약하여 본용언에 기대어 그 말의 뜻을 도와주는 용언

④ 활용 … 동사나 형용사의 어간에 여러 다른 어미가 붙어서 단어의 형태가 변하는 것을 가리켜 활용이라 한다.

㉠ 규칙 용언 : 용언이 활용할 때에 어간과 어미의 모습이 일정한 대부분의 용언

㉡ 불규칙 용언 : 국어의 일반적인 음운 규칙으로는 설명이 불가능하게 어간이나 어미의 모습이 달라지는 용언

⑤ 어미

㉠ 선어말 어미 : 어간과 어말 어미 사이에 오는 어미

㉡ 어말 어미 : 단어의 끝에 오는 단어를 끝맺는 어미

(3) 수식언

① 관형사 … 체언을 꾸며 주는 구실을 하는 단어를 말한다.

② 부사 … 주로 용언을 꾸며 주는 구실을 하는 단어를 말한다.

(4) 관계언(조사)

① 격조사 … 체언 뒤에 붙어 그 체언으로 하여금 일정한 문법적 자격을 가지게 하는 조사이다.

② 보조사 … 앞에 오는 체언에 특별한 의미를 더해 주는 조사이다.

③ 접속 조사 … 두 단어를 같은 자격으로 이어 주는 조사이다.

⑸ 독립언(감탄사)

① 문장에서 독립적으로 쓰인다.

② 감정을 넣어 말하는 이의 놀람, 느낌, 부름, 대답을 나타내는 단어를 말한다.

4. 단어의 형성

⑴ 짜임새에 따른 단어의 종류

① 단일어 … 하나의 실질 형태소로 이루어진 말이다.

② 복합어 … 둘 이상의 형태소로 이루어진 말이다(파생어, 합성어).

⑵ 파생어[실질 형태소(어근) + 형식 형태소(접사)]

① 어근 … 형태소가 결합하여 단어를 형성할 때, 실질적인 의미를 나타내는 부분이다.

② 접사 … 어근에 붙어 그 뜻을 제한하는 부분이다.

㉠ 접두사 : 어근 앞에 붙어 그 어근에 뜻을 더해 주는 접사

㉡ 접미사 : 어근 뒤에 붙는 접사로 그 어근에 뜻을 더하기도 하고 때로는 품사를 바꾸기도 하는 접사

⑶ 합성어[실질 형태소(어근) + 실질 형태소(어근)]

① 합성법의 유형

㉠ 통사적 합성법 : 우리말의 일반적인 단어 배열법과 일치하는 합성법이다.

㉡ 비통사적 합성법 : 우리말의 일반적인 단어 배열법에서 벗어나는 합성법이다.

② 통사적 합성어와 구(句)

㉠ 통사적 합성어는 구를 이룰 때의 방식과 일치하므로 구별이 어려울 때가 있다.

㉡ 통사적 합성어는 분리성이 없어 다른 말이 끼어들 수 없다.

㉢ 통사적 합성어는 합성 과정에서 소리와 의미가 변화되기도 한다.

③ 합성어의 의미상 갈래

㉠ 병렬 합성어 : 어근이 대등하게 본래의 뜻을 유지하는 합성어

㉡ 유속 합성어 : 한쪽의 어근이 다른 한쪽의 어근을 수식하는 합성어

㉢ 융합 합성어 : 어근들이 완전히 하나로 융합하여 새로운 의미를 나타내는 합성어

④ 합성어의 파생(합성어 + 접사)
㉠ 합성어 + 접사의 구조로 이루어진 말
㉡ 통사적 합성어 어근 + 접미사
㉢ 비통사적 합성어 어근 + 접미사
㉣ 반복 합성어 + 접미사

기출예제 03 2019. 4. 6. 소방공무원

단어의 형성 방법이 다른 것은?

① 기와집 ② 지우개
③ 선생님 ④ 개살구

① 기와집은 (기와 + 집)의 합성어이고, ② (지우- + -개), ③ (선생 + -님), ④ (개- + 살구)는 파생어이다. '-개, -님, 개-'는 모두 접사로, 어근의 앞에 붙는 접사를 접두사, 어근의 뒤에 붙는 접사를 접미사라고 한다.
※ 단어의 분류 기준은 여러 가지가 있는데 이 문항의 경우 단어의 구성요소를 기준으로 단일어와 복합어로 나누고 복합어를 다시 합성어와 파생어로 구분할 수 있는 국어 개념을 확인하는 문항이다. 단일어와 복합어를 구분하는 기준은 나눌 수 있냐의 문제이다. 나누면 의미가 변하거나 사라져 나눌 수 없는 것은 단일어이다. 복합어는 2부분으로 나누었을 때 어근과 어근의 결합이면 합성어, 어근과 접사의 결합이면 파생어로 구분한다.

답 ①

section 4 문장

1. 문장의 성분

(1) 주성분
① 주어 … 문장에서 설명하고자 하는 대상으로서 '누가', '무엇이'에 해당한다.
② 서술어
㉠ 대상에 대한 설명으로서 '무엇이다', '어떠하다', '어찌하다'에 해당한다.
㉡ 환경에 따라 서술어는 자릿수가 달라진다.
③ 목적어 … 서술어가 나타내는 동작이나 행위의 대상이 되는 말로서 '누구를', '무엇을'에 해당한다.
④ 보어 … 서술어 '되다', '아니다'가 주어 이외에 꼭 필요로 하는 성분으로서 '누가', '무엇이'에 해당한다. 보어는 서술어의 의미를 보충해 주는 구실을 한다.

(2) 부속 성분

① **관형어** … 주로 사물, 사람과 같이 대상을 나타내는 말 앞에서 이를 꾸며 주는 역할을 한다.

② **부사어**

㉠ 일반적으로 서술어를 꾸며 그 의미를 자세히 설명해 주는 성분이다.

㉡ 다른 부사어나 관형어, 또는 문장 전체를 꾸며 주기도 한다.

③ **독립 성분**(독립어)

㉠ 다른 성분들과 직접적인 관계를 맺지 않고 독립적으로 쓰이는 성분이다.

㉡ 부름, 감탄, 응답 등이 이에 속한다.

2. 문법 요소

(1) 사동 표현

① **사동사** … 주어가 남에게 어떤 동작을 하도록 시키는 것을 나타내는 동사이다.

② **주동사** … 주어가 직접 행하는 동작을 나타내는 동사이다.

③ **사동 표현의 방법**

㉠ 용언 어근 + 사동 접미사(-이-, -히-, -리-, -기-, -우-, -구-, -추-) → 사동사

㉡ 동사 어간 + '-게 하다'

(2) 피동 표현

① **피동사** … 주어가 남의 행동을 입어서 행하게 되는 동작을 나타내는 동사이다.

② **능동사** … 주어가 제 힘으로 행하는 동작을 나타내는 동사이다.

③ **피동 표현의 방법**

㉠ 동사 어간 + 피동 접미사(-이-, -히-, -리-, -기-) → 피동사

㉡ 동사 어간 + '-어 지다'

(3) 높임 표현

① **주체 높임법** … 용언 어간 + 선어말 어미 '-시-'의 형태로 이루어져 서술어가 나타내는 행위의 주체를 높여 표현하는 문법 기능을 말한다.

② **객체 높임법** … 말하는 이가 서술의 객체를 높여 표현하는 문법 기능을 말한다(드리다, 여쭙다, 뵙다, 모시다 등).

③ **상대 높임법** … 말하는 이가 말을 듣는 상대를 높여 표현하는 문법 기능을 말한다.

| 기출예제 04 2019. 4. 6. 소방공무원

주체 높임이 실현되지 않은 문장은?

① 할머니는 시장에 가셨다.

② 선생님을 모시러 교무실에 갔다.

③ 원래 어머니의 시력은 좋으셨다.

④ 고향에 계신 할아버지를 그리워했다.

✱

주체 높임이란 행위의 주체나 주어를 높이는 높임표현이다. 조사에서는 '이/가' → '께서' / 주체높임 선어말어미 '-시-'를 붙이는 방법과 '먹다(잡수시다, 드시다)', '자다(주무시다)', '있다(계시다)' 등 단어를 활용한 주체 높임이 있다.

② 객체 높임 표현이다. '모시다', '여쭈다(여쭙다)', '뵈다(뵙다)', '드리다' / '께'가 나오면 객체 높임에 해당한다.

답 ②

(4) 시간 표현

① 과거 시제 … 사건시가 발화시보다 앞설 때의 시제를 말한다.

② 현재 시제 … 발화시와 사건시가 일치하는 시제를 말한다.

③ 미래 시제 … 사건시가 모두 발화시 이후일 때의 시제를 말한다.

(5) 부정 표현

① '안' 부정문 … '아니(안)', '아니다', '-지 아니하다(않다)'에 의한 부정문으로, 단순 부정이나 주체의 의지에 의한 부정을 나타낸다.

㉠ 짧은 부정문 : '아니(안)' + 용언

㉡ 긴 부정문 : '용언 어간 + -지(보조적 연결 어미)' + 아니하다

② '못' 부정문 … '못', '-지 아니하다'에 의한 부정문으로, 주체의 능력 부족이나 외부의 원인에 의한 불가능을 나타낸다.

㉠ 짧은 부정문 : '못' + 용언

㉡ 긴 부정문 : '용언 어간 + -지(보조적 연결 어미) + 못하다'

③ '말다' 부정문 … 명령형이나 청유형에서 사용되어 금지를 나타낸다. 서술어가 동사인 경우에만 가능하나 일부 형용사에서 사용될 경우에는 '기원'의 의미를 지닌다.

㉮ 영희를 만나지 마라. (금지) / 집이 너무 작지만 마라. (기원)

3. 문장의 짜임

(1) 홑문장

주어와 서술어의 관계가 한 번만 맺어지는 문장을 말한다.

㉸ 첫눈이 내린다.

(2) 겹문장

① **안은 문장** … 독립된 문장이 다른 문장의 성분으로 안기어 이루어진 겹문장을 말한다.

㉠ **명사절로 안김** : 한 문장이 다른 문장으로 들어가 명사 구실을 한다.

㉡ **서술절로 안김** : 한 문장이 다른 문장으로 들어가 서술어 기능을 한다.

㉢ **관형절로 안김** : 한 문장이 다른 문장으로 들어가 관형어 구실을 한다.

㉣ **부사절로 안김** : 파생 부사 없이 '달리, 같이' 등이 서술어 기능을 하여 부사절을 이룬다.

㉤ **인용절로 안김** : 인용문이 다른 문장으로 들어가 안긴다.

② **이어진 문장** … 둘 이상의 독립된 문장이 연결 어미에 의해 이어져 이루어진 겹문장을 말한다.

㉠ **대등하게 이어진 문장** : 대등적 연결 어미인 '－고, －(으)며, (으)나, －지만, －든지, －거나'에 의해 이어진다.

㉡ **종속적으로 이어진 문장** : 종속적 연결 어미인 '－어(서), －(으)니까, －(으)면, －거든, (으)수록'에 의해 이어진다.

기출예제 05 2019. 4. 6. 소방공무원

㉠, ㉡에 대한 설명으로 옳지 않은 것은?

〈보기〉

㉠ 우리 부모님께서는 내가 시험에 합격하기를 원하신다.

㉡ 우리는 이곳이 교통사고 발생의 빈도가 잦음을 전혀 몰랐다.

① ㉠과 ㉡ 모두 명사절이 안겨 있다.

② ㉠과 ㉡ 모두 안긴문장 속에 목적어가 있다.

③ ㉠과 달리 ㉡에는 안긴문장 속에 관형어가 있다.

④ ㉡과 달리 ㉠에는 안긴문장 속에 부사어가 있다.

※

㉠ 문장에서 '내가 시험에 합격하다'라는 문장이 명사형 전성 어미 '－기'와 결합하여 명사절이 되어 안긴문장으로 안겨 있다.

㉡ '이곳이 교통사고 발생의 빈도가 잦다'라는 문장에 명사형 전성 어미 '－음'이 결합되어 명사절이 되어 안긴문장으로 안겨 있다.

① ㉠과 ㉡ 모두 명사절이 안겨 있다.

② 안긴문장의 서술어 '합격하다, 잦다'는 자동사로 목적어를 필요로 하지 않는다.

③④ 관형어는 체언 앞에서 체언을 꾸며주는 문장성분이고, 부사어는 용언이나 다른 부사 앞에서 이들을 꾸며주는 문장성분이다. 두 성분이 모두 수식성분이라는 점에서 공통점이 있다.

답 ②

section 5 국어의 역사

1. 세종어제 훈민정음(世宗御製 訓民正音)

(1) 훈민정음의 창제

① 창제자 및 협찬자

㉠ 창제자 : 세종 대왕

㉡ 협찬자 : 정인지, 성삼문, 신숙주, 이개, 최항, 박팽년, 강희안 등 집현전 학자

② 연대

㉠ 창제 · 반포 : 세종 25년(1443) 음력 12월에 예의본(例義本) 완성

㉡ 해례본(解例本) : 세종 28년(1446) 음력 9월 상한에 해례본 완성, 간행

㉢ 언해본(諺解本) : 세조 5년(1459)에 간행

③ 훈민정음 창제의 정신 … 자주 정신, 애민 정신, 실용 정신

④ 훈민정음 창제의 목적

㉠ 일반 백성들의 원만한 문자 생활 도모

㉡ 자주(自主) · 애민(愛民) · 실용(實用) 정신의 구현(俱現)

㉢ 우리 나라 한자음의 정리와 표기의 통일

⑤ 제자(制字)의 원리

㉠ 초성(初聲 : 첫소리) : 발음 기관의 모양을 본떴다.

㉡ 중성(中聲 : 가온뒷소리) : '천(天) · 지(地) · 인(人)'의 삼재(三才)를 본떴다.

(2) 훈민정음 해례본의 구성

① 예의[(例義), 언해된 부분]

㉠ 어지(御旨) : 창제된 취지

㉡ 글자와 소리값 : 초성, 중성, 종성 글자와 소리값

㉢ 글자의 운용 : 나란히 쓰기, 이어 쓰기, 붙여 쓰기, 음절 이루기, 점찍기의 용법

② 해례(解例) … 언해되지 아니한 부분으로 '제자해(制字解), 초성해(初聲解), 중성해(中聲解), 합자해(合字解), 용자례(用字例)'로 구성되어 있다.

③ 정인지의 서(序) … 훈민정음 제작 경위를 밝히고 있다.

2. 훈민정음(訓民正音)의 음운 체계

(1) 훈민정음의 제자 원리

① 초성(자음) … 발음 기관을 본뜬 것이다.

명칭	상형	기본자	가획자	이체자
어금닛소리[아음(牙音)]	혀 뿌리가 목구멍을 막는 모양	ㄱ	ㅋ	ㆁ
혓소리[설음(舌音)]	혀가 윗잇몸에 붙는 모양	ㄴ	ㄷ, ㅌ	ㄹ(반설)
입술소리[순음(脣音)]	입술 모양	ㅁ	ㅂ, ㅍ	
잇소리[치음(齒音)]	이 모양	ㅅ	ㅈ, ㅊ	ㅿ(반치)
목구멍소리[후음(喉音)]	목구멍 모양	ㅇ	ㆆ, ㅎ	

② 중성(모음) … 삼재(三才 : 天, 地, 人)의 상형 및 기본자를 합성했다.

구분	기본자	초출자	재출자
양성 모음	·	ㅗ, ㅏ	ㅛ, ㅑ
음성 모음	ㅡ	ㅜ, ㅓ	ㅠ, ㅕ
중성 모음	ㅣ		

③ 종성(자음) … 따로 만들지 않고 초성을 다시 쓴다[종성부용초성(終聲復用初聲)].

(2) 훈민정음 문자 체계

① 초성(자음) 체계

소리의 성질 / 명칭	전청 (全淸, 예사소리)	차청 (次淸, 거센소리)	불청불탁 (不淸不濁, 울림소리)
어금닛소리[牙音]	ㄱ	ㅋ	ㆁ
혓소리[舌音]	ㄷ	ㅌ	ㄴ
입술소리[脣音]	ㅂ	ㅍ	ㅁ
잇소리[齒音]	ㅅ, ㅈ	ㅊ	
목구멍소리[喉音]	ㆆ	ㅎ	ㅇ
반혓소리[半舌音]			ㄹ
반잇소리[半齒音]			ㅿ

② 중성(모음) 체계

소리의 성질 / 명칭	양성 모음	중성 모음	음성 모음
단모음	·, ㅏ, ㅗ	ㅣ	ㅡ, ㅓ, ㅜ
이중 모음	ㅑ, ㅛ		ㅕ, ㅠ

3. 표기법

(1) 표음적 표기법

① 8종성법 … 종성에서는 'ㄱ, ㆁ, ㄷ, ㄴ, ㅂ, ㅁ, ㅅ, ㄹ'의 8자만 허용되는 것이 원칙인데, 이는 체언과 용언의 기본 형태를 밝히지 않고 소리나는 대로 적는 것으로 표음적 표기라 할 수 있다.

② 이어적기(연철) … 받침 있는 체언이나 용언의 어간에 모음으로 시작되는 조사나 어미가 붙을 때는 그 받침을 조사나 어미의 초성으로 이어 적었다.

(2) 표의적 표기법

① 8종성법의 예외(종성부용초성)

㉠ 용비어천가와 월인천강지곡에 주로 나타나는데, 체언과 용언의 기본 형태를 밝혀 적은 일이 있다.

㉡ 반치음과 겹받침이 종성으로 적혀지는 일이 있었다.

② 끊어적기(분철) … 월인천강지곡에 나타나는 예로서 'ㄴ, ㄹ, ㅁ, ㆁ' 등의 받침소리에 한해 끊어 적는 일이 있었다.

01 기출문제분석

2018. 10. 13. 소방공무원

1 다음 글의 내용이 나타내고 있는 언어의 특성으로 적절한 것은?

> 영미는 모두가 사물을 하나의 이름으로 부르는 게 싫어서 사물의 이름을 자신이 정한 다른 단어로 바꿔 부르기로 결심하였다. 영미는 '침대'를 '사진'이라 부르기로 결심하고는 "침대에 누울 거야."가 아닌, "사진에 누울 거야."라고 말하였으며, '의자'를 '시계'라 부르면서 "시계에 앉아 있다."라고 이야기하였다. 영미 주변의 친구들은 영미의 말을 좀처럼 알아들을 수 없었다.

① 언어의 창조성
② 언어의 사회성
③ 언어의 역사성
④ 언어의 자의성

TIPS!

제시된 내용은 사람들 사이의 약속인 언어를 영미가 임의로 바꿔 부르면서 의사소통이 되지 않은 상황이다. 이는 언어의 사회성과 관련된다.

※ 언어의 특성
- ㉠ 기호성 : 언어는 일정한 내용을 일정한 형식으로 나타내는 기호 체계이다.
- ㉡ 자의성 : 일정한 내용을 일정한 형식으로 나타낼 때, 내용과 형식 사이에는 필연적인 관련성이 없다.
- ㉢ 사회성 : 언어는 그 언어를 사용하는 사람들 사이의 약속이기 때문에, 개인이 임의로 바꿀 수 없다.
- ㉣ 역사성 : 언어는 시간의 흐름에 따라 끊임없이 사라지고 새로 생기고 변한다.
- ㉤ 규칙성 : 언어에는 반드시 지켜야 하는 규칙이 있다.
- ㉥ 창조성 : 언어로 무한히 많은 말들을 만들어 표현할 수 있다.

Answer 1.②

2018. 10. 13. 소방공무원

2 밑줄 친 부분의 품사가 다른 하나는?

① 새 신발을 신으니 발이 아프다.
② 과연 우리는 앞으로 어떻게 될까?
③ 그는 해외로 출장을 자주 다닌다.
④ 철수는 이번 시험을 위해 정말 열심히 공부했다.

TIPS!

① '새'는 체언인 '신발'을 수식하는 관형사이다.
② '과연'은 문장 전체를 수식하는 부사이다.
③ '자주'는 용언인 '다닌다'를 수식하는 부사이다.
④ '정말'은 부사인 '열심히'를 수식하는 부사이다.

2018. 10. 13. 소방공무원

3 대등하게 이어진 문장인 것은?

① 까마귀 날자 배 떨어진다.
② 사공이 많으면 배가 산으로 간다.
③ 가는 말이 고와야 오는 말이 곱다.
④ 낮말은 새가 듣고 밤말은 쥐가 듣는다.

TIPS!

④ 두 가지 이상의 사실을 대등하게 벌여 놓는 연결 어미인 '–고'를 사용하여 대등하게 이어진 문장이다.
①②③ 종속적으로 이어진 문장이다.

2018. 10. 13. 소방공무원

4 '음운의 축약'으로 볼 수 없는 것은?

① 되 + 어 → 돼 ② 두 + 었다 → 뒀다
③ 가 + 아서 → 가서 ④ 쓰 + 이어 → 씌어

TIPS!

③ '가 + 아서'가 '가서'로 되는 것은 '가'의 'ㅏ'와 '아'가 동음으로 하나가 탈락한 것이다.

Answer 2.① 3.④ 4.③

2018. 10. 13. 소방공무원

5 다음 문장을 형태소 단위로 나눌 때, 적절한 것은?

> 하늘이 맑고 푸르다.

① 하늘이/ 맑고/ 푸르다
② 하늘/이/ 맑고/ 푸르다
③ 하늘/이/ 맑고/ 푸르/다
④ 하늘/이/ 맑/고/ 푸르/다

TIPS!
형태소는 뜻을 가진 가장 작은 말의 단위로, 여기서 뜻이란 실질적인 의미뿐만 아니라 문법적 의미를 포함한다. 따라서 ④와 같이 조사, 어미를 모두 분리해야 한다.

2018. 6. 23. 제2회 서울특별시

6 〈보기〉의 단어에 공통으로 적용된 음운 변동은?

> 〈보기〉
> • 꽃내음[꼰내음] • 바깥일[바깐닐] • 학력[항녁]

① 중화 ② 첨가
③ 비음화 ④ 유음화

TIPS!
• 꽃내음 → [꼳내음](음절의 끝소리 규칙) → [꼰내음](비음화)
• 바깥일 → [바깓일](음절의 끝소리 규칙) → [바깓닐](ㄴ첨가) → [바깐닐](비음화)
• 학력 → [학녁](비음화) → [항녁](비음화)

Answer 5.④ 6.③

2018. 3. 24. 제1회 서울특별시

7 국어의 특징으로 가장 옳지 않은 것은?

① 조사와 어미가 발달한 교착어적 특성을 보여 준다.
② '값'과 같이 음절 말에서 두 개의 자음이 발음될 수 있다.
③ 담화 중심의 언어로서 주어, 목적어 등이 흔히 생략된다.
④ 가족 관계를 나타내는 친족어가 발달해 있다.

TIPS!

② 음절 말에서는 두 개의 자음이 발음될 수 없다. 음절의 끝소리가 'ㄱ, ㄴ, ㄷ, ㄹ, ㅁ, ㅂ, ㅇ' 중 하나로 변하여 발음되는 현상을 음절의 끝소리 규칙이라고 한다. '값'은 [갑]으로 발음된다.

2017. 6. 24. 제2회 서울특별시

8 다음 중 한글 창제 당시 초성 17자에 포함되지 않는 글자가 쓰인 것은?

① 님금
② 늣거ᅀᅡ
③ 바올
④ 가ᄫᅵ야ᄫᅩᆫ

TIPS!

④ 'ᄫ'은 'ㅂ' 아래 'ㅇ'을 상하로 결합하는 연서(連書)에 의한 표기이다. 동국정운식 한자음 표기에만 사용된 'ᄝ, ᅗ, ᄬ'과 달리 'ᄫ'은 순수 국어 표기에 사용되었으나 동국정운에서 채택되지 않아 초성 체계에서 제외되었다.

※ 한글 창제 당시 초성 17자

五音	기본자	가획자	이체자
아음	ㄱ	ㅋ	ㆁ
설음	ㄴ	ㄷ, ㅌ	ㄹ
순음	ㅁ	ㅂ, ㅍ	
치음	ㅅ	ㅈ, ㅊ	ㅿ
후음	ㅇ	ㆆ, ㅎ	

Answer 7.② 8.④

9 다음 글에서 알 수 있는 내용이 아닌 것은?

> 단어란 흔히 문장을 구성하는 단위 가운데 분리하면 본래의 뜻을 잃어버리게 되는 최소의 자립 형식이라고 정의한다. '오늘 작은언니는 새 옷을 입었다.'라는 문장에서 '오늘, 새, 옷'은 단어들이다. '작은언니'는 '작은'과 '언니'로 분리할 수는 있지만 이렇게 분리하면 본래의 뜻과는 다른 뜻이 되기 때문에 '작은언니'는 한 단어이다. '입었다'는 '입-었-다'로 구성되어 있지만 이들 각각 홀로 쓰일 수 없고 세 단위가 모여서 하나의 자립 형식을 이루기 때문에 '입었다'는 그대로 한 단어가 된다.
> 그러나 단어의 정의가 그렇게 간단한 일은 아니다. '작은언니는, 옷을'의 '는, 을'과 같은 조사는 '작은언니, 옷'과 분리하여도 제 뜻을 잃어버리지 않는다. 그러나 조사는 홀로 쓰이지 못하고 반드시 체언 등에 붙어서만 쓰인다. 이런 까닭으로 국어의 조사를 단어로 인정하기도 하고 인정하지 않기도 한다. 이와 유사한 어려움은 의존 명사에서도 볼 수 있다. '한 그루, 줄 것'의 '그루, 것'은 의존 명사인데, 이들은 분리는 가능하지만 홀로 쓰이지 못하고 반드시 관형어의 수식을 받아서만 쓰일 수 있다. 그러나 의존 명사는 관형어의 수식을 받는다는 점에서 그 통사적 성격이 명사와 동일하다. 따라서 의존 명사는 명사와 동일한 성격을 지니는 단어로 취급한다.
> 국어 단어는 그 형성 방식에 따라 크게 두 가지로 구성된다. 하나는 '구름, 겨우, 먹다'처럼 단일한 요소가 곧 한 단어가 되는 경우이다. '구름, 겨우'와 같은 단어들은 더 이상 나뉠 수 없는 단일한 구성을 보이는 예들로서 이들은 단일어라고 한다. '먹다'는 어간 '먹-'에 어미 '-다'가 붙어 이루어진 구성이지만 '먹-'은 의존 형태소로서 단독으로는 쓰일 수 없으며, '-다'는 순수하게 문법적 기능만을 나타내는 어미로서 단어의 구성에는 관여하지 않는다.
> 다른 하나는 다양한 요소들이 결합하여 한 단어가 되는 경우이다. 이들은 단일어와 구별하여 복합어라고 한다. 복합어는 다시 두 가지 종류로 나뉜다. '샛노랗다, 무덤, 잠'은 어휘 형태소인 '노랗다, 묻-, 자-'에 '샛-, -엄, -ㅁ'과 같은 접사가 덧붙어서 파생된 단어들이다. 이처럼 어휘 형태소에 접사가 결합하여 형성된 단어들을 파생어라고 한다. '손목, 고무신, 빛나다, 날짐승'과 같은 단어는 각각 '손-목, 고무-신, 빛-나다, 날-짐승'으로 분석된다. 이들은 각각 어근인 어휘 형태소끼리 결합하여 한 단어가 된 경우로 이를 합성어라고 한다.

① '작은언니'는 최소의 자립 형식이다.
② '는, 을'은 체언 등에 붙어서만 쓰이므로 단어이다.
③ '그루, 것'은 그 통사적 성격이 명사와 동일하다.
④ '샛노랗다, 손목'은 복합어이다.

TIPS!

② 두 번째 문단에서 '는, 을'과 같은 조사는 '홀로 쓰이지 못하고 반드시 체언 등에 붙어서만 쓰인다.'고 언급하며 '이런 까닭으로 국어의 조사를 단어로 인정하기도 하고 인정하지 않기도 한다.'고 하였다.

Answer 9.②

2017. 6. 24. 제2회 서울특별시

10 음운 현상은 변동의 양상에 따라 크게 다섯 가지로 구분된다. 다음 중 음운 현상의 유형이 나머지 셋과 가장 다른 하나는?

> ㉠ 대치 – 한 음소가 다른 음소로 바뀌는 음운 현상
> ㉡ 탈락 – 한 음소가 없어지는 음운 현상
> ㉢ 첨가 – 없던 음소가 새로 끼어드는 음운 현상
> ㉣ 축약 – 두 음소가 합쳐져 다른 음소로 바뀌는 음운 현상
> ㉤ 도치 – 두 음소가 서로 자리를 바꾸는 음운 현상

① 국+만 → [궁만]
② 물+난리 → [물랄리]
③ 입+고 → [입꼬]
④ 한+여름 → [한녀름]

TIPS!

① ㄱ → ㅇ(비음화 : 대치)
② ㄴ → ㄹ(유음화 : 대치)
③ ㄱ → ㄲ(경음화 : 대치)
④ ㄴ첨가(합성어 및 파생어에서 앞 단어나 접두사의 끝이 자음이고 뒤 단어나 접미사의 첫 음절이 '이, 야, 여, 요, 유'인 경우에는 'ㄴ' 소리를 첨가하여 [니, 냐, 녀, 뇨, 뉴]로 발음한다)

2017. 3. 18. 제1회 서울특별시

11 다음 중 괄호 안에 들어갈 말로 가장 적절한 것은?

> '·'가 현대 국어에서 더 이상 사용되지 않고, '믈[水]'이 현대국어에 와서 '물'로 형태가 바뀌었으며, '어리다'가 '어리석다[愚]'로 쓰이다가 현대 국어에 와서 '나이가 어리다[幼]'의 뜻으로 바뀌어 쓰이는 것 등과 같은 예에서 알 수 있는 언어의 특성을 언어의 (　　)이라고 한다.

① 사회성
② 역사성
③ 자의성
④ 분절성

Answer 10.④ 11.②

TIPS!

언어의 특성
㉠ 기호성 : 언어는 일정한 내용을 일정한 형식으로 나타내는 기호 체계
㉡ 자의성 : 일정한 내용을 일정한 형식으로 나타낼 때, 내용과 형식 사이에는 필연적인 관련성이 없음
㉢ 사회성 : 언어는 그 언어를 사용하는 사람들 사이의 약속이기 때문에, 개인이 임의로 바꿀 수 없음
㉣ 역사성 : 언어는 시간의 흐름에 따라 끊임없이 사라지고 새로 생기고 변함
㉤ 규칙성 : 언어에는 반드시 지켜야 하는 규칙이 있음
㉥ 창조성 : 언어로 무한히 많은 말들을 만들어 표현할 수 있음

2016. 6. 25. 서울특별시

12 〈보기〉는 '비치다'에 대한 사전의 뜻풀이이다. 다음 중 각 뜻에 대한 예문으로 적절한 것은?

〈보기〉

1 【…에】 ① 빛이 나서 환하게 되다.
② 빛을 받아 모양이 나타나 보이다.
③ 물체의 그림자나 영상이 나타나 보이다.
④ 뜻이나 마음이 밖으로 드러나 보이다.
⑤ 투명하거나 얇은 것을 통하여 드러나 보이다.
2 【…에/에게 …으로】
무엇으로 보이거나 인식되다.
3 【…에/에게 …을】
① 얼굴이나 눈치 따위를 잠시 또는 약간 나타내다.
② 의향을 떠보려고 슬쩍 말을 꺼내거나 의사를 넌지시 깨우쳐 주다.

① 1①: 창문을 종이로 가렸지만 그래도 안이 비친다.
② 1③: 만년설이 쌓인 산이 호수에 비쳤다.
③ 2: 동생에게 결혼 문제를 비쳤더니 그 자리에서 펄쩍 뛰었다.
④ 3①: 글씨를 흘려서 쓰면 성의 없는 사람으로 비치기 쉽다.

TIPS!

①은 1⑤에 대한 예문이다.
③은 3②에 대한 예문이다.
④는 2에 대한 예문이다.

Answer 12.②

2017. 4. 8. 인사혁신처

13 훈민정음의 28 자모(字母) 체계에 들지 않는 것은?

① ㆆ
② ㅿ
③ ㆌ
④ ㅸ

TIPS!

훈민정음 28자모

자음(17개)	ㄱ, ㅋ, ㆁ, ㄷ, ㅌ, ㄴ, ㅂ, ㅍ, ㅁ, ㅈ, ㅊ, ㅅ, ㆆ, ㅎ, ㅇ, ㄹ, ㅿ
모음(11개)	ㆍ, ㅡ, ㅣ, ㅗ, ㅏ, ㅜ, ㅓ, ㅛ, ㅑ, ㅠ, ㅕ

2016. 6. 25. 서울특별시

14 훈민정음 해례본에 나오는 한글의 제자 원리로 가장 옳은 것은?

① 초성은 발음기관을 본떠 만들었는데 'ㄱ'은 혀가 윗잇몸에 닿는 모양을 본뜬 것이다.
② 'ㄱ, ㄴ, ㅁ, ㅅ, ㅇ' 5개의 기본 문자에 가획의 원리로 'ㅋ, ㄷ, ㅌ, ㄹ, ㅂ, ㅈ, ㅊ, ㆆ' 총 8개의 문자를 만들었다.
③ 문자의 수는 초성 10자, 중성 10자, 종성 8자로 모두 28자이다.
④ 연서(連書)는 'ㅇ'을 이용한 것으로서 예로는 'ㅸ'이 있다.

TIPS!

① 혀가 윗잇몸에 닿는 모양을 본뜬 것은 'ㄴ'이다.
② 'ㄱ, ㄴ, ㅁ, ㅅ, ㅇ' 5개의 기본 문자에 가획의 원리로 'ㅋ, ㄷ, ㅌ, ㅂ, ㅍ, ㅈ, ㅊ, ㆆ, ㅎ, ㆁ, ㄹ, ㅿ' 총 17개의 문자를 만들었다.
③ 세종 25년 12월에 창제된 훈민정음은 모두 28자로 초성 17자, 중성 11자이며 종성은 초성을 다시 쓴다고 하였다.

Answer 13.④ 14.④

2015. 6. 13. 서울특별시

15 다음에서 설명하는 훈민정음 제자 원리에 해당하는 것은?

> 'ㄱ, ㄷ, ㅂ, ㅅ, ㅈ, ㅎ' 등을 가로로 나란히 써서 ㄲ, ㄸ, ㅃ, ㅆ, ㅉ, ㆅ 을 만드는 것인데, 필요한 경우에는 'ㅺ, ㅼ, ㅽ, ㅳ, ㅶ, ㅷ, ㅴ, ㅵ' 등도 만들어 썼다.

① 象形　　② 加畫

③ 竝書　　④ 連書

TIPS!

제시문은 훈민정음 글자 운용법으로 나란히 쓰기인 병서에 대한 설명이다. 병서는 'ㄲ, ㄸ, ㅃ, ㅆ'과 같이 서로 같은 자음을 나란히 쓰는 각자병서와 'ㅺ, ㅳ, ㅵ'과 같이 서로 다른 자음을 나란히 쓰는 합용병서가 있다.

① 象形(상형) : 훈민정음 제자원리의 하나로 발음기관을 상형하여 기본자를 만들었다.

② 加畫(가획) : 훈민정음 제자원리의 하나로 상형된 기본자를 중심으로 획을 더하여 가획자를 만들었다.

④ 連書(연서) : 훈민정음 글자 운용법의 하나로 이어쓰기의 방법이다.

국어

한국사

영어

Answer 15.③

Let's check it out

01 출제예상문제

1 밑줄 친 단어와 같은 품사인 것은?

> 이번에는 <u>가급적</u> 빠른 시일 안에 일을 끝내도록 해라.

① 서해의 <u>장엄한</u> 낙조의 감동은 동해 일출의 감동에 못지않다.
② 요즘의 청소년들은 <u>헌</u> 옷을 거의 입지 않는다.
③ 시간이 급하니 <u>어서</u> 다녀오너라.
④ <u>춤</u>을 추는 것은 정신 건강에 매우 좋다.

가급적 … 부사로 '할 수 있는 것 또는 형편이 닿는 것'을 의미한다.
① 형용사 ② 관형사 ③ 부사 ④ 명사

2 밑줄 친 부분의 활용이 옳지 않은 것은?

① 다시 생각해 보니 내 생각과 달리 네 말이 <u>맞는다</u>.
② 유달리 <u>가문</u> 그해 봄에는 황사도 많이 왔다고 한다.
③ 나는 <u>저린</u> 어깨 때문에 가방을 제대로 들 수가 없다.
④ 그 모임의 분위기에 <u>걸맞는</u> 옷 좀 골라 주세요.

TIPS!

④ 걸맞는 → 걸맞은. '걸맞다'는 형용사이므로 관형사형 어미 '-는'은 사용할 수 없으며 진행형과 명령형으로 사용할 수 없다.

Answer 1.③ 2.④

3 밑줄 친 것 중 보조사인 것은?

① 이 물건은 시장<u>에서</u> 사 왔다.
② 개는 늑대<u>와</u> 비슷하게 생겼다.
③ 그것은 교사<u>로서</u> 할 일이 아니다.
④ 나<u>는</u> 거칠 것 없는 바다의 사나이다.

TIPS!

① '장소'의 의미를 갖는 부사격조사
② '비교'의 의미를 갖는 부사격조사
③ '자격'의 의미를 갖는 부사격조사
※ 조사의 종류
  ㉠ 격조사 : 체언이나 용언의 명사형 아래에서, 그 명사형이 문장 안에서 다른 말에 대하여 가지는 자리를 나타내는 조사
  ㉡ 보조사 : 체언이 어떤 문장성분으로 쓰이는 데에 그 체언에 어떤 뜻을 첨가하여 주는 조사
  ㉢ 접속조사 : 두 단어를 같은 자격으로 이어 주는 구실을 하는 조사

4 다음 밑줄 친 부분에 해당하는 것은?

> 합성어는 형성 방식에 있어서 앞의 어근과 뒤의 어근이 의미상 결합 방식이 어떠하냐에 따라 나눌 수 있다. 예를 들어 '앞뒤'는 두 어근의 결합 방식이 대등하므로 대등 합성어, '돌다리'는 앞 어근이 뒤 어근에 의미상 종속되어 있으므로 <u>종속 합성어</u>, '춘추'는 두 어근과는 완전히 다른 제삼의 의미가 도출되므로 융합 합성어라 할 수 있다.

① 손발 ② 논밭
③ 책가방 ④ 연세

TIPS!

종속합성어는 어근이 다른 어근을 수식하는 합성어를 말한다. ③ '책가방'은 '책'이 '가방'을 수식하며 '책을 넣어 다니는 가방'으로 의미를 제한하고 있는 종속합성어이다.
①② 대등합성어
④ 융합합성어

Answer 3.④ 4.③

5 다음 밑줄 친 부분의 높임 표현 중에서 그 용법이 다른 것은?

① 명절을 맞아 선생님을 찾아뵈었다.
② 그저께는 할아버지께서 댁에 계셨다.
③ 나는 어머니께 선물을 드리고 밖으로 나갔다.
④ 영이는 할머니를 집까지 모시고 와서 저녁을 대접했다.

TIPS!

② 주체 높임
①③④ 객체 높임

6 다음에 해당하는 언어의 기능은?

> 이 기능은 우리가 세계를 이해하는 정도에 비례하여 수행된다. 그러면 세계를 이해한다는 것은 무엇인가? 그것은 이 세상에 존재하는 사물에 대하여 이름을 부여함으로써 발생하는 것이다. 여기 한 그루의 나무가 있다고 하자. 그런데 그것을 나무라는 이름으로 부르지 않는 한 그것은 나무로서의 행세를 못한다. 인류의 지식이라는 것은 인류가 깨달아 알게 되는 모든 대상에 대하여 이름을 붙이는 작업에서 형성되는 것이라고 말해도 좋다. 어떤 사물이건 거기에 이름이 붙으면 그 사물의 개념이 형성된다. 다시 말하면, 그 사물의 의미가 확정된다. 그러므로 우리가 쓰고 있는 언어는 모두가 사물을 대상화하여 그것에 의미를 부여하는 이름이라고 할 수 있다.

① 정보적 기능
② 친교적 기능
③ 명령적 기능
④ 관어적 기능

TIPS!

언어의 기능
㉠ 표현적 기능 : 말하는 사람의 감정이나 태도를 나타내는 기능이다. 언어의 개념적 의미보다는 감정적인 의미가 중시된다(느낌, 놀람 등 감탄의 말이나 욕설, 희로애락의 감정 표현, 폭언 등).
㉡ 정보 전달 기능 : 말하는 사람이 알고 있는 사실이나 지식, 정보를 상대방에게 알려 주기 위해 사용하는 기능이다(설명, 신문 기사, 광고 등).
㉢ 사교적 기능(친교적 기능) : 상대방과 친교를 확보하거나 확인하여 서로 의사소통의 통로를 열어놓아 주는 기능이다(인사말, 취임사, 고별사 등).

Answer 5.② 6.①

㉣ 미적 기능 : 언어 예술 작품에 사용되는 것으로 언어를 통해 미적인 가치를 추구하는 기능이다. 감정적 의미만이 아니라 개념적 의미도 아주 중시된다(시에 사용되는 언어).

㉤ 지령적 기능(감화적 기능) : 말하는 사람이 상대방에게 지시를 하여 특정 행위를 하게 하거나, 하지 않도록 함으로써 자신의 목적을 달성하려는 기능이다(법률, 각종 규칙, 단체 협약, 명령, 요청, 광고문 등의 언어).

7 현대 국어의 자음에 대한 다음과 같은 분류에서 파열음, 파찰음, 마찰음, 유음, 비음의 다섯 가지로 나누는 기준은?

> 현대 국어의 자음(子音)은 파열음(破裂音) /ㅂ, ㅃ, ㅍ, ㄷ, ㄸ, ㅌ, ㄱ, ㄲ, ㅋ/, 파찰음(破擦音) /ㅈ, ㅉ, ㅊ/, 마찰음(摩擦音) /ㅅ, ㅆ, ㅎ/, 유음(流音) /ㄹ/, 비음(鼻音) /ㅁ, ㄴ, ㅇ/ 등의 열아홉이다.

① 소리 내는 위치 ② 소리 내는 방법

③ 혀의 위치 ④ 입술의 모양

소리 내는 방법에 따른 기준 … 파열음, 파찰음, 마찰음, 유음, 비음 등

8 다음 글의 ( ) 안에 알맞은 것은?

> '밤'에서 'ㅏ'를 'ㅓ'로 바꾸면 '범'이 되고, 종성 'ㅁ'을 'ㄹ'로 바꾸면 '발'이 되어 '밤'과는 전혀 다른 소리가 된다. 이처럼 말의 뜻을 구별짓는 소리의 가장 작은 단위를 ( )(이)라고 한다.

① 음운 ② 음절

③ 단어 ④ 형태소

TIPS!

음운은 말의 뜻을 구별해 주는 가장 작은 소리의 단위로 추상적이고 관념적이다.

Answer 7.② 8.①

9 밑줄 친 용언의 종류가 다른 것은?

① 어머니가 바구니를 들고 가셨다. ② 그녀는 화가 나 밖으로 나가 버렸다.
③ 자고 나서 어디로 갈 거야? ④ 나도 그거 한번 먹어 보자.

TIPS!

① 본용언(들다)+본용언(가다)
② 본용언(나가다)+보조용언(버리다)
③ 본용언(자다)+보조용언(나다)
④ 본용언(먹다)+보조용언(보다)
※ 본용언과 보조용언
㉠ 본용언 : 주어의 행동을 서술하는 서술기능을 가지며 독립적으로 사용가능한 용언
㉡ 보조용언 : 주어의 행동을 서술하는 서술기능이 없으며 독립적으로 사용할 수 없는 용언으로 단지 본용언의 의미를 더해주는 기능만 한다.

10 국어의 음운 현상에 대한 설명이다. 옳지 않은 것은?

① 펑펑 : 모음 조화 ② 요술장이 → 요술쟁이 : 음운 동화
③ 합리적[함니적] : 구개음화 ④ 로인 → 노인 : 두음 법칙

TIPS!

③ '합리적'이 [함니적]으로 발음이 되어 자음과 자음이 만날 때 어느 한 쪽이 다른 쪽을 닮아서 발음이 달라지는 현상은 자음 동화 현상으로 그 중에서 앞뒤 모두 다른 자음으로 바뀌는 상호 동화에 해당한다.

11 다음 중 높임법의 사용이 옳지 않은 것은?

① 교장 선생님의 말씀이 계시겠습니다.
② (형이 동생에게) ○○야, 할머니께 그걸 드렸니?
③ 언니, 할머니께서 오라셔.
④ 부장님께서는 아들이 둘이시다.

TIPS!

① 계시겠습니다 → 있으시겠습니다

Answer 9.① 10.③ 11.①

12 다음 문장에서 밑줄 친 말의 주어는?

> 그가 결혼을 한다는 것은 <u>사실이다</u>.

① 그가
② 결혼을 한다는 것
③ 한다는 것은
④ 그가 결혼을 한다는 것은

TIPS!
명사절을 안은 문장으로 '사실이다'는 '그가 결혼을 한다는 것은'의 서술어이다.

13 '물 위에 떠 있는 물체'를 '배'라고 하는 것과 같이 같은 의미에 다른 개념을 부여할 수 있는 언어의 성격은?

① 역사성
② 자의성
③ 체계성
④ 사회성

TIPS!
언어의 자의성 … 언어의 형식인 음성과 내용인 의미 사이의 관계는 필연적이지 않고 자의적이다.

14 다음 중 훈민정음 창제 당시의 기본 28자가 아닌 것은?

① ㅸ
② ㆁ
③ ㅿ
④ ㆆ

TIPS!
① 순경음은 훈민정음 28자(초성 17자 체계)에 속하지 않는다(ㅸ, ㆄ, ㅹ, ㅱ).

Answer 12.④ 13.② 14.①

국어 / 한국사 / 영어

15 훈민정음에 대한 설명으로 옳지 않은 것은?

① 초성자는 훈민정음 해례본의 설명에 따르면 발음기관의 모양을 본떠 만들었다.

② 중성자는 훈민정음 해례본의 설명에 따르면 천지인(天地人) 삼재(三才)를 기본으로 만들었다.

③ 현대 한글맞춤법에 제시된 한글 자음의 순서는 '훈몽자회(訓蒙字會)'의 자음 순서와 같다.

④ 훈민정음이 처음 만들어졌을 때는 'ㄱ'을 '기역'이라 부르지 않았던 것으로 보인다.

TIPS!

③ 현대 국어의 자음 순서는 1933년 '한글 맞춤법 통일안'에서 제시된 것을 따르고 있다.

※ 훈몽자회 … 조선 중종 22년(1527)에 최세진이 지은 한자 학습서로 자모의 순서는 'ㄱ, ㄴ, ㄷ, ㄹ, ㅁ, ㅂ, ㅅ, ㆁ, ㅋ, ㅌ, ㅍ, ㅈ, ㅊ, ㅿ, ㅇ, ㅎ'이다.

Answer 15.③

02 국어 어문 규정

section 1 맞춤법과 표준어

1. 한글 맞춤법

(1) 표기 원칙

한글 맞춤법은 표준어를 소리대로 적되, 어법에 맞도록 함을 원칙으로 한다.

(2) 맞춤법에 유의해야 할 말

① 한 단어 안에서 뚜렷한 까닭 없이 나는 된소리는 다음 음절의 첫소리를 된소리로 적는다.

㉠ 소쩍새, 아끼다, 어떠하다, 해쓱하다, 거꾸로, 가끔, 어찌, 이따금, 산뜻하다, 몽땅

② 'ㄷ' 소리로 나는 받침 중에서 'ㄷ'으로 적을 근거가 없는 것은 'ㅅ'으로 적는다.

㉠ 덧저고리, 돗자리, 엇셈, 웃어른, 핫옷, 무릇, 사뭇, 얼핏, 자칫하면

③ '계, 례, 몌, 폐, 혜'의 'ㅖ'는 'ㅔ'로 소리나는 경우가 있더라도 'ㅖ'로 적는다.

㉠ 계수(桂樹), 혜택(惠澤), 사례(謝禮), 연몌(連袂), 계집, 핑계

④ '의'나, 자음을 첫소리로 가지고 있는 음절의 'ㅢ'는 'ㅣ'로 소리나는 경우가 있더라도 'ㅢ'로 적는다.

㉠ 무늬(紋), 보늬, 늴리리, 닁큼, 오늬, 하늬바람

⑤ 한자음 '녀, 뇨, 뉴, 니'가 단어 첫머리에 올 적에는 두음 법칙에 따라 '여, 요, 유, 이'로 적는다.

㉠ 여자(女子), 요소(尿素), 유대(紐帶), 익명(匿名)

⑥ 한자음 '랴, 려, 례, 료, 류, 리'가 단어의 첫머리에 올 적에는 두음 법칙에 따라 '야, 여, 예, 요, 유, 이'로 적는다

㉠ 양심(良心), 용궁(龍宮), 역사(歷史), 유행(流行), 예의(禮儀), 이발(理髮)

⑦ 한 단어 안에서 같은 음절이나 비슷한 음절이 겹쳐 나는 부분은 같은 글자로 적는다.

㉠ 똑딱똑딱, 쓱싹쓱싹, 씁쓸하다, 유유상종(類類相從)

⑧ 용언의 어간과 어미는 구별하여 적는다.

예 먹다, 먹고, 먹어, 먹으니

⑨ 어미 뒤에 덧붙는 조사 '요'는 '요'로 적는다.

예 읽어요, 참으리요, 좋지요

⑩ 어간에 '-이'나 '-음 / -ㅁ'이 붙어서 명사로 된 것과 '-이'나 '-히'가 붙어서 부사로 된 것은 그 어간의 원형을 밝히어 적는다.

예 얼음, 굳이, 더욱이, 일찍이, 익히, 앎, 만듦, 짓궂이, 밝히

⑪ 명사 뒤에 '-이'가 붙어서 된 말은 그 명사의 원형을 밝히어 적는다.

예 곳곳이, 낱낱이, 몫몫이, 샅샅이, 집집이, 곰배팔이, 바둑이, 삼발이, 애꾸눈이, 육손이

⑫ '-하다'나 '-거리다'가 붙는 어근에 '-이'가 붙어서 명사가 된 것은 그 원형을 밝히어 적는다.

예 깔쭉이, 살살이, 꿀꿀이, 눈깜짝이, 오뚝이, 더펄이, 코납작이, 배불뚝이, 푸석이, 홀쭉이

⑬ '-하다'가 붙는 어근에 '-히'나 '-이'가 붙어 부사가 되거나, 부사에 '-이'가 붙어서 뜻을 더하는 경우에는, 그 어근이나 부사의 원형을 밝히어 적는다.

예 급히, 꾸준히, 도저히, 딱히, 어렴풋이, 깨끗이, 곰곰이, 더욱이, 생긋이, 오뚝이, 일찍이, 해죽이

⑭ 사이시옷은 다음과 같은 경우에 받치어 적는다.

㉠ 순 우리말로 된 합성어로서 앞말이 모음으로 끝난 경우

㉡ 순 우리말과 한자어로 된 합성어로서 앞말이 모음으로 끝난 경우

㉢ 두 음절로 된 다음 한자어

⑮ 두 말이 어울릴 적에 'ㅂ' 소리나 'ㅎ' 소리가 덧나는 것은 소리대로 적는다.

예 댑싸리, 멥쌀, 볍씨, 햅쌀, 머리카락, 살코기, 수컷, 수탉, 안팎, 암캐, 암탉

⑯ 어간의 끝음절 '하'의 'ㅏ'가 줄고 'ㅎ'이 다음 음절의 첫소리와 어울려 거센소리로 될 적에는 거센소리로 적는다.

예 간편하게 – 간편케 – 다정하다 – 다정타

⑰ 부사의 끝음절이 분명히 '이'로만 나는 것은 '-이'로 적고, '히'로만 나거나 '이'나 '히'로 나는 것은 '-히'로 적는다.

㉠ '이'로만 나는 것

예 가붓이, 깨끗이, 나붓이, 느긋이, 둥긋이, 따뜻이, 반듯이, 버젓이, 산뜻이, 의젓이, 가까이, 고이

㉡ '히'로만 나는 것

예 극히, 급히, 딱히, 속히, 작히, 족히, 특히, 엄격히, 정확히

㉢ '이, 히'로 나는 것

예 솔직히, 가만히, 소홀히, 쓸쓸히, 정결히, 꼼꼼히, 열심히, 급급히, 답답히, 섭섭히, 공평히

⑱ 한자어에서 본음으로도 나고 속음으로도 나는 것은 각각 그 소리에 따라 적는다.

예 • 승낙(承諾) : 수락(受諾), 쾌락(快諾), 허락(許諾)
• 만난(萬難) : 곤란(困難), 논란(論難)
• 안녕(安寧) : 의령(宜寧), 회령(會寧)

⑲ 다음과 같은 접미사는 된소리로 적는다.

예 심부름꾼, 귀때기, 익살꾼, 볼때기, 일꾼, 판자때기, 뒤꿈치, 장난꾼, 팔꿈치, 지게꾼, 이마빼기

⑳ 두 가지로 구별하여 적던 다음 말들은 한 가지로 적는다.

예 맞추다(마추다×) : 입을 맞춘다. 양복을 맞춘다.

㉑ '-더라, -던'과 '-든지'는 다음과 같이 적는다.

㉠ 지난 일을 나타내는 어미는 '-더라, -던'으로 적는다.

예 지난 겨울은 몹시 춥더라. 그 사람 말 잘하던데!

㉡ 물건이나 일의 내용을 가리지 아니하는 뜻을 나타내는 조사와 어미는 '-든지'로 적는다.

예 배든지 사과든지 마음대로 먹어라. 가든지 오든지 마음대로 해라.

2019. 4. 6. 소방공무원

밑줄 친 어휘가 옳지 않은 것은?

① 그는 나에게도 손을 벌렸다.
② 자동차가 가로수에 부딪쳤다.
③ 이따가 3시에 집 앞에서 만나자.
④ 과녁을 맞춘 화살이 하나도 없다.

✱

④ '맞추다'와 '맞히다'는 구별해서 써야 한다. '맞추다'는 '옷을 맞추다'에서 '맞추다'처럼 대응하는 것과 잘 들어맞는지를 따지는 경우에 사용하고 '맞히다'는 어떤 문제나 시험을 해결하다는 의미를 나타낼 때 사용한다. 예를 들면 '국어 시험 정답을 정답지와 맞추다'와 '선생님께서 내주신 국어 문제를 맞히다'로, 그 의미에 따라 구별해서 쓴다.

답 ④

(3) 띄어쓰기

① 조사는 그 앞말에 붙여 쓴다.

예 꽃이, 꽃마저, 꽃처럼, 어디까지나, 웃고만

② 의존 명사는 띄어 쓴다.

예 아는 것, 먹을 만큼, 그가 떠난 지

③ 단위를 나타내는 명사는 띄어 쓴다.

예 한 개, 차 한 대, 열 살, 금 서 돈, 두 켤레

④ 수를 적을 적에는 '만(萬)' 단위로 띄어 쓴다.

예 십이억 삼천사백오십육만 칠천팔백구십팔, 12억 3456만 7898

⑤ 두 말을 이어 주거나 열거할 적에 쓰이는 다음의 말들은 띄어 쓴다.

예 국장 겸 과장, 열 내지 스물, 청군 대 백군, 이사장 및 이사들

⑥ 단음절로 된 단어가 연이어 나타날 적에는 붙여 쓸 수 있다.

예 좀더 큰것, 이말 저말, 한잎 두잎

⑦ 보조 용언은 띄어 씀을 원칙으로 하되, 경우에 따라 붙여 씀도 허용한다.

예 꺼져 간다, 막아 낸다, 올 듯하다(원칙) / 꺼져간다, 막아낸다, 올듯하다(허용)

⑧ 성과 이름, 성과 호 등은 붙여 쓰고, 이에 덧붙는 호칭어, 관직명 등은 띄어 쓴다.

예 김양수, 채영신 씨, 최치원 선생

기출예제 02 2019. 4. 6. 소방공무원

띄어쓰기가 틀린 문장은?

① 내가∨믿을∨것은∨오직∨성실함뿐이다.
② 그녀는∨사실을∨아는∨대로∨설명했다.
③ 이∨약초는∨감기를∨낫게∨하는데∨쓰인다.
④ 사람들은∨그를∨자기밖에∨모른다고∨놀렸다.

*

③ '하는데'의 '데'는 장소나 일, 경우의 의미로 쓰이는 의존명사로 '하는 데'로 앞말과 띄어 쓴다. 연결어미인 '-ㄴ데'와 구별할 줄 알아야 한다.

답 ③

2. 표준어 규정

(1) 주요 표준어

① 다음 단어들은 거센소리를 가진 형태를 표준어로 삼는다.

예 끄나풀, 빈 칸, 부엌, 살쾡이, 녘

② 어원에서 멀어진 형태로 굳어져서 널리 쓰이는 것은, 그것을 표준어로 삼는다.

예 강낭콩, 사글세, 고삿

③ 다음 단어들은 의미를 구별함이 없이, 한 가지 형태만을 표준어로 삼는다.

예 돌, 둘째, 셋째, 넷째, 열두째, 빌리다

④ 수컷을 이르는 접두사는 '수-'로 통일한다.

예 수꿩, 수소, 수나사, 수놈, 수사돈, 수은행나무

⑤ 양성 모음이 음성 모음으로 바뀌어 굳어진 다음 단어는 음성 모음 형태를 표준어로 삼는다.

예 깡충깡충, -둥이, 발가숭이, 보퉁이, 뻗정다리, 아서, 아서라, 오뚝이, 주추

⑥ ‘ㅣ’ 역행 동화 현상에 의한 발음은 원칙적으로 표준 발음으로 인정하지 아니한다.

㉠ 다음 단어들은 그러한 동화가 적용된 형태를 표준어로 삼는다.

예 풋내기, 냄비, 동댕이치다

㉡ 다음 단어는 ‘ㅣ’ 역행 동화가 일어나지 아니한 형태를 표준어로 삼는다.

예 아지랑이

㉢ 기술자에게는 ‘-장이’, 그 외에는 ‘-쟁이’가 붙는 형태를 표준어로 삼는다.

예 미장이, 유기장이, 멋쟁이, 소금쟁이, 담쟁이덩굴

⑦ 다음 단어는 모음이 단순화한 형태를 표준어로 삼는다.

예 괴팍하다, 미루나무, 미륵, 여느, 으레, 케케묵다, 허우대

⑧ 다음 단어에서는 모음의 발음 변화를 인정하여, 발음이 바뀌어 굳어진 형태를 표준어로 삼는다.

예 깍쟁이, 나무라다, 바라다, 상추, 주책, 지루하다, 튀기, 허드레, 호루라기, 시러베아들

⑨ ‘웃-’ 및 ‘윗-’은 명사 ‘위’에 맞추어 ‘윗-’으로 통일한다.

예 윗도리, 윗니, 윗목, 윗몸, 윗자리, 윗잇몸

⑩ 한자 ‘구(句)’가 붙어서 이루어진 단어는 ‘귀’로 읽는 것을 인정하지 아니하고, ‘구’로 통일한다.

예 구절(句節), 결구(結句), 경구(警句), 단구(短句), 대구(對句), 문구(文句), 어구(語句), 연구(聯句)

(2) 표준 발음법

표준 발음법은 표준어의 실제 발음을 따르되, 국어의 전통성과 합리성을 고려하여 정함을 원칙으로 한다.

① 겹받침 ‘ㄳ’, ‘ㄵ’, ‘ㄼ, ㄽ, ㄾ’, ‘ㅄ’은 어말 또는 자음 앞에서 각각 [ㄱ, ㄴ, ㄹ, ㅂ]으로 발음한다.

예 넋[넉], 넋과[넉꽈], 앉다[안따], 여덟[여덜], 넓다[널따], 외곬[외골], 핥다[할따], 값[갑], 없다[업ː 따]

② ‘밟-’은 자음 앞에서 [밥]으로 발음하고, ‘넓-’은 다음과 같은 경우에 [넙]으로 발음한다.

예 밟다[밥ː 따], 밟는[밤ː 는], 넓죽하다[넙쭈카다], 넓둥글다[넙뚱글다]

③ 겹받침 ‘ㄺ, ㄻ, ㄿ’은 어말 또는 자음 앞에서 각각 [ㄱ, ㅁ, ㅂ]으로 발음한다.

예 닭[닥], 흙과[흑꽈], 맑다[막따], 늙지[늑찌], 삶[삼ː], 젊다[점ː 따], 읊고[읍꼬], 읊다[읍따]

④ 용언의 어간 ‘맑-’의 ‘ㄺ’은 ‘ㄱ’ 앞에서 [ㄹ]로 발음한다.

예 맑게[말께], 묽고[물꼬], 얽거나[얼꺼나]

⑤ ‘ㅎ(ㄶ, ㅀ)’ 뒤에 ‘ㄱ, ㄷ, ㅈ’이 결합되는 경우에는, 뒤 음절 첫소리와 합쳐서 [ㅋ, ㅌ, ㅊ]으로 발음한다.

예 놓고[노코], 좋던[조ː 턴], 쌓지[싸치], 많고[만ː 코], 닳지[달치]

⑥ ‘ㅎ(ㄶ, ㅀ)’ 뒤에 모음으로 시작된 어미나 접미사가 결합되는 경우에는, ‘ㅎ’을 발음하지 않는다.

예 낳은[나은], 놓아[노아], 쌓이다[싸이다], 싫어도[시러도]

⑦ 받침 뒤에 모음 ‘ㅏ, ㅓ, ㅗ, ㅜ, ㅟ’들로 시작되는 실질 형태소가 연결되는 경우에는, 대표음으로 바꾸어서 뒤 음절 첫소리로 옮겨 발음한다.

예 밭 아래[바다래], 늪 앞[느밥], 젖어미[저더미], 맛없다[마덥따], 겉옷[거돋]

⑧ 한글 자모의 이름은 그 받침소리를 연음하되, 'ㄷ, ㅈ, ㅊ, ㅋ, ㅌ, ㅍ, ㅎ'의 경우에는 특별히 다음과 같이 발음한다.

㉠ 디귿이[디그시], 지읒이[지으시], 치읓이[치으시], 키읔이[키으기], 티읕이[티으시]

⑨ 받침 'ㄷ, ㅌ(ㄾ)'이 조사나 접미사의 모음 'ㅣ'와 결합되는 경우에는, [ㅈ, ㅊ]으로 바꾸어서 뒤 음절 첫소리로 옮겨 발음한다.

㉠ 곧이듣다[고지듣따], 굳이[구지], 미닫이[미다지], 땀받이[땀바지]

⑩ 받침 'ㄱ(ㄲ, ㅋ, ㄳ, ㄺ), ㄷ(ㅅ, ㅆ, ㅈ, ㅊ, ㅌ, ㅎ), (ㅍ, ㄼ, ㄿ, ㅄ)'은 'ㄴ, ㅁ' 앞에서 [ㅇ, ㄴ, ㅁ]으로 발음한다.

㉠ 먹는[멍는], 국물[궁물], 깎는[깡는], 키읔만[키응만], 몫몫이[몽목씨], 긁는[긍는], 흙만[흥만]

⑪ 받침 'ㅁ, ㅇ' 뒤에 연결되는 ' '은 [ㄴ]으로 발음한다.

㉠ 담력[담: 녁], 침략[침냑], 강릉[강능], 대통령[대: 통녕]

2019. 4. 6. 소방공무원

밑줄 친 단어의 표준 발음으로 옳지 않은 것은?

① 보름에는 달이 밝다. [박따]

② 마루에 등불이 켜져 있다. [등뿔]

③ 음식이 앞마당에 차려져 있다. [암마당]

④ 여기저기 다니며 막일이라도 하자. [마길]

✱

④ 막일 → [막닐](ㄴ 첨가) → [망닐](교체 : 비음화)

① 밝다 → [박다](탈락 : 자음군단순화) → [박따](교체 : 된소리되기)

② 등불 → [등뿔](교체 : 된소리되기)

③ 앞마당 → [압마당](교체 : 음절의 끝소리 규칙) → [암마당](교체 : 비음화)

답 ④

section 2 외래어와 로마자

1. 외래어 표기법

(1) 개념

외래어를 우리 글로 적는 방법을 나타낸 규정

(2) 표기의 기본 원칙

제1항 외래어는 국어의 현용 24 자모만으로 적는다.

예 [v]는 국어에는 없는 소리여서 현용 국어자음으로 바꿔 쓴다.

제2항 외래어의 1음운은 원칙적으로 1기호로 적는다.

예 [f]는 'ㅎ'이나 'ㅍ'으로 소리나지만 이 중 1개의 기호로 적는다.

제3항 받침에는 'ㄱ, ㄴ, ㄹ, ㅁ, ㅂ, ㅅ, ㅇ'만을 쓴다.

예 받침 [t]는 [ㄷ]처럼 소리나지만 표기에서는 [ㄷ]으로 쓸 수 없다.
internet – '인터넫'이 아닌 '인터넷'으로 적는다.

제4항 파열음 표기에는 된소리를 쓰지 않는 것을 원칙으로 한다.

예 [p]는 발음이 된소리 [ㅃ]으로 나기도 하지만 된소리로 적지 않는다.

제5항 이미 굳어진 외래어는 관용을 존중하되 그 범위와 용례는 따로 정한다.

예 외래어 표기법에 따르면 '모델(model)'은 '마들'로 라디오(radio)는 '레이디오'로 바꿔 적어야 하지만 이미 오래 전부터 쓰여 굳어졌으므로 관용을 존중한다.

2. 로마자 표기법의 개념과 원리

(1) 개념

국어를 로마자로 표기하는 방법을 나타낸 규정(외국인들이 우리나라의 말을 편리하게 읽도록 도와주기 위함)

(2) 표기의 기본 원칙

제1항 국어의 로마자 표기는 국어의 표준 발음법에 따라 적는 것을 원칙으로 한다.

제2항 로마자 이외의 부호는 되도록 사용하지 않는다.

① 자음의 로마자 표기법

㉠ 파열음

ㄱ	ㄲ	ㅋ	ㄷ	ㄸ	ㅌ	ㅂ	ㅃ	ㅍ
g, k	kk	k	d, t	tt	t	b, p	pp	p

㉡ 파찰음

ㅈ	ㅉ	ㅊ
j	jj	ch

㉢ 마찰음

ㅅ	ㅆ	ㅎ
s	ss	h

㉣ 비음

ㄴ	ㅁ	ㅇ
n	m	ng

㉤ 유음

ㄹ
r, l

② 모음의 로마자 표기법

㉠ 단모음

ㅏ	ㅓ	ㅗ	ㅜ	ㅡ	ㅣ	ㅐ	ㅔ	ㅚ	ㅟ
a	eo	o	u	eu	i	ae	e	oe	wi

㉡ 이중 모음

ㅑ	ㅕ	ㅛ	ㅠ	ㅒ	ㅖ	ㅘ	ㅙ	ㅝ	ㅞ	ㅢ
ya	yeo	yo	yu	yae	ye	wa	wae	wo	we	ui

(3) 로마자 표기의 유의점

제1항 음운의 변화가 일어날 때는 변화의 결과에 따라 적는다. (글자와 발음이 상이한 경우에는 발음을 기준으로 표기함)

예 해돋이[해도지](haedoji)

제2항 발음상의 혼동의 우려가 있을 때에는 음절 사이에 붙임표(−)를 쓸 수 있다.

예 중앙(jung−ang)

제3항 고유명사는 첫 글자를 대문자로 적는다.

예 부산(Busan)

제4항 인명은 성과 이름의 순서로 띄어 쓴다. 이름은 붙여 쓰는 것을 원칙으로 하되 음절 사이에 붙임표(−)를 쓰는 것을 허용한다.

예 한복남(Han Boknam, Han Bok−nam)

제5항 '도, 시, 군, 읍, 면, 리, 동'의 행정구역 단위와 '가'는 각각 'do, si, gun, eup, myeon, ri, dong, ga'로 적고 그 앞에는 붙임표(−)를 넣는다. 붙임표 앞뒤에서 일어나는 음운변화는 표기에 반영하지 않는다.

예 제주도(jeju−do)

제6항 자연 지형물 , 문화재명, 인공 축조물명은 붙임표(−) 없이 쓴다.

예 남산(Namsan), 독도(Dokdo)

제7항 인명, 회사명, 단체명 등은 규정에 맞지 않더라도 그동안 써 온 표기를 쓸 수 있다.

예 현대(Hyundai), 삼성(Samsung)

2018. 10. 13. 소방공무원

1 외래어 표기가 옳은 것은?

① cafe – 까페
② vision – 비젼
③ jazz – 재즈
④ supermarket – 수퍼마켓

TIPS!

① cafe – 카페
② vision – 비전
④ supermarket – 슈퍼마켓

2018. 10. 13. 소방공무원

2 〈자료〉를 바탕으로 〈보기〉의 문장을 작성하였다. 〈보기〉의 문장 중 띄어쓰기가 옳은 것끼리 묶인 것은?

〈자료〉

[한글 맞춤법]
- 제2항 – 문장의 각 단어는 띄어 씀을 원칙으로 한다.
- 제41항 – 조사는 그 앞말에 붙여 쓴다.
- 제42항 – 의존 명사는 띄어 쓴다.
- 제43항 – 단위를 나타내는 명사는 띄어 쓴다.

〈보기〉

㉠ 당신이 문득 나를 알아볼 때까지.
㉡ 한국인 만큼 부지런한 민족이 있을까?
㉢ 돈을 많이 모아서 멋진 집 한 채를 샀다.
㉣ 무궁화는 자랑스럽고 아름다운 꽃 입니다.

① ㉠, ㉡
② ㉠, ㉢
③ ㉡, ㉣
④ ㉢, ㉣

Answer 1.③ 2.②

TIPS!

ⓒ 체언 뒤에 바로 붙는 '만큼'은 조사이므로 제41항에 따라 '한국인'에 붙여 쓴다.
ⓔ '입니다'는 서술격 조사 '이다'의 활용으로 제41항에 따라 '꽃'에 붙여 쓴다.

국어

2017. 4. 8. 인사혁신처

3 밑줄 친 부분이 어문 규정에 맞는 것은?

① 병이 씻은 듯이 낳았다.
② 넉넉치 못한 선물이나 받아 주세요.
③ 그는 자물쇠로 책상 서랍을 잠갔다.
④ 옷가지를 이여서 밧줄처럼 만들었다.

TIPS!

① 낳았다 → 나았다
② 넉넉치 → 넉넉지
④ 이여서 → 이어서

한국사

2017. 6. 24. 제2회 서울특별시

4 다음 중 제시된 단어의 표준 발음과 로마자 표기가 모두 옳은 것은?

① 선릉[선능] – Seonneung
② 학여울[항녀울] – Hangnyeoul
③ 낙동강[낙똥강] – Nakddonggang
④ 집현전[지편전] – Jipyeonjeon

영어

TIPS!

① 선릉[설릉] – Seolleung
③ 낙동강[낙똥강] – Nakdonggang
④ 집현전[지편전] – Jiphyeonjeon

Answer 3.③ 4.②

2016. 4. 9. 인사혁신처

5 띄어쓰기가 옳은 것은?

① 그는 우리 시대의 스승이라기 보다는 자상한 어버이이다.
② 그는 황소 같이 일을 했다.
③ 하루 종일 밥은 커녕 물 한 모금도 마시지 못했다.
④ 내 모자는 그것하고 다르다.

TIPS!
① 그는 우리 시대의 스승이라기보다는 자상한 어버이이다.(격조사+보조사)
② 그는 황소같이 일을 한다.(격조사)
③ 하루 종일 밥은커녕 물 한 모금도 마시지 못했다.(보조사)

2016. 6. 18. 제1회 지방직

6 맞춤법에 맞는 것은?

① 희생을 치뤄야 대가를 얻을 수 있다.
② 내로라하는 선수들이 뒤쳐진 이유가 있겠지.
③ 방과 후 삼촌 댁에 들른 후 저녁에 갈 거여요.
④ 가스 밸브를 안 잠궈 화를 입으리라고는 전혀 생각지 못했다.

TIPS!
① 치뤄야 → 치러야 ② 뒤쳐진 → 뒤처진 ④ 잠궈 → 잠가

2016. 6. 25. 서울특별시

7 다음 중 표준어로만 묶인 것은?

① 끄나풀 – 새벽녘 – 삵쾡이 – 떨어먹다
② 뜬게질 – 세째 – 수평아리 – 애닯다
③ 치켜세우다 – 사글세 – 설거지 – 수캉아지
④ 보조개 – 숫양 – 광우리 – 강낭콩

TIPS!
① 삵쾡이 → 살쾡이, 떨어먹다 → 털어먹다
② 세째 → 셋째, 애닯다 → 애달프다
④ 광우리 → 광주리, 강남콩 → 강낭콩

Answer 5.④ 6.③ 7.③

2016. 6. 25. 서울특별시

8 다음 중 띄어쓰기가 옳은 것은?

① 대화를∨하면∨할수록∨타협점은∨커녕∨점점∨갈등만∨커지게∨되었다.
② 창문∨밖에∨소리가∨나서∨봤더니∨바람∨소리∨밖에∨들리지∨않았다.
③ 그∨만큼∨샀으면∨충분하니∨가져갈∨수∨있을만큼만∨상자에∨담으렴.
④ 나는∨나대로∨갈∨데가∨있으니∨너는∨네가∨가고∨싶은∨데로∨가거라.

TIPS!

① 대화를 하면 할수록 타협점은커녕(조사) 점점 갈등만 커지게 되었다.
② 창문 밖에 소리가 나서 봤더니 바람 소리밖에(조사) 들리지 않았다.
③ 그만큼 샀으면 충분하니 가져갈 수 있을 만큼만(의존명사) 상자에 담으렴.

Answer 8.④

국어
한국사
영어

Let's check it out

02 출제예상문제

1 다음 한글 맞춤법 총칙 제1항의 원칙에 따라 다음의 예를 옳게 구분한 것은?

> 한글 맞춤법은 표준어를 소리대로 적되, 어법에 맞도록 함을 원칙으로 한다.

㉠ 지붕	㉡ 의논
㉢ 타향살이	㉣ 오세요
㉤ 합격률	㉥ 붙이다

	'소리대로 적은 원칙'에 따른 예	'어법에 맞도록 한 원칙'에 따른 예
①	㉠㉡㉣	㉢㉤㉥
②	㉠㉡㉤	㉢㉣㉥
③	㉡㉣㉥	㉠㉢㉤
④	㉢㉤㉥	㉠㉡㉣

TIPS!

한글 표기는 발음대로 적되 어법에 맞게 적는 것을 원칙으로 한다. 즉 어법에 맞도록 표기할 때는 한 낱말에 들어 있는 형태소를 분명히 드러내어 적어야만 한다. 다만 표기 방식과 의미 파악 사이에 아무런 관련성이 없으면 발음대로 적는다.

※ 발음대로 적은 원칙

㉠ '지붕 = 집+ 웅'으로 [지붕] 발음 그대로 적은 것이다.

㉡ '의논(議論)의 論은 원래 음이 [론]인데 '의논'으로 적은 것으로 발음대로 적은 것이다.

㉣ '오시어요'의 준말은 '오셔요'가 어법에 맞는 것이지만, '오세요'를 표준어로 인정한 것은 소리 나는 대로 적은 것으로 볼 수 있다.

Answer 1.①

2 어문 규정에 모두 맞게 표기된 문장은?

① 휴계실 안이 너무 시끄러웠다.
② 오늘은 웬지 기분이 좋습니다.
③ 밤을 세워 시험공부를 했습니다.
④ 아까는 어찌나 배가 고프던지 아무 생각도 안 나더라.

TIPS!
① 휴계실 → 휴게실
② 웬지 → 왠지
③ 세워 → 새워

3 다음 중 밑줄 친 부분의 맞춤법 표기가 바른 것은?

① 벌레 한 마리 때문에 학생들이 법썩을 떨었다.
② 실낱같은 희망을 버리지 않고 있다.
③ 오뚜기 정신으로 위기를 헤쳐나가야지.
④ 더우기 몹시 무더운 초여름 날씨를 예상한다.

TIPS!
① 법썩 → 법석 ③ 오뚜기 → 오뚝이 ④ 더우기 → 더욱이
※ 기타 주의해야 할 맞춤법 규정

바른 표기	잘못된 표기	바른 표기	잘못된 표기
예삿일	예사일	사글세	삭월세
일찍이	일찌기	살코기	살고기
백분율	백분률	설거지	설겆이
수놈	숫놈	싫증나다	실증나다
숫염소	수염소	부조	부주

Answer 2.④ 3.②

4 그 단어의 표기와 발음이 어문 규정상 옳지 않은 것은?

① 웃옷 – [우돋] ② 윗잇몸 – [위딘몸]
③ 윗변(–邊) – [윋뼌] ④ 웃돈 – [욷똔]

TIPS!

② [위딘몸]→[윈닌몸]. 다음 음절의 초성이 'ㅣ, ㅑ, ㅕ, ㅛ, ㅠ'로 시작할 때에는 'ㄴ'이 첨가하여 발음한다.

5 밑줄 친 부분이 어법에 맞게 표기된 것은?

① 박 사장은 자기 돈이 어떻게 쓰여지는 지도 몰랐다.
② 그녀는 조금만 추어올리면 기고만장해진다.
③ 나룻터는 이미 사람들로 가득 차 있었다.
④ 우리들은 서슴치 않고 차에 올랐다.

TIPS!

추어올리다…'실제보다 높여 칭찬하다'의 뜻으로 쓰인다.
※ 추켜올리다와 추어올리다
'위로 끌어 올리다'의 뜻으로 사용될 때는 '추켜올리다'와 '추어올리다'를 함께 사용할 수 있지만 '실제보다 높여 칭찬하다'의 뜻으로 사용될 때는 '추어올리다'만 사용해야 한다.

6 외래어 표기가 옳은 것은?

① 뷔페 – 초콜렛 – 컬러 ② 컨셉 – 서비스 – 윈도
③ 파이팅 – 악세사리 – 리더십 ④ 플래카드 – 로봇 – 캐럴

TIPS!

① 초콜렛→초콜릿
② 컨셉→콘셉트
③ 악세사리→액세서리

Answer 4.② 5.② 6.④

7 밑줄 친 단어 중 우리말의 어문 규정에 따라 맞게 쓴 것은?

① 윗층에 가 보니 전망이 정말 좋다.
② 뒷편에 정말 오래된 감나무가 서 있다.
③ 그 일에 익숙지 못하면 그만 두자.
④ 생각컨대, 그 대답은 옳지 않을 듯하다.

TIPS!

어간의 끝음절 '하'가 아주 줄 적에는 준 대로 적는다〈한글맞춤법 제40항 붙임2〉.

① 윗층 → 위층
② 뒷편 → 뒤편
④ 생각컨대 → 생각건대

※ 어간의 끝음절 '하'가 줄어드는 말

본말	준말
거북하지	거북지
생각하건대	생각건대
생각하다 못해	생각다 못해
깨끗하지 않다	깨끗지 않다
넉넉하지 않다	넉넉지 않다
못하지 않다	못지않다
섭섭하지 않다	섭섭지 않다
익숙하지 않다	익숙지 않다

8 다음 중 잘못 표기된 것으로만 묶인 것은?

> ㉠ 백분률
> ㉡ 떡복이
> ㉢ 내가 갈께
> ㉣ 요컨대
> ㉤ 촛점

① ㉠㉡㉢
② ㉡㉢㉣
③ ㉢㉣㉤
④ ㉠㉢㉤

TIPS!

㉠ 백분률 → 백분율
㉢ 내가 갈께 → 내가 갈게
㉤ 촛점 → 초점

Answer 7.③ 8.④

국어
한국사
영어

03 독서

section 1 읽기의 과정과 방법

(1) 읽기의 과정

① 주제 파악하기의 과정 … 형식 문단의 내용 요약→내용 문단으로 묶어 중심 내용 파악→각 내용 문단의 중심 내용 간의 관계 이해→전체적인 주제 파악

② 주제를 찾는 방법

㉠ 주제가 겉으로 드러난 글 : 설명문, 논설문 등이 있다.

- 글의 주제 문단을 찾는다. 주제 문단의 요지가 주제이다.
- 대개 3단 구성이므로 끝 부분의 중심 문단에서 주제를 찾는다.
- 중심 소재(제재)에 대한 글쓴이의 입장이 나타난 문장이 주제문이다.
- 제목과 밀접한 관련이 있음에 유의한다.

㉡ 주제가 겉으로 드러나지 않는 글 : 문학적인 글이 이에 속한다.

- 글의 제재와 그에 대한 글쓴이의 의견이나 생각을 연결시키면 바로 주제를 찾을 수 있다.
- 제목이 상징하는 바가 주제가 될 수 있다.
- 인물이 주고받는 대화의 화제나, 화제에 대한 의견이 주제일 수도 있다.
- 글에 나타난 사상이나 내세우는 주장이 주제가 될 수도 있다.
- 시대적 · 사회적 배경에서 글쓴이가 추구하는 바를 찾을 수 있다.

③ 세부 내용 파악하기

㉠ 제목을 확인한다.

㉡ 주요 내용이나 핵심어를 확인한다.

㉢ 지시어나 접속어에 유의하며 읽는다.

㉣ 중심 내용과 세부 내용을 구분한다.

㉤ 내용 전개 방법을 파악한다.

㉥ 사실과 의견을 구분하여 내용의 객관성과 주관성을 파악한다.

④ **비판하며 읽기** … 글에 제시된 정보를 정확하게 이해하기 위하여 내용의 적절성을 비평하고 판단하며 읽는 것을 말한다.

⑤ **추론하며 읽기** … 글 속에 명시적으로 드러나 있지 않은 내용 및 과정과 구조에 관한 정보를 논리적 비약 없이 추측하거나 상상하며 읽는 것을 말한다.

2019. 4. 6 소방공무원

다음 글의 내용에 대한 이해로 가장 적절한 것은?

> 비극은 극 양식을 대표한다. 비극은 고대 그리스 시대부터 발전해 온 오랜 역사를 가지고 있다. 비극은 고양된 주제를 묘사하며, 불행한 결말을 맺게 된다. 그러나 비극의 개념은 시대와 역사에 따라 변하고 있다. 그리스 시대의 비극은 비극적 결함이라고 하는 운명의 요건으로 인하여 파멸하는 인간의 모습을 그려 냈다. 근대의 비극은 성격의 문제나 상황의 문제로 인하여 패배하는 인간의 모습을 보여 준다.
>
> 비극은 그 본질적 속성이 역사적이라기보다 철학적 이다. 비극의 주인공으로는 일상적인 주변 인간들보다 고귀하고 비범한 인물을 등장시킨다. 그런데 이 주인공은 이른바 비극적 결함이라고 하는 운명적 특징을 지니고 있다. 비극의 관객들은 이 주인공의 비극적 운명에 대한 공포와 비애를 체험하면서 카타르시스에 이르게 된다. 아리스토텔레스는 이 같은 주장에 의해서 비극을 인간의 삶의 중심에 위치시킨다. 아리스토텔레스는 비극의 결말이 불행하게 끝나는 것이 좋다고 보았으나, 불행한 결말이 비극에 필수적이라고는 생각하지 않았다. 사실 그리스 비극 가운데 결말이 좋게 끝나는 작품도 적지 않다.

① 비극적 결함에 의해 파멸되어 가는 인간의 모습을 담은 것이 근대 비극이다.
② 아리스토텔레스는 그리스 비극이 모두 불행한 결말로 끝이 나야 하는 것으로 보았다.
③ 그리스 시대 비극의 특징은 성격이나 상황의 문제로 인해 패배하는 인간의 모습을 보여 준다.
④ 관객들은 비극을 통해 비범한 인간들의 운명에 대한 공포와 비애를 경험하면서 카타르시스에 이르게 된다.

✱

1문단의 중심내용은 비극의 개념이고, 2문단의 중심내용은 비극의 본질적 속성이다. 관객은 비극에 등장한 비범한 인물의 비극적 결말을 보면서 카타르시스에 이르게 된다는 점이 바로 아리스토텔레스가 비극을 인간의 삶의 중심에 위치시킨 이유이다.
① 비극적 결함에 의해 파멸되어 가는 인간의 모습을 담은 것은 그리스 시대의 비극이다.
② 아리스토텔레스는 비극의 결말이 불행하게 끝나는 것이 좋다고 보았으나 필수적이라고는 생각하지 않았다.
③ 성격이나 상황의 문제로 인해 패배하는 인간의 모습을 보여 주는 것은 근대 비극의 특징이다.

답 ④

(2) 읽기의 즐거움과 보람

① 상상의 즐거움

㉠ 간접성 : 문학은 언어로 이루어지므로 언어 기호를 통하여 모든 것을 상상하게 하고 이러한 간접성이 더욱 풍요롭고 다양한 상상을 가능하게 해 준다.

㉡ 창조성 : 문학은 사실의 기록이 아니라 그럴 듯하게 꾸며 낸 것이므로 독창적이고 새로우며 이 독창성과 신기성이 참신한 상상을 가능하게 한다.

㉢ 다양성 : 문학은 상징성과 전형성을 지닌 형상으로 제시되므로 여러 가지 다양한 의미를 갖게 되는데 이 의미의 다양성을 통해 상상의 풍요로움을 맛보고 상상력을 기를 수 있다.

② 깨닫는 보람 … '나'와 세상의 의미 있는 관계를 다룬 문학 작품을 읽음으로써 우리는 세상과 '나'의 관계에 대한 체험과 깨달음을 넓히는 보람을 맛보게 된다.

section 2 독서와 배경 지식

(1) 배경 지식의 뜻

경험을 통해 습득되어 독자의 머릿속에 구조화되어 저장되어 있으면서 어떤 글의 독해 과정에서 독해의 밑바탕이 되는 지식으로, 사전 지식 또는 스키마(schema)라고도 한다.

(2) 배경 지식의 특징

① 배경 지식은 경험의 소산이며 어느 한 사상이나 개념에 대한 배경 지식은 사람마다 다르다.

② 배경 지식은 정보를 일관성 있게 재구성해 준다.

③ 배경 지식은 많은 정보 중에서 필요한 정보를 선택적으로 받아들이며, 그 내용을 재편집 · 요약하는 역할을 한다.

2019. 4. 6. 소방공무원

▌1~2▐ 다음 글을 읽고 물음에 답하시오.

도르래는 둥근 바퀴에 튼튼한 줄을 미끄러지지 않도록 감아 무거운 물체를 들어 올리는 데 사용하는 도구이다. 가장 기본이 되는 도르래는 고정 도르래와 움직 도르래이다. 그렇다면 두 도르래의 차이는 어떤 것이 있을까?

우선 고정 도르래부터 살펴보도록 하자. 고정 도르래는 힘의 방향만 바꾸어 주는 도르래로 줄을 감은 바퀴의 중심축이 고정되어 있다. 힘의 이득을 볼 수는 없지만, 힘의 작용 방향을 바꿀 수 있는 장점이 있다. 고정 도르래를 사용할 때는 줄의 한쪽에 물체를 걸고 다른 쪽 줄을 잡아당겨 물체를 원하는 높이까지 움직인다. 이때 물체를 들어 올리는 힘은 줄 하나가 지탱하고 있다. 따라서 직접 들어 올리는 것과 비교해 힘의 이득은 없으며 단지 고정 도르래 때문에 줄을 당기는 힘의 방향만 바뀐다. 하지만 물체를 높은 곳으로 직접 들어 올리는 것보다는 줄을 아래로 잡아당김으로써 물체를 올리는 방법이 훨씬 편하다. 또한 물체를 1미터 들어 올리기 위해 잡아당기는 줄의 길이도 1미터면 된다.

한편 움직 도르래는 힘의 이득을 보기 위해 사용한다. 움직 도르래를 사용할 때는 도르래에 줄을 감고 물체를 들어 올린다. 움직 도르래는 도르래 축에 직접 물체를 매달기 때문에 줄을 당기면 물체와 함께 도르래도 움직인다. 이때 물체를 지탱하는 줄은 두 가닥이 된다. 물체의 무게는 각 줄에 분산되어 두 사람이 각각의 줄을 잡고 동시에 들어 올리는 효과가 난다. 따라서 움직 도르래 한 개를 사용하면 물체 무게의 2분의 1의 힘으로 물체를 움직일 수 있게 되는 것이다. 하지만 물체를 1미터 들어 올리기 위해 당겨야 하는 줄의 길이는 물체가 올라가는 높이의 두 배인 2미터이다. 왜냐하면 물체가 1미터 올라갈 때 물체를 지탱하는 두 줄도 동시에 1미터씩 움직여야 하는데, 줄을 당기는 쪽으로 줄이 감기게 되기 때문이다. 그래서 움직 도르래를 이용하여 물체를 들어 올리면 줄의 길이는 물체가 움직여야 하는 높이의 두 배가 필요하게 된다.

1 윗글의 내용과 일치하는 것은?

① 고정 도르래는 도르래 축에 물체를 직접 매달아 사용한다.
② 움직 도르래와 고정 도르래를 함께 사용해야 물체의 무게가 분산된다.
③ 움직 도르래로 물체를 들어 올릴 수 있는 높이는 줄의 길이에 영향을 받는다.
④ 고정 도르래는 줄을 당기는 힘의 방향과 물체에 작용하는 힘의 방향이 일치한다.

TIPS!

이 글은 도르래의 개념을 바탕으로 고정 도르래와 움직도르래의 특성을 비교하는 글이다. 고정도르래의 이점은 힘의 방향을 바꾸어준다는 점이지 힘의 큰 이득을 보지 못한다. 하지만 움직도르래는 물체를 축에 직접 매달고 물체를 지탱하는 두 가닥의 줄을 잡아당기기 때문에 힘의 이득이 발생한다고 한다. 그러다보니 물체를 1미터 들어올리기 위해서는 줄이 2배인 2미터가 필요하다고 한다.

① 도르래 축에 물체를 직접 매달아 사용하는 것은 움직도르래이다.
② 물체의 무게를 분산하는 것은 움직도르래이므로 둘을 함께 사용해야 하는 것은 아니다.
④ 고정도르래는 힘의 작용 방향을 바꾼다. 따라서 줄을 당기는 힘의 방향과 물체에 작용하는 힘의 방향은 서로 반대이다.

2 윗글의 내용 전개 방식으로 가장 적절한 것은?

① 구체적 사례를 통해 개념 이해를 돕고 있다.
② 대상의 차이점을 중심으로 특징을 설명하고 있다.
③ 대상의 인과 관계에 초점을 맞추어 설명하고 있다.
④ 특정 기술이 발달한 과정을 순서대로 제시하고 있다.

TIPS!

이 글은 고정도르래와 움직도르래를 대조하여 설명하고 있다. 즉, 둘의 차이점을 중심으로 그 특징을 설명한다.

Answer 1.③ 2.②

▌3~4▐ 다음 글을 읽고 물음에 답하시오.

㈎ 최근 들어 '낚이다'라는 표현을 사람에게 쓰고는 한다. 물론 글자 그대로의 의미는 아니다. 가령 인터넷상에서 호기심이나 관심을 발동시키는 기사 제목을 보고 그 기사를 읽어 보았지만, 그럴 만한 내용이 없었을 때 이런 표현을 사용한다. 즉 '낚이다'라는 말은 기사 제목이 던지는 미끼에 현혹되어 그것을 물었지만 소득 없이 기만만 당하였다는 의미이다. '낚시질'은 특히 인터넷상에서 벌어지는 특징적인 현상이다.

㈏ 캐나다의 매체 이론가인 마셜 맥루언은 "매체는 메시지이다."라고 하였다. 매체란 메시지를 전달하는 수단을 말하는데, 그것은 단순한 수단에 그치는 것이 아니라 메시지 자체라고 할 수 있을 만큼 메시지에 강력한 영향을 미친다. 그에 따르면 인간과 인간 사이에서 의사를 전달하는 언어는 물론이거니와 노동의 도구들조차 인간과 노동 대상 사이를 매개하는 물건이므로 매체에 속한다. 따라서 새로운 매체가 개발되면 그것을 통해 인간의 활동 영역이 훨씬 더 확대되므로 '매체는 인간의 확장'이라고 했다.

㈐ 매체가 가지는 능동적인 힘을 인정한다면, 매체가 단순히 메시지를 담는 그릇에 불과하다거나 중립적일 수도 있다는 견해는 환상에 지나지 않게 된다. 매체가 중립적이지 않다면 매체를 통해 전달되는 메시지들도 자연 중립적일 수가 없다. 앞서 인터넷상에서 벌어지는 신문 기사 제목의 '낚시질'을 문제 삼았지만 인터넷 이전의 언론 매체들이라고 해서 모두 공정하고 객관적인 보도를 해 왔다고는 보기 어려울 것이다.

㈑ 상업적이고 퇴폐적인 방송이나 기사, 자칫하면 국수주의로 흐를 수도 있는 스포츠 중계 등에 대한 우려가 지속되는 이유는 무엇일까? 이윤 동기에 지배당하는 매체 회사들에게 일차적인 책임을 물어야 하겠지만 손바닥도 혼자서는 소리를 낼 수 없는 법, 상업화로 균형 감각을 상실한 방송이나 기사를 흥미롭게 보는 수용자들에게도 책임이 있다. 남의 사생활을 몰래 들여다보고 싶어 하는 욕망, 불행한 사건 · 사고들을 수수방관하면서도 그 전말에 대해서는 시시콜콜히 알고 싶어 하는 호기심, 집단의 열광 속에 파묻혀 자신이 잃어버린 무엇인가를 보상받고 싶어 하는 수동적 삶의 태도 등은 황색 저널리즘과 '낚시질'이 성행하는 터전이 된다. 바로 '우리'가 그들의 숨은 동조자일 수 있다.

3 윗글로 알 수 있는 내용은?

① '낚시질'은 남의 사생활을 몰래 들여다보는 행위로, 인터넷상에서 벌어지는 특징적인 현상이다.
② 이윤 동기에 지배당하는 매체 회사들을 바로 상업적 방송의 '숨은 동조자'라 할 수 있다.
③ 신문 기사와 같은 매체 자료는 생산자의 주관적 동기에 영향을 받는다.
④ 매체 회사들이 생산한 매체 자료는 객관적이고 신뢰할 수 있다.

TIPS!

(가): 인터넷상에서 벌어지는 특징적인 현상인 '낚시질'을 예로 들어 논의를 시작하고 있다.
(나): 마셜 맥루언이라는 학자의 말을 인용하여 매체와 메시지의 관계를 말하며 이를 통해 매체가 인간에게 미치는 영향력을 설명하고 있다.
(다): 매체의 역할과 위상을 언급하며 매체의 중립적인 태도를 부정한다.
(라): 매체의 문제점을 확인한 후 매체 수용자들의 태도를 '숨은 동조자'로 비판하고 있다.
③ (다)에서는 매체가 가지는 능동적인 힘을 근거로 매체의 중립성에 대해 부정하고 있다. 즉, 매체 자료는 중립적인 것이 아니라 생산자의 주관적 동기에 영향을 받는다고 추론할 수 있다.
① '낚시질'은 호기심이나 관심을 발동시키는 기사 제목을 보고 그 기사를 읽어 보았지만, 그럴 만한 내용이 없었을 때 쓰는 표현이다.
② 상업화로 균형 감각을 상실한 방송이나 기사를 흥미롭게 보는 수용자들, 즉 '우리'가 '숨은 동조자'라 할 수 있다.
④ 매체가 중립적이지 않으므로, 매체를 통해 전달되는 메시지들도 자연 중립적일 수가 없다.

4 윗글에 드러난 설명 방식이 아닌 것은?

① 비교 ② 예시
③ 정의 ④ 인용

TIPS!

② (가)에서 '낚이다'라는 표현을 사용하는 예를 들고 있다.
③④ (나)에서 마셜 맥루언의 말을 인용하며, 매체에 대해 정의하고 있다.

Answer 3.③ 4.①

2018. 10. 13. 소방공무원

5 다음 글의 내용 전개 방식으로 적절한 것은?

> 국가 지정 문화재는 국보, 보물, 사적, 명승 등으로 나눌 수 있다. 국보는 보물에 해당하는 문화재 중 그 가치가 크고 유례가 드문 것이고, 보물은 건조물 · 전적 · 서적 · 회화 · 공예품 등의 유형 문화재 중 중요한 것이다. 사적은 기념물 중 유적 · 신앙 · 정치 · 국방 · 산업 등으로서 중요한 것이고, 명승은 기념물 중 경승지로서 중요한 것이다. 이외에도 천연기념물, 중요 무형 문화재, 중요 민속 문화재도 국가 지정 문화재에속한다.

① 분류 ② 서사
③ 대조 ④ 인과

TIPS!

문화재를 국보, 보물, 사적, 명승 등으로 분류(구분)하고 그에 대해 정의하고 있다.
① 분류 : 유개념의 외연에 포함된 종개념을 명확히 구분하여 체계적으로 정리
② 서사 : 어떤 사건의 변화나 대상의 움직임을 시간의 흐름에 따라 서술
③ 대조 : 사물의 특성을 그 상대되는 성질이나 차이점을 들어 설명
④ 인과 : 원인과 결과

국어

한국사

영어

Answer 5.①

2018. 10. 13. 소방공무원

▌6~7▌ 다음 글을 읽고 물음에 답하시오.

이런 통계 수치 본 적 있니? 현재 지구촌의 65억 인류 중 약 1/4이 하루 1달러 미만으로 살고 있고, 그 중 70%가 여성과 아이들이래. 또 약 20억 명의 전 세계 어린이 가운데 1억 2천만 명의 어린이가 학교에 가지 못하며, 비슷한 수의 어린이들이 거의 노예 노동을 하고 있어. 또한 매일 3만 명의 어린이들이 굶어 죽어 가고 있지.

그런데 이상한 점은 후진국 사람들이 게으르거나 나쁜 사람들이어서 평생 빈곤에 시달리는 것이 아니라는 거야. 그런데도 해가 갈수록 나아지기는커녕 빈익빈 부익부 현상이 깊어지지. 왜 그럴까?

그것은 대부분의 제3 세계 나라들이 선진국의 식민지 였거나 독립 이후 자유 무역에서도 여전히 종속적 위치여서 진정한 자치와 자율을 실현하고, 자립할 수 있는 기회가 없었기 때문이지. 또 그런 구조 속에 이뤄진 경제 발전조차 내실 없이 외형만 커졌던 탓이기도 하고. 그 결과 오늘날 선진국은 1인당 GDP가 3~4만 달러이고, 한국은 2만 달러 수준이지만, 제3 세계 나라들은 아직도 100~200달러 수준이 많아.

바로 이런 상황 속에서 선진국의 양심적 사람들 사이에서 나온 것이 공정 무역 운동이야. 한마디로 선진국 사람들이 누리는 풍요가 후진국 사람들의 희생에 기초하고 있다는 반성, 그래서 선진국 사람들이 먼저 나서서 후진국 사람들이 빈곤의 고통에서 벗어나게 도와야 한다는 성찰이 공정 무역을 탄생시킨 것이지.

공정 무역은 1950년대 말 영국의 국제 구호 단체 '옥스팜'에서 중국 난민들이 만든 수공예품을 판매하면서 시작되었고, 1980년대 후반에는 '옥스팜'과 '텐 사우전드 빌리지' 같은 시민 단체들이 제3 세계의 정치적 민주화를 지원하기 위해 이 운동에 뛰어들면서 그 흐름이 대중화되었어. 특히 1989년, 전 세계 270개 공정 무역 단체가 가입한 국제 공정 무역 협회의 출범 이후 지금은 세계적으로 그 운동이 활발하지.

〈중략〉

한 통계에 따르면, 2006년 전 세계 공정 무역 제품 판매는 16억유로(약 2조 1,500억 원)어치로, 2005년에 비해 42% 늘었대. 공정 무역 인증제품만 2,000여 개 품목이 유통되고, 700만 명 이상의 생산자들이 혜택을 보고 있어.

스위스에서는 판매되는 바나나 중 47%가 공정 무역으로 들여온 것이고, 영국에서는 공정 무역 원두커피의 점유율이 20%나 된다고 해. 독일에서는 노동계, 환경 단체, 기업이 위원회를 구성해 공정 무역을 인증하는 제도가 있어. 이 제도를 통해 농산물이 유기 농법으로 생산되도록, 또 농산물이 제값에 소비자에게 전달되도록 잘 감시하지.

이렇게 윤리적 소비 운동이 활발한 유럽에서는 공정무역이 50여 년의 오랜 역사를 지녔지만, 우리나라에서는 공정 무역이 아직 생소한 개념이야. 그러나 2000년대에 들어와 공정 무역에 대한 관심이 부쩍 늘었어. 2004년에 우리나라의 한 소비자 단체에서 필리핀 네그 로스 섬의 마스코바도 설탕을 팔기 시작하였고, 그 이후 점점 관심이 늘어나 몇몇 시민 단체에서도 커피, 의류 등의 공정 무역 제품을 내놓고 있지. '착한 커피'나 '아름다운 커피' 같은 것도 이런 운동에서 나온 거야.

2007년에는 한 은행의 노동조합과 소비자 단체가 연대하여 '윤리적 소비' 실천을 위한 물품 공급 협약식을 맺었어. 이 협약은 노동조합이 윤리적 소비 실천을 통해 친환경 유기농 운동을 펴는 농민이 생산한 농산물과 식품, 그리고 제3 세계의 농민 공동체에서 생산해 공정 무역으로 수입되는 제품을 소비하겠다고 다짐한 첫 사례라 큰 의미가 있다고 봐. 최근 강조되는 '1사 1촌 운동'을 통한 농촌 살리기가 공정 무역을 매개로 국경을 넘어 세계화할 수 있는 좋은 사례지.

6 윗글을 어떤 질문에 대한 답변이라 할 때, 그 질문으로 가장 적절한 것은?

① 공정 무역의 뜻은 무엇일까?
② 공정 무역의 문제나 한계는 없을까?
③ 공정 무역을 하면 우리에게 무엇이 좋을까?
④ 공정 무역은 언제 시작하였으며 현재의 실태는 어떠할까?

제시된 글은 공정 무역의 유래와 그 사례에 대해 설명하고 있다.

7 윗글의 내용과 일치하는 것은?

① 공정 무역은 선진국의 대기업에서 시작되었다.
② 후진국의 빈익빈 부익부 현상이 나아지고 있다.
③ 우리나라에서는 공정 무역이 50여 년의 역사를 지니고 있다.
④ '착한 커피'나 '아름다운 커피'도 공정 무역 운동의 하나이다.

TIPS!

① 공정 무역은 1950년대 말 영국의 국제 구호 단체 '옥스팜'에서 시작되었다.
② 해가 갈수록 빈익빈 부익부 현상이 깊어지고 있다.
③ 유럽에서는 공정 무역이 50여 년의 역사를 지녔지만, 우리나라에서는 아직 생소한 개념으로 2000년대에 들어와서 공정 무역에 대한 관심이 늘었다.

Answer 6.④ 7.④

2017. 12. 16. 지방직 추가선발

8 문맥에 따른 배열로 가장 적절한 것은?

> (가) 그러나 사람들은 소유에서 오는 행복은 소중히 여기면서 정신적 창조와 인격적 성장에서 오는 행복은 모르고 사는 경우가 많다.
> (나) 소유에서 오는 행복은 낮은 차원의 것이지만 성장과 창조적 활동에서 얻는 행복은 비교할 수 없이 고상한 것이다.
> (다) 부자가 되어야 행복해진다고 생각하는 사람은 스스로 부자라고 만족할 때까지는 행복해지지 못한다.
> (라) 하지만 최소한의 경제적 여건에 자족하면서 정신적 창조와 인격적 성장을 꾀하는 사람은 얼마든지 차원 높은 행복을 누릴 수 있다.
> (마) 자기보다 더 큰 부자가 있다고 생각될 때는 여전히 불만과 불행에 사로잡히기 때문이다.

① (나) – (라) – (가) – (다) – (마)
② (나) – (가) – (마) – (라) – (다)
③ (다) – (마) – (라) – (나) – (가)
④ (다) – (라) – (마) – (가) – (나)

(다) 화제 제시 → (마) (다)의 이유 → (라) 화제 전환(역접) → (나) (다)의 행복과 (라)의 행복에 대한 비교 → (가) 결론

2017. 6. 24. 제2회 서울특별시

9 문맥상 다음 ㉠에 들어갈 문장으로 가장 적절한 것은?

> 인간의 역사가 발전과 변화의 가능성을 내포하고 있는 반면, 자연사는 무한한 반복 속에서 반복을 반복할 뿐이다. 그런데 마르크스는 「1844년의 경제학 철학 수고」 말미에, "역사는 인간의 진정한 자연사이다"라고 적은 바 있다. 또한 인간의 활동에 대립과 통일이 있듯이, 자연의 내부에서도 대립과 통일은 존재한다. (㉠) 마르크스의 진의(眞意) 또한 인간의 역사와 자연사의 변증법적 지양과 일여(一如)한 합일을 지향했다는 것에 있을 것이다.

① 즉 인간과 자연은 상호 간에 필연적으로 경쟁할 수밖에 없다.
② 따라서 인간의 역사와 자연의 역사를 이분법적 대립 구도로 파악하는 것은 위험하다.
③ 즉 자연이 인간의 세계에 흡수 · 통합됨으로써 인간의 역사가 시작된다.
④ 그러나 인간사를 연구하는 일은 자연사를 연구하는 일보다 많은 노력이 요구된다.

Answer 8.③ 9.②

TIPS!

첫 문장에서 인간사와 자연사의 차이를 언급한 후 '그런데'로 이어지는 둘째 문장에서 첫 문장과 반대되는 의견을 진술한다. 따라서 ㉠에는 인간사와 자연사를 이분법적 대립 구도로 파악하는 것은 옳지 않다는 내용이 들어가고, 뒤로 인간사와 자연사의 변증법적 지양과 일여한 합일을 지향했다는 내용이 이어지는 것이 자연스럽다.

2016. 3. 19. 사회복지직

10 괄호 안에 들어갈 내용으로 가장 적절한 것은?

> 인간의 역사는 어떻게 보면 소유사(所有史)처럼 느껴진다. 보다 많은 자기네 몫을 위해 끊임없이 싸우고 있는 것 같다. 소유욕에는 한정도 없고 휴일도 없다. 그저 하나라도 더 많이 갖고자 하는 일념으로 출렁거리고 있다. 물건만으로는 성에 차질 않아 사람까지 소유하려 든다. 그 사람이 제 뜻대로 되지 않을 경우는 끔찍한 비극도 불사하면서. 제정신도 갖지 못한 처지에 남을 가지려 하는 것이다.
> (　　　　　　) 그것은 개인뿐 아니라 국가 간의 관계도 마찬가지다. 어제의 맹방들이 오늘에는 맞서게 되는가 하면, 서로 으르렁대던 나라끼리 친선 사절을 교환하는 사례를 우리는 얼마든지 보고 있다. 그것은 오로지 소유(所有)에 바탕을 둔 이해관계 때문이다. 만약 인간의 역사가 소유사에서 무소유사로 그 방향을 바꾼다면 어떻게 될까. 아마 싸우는 일은 거의 없을 것이다. 주지 못해 싸운다는 말은 듣지 못했다.

① 소유의 역사(歷史)는 이제 끝났다.
② 소유욕은 불가역적(不可逆的)이다.
③ 소유욕은 이해(利害)와 정비례한다.
④ 소유욕이 없어진 세상이 올 것이다.

TIPS!

괄호 뒤에 내용은 괄호의 내용에 대한 설명에 해당된다. 이해관계에 의해 국가 간의 관계가 바뀌는 사례에 대해 나오고, '그것은 오로지 소유에 바탕을 둔 이해관계 때문이다'는 문장을 통해 괄호 안에 들어갈 문장이 '소유욕은 이해와 정비례한다'가 됨을 알 수 있다.

Answer 10.③

2016. 6. 18. 제1회 지방직

11 다음 글의 제목으로 가장 적절한 것은?

> 어느 대학의 심리학 교수가 그 학교에서 강의를 재미없게 하기로 정평이 나 있는, 한 인류학 교수의 수업을 대상으로 실험을 계획했다. 그 심리학 교수는 인류학 교수에게 이 사실을 철저히 비밀로 하고, 그 강의를 수강하는 학생들에게만 사전에 몇 가지 주의 사항을 전달했다. 첫째, 그 교수의 말 한 마디 한 마디에 주의를 집중하면서 열심히 들을 것. 둘째, 얼굴에는 약간 미소를 띠면서 눈을 반짝이며 고개를 끄덕이기도 하고 간혹 질문도 하면서 강의가 매우 재미있다는 반응을 겉으로 나타내며 들을 것.
> 한 학기 동안 계속된 이 실험의 결과는 흥미로웠다. 우선 재미없게 강의하던 그 인류학 교수는 줄줄 읽어 나가던 강의 노트에서 드디어 눈을 떼고 학생들과 시선을 마주치기 시작했고 가끔씩은 한두 마디 유머 섞인 농담을 던지기도 하더니, 그 학기가 끝날 즈음엔 가장 열의 있게 강의하는 교수로 면모를 일신하게 되었다. 더욱 더 놀라운 것은 학생들의 변화였다. 처음에는 실험 차원에서 열심히 듣는 척하던 학생들이 이 과정을 통해 정말로 강의에 흥미롭게 참여하게 되었고, 나중에는 소수이긴 하지만 아예 전공을 인류학으로 바꾸기로 결심한 학생들도 나오게 되었다.

① 학생 간 의사소통의 중요성
② 교수 간 의사소통의 중요성
③ 언어적 메시지의 중요성
④ 공감하는 듣기의 중요성

TIPS!

제시된 글은 실험을 통해 학생들의 열심히 듣기와 강의에 대한 반응이 교수의 말하기에 미친 영향을 보여 주고 있다. 즉, 경청, 공감하며 듣기의 중요성에 대해 보여 주는 것이다.

Answer 11.④

2016. 4. 9. 인사혁신처

12 글의 제목으로 가장 적절한 것은?

> 평화로운 시대에 시인의 존재는 문화의 비싼 장식일 수 있다. 그러나 시인의 조국이 비운에 빠졌거나 통일을 잃었을 때 시인은 장식의 의미를 떠나 민족의 예언가가 될 수 있고, 민족혼을 불러일으키는 선구자적 지위에 놓일 수도 있다. 예를 들면 스스로 군대를 가지지 못한 채 제정 러시아의 가혹한 탄압 아래 있던 폴란드 사람들은 시인의 존재를 민족의 재생을 예언하고 굴욕스러운 현실을 탈피하도록 격려하는 예언자로 여겼다. 또한 통일된 국가를 가지지 못하고 이산되어 있던 이탈리아 사람들은 시성 단테를 유일한 '이탈리아'로 숭앙했고, 제1차 세계대전 때 독일군의 잔혹한 압제 하에 있었던 벨기에 사람들은 베르하렌을 조국을 상징하는 시인으로 추앙하였다.

① 시인의 생명(生命)　② 시인의 운명(運命)
③ 시인의 사명(使命)　④ 시인의 혁명(革命)

TIPS!

조국이 처한 상황에 따라 시인에게 맡겨지는 임무에 대해 사례와 함께 제시하고 있으므로 이 글의 제목으로는 '시인의 사명'이 가장 적절하다.

국어

한국사

영어

Answer 12.③

2015. 6. 27. 제1회 지방직

13 다음 글의 전개 순서로 가장 자연스러운 것은?

(가) 21세기 인류의 운명은 과학 기술 체계에 부여된 힘이 어떻게 사용되는가에 따라서 좌우될 것이다. 기술 공학에 의해 새로운 유토피아가 도래할 것이라는 소박하고 성급한 희망과, 기술이 인간을 대신해서 역사의 주체로 등극하리라는 허무주의적인 전망이 서로 엇갈리는 기로에 우리는 서 있다. 기술 공학적 질서의 본질과 영향력을 고려하지 않은 모든 문화론은 공허할 수밖에 없다.

(나) 그러나 모든 생산 체제가 중앙 집중적인 기업 문화를 포기할 수는 없으며, 기업 문화의 전환은 어디까지나 조직의 자기 보존, 생산의 효율성, 이윤의 극대화 등을 달성하기 위한 것이다. 또 무엇보다 기업 내부의 문화적 전환을 떠나서 환경이나 자원, 에너지 등의 범사회적인 문제들이 심각해질수록 사람들은 기술 공학의 마술적 힘에 매달리고, 그러한 위기들을 중앙 집중적 권력에 의해 효과적으로 통제 · 관리하는 기술 사회에 대한 유혹을 강하게 느낄 것이다.

(다) 기술적 질서는 자연은 물론 인간들의 삶의 방식에도 심층적인 변화를 초래했다. 관리 사회로의 이행이나 노동 과정의 자동화 등은 사회 공학적 기술이 정치 부문과 생산에 적용된 대표적인 사례들이다. 물론 기술 사회가 반드시 획일화된 관리 사회나 중앙 집권적 기업 문화로만 대표되지는 않는다. 소프트웨어 중심의 컴퓨터 산업이나 초전도체 산업 등 고도 기술 사회의 일부 산업 분야는 중앙 집권적 기업 문화를 지양하고 자율성과 개방성을 특징으로 지니는 유연한 체제를 채택할 것이라는 견해가 상당히 유력하다.

(라) 생활 세계의 질서를 좌우하고 경제적 행위의 목적으로 자리 잡은 기술은 더 이상 상품의 부가 가치를 높여 주는 생산 수단만으로 이해되지 않는다. 기술의 체계는 이제 여러 연관된 기술들과 기술적 지식들에 의해서 구성된 유기적인 앙상블로 기능하는 것이다. 기술은 그 자체의 질서와 역동성을 지니는 체계이며 유사 주체로서의 양상을 보이기 때문이다.

① (가) − (나) − (다) − (라)
② (가) − (나) − (라) − (다)
③ (가) − (다) − (나) − (라)
④ (가) − (라) − (다) − (나)

TIPS!

문맥상 (가)가 가장 먼저 올 수 있는 내용이다. (나)에서 '그러나'가 오는 것으로 보아 앞에는 상반된 내용이 와야 한다. (다)에서는 일부 산업 분야가 중앙 집권적 문화 지양한다는 것에 대해 설명하고 있으므로 (나)와 상반된 내용임을 알 수 있다. 따라서 (가)→(다)→(나)→(라)의 순서가 된다.

Answer 13.③

2014. 6. 28. 서울특별시

14 다음 글에 이어질 내용으로 부적합한 것은?

> 인간은 흔히 자기 뇌의 10%도 쓰지 못하고 죽는다고 한다. 또 사람들은 천재 과학자인 아인슈타인조차 자기 뇌의 15%이상을 쓰지 못했다는 말을 덧붙임으로써 이 말에 신빙성을 더한다. 이 주장을 처음 제기한 사람은 19세기 심리학자인 윌리암 제임스로 추정된다. 그는 "보통 사람은 뇌의 10%를 사용하는데 천재는 15~20%를 사용한다." 라고 말한 바 있다. 인류학자 마가렛 미드는 한발 더 나아가 그 비율이 10%가 아니라 6%라고 수정했다. 그러던 것이 1990년대에 와서는 인간이 두뇌를 단지 1% 이하로 활용하고 있다고 했다. 최근에는 인간의 두뇌 활용도가 단지 0.1%에 불과해서 자신의 재능을 사장시키고 있다는 연구 결과도 제기됐다.

① 인간의 두뇌가 가진 능력을 제대로 발휘하지 못하도록 하는 요소가 무엇인지 연구해야 한다.
② 어른들도 계속적인 연구와 노력을 통하여 자신의 능력을 충분히 발휘할 수 있도록 해야 한다.
③ 학교는 자라나는 학생이 재능을 발휘할 수 있도록 여건을 조성해 주어야 한다.
④ 인간의 두뇌 개발을 촉진시킬 수 있는 프로그램을 개발해야 한다.
⑤ 어린 시절부터 개성적인 인간으로 성장할 수 있도록 조기교육을 실시해야 한다.

TIPS!

이 글은 첫 문장에서 인간은 자기 뇌의 10%도 쓰지 못하고 죽는다고 언급하며 심지어 10%도 안 되는 활용을 한다는 주장들을 예로 들며 내용을 전개하고 있다. 따라서 뒤에 이어질 내용은 인간의 두뇌 활용에 관련된 내용이 오는 것이 적합하다.
⑤ 개성적인 인간으로 성장하기 위한 조기 교육은 이 글 뒤에 이어질 내용으로 부적합하다.

Answer 14.⑤

2014. 3. 8. 법원사무직

15 다음의 내용을 서론으로 하여 글을 쓸 때, 본론에 들어갈 내용으로 가장 적절하지 않은 것은?

> 그 동안 우리의 음악계는 전통 음악의 고유성을 무시한 채 근대화된 서구 사회의 급속한 접목으로 인하여 유입된 '낯선 음악' 위주로 발전해 왔다. 그 결과 우리 전통 음악은 국민들로부터 유리되어 음악계의 한 구석에서 겨우 명맥을 유지하고 있는 실정이다. 음악이 그것을 향수하는 민족의 정서와 정신을 대변한다고 할 때 이러한 음악적 환경 하에서 우리의 국민적 정서는 어찌될 것인지 우려되는 바가 매우 크다. 이에 전통 음악의 대중화를 위한 방안이 시급히 요청된다.

① 전통 음악이 소외되게 된 배경　② 서양 음악에 대한 이해 증진
③ 우리나라 음악 교육의 실태　④ 음악에 대한 청소년의 기호

문제에서 제시한 서론은 전통 음악의 대중화 방안이 시급함을 주제로 한다. 화자에게 서양 음악은 낯선 음악으로 부정적으로 생각하는 대상이다. 따라서 서양 음악에 대한 이해 증진은 본론에 들어갈 내용으로 적절하지 않다.

2014. 4. 19. 안전행정부

16 다음 글의 설명 방식과 가장 가까운 것은?

> 여름 방학을 맞이하는 학생들이 잊지 말아야 할 유의 사항이 있다. 상한 음식이나 비위생적인 음식 먹지 않기, 물놀이를 할 때 먼저 준비 운동을 하고 깊은 곳에 들어가지 않기, 외출할 때에는 부모님께 행선지와 동행인 말씀드리기, 외출한 후에는 손발을 씻고 몸을 청결하게 하기 등이다.

① 이등변 삼각형이란 두 변의 길이가 같은 삼각형이다.
② 그 친구는 평소에는 순한 양인데 한번 고집을 피우면 황소 같아.
③ 나는 산 · 강 · 바다 · 호수 · 들판 등 우리 국토의 모든 것을 사랑한다.
④ 잣나무는 소나무처럼 상록수이며 추운 지방에서 자라는 침엽수이다.

TIPS!

제시문은 학생들이 잊지 말아야 할 유의사항들을 구체적 '예시'를 들어 설명하고 있으므로 답지도 이와 같이 '예시'로 이루어진 문장을 찾으면 된다.
① 정의 ② 비유 ③ 예시 ④ 비교

Answer 15.② 16.③

17 다음 글의 제목으로 가장 적절한 것은?

> 예술에 해당하는 '아트(art)'는 '조립하다', '고안하다'라는 의미를 가진 라틴어의 '아르스(ars)'에서 비롯되었고, 예술을 의미하는 독일어 '쿤스트(Kunst)'는 '알고 있다', '할 수 있다'라는 의미의 '쾬넨(k nnen)'에서 비롯되었다. 이러한 의미 모두 일정한 목적을 가진 일을 잘 해낼 수 있는 숙련된 기술을 의미한다. 따라서 이들 용어는 예술뿐만 아니라 수공이나 기타 실용적인 기술들을 모두 포괄하고 있다고 볼 수 있다.
> 미적인 의미로 한정해서 쓰이는 예술의 개념은 18세기에 들어와서야 비로소 두드러지게 나타나기 시작했으며 예술을 일반적인 기술과 구별하기 위하여 특별히 '미적 기술(영어 : fine arts, 프랑스어 : beaux-arts)'이라고 하는 표현이 사용되었다. 생활에 유용한 것을 만들기 위한 실용적인 기술과 구별되는 좁은 의미의 예술은 조형 예술에 국한되기도 하지만, 일반적으로는 조형 예술 이외의 음악, 문예, 연극, 무용 등을 포함한 미적 가치의 실현을 본래의 목적으로 하는 기술을 가리키는 것으로 이해된다.

① '예술'과 '기술'의 차이
② '예술'의 변천과 그 원인
③ '예술'의 속성과 종류
④ '예술'의 어원과 그 의미의 변화

TIPS!

화자는 첫 문단에서 예술의 어원과 예술의 포괄적 의미에 대해 언급한 후, 두 번째 문단에서 18세기에 와서야 예술이 '미적 가치 실현을 본래의 목적으로 하는 기술'의 한정적 의미로 사용되었음을 밝히고 있다. 따라서 이 글의 제목으로는 ④가 적절하다.

Answer 17.④

2013. 7. 27. 안전행정부

18 다음 글의 논지 전개 방식으로 가장 적절한 것은?

> 언젠가부터 우리 바다 속에 해파리나 불가사리와 같이 특정한 종들만이 크게 번칭하고 있다는 우려의 말이 들린다. 한마디로 다양성이 크게 줄었다는 이야기다. 척박한 환경에서는 몇몇 특별한 종들만이 득세한다는 점에서 자연 생태계와 우리 사회는 닮은 것 같다. 어떤 특정 집단이나 개인들에게 앞으로 어려워질 경제 상황은 새로운 기회가 될지도 모른다. 하지만 이는 사회 전체로 볼 때 그다지 바람직한 현상이 아니다. 왜냐하면 자원과 에너지 측면에서 보더라도 이들 몇몇 집단들만 존재하는 세계에서는 이들이 쓰다 남은 물자와 이용하지 못한 에너지는 고스란히 버려질 수밖에 없고 따라서 효율성이 극히 낮기 때문이다.
>
> 다양성 확보는 사회 집단의 생존과도 무관하지 않다. 조류 독감이 발생할 때마다 해당 양계장은 물론 그 주변 양계장의 닭까지 모조리 폐사시켜야 하는 참혹한 현실을 본다. 단 한 마리 닭이 걸려도 그렇게 많은 닭들을 죽여야 하는 이유는 인공적인 교배로 인해 이들 모두가 똑같은 유전자를 가졌기 때문이다. 따라서 다양한 유전 형질을 확보하는 길만이 재앙의 확산을 막고 피해를 줄이는 길이다.
>
> 이처럼 다양성의 확보는 자원의 효율적 사용과 사회 안정에 중요하지만 많은 비용이 들기도 한다. 예를 들어 출산 휴가를 주고, 노약자를 배려하고, 장애인에게 보조 공학 기기와 접근성을 제공하는 것을 비롯해 다문화 가정, 외국인 노동자를 위한 행정 제도 개선 등은 결코 공짜가 아니다. 그럼에도 불구하고 다양성 확보가 중요한 이유는 우리가 미처 깨닫고 있지 못하는 넓은 이해와 사랑에 대한 기회를 사회 구성원 모두에게 제공하기 때문이다.

① 다양성 확보의 중요성에 대해 관점이 다른 두 주장을 대비하고 있다.
② 다양성 확보의 중요성에 대해 유추를 통해 설명하고 있다.
③ 다양성이 사라진 사회를 여러 기준에 따라 분류하고 있다.
④ 다양성이 사라진 사회의 사례들을 나열하고 있다.

TIPS!

생태계속에서 다양성이 필요한 상황들을 사회의 상황과 유사성을 빗대어 유추하며 설명하고 있다.

※ 유추 … 두 개의 사물이 여러 면에서 비슷하다는 것을 근거로 다른 속성도 유사할 것이라고 추론하는 것

Answer 18.②

2012. 9. 22. 하반기 지방직

19 다음 글의 중심 내용은?

> 헤르만 헤세는 어느 책이 유명하다거나 그것을 모르면 수치스럽다는 이유만으로 그 책을 무리하게 읽으려는 것은 참으로 그릇된 일이라 했다. 그는 이어서, "그렇게 하기보다는 모든 사람은 자기에게 자연스러운 면에서 읽고, 알고, 사랑해야 할 것이다. 어느 사람은 학생 시절의 초기에 벌써 아름다운 시구의 사랑을 자기 안에서 발견할 수 있으며, 혹은 어느 사람은 역사나 자기 고향의 전설에 마음이 끌리게 되고 또는 민요에 대한 기쁨이나 우리의 감정이 정밀하게 연구되고 뛰어난 지성으로써 해석된 것에 독서의 매력 있는 행복감을 가질 수 있을 것이다."라고 말한 바 있다.

① 문학 작품을 많이 읽으면 정서 함양에 도움이 된다.
② 학생 시절에 고전과 명작을 많이 읽어 교양을 쌓아야 한다.
③ 남들이 읽어야 한다고 말하는 책보다 자신이 읽고 싶은 책을 읽는 것이 좋다.
④ 자신이 속한 사회의 역사나 전설에 관한 책을 읽으면 애향심을 기를 수 있다.

TIPS!

③ 제시된 글은 헤르만 헤세의 말을 인용하여 유명하다거나 그것을 모르면 수치스럽다는 이유로 무리하게 독서를 하는 것은 그릇된 일이며, 자기에게 자연스러운 면에 따라 행동하라고 언급하고 있다. 이는 남들의 기준이 아닌 자신의 기준에 따라 하는 독서가 좋은 독서라고 주장하는 것이라고 볼 수 있다.

Answer 19.③

1 다음 글의 제목으로 가장 적절한 것은?

> 우리는 비극을 즐긴다. 비극적인 희곡과 소설을 즐기고, 비극적인 그림과 영화 그리고 비극적인 음악과 유행가도 즐긴다. 슬픔, 애절, 우수의 심연에 빠질 것을 알면서도 소포클레스의 '안티고네', 셰익스피어의 '햄릿'을 찾고, 베토벤의 '운명', 차이코프스키의 '비창', 피카소의 '우는 연인'을 즐긴다. 아니면 텔레비전의 멜로드라마를 보고 값싼 눈물이라도 흘린다. 이를 동정과 측은과 충격에 의한 '카타르시스', 즉 마음의 세척으로 설명한 아리스토텔레스의 주장은 유명하다. 그것은 마치 눈물로 스스로의 불안, 고민, 고통을 씻어내는 역할을 한다는 것이다.
>
> 니체는 좀 더 심각한 견해를 갖는다. 그는 "비극은 언제나 삶에 아주 긴요한 기능을 가지고 있다. 비극은 사람들에게 그들을 싸고도는 생명 파멸의 비운을 똑바로 인식해야 할 부담을 덜어주고, 동시에 비극 자체의 암울하고 음침한 원류에서 벗어나게 해서 그들의 삶의 흥취를 다시 돋우어 준다."라고 하였다. 그런 비운을 직접 전면적으로 목격하는 일, 또 더구나 스스로 직접 그것을 겪는 일이라는 것은 너무나 끔찍한 일이기에, 그것을 간접경험으로 희석한 비극을 봄으로써 '비운'이란 그런 것이라는 이해와 측은지심을 갖게 되고, 동시에 실제 비극이 아닌 그 가상적인 환영(幻影) 속에서 비극에 대한 어떤 안도감도 맛보게 된다.

① 비극의 현대적 의의
② 비극을 즐기는 이유
③ 비극의 기원과 역사
④ 비극에 반영된 삶

TIPS!

둘째 단락을 보면 아리스토텔레스와 니체의 견해를 중심으로 비극을 즐기는 이유에 대하여 설명을 하고 있으므로 ②가 적당하다.

Answer 1.②

2 다음 자료를 바탕으로 쓸 수 있는 글의 주제로서 가장 적절한 것은?

> • 몸이 조금 피곤하다고 해서 버스나 전철의 경로석에 앉아서야 되겠는가?
> • 아무도 다니지 않는 한밤중에 붉은 신호등을 지킨 장애인 운전기사 이야기는 우리에게 감동을 주고 있다.
> • 개같이 벌어 정승같이 쓴다는 말이 정당하지 않은 방법까지 써서 돈을 벌어도 좋다는 뜻은 아니다.

① 인간은 자신의 신념을 지키기 위해 일관된 행위를 해야 한다.
② 민주 시민이라면 부조리한 현실을 외면하지 말고 그에 당당히 맞서야 한다.
③ 도덕성 회복이야말로 현대 사회의 병폐를 치유할 수 있는 최선의 방법이다.
④ 개인의 이익과 배치된다 할지라도 사회 구성원이 합의한 규약은 지켜야 한다.

TIPS!

'버스나 전철의 경로석에 앉지 말기', '신호등 지키기', '정당한 방법으로 돈을 벌기' 등은 사회 구성원의 약속이므로, 비록 이 약속이 개인의 이익과 충돌하더라도 지켜야 한다는 것이 이 글의 주제이다.

3 다음의 두 예문에 사용된 설명의 방법으로 옳은 것은?

> ㉠ 문학은 운문 문학과 산문 문학으로 크게 나누어진다. 운문 문학은 시가 대표적인 형태이다. 산문 문학에는 소설, 수필, 희곡 등이 있다.
> ㉡ 우리가 쓰는 글에는 여러 가지 종류가 있다. 설명문, 논설문, 보고서, 비평 등은 논리적인 글에 속하며 시, 소설, 희곡, 수필 등은 예술적인 글에 속한다. 그리고 주문서, 독촉장, 소개장, 광고문 등은 모두 실용적인 글이라고 할 수 있다.

	㉠	㉡		㉠	㉡
①	구분	분류	②	정의	분류
③	분류	구분	④	정의	지시

TIPS!

㉠ 구분 : 일정한 기준에 따라 전체를 몇 개로 갈라 나누는 것으로, 상위개념을 하위개념으로 나눌 때 쓰인다.
　예 시계는 시침, 분침, 초침으로 나뉜다.
㉡ 분류 : 종류에 따라 갈라 나누는 것으로, 하위개념을 상위개념으로 묶을 때 쓰인다.
　예 강아지, 고양이, 코끼리는 포유류이고 참새, 기러기, 까마귀는 조류이다.

Answer 2.④ 3.①

4 다음 글에서 사용된 서술 기법이 아닌 것은?

> 아리랑이란 민요는 지방에 따라 여러 가지가 있는데, 지금까지 발굴된 것은 약 30종 가까이 된다. 그중 대표적인 것으로는 서울의 본조 아리랑을 비롯하여 강원도 아리랑, 정선 아리랑, 밀양 아리랑, 진도 아리랑, 해주 아리랑, 원산 아리랑 등을 들 수 있다. 거의 각 도마다 대표적인 아리랑이 있으나 평안도와 제주도가 없을 뿐인데, 그것은 발굴하지 못했기 때문이고, 최근에는 울릉도 아리랑까지 발견하였을 정도이니 실제로 더 있었던 것으로 보인다.
> 그런데 이들 민요는 가락과 가사의 차이는 물론 후렴의 차이까지 있는데, 그중 정선 아리랑이 느리고 구성진 데 비해, 밀양 아리랑은 흥겹고 힘차며, 진도 아리랑은 서글프면서도 해학적인 멋이 있다. 서울 아리랑은 이들의 공통점이 응집되어 구성지거나 서글프지 않으며, 또한 흥겹지도 않은 중간적인 은근한 느낌을 주는 것이 특징이다. 그러므로 서울 아리랑은 그 형성 시기도 지방의 어느 것보다도 늦게 이루어진 것으로 짐작된다.

① 대상을 분류하여 설명한다.
② 대상의 특성을 파악하여 비교 설명한다.
③ 대상의 개념을 명확하게 정의한다.
④ 구체적인 예시를 통해서 설명한다.

TIPS!

지역에 따른 아리랑의 종류, 이들 민요의 차이점을 대표적인 민요를 예로 들어 비교 설명하고 있으나, 대상의 개념을 명확하게 정의하는 것은 없다.

Answer 4.③

5 다음 글의 중심 내용으로 가장 적절한 것은?

> 분노는 공격과 복수의 행동을 유발한다. 분노 감정의 처리에는 '눈에는 눈, 이에는 이'라는 탈리오 법칙이 적용된다. 분노의 감정을 느끼게 되면 상대방에 대해 공격적인 행동을 하고 싶은 충동이 일어난다. 동물의 경우, 분노를 느끼면 이빨을 드러내게 되고 발톱을 세우는 등 공격을 위한 준비 행동을 나타내게 된다. 사람의 경우에도 분노를 느끼면 자율신경계가 활성화되고 눈매가 사나워지며 이를 꽉 깨물고 주먹을 불끈 쥐는 등 공격 행위와 관련된 행동들이 나타나게 된다. 특히 분노 감정이 강하고 상대방이 약할수록 공격 충동은 행동화되는 경향이 있다.

① 공격을 유발하게 되는 원인　② 분노가 야기하는 행동의 변화
③ 탈리오 법칙의 정의와 실제 사례　④ 동물과 인간의 분노 감정의 차이

분노의 감정을 느낄 때 동물과 사람에게 어떤 행동의 변화가 나타나는지 설명하고 있다.

6 다음 글의 설명 방식과 가장 가까운 것은?

> 여름 방학을 맞이하는 학생들이 잊지 말아야 할 유의 사항이 있다. 상한 음식이나 비위생적인 음식 먹지 않기, 물놀이를 할 때 먼저 준비 운동을 하고 깊은 곳에 들어가지 않기, 외출할 때에는 부모님께 행선지와 동행인 말씀드리기, 외출한 후에는 손발을 씻고 몸을 청결하게 하기 등이다.

① 이등변 삼각형이란 두 변의 길이가 같은 삼각형이다.
② 그 친구는 평소에는 순한 양인데 한번 고집을 피우면 황소 같아.
③ 나는 산 · 강 · 바다 · 호수 · 들판 등 우리 국토의 모든 것을 사랑한다.
④ 잣나무는 소나무처럼 상록수이며 추운 지방에서 자라는 침엽수이다.

TIPS!

제시문은 학생들이 잊지 말아야 할 유의사항들을 구체적 '예시'를 들어 설명하고 있으므로 답지도 이와 같이 '예시'로 이루어진 문장을 찾으면 된다.
① 정의 ② 비유 ③ 예시 ④ 비교

Answer 5.② 6.③

7 다음 글의 전개 순서로 가장 자연스러운 것은?

> ㉠ 이 세상에서 가장 결백하게 보이는 사람일망정 스스로나 남이 알아차리지 못하는 결함이 있을 수 있고, 이 세상에서 가장 못된 사람으로 낙인이 찍힌 사람일망정, 결백한 사람에서마저 찾지 못할 아름다운 인간성이 있을지도 모른다.
>
> ㉡ 소설만 그런 것이 아니다. 우리의 의식 속에는 은연중 이처럼 모든 사람을 좋은 사람과 나쁜 사람 두 갈래로 나누는 버릇이 도사리고 있다. 그래서인지 흔히 사건을 다루는 신문 보도에는 모든 사람이 '경찰' 아니면 도둑놈인 것으로 단정한다. 죄를 저지른 사람에 관한 보도를 보면 마치 그 사람이 죄의 화신이고, 그 사람의 이력이 죄만으로 점철되었고, 그 사람의 인격에 바른 사람으로서의 흔적이 하나도 없는 것으로 착각하게 된다.
>
> ㉢ 이처럼 우리는 부분만을 보고, 또 그것도 흔히 잘못 보고 전체를 판단한다. 부분만을 제시하면서도 보는 이가 그것이 전체라고 잘못 믿게 만들 뿐만이 아니라, '말했다'를 '으스댔다', '우겼다', '푸념했다', '넋두리했다', '뇌까렸다', '잡아뗐다', '말해서 빈축을 사고 있다' 같은 주관적 서술로 감정을 부추겨서, 상대방으로 하여금 이성적인 사실 판단이 아닌 감정적인 심리 반응으로 얘기를 들을 수밖에 없도록 만든다.
>
> ㉣ '춘향전'에서 이도령과 변학도는 아주 대조적인 사람들이었다. 흥부와 놀부가 대조적인 것도 물론이다. 한 사람은 하나부터 열까지가 다 좋고, 다른 사람은 모든 면에서 나쁘다. 적어도 이 이야기에 담긴 '권선징악'이라는 의도가 사람들을 그렇게 믿게 만든다.

① ㉠㉡㉢㉣　　② ㉣㉡㉢㉠

③ ㉠㉢㉣㉡　　④ ㉣㉢㉡㉠

㉡의 '소설만 그런 것이 아니다.'라는 문장을 통해 앞 문장에 소설에 대한 내용이 와야 함을 유추할 수 있으므로 ㉣이 ㉡ 앞에 와야 한다. 또한 '이처럼'이라는 지시어를 통해 ㉣㉡의 부연으로 ㉢이 와야 함을 유추할 수 있으므로 제시된 글의 순서는 ㉣㉡㉢㉠이 적절하다.

Answer 7.②

8 다음 글에서 사용된 서술 기법이 아닌 것은?

> 아리랑이란 민요는 지방에 따라 여러 가지가 있는데, 지금까지 발굴된 것은 약 30종 가까이 된다. 그중 대표적인 것으로는 서울의 본조 아리랑을 비롯하여 강원도 아리랑, 정선 아리랑, 밀양 아리랑, 진도 아리랑, 해주 아리랑, 원산 아리랑 등을 들 수 있다. 거의 각 도마다 대표적인 아리랑이 있으나 평안도와 제주도가 없을 뿐인데, 그것은 발굴하지 못했기 때문이고, 최근에는 울릉도 아리랑까지 발견하였을 정도이니 실제로 더 있었던 것으로 보인다.
>
> 그런데 이들 민요는 가락과 가사의 차이는 물론 후렴의 차이까지 있는데, 그중 정선 아리랑이 느리고 구성진 데 비해, 밀양 아리랑은 흥겹고 힘차며, 진도 아리랑은 서글프면서도 해학적인 멋이 있다. 서울 아리랑은 이들의 공통점이 응집되어 구성지거나 서글프지 않으며, 또한 흥겹지도 않은 중간적인 은근한 느낌을 주는 것이 특징이다. 그러므로 서울 아리랑은 그 형성 시기도 지방의 어느 것보다도 늦게 이루어진 것으로 짐작된다.

① 대상을 분류하여 설명한다.
② 대상의 특성을 파악하여 비교 설명한다.
③ 대상의 개념을 명확하게 정의한다.
④ 구체적인 예시를 통해서 설명한다.

TIPS!

③ 지역에 따른 아리랑의 종류를 분류하고, 이들의 차이점을 대표적인 예를 들어 비교 설명하고 있으나, 대상의 개념을 명확하게 정의하는 서술기법은 쓰이지 않았다.

Answer 8.③

9 다음 글의 서술 방식에 대한 설명으로 적절한 것은?

> 인가가 끝난 비탈 저 아래에 가로질러 흐르는 개천물이 눈이 부시게 빛나고, 그 제방을 따라 개나리가 샛노랗다. 개천 건너로 질펀하게 펼쳐져 있는 들판, 양털같이 부드러운 마른 풀에 덮여 있는 그 들 한복판에 괴물 모양 기다랗게 누워있는 회색 건물. 지붕 위로 굴뚝이 높다랗게 솟아 있고, 굴뚝 끝에서 노란 연기가 피어오르고 있다. 햇살에 비껴서 타오르는 불길 모양 너울거리곤 하는 연기는 마치 마술을 부리듯 소리 없이 사방으로 번져 건물 전체를 뒤덮고, 점점 더 부풀어, 들을 메우며 제방의 개나리와 엉기고 말았다.

① 단어의 의미를 풀어서 밝히고 있다.
② 근거를 제시하여 주장을 정당화하고 있다.
③ 시간적 순서를 뒤바꾸어 사건을 서술하고 있다.
④ 사물을 그림을 그리듯이 표현하고 있다.

TIPS!

묘사 … 글쓴이가 대상으로부터 받은 인상을 읽는 이에게 동일하게 받게 하거나 상상적으로 똑같이 체험하게 하려는 목적으로 대상을 그려내는 서술 방식으로 주관적 묘사와 객관적 묘사로 분류할 수 있다.

10 다음 예문의 서술 방식은?

> 일회용품들을 좋아하는 세태라고는 하지만 사람과 사람의 만남이란 그 자체로서도 소중한 것인 만큼, 쉽게 그리고 재미만을 추구하는 만남은 바람직하지 않은 것 같다. 많은 의견들이 있을 수 있겠지만 미팅에 참여하는 사람들의 마음가짐을 중심으로 미팅의 참 가치에 대해 생각해 보고자 한다.
> 첫째는 '복권형'이다. 이 유형에 속하는 사람들은 흔히 '혹시나 했더니 역시나'라는 말로 미팅에 임하는 기본 자세를 삼는다. 확률에 대한 치밀한 계산을 가지고 복권을 사는 사람은 없다. 그냥 길 가다가 판매소가 보이니까 한번 사서는 샀다는 사실조차 잊고 지내는 것이 보통이다. 마찬가지로 어쩌다 미팅의 기회가 생기면 잔뜩 부푼 마음으로 만나기로 한 장소로 나간다. 그러나 막상 만난 상대가 맘에 들지 않아 '오늘도 역시'라는 생각이 들면 떨떠름한 표정으로 팔짱 끼고, 다리 꼬고, 입 내밀고 앉아서는 자리의 분위기를 여지없이 흐트려 버린다.

① 비교 ② 대조
③ 분석 ④ 분류

Answer 9.④ 10.④

TIPS!

미팅에 참여하는 사람들의 마음가짐을 중심으로 분류하고 있다.

11 다음 글의 내용과 무관한 것은?

> 그러나 언어가 정보 교환이나 기록 수단에 그치는 것이 아니라 반성적 사고를 가능케 하는 표상의 역할도 해 왔을 것이 쉽게 추측된다. 사실상 학자에 따라서는 최초의 언어가 통신을 위해서가 아니라 사고를 위한 표상으로 발생하였으리라 주장하기도 한다. 그러므로 반성적 사고를 통하여 정신세계가 구현되었다고 하는 것은 두뇌의 정보 지각 역량이 충분히 성숙하여 언어를 개발하게 된 것과 때를 같이 한다고 볼 수 있다. 일단 언어가 출현하여 정보의 체외 기록이 가능해지면 정보의 비축 용량은 거의 무제한으로 확대된다. 이렇게 되면 두뇌의 기능은 정보의 보관 기구로서 보다 정보의 처리 기구로서 더 중요한 의미를 가진다. 기록된 정보를 해독하고 현실에 옮기며 새로운 정보를 기록하는 작업이 모두 두뇌를 통해서 이뤄져야 하기 때문이다. 이러한 상황을 핵산－단백질 기구와 비교해 보자면, 정보가 기록된 DNA에 해당하는 것이 언어로 상황을 표시된 모든 기록 장치, 좀 넓게는 모든 유형 문화가 되겠고, 정보를 해독하여 행동으로 옮기는 단백질에 해당하는 것이 두뇌의 역할이라 할 수 있다. 그리고 DNA 정보가 진화되어 나가는 것과 대단히 흡사한 방법으로 인간의 문화 정보도 진화되어 나간다. 이와 병행하여 언어의 출현은 인간의 사회화를 촉진시키는 기능을 가진다. 특히 세대에서 세대로 전승해 가는 유형 및 무형 문화는 이미 사회 공유물이라고 할 수 있다.

① DNA 정보가 중요한 까닭은 현대 과학 기술의 발달로 만들어진 기계적 수단으로 그것을 정확히 다룰 수 있기 때문이다.
② 정보 기록도 중요하지만, 정보 처리는 더욱 중요하다.
③ 정보 지각과 해석에 반성적 사고가 중요하다.
④ 핵산도 진화하며 인간 문화 정보도 진화한다.

TIPS!

제시문에서는 DNA 정보가 진화되어 나가는 것과 흡사하게 인간의 문화 정보도 진화되어 나간다는 사항을 기술하고 있으며, ①에 대한 내용은 언급되어 있지 않다.

Answer 11.①

12 다음 글을 순서대로 배치한 것으로 옳은 것은?

㉠ 적응의 과정은 북쪽의 문헌이나 신문을 본다든지 텔레비전, 라디오를 시청함으로써 이루어질 수 있는 극복의 원초적인 단계이다.
㉡ 이질성의 극복을 위해서는 이질화의 원인을 밝히고 이를 바탕으로 해서 그것을 극복하는 단계로 나아가야 한다. 극복의 문제도 단계를 밟아야 한다. 일차적으로는 적응의 과정이 필요하다.
㉢ 남북의 언어가 이질화되었다고 하지만 사실은 그 분화의 연대가 아직 반세기에도 미치지 않았고, 맞춤법과 같은 표기법은 원래 하나의 뿌리에서 갈라진 만큼 우리의 노력 여하에 따라서는 동질성의 회복이 생각 밖으로 쉬워질 수 있다.
㉣ 문제는 어휘의 이질화를 어떻게 극복할 것인가에 귀착된다. 우리가 먼저 밟아야 할 절차는 이질성과 동질성을 확인하는 일이다.

① ㉠→㉢→㉣→㉡
② ㉡→㉠→㉢→㉣
③ ㉢→㉣→㉡→㉠
④ ㉣→㉡→㉢→㉠

TIPS!

㉢ 동질성 회복이 쉬움을 언급하고 있다.
㉣ 이질화를 어떻게 극복할 것인가에 대해 문제 제기를 하고 있다.
㉡ 이질성 극복 방안을 내놓고 있다.
㉠ ㉡의 뒤에 이어져 적응 과정을 부연해 주고 있다.

13 다음 문장들을 두괄식 문단으로 구성하고자 할 때, 문맥상 가장 먼저 와야 할 문장은?

㉠ 신라의 진평왕 때 눌최는 백제국의 공격을 받았을 때 병졸들에게, "봄날 온화한 기운에는 초목이 모두 번성하지만 겨울의 추위가 닥쳐오면 소나무와 잣나무는 늦도록 잎이 지지 않는다. ㉡ 이제 외로운 성은 원군도 없고 날로 더욱 위태로우니, 이것은 진실로 지사·의부가 절개를 다하고 이름을 드러낼 때이다."라고 훈시하였으며 분전하다가 죽었다. ㉢ 선비 정신은 의리 정신으로 표현되는 데서 그 강인성이 드러난다. ㉣ 죽죽(竹竹)도 대야성에서 백제 군사에 의하여 성이 함락될 때까지 항전하다가 항복을 권유받자, "나의 아버지가 나에게 죽죽이라 이름 지어 준 것은 내가 추운 겨울에도 잎이 지지 않으며 부러질지언정 굽힐 수 없도록 하려는 것이었다. 어찌 죽음을 두려워하여 살아서 항복할 수 있겠는가."라고 결의를 밝혔다.

① ㉠
② ㉡
③ ㉢
④ ㉣

Answer 12.③ 13.③

TIPS!

두괄식 문단은 주제문이 문단 첫머리에 위치하는 것으로 지문의 주제문인 ⓒ이 가장 먼저 와야 한다. ⓐⓑⓓ은 ⓒ을 보여주는 사례에 해당한다.

14 다음 글의 요지로 가장 적절한 것은?

> 신문이 진실을 보도해야 한다는 것은 새삼스러운 설명이 필요 없는 당연한 이야기이다. 정확한 보도를 하기 위해서는 문제를 전체적으로 보아야 하고, 역사적으로 새로운 가치의 편에서 봐야 하며, 무엇이 근거이고, 무엇이 조건인가를 명확히 해야 한다. 그런데 이러한 준칙을 강조하는 것은 기자들의 기사 작성 기술이 미숙하기 때문이 아니라, 이해 관계에 따라 특정 보도의 내용이 달라지기 때문이다. 자신들에게 유리하도록 기사가 보도되게 하려는 외부 세력이 있으므로 진실 보도는 일반적으로 수난의 길을 걷게 마련이다. 신문은 스스로 자신들의 임무가 '사실 보도'라고 말한다. 그 임무를 다하기 위해 신문은 자신들의 이해 관계에 따라 진실을 왜곡하려는 권력과 이익 집단, 그 구속과 억압의 논리로부터 자유로워야 한다.

① 진실 보도를 위하여 구속과 억압의 논리로부터 자유로워야 한다.
② 자신들에게 유리하도록 기사가 보도되게 하는 외부 세력이 있다.
③ 신문의 임무는 '사실 보도'이나, 진실 보도는 수난의 길을 걷는다.
④ 정확한 보도를 하기 위하여 전체적 시각을 가져야 한다.

TIPS!

이 글의 중심문장은 마지막 문장이다. 즉 신문은 자신들의 이해 관계에 따라 진실을 왜곡하려는 권력과 이익 집단, 그 구속과 억압의 논리로부터 자유로워야 한다.

Answer 14.①

15 논리 전개에 따른 (가)~(라)의 순서가 가장 적절한 것은?

> 이십 세기 한국 지성인의 지적 행위는 그들이 비록 한국인이라는 동양 인종의 피를 받고 있음에도 불구하고 대체적으로 서양이 동양을 해석하는 그러한 틀 속에서 이루어졌다.
>
> (가) 그러나 그 역방향 즉 동양이 서양을 해석하는 행위는 실제적으로 부재해 왔다. 이러한 부재 현상의 근본 원인은 매우 단순한 사실에 기초한다.
>
> (나) 동양이 서양을 해석한다고 할 때에 그 해석학적 행위의 주체는 동양이어야만 한다.
>
> (다) '동양은 동양이다.'라는 토톨러지(tautology)나 '동양은 동양이어야 한다.'라는 당위 명제가 성립하기 위해서는 동양인인 우리가 동양을 알아야 한다.
>
> (라) 그럼에도 우리는 동양을 너무도 몰랐다. 동양이 왜 동양인지, 왜 동양이 되어야만 하는지 아무도 대답을 할 수가 없었다.
>
> 동양은 버려야 할 그 무엇으로서만 존재 의미를 지녔다. 즉, 서양의 해석이 부재한 것이 아니라 서양을 해석할 동양이 부재했다.

① (가) - (나) - (다) - (라)　　② (나) - (다) - (라) - (가)

③ (다) - (라) - (가) - (나)　　④ (라) - (가) - (나) - (다)

첫 문장에서 서양에 의한 동양의 해석이 나타나고 있고 그 이후에는 동양이 서양을 해석하는 것의 부재에 대해 서술하고 있으므로 (가) '그러나' 이후의 문장으로 반론을 제시하고 (가)에서 말한 동양이 서양을 해석하는 행위의 주체는 동양이어야 한다고 자연스럽게 (나)로 이어진다. (라)의 '그럼에도'는 (다)의 '~ 알아야 한다'와 자연스럽게 이어지므로 글의 순서는 (가) - (나) - (다) - (라)가 옳다.

Answer 15.①

화법과 작문

section 1 화법과 작문의 본질

(1) 화법과 작문의 의미

화법과 작문은 단순한 표현 행위가 아니라 일련의 사고 과정을 거쳐 이루어지는 의사소통 행위이다. 화자와 필자는 계획하기부터 점검하기에 이르기까지 수많은 사고 과정을 거쳐 말이나 글로 자신의 생각을 표현한다. 이런 과정을 거쳐 표현되는 말이나 글은 개인적인 차원의 의사소통에만 그치는 것이 아니라, 사회적 차원의 의사소통 기능을 동시에 담당한다. 따라서 말이나 글로 표현할 때에는 사회적 의사소통 행위에 필요한 언어 공동체의 담화 관습을 이해하고 의사소통 행위에 대한 윤리를 준수할 필요가 있다.

(2) 화법과 작문의 사고 과정

① 화법과 작문은 단순한 표현 행위가 아니라 일련의 사고 과정을 거치는 활동이다.

② 성숙한 의사소통 자세를 기르기 위해서는 자신의 소통 행위를 지속적으로 점검하고 개선하는 태도가 필요하다.

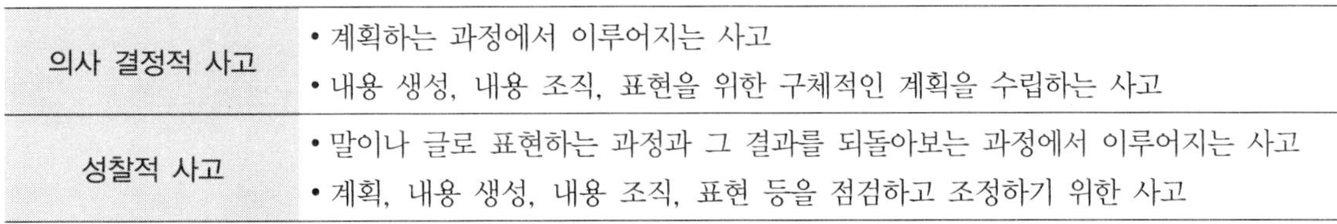

의사 결정적 사고	• 계획하는 과정에서 이루어지는 사고 • 내용 생성, 내용 조직, 표현을 위한 구체적인 계획을 수립하는 사고
성찰적 사고	• 말이나 글로 표현하는 과정과 그 결과를 되돌아보는 과정에서 이루어지는 사고 • 계획, 내용 생성, 내용 조직, 표현 등을 점검하고 조정하기 위한 사고

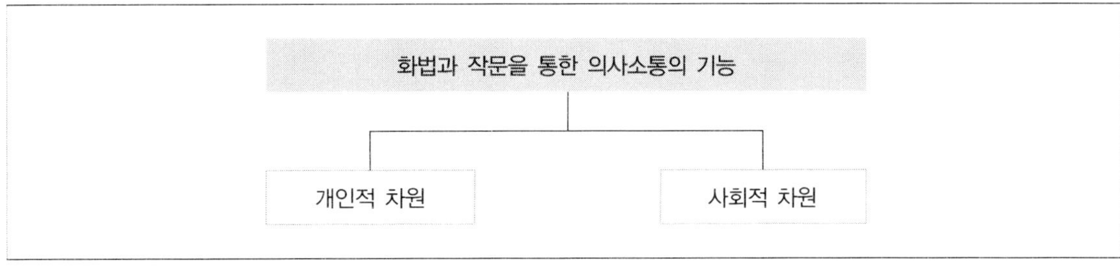

(3) 화법과 작문의 사회적 기능

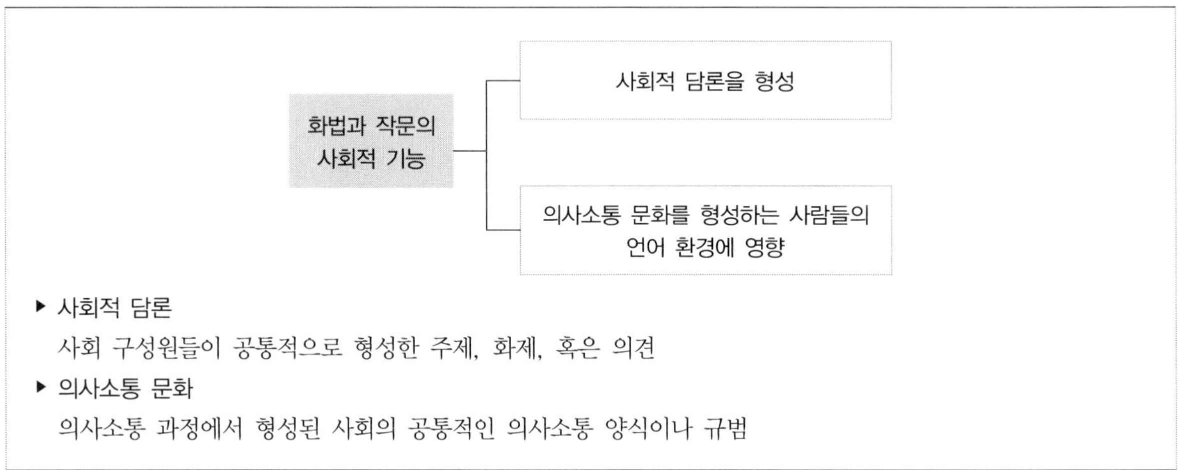

(4) 화법과 작문의 관습과 문화

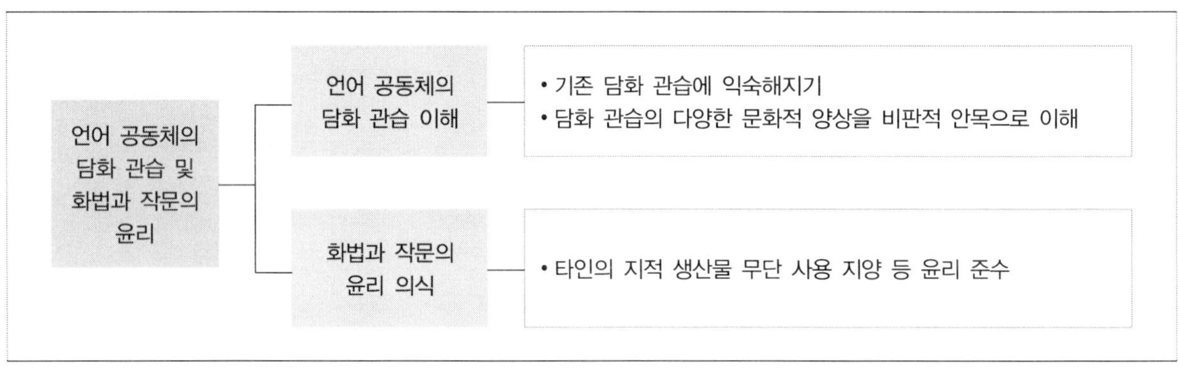

section 2 정보 전달을 위한 화법과 작문

우리는 일상생활 속에서 담화나 글을 통해 많은 정보를 접하고 또 이를 다른 사람들에게 전달하기도 한다. 청자나 독자에게 정보를 효과적으로 전달하기 위해서는 정보를 전달하는 담화나 글의 구조와 내용 조직의 원리를 이해하고 목적과 대상에 적합하게 내용을 구성해야 한다. 또한 사실적 정보를 전달할 때는 객관적인 관점으로 간명한 언어를 사용하는 태도를 지녀야 한다.

(1) 정보 전달의 원리

① 정보를 수집 · 분류 · 체계화하여 청자나 독자가 이해하기 쉽도록 재구성한다.

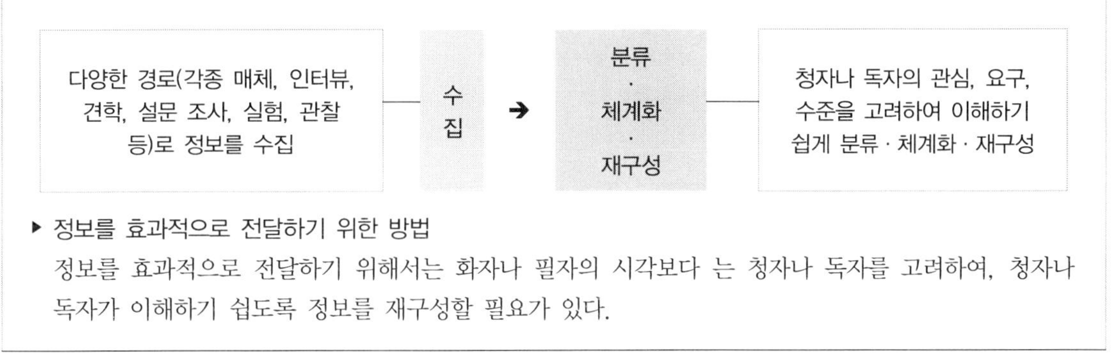

▶ 정보를 효과적으로 전달하기 위한 방법
정보를 효과적으로 전달하기 위해서는 화자나 필자의 시각보다 는 청자나 독자를 고려하여, 청자나 독자가 이해하기 쉽도록 정보를 재구성할 필요가 있다.

② 정보를 전달하는 담화나 글의 구조와 내용 조직의 원리를 이해하고 목적과 대상에 적합하게 내용을 구성한다.

㉠ 설명의 대상이나 설명하는 목적을 고려하여 내용을 조직한다.

㉡ 일반적으로 '처음–중간–끝' 또는 '도입–전개–정리'의 조직 방법을 활용한다.

㉢ 통일성과 응집성의 원리에 따라 내용을 조직한다.

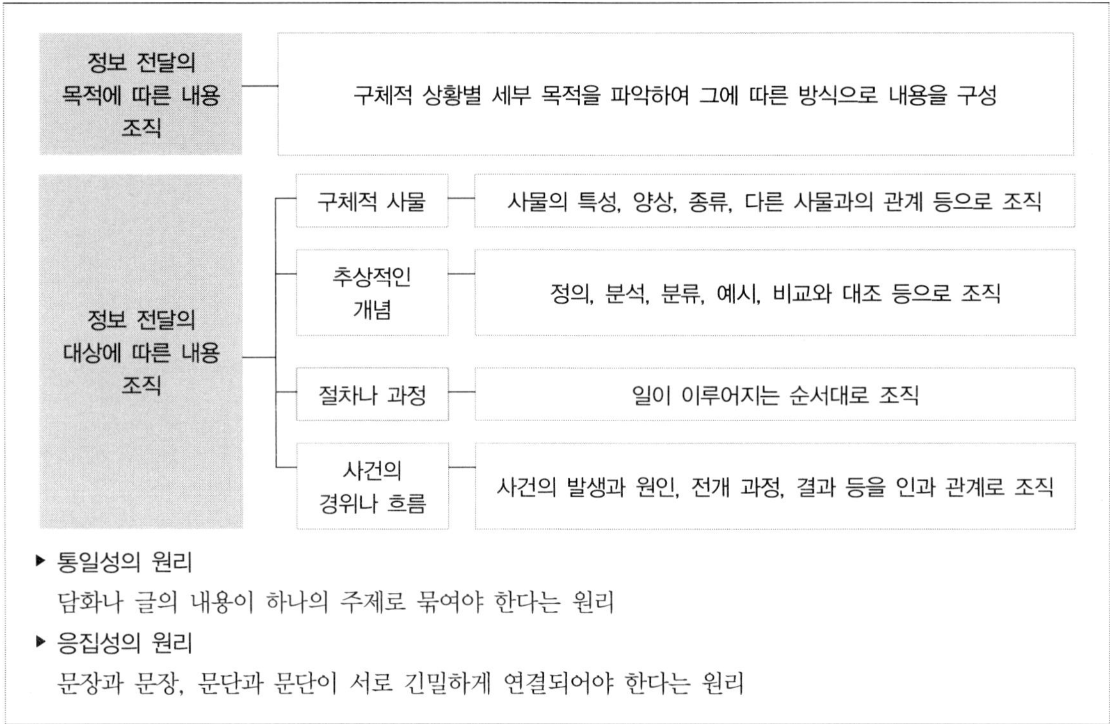

③ 사실적 정보를 전달할 때는 객관적인 관점으로 간명한 언어를 사용하는 태도를 지닌다.

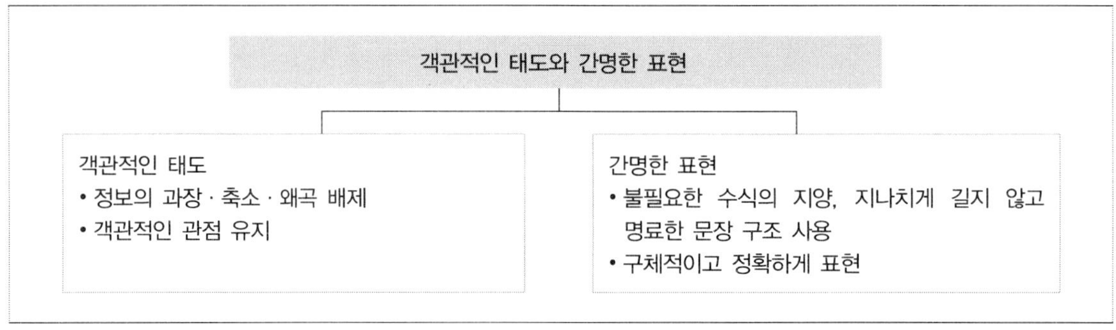

(2) 정보 전달을 위한 화법

① 다양한 매체 자료를 효과적으로 활용하여 청자의 이해를 돕도록 내용을 구성한다.

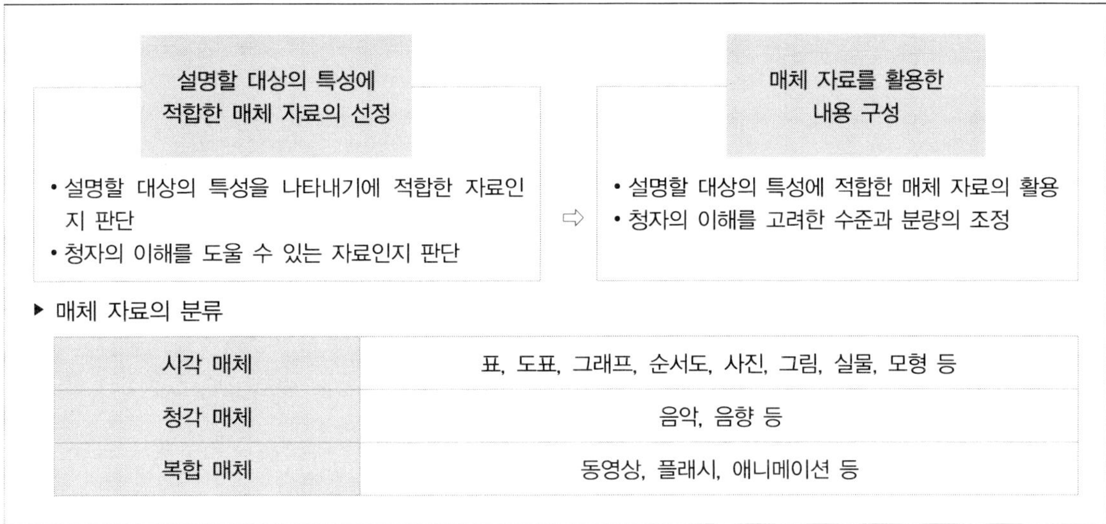

▸ 매체 자료의 분류

시각 매체	표, 도표, 그래프, 순서도, 사진, 그림, 실물, 모형 등
청각 매체	음악, 음향 등
복합 매체	동영상, 플래시, 애니메이션 등

② 시각 자료를 해석하여 핵심 정보로 내용을 구성하여 발표한다.

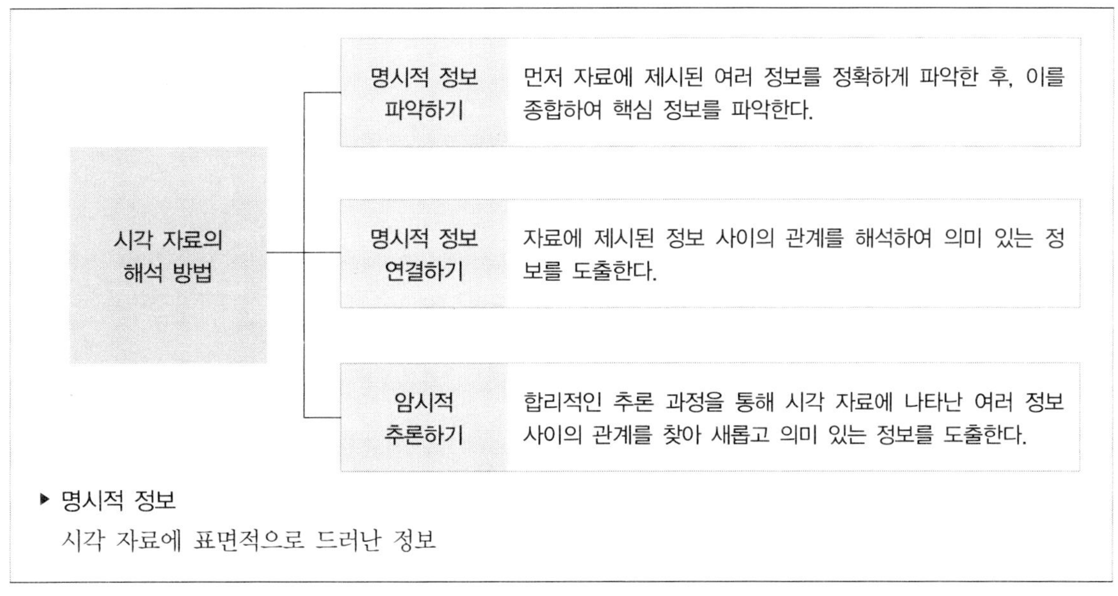

▸ 명시적 정보

시각 자료에 표면적으로 드러난 정보

③ 청자의 이해를 돕기 위한 언어적 · 반언어적 · 비언어적 표현 전략을 사용한다.

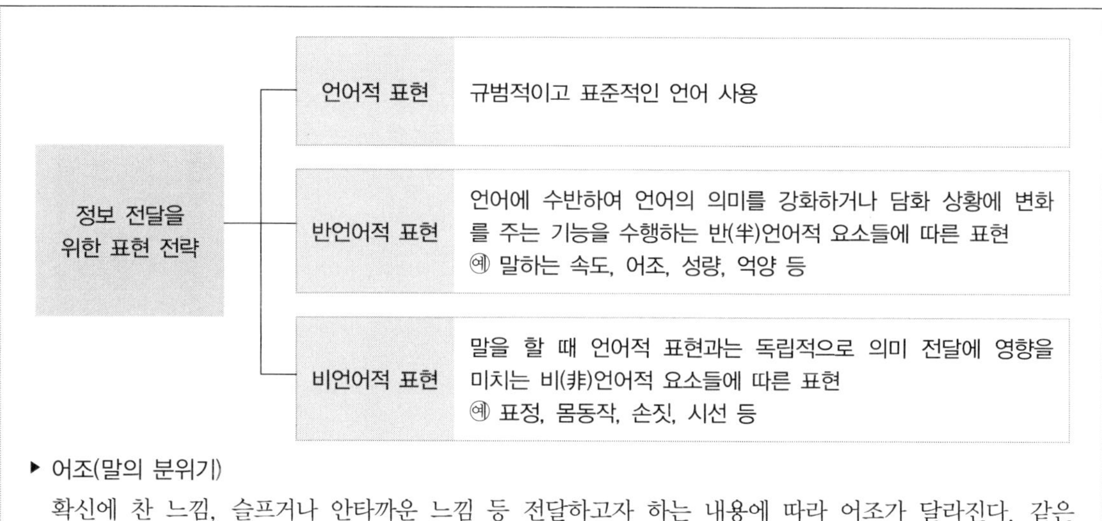

▸ 어조(말의 분위기)

확신에 찬 느낌, 슬프거나 안타까운 느낌 등 전달하고자 하는 내용에 따라 어조가 달라진다. 같은 내용이라도 어조를 달리하면 각각 다른 의미로 해석될 수 있다.

④ 핵심 정보를 파악하며 듣고 효과적으로 질문하여 필요한 정보를 능동적으로 수용한다.

㉠ 듣는 목적을 분명히 인식하고 듣는다.

㉡ 자신에게 필요한 핵심적인 정보를 선별하며 듣는다.

㉢ 효과적인 질문을 통해 궁금한 내용이나 추가적으로 필요한 정보를 명확히 이해한다.

(3) 정보 전달을 위한 작문

① 다양한 방법으로 자료를 수집하고 가치 있고 신뢰할 만한 정보를 선별하여 글을 쓴다.

자료 수집		정보의 선별
• 다양한 경로 이용 예 책, 사전, 신문, 방송, 인터넷, 등과 같은 매체 • 다양한 방법 활용 ⇒풍부하고 객관적인 자료를 갖출 필요가 있음.	➔	• 글의 목적에 부합하는지 판단 • 독자의 이해를 도울 수 있는지 판단 • 정보의 신뢰성이 있는지 판단 • 정보의 과장 · 왜곡이 있는지, 혹은 지나치게 오래되어 시의성이 떨어지지 않는지 판단 • 전달하려는 매체의 특성을 고려하여 판단

▸ 다양한 방법

직접 조사, 출판물 확인, 면담, 인터넷 검색, 견학, 관찰, 실험, 설문 조사 등과 같은 수집 방법

② 정보의 속성에 적합하게 내용을 조직하여 글을 쓴다.

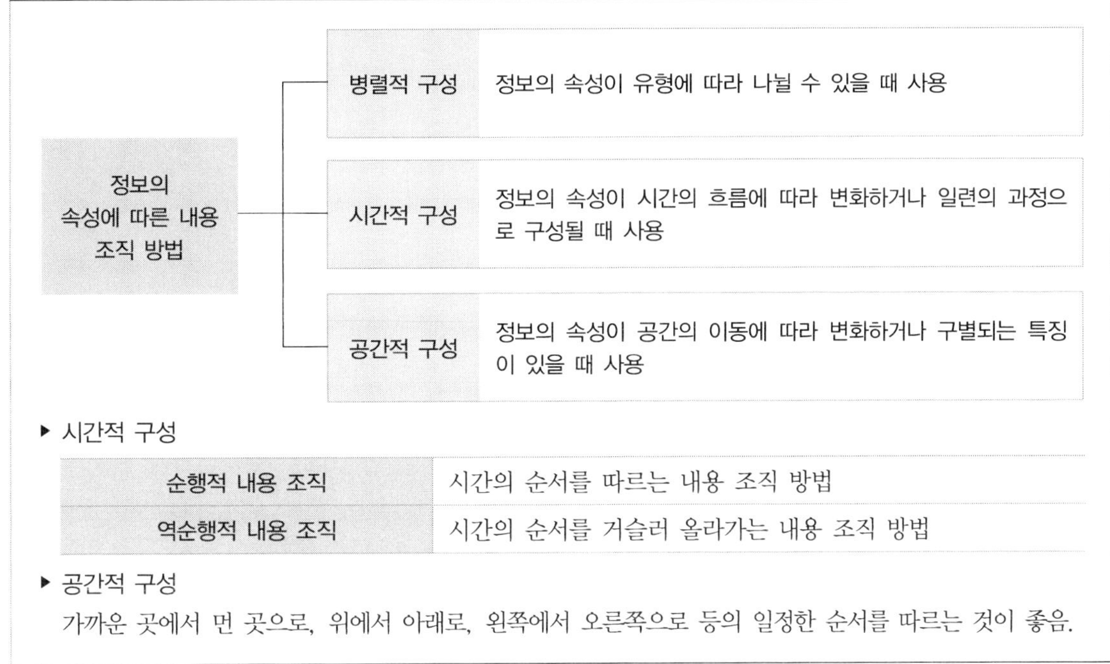

▶ 시간적 구성

순행적 내용 조직	시간의 순서를 따르는 내용 조직 방법
역순행적 내용 조직	시간의 순서를 거슬러 올라가는 내용 조직 방법

▶ 공간적 구성

가까운 곳에서 먼 곳으로, 위에서 아래로, 왼쪽에서 오른쪽으로 등의 일정한 순서를 따르는 것이 좋음.

③ 정보를 효과적으로 전달하기 위해 다양한 표현 방법을 활용하여 글을 쓴다.

정보 전달에 적합한 표현	• 정확한 표현 • 명료한 표현 • 간결한 표현
글의 구조나 내용들 사이의 연결 관계를 보여 주는 표현	• 담화 표지어(예컨대, 요컨대, 한편, 첫째, 둘째, 끝으로 등) • 접속어(그리고, 그러나, 그런데 등)와 지시어(이, 그, 저 등)
독자의 배경지식을 활성화하는 표현	• 개관, 소제목 등을 제시 • 그림, 사진, 도표, 그래프 등을 활용

④ 정보의 효율성, 조직의 체계성, 표현의 적절성, 쓰기 윤리를 점검하여 고쳐 쓴다.

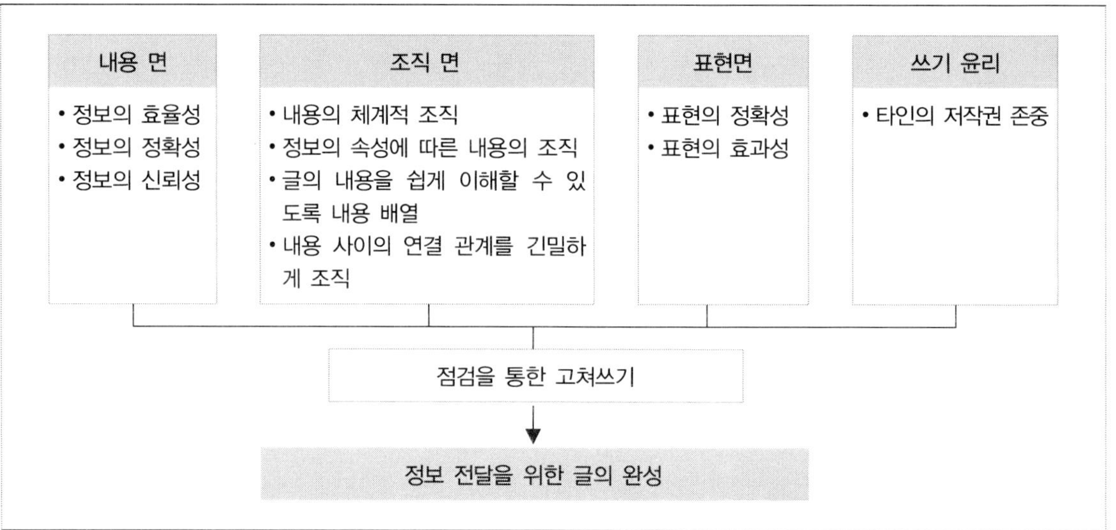

section 3 설득을 위한 화법과 작문

설득은 어떤 상황이나 문제에 대해 자신의 주장을 내세워 타인의 생각과 행동에 영향을 주는 행위이다. 다양하고 복잡한 현대 사회에서 타인과의 갈등을 효과적으로 해결하려면 자신의 생각에 대해 타당한 근거를 들어 논리적으로 설득력 있게 표현하는 것이 중요하다. 그러기 위해서는 설득하는 담화나 글의 구조와 내용 조직의 원리를 이해하고 청자와 독자를 고려하여 내용을 구성하며 상황에 맞는 설득 전략을 구사하는 것이 필요하다.

(1) 설득의 원리

① 논증의 원리와 방법을 이해하고 자신의 주장을 입증한다.

논증의 원리	• 주장이 명확해야 한다. • 주장과 근거의 논리적 연관성이 긴밀해야 한다. • 주장이 참임을 신뢰할 수 있도록 근거가 충분하고 객관적이어야 한다. • 예상되는 상대방의 반박을 충분히 검토한 후 논증에 임해야 한다.
논증의 방법	• 연역 : 일반적인 사실이나 원리를 전제로 개별적인 사실을 결론으로 이끌어 내는 논증 방법 • 귀납 : 구체적인 사례나 사실을 토대로 보편적인 법칙이나 원칙을 결론으로 이끌어 내는 논증 방법 • 유추 : 두 개의 대상이 여러 면에서 유사하다는 것을 근거로 다른 속성도 유사할 것이라는 결론을 이끌어 내는 논증 방법

▸ 논증

어떤 명제가 타당한지 논거를 바탕으로 논리적으로 증명하는 방법

▸ 입증의 책임

• 주장하는 사람이 무책임하게 주장만 제시해서는 안 됨.
• 문제의 심각성, 대안의 실현 가능성 및 유익함 등을 입증할 책임이 주장하는 사람에게 있음

② 설득하는 담화나 글의 구조와 내용 조직의 원리를 이해하고, 청자와 독자를 고려하여 내용을 구성한다.

설득하는 담화나 글의 내용 조직의 원리	• '문제 – 해결' 조직 : 문제 제기 → (원인 규명) → 해결책 제시 • '동기화 단계' 조직 : 주의 끌기 → 요구 → 만족 → 시각화 → 행동
청자나 독자를 분석할 때 고려할 사항	• 청자나 독자의 요구와 관심사 고려 • 청자나 독자의 지적 수준 및 배경지식 고려 • 청자나 독자가 주제에 대해 지니고 있는 태도, 즉 기존 입장 고려

담화와 글의 내용을 적합하게 조직

• 설득하는 담화나 글의 전형적인 구조 이해
• 청자나 독자의 요구, 관심사, 수준에 대한 분석

⇨ **청자나 독자의 태도 변화**

③ 논리적 오류의 유형을 이해하고, 내용의 신뢰성 · 타당성 · 공정성을 파악한다.

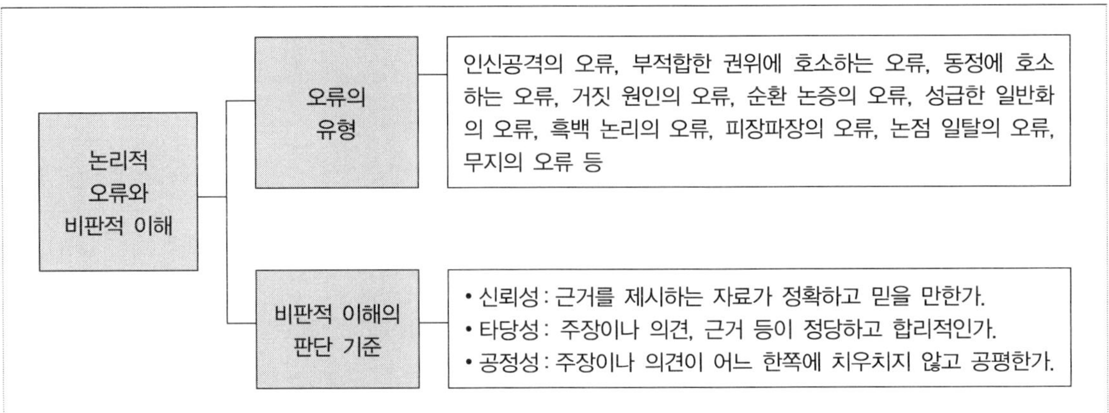

(2) 설득을 위한 화법

① 화자의 공신력을 이해하고 이성적 · 감성적 설득 전략을 사용하여 효과적으로 연설한다.

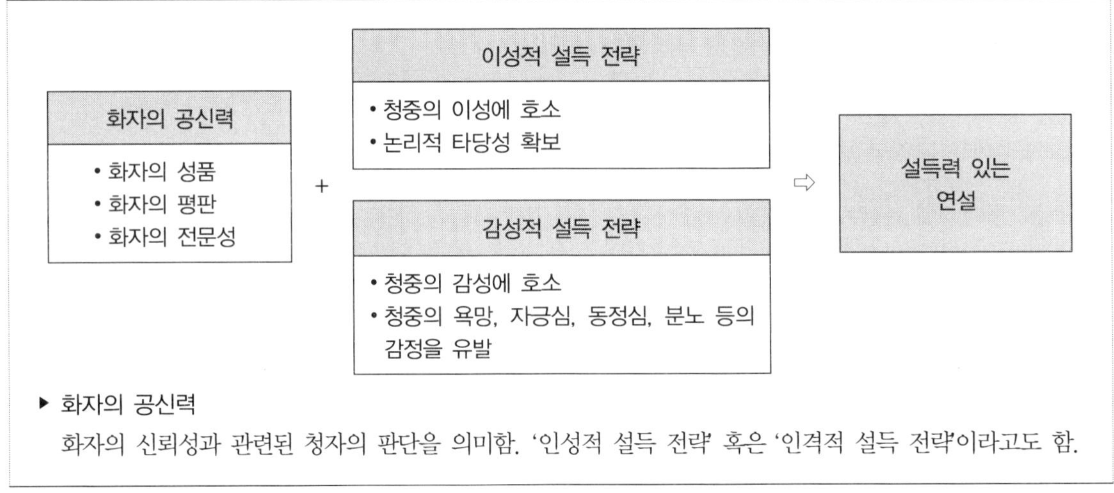

▶ 화자의 공신력

화자의 신뢰성과 관련된 청자의 판단을 의미함. '인성적 설득 전략' 혹은 '인격적 설득 전략'이라고도 함.

② 공동의 의사 결정 단계를 이해하여 공동체의 문제를 합리적으로 해결하기 위해 토의한다.

문제 인식	⇨	대안 도출	⇨	판단 준거 선정	⇨	대안 평가	⇨	대안 선택
공동체가 해결해야 할 문제를 명확히 인식	⇨	문제 해결을 위한 가능한 대안들을 도출	⇨	제시된 대안 중에서 가장 적절한 대안을 선택하기 위한 기준 선정	⇨	판단 준거에 따라 각 대안의 장단점을 분석	⇨	공동체의 문제를 해결하기 위한 최적의 대안 선택

③ 논제의 필수 쟁점을 분석하여 쟁점별로 논증을 구성하여 토론한다.

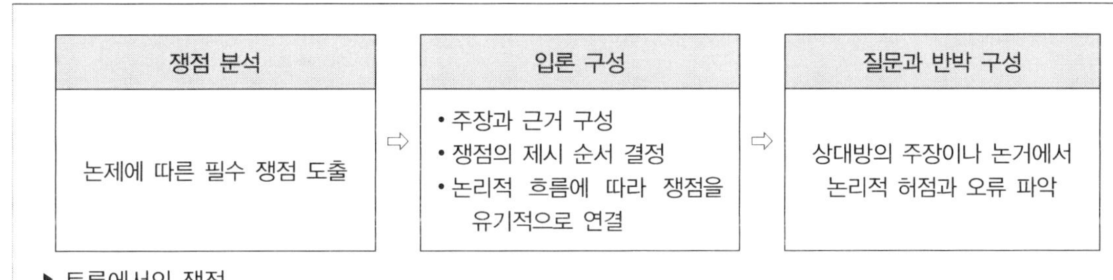

▸ 토론에서의 쟁점

논제와 관련하여 찬반 양측이 대립하게 되는 지점을 '쟁점'이라고 하며, 첫 번째 입론에서 반드시 언급되어야 할 쟁점을 '필수 쟁점'이라고 함.

④ 협상 당사자의 제안을 분석적으로 듣고 합리적으로 협상한다.

준비 단계	⇨	시작 단계	⇨	조정 단계	⇨	해결 단계
• 갈등 상황 및 이해관계 분석 • 의제 설정과 목표 수립 • 협상 상대방에 대한 분석	⇨	쟁점에 대한 협상 참여자들의 기본 입장 확인	⇨	쟁점 사항에 대한 구체적인 제안이나 대안 제시	⇨	제시된 제안들의 검토 및 합의점 도출

(3) 설득을 위한 작문

① 주장하는 내용과 관점이 명료하게 글을 쓰며 글의 영향과 사회적 책임을 인식한다.

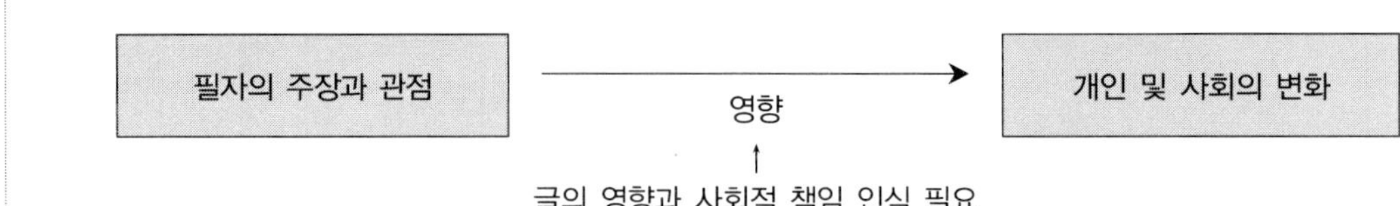

▶ 주장

문제와 관련하여 필자가 내세우는 의견

▶ 관점

문제를 바라보는 필자의 태도나 방향, 처지

▶ 주장과 관점을 정할 때 고려해야 할 사항

- 다양한 자료를 충분히 조사하고 분석
- 자신의 주장과 관점의 가치가 어떤 영향을 주고 반향을 불러일으킬지를 고려
- 자신의 주장과 관점에 대한 반대 의견이나 비판을 고려

② 언어 공동체의 쓰기 관습을 고려하여 적합하고 타당한 논거를 들어 글을 쓴다.

논거 선정 시 고려 사항	• 언어 공동체의 사회 · 문화적 관습이나 특성 고려 • 독자의 입장이나 마음 등을 고려 • 문제를 다양한 측면에서 바라보고 적합하고 타당한 논거를 충분히 확보

③ 독자의 특성이나 글의 유형에 적합하고 설득력 있는 표현 전략을 활용하여 주장하는 글을 쓴다.

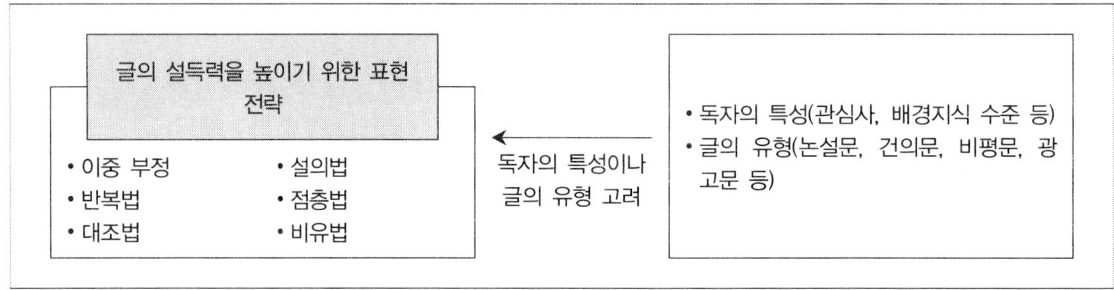

④ 논거의 타당성, 조직의 효과성, 표현의 적절성을 점검하여 고쳐 쓴다.

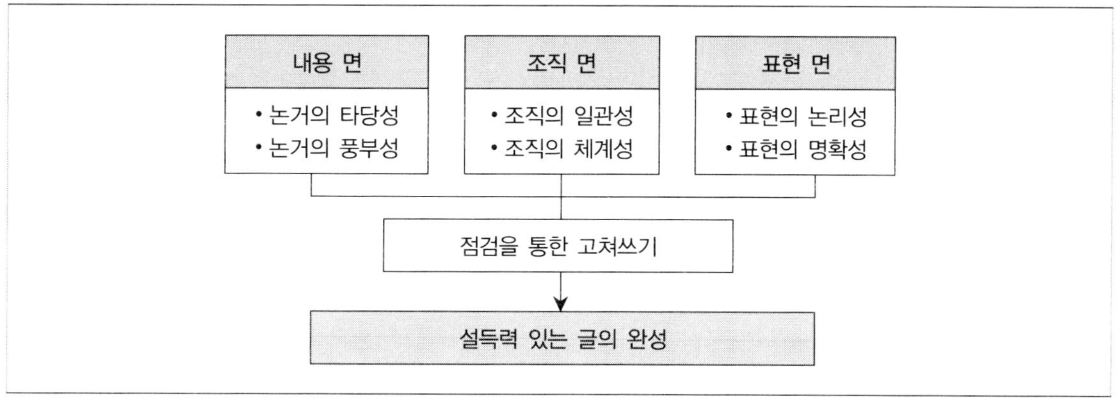

국어

한국사

section 4 자기표현과 사회적 상호 작용을 위한 화법과 작문

사람들은 많은 사람들과 관계를 맺으며 살아간다. 그리고 그 관계를 형성 · 유지 · 발전시키기 위해 노력한다. 자기표현과 사회적 상호 작용을 위한 화법과 작문은 다양한 의사소통 과정에서 다른 사람과 우호적 관계를 맺고 유지하기 위해 서로 말이나 글을 주고받는 활동이다. 이러한 활동을 효과적으로 하기 위해서는 진정성 있는 의사소통을 하는 방법과 의사소통 과정에서 발생하는 갈등을 조절하고 개선하는 방법을 알아야 한다.

영어

(1) 자기표현과 사회적 상호 작용의 원리

① 의사소통에서 진정성이 중요함을 인식하고 진솔한 마음이 드러나도록 표현한다.

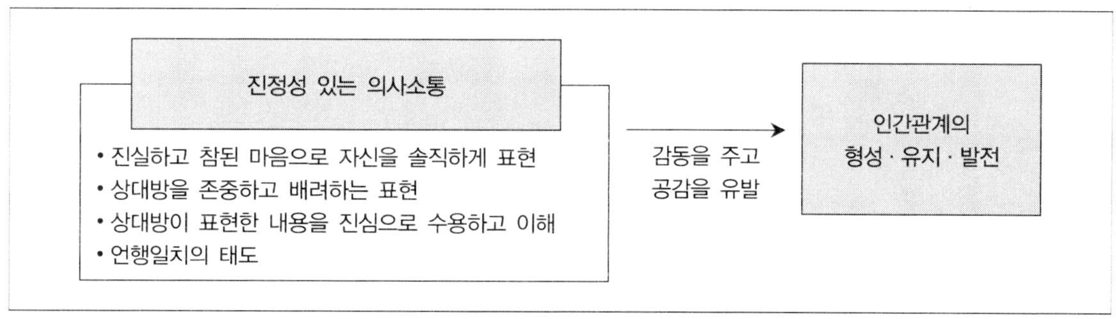

② 갈등을 유발하는 상호 작용의 장애 요인을 점검하여 원활하게 의사소통한다.

의사소통의 장애 요인	• 의사소통의 구도와 관련된 인식의 차이 • 가치관이나 문화의 차이 또는 개인의 특정한 의사소통 방식의 차이로 인한 오해
점검	• 의사소통의 구도를 올바르게 인식했는가? • 의사소통 방식은 적절했는가? • 자신의 태도에 문제는 없었는가?

▸ 의사소통의 구도와 관련된 인식의 차이
대화 장면, 대화 참여자, 대화 내용을 바라보는 시각적인 틀이 달라서 발생하는 인식의 차이 (예) 현재의 의사소통 상황이 공적인 상황인지 아니면 사적인 상황인지에 대한 인식의 차이

(2) 자기표현과 사회적 상호 작용을 위한 화법

① 대화 방식에 영향을 미치는 자아를 인식하고 관계 형성에 적절한 방식으로 자기를 표현한다.

자기표현적 대화를 통해 관계를 형성할 때 유의할 점	• 대화가 이루어지는 시 · 공간적, 사회 · 문화적 상황 맥락을 고려하며 대화한다. • 상대방의 감정이나 의견에 공감하며 대화한다. • 상대방의 말에 고개를 끄덕이거나 공감하는 말을 하는 등의 실질적인 반응을 보이며 대화한다. • 화제나 상황 맥락에 맞게 유머와 재담 등을 활용하며 대화한다.
대화의 원리	• 협력의 원리 –양의 격률 : 필요한 만큼의 정보를 제공해야 한다. –질의 격률 : 거짓이라고 생각하거나 타당한 증거를 갖고 있지 않은 것을 말해서는 안 된다. –관련성의 격률 : 화제와 관련되는 말을 해야 한다. –태도의 격률 : 모호한 표현이나 중의적인 표현은 피하고 간결하고 조리 있게 말해야 한다. • 공손성의 원리 : 상대방에게 공손하지 않은 표현은 최소화하고, 공손한 표현은 최대화하여 표현하는 것 ※ 실제 대화에서는 의도적으로 대화의 원리를 위반할 수도 있으므로 대화 참가자는 대화상의 함축적 의미를 추론하는 적극적 자세를 갖는 것이 필요하다.

② 면접 답변 전략을 이해하고 질문자의 의도를 파악하며 듣고 효과적으로 답변한다.

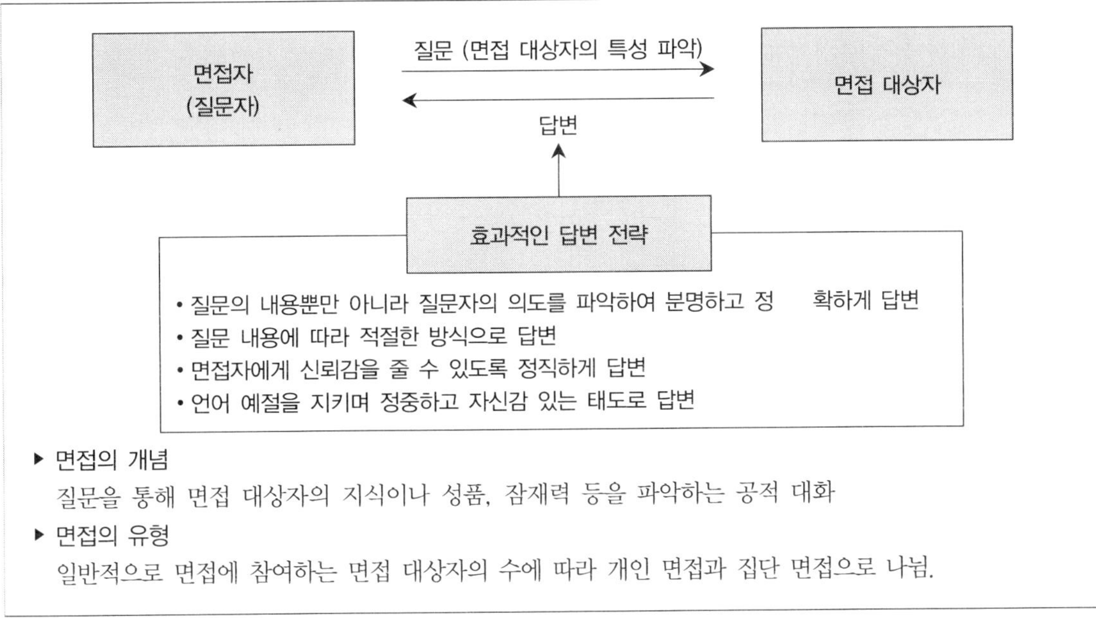

▸ 면접의 개념
질문을 통해 면접 대상자의 지식이나 성품, 잠재력 등을 파악하는 공적 대화

▸ 면접의 유형
일반적으로 면접에 참여하는 면접 대상자의 수에 따라 개인 면접과 집단 면접으로 나눔.

(3) 자기표현과 사회적 상호 작용을 위한 작문

① 생활 속의 체험이나 깨달음을 글로 씀으로써 삶의 체험을 기록하고 자신의 삶을 성찰하는 습관을 기른다.

㉠ 자신의 삶에 대한 성찰을 통해 삶에 대해 좀 더 의미를 부여한다.

㉠ 수필, 회고문, 감상문 등이 대표적이다.

자기를 성찰하는 글의 필요성	• 자기를 성찰하는 글을 쓰는 과정을 통해 삶의 의미를 되새기고 정리할 수 있다. • 자기를 성찰하는 글을 쓰는 과정을 통해 삶에 대한 새로운 생각을 떠올리게 되어 사고의 폭을 넓힐 기회를 가질 수 있다. • 자기를 성찰하는 글을 써 자신의 생각을 다른 사람과 나누는 것을 통해 공동체의 쓰기 문화에 기여할 수 있다.
자기 성찰을 위한 쓰기의 과정	자신의 일상에 대한 섬세한 관찰→의미 있는 체험이나 깨달음 발견→글을 쓰기 위한 내용 선정과 조직→자기 성찰을 위한 글의 표현

▸ 수필
일정한 형식을 따르지 않고 인생이나 자연 또는 일상생활에서의 느낌이나 체험을 생각나는 대로 쓴 산문 형식의 글

▸ 회고문
대개 자신의 삶에서 의미 있는 체험이나 사건을 회상의 형식으로 표현한 글

▸ 감상문
어떤 사물이나 사건, 현상 등을 보거나 겪고 난 뒤, 이에 대해 느낀 바를 쓴 글

② 맥락을 고려하여 창의적이고 품격 있는 표현으로 자기를 효과적으로 소개하는 글을 쓴다.

㉠ 자기소개서란 다른 사람, 기관, 단체 등의 독자에게 자신이 어떠한 사람인지를 알리는 글이다.

㉡ 특정한 목적을 가지고 쓰는 경우가 많기 때문에 글을 쓰는 목적이 분명하다.

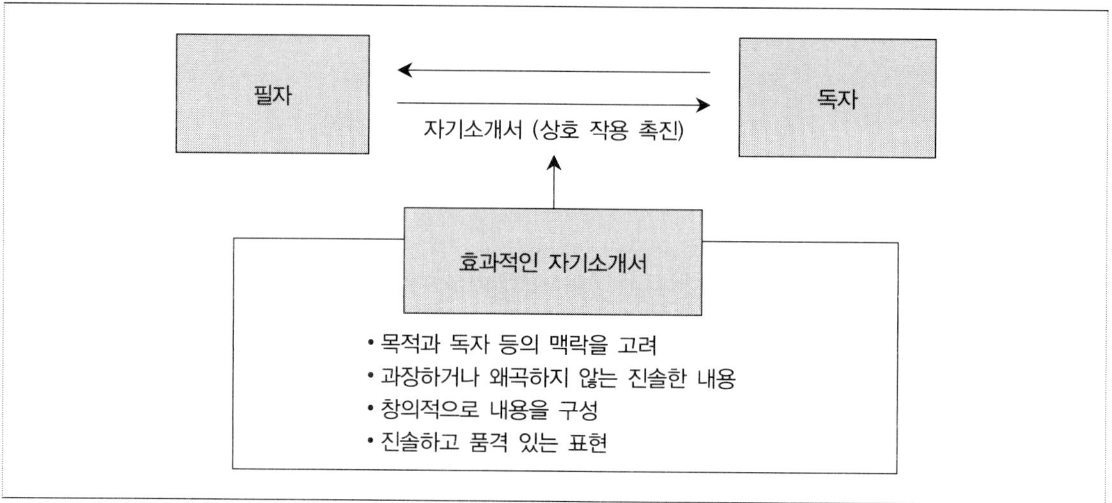

Let's check it out

04 기출문제분석

2018. 5. 19. 제1회 지방직

1 어법에 어긋나는 문장을 수정하고 설명한 예로 옳지 않은 것은?

① 전철 내에서 뛰지 말고, 문에 기대거나 강제로 열려고 하지 마십시오.
→'열다'는 타동사이므로 '강제로'와 '열려고' 사이에 목적어 '문을'을 보충하여야 한다.

② ○○시에서 급증하는 생활용수를 안정적으로 공급하기 위하여 시행하는 사업임
→생활용수에 대한 수요가 급증하는 것이지 생활용수가 급증하는 것이 아니므로, '급증하는 생활용수의 수요에 대응하여 생활용수를 안정적으로 공급하기 위하여'로 고쳐야 한다.

③ 사고 원인 파악과 재발 방지 대책을 조속히 마련하여
→'사고 원인 파악을 마련하여'로 해석될 수 있으므로 앞의 명사구를 '사고 원인을 파악하고'로 고쳐 절과 절의 접속으로 바꾸어야 한다.

④ 도량형은 미터법 사용을 원칙으로 하되 각종 증빙 서류 등을 미터법 이외의 도량형으로 작성할 경우 미터법으로 환산한 수치를 병기함
→'하되'는 앞뒤 문장의 내용을 연결하는 어미로 적합하지 않으므로 '하며'로 고쳐야 한다.

TIPS!

④ '-며'는 두 가지 이상의 동작이나 상태 따위를 나열할 때 쓰는 연결 어미이고, '-되'는 어떤 사실을 서술하며 그와 관련된 조건이나 세부 사항을 뒤에 덧붙이는 뜻을 나타내는 연결 어미이다. 따라서 제시된 문장을 그대로 사용하는 것이 적절하다.

Answer 1.④

2018. 5. 19. 제1회 지방직

2 다음 조건을 모두 참조하여 쓴 글은?

> • 대구(對句)의 기법을 사용할 것
> • 삶에 대한 통찰을 우의적으로 표현할 것

① 낙엽 : 낙엽은 항상 패배한다. 시간이 지나고 낙엽이 지는 것은 어쩔 수 없는 일이다. 그리고 계절의 객석에 슬픔과 추위가 찾아온다. 하지만 이 패배가 없더라면, 어떻게 봄의 승리가 가능할 것인가.

② 비 : 프랑스어로 '비가 내린다'는 한 단어라고 한다. 내리는 것은 비의 숙명인 것이다. 세월이 아무리 흘러도, 비는 주룩주룩 내리고, 토끼는 깡충깡충 뛴다. 자연은 모두 한 단어이다. 우리의 삶도 자연을 닮는다면 어떨까.

③ 하늘 : 하늘은 언젠가 자기 얼굴이 알고 싶었다. 하지만 어디에도 자신을 비춰줄 만큼 큰 거울을 발견할 수 없었다. 그러다 어느 날 어떤 소녀를 발견했다. 포근한 얼굴로 자신을 바라보는 소녀의 눈동자를 하늘은 바라보았다. 거기에 자신이 있었다.

④ 새 : 높이 나는 새는 낮게 나는 새를 놀려 댔다. "어째서 그대는 멀리 보는 것을 선택하지 않는가? 기껏 날개가 있는 존재로 태어났는데." 그러자 낮게 나는 새가 대답했다. "높은 곳의 구름은 멀리를 바라보고, 낮은 곳의 산은 세심히 보듬는다네."

TIPS!

④ "높은 곳의 구름은 멀리를 바라보고, 낮은 곳의 산은 세심히 보듬는다네."에서 대구 표현을 찾을 수 있다. 또한 새들의 대화에서 삶에 대한 통찰을 우의적으로 표현하고 있다.

①③ 대구 기법이 드러나 있지 않다.

② 삶에 대한 통찰이 우의적으로 표현되지 않고, 직접적으로 나타나 있다.

Answer 2.④

2017. 6. 17. 제1회 지방직

3 다음의 개요를 기초로 하여 글을 쓸 때, 주제문으로 가장 적절한 것은?

> 서론 : 최근의 수출 실적 부진 현상
> 본론 : 수출 경쟁력의 실태 분석
> 1. 가격 경쟁력 요인
> ㄱ. 제조 원가 상승
> ㄴ. 고금리
> ㄷ. 환율 불안정
> 2. 비가격 경쟁력 요인
> ㄱ. 기업의 연구 개발 소홀
> ㄴ. 품질 개선 부족
> ㄷ. 판매 후 서비스 부족
> ㄹ. 납기의 지연
> 결론 : 분석 결과의 요약 및 수출 경쟁력 향상 방안 제시

① 정부가 수출 분야 산업을 적극 지원해야 한다.
② 내수 시장의 기반을 강화하는 데 역량을 모아야 한다.
③ 기업이 연구 개발비 투자를 늘리고 품질 향상에 많은 노력을 기울여야 한다.
④ 수출 경쟁력을 좌우하는 요인을 분석한 후 그에 맞는 방안을 마련해야 한다.

TIPS!
서론에서 최근 수출 실적 부진을 지적하고 본론에서 수출 경쟁력의 실태를 분석한 뒤 결론에서 수출 경쟁력 향상 방안을 제시하고 있으므로 주제는 ④가 적절하다.

Answer 3.④

2016. 4. 9. 인사혁신처

4 다음 대담에 대한 설명으로 적절하지 않은 것은?

> 진행자 : 오늘은 우리의 전통 선박에 대해 재미있게 설명한 책인 「우리나라 배」에 대해 교수님과 이야기를 나눠보겠습니다. 김 교수님, 우리나라 전통 선박에 담긴 선조들의 지혜를 설명한 책 내용이 참 흥미롭던데요, 구체적인 사례 하나만 소개해 주시겠습니까?
>
> 김 교수 : 판옥선에 담긴 선조들의 지혜를 소개해 드릴까 합니다. 혹시 판옥선에 대해 들어 보셨나요?
>
> 진행자 : 자세히는 모르지만 임진왜란 때 사용된 선박이라고 들었습니다.
>
> 김 교수 : 네, 판옥선은 임진왜란 때 활약한 전투함인데, 우리나라 해양 환경에 적합한 평저 구조로 만들어졌습니다.
>
> 진행자 : 아, 그렇군요. 교수님, 평저 구조가 무엇인지 말씀해 주시겠습니까?
>
> 김 교수 : 네, 그건 밑 부분이 넓고 평평하게 만든 구조입니다. 그 때문에 판옥선은 수심이 얕은 바다에서는 물론, 썰물 때에도 운항이 가능했죠. 또한 방향 전환도 쉽게 할 수 있었습니다.
>
> 진행자 : 결국 섬이 많고 수심이 얕으면서 조수 간만의 차가 큰 우리나라 바다 환경에 적합한 구조라는 말씀이시군요?
>
> 김 교수 : 네. 그렇습니다.
>
> 진행자 : 선조들의 지혜가 참 대단합니다. 이런 특징을 가진 판옥선이 전투 상황에서는 얼마나 위력적이었는지 궁금한데, 더 설명해 주시겠습니까?

① 진행자는 김 교수에게 추가 설명을 요청하고 있다.
② 김 교수는 진행자의 의견에 동조하며 자신의 견해를 수정하고 있다.
③ 김 교수는 진행자의 부탁에 따라 소개할 내용을 선정하여 제시하고 있다.
④ 진행자는 김 교수의 설명을 듣고 자신의 이해가 맞는지 질문을 하고 있다.

TIPS!

② 김 교수는 진행자의 의견에 동조하고 있지만, 자신의 견해를 수정하고 있지는 않다.

Answer 4.②

5 다음 글을 근거로 할 때, 〈보기〉의 대화에서 ㉡의 대답이 갖는 특징으로 적절하지 않은 것은?

그라이스(Grice)는 원활한 대화 진행을 위한 요건으로 네 가지의 '협력의 원리'를 제시한 바 있다. 첫째, 주고받는 대화의 목적에 필요한 만큼만 정보를 제공하고 필요 이상의 정보를 제공하지 말라는 양의 격률이다. 둘째, 진실한 정보만을 제공하도록 노력하고 증거가 불충한 것은 말하지 말라는 질의 격률이다. 셋째, 해당 대화 맥락과 관련되는 말을 하라는 관련성의 격률이다. 넷째, 모호하거나 중의적인 표현을 피하고 간결하고 조리 있게 말하라는 태도의 격률이다. 그러나 모종의 효과를 위해 이 네 가지의 격률을 위배하는 일은 일상 대화에서 빈번하게 이루어지는데, 일반적으로 언중들은 그것을 자연스럽게 받아들일 뿐 아니라 때에 따라서는 협력의 원리를 지키는 것이 예의에 어긋난 경우도 많다.

〈보기〉

대화(1) ㉠ : 체중이 얼마나 되니?
　　　　㉡ : 55 kg인데 키에 비해 가벼운 편입니다.
대화(2) ㉠ : 얼마 전 시민 운동회가 있었다며?
　　　　㉡ : 응, 백 미터 달리기에서 비행기보다 빠른 사람을 봤어.
대화(3) ㉠ : 너 몇 살이니?
　　　　㉡ : 형이 열일곱 살이고, 저는 열다섯 살이지요.
대화(4) ㉠ : 점심은 뭐 먹을래?
　　　　㉡ : 생각해 보고 마음 내키는 대로요.

① 대화(1) : 관련성의 격률을 위배하였다.
② 대화(2) : 질의 격률을 위배하였다.
③ 대화(3) : 양의 격률을 위배하였다.
④ 대화(4) : 태도의 격률을 위배하였다.

TIPS!

대화 (1)에서 ㉠ 체중이 얼마냐는 질문에 대해 55kg이라고 대답했으므로 관련성의 격률을 위배하였다고 볼 수 없다. 단, 질문하지 않은 내용을 추가로 제공하였고 그 내용에 대한 근거가 없으므로 양의 격률과 질의 격률을 위배하였다.

Answer 5.①

2016. 6. 18. 제1회 지방직

6 '샛강을 어떻게 살릴 수 있을까?'라는 주제에 대해 토의하고자 한다. 이에 대한 설명으로 적절하지 않은 것은?

> 토의는 어떤 공통된 문제에 대해 최선의 해결안을 얻기 위하여 여러 사람이 의논하는 말하기 양식이다. 패널 토의, 심포지엄 등이 그 대표적 예이다. ㉠패널 토의는 3～6인의 전문가들이 사회자의 진행에 따라, 일반 청중 앞에서 토의 문제에 대한 정보나 지식, 의견이나 견해 등을 자유롭게 주고받는 유형이다. 토의가 끝난 뒤에는 청중의 질문을 받고 그에 대해 토의자들이 답변하는 시간을 갖는다. 이 질의·응답 시간을 통해 청중들은 관련 문제를 보다 잘 이해하게 되고 점진적으로 해결 방안을 모색하게 된다. ㉡심포지엄은 전문가가 참여한다는 점, 청중과 질의·응답 시간을 갖는다는 점에서는 패널 토의와 그 형식이 비슷하다. 다만 전문가가 토의 문제의 하위 주제에 대해 서로 다른 관점에서 연설이나 강연의 형식으로 10분 정도 발표한다는 점에서는 차이가 있다.

① ㉠과 ㉡은 모두 '샛강 살리기'와 관련하여 전문가의 의견을 들은 이후, 질의·응답 시간을 갖는다.
② ㉠과 ㉡은 모두 '샛강을 어떻게 살릴 수 있을까?'라는 문제에 대해 최선의 해결책을 얻기 위함이 목적이다.
③ ㉡은 토의자가 샛강의 생태적 특성, 샛강 살리기의 경제적 효과 등의 하위 주제를 발표한다.
④ ㉠은 '샛강 살리기'에 대해 찬반 입장을 나누어 이야기한 후 절차에 따라 청중이 참여한다.

TIPS!

④ 패널 토의는 찬반 입장을 나누어 이야기하기에 적합하지 않다. 찬반 입장을 나누어 자기의 주장을 펼치고 상대방을 설득하는 말하기 방법은 토론이다.

Answer 6.④

2014. 3. 22. 사회복지직

7 〈보기 1〉은 〈보기 2〉의 글을 쓰기 위해 글쓴이가 작성한 개요이다. 개요와 글의 내용이 부합하지 않는 것은?

〈보기 1〉

(1) 재래시장 활성화 방안의 문제점
- ㉮ 획일적인 시설 현대화 사업 ······ ㉠
- ㉯ 정착에 어려움을 겪고 있는 상품권 사업 ······ ㉡

(2) 재래시장 활성화를 위한 해결 방안
- ㉮ 장년층 고객 유도 방안 강구 ······ ㉢
- ㉯ 상인들의 사고 변화와 외부의 지원 촉구 ······ ㉣

〈보기 2〉

재래시장 활성화를 위해 현재 시행되고 있는 대표적인 방안은 시설 현대화 사업과 상품권 사업이다. 시설 현대화 사업은 시장의 지붕을 만드는 공사가 중심이었으나, 단순하고 획일적인 사업으로 효과를 내지 못하고 있다. 상품권 사업도 명절 때마다 재래시장 살리기를 호소하는 차원에서 이루어지기 때문에 사업이 정착되기까지는 많은 시간이 필요한 실정이다.
그렇다면 재래시장을 활성화할 근본 방안은 무엇일까? 기존의 재래시장은 장년층과 노년층이 주 고객이었다. 재래시장의 가치를 높이기 위해서는 젊은이들이 찾는 시장이어야 하며, 그러기 위해서는 대형 유통 업체와의 차별화가 중요하다. 또한 상인들은 젊은이들의 기호에 맞추려는 노력을 해야 한다. 다시 말해 주변 환경만 탓하지 말고 스스로 생존할 수 있는 힘을 길러야 한다. 이런 조건들이 갖추어졌을 때 대형 유통 업체와 경쟁할 수 있는 힘을 가지게 된다. 상인들 스스로 노력하여 신자유주의의 급변하는 파고 속에서도 물고기를 잡는 방법을 터득해야 한다. 여기에 정부나 지방 자치 단체의 행정적·재정적인 지원이 더해진다면 우리의 신명 나는 전통이 묻어나는 재래시장이 다시 살아날 것이다.

① ㉠　　② ㉡
③ ㉢　　④ ㉣

TIPS!

〈보기 2〉의 다섯 번째 줄 중간에 보면 "기존의 재래시장은 장년층과 노년층이 주 고객이었다."라는 말이 나오므로, '장년층 고객 유도 방안'은 재래시장 활성화 방안으로 적절치 않다. 또한 다섯 번째 줄 뒷부분에 "재래시장의 가치를 높이기 위해서는 젊은이들이 찾는 시장이어야 하며"라는 말이 나오는 것으로 보아 '청년층 고객 유도 방안'으로 고쳐야 한다.

Answer 7.①

2014. 4. 19. 안전행정부

8 다음 발표에서 사용한 전략이 아닌 것은?

> 여러분은 지금부터 제 질문에 "받아들일 만하다!"와 "불공정하다!"의 두 가지 대답 중 하나만을 선택할 수 있습니다. 첫 번째 질문은 다음에 관한 내용입니다. 어떤 자동차가 매우 잘 팔려서 물량이 부족한 상황입니다. 이에 한 자동차 대리점은 지금까지와는 달리 상품 안내서에 표시된 가격에 20만 원을 덧붙여서 팔기로 했습니다. 자동차 대리점의 결정은 받아들일 만한 것일까요, 아니면 불공정한 것일까요?
> 두 번째 질문은 다음과 같습니다. 어떤 자동차가 매우 잘 팔려서 물량이 부족한 상황입니다. 20만 원 할인된 가격으로 차를 팔아 왔던 한 자동차 대리점이 할인을 중단하고 원래 가격대로 팔기로 했습니다. 이러한 결정은 받아들일 만한 것일까요, 아니면 불공정한 것일까요?
> 실제로 캐나다에서 130명을 상대로 이러한 질문을 했습니다. 그 결과에 따르면, 첫 번째 질문에 불공정하다고 답한 응답자는 71%인 반면, 두 번째 질문에 불공정하다고 답한 응답자는 42%에 불과합니다. 두 경우 모두 가격을 20만 원 올렸는데, 이러한 차이가 발생한 이유는 무엇일까요? 이에 대해 노벨 경제학상을 받은 대니얼 카너먼은 가격을 올리는 방식에 대해 정반대의 생각을 하기 때문이라고 했습니다. 기존의 가격에서 인상하는 것은 손해로, 할인을 없애는 것은 이득을 볼 기회를 잃어버리는 것으로 여긴다는 것입니다.

① 전문가의 견해를 인용하고 있다.
② 물음을 통해 청중의 주의를 환기하고 있다.
③ 구체적인 사례와 조사 결과를 제시하고 있다.
④ 매체의 특성을 고려해 발표 내용을 조절하고 있다.

TIPS!

위 글은 전문가의 견해를 인용하고 물음을 통해 청중의 주의를 환기시키고 있으며 구체적인 사례를 들어 설명하고 있지만 매체의 특성을 고려하여 발표 내용을 조절하고 있지는 않다.

Answer 8.④

2010. 4. 10. 행정안전부

9 다음 안내문에 대한 수정 의견으로 옳지 않은 것은?

> 〈알리는 말씀〉
>
> 노후 시설 보수 공사를 위해 아파트 입주민께서는 차량을 가급적 지하 주차장에 주차시키시고 입주민 외에는 외부 차량의 출입을 절대로 금합니다. 또한 단지 내에도 방문객 이외에 외부인의 출입을 금합니다.
>
> -2010년 4월 10일 ○○ 아파트 관리소장 백-

① '외부인의 출입을 금합니다.'라는 표현 중에서 '금하다'는 이 글에서 적절하지 않은 단어를 사용한 것이므로 '금지합니다'로 고치는 것이 좋겠다.

② '차량 출입을 절대로 금합니다.'라는 표현 중에서 '절대로'라는 단어는 전체 내용으로 보아 적절하지 않으므로 빼는 것이 좋겠다.

③ '입주민'이라는 낱말은 '새로 지은 집 따위에 들어가 사는 사람'이라는 뜻으로 이 글에서 적절하지 않으므로 '주민'으로 고치는 것이 좋겠다.

④ '지하 주차장에 주차시키시고'라는 표현 중에서 '시키다'는 불필요한 사동 표현이므로 '주차하시고'로 고치는 것이 좋겠다.

TIPS!

① '금하다'는 '어떤 일을 하지 못하게 말리다.'의 뜻이므로 '외부인의 출입을 금합니다.'는 옳은 표현이다.

국어

한국사

영어

Answer 9.①

2010. 4. 10. 행정안전부

10 (가) 상황에 어울리는 글을 쓰려고 할 때 (나) 조건에 가장 잘 맞는 것은?

> (가) 상황 : 서로 다른 성격으로 인해 자주 다투는 두 학생을 대상으로 하여 충고의 말을 하려 한다. 내용은 삶과 관련하여 '조화(調和)의 가치'에 대한 것으로 하고자 한다.
> (나) 조건 : ㉠ 대립적인 속성을 지닌 사물을 이용한다.
> ㉡ 유추와 대조의 표현 효과를 살린다.
> ㉢ 가치의 요소를 암시적으로 드러낸다.

① 이는 딱딱하고 혀는 부드럽다. 이는 음식을 씹되 그 맛을 모르고, 혀는 맛볼 수는 있으되 맛이 우러나게 씹을 수는 없다. 이 둘이 어울려 제 기능을 다할 때 음식으로부터 즐거움과 건강을 얻을 수 있듯이, 엄격한 아버지와 자애로운 어머니가 존재하기에 아이는 건강하게 자랄 수 있다. 이런 것이 세상의 이치이다.

② 분수와 폭포는 영원한 대립자이다. 폭포는 지하를 향해 끝없이 하강하려 하지만, 분수는 천상을 향해 부단히 상승하려고 한다. 폭포가 철저하게 자연의 법칙에 순응하려 한다면 분수는 이러한 법칙에 반대하고 저항한다. 이 두 개의 의지는 결코 서로 만나 이웃을 이루는 일이 없다.

③ 광명과 암흑은 정반대의 현상이다. 그러나 광명이 있을 때 비로소 암흑이 생겨난다. 촛불로 인해 찾아 온 광명은 암흑을 내쫓는 것이 아니라 거꾸로 촛불 밑에 암흑을 불러들인다. 광명이 없는 암흑은 다만 죽어 있는 정적에 지나지 않는다. 광명은 암흑을 깨어나게 한다.

④ 인간에겐 역사와 신화의 두 다리가 있다. 역사는 먹고 자고 입는 일상의 울타리 속에서 움직이며, 신화는 사랑하고 노래하며 춤추는 초월의 언덕 위에서 행동한다. 밥은 역사의 양식이며 술은 신화의 양분이다. 이 둘 모두 필요한 것이 사실이지만 술 없이는 살아도 밥 없이는 살 수 없다.

TIPS!

'이와 혀'라는 대립적인 속성을 지닌 사물을 이용하였고, '어머니와 아버지'로 유추와 대조의 표현 효과를 살렸다. 또한 '건강하게'라는 가치의 요소를 드러냄으로써 조건을 충족시키고 있다.

②④ '조화의 가치'가 제시되지 않았다.

③ '유추'가 제시되지 않았다.

Answer 10.①

Let's check it out

04 출제예상문제

국어

1 토론자들의 주장을 가장 적절하게 분석한 것은?

> 사회 : 최근 보이스피싱 범죄가 모든 금융권으로 확산되면서 피해액이 늘어나고 있습니다. 이에 금융 당국이 은행에도 일부 보상 책임을 지게 하는 방안을 검토하는 것으로 알려지고 있습니다. 이에 대해 어떻게 생각하십니까?
> 영수 : 개인들이 자신의 정보를 잘못 관리한 책임까지 은행에서 진다는 것은 문제가 있습니다. 도와드릴 수 있다면 좋겠지만, 은행 입장에서도 한계가 있는 부분이 있어 안타까울 뿐입니다.
> 민수 : 소비자들이 자신의 개인 정보 관리에 다소 부주의함이 있다는 것은 인정합니다. 그러나 개인의 부주의를 얘기하는 것보다는 정부가 근본적인 해결책을 모색하는 것이 더욱 시급합니다.

① 영수와 달리, 민수는 보이스피싱 피해에 대한 책임을 소비자에게만 전가해서는 안 된다고 생각한다.
② 영수와 민수는 보이스피싱 범죄의 확산에 대한 일차적 책임이 은행과 정부에 있다고 생각한다.
③ 영수와 민수는 보이스피싱 범죄로 인한 피해를 방지하기 위해 은행에서 노력하고 있다고 생각한다.
④ 영수는 보이스피싱 범죄를 근본적으로 해결하기 위해 은행의 역할을, 민수는 정부의 역할을 강조한다.

TIPS!

① 영수는 보이스피싱 범죄가 개인이 자신의 정보를 잘못 관리한 책임이라고 보고 은행에도 일부 책임을 지게 하는 정부 방침에 문제가 있다고 생각한다. 그러나 민수는 보이스피싱 범죄에 있어 개인의 부주의보다는 정부의 근본적 해결책 모색이 시급하다고 하고 있으므로, 그 책임을 소비자에게만 전가하는 것에 대하여 부정적으로 생각한다는 것을 알 수 있다.

한국사

영어

Answer 1.①

2 다음 글을 참고할 때, 〈보기〉에서 아이의 말에 대한 엄마의 말이 '반영하기'에 해당하는 것은?

> 적극적인 듣기의 방법에는 '요약하기'와 '반영하기'가 있다. 화자가 자신의 상태에 대해 직접적으로 말하는 경우에는 요약하기와 같은 재진술이 가능하지만 그렇지 않으면 불가능하다. 한편 반영하기는 상대의 생각을 수용하고 상대의 현재 상태에 감정 이입을 하여 의미를 재구성하는 방법으로, 상대를 이해하고 있다는 청자의 적극적인 표현이기 때문에 원활한 의사소통에 도움이 된다.

> 〈보기〉
>
> 아이 : 엄마, 모레가 시험인데 내일 꼭 치과에 가야 하나요?
>
> 엄마 : ________________

① 너, 치과에 가기가 싫어서 그러지?
② 네가 치료보다 시험에 집중하고 싶구나.
③ 내일 꼭 치과에 가야 하는지가 궁금했구나.
④ 약속은 지켜야 하는 거니까 치과에 가야겠지.

TIPS!

'반영하기'는 상대의 생각을 수용하고 상대의 현재 상태에 감정 이입을 하여 의미를 재구성하는 방법이다. 아이는 시험을 앞에 두고 치과에 가기 싫어하고 있으므로 이에 대한 반영하기로는 ②가 적절하다.

Answer 2.②

3 다음 대화 상황에서 의사소통에 장애가 일어났다고 한다면, 그 이유로 가장 적절한 것은?

> 교사 : 동아리 보고서를 오늘까지 내라고 하지 않았니?
> 학생1 : 네, 선생님. 다정이가 다 가지고 있는데, 아직 안 왔어요.
> 교사 : 이거, 큰일이네. 오늘이 마감인데.
> 학생1 : 그러게요. 큰일이네요. 다정이가 집에도 없는 것 같아요.
> 학생2 : 어떡해? 다정이 때문에 우리 모두 점수 깎이는 거 아니야? 네가 동아리 회장이니까 네가 책임져.
> 학생1 : 아니, 뭐라고? 다정이가 보고서 작성하기로 지난 회의에서 결정한 거잖아.
> 교사 : 자, 그만들 해. 이럴 때가 아니잖아. 어서 빨리 다정이한테 연락이나 해 봐. 지금 누구 잘잘못을 따질 상황이 아니야.
> 학생3 : 제가 다정이 연락처를 아니까 연락해 볼게요.

① 교사가 권위적인 태도로 상황을 무마하려 하고 있다.
② 학생1이 자신의 책임을 면하기 위해 변명으로 일관함으로써 의사소통이 단절되고 있다.
③ 학생2가 대화 맥락을 고려하지 않고 끼어들어 책임을 언급함으로써 갈등이 생겨나고 있다.
④ 학생3이 본질과 관계없는 말을 언급함으로써 상황을 무마하려고 하고 있다.

TIPS!

① 교사는 더 큰 갈등을 막고, 문제를 해결하는 것에 주력하고 있다.
② 학생1은 문제가 발생한 상황과 원인을 잘 설명하고 있다.
④ 학생3이 한 말은 문제를 해결하기 위한 대화에 부합한다.

국어

한국사

영어

Answer 3.③

4 화자의 진정한 발화 의도를 파악할 때, 밑줄 친 부분을 고려하지 않아도 되는 것은?

> 일상 대화에서는 직접 발화보다는 간접 발화가 더 많이 사용되지만, 그 의미는 맥락에 의해 파악될 수 있다. 화자는 상대방이 충분히 그 의미를 파악할 수 있다고 판단될 때 간접 발화를 전략적으로 사용함으로써 의사소통을 원활하게 하기도 한다.

① (친한 사이에서 돈을 빌릴 때) 돈 가진 것 좀 있니?
② (창문을 열고 싶을 때) 얘야, 방이 너무 더운 것 같구나.
③ (갈림길에서 방향을 물을 때) 김포공항은 어느 쪽으로 가야 합니까?
④ (선생님이 과제를 내주고 독려할 때) 우리 반 학생들은 선생님 말씀을 아주 잘 듣습니다.

TIPS!

③ 직접 발화에 해당하므로 맥락에 의해 파악될 수 있는 말이 아니다.
※ 직접 발화와 간접 발화

직접 발화	간접 발화
• 문장 유형과 발화 의도가 일치한다. • 맥락보다 의도가 우선적으로 고려된다. • 화자의 의도가 직접적으로 표현된다. 예) 창문 좀 열어라.	• 문장 유형과 발화 의도가 불일치한다. • 의도를 맥락에 맞춰 표현한다. • 화자의 의도가 간접적으로 표현된다. 예) 방이 너무 더운 것 같구나.

Answer 4.③

5 다음은 '문화 산업을 육성하자.'라는 주제로 글을 쓰기 위해 작성한 개요이다. 이 개요를 수정하기 위해 제기한 의견으로 가장 적절하지 않은 것은?

> • 주제: 문화 산업을 육성하자.
> Ⅰ. 도입: 문화 산업이 미래를 이끌어갈 차세대 산업으로 부상하고 있다.
> Ⅱ. 전개 1: 문화 산업 발전을 육성하기 위한 방안
> (가) 창의적인 아이디어를 펼칠 수 있는 예술 창작 기회의 마련
> (나) 지적 재산권 보호를 통해 예술가들의 창작 의지를 고취
> (다) 예술적 아이디어와 상업적 자본의 결합을 통한 대형 예술 기획 체제 마련
> Ⅲ. 전개 2: 문화 산업을 육성시켜야 하는 이유
> (가) 전통적인 경제 체제에서의 수익을 능가하는 경제적 이익
> (나) 문화 산업은 고부가가치 고성장 산업
> (다) 타 산업에 대한 파급효과가 크고 국가 이미지 제고에도 기여
> Ⅳ. 요약 및 마무리: 문화 산업을 발전시키기 위한 국민적 공감대 형성 당부

① 주제가 분명히 드러날 수 있도록 '문화 산업을 육성하자.'를 '문화 산업을 육성하기 위한 대책을 마련하자.'로 바꾼다.
② 'Ⅰ. 도입'에 '한류 문화가 우리나라 경제에 미치는 파급 효과나 세계 문화에 끼치는 영향력' 등의 예를 들어 흥미를 유발시킨다.
③ 'Ⅱ. 전개 1'의 '(다)'는 이 글의 취지와 맞지 않으므로 삭제한다.
④ 글의 전체 흐름에 맞추어 볼 때, 'Ⅱ. 전개 1'과 'Ⅲ. 전개 2'의 내용은 순서를 바꾼다.

TIPS!

③ Ⅱ. 전개 1의 (다)는 문화 산업을 육성하자는 이 글의 주제와 맥락을 함께한다. 따라서 삭제해서는 안 된다.

Answer 5.③

6 다음은 '청소년의 디지털 중독의 폐해와 해결 방안'이라는 주제로 글을 쓰기 위한 개요이다. 수정 · 보완하기 위한 방안으로 적절하지 않은 것은?

> Ⅰ. 서론 : 청소년 디지털 중독의 심각성
> Ⅱ. 본론 :
> 1. 청소년 디지털 중독의 폐해 ──── ㉠
>   가. 타인과의 관계를 원활하게 하지 못하는 사회 부적응 야기
>   나. 다양한 기능과 탁월한 이동성을 가진 디지털 기기의 등장 ──── ㉡
> 2. 청소년 디지털 중독에 영향을 미치는 요인
>   가. 디지털 중독의 심각성에 대한 개인적, 사회적 인식 부족
>   나. 뇌의 기억 능력을 심각하게 퇴화시키는 디지털 치매의 심화 ──── ㉢
>   다. 신체 활동을 동반한 건전한 놀이를 위한 시간 및 프로그램의 부족
>   라. 자극적이고 중독적인 디지털 콘텐츠의 무분별한 유통
> 3. 청소년 디지털 중독을 해결하기 위한 방안
>   가. 디지털 중독의 심각성에 대한 교육과 홍보를 위한 전문 기관 확대
>   나. 학교, 지역 사회 차원에서 신체 활동을 위한 시간 및 프로그램의 확대
>   다. (　　　　) ──── ㉣
> Ⅲ. 결론 : 청소년 디지털 중독을 줄이기 위한 개인적, 사회적 노력의 촉구

① ㉠의 하위 항목으로 '우울증이나 정서 불안 등의 심리적 질환 초래'를 추가한다.

② ㉡은 'Ⅱ － 1'과 관련된 내용이 아니므로 삭제한다.

③ ㉢은 'Ⅱ － 2'의 내용과 어울리지 않으므로, 'Ⅱ － 1'의 하위 항목으로 옮긴다.

④ ㉣에는 'Ⅱ － 2'와의 관련성을 고려하여 '청소년을 대상으로 디지털 기기의 사용 시간 제한'이라는 내용을 넣는다.

TIPS!

④ 'Ⅱ-2'는 청소년 디지털 중독에 영향을 미치는 요인에 대한 내용이고 'Ⅱ-3'은 청소년 디지털 중독을 해결하기 위한 방안에 대한 내용이다. 특히 ㉣은 학교, 지역 사회 차원에서 신체 활동을 위한 시간 및 프로그램의 확대에 대한 내용을 담고 있기 때문에 신체 활동과 관련된 내용이 들어가야 한다.

Answer 6.④

7 다음 자료를 활용하여 글을 쓰려고 할 때, 적절하지 않은 것은?

(단위 : %, 중복 응답)

구분					
인터넷의 순기능	88.4	59.0	46.6	13.1	12.9
	다양한 정보의 습득	편리한 커뮤니케이션	온라인 교육 및 여가 활용	다양한 의견의 장	다양한 동호회 참여 및 활동
인터넷의 역기능	84.3	83.9	56.2	16.1	10.2
	욕설, 비방, 허위 사실 유포	성인 음란물 유통	개인 정보 유출	저작권 침해	반국가 행위

① 인터넷을 이용하면 필요한 정보를 다양하게 얻을 수 있음을 서술한다.
② 자신의 권리가 침해되지 않도록 보안 강화 방안을 적극적으로 제안한다.
③ 타인의 권리를 침해하지 않도록 인터넷 윤리 교육의 필요성을 강조한다.
④ 인터넷이 잘못된 여론을 형성할 수 있으므로 인터넷 사용을 금지할 것을 주장한다.

TIPS!

인터넷의 역기능으로 허위 사실 유포가 지적되었지만, 모든 순기능을 배제한 채 이것을 근거로 인터넷 사용을 금지하는 것은 적절하지 않다.

Answer 7.④

8 ㈎~㈑에 대한 고쳐쓰기 방안으로 옳지 않은 것은?

> ㈎ 수학 성적은 참 좋군. 국어 성적도 좋고.
> ㈏ 친구가 "난 학교에 안 가겠다."고 말했다.
> ㈐ 동생은 가던 길을 멈추면서 나에게 달려왔다.
> ㈑ 대통령은 진지한 연설로서 국민을 설득했다.

① ㈎ : '수학 성적은 참 좋군.'은 국어 성적이 좋을 가능성을 배제하는 의미가 포함되어 있다. 따라서 보조사 '은'을 주격 조사 '이'로 바꿔 쓴다.
② ㈏ : 직접 인용문 다음이므로 인용 조사는 '고'가 아닌 '라고'를 쓴다.
③ ㈐ : 어미 '-면서'는 두 동작의 동시성을 나타내지 못하므로 '-고'로 바꿔 쓴다.
④ ㈑ : '로서'는 자격을 나타내는 기능을 하므로 수단을 나타내는 기능을 하는 조사 '로써'로 바꿔 쓴다.

TIPS!

③ '-면서'는 '두 가지 이상의 움직임이나 사태 따위가 동시에 겸하여 있음을 나타내는 연결 어미' 또는 '두 가지 이상의 움직임이나 사태가 서로 맞서는 관계에 있음을 나타내는 연결 어미'로 두 동작의 동시성을 나타낸다. '멈추다'와 '달려왔다'는 동시에 일어날 수 없으므로 '-고'로 바꿔 쓴다.

Answer 8.③

9 〈보기〉를 근거로 판단할 때, ㉠～㉣ 중 적절하지 않은 것은?

> 〈보기〉
>
> 통일성은 글의 내용이 하나의 주제로 긴밀하게 관련되는 특성을 말한다. 초고의 적절성을 평가할 때에는 글의 내용이 하나의 주제를 드러낼 수 있도록 선정되었는지, 그리고 중심 내용에 부합하는 하위 내용들로 선정되었는지를 검토한다.

> 사람들은 대개 수학 과목이 어렵다고 한다. 하지만 나는 수학 시간이 재미있다. ㉠바로 수업을 재미있게 진행하시는 수학 선생님 덕분이다. 수학 선생님은 유머로 딱딱한 수학 시간을 웃음바다로 만들곤 한다. ㉡졸리는 오후 시간에 뜬금없이 외국으로 수학여행을 가자고 하여 분위기를 부드럽게 만든 후 어려운 수학 문제를 쉽게 설명한 적도 있다. 그래서 우리 학교에서는 수학 선생님의 인기가 시들 줄 모른다. ㉢그리고 수학 선생님의 아들이 수학을 굉장히 잘한다는 소문이 나 있다. ㉣내 수학 성적이 좋아진 것도 수학 선생님의 재미있는 수업 덕택이다.

① ㉠ ② ㉡

③ ㉢ ④ ㉣

TIPS!

글은 내가 수학 시간이 즐거운 이유를 설명하고 있다. ㉢은 글의 흐름상 적정하지 않는다.

Answer 9.③

국어 한국사 영어

10 다음 〈공고문〉의 ㉠~㉣에 대한 수정 의견으로 적절하지 않은 것은?

> 이곳은 ㉠개인이 소유하고 있는 사유지입니다. 따라서 외부인이 ㉡이곳을 마음대로 출입하거나 쓰레기를 무단으로 투기하는 행위는 법에 ㉢접촉되오니 ㉣삼가주시기 바랍니다. 향후 이와 같은 일이 발생할 경우 고발 조치를 할 것임을 엄중하게 경고하는 바입니다.
>
> 2015년 00월 00일 주인 백

① ㉠ : 의미가 중복되므로 '개인이 소유하고 있는 토지'로 표현하는 게 좋겠어.
② ㉡ : 문장 성분의 자연스러운 호응을 위해 '이곳을'을 '이곳에'로 수정하는 게 좋겠어.
③ ㉢ : 맥락상 적절하지 못한 단어이므로 '저촉'으로 수정하는 게 좋겠어.
④ ㉣ : 어법에 맞게 '삼가해 주시기'로 수정하는 게 좋겠어.

TIPS!

④ '삼가하다'는 '삼가다'의 잘못된 표기이므로 '삼가주시기'가 옳은 표현이다.

Answer 10.④

문학

section 1 문학의 이해

1. 문학의 본질과 특성

(1) 문학의 정의

작가의 체험을 통해 얻은 진실을 언어를 통해 표현하는 언어 예술이다.

(2) 문학의 본질

① 언어 예술 … 문학은 언어를 표현 매체로 하며 동시에 그것을 예술적으로 가다듬은 것이어야 한다.

② 개인 체험의 표현 … 개인의 특수한 체험이면서, 인류의 보편적 삶과 합일하는 체험이어야 한다.

③ 사상과 정서의 표현 … 미적으로 정화되고 정서화된 사상의 표현만이 문학이 될 수 있다.

④ 상상의 세계 … 작가의 상상에 의해 허구화된 세계의 표현이다.

⑤ 통합된 구조 … 모든 요소들이 유기적으로 결합되어 하나의 작품이 이루어진다.

(3) 문학의 갈래

① 언어 형태에 따른 갈래

㉠ 운문 문학 : 언어에 리듬감을 부여하여 정서적 · 감성적인 효과를 가져 오는 문학이다.

㉡ 산문 문학 : 언어에 리듬감이 없는 산문으로 된 문학이다.

② 언어의 전달 방식에 따른 갈래

㉠ 구비 문학 : 문자라는 기록 수단이 발명되기 이전에 입에서 입으로 전해진 문학이다.

㉡ 기록 문학 : 구비 문학을 기록하는 것에서 출발하여 본격적인 개인의 창의가 반영되는 문학이다.

③ 표현 양식에 따른 갈래

㉠ 3분법 : 서정 양식('시'가 대표적), 서사 양식('소설'이 대표적), 극 양식('희곡'이 대표적)

㉡ 4분법 : 시, 소설, 수필, 희곡

2. 문학 작품의 해석

(1) 문학 이해의 여러 관점

① **문학 자체를 중시하는 관점**…문학 작품을 이루는 여러 가지 외적 요소를 가급적으로 배제하고, 문학 작품 자체의 예술성을 밝히는 데 관심을 둔다(형식주의, 구조주의, 신비평).

② **주체를 중시하는 관점**…문학 행위의 적극적 · 소극적 주체로서의 작가와 독자에 중심을 둔다(표현주의, 심리학적 비평, 수용미학 등).

③ **현실을 중시하는 관점**…문학의 표현 대상인 현실에 주안점을 두는 문학 이해의 방법으로, 문학은 현실의 반영물이라는 것이 기본 전제를 이룬다(역사주의 비평, 현실주의 비평, 문학 사회학 등).

(2) 문학 작품 이해의 실제 방법

① **생산론적 관점**(표현론)…작품을 생산자인 작가의 체험과 밀접하게 관련시켜 해석하는 관점을 말한다.

㉮ 1920년대 초기 시들과 모더니즘 시에 애수와 비애가 나타나는 것은 작가들이 겪은 식민지 시대의 역사적 경험에서 비롯된다.

② **수용론적 관점**(효용론)…작가가 제시한 예술적 체험과 수용자의 일상적 경험이 맺고 있는 관계를 중심으로 작품을 해석하고, 작품을 대하는 독자의 수용 양상을 중시하는 관점을 말한다.

㉮ 박지원의 허생전을 읽고 허생의 진취적이고 진보적인 세계관에 대해 긍정적인 동의를 하는 반면, 허생이 축재를 하는 과정에서 보여 주었던 건전하지 못한 상행위를 현재의 관점에서 비판할 것이다. 이러한 과정을 통해 독자는 삶에 대한 새로운, 혹은 더욱 명확한 자신의 인식을 획득하게 된다.

③ **반영론적 관점**(모방론)…작품에 나타난 현실과 실제의 현실이 맺고 있는 관련성에 초점을 맞추는 해석 방법을 말한다.

㉮ 윤동주의 시에는 식민지 시대의 고통이 뚜렷이 반영되어 있으므로 1940년 전후의 역사적 상황과 관련시켜 이해하여야 한다.

④ **구조론적 관점**(절대주의론)…작품을 구성하는 부분들의 상호 관계를 통해 전체의 의미를 해석하는 방법으로, 그 상호 관계는 언어의 결합 방식인 구조적 특성을 중요시한다.

㉮ '고향'이라는 단어는 대개 어린 시절을 보낸 지역이며, 그리움의 대상으로 받아들여진다. 그러나 현진건의 고향에서는 고향의 개념이 식민지 지배로 인해 철저하게 파괴된 세계로 인식되고 평가되고 있다.

⑤ **종합주의적 관점**…인간의 모든 면을 다루고 있는 문학의 세계는 어느 하나의 관점으로 설명될 수 없을 만큼 깊고 복잡한 것이기 때문에 다각도에서 총체적으로 접근하려는 관점이다.

section 2 시

1. 시의 기초

(1) 시의 본질

① 시의 정의 … 인간의 사상이나 감정을 운율이 있는 언어로 압축하여 표현한 운문 문학이다.

② 시의 특징

㉠ 시는 대표적인 언어 예술이며, 압축된 형식미를 갖추고 있다.

㉡ 시에는 운율이 있으며 시는 사상과 정서를 표현한 창작 문학이다.

㉢ 시는 심상, 비유, 상징 등에 형상화되고, 시인의 은밀한 독백으로 '엿듣는 문학'이다.

㉣ 시는 작품의 문맥에 의해 그 의미가 파악되는, 언어의 내포적 기능에 의존한다.

(2) 시의 갈래

① 형식상 갈래 … 정형시, 자유시, 산문시

② 내용상 갈래 … 서정시, 서사시, 극시

③ 성격상 갈래 … 순수시, 사회시(참여시)

④ 주제에 따른 갈래 … 주정시, 주지시, 주의시

POINT 시의 3요소
운률, 심상, 주제

2. 시의 구성 요소

(1) 시의 운율

① 운율의 뜻 … 시에서 음악성을 나타나게 해 주는 것으로 자음과 모음을 규칙적으로 반복하는 운(韻)과 소리의 고저 · 장단 · 강약을 주기적으로 반복하는 율격으로 나뉜다.

② 운율의 갈래

㉠ 외형률 : 시어의 일정한 규칙에 따라 생기는 운율로 시의 겉모습에 드러난다.

- 음수율 : 시어의 글자 수나 행의 수가 일정한 규칙을 가지는 데에서 오는 운율(3 · 4조, 4 · 4조, 7 · 5조 등)이다.
- 음위율 : 시의 일정한 위치에 일정한 음을 규칙적으로 배치하여 만드는 운율(두운, 요운, 각운)이다.
- 음성률 : 음의 길고 짧음이나, 높고 낮음, 또는 강하고 약함 등을 규칙적으로 배치하여 만드는 운율이다.
- 음보율 : 우리 나라의 전통시에서 발음 시간의 길이가 같은 말의 단위가 반복됨으로써 생기는 음의 질서(평시조 4음보격, 민요시 3음보격)이다.

㉡ 내재율 : 일정한 규칙이 없이 각각의 시에 따라 자유롭게 생기는 운율로, 시의 내면에 흐르므로 겉으로는 드러나지 않는다.

(2) 시의 언어

① 시어는 비유와 상징에 의한 함축적 · 내포적 의미로 사용하며, 다의성과 모호성을 가진다.

② 시어는 주관적 · 간접적 · 비약적 특성을 가지며, 과학적 언어와는 크게 다르다.

③ 시어는 운율, 이미지, 어조에 크게 의존한다.

3. 시의 표현

(1) 비유(比喩, metaphor)

말하고자 하는 사물이나 의미를 다른 사물에 빗대어 표현하는 방법으로 직유법, 은유법, 의인법, 풍유법, 대유법 등이 사용된다.

(2) 상징(象徵, symbol)

① 상징은 일상 언어의 상징보다 더 함축적이고 암시적이다.

예 태극기가 우리 나라를 상징함

② 비유에서는 원관념 … 보조 관념은 1 : 1의 유추적 관계를 보이지만 상징에서는 1 : 다수의 다의적 관계이다.

③ 상징의 갈래

㉠ 관습적 상징(고정적 · 사회적 · 제도적 상징) : 일정한 세월을 두고 사회적 관습에 의해 공인되고 널리 보편화된 상징을 말한다.

예 십자가 → 기독교, 비둘기 → 평화

㉡ 개인적 상징(창조적 · 문화적 상징) : 관습적 상징을 시인의 독창적 의미로 변용시켜 문화적 효과를 얻는 상징을 말한다.

예 윤동주의 '십자가'에서 십자가의 의미 → 윤동주 자신의 희생 정신
황동규의 '나는 바퀴를 보면 굴리고 싶어진다'에서 바퀴의 의미 → 굴러갈 수 있는 모든 것, 생명, 역사, 사랑 등

(3) 시의 심상(心象)

① 심상(이미지, image)의 뜻 … 심상은 시어에 의해 마음 속에 그려지는 감각적인 모습이나 느낌을 말한다.

② 심상의 갈래

㉠ 시각적 심상 : 색깔, 모양, 명암, 동작 등의 눈을 통한 감각적 표현을 말한다.

예 치마 밑 하얀 외씨버선

㉡ 청각적 심상 : 귀를 통한 소리의 감각적 표현을 말한다.

예 밖에는 갈잎의 노래

㉢ **후각적 심상** : 코를 통한 냄새의 감각적 표현을 말한다.

예 사월이면 진달래 향기

㉣ **촉각적 심상** : 살갗을 통한 감촉의 감각적 표현을 말한다.

예 따스한 그 감촉을 손으로 어루만지며

㉤ **미각적 심상** : 혀를 통한 맛의 감각적 표현을 말한다.

예 싱겁고도 구수한 그 맛

㉥ **공감각적 심상** : 두 개 이상의 감각이 결합되어 표현되는 심상을 말한다.

예 아침까지 차가운 귀뚜라미 울음소리 들으며(촉각 + 청각 → 청각을 촉각화하여 표현)

2019. 4. 6. 소방공무원

㉠~㉣에 대한 설명으로 옳지 않은 것은?

> ㉠ 못난 놈들은 서로 얼굴만 봐도 흥겹다
> 이발소 앞에 서서 참외를 깎고
> 목로에 앉아 막걸리를 들이켜면
> 모두들 한결같이 친구 같은 얼굴들
> ㉡ 호남의 가뭄 얘기 조합 빚 얘기
> 약장수 기타 소리에 발장단을 치다 보면
> 왜 이렇게 자꾸만 서울이 그리워지나
> 어디를 들어가 섰다라도 벌일까
> 주머니를 털어 색싯집에라도 갈까
> ㉢ 학교 마당에들 모여 소주에 오징어를 찢다
> 어느새 긴 여름 해도 저물어
> 고무신 한 켤레 또는 조기 한 마리 들고
> ㉣ 달이 환한 마찻길을 절뚝이는 파장
>
> – 신경림, 「파장」 –

① ㉠ : 농민들이 서로에게 느끼는 유대감을 보여 준다.

② ㉡ : 농민들이 겪는 여러 가지 어려움이 나타난다.

③ ㉢ : 어려움을 극복한 농민들의 흥겨움이 드러난다.

④ ㉣ : 농촌의 힘겨운 현실을 시적으로 형상화하고 있다.

✱

시(운문)읽기 원리에서 가장 중요한 것은 화자와 상황이다. 즉, 화자가 누구이고 화자의 역할이 무엇이며 화자가 말하고자 하는 상황이 어떤 것인지를 파악하는 것이다. 이 시에서 화자는 농민일 수 있고 아니면 농민의 상황을 안타깝게 여기는 관찰자일 수 있다. 다시 말하면 농민의 안타까운 상황을 답답한 농민의 처지에서 말하고자하는 것이다.

[작품해설]

㉠ 갈래 : 자유시, 서정시

㉡ 성격 : 향토적, 비판적, 서정적

㉢ 제재 : 장터의 서민들의 모습

㉣ 주제 : 황폐화되어 가는 농촌의 현실을 살아가는 농민들의 애환

㉤ 특징

- 시간의 경과에 따라 시상을 전개
- 일상어와 비속어의 적절한 구사로 농민들의 삶을 진솔하게 표현

답 ③

section 3 소설

1. 소설의 본질과 갈래

(1) 소설의 본질

① 소설의 정의 … 현실 세계에 있음직한 일을 작가의 상상에 따라 꾸며낸 이야기로, 독자에게 감동을 주고 인생의 진리를 나타내는 산문 문학이다.

② 소설의 특징 … 산문성, 허구성, 예술성, 진실성, 서사성, 모방성

> POINT 소설의 3요소
> 주제, 구성, 문체

(2) 소설의 갈래

① 길이상 갈래 … 원고지의 매수 및 구성방식에 따라 장편 소설, 중편 소설, 단편 소설, 콩트로 구분한다.

② 성격상 갈래

㉠ 순수 소설 : 작품의 예술성을 추구하는 본격 소설로 예술적 가치 이외의 것은 거부한다.

㉡ 목적 소설 : 예술적 기교보다는 작품 내용의 효용성, 정치적 목적성 등을 더 중시한다.

㉢ 대중(통속) 소설 : 남녀의 사랑이나 사건 중심으로 쓴 흥미 본위의 소설로 상업성을 추구하며 예술성보다는 쾌락성이나 효용성을 더 중시한다.

2. 소설의 구성과 시점

(1) 소설의 구성(plot)

① 구성의 5단계 … 발단 → 전개 → 위기 → 절정 → 결말

② 구성의 유형

㉠ 단순 구성 : 단일한 사건으로 구성되며, 주로 단편 소설에 쓰인다. 통일된 인상, 압축된 긴장감을 나타내는 구성 방법이다.

예 주요섭의 사랑 손님과 어머니, 이효석의 메밀꽃 필 무렵

㉡ 복합 구성 : 둘 이상의 사건이 복잡하게 짜여져 구성되며, 주로 중편 소설이나 장편 소설에 쓰인다.

예 염상섭의 삼대, 박경리의 토지

㉢ 액자식 구성 : 소설(外話) 속에 또 하나의 이야기(內話)가 포함되어 있는 구성이다.

예 황순원의 목넘이 마을의 개, 이문열의 사람의 아들

㉣ **피카레스크식 구성** : 독립할 수 있는 여러 개의 사건이 인과 관계에 의한 종합적 구성이 아니라 산만하게 나열되어 있는 연작 형식의 구성이다.

예 보카치오의 데카메론, 조세희의 난장이가 쏘아올린 작은 공

(2) 소설의 시점

① **1인칭 주인공(서술자) 시점** … 주인공인 '나'가 자신의 이야기를 서술하는 시점으로 주관적이다.

㉠ 서술자와 주인공이 일치하여 등장 인물의 내면 세계를 묘사하는 데 효과적인 시점이다.

㉡ 독자에게 신뢰감과 친근감을 주며 이야기에 신빙성을 부여하지만, 객관성을 유지하기는 어렵다.

㉢ 고백 소설, 성장 소설, 일기체 소설, 심리 소설 등에 나타난다.

② **1인칭 관찰자 시점** … 등장 인물(부수적 인물)인 '나'가 주인공에 대해 이야기하는 시점으로 객관적인 관찰을 통해서 이루어진다.

㉠ '나'는 관찰자일 뿐이며 작품 전편의 인물의 초점은 주인공에게 있다.

㉡ '나'의 눈에 비친 외부 세계만을 다루어 '나'가 주인공의 모습과 행동을 묘사할 뿐 주인공의 내면은 알 수 없다.

③ **3인칭(작가) 관찰자 시점** … 서술자의 주관을 배제하는 가장 객관적인 시점으로 서술자가 등장 인물을 외부 관찰자의 위치에서 이야기하는 시점이다. 사건을 객관적으로 묘사하는 데 효과적이며, 서술자와 주인공의 거리가 가장 멀다.

④ **전지적 작가 시점** … 서술자가 인물과 사건에 대해 전지전능한 신의 입장에서 이야기하는 시점으로, 작중 인물의 심리를 분석하여 서술한다.

㉠ 서술자의 광범위한 참여로 독자의 상상적 참여가 제한된다.

㉡ 작가의 사상과 인생관이 직접 드러나며, 장편 소설에 주로 쓰인다.

㉢ 등장 인물의 운명까지 알 수 있으며, 아직 등장하지 않은 인물까지도 묘사한다.

3. 소설의 인물

(1) 인물의 유형

① **평면적 인물** … 작품 속에서 처음부터 끝까지 성격이 일정한 인물이다.

예 흥부전의 '흥부' – 착하기만 함, 토끼전의 '자라' – 우직하고 충성스럽기만 함

② **입체적 인물** … 한 작품 속에서 성격이 발전하고 변화하는 인물이다.

예 김동인의 감자의 복녀, 황순원의 카인의 후예의 도섭 영감

③ **전형적 인물** … 사회의 어떤 집단이나 계층을 대표하는 인물이다.

예 춘향전의 '춘향' – 열녀, 흥부전의 '놀부' – 악인

④ **개성적 인물** … 개인으로서 독자적 성격과 개성을 지닌 인물이다.

예 김동인의 감자의 복녀, 이상의 날개의 나

⑤ **주동적 인물** … 작품의 주인공이자 사건의 주체로서 소설의 이야기를 이끌며 주제를 부각시키는 긍정적 성격의 인물이다.

예 심청전의 심청, 흥부전의 흥부

⑥ **반동적 인물** … 작품 속에서 주인공의 의지, 행위에 대립하여 갈등을 일으키는 부정적 성격의 인물이다.

예 춘향전의 변학도, 흥부전의 놀부

(2) 인물의 제시 방법

① **직접적 방법** … 작중 화자가 직접 설명하는 방법으로 해설적 방법, 또는 분석적 방법이라고도 한다. 이 방법은 작가의 견해 제시가 용이하나 추상적 설명이 되기 쉬우며, 전지적 작가 시점의 소설이나 고대 소설에서 많이 사용한다.

② **간접적 방법** … 인물의 말이나 행동 등을 보여줌으로써 묘사하는 방법으로 극적 방법이라고도 한다. 이 방법은 인물의 성격이 생생하게 드러나고 독자와의 거리가 좁혀지며, 작가 관찰자 시점의 소설이나 현대 소설에서 많이 사용된다.

(3) 인물과 갈등

① **내적 갈등** … 주인공과 환경, 상황 및 심리 의지의 대립으로 한 인물의 내면에서 일어나는 심리적 갈등을 말한다.

예 김동인의 감자에서 복녀가 도덕적 타락을 하기 전의 갈등

② **외적 갈등**

㉠ 주인공과 대립적 인물의 갈등(개인과 개인의 갈등)

예 김유정의 동백꽃의 나와 점순이의 갈등

㉡ 주인공과 사회적 환경의 갈등(개인과 사회의 갈등)

예 채만식의 레디 메이드 인생의 인텔리 주인공과 식민지 사회와의 갈등

㉢ 개인이 운명적으로 겪는 갈등(개인과 운명의 갈등)

예 김동리의 역마

POINT 소설구성의 3요소

인물, 사건, 배경

section 4 수필

1. 수필의 본질과 갈래

(1) 수필의 본질

① 수필의 정의 … 인생이나 자연의 모든 사물에서 보고 듣고 느낀 것이나 경험한 것을 형식상의 제한이나 내용상의 제한을 받지 않고 붓 가는 대로 쓴 글이다.

② 수필의 특징

㉠ 개성적인 문학 : 작가의 심적 상태, 개성, 취미, 지식, 인생관 등이 개성 있는 문체로 드러나 보이는 글이다.

㉡ 무형식의 문학 : 짜임에 제약이 없고 다른 문장 형식을 자유로이 이용할 수 있다.

㉢ 제재의 다양성 : 인생이나 사회, 역사, 자연 등 세상의 모든 일이 제재가 될 수 있다.

㉣ 비전문적인 문학 : 작가와 독자가 전문적인 지식이나 훈련을 필요로 하지 않는 글이다.

㉤ 체험과 사색의 문학 : 글쓴이의 생활이나 체험, 생각이나 느낌을 솔직하게 서술한 글이다.

㉥ 자기 표현의 글 : 작가의 인생관이나 사상, 감정을 잘 드러낸다.

(2) 수필의 갈래

① 진술 방식(유형)에 따른 갈래

㉠ 교훈적 수필 : 필자의 오랜 체험이나 깊은 사색을 바탕으로 하는 교훈적인 내용을 담은 수필을 말한다.

㉡ 희곡적 수필 : 필자 자신이나 다른 사람이 체험한 어떤 사건을 생각나는 대로 서술하되, 그 사건의 내용 자체에 극적인 요소들이 있어서, 대화나 작품의 내용 전개가 다분히 희곡적으로 이루어지는 수필을 말한다.

㉢ 서정적 수필 : 일상 생활이나 자연에서 느끼고 있는 감상을 솔직하게 주정적·주관적으로 표현하는 수필을 말한다.

㉣ 서사적 수필 : 인간 세계나 자연계의 어떤 사실에 대하여 대체로 필자의 주관을 개입시키지 않고, 객관적으로 서술하는 수필을 말한다.

② 주제의 범위에 따른 갈래

㉠ 경수필(miscellany, 비형식적 수필, 인포멀 에세이) : 우리가 보는 보통의 수필처럼 정서적인 경향을 띠는 수필로 개성적이고 체험적이며 예술성을 내포한 예술적인 글이다.

㉡ 중수필(essay, 형식적 수필, 포멀 에세이) : 가벼운 논문처럼 지적이며 논리적이고 객관적인 경향을 띠는 수필을 말한다.

③ 내용에 따른 갈래
㉠ 사색적 수필 : 철학적 사색이나 명상을 다룬다.
㉡ 묘사적 수필 : 대상을 있는 그대로 객관적으로 묘사한다.
㉢ 담화적 수필 : 항간에 떠도는 이야기를 작가의 관점으로 진술한다.
㉣ 비평적 수필 : 예술 작품에 대하여 자기의 의견 중심으로 쓴다.
㉤ 기술적 수필 : 작가의 주관, 인상, 기호 등을 배제하고 순수한 사실을 있는 그대로 진술한다.
㉥ 연단적 수필 : 연설문은 아니지만 연설문의 형식을 빌어 설득적인 어조로 쓴다.

2. 수필의 구성 요소

(1) 수필의 구성 요소

주제, 제재, 구성, 문체로 구성된다.

(2) 수필의 구성 방법

① 단계식 구성
㉠ 3단 구성 : 서두[도입 · 起], 본문[전개 · 敍], 결말[結]
㉡ 4단 구성 : 기, 승, 전, 결

② **전개식 구성** … 시간적 구성과 공간적 구성이 있으며, 주로 기행 수필이나 서사적 수필의 전개 방법으로 사용된다.

③ **열거식(병렬식) 구성** … 수필의 각 부분에 논리적인 연관성이 없을 때 구성하는 방법이다.

④ **극적 구성** … 소설, 희곡의 구성 원리를 이용해 서사적 사건의 박진감을 도모하는 구성으로, 부분적으로 사용되는 경우가 많다.

기출예제 02 2019. 4. 6. 소방공무원

다음 글을 읽고 물음에 답하시오.

> 선물을 주고받는 문화를 낳는 터전은 유목적이고 도시적인 환경일 터인데 내가 태어나 자란 곳은 정착민, 농경의 세계였다. 오늘이 내일 같고 내일이 어제 같아서 좀처럼 변하지 않는 풍경, 관계, 면면에서는 선물을 주고받을 일이 없었다. 식구끼리 선물을 주고받는다는 건 상상할 수도 없었다. 그렇지만 나는 선물을 받은 적이 있다. 그것도 아버지에게서. "이건 네(게 주는) 선물"이라고 아버지가 말했기 때문에 그건 선물이 되었다. 개였다. 정확하게는 ㉠ 강아지였다.
>
> 아버지는 어느 날 점퍼 속에 강아지 한 마리를 넣어 왔다. 난 지 며칠이나 지났을까. 호떡을 싸는 종이 봉지에 들어갈 수 있을 정도로 작았다. 어린 시절 내게 개는 닭처럼 잡아먹지는 않는다고 하더라도 닭 이상으로 좋아할 것도 없는 동물이었다. 중학교 2학년 때 서울이라는 유목적이고 도시적인 환경으로 전학 온 내게 아버지가 선물이라며 준 강아지는 내가 그때까지 보아 온 가축이 아니라 처치 곤란하고 '낯선 것'이었다. 그 이전에는 물론 그 뒤로 아버지는 한 번도 내게 선물을 준 적이 없다.
>
> 겨울밤이었고 ㉡ 아버지가 일평생 처음으로 선물이라며 종이 봉지 속에 든 강아지를 내게 줄 때 술 냄새가 났다. 나는 종이 봉지 속 강아지의 목덜미를 붙들어 현관 바깥 종이 상자 속에 내려놓았다. 가축은 집 안에 들일 수 없는 게 원칙이었다. 그때까지만 해도 나는 강아지를 선물로 생각하지 않았다. 아버지가 많은 식구 중 내게 주는 선물이라고 했지만 아버지가 그날 밤 집에 들어오면서 부딪힌 첫 번째 식구가 내가 아니라 다른 사람이었다면 그의 선물이 되었을 가능성이 크다고 여겼다. 하지만 기분은 묘했다. 어쨌든 아버지에게서 처음 받은 선물이었으니까.
>
> 한밤중에 나는 선물이 우는 소리에 잠을 깼다. 내 옆, 옆과 그 옆, 그 옆에 자고 있는 그 누구도 잠을 깨거나 일어나지 않았다. 방을 나가서 바깥에 있는 화장실로 가기 위해 문을 열었을 때 선물이 우는 소리가 더욱 크게 들렸다. 사실 오줌이 마려웠던 것도 아니었다. 선물이 어떤 상태인지 알고 싶었던 것이었다. 그건 다리를 덜덜 떨며 낑낑거렸다. 나는 배가 고파서 우는 걸로 알았다. 부엌에 뭐가 있는지 몰라서 뭘 가져다줄 수 없었다. 나는 그날 저녁 내 몫으로 받고 아껴 먹다 남겨 둔 백설기를 가지고 나왔다. 접시에 물을 담아 ㉢ 백설기와 함께 큰맘 먹고 내밀었다. 선물은 내 선물에 관심이 전혀 없었다. 그저 낑낑거리며 다리를 떨며 울 뿐이었다. 나는 무시당한 데 대해 화가 났다. 선물을 철회했다. 백설기를 집어 들면서도 물은 그냥 두었다. 울다 보면 목이 멜지도 모르고 물은 그럴 때 먹으면 되니까.
>
> 방으로 돌아와 누웠을 때에도 선물의 울음소리는 계속 해서 들려왔다. 천둥 치듯 아버지는 코를 골았지만 선물의 가느다란, 여린 낑낑거림은 정확하게 나의 청각을 자극하고 잠 못 들게 했다. 결국 다시 밖으로 나갔다. 철회했던 선물을 다시 주고 그 옆에 쭈그리고 앉았다. 선물의 머리를 쓰다듬기 시작하자 울음이 그쳤다. 선물은 너무 어려서 백설기를 먹을 수 없었다. 물을 마시지도 않았다. 다만 관심과 연민에 반응할 수 있을 뿐이었다. 관심과 ㉣ 연민의 공급이 중단되면 즉시 울음이 시작됐다. 결국 나는 내복 바람으로 날이 밝아 오는 것을 보았다.
>
> 아버지는 강아지를 선물했다. 나는 강아지에게 백설기를 선물했다. 밤이 아침을 선물하듯 강아지는 내게 난생처음 경험하는 연민의 감정을 선물했다.
>
> – 성석제, 「선물」

국어

한국사

영어

'강아지'에 대한 '나'의 감정 변화로 (가), (나)에 가장 알맞은 것은?

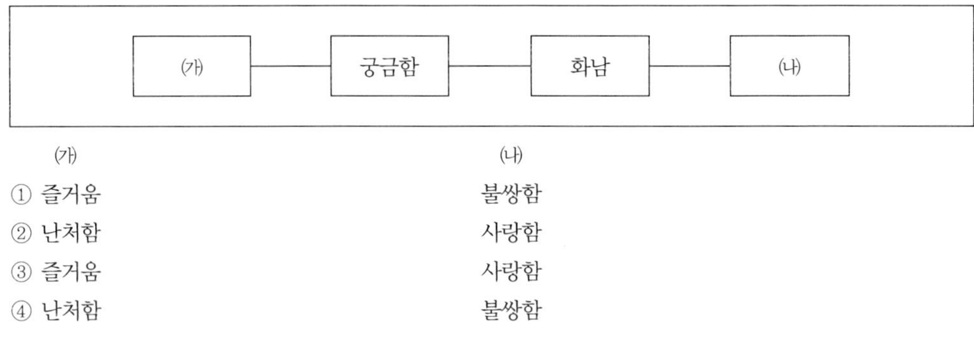

	(가)	(나)
①	즐거움	불쌍함
②	난처함	사랑함
③	즐거움	사랑함
④	난처함	불쌍함

✱

처음 아버지가 선물이라며 강아지를 주었을 때, '나'에게 '강아지'는 '처치 곤란하고 낯선 것'이었다. 한밤중 강아지가 우는 소리에 잠을 깼을 때 '나'는 강아지의 상태가 궁금했고, 배가 고파서 우는 줄 알고 준 백설기를 강아지가 먹지 않자 무시당했다고 생각하여 화가 났다. 그리고 결국에는 강아지에게 연민의 감정을 갖게 된다.

답 ④

윗글의 내용에 비춰 볼 때 ㉠~㉣ 중 내포하는 의미가 나머지와 다른 것은?

① ㉠
② ㉡
③ ㉢
④ ㉣

✱

㉠ 강아지는 아버지가 나에게 준 선물이고, ㉢ 백설기는 내가 강아지에게 준 선물이다. ㉣ 연민은 강아지가 나에게 준 선물로, 모두 나와 관련된 선물이다.

㉡ 아버지는 나에게 선물을 전달한 대상일 뿐이다.

답 ②

section 5 희곡 · 시나리오

1. 희곡

(1) 희곡의 본질

① 희곡의 정의 … 연극의 대본으로 산문 문학의 한 갈래이면서 동시에 연극의 한 요소가 된다.

② 희곡의 특징

㉠ 무대 상연의 문학 : 희곡은 무대 상연을 전제로 한 문학, 즉 연극의 각본이다.

㉡ 행동의 문학 : 희곡에서의 행동은 압축과 생략, 집중과 통일이 이루어져야 하며, 배우의 연기에 의해 무대에서 직접 형상화된다.

㉢ 대사의 문학 : 소설에서는 마음껏 묘사와 설명을 할 수 있지만, 희곡에서는 오직 극중 인물의 대사와 행동만으로 이루어진다.

㉣ 현재화된 인생을 보여 주는 문학이다.

㉤ 내용이 막(幕, act)과 장(場, scene)으로 구분되는 문학이다.

㉥ 시간적 · 공간적 제약을 받는 문학이다.

㉦ 의지의 대립 · 갈등을 본질로 하는 문학이다.

③ 희곡의 구성 요소

㉠ 형식적 구성 요소 : 해설, 지문, 대사

㉡ 내용적 구성 요소 : 인물, 행동, 주제

(2) 희곡의 구성(plot)

① 희곡의 형식적 구분 단위

㉠ 장(場, scene) : 막의 하위 단위이며 희곡의 기본 단위이다. 전체 중 독립된 장면으로, 하나의 막 가운데에서 어떤 하나의 배경으로 진행되는 장면의 구분이다.

㉡ 막(幕, act) : 몇 개의 장으로 이루어지며, 휘장을 올리고 내리는 것으로 생기는 구분이다.

② 희곡의 구성 유형

㉠ 3분법(3막극) : 발단 → 상승(전개 · 위기) → 해결(결말)

㉡ 4분법(4막극) : 발단 → 전개 → 전환(위기 · 절정) → 결말

㉢ 5분법(5막극) : 발단 → 상승(전개) → 절정(위기) → 하강(반전) → 결말(대단원)

(3) 희곡의 갈래

① 내용에 따른 갈래

㉠ 희극(喜劇, comedy) : 인생의 즐거운 면을 내용으로 하는 희곡으로, 기지, 풍자, 해학의 수법으로 세태를 표현하는 골계미가 있다. 지적이며 행복한 결말을 맺는다.

예 몰리에르의 수전노, 셰익스피어의 말괄량이 길들이기

㉡ 비극(悲劇, tragedy) : 인생의 불행한 면을 내용으로 하는 희곡으로 처음부터 비극을 예감하게 하는 비극적 성격자를 주인공으로 하여 불행하게 끝맺는다.

예 소포클레스의 오이디프스왕, 셰익스피어의 햄릿 · 리어왕 · 맥베드 · 오델로, 아더 밀러의 세일즈맨의 죽음

㉢ 희비극(喜悲劇, tragicomedy) : 비극과 희극이 합쳐진 극으로 대체로 처음에는 비극적으로 전개되나 작품의 전환점에 이르러 희극적인 상태로 전환되는 것이 많다.

예 셰익스피어의 베니스의 상인

② 장 · 막에 따른 갈래

㉠ 단막극 : 1막으로 끝나는 희곡

㉡ 장막극 : 2막 이상으로 끝나는 희곡

③ 창작 의도에 따른 갈래

㉠ 창작 희곡(original drama) : 무대 상연을 목적으로 창작한 희곡이다.

㉡ 각색 희곡 : 소설, 시나리오 등을 기초로 각색한 희곡이다.

㉢ 레제드라마(lese drama) : 무대 상연을 목적으로 하지 않고, 읽히기 위한 목적으로 쓴 희곡이다.

2. 시나리오

(1) 시나리오의 본질

① 시나리오의 정의 ··· 영화로 상연할 것을 목적으로 작가가 상상한 이야기를 장면의 차례, 배우의 대사, 동작, 배경, 카메라의 작동, 화면 연결 등을 지시하는 형식으로 쓴 영화의 대본이다.

② 시나리오의 특징

㉠ 화면에 의하여 표현되므로 촬영을 고려해야 하고, 특수한 시나리오 용어가 사용된다.

㉡ 주로 대사로 표현되며 시간적 · 공간적 배경의 제한을 적게 받는다.

㉢ 등장 인물의 수에 제한을 받지 않는다.

㉣ 시퀀스(sequence)나 화면(cut)과 장면(scene)을 단위로 한다.

㉤ 직접적인 심리 묘사가 불가능하고, 장면과 대상에 의하여 간접적으로 묘사된다.

POINT 시나리오의 용어

㉠ S#(scene number) : 장면 번호
㉡ W.O.(wipe out) : 한 화면의 일부가 닦아내는 듯이 없어지면서 다른 화면이 나타나는 수법
㉢ NAR(narration) : 해설
㉣ M.(music) : 효과 음악
㉤ E.(effect) : 효과음
㉥ O.L.(over lap) : 한 장면 위에 다음 장면이 겹치면서 장면이 전환되는 것
㉦ F.I.(fade in) : 어두운 화면이 점점 밝아지는 것
㉧ PAN(panning) : 카메라를 상하 좌우로 이동하는 것
㉨ C.U.(close up) : 어떤 인물이나 장면을 크게 확대하여 찍는 것
㉩ D.E.(double exposure) : 하나의 화면에 다른 화면이 겹쳐서 이루어지는, 이중 노출법에 의한 합성 화면

(2) 시나리오의 표현 요소

① 장면 지정 … 장면(scene) 번호가 붙는다. 사건의 배경이 되는 장면이 설정된다.
② 대사 … 등장 인물 간의 대화를 말한다.
③ 지문 … 여러 가지 촬영 방법과 영화의 상황을 지시하는 것으로 약정된 부호를 사용해야 한다.

section 6 고전문학

1. 악장 – 용비어천가(龍飛御天歌)

(1) 개관

① 시기
㉠ 창작 시기 : 세종 27년(1445)
㉡ 간행 시기
- 초간본 : 세종 9년(1447)
- 중간본 : 광해군 4년(1612) – 만력본, 효종 10년(1659) – 순치본, 영조 41년(1765) – 건륭본

② 작자 … 정인지(1396~1478), 권제(1387~1445), 안지(1377~1464) 등
③ 체제
㉠ 구성 : 세종의 6대조인 목조부터 익조, 도조, 환조, 태조, 태종의 사적(史蹟)을 중국 역대 왕의 사적과 대비하여 서술하였다.
- 서사 : 제1 · 2장 – 건국의 정당성과 영원성 송축
- 본사 : 제3 ~ 109장 – 육조의 사적을 예찬

- 결사 : 제110 ~ 125장 – 후대 왕에 대한 권계

㉡ 형식 : 2절 4구체의 대구로 이루어져 있다(단, 1장 3구체, 125장 9구체).

- 전절 : 중국 역대 왕들의 사적을 찬양
- 후절 : 6조의 사적을 찬양

④ 의의

㉠ 훈민정음으로 기록된 최초의 작품이며 15세기 국어 연구에 귀중한 자료가 된다.

㉡ 월인천강지곡과 쌍벽을 이루면서 국문으로 된 최초의 악장 문학이다.

POINT 용비어천가의 표기상의 특징

㉠ 종성부용초성의 원칙에 따라 8종성 외에 'ㅈ, ㅊ, ㅍ'이 종성으로 쓰였다.

㉡ 모음 조화가 철저하게 지켜졌다.

㉢ 사잇소리 표기가 훈민정음 언해본보다 엄격하게 지켜졌다.

㉣ 'ㅸ, ㆆ, ㆅ, ㅿ, ㆁ, ㆍ' 등이 모두 쓰였다.

㉤ 원문에는 방점이 찍혀 있다.

㉥ 동국정운식 한자음을 전제로 하여 조사와 어미를 붙여 썼다.

㉦ 15세기 문헌 중 가장 고형을 유지하고 있다.

(2) 작품의 이해

① 제1장

㉠ 형식 : 1절 3구(제125장과 함께 형식상의 파격을 이룬 장)

㉡ 주제 : 조선 건국의 천명성

㉢ 성격 : 송축가(개국송)

㉣ 핵심어 : 천복(天福)

② 제2장

㉠ 형식 : 2절 4구

㉡ 주제 : 조선의 무궁한 발전 송축

㉢ 성격 : 송축가(개국송)

㉣ 핵심어 : 곶, 여름, 바룰, 내

③ 제48장

㉠ 형식 : 2절 4구

㉡ 주제 : 태조의 초인간적 용맹

㉢ 성격 : 송축가, 사적찬(事蹟讚)

㉣ 핵심어 : 石壁(석벽)에 말을 올이샤

④ 제125장

㉠ 형식 : 3절 9구(형식상 파괴)

㉡ 주제 : 후왕(後王)에 대한 권계

㉢ 성격 : 송축가, 계왕훈(戒王訓)
㉣ 핵심어 : 경천 근민(敬天勤民)

2. 한시 – 두시언해(杜詩諺解)

(1) 강촌(江村)

① 갈래 … 서정시, 칠언 율시
② 주제 … 강촌 생활의 한가함
③ 배경 … 성도에서 초당을 짓고 한가로이 지내던 여름

(2) 절구(絶句)

① 갈래 … 서정시, 기 · 승 · 전 · 결의 오언 절구
② 주제 … 고향에 돌아가지 못하는 아쉬움, 향수(鄕愁), 수구초심(首邱初心)
③ 특징
㉠ 대구(기구와 승구), 색채(靑과 紅)의 대조
㉡ 선경후정(先景後情) : 봄을 맞는 푸른 강, 푸른 산의 정경과 시적 자아의 심상

3. 운문 문학

(1) 고대 가요

① 구지가(龜旨歌)
㉠ 갈래 : 4구체, 한역 시가
㉡ 연대 : 신라 유리왕 19년(42)
㉢ 주제 : 수로왕의 강림 기원
㉣ 성격 : 주술요, 노동요, 집단 무가
㉤ 의의 : 현재 전하는 가장 오래된 집단 무가이며 주술성을 가진 현전 최고의 노동요이다.
㉥ 작자 : 구간(九干)

② 공무도하가(公無渡河歌)
㉠ 갈래 : 한역가(漢譯歌), 서정시, 개인적인 서정 가요
㉡ 연대 : 고조선(古朝鮮)
㉢ 주제 : 임을 여읜 슬픔, 남편의 죽음을 애도

㉣ 성격 : 개인적, 서정적

㉤ 의의 : 황조가와 함께 우리 나라 최고의 서정 가요이며 원시적 · 집단적 서사시에서 서정시로 옮아가는 과도기적 작품이다.

㉥ 작자 : 백수 광부(白首狂夫)의 처(妻)

③ 정읍사(井邑詞)

㉠ 갈래 : 백제 가요, 속요(俗謠)

㉡ 연대 : 백제 시대(고려 시대로 보는 설도 있음)

㉢ 주제 : 행상 나간 남편의 무사귀환을 기원

㉣ 성격 : 민요적

㉤ 의의

- 현전 유일의 백제 노래이다.
- 한글로 기록되어 전하는 가장 오래된 노래이다.
- 시조 형식의 원형을 가진 노래이다(4음보의 형태).

㉥ 작자 … 어느 행상의 처

(2) 향가

① 서동요(薯童謠)

㉠ 갈래 : 4구체 향가

㉡ 연대 : 신라 진평왕 때

㉢ 주제 : 선화 공주의 은밀한 사랑, 선화 공주를 꾀어내기 위한 참요

㉣ 성격 : 참요(讖謠 – 있지도 않은 사실을 날조하여 헐뜯는 노래), 동요(童謠)

㉤ 의의

- 현전 최고(最古)의 향가 작품이다.
- 배경 설화에 신화적인 요소가 있는 향가이다.
- 향가 중 민요체를 대표하는 작품이다.

㉥ 작자 : 서동(백제 무왕)

② 제망매가(祭亡妹歌)

㉠ 갈래 : 10구체 향가

㉡ 연대 : 신라 경덕왕 때

㉢ 주제 : 죽은 누이에 대한 추모의 정

㉣ 성격 : 추도가(追悼歌), 애상적, 종교적(불교적)

㉤ 의의
- 향가 중 찬기파랑가와 함께 표현 기교 및 서정성이 뛰어나다.
- 불교의 윤회 사상이 기저를 이루고 있다.
- 정제된 10구체 향가로 비유성이 뛰어나 문학성이 높다.

㉥ 작자 : 월명사

(3) 고려 가요

① 가시리

㉠ 갈래 : 고려 가요

㉡ 연대 : 고려 시대

㉢ 주제 : 이별의 정한

㉣ 형태 : 전 4 연의 연장체(분연체)

㉤ 운율 : 3 · 3 · 2조의 3음보

㉥ 성격 : 이별의 노래, 민요풍

㉦ 의의 : 이별의 애달픔을 소박한 정조로 노래한 이별가의 절조

㉧ 작자 : 미상

② 청산별곡

㉠ 갈래 : 고려 가요, 장가, 서정시

㉡ 연대 : 고려 시대

㉢ 주제 : 삶의 고뇌와 비애, 실연의 애상, 삶의 고통과 그 극복에의 지향성, 현실에의 체념

㉣ 형태 : 전 8 연의 분절체, 매연 4구 3 · 3 · 2조의 3음보

㉤ 성격 : 평민 문학, 도피 문학

㉥ 의의 : 고려 가요 중 서경별곡과 함께 비유성과 문학성이 가장 뛰어나며, 고려인들의 삶의 애환을 반영한 작품이다.

㉦ 작자 : 미상

(4) 시조

① 고시조

이 몸이 죽어 죽어 일백 번(一白番) 고쳐 죽어
백골(白骨)이 진토(塵土) 되어 넉시라도 잇고 업고
님 향(向)혼 일편단심(一片丹心)이야 가싈 줄이 이시랴.

작품분석

㉠ 갈래 : 평시조
㉡ 주제 : 절개
㉢ 성격 : 단심가(丹心歌), 충의적
㉣ 작자 : 정몽주

이런들 엇더ᄒᆞ며 뎌런들 엇더ᄒᆞ료
초야 우생(草野愚生)이 이러타 엇더ᄒᆞ료
ᄒᆞᄆᆞᆯ며 천석고황(泉石膏肓)을 고텨 므슴ᄒᆞ료.

작품분석

㉠ 제목 : 도산십이곡(陶山十二曲)
㉡ 갈래 : 평시조, 연시조(전 12 수)
㉢ 주제 : 전 6곡(자연에 동화된 생활), 후 6곡(학문 수양 및 학문에 힘쓸 것을 다짐)
㉣ 성격 : 교훈가
㉤ 작자 : 이황

우ᄂᆞᆫ 거시 벅구기가 프른 거시 버들숩가
이어라 이어라
어촌(漁村) 두어 집이 ᄂᆡᆺ 속의 나락들락
지국총(至匊悤) 지국총(至匊悤) 어사와(於思臥)
말가ᄒᆞᆫ 기픈 소희 온갇 고기 뛰노ᄂᆞ다

작품분석

㉠ 제목 : 어부사시사(漁父四時詞)
㉡ 갈래 : 연시조[춘 · 하 · 추 · 동 각 10수(전 40 수)]
㉢ 주제 : 강호의 한정(閑情). 철따라 펼쳐지는 자연의 경치와 어부(漁父) 생활의 흥취
㉣ 성격 : 강호한정가
㉤ 작자 : 윤선도

② 사설시조

창(窓) 내고쟈 창(窓)을 내고쟈 이 내 가슴에 창(窓) 내고쟈.
고모장지 세살장지 들장지 열장지 암돌져귀 수돌져귀 ᄇᆡ목걸새 크나큰 쟝도리로 ᄯᅮᇰ닥 바가
이 내 가슴에 창(窓) 내고쟈.
잇다감 하 답답ᄒᆞᆯ 제면 여다져 볼가 ᄒᆞ노라.

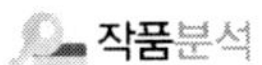
작품분석

㉠ 갈래 : 사설시조
㉡ 주제 : 마음 속에 쌓인 답답한 심정
㉢ 성격 : 해학적
㉣ 작자 : 미상

댁(宅)들에 동난지이 사오. 져 쟝스야, 네 황화 그 무서시라 웨ᄂᆞᆫ다. 사쟈.
외골 내육(外骨內肉), 양목(兩目)이 상천(上天), 전행 후행(前行後行), 소(小)아리 팔족(八足) 대(大)아리 이족(二足), 청장(淸醬) ᄋᆞ스슥ᄒᆞᄂᆞᆫ 동난지이 사오.
쟝스야, 하 거복이 웨지 말고 게젓이라 ᄒᆞ렴은.

작품분석

㉠ 갈래 : 사설시조
㉡ 주제 : 서민들의 희극적인 상거래 장면
㉢ 성격 : 해학적, 풍자적
㉣ 작자 : 미상

두터비 ᄑᆞ리를 물고 두험 우희 치ᄃᆞ라 안자
것넌 산(山) ᄇᆞ라보니 백송골(白松骨)이 ᄯᅥ 잇거ᄂᆞᆯ,
가슴이 금즉ᄒᆞ여 풀덕 뛰여 내ᄃᆞᆺ다가 두험 아래 잣바지거고.
모쳐라, ᄂᆞᆯ낸 낼싀만정 에헐질 번ᄒᆞ괘라.

작품분석

㉠ 갈래 : 사설시조
㉡ 주제 : 약자에게는 강한 체 뽐내고, 강자 앞에서는 비굴한 양반 계층을 풍자
㉢ 성격 : 우의적(寓意的)
㉣ 작자 : 미상

(5) 가사

① 상춘곡(賞春曲)

㉠ 갈래 : 강호 가사, 양반 가사, 정격 가사
㉡ 연대 : 창작 – 성종(15세기), 표기 – 정조(18세기)
㉢ 주제 : 봄 경치의 완상과 안빈낙도(安貧樂道)
㉣ 형태 : 39행, 79구, 매행 4음보(단, 제12행은 6음보)의 정형 가사로, 4음보 연속체
㉤ 성격 : 묘사적, 예찬적, 서정적
㉥ 의의 : 가사 문학의 효시, 송순의 면앙정가에 영향을 주었다.
㉦ 작자 : 정극인(1401 ~ 1481) – 성종 때의 학자, 문인. 호는 불우헌

② 관동별곡(關東別曲)

㉠ 갈래 : 기행 가사, 정격 가사, 양반 가사

㉡ 연대 : 창작 – 선조 13년(1580), 표기 – 숙종

㉢ 주제 : 관동 지방의 절경과 풍류

㉣ 형태 : 3 · 4조의 4음보(295구)

㉤ 문체 : 가사체, 운문체, 화려체

㉥ 의의 : 서정적인 기행 가사로 우리말의 아름다움을 승화시킨 작품이다.

㉦ 작자 : 정철(1536~1593) – 시인, 호는 송강

기출예제 03 2019. 4. 6. 소방공무원

〈보기〉를 참고하여 ㉠~㉣에 대해 설명한 내용으로 적절하지 않은 것은?

> 집의 옷밥을 언고 들먹ᄂᆞᆫ 져 고공(雇工)아, 우리 집 긔별을 아ᄂᆞᆫ다 모로ᄂᆞᆫ다. 비 오ᄂᆞᆫ ᄂᆞᆯ 일 업슬 ᄌᆡ ᄉᆞᆺ ᄭᅩ면셔 니ᄅᆞ리라. ㉠ 처음의 한어버이 사ᄅᆞᆷ소리 ᄒᆞ려 ᄒᆞᆯ 적, 인심(仁心)을 만히 쓰니 사ᄅᆞᆷ이 졀로 모다, ㉡ 플 ᄲᅥᆺ고 터을 닷가 큰 집을 지어 내고, 셔리 보십 장기 쇼로 전답(田畓)을 긔경(起耕)ᄒᆞ니, ㉢ 오려논 터밧치 여드레 ᄀᆞ리로다. 자손(子孫)에 전계(傳繼)ᄒᆞ야 대대(代代)로 나려오니, 논밧도 죠커니와 고공(雇工)도 근검(勤儉)터라. 저희마다 여름지어 가ᄋᆞᆷ여리 사던 것슬, 요ᄉᆞ이 고공(雇工)들은 혬이 어이 아조 업서, 밥사발 큰나 쟈그나 동옷시 죠코 즈나, ㉣ ᄆᆞᄋᆞᆷ을 ᄃᆞᆺ호ᄂᆞᆫ 듯 호슈을 ᄉᆡ오ᄂᆞᆫ 듯, 무슴 일 걈드러 흘긧할긧 ᄒᆞᄂᆞᆫ다.
>
> – 허전, 「고공가(雇工歌)」

> 〈보기〉
>
> 이 작품은 조선 왕조의 창업부터 임진왜란 직후의 역사를 농사일이나 집안 살림에 빗대는 방식을 활용하고 있다. 특히 제 역할을 하지 않고 서로 시기하고 반목하는 요즘 고공들의 행태를 질책하고 있다.

① ㉠ : 태조 이성계가 조선 왕조를 창업한 사실과 관련지을 수 있다.

② ㉡ : 나라의 기초를 닦은 조선 왕조의 모습과 관련지을 수 있다.

③ ㉢ : 조선의 땅이 외침으로 인해 피폐해진 현실과 관련지을 수 있다.

④ ㉣ : 신하들이 서로 다투고 시기하는 상황과 관련지을 수 있다.

✱

중세어로 표현되어 있어 의미 파악이 어려울 수 있으나 정확한 현대어 해석을 요구하는 것이 아니니 맥락을 이해해 보려고 하는 것이 필요하다. 〈보기〉를 보면 '조선 왕조의 창업부터 임진왜란 직후'라는 두 가지 상황을 집안 살림과 농사일에 비유하여 표현하고 있다고 하니, 이를 통해 의미 맥락을 이해하는 것이 바람직하다. 맥락을 보면 중간 아래 '요 이~'부터 부정적인 얘기가 나오고 있다.

[현대어풀이]
집의 옷과 밥을 제쳐 놓고 이집 저집 빌어먹는 저 머슴(조정의 신하)아, 우리 집 소식을 아느냐 모르느냐. 비 오는 날 일 없을 때 새끼 꼬면서 이르니라. ㉠ 조부모님(조선을 건국한 이성계)께서 살림살이를 하려 할 때, 인심을 많이 쓰니 사람이 저절로 모여, ㉡ 풀을 베고 터를 닦아 큰 집을 지어내고, 써레, 보습, 쟁기, 소로 전답을 일으키니, ㉢ 올벼 논 텃밭이 여드레 동안 갈 만한 넓이로구나. 자손에게 이어 전하여 대대로 내려오니, 논밭도 좋거니와 머슴들도 부지런하고 검소하였더라. 저희마다 농사를 지어 부유하고 풍요롭게 살았는데, 요즘 머슴들은 어찌하여 사리분별도 전혀 없어, 밥그릇이 크나 작으나, 겨울옷이 좋거나 나쁘거나, ㉣ 마음을 다투는 듯 호수(5호의 우두머리)를 시기하는 듯, 무슨 일을 꺼려서 반목만을 일삼느냐.

답 ③

4. 산문 문학

(1) 설화

① 단군 신화
㉠ 갈래 : 건국 신화
㉡ 사상 : 숭천 사상, 동물 숭배 사상
㉢ 성격 : 설화적
㉣ 주제 : 단군의 건국 내력과 홍익인간의 이념
㉤ 의의 : 홍익인간의 건국 이념과, 천손의 혈통이라는 민족적 긍지가 나타나 있다.

② 조신의 꿈
㉠ 갈래 : 설화(전설), 사원 연기 설화
㉡ 사상 : 불교적, 서사적, 교훈적
㉢ 성격 : 액자식 환몽 구조
㉣ 주제 : 인생무상
㉤ 의의 : 환몽 소설의 연원이 되는 설화로 후에 김만중의 구운몽 및 이광수의 꿈이라는 소설에 영향을 주었고, 동일 모티브에 의한 다양한 변이 과정을 확인해 볼 수 있다.

③ 바리데기
㉠ 갈래 : 무가, 서사 무가
㉡ 성격 : 무속적, 주술적
㉢ 주제 : 바리데기가 겪는 고난과 성취의 일생을 통한 무속신의 내력
㉣ 의의 : 전통 사회의 남성 우월 사상에 대해 비판적이다.
㉤ 특징 : 5단 구성의 영웅 설화적 구조이며, 판소리와 유사한 말과 창의 반복이 나타난다.

(2) 가전체

① 화왕계
- ㉠ 작자 : 설총
- ㉡ 갈래 : 설화
- ㉢ 성격 : 우언적, 풍자적
- ㉣ 주제 : 임금에 대한 경계(또는 간언)
- ㉤ 의의 : 최초의 창작 설화로 가전체 문학의 효시가 된다.
- ㉥ 출전 : 삼국사기

② 국선생전
- ㉠ 작자 : 이규보
- ㉡ 갈래 : 가전
- ㉢ 성격 : 전기적, 교훈적
- ㉣ 주제 : 위국 충절의 교훈
- ㉤ 의의 : 의인화 기법
- ㉥ 출전 : 동문선

(3) 고대 소설

① 구운몽(九雲夢)
- ㉠ 갈래 : 고대 소설, 국문 소설, 염정 소설, 몽자류 소설, 영웅 소설
- ㉡ 연대 : 숙종 15년(1689) 남해 유배시
- ㉢ 주제 : 인생무상의 자각과 불법에의 귀의
- ㉣ 배경 : 당나라 때, 중국
- ㉤ 시점 : 전지적 작가 시점
- ㉥ 의의 : 몽자류 소설의 효시
- ㉦ 근원 설화 : 조신 설화
- ㉧ 사상 : 유 · 불 · 선 사상
- ㉨ 작자 : 김만중(1637 ~ 1692)

② 허생전(許生傳)
- ㉠ 갈래 : 고대 소설, 한문 소설, 풍자 소설, 단편 소설, 액자 소설
- ㉡ 연대 : 정조 4년(1780) 중국 여행 후
- ㉢ 주제 : 양반 및 위정자들의 무능력에 대한 비판과 자아 각성의 제시
- ㉣ 배경 : 17세기 효종 때, 서울을 중심으로 한반도 전역, 장기, 무인도
- ㉤ 시점 : 전지적 작가 시점

㉥ 의의 : 조선 시대 사실주의 소설의 전형을 보여 주고 있다.

㉦ 작자 : 박지원(1737 ~ 1805)

③ 춘향전(春香傳)

㉠ 갈래 : 고대 소설, 염정 소설, 판소리계 소설

㉡ 주제 : 신분을 초월한 남녀 간의 사랑, 지배 계층에 대한 서민의 항거

㉢ 배경 : 조선 후기, 전라도 남원

㉣ 시점 : 전지적 작가 시점

㉤ 의의 : 고대 소설 중 가장 사실적이며, 풍자적 · 해학적이다.

(4) 고대 수필

① 아기설(啞器說)

㉠ 갈래 : 설(說), 고대 수필

㉡ 주제 : 때에 맞게 말을 할 줄 아는 지혜의 필요성

㉢ 성격 : 교훈적, 풍자적, 비판적

㉣ 작자 : 안정복(1712 ~ 1791)

② 동명일기(東溟日記)

㉠ 갈래 : 고대 수필(여류 수필), 기행문

㉡ 주제 : 귀경대에서 본 일출의 장관

㉢ 성격 : 묘사적, 사실적, 주관적

㉣ 의의 : 순 한글 기행 수필로 세밀한 관찰과 사실적 묘사가 뛰어나다.

㉤ 작자 : 의유당(1727 ~ 1823)

(5) 판소리

① 흥보가

㉠ 갈래 : 판소리

㉡ 성격 : 풍자적, 해학적

㉢ 주제 : 형제 간의 우애, 인고와 이타를 통한 빈부의 갈등 극복

㉣ 특징

- 3 · 4, 4 · 4조의 가락을 중심으로 리듬감 있게 표현하였다.
- 인물의 성격과 사건의 진행을 풍자와 해학을 통해 표현하였다.
- 일상적인 언어와 현재형의 문장을 통해 사실적으로 표현하였다.

㉤ 출전 : 신재효 정리(성두본)

② 적벽가

㉠ 갈래 : 판소리 소설

㉡ 문체 : 가사체

㉢ 연대 : 조선 후기

㉣ 제재 : 삼국지연의의 적벽대전

㉤ 주제 : 가족에 대한 그리움

㉥ 출전 : 박봉술 창본

③ 춘향가

㉠ 갈래 : 판소리 사설

㉡ 문체 : 서사적, 운율적, 해학적, 풍자적

㉢ 연대 : 조선 후기

㉣ 배경 : 조선 숙종 때 전라도 남원과 한양

㉤ 주제 : 신분을 초월한 남녀 간의 사랑, 신분 갈등의 극복을 통한 인간 해방의 이상

㉥ 특징

- 서민들의 현실적인 생활을 주로 그리고 있다.
- 창가의 내용에는 극적 요소가 많고, 민속적이며 그 체제는 희곡적이며 문체는 운문체이다.
- 풍자와 해학 등 골계적인 내용과 비장미, 숭고미 등이 다양하게 드러나 있다.
- 판소리는 구비문학이기 때문에 부분의 독자성이 성립한다.
- 평민계층이 사용하는 욕설이나 비속어 등과 양반계층이 주로 사용하는 한문구나 한자 성어 등이 공존한다.

(6) 민속극

① 꼭두각시 놀음

㉠ 갈래 : 전통 인형극

㉡ 성격 : 풍자적 · 골계적

㉢ 구성 : 전 8막, 2마당

㉣ 주제 : 일반 계층의 도덕적 허위와 횡포에 대한 비판과 풍자

㉥ 의의 : 우리 나라 유일의 전통 인형극

② 봉산탈춤

㉠ 갈래 : 민속극, 가면극, 탈춤 대본, 전통극

㉡ 주제 : 무능한 양반에 대한 풍자

㉢ 성격 : 해학적, 풍자적, 서민적

㉣ 특징

- 양반에 대한 풍자와 희롱, 도전적이고 공격적인 언어 표현이 나타난다.

• 서민적인 비속어와 양반투의 어려운 한자어를 동시에 구사하고 있다.
• 자유분방한 열거와 대구, 인용, 반어, 언어 유희, 익살, 과장 등이 풍부하게 나타나고 있다.

section 7 주제별 시조 정리

(1) 정한(情恨)

梨花(이화)에 月白(월백)하고 銀漢(은한)이 三更(삼경)인 제,
一枝春心(일지춘심)을 子規(자규) ㅣ야 알랴마난,
多情(다정)도 病(병)인 양하여 잠 못 들어 하노라.

[현대어 풀이]
배꽃에 달이 밝게 비치고 은하수 흐르는 시간이 자정인데,
한 가닥 봄날의 애틋한 마음을 소쩍새가 알겠는가마는,
정이 많은 것도 병인 것 같아서 잠을 이루지 못하겠구나.

작품분석

㉠ 작자 : 이조년
㉡ 감상 : 봄날의 한밤중을 배경으로 밝은 달빛 아래 희게 피어난 배꽃, 피를 토하는 듯한 두견의 울음소리를 통해 애상적인 분위기를 담고 있다.

(2) 탄로(歎老)

春山(춘산)에 눈 녹인 바람 건듯 불고 간 듸 업다.
져근 덧 비러다가 마리 우희 불니고져.
귀 밋태 해묵은 서리를 녹여 볼가 하노라.

[현대어 풀이]
봄이 된 산에 눈을 녹인 봄바람이 잠깐 불고 간 데가 없다.
잠깐동안 봄바람을 빌려서 머리 위에 불게 하여
귀 밑의 오래된 서리(흰 머리카락)를 녹여 보고 싶구나.

작품분석

㉠ 작자 : 우탁
㉡ 감상 : 쌓인 눈을 녹여 주는 봄바람으로 하얗게 된 백발을 눈 녹이듯 녹여 젊음을 되찾고자 하는 내용의 노래로, 늙음에 대한 한탄 속에서도 인생을 달관(達觀)한 여유가 돋보인다.

한 손에 막대 잡고 또 한 손에 가시 쥐고,
늙난 길 가시로 막고, 오난 白髮(백발) 막대로 치려터니,
白髮(백발)이 졔 몬져 알고 즈럼길노 오더라.

[현대어 풀이]
한 손에 가시를 들고 또 한 손에 막대 들고,
늙는 길 가시로 막고 오는 백발 막대로 치려고 했더니,
백발이 제가 먼저 알고 지름길로 오더라.

작품분석

㉠ 작자 : 우탁
㉡ 감상 : 한 손에는 막대를 들고 또 한 손에는 가시를 쥐고 늙는 것을 막아 보고자 하였지만 백발이 먼저 알고 지름길로 오더라는 내용이다. 해학적인 표현 속에 인생에 대한 달관의 자세가 엿보인다.

(3) 회고(回顧)

白雪(백설)이 자자진 골에 구루미 머흐레라.
반가온 梅花(매화)난 어내 곳에 피엿난고.
夕陽(석양)에 홀로 셔 이셔 갈 곳 몰라 하노라.

[현대어 풀이]
흰 눈이 녹아 없어진 골짜기에 구름이 험하기도 험하구나.
반가운 매화는 어느 곳에 피어 있는가.
석양에 홀로 서 있는 이 내 마음, 갈 곳을 모르고 있노라.

작품분석

㉠ 작자 : 이색
㉡ 감상 : 봄날을 기다리는 마음을 통해 쓰러져 가는 나라를 염려하고 있는 노래이다. 시대적 전환기에 처한 지식인의 고뇌가 잘 드러나 있는 작품이다.

興亡(흥망)이 有數(유수)하니 滿月臺(만월대)도 秋草(추초)ㅣ로다.
五百年(오백 년) 王業(왕업)이 牧笛(목적)에 부쳐시니,
夕陽(석양)에 지나난 客(객)이 눈물계워 하노라.

[현대어 풀이]
흥하고 망함에 운수가 있어 옛 궁궐 터인 만월대에는 가을 풀이 쓸쓸하구나.
오백 년 고려 왕조의 업적이 목동의 피리 소리에 깃들여 있을 뿐이니,
석양에 지나가는 나그네가 슬퍼 눈물 겨워 하노라.

작품분석

㉠ 작자 : 원천석
㉡ 감상 : 역사의 흐름 속에서 폐허가 된 고려 궁궐 터를 돌아보며 고려의 멸망을 안타까워하는 심정을 담은 노래이다.

五百年(오백 년) 都邑地(도읍지)를 匹馬(필마)로 도라드니,
山川(산천)은 依舊(의구)하되 人傑(인걸)은 간 듸 없다.
어즈버, 太平烟月(태평연월)이 꿈이런가 하노라.

[현대어 풀이]

고려 오백 년의 서울이었던 개성에 혼자 말을 타고 돌아오니,
자연은 옛날과 변함 없으나 훌륭한 옛사람들은 간 곳이 없구나.
아! 고려의 태평 성대가 허무한 꿈이라 여겨지는구나.

작품분석

㉠ 작자 : 길재
㉡ 감상 : 고려의 유신으로서 흥성했던 옛 도읍지를 필마로 둘러보고 난 후의 호감을 노래했다. 변함 없는 산천과는 다르게 변해 버린 세월에서 느끼는 무상함이 잘 드러나 있다.

(4) 충절(忠節)

눈 마자 휘여진 대를 뉘라셔 굽다턴고.
구블 節(절)이면 눈 속의 프를소냐.
아마도 歲寒孤節(세한 고절)은 너뿐인가 하노라.

[현대어 풀이]

눈을 맞아서 휘어진 대나무를 누가 굽었다고 말하는가.
쉽게 휘어질 절개일 것 같으면 눈 속에서도 푸르겠는가.
아마도 추위를 꿋꿋이 견디는 절개는 너뿐인 것 같구나.

작품분석

㉠ 작자 : 원천석
㉡ 감상 : 눈 속에서 한겨울을 이겨 내는 대나무를 통해 고려 왕조에 대한 충절을 표현하고 있다. 은둔하면서 절개를 지키는 고려 유신들의 정신이 잘 형상화되어 있다.

十年(십년) ᄀᆞ온 칼이 匣裏(갑리)에 우노ᄆᆡ라.

關山(관산)을 ᄇᆞ라보며 ᄯᅢᄯᅢ로 ᄆᆞᆫ져 보니

丈夫(장부)의 爲國功勳(위국공훈)을 어ᄂᆡ ᄯᅢ에 드리올고.

[현대어 풀이]

십 년이나 갈아온 칼이 칼집 속에서 우는구나.

관문을 바라보며 때때로 만져 보니,

대장부가 나라를 위해 큰 공을 어느 때에 세워 드릴까?

작품분석

㉠ 작자 : 이순신

㉡ 감상 : 어느 때, 어느 경우라도 나라가 위태로울 지경에 이르면 목숨을 던져 나라를 구하겠다는, 무인으로서의 굳은 결의와 충성심이 잘 드러나 있다.

朔風(삭풍)은 나모 긋ᄐᆡ 불고 明月(명월)은 눈 속에 ᄎᆞᆫᄃᆡ,

萬里(만리) 邊城(변성)에 一長劍(일장검) 집고 셔셔,

긴 ᄑᆞ람 큰 ᄒᆞᆫ 소ᄅᆡ에 거칠 거시 업세라.

[현대어 풀이]

몰아치는 북풍은 앙상한 나뭇가지를 스치고, 밝은 달은 눈으로 덮인 산과 들을 비춰 싸늘한데

멀리 떨어져 있는 국경 성루에서 긴 칼을 힘있게 짚고 서서,

길게 휘파람 불며 큰 소리로 호통을 치니, 대적하는 것이 없구나.

작품분석

㉠ 작자 : 김종서

㉡ 감상 : 호방한 기상과 의지가 돋보이는 작품으로, '호기가(豪氣歌)' 또는 '변새가(邊塞歌)'라고 한다.

房(방) 안에 혓는 燭(촉)불 눌과 離別(이별) 하엿관대,

것츠로 눈물 디고 속타는 쥴 모르는고.

뎌 燭(촉)불 날과 갓트여 속타는 쥴 모로도다.

[현대어 풀이]

방 안에 켜 있는 촛불은 누구와 이별을 하였기에,

겉으로 눈물을 흘리면서 속이 타 들어가는 줄을 모르는가.

저 촛불도 나와 같아서(슬피 눈물만 흘릴 뿐) 속이 타는 줄을 모르는구나.

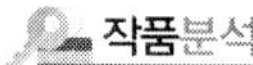 작품분석

㉠ 작자 : 이개

㉡ 감상 : 임금과의 이별에서 오는 슬픈 심정을 촛불에 이입시켜 노래하고 있다. 완곡한 표현을 통해 자신의 충절을 드러내고 있다.

간밤에 부던 바람에 눈서리 치단 말가.
落落長松(낙락장송)이 다 기우러 가노매라.
하믈며 못다 핀 곳이야 닐러 무슴하리오.

[현대어 풀이]

지난 밤에 불던 바람에 눈과 서리까지 몰아쳤단 말인가.
우뚝 솟은 큰 소나무(단종 따르는 충신들)가 다 쓰러져 가는구나.
하물며 아직 못다 핀 꽃(이름 없는 선비들)이야 말해서 무엇하겠는가.

작품분석

㉠ 작자 : 유응부

㉡ 감상 : 눈서리에 낙락장송이 기울어 가는 모습을 통해 당대의 폭압적인 정치 현실(계유정난)을 풍자하고 나라의 장래를 염려하는 충정이 담겨 있는 노래이다.

首陽山(수양산) 바라보며 夷齊(이제)를 恨(한)하노라.
주려 죽을진들 採薇(채미)도 하난 것가.
비록애 푸새엣 것인들 긔 뉘 따헤 났다니.

[현대어 풀이]

수양산 바라보며 옛날 중국(은나라)의 절개의 선비 백이와 숙제를 한탄한다.
절개를 지키려면 굶주려 죽을 것이지 고사리는 왜 캐어 먹었는가.
비록 풀이기는 하지만 그것이 누구(주나라)의 땅에 났던 것이냐.

작품분석

㉠ 작자 : 성삼문

㉡ 감상 : 충신으로 알려진 백이와 숙제에 관한 고사를 인용하여 충절의 마음을 형상화하고 있는 작품이다. 현실과 추호도 타협하지 않고 충절을 지키려는 굳은 의지가 돋보인다.

이 몸이 주거 가서 무어시 될꼬하니,

蓬萊山(봉래산) 第一峰(제일봉)에 落落長松(낙락장송) 되야 이셔,

白雪(백설)이 滿乾坤(만건곤) 할 제 獨也靑靑(독야청청)하리라.

[현대어 풀이]

이 몸이 죽은 뒤에 무엇이 될 것인가 생각해 보니,

봉래산(서울 남산) 높은 봉우리에 우뚝 솟은 큰 소나무가 되어서,

흰 눈이 온 세상에 가득 할 때 홀로 푸르고 푸르리라.

작품분석

㉠ 작자 : 성삼문

㉡ 감상 : 흰 눈이 가득한 겨울날에도 변함없이 푸르기만 한 소나무의 모습을 통해 자신의 충절을 표현하고 있다.

風霜(풍상)이 섯거 친 날에 갓 피온 黃菊花(황국화)를

金盆(금분)에 가득 다마 玉堂(옥당)에 보내오니,

桃李(도리)야, 곳이오냥 마라 님의 뜻을 알괘라.

[현대어 풀이]

바람 불고 서리가 내린 날에 막 피어난 노란 국화꽃을

(명종 임금께서) 좋은 화분에 담아 홍문관에 보내 주시니,

복숭아꽃 오얏꽃은 꽃인 체도 하지 마라. 국화를 보내신 임금의 뜻을 알겠구나.

작품분석

㉠ 작자 : 송순

㉡ 감상 : 임(임금)이 보내 준 국화를 보면서 그 뜻을 새기고 있는 작품이다. 어떠한 시련 속에서도 절개를 잃지 않겠다는 의지가 형상화되어 있다. 일명 '자상특사황국옥당가'라고도 한다.

鐵嶺(철령) 높은 峰(봉)을 쉬어 넘난 저 구름아,

孤臣寃淚(고신 원루)를 비삼아 띄어다가,

님 계신 九重深處(구중 심처)에 뿌려 본들 어떠리.

[현대어 풀이]

철령 높은 봉우리를 쉬어서 넘어가는 저 구름아,

귀양가는 외로운 신하의 억울한 눈물을 비처럼 띄어가지고 가서,

임금님 계신 깊은 궁궐에 뿌려서 나의 충성심을 알려 드리려무나.

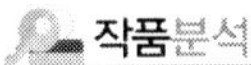
작품분석

㉠ 작자 : 이항복
㉡ 감상 : 임금의 사랑을 잃고 귀양을 가면서 자신의 충절이 임금에게 전달되기를 바라는 간절한 마음이 느껴지는 노래이다.

국어

(5) 강호 한정(江湖閑情)

대쵸 볼 불근 골에 밤은 어이 뜻드르며,
벼 뷘 그르헤 게는 어이 나리는고.
술 닉쟈 체 쟝사 도라가니 아니 먹고 어이리.

[현대어 풀이]
대추가 빨갛게 익은 골짜기에 밤이 뚝뚝 떨어지며,
벼를 베어 낸 그루에는 게가 기어 내려가는구나.
술이 다 익자 체를 파는 장사가 오니 새 술을 걸러서 먹어야겠구나.

한국사

작품분석

㉠ 작자 : 황희
㉡ 감상 : 대추와 밤이 익어 가고 벼를 벤 그루에 게가 나와 다니는 늦가을 농촌의 풍경을 배경으로 운치 있는 생활이 그려져 있는 작품이다.

頭流山(두류산) 兩端水(양단수)를 녜 듯고 이제 보니,
桃花(도화) 뜬 맑은 물에 山影(산영)조차 잠겼세라.
아희야 武陵(무릉)이 어듸메요 나는 옌가 하노라.

영어

[현대어 풀이]
지리산의 두 갈래 흐르는 물이 절경이라는 것을 전에는 말로만 들었는데 이제 실제로 와서 내 눈으로 보니
복숭아 꽃잎이 떠 있는 맑은 물에 산 그림자까지 잠겨 있구나!
아이야, 별천지 무릉 도원이 바로 여기로구나. 이 곳이야말로 선경이 아니고 무엇이냐.

작품분석

㉠ 작자 : 조식
㉡ 감상 : 지리산의 맑은 물을 찾아보고 그 곳에서 동양적 이상향인 무릉 도원을 연상하고 있는 작품이다.

秋江(추강)에 밤이 드니 물결이 차노매라.

낚시 드리치니 고기 아니 무노매라.

無心(무심)한 달빛만 싣고 빈 배 저어 오노매라.

[현대어 풀이]

가을의 강에 밤이 깊어가니 물결이 차구나.

낚시를 드리워도 고기가 물지 않는구나.

욕심도 잡념도 없는 달빛만 배에 가득 싣고 돌아온다.

작품분석

㉠ 작자 : 월산대군

㉡ 감상 : 가을밤 강에 나가 한적하게 낚시를 하다 빈 배에 달빛만 싣고 오는 풍경을 형상화하고 있다. 세상에 대한 무욕의 심정이 느껴진다.

十年(십 년)을 經營(경영)ᄒᆞ여 草廬三間(초려 삼간) 지여 내니,

나 ᄒᆞᆫ 간 ᄃᆞᆯ ᄒᆞᆫ 간에 淸風(청풍) ᄒᆞᆫ 간 맛져 두고,

江山(강산)은 들일 듸 업스니 둘러 두고 보리라.

[현대어 풀이]

십년을 계획하여 초가 삼간을 지어서

나 한 간, 달 한 간, 청풍 한 간 맡기어 두고,

아름다운 산수는 집 안에 들여 놓을 데가 없으니, 집 주변에 병풍처럼 둘러 두고 보리라.

작품분석

㉠ 작자 : 송순

㉡ 감상 : 자연의 아름다움에 몰입한 경지를 노래한 '한정가(閑情歌)'이다. 자연 친화를 통해 안분지족, 안빈낙도의 삶의 지혜를 터득한 작자의 높은 정신 세계를 보여주고 있다.

山村(산촌)에 눈이 오니 돌길이 무쳐셰라.

柴扉(시비)를 여지 마라, 날 차즈리 뉘 이시리.

밤중만 一片明月(일편 명월)이 긔 벗인가 하노라.

[현대어 풀이]

산마을에 눈이 내리니 골짜기의 돌길이 온통 눈에 덮여 버렸구나.

사립문을 열어서 무엇하리, 더욱이 오늘 같은 날 찾아올 이가 뉘 있겠는가.

고요한 밤 하늘에 둥실 떠 있는 저 달만이 내 벗이로다.

작품분석

㉠ 작자 : 신흠
㉡ 감상 : 아무도 찾아올 이 없는 외딴 산촌에서 자연과 더불어 살아가는 심정이 형상화되어 있는 작품이다.

江山(강산) 죠흔 景(경)을 힘센 이 닷톨 양이면,
내 힘과 내 分(분)으로 어이하여 엇들쏜이.
眞實(진실)로 禁(금)하리 업쓸씌 나도 두고 논이노라.

[현대어 풀이]
자연의 아름다운 경치를 힘이 센 사람들이 서로 자기 것으로 만들고자 다툰다면,
나같이 힘도 없고 가난한 분수로 어찌 차지할 수 있겠는가.
자연은 이를 사랑하고 즐기는 것을 막는 사람이 없으므로 나 같은 사람도 즐기며 노닐 수 있다.

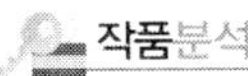
작품분석

㉠ 작자 : 김천택
㉡ 감상 : 자연의 경관에 대한 다툼이 있다면 나에게는 그 기회가 없을 것이나, 이를 금하는 이가 없으므로 자연의 아름다움을 만끽할 수 있다는 유유자적하는 삶이 나타나 있다.

(6) 연정(戀情)

동짓달 기나긴 밤을 한 허리에 버혀 내어,
春風(춘풍) 니불 아래 서리서리 너헛다가,
어론님 오신 날 밤이여든 구뷔구뷔 펴리라.

[현대어 풀이]
동짓달 긴긴 밤의 시간 한가운데를 베어 내어,
봄바람처럼 따뜻한 이불 아래 서리서리 넣어 두었다가,
사랑하는 임이 오시는 날 밤에 굽이굽이 펼쳐서 긴긴 시간으로 이으리라.

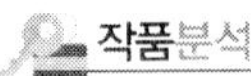
작품분석

㉠ 작자 : 황진이
㉡ 감상 : 동짓달 긴 밤과 봄 바람처럼 따뜻한 이불 사이의 거리에서 느껴지는 애절함, 밤의 허리를 끊어 내어 그것을 이불 아래 넣었다가 펴겠다는 참신한 발상이 돋보이는 작품이다.

靑山裏(청산리) 碧溪水(벽계수) ㅣ야 수이 감을 자랑마라.
一到滄海(일도창해)ᄒᆞ면 도라오기 어려오니,
明月(명월)이 滿空山(만공산)ᄒᆞ니 수여 간들 엇더리.

[현대어 풀이]
청산 속에 흐르는 푸른 시냇물아, 빨리 흘러간다고 자랑마라
한 번 넓은 바다에 다다르면 다시 청산으로 돌아오기 어려우니
밝은 달이 산에 가득 차 있는, 이 좋은 밤에 나와 같이 쉬어감이 어떠냐?

작품분석

㉠ 작자 : 황진이
㉡ 감상 : 세월은 빠르고 인생은 덧없는 것이니, 인생을 즐겁게 살아가자고, 기녀다운 호소력을 보여 주는 시조이다. 중의법으로 쓰인 '벽계수'는 흐르는 물과 왕족인 벽계수를, '명월'은 달과 황진이 자신을 동시에 의미한다.

어져 내 일이야 그릴 줄을 모로더냐.
이시라 하더면 가랴마난 제 구태여
보내고 그리난 情(정)은 나도 몰라 하노라.

[현대어 풀이]
아! 내가 한 일이 후회스럽구나. 이렇게도 그리울 줄을 미처 몰랐더냐.
있으라 했더라면 임이 굳이 떠나시려 했겠느냐마는
내가 굳이 보내 놓고는 새삼 그리워하는 마음을 나 자신도 모르겠구나.

작품분석

㉠ 작자 : 황진이
㉡ 감상 : 떠나려는 임을 만류할 수도 있었지만, 그냥 떠나게 하고는 그리워 애달파하는 심정을 넋두리하듯 읊고 있다. 자존심과 연정 사이에서 갈등하는 미묘한 심리를 섬세하게 표현하고 있다.

묏버들 가려 것거 보내노라 님의손대
자시난 窓(창) 밧긔 심거 두고 보쇼서.
밤비에 새 닙 곳 나거든 날인가도 너기소서.

[현대어 풀이]
산에 있는 버들가지 중 아름다운 것을 골라 꺾어 임에게 보내오니,
주무시는 방의 창문가에 심어 두고 살펴 주십시오.
행여 밤비에 새 잎이라도 나면 마치 나를 본 것처럼 여겨 주십시오.

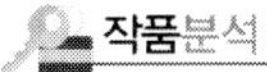
작품분석

㉠ 작자 : 홍랑
㉡ 감상 : 임에게 바치는 지순한 사랑을 묏버들에 비유하여, 비록 몸은 떨어져 있으나 마음은 항상 임의 곁에 있고자 함을 표현하고 있다.

마음이 어린 後(후)ㅣ니 하난 일이 다 어리다.
萬重雲山(만중 운산)에 어내 님 오리마난,
지난 닢 부난 바람에 행여 귄가 하노라.

[현대어 풀이]
마음이 어리석으니 하는 일이 모두 어리석구나.
구름이 첩첩한 깊은 산 속에 어느 임이 찾아 올 것인가마는,
낙엽이 지고 바람 부는 소리에 행여나 임이 왔는가 싶구나.

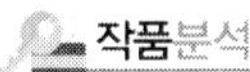
작품분석

㉠ 작자 : 서경덕
㉡ 감상 : 깊은 산 속에서 잎이 지는 소리, 바람 부는 소리에도 혹시 임이 온 것이 아닐까 하며 간절하게 임을 그리워하는 심정이 잘 드러나 있다.

梨花雨(이화우) 흩뿌릴 제 울며 잡고 이별한 님,
秋風落葉(추풍 낙엽)에 저도 날 생각난가.
천 리에 외로운 꿈만 오락가락 하노매.

[현대어 풀이]
배꽃이 비처럼 흩날리던 때에 손 잡고 울며 불며 헤어진 임,
가을 바람에 낙엽지는 것을 보며 나를 생각하여 주실까.
천릿길 머나먼 곳에 외로운 꿈만 오락가락하는구나.

작품분석

㉠ 작자 : 계랑
㉡ 감상 : 외로운 가을밤에 멀리 떨어져 있는 임을 그리워하며 잠을 이루지 못하는 심정을 노래하고 있다.

(7) 계세(戒世)

내해 죠타 하고 남 슬흔 일 하지 말며,

남이 한다 하고 義(의) 아니면 좃지 말니,

우리난 天性(천성)을 직희여 삼긴 대로 하리라.

[현대어 풀이]

나에게 좋다고 해서 남에게 싫은 일 하지 말고,

남이 한다고 해도 올바른 일이 아니면 따라 하지 말라.

우리는 천성을 지켜서 타고난 본성대로 착하게 살아야 한다.

작품분석

㉠ 작자 : 변계량

㉡ 감상 : 다른 사람이 싫어하는 일을 하지 말고, 의로운 것이 아니면 행하지 말며 천성대로 살 것을 가르치고 있는 작품으로 강한 교훈성을 담고 있다.

굼벙이 매암이 되야 나래 도쳐 나라 오라

노프나 노픈 남게 소리는 죠커니와,

그 우희 거미줄 이시니 그를 조심하여라.

[현대어 풀이]

굼벵이가 매미가 되어 날개가 돋아서 날쌔게 날아 올라가,

높은 나무 위에서 의기양양하여 즐겁게 울어대서 좋기도 하겠구나!

그러나 그 나무 위에, 네 머리 위에 거미줄이 쳐져 있으니, 그것을 조심해라.

작품분석

㉠ 작자 : 미상

㉡ 감상 : 아무리 높은 곳에서 우는 매미도 그 우는 소리는 좋지만 그 위에 거미줄이 있으니 조심하라는 내용이다. 세상에 대한 풍자의 의도를 담고 있다.

山(산)은 녯 山(산)이로되 물은 녯 물이 안이로다.

晝夜(주야)에 흘은이 녯 물이 이실쏜야.

人傑(인걸)도 물과 ᄀᆞᆺᄋᆞ야 가고 안이 오노ᄆᆡ라.

[현대어 풀이]

산은 옛날의 산 그대로인데 물은 옛날의 물이 아니구나.

종일토록 흐르니 옛날의 물이 그대로 있겠는가.

사람도 물과 같아서 가고 아니 오는구나.

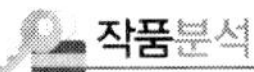

작품분석

㉠ 작자 : 황진이
㉡ 감상 : 변함없는 산과 끊임없이 흘러가는 물과의 대조, 흐르는 물과 사라지는 인간과의 대조를 통하여 인생에 대한 허망함을 구체화시키고 있다.

江湖(강호)에 봄이 드니 미친 興(흥)이 절로 난다.
濁醪溪邊(탁료계변)에 錦鱗魚(금린어) ㅣ 안주로다.
이 몸이 閒暇(한가)히옴도 亦君恩(역군은)이샷다.

[현대어 풀이]
선비가 물러나 사는 자연에 봄이 오니 참을 수 없는 흥이 저절로 나는구나.
막걸리를 마시며 노는 시냇가에 싱싱한 물고기가 안주구나.
이렇게 이 몸이 한가한 것도 또한 임금님의 은혜이시도다.

작품분석

㉠ 작자 : 맹사성
㉡ 감상 : 강호 생활의 즐거움을 말하고, 강호를 벗삼아 즐거이 지내는 것도 다 임금의 은혜라며 군주의 성은에 감사하고 있다.

이고 진 뎌 늘그니 짐 프러 나를 주오.
나는 졈엇써니 돌히라 무거올가.
늘거도 셜웨라커든 짐을조차 지실가.

[현대어 풀이]
이고 진 저 노인네 짐 풀어서 나를 주시오.
나는 젊었으니 돌이라고 무겁겠는가.
늙은 것도 서러운데 짐조차 지셔서 되겠는가.

작품분석

㉠ 작자 : 정철
㉡ 감상 : 늙은이에 대한 애련을 나타내며 경로 사상을 일깨워 주는 노래이다.

(8) 사친(事親)

盤中(반중) 早紅(조홍)감이 고와도 보이나다.

柚子(유자) ㅣ 아니라도 품엄 즉도 하다마난,

품어 가 반길 이 없을새 글로 설워하나이다.

[현대어 풀이]

소반에 놓인 붉은 감이 곱게도 보이는구나!

비록 유자가 아니라도 품어갈 마음이 있지마는,

품어 가도 반가워해 주실 부모님이 안 계시기 때문에 그를 서러워합니다.

작품분석

㉠ 작자 : 박인로

㉡ 감상 : 붉은 감을 보면서 부모님을 떠올리지만 부모님이 계시지 않음을 깨닫고 안타까워한다는 일명 〈조홍시가〉이다. 부모님에게 효도를 다하지 못한 후회의 심정이 담겨 있다.

(9) 국치(國恥)의 슬픔

가노라 三角山(삼각산)아, 다시 보쟈 漢江水(한강수)야.

故國山川(고국산천)을 떠나고쟈 하랴마난

時節(시절)이 하 殊常(수상)하니 올동말동하여라.

[현대어 풀이]

나는 가노라 삼각산아! 다시 보자 한강수야!

고국의 산천을 떠나고 싶은 마음이 있겠느냐마는,

시절이 어지러우니 다시 돌아올 수 있을지 염려스럽구나.

작품분석

㉠ 작자 : 김상헌

㉡ 감상 : 고국을 떠나면서도 혼란한 시절로 인해 다시 돌아올 수 있을지를 염려하는 마음이 형상화되어 있다.

(10) 사설시조(辭說時調)

바람도 쉬여 넘난 고개, 구름이라도 쉬여 넘난 고개,

山眞(산진)이 水眞(수진)이 海東靑(해동청), 보라매도 쉬여 넘난 高峯(고봉) 長城嶺(장성령) 고개,

그 너머 님이 왔다 하면 나는 아니 한 번도 쉬여 넘어가리라.

[현대어 풀이]

하도 높아서 바람도 쉬어서야 넘어가는 고개, 구름까지도 쉬어서 넘는 그렇게 높고 험한 고개,

산지니, 수지니, 해동청, 보라매 같은 날쌘 매들까지도 단숨에는 못 넘고, 몇 번씩 쉬어서야 넘는 그런 높디높은 봉우리 장성령 고개,

그 높은 고개 너머에 만일 임이 와 있다면, 나는 한 번도 쉬지 않고 단숨에 넘어가서 임을 만날 것이다.

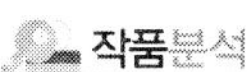
작품분석

㉠ 작자 : 미상

㉡ 감상 : 바람, 구름, 새들도 쉬어 넘는다는 높은 고개이지만 임이 온다 하면 한 번도 쉬지 않고 넘겠다는 내용으로 임에 대한 절실한 그리움을 표현하고 있다.

두터비 파리를 물고 두험 우희 치달아 앉아

건넛산 바라보니 白松骨(백송골)이 떠 있거늘, 가슴이 금즉하여 풀떡 뛰어 내닫다가 두험 아래 자빠지거고.

모쳐라, 날랜 낼시만졍 에헐질 번하괘라.

[현대어 풀이]

두꺼비 파리를 물고 두엄 위에 올라 앉아,

건너편 산을 바라보니 흰 송골매가 떠 있거늘, 가슴이 섬뜩하여 풀떡 뛰어 도망가다가 두엄 아래 자빠졌구나.

다행이도 날샌 나였기에 망정이지 멍이 들 뻔하였도다.

작품분석

㉠ 작자 : 미상

㉡ 감상 : 두꺼비, 파리, 송골매를 의인화하여 약육강식의 세태와 양반들의 위선을 풍자하고 있는 작품이다. 힘 없는 백성(파리)을 괴롭히는 두꺼비(양반)들이 강한 외세(송골매) 앞에서는 비굴해지는 모습을 익살스럽게 비꼬고 있다.

댁들에 동난지이 사오. 져 쟝스야, 네 황후 긔 무서시라 웨난다, 사쟈.

外骨內肉(외골내육) 兩目(양목)이 上天(상천), 前行(전행) 後行(후행), 小(소)아리 八足(팔족) 大(대)아리 二足(이족), 淸醬(청장) 아스슥하는 동난지이 사오.

쟝스야, 하 거복이 웨지 말고 게젓이라 하렴은.

[현대어 풀이]

여러 사람들이여 동난지 사오. 저 장수야 네 물건 그 무엇이라 외치느냐, 사자.

밖은 단단하고 안은 물렁하며 두 눈은 위로 솟아 하늘을 향하고 앞뒤로 기는 작은 발 여덟 개, 큰 발 두 개, 푸른 장이 아스슥하는 동난지 사오.

장수야, 그렇게 거북하게 말하지 말고 게젓이라 하려무나.

작품분석

㉠ 작자 : 미상
㉡ 감상 : 상인과 대화하는 형식을 빌려 상행위가 벌어지고 있는 장면을 해학적으로 표현하고 있는 작품이다. 게에 대한 실감나는 묘사와 감칠맛나는 음성 상징어 등에서 표현의 묘미를 느낄 수 있다.

귓도리 져 귓도리 에엿부다 져 귓도리.
어인 귓도리 지난 달 새난 밤의 긴 소리 쟈른 소리 節節(절절)이 슬픈 소리, 제 혼자 우러 녜어 紗窓(사창) 여읜 잠을 살뜨리도 깨오난고야.
두어라 제 비록 微物(미물)이나 無人洞房(무인동방)에 내 뜻 알리는 너뿐인가 하노라.

[현대어 풀이]
귀뚜라미, 저 귀뚜라미, 불쌍하다, 저 귀뚜라미.
어찌된 귀뚜라미가 지는 달, 새는 밤에 긴 소리 짧은 소리, 마디마디 슬픈 소리로 저 혼자 계속 울어, 비단 창문 안에 옅은 잠을 잘도 깨우는구나.
두어라, 제가 비록 미물이지만 독수 공방하는 나의 뜻을 아는 이는 저 귀뚜라미뿐인가 하노라.

작품분석

㉠ 작자 : 미상
㉡ 감상 : 임을 잃고 독수 공방하는 심정을 귀뚜라미의 울음소리를 통해 표현하고 있다. 임을 여읜 여인의 외로움과 애타는 그리움이 잘 드러나 있다.

밝가버슨 兒孩(아해) ㅣ 들리 거믜쥴 테를 들고 기川(천)으로 往來(왕래)ᄒᆞ며,
밝가숭아 밝가숭아 져리 가면 죽ᄂᆞ니라. 이리 오면 ᄉᆞᄂᆞ니라. 부로나니 밝가숭이로다.
아마도 世上(세상) 일이 다 이러ᄒᆞᆫ가 ᄒᆞ노라.

[현대어 풀이]
발가벗은 아이들이 거미줄 테를 들고 개천을 내왕하며,
"발가숭아, 발가숭아 저리 가면 죽고, 이리 오면 산다."고 부르는 것이 발가숭이로다.
아마도 세상 일이 다 이런 것인가 하노라.

작품분석

㉠ 작자 : 이정신
㉡ 감상 : 어린아이들이 잠자리를 잡으려고 하면서 잠자리가 자기들에게 와야 한다는 것은 일종의 역설적 상황이다. 잠자리가 살기 위해서는 아이들로부터 멀리 도망쳐야 하기 때문이다. 세상 일이 모두 이와 같다는 소박한 표현 속에 깊은 생활의 철학이 담겨져 있다.

기출예제 04 2019. 4. 6. 소방공무원

다음 글을 읽고 물음에 답하시오.

(가) 십년(十年)을 경영(經營)ᄒᆞ여 초려삼간(草廬三間) 지여 내니
나 ᄒᆞᆫ 간 ᄃᆞᆯ ᄒᆞᆫ 간에 청풍(淸風) ᄒᆞᆫ 간 맛져 두고
강산(江山)은 들일 듸 업스니 둘러 두고 보리라

– 송순의 시조 –

(나) 동지(冬至)ㅅᄃᆞᆯ 기나긴 밤을 한 허리를 버혀 내여
춘풍(春風) 니불 아릐 서리서리 너헛다가
어론 님 오신 날 밤이여든 구뷔구뷔 펴리라

– 황진이의 시조 –

(가)와 (나)의 공통점으로 가장 적절한 것은?

① 한자 어휘를 활용해 유교적 이념을 드러내고 있다.
② 선경후정(先景後情)으로 시적 분위기를 고조시키고 있다.
③ 의지적 어조의 종결 어미로 화자의 의도를 강화하고 있다.
④ 물아일체(物我一體)의 삶을 살고자 하는 화자의 정서가 나타나 있다.

✱

고전시가의 화자는 작가와 일치한다고 보아도 무방하다. 그들에게 문학은 자신을 드러내는 수단이기 때문이다. 송순은 유학자로서 충과 효를 실현한 후 자연에서 자신의 여생을 마무리하는 자신의 마음을 말하고 있고, 황진이는 임을 그리는 마음을 드러내고 있다.
③ 종장 마지막의 '-리라'를 근거로 볼 때, 의지적 어조의 종결 어미로 화자의 의도를 강화하고 있다고 할 수 있다.
① 송순의 시조에만 해당하는 설명이다.
② '선경후정(先景後情)'이란 먼저 경치나 상황을 언급한 후 자신의 내면(정서나 마음)을 드러낸다는 문학적 표현 방식을 말한다.
④ '물아일체(物我一體)의 삶'이란 무심의 마음으로 우리 인간을 자연의 일부로 여기로 살아가는 마음이다.

답 ③

(가)에 드러나는 주제 의식과 관련된 사자성어로 적절한 것은?

① 敎學相長
② 安貧樂道
③ 走馬看山
④ 狐假虎威

✱

(가)의 주제는 가난하지만 자연 속에서 자연을 즐기며 사는 삶이다. 즉, 안빈낙도(安貧樂道)라고 할 수 있다.
① 敎學相長(교학상장) : 가르치고 배우는 과정에서 스승과 제자가 함께 성장함
② 安貧樂道(안빈낙도) : 가난한 생활을 하면서도 편안한 마음으로 도를 즐겨 지킴
③ 走馬看山(주마간산) : 자세히 살피지 아니하고 대충대충 보고 지나감을 이름
④ 狐假虎威(호가호위) : 남의 권세를 빌려 위세를 부림

답 ②

05 기출문제분석

2019. 4. 6. 소방공무원

1 다음 작품에 대한 설명으로 적절하지 않은 것은?

> 기심 매러 갈 적에는 갈뽕을 따 가지고
> 기심 매고 올 적에는 올뽕을 따 가지고
> 삼간방에 누어 놓고 청실홍실 뽑아내서
> 강릉 가서 날아다가 서울 가서 매어다가
> 하늘에다 베틀 놓고 구름 속에 이매 걸어
> 함경나무 바디집에 오리나무 북게다가
> 짜궁짜궁 짜아 내어 가지잎과 뭅거워라
> 배꽃같이 바래워서 참외같이 올 짓고
> 외씨 같은 보선 지어 오빠님께 드리고
> 겹옷 짓고 솜옷 지어 우리 부모 드리겠네
>
> – 작자 미상, 「베틀 노래」

① 노동 현실에 대한 한과 비판이 드러나 있다.
② 대구법과 직유법 등의 표현 기법을 사용하고 있다.
③ 4 · 4조의 운율과 언어 유희로 리듬감을 형성하고 있다.
④ 화자의 상상력을 바탕으로 과장되게 표현한 부분이 나타나 있다.

TIPS!

이 시의 화자는 베틀로 옷감을 짜고 있는 여인으로, 노동의 힘겨움 속에서도 가족에 대한 애정이 노래에서 드러난다. 가족애를 바탕으로 한 우애와 효를 강조하며, 노래를 통해 노동의 힘겨움을 잊고자 하는 노동요적 성격이 있다.

[작품해설]

㉠ 갈래 : 민요, 노동요, 부요(婦謠)
㉡ 운율 : 4 · 4조, 4음보
㉢ 성격 : 여성적, 낙천적, 유교적
㉣ 구성 : 추보식 구성(뽕잎 따기 → 누에치기 → 실뽑기 → 베 짜기 → 옷 짓기)
㉤ 주제
- 베를 짜는 여인의 흥과 멋
- 노동의 고달픔을 덜기 위한 노래
- 베를 짜는 과정과 가족에 대한 사랑

Answer 1.①

ⓑ 특징
- 언어 유희적 표현
- 대구법, 반복법 사용
- 순우리말을 사용하여 베를 짜는 모습을 실감나게 표현

국어 한국사 영어

2018. 10. 13. 소방공무원

2 다음 (가)와 (나)에 대한 설명으로 적절하지 않은 것은?

> (가)
> 이 몸이 주거 가셔 무어시 될쏘 ᄒᆞ니,
> 봉래산(蓬萊山) 제일봉(第一峯)에 낙락장송(落落長松) 되야 이셔,
> 백설(白雪)이 만건곤(滿乾坤)ᄒᆞᆯ 제 독야청청(獨也靑靑)ᄒᆞ리라.
>
> – 성삼문의 시조
>
> (나)
> 가마귀 눈비 마ᄌᆞ 희는 듯 검노ᄆᆡ라.
> 야광명월(夜光明月)이 밤인들 어두오랴.
> 님 향(向)ᄒᆞᆫ 일편단심(一片丹心)이야 고칠 줄이 이시랴.
>
> – 박팽년의 시조

① (가)의 '백설'과 (나)의 '눈비'는 혼란스러운 시대 현실을 의미한다.
② (가)의 '독야청청'과 (나)의 '일편단심'은 삶의 태도 면에서 유사하다.
③ (가)의 '낙락장송'과 (나)의 '야광명월'은 화자가 긍정적으로 인식하는 대상이다.
④ (가)의 '이 몸'과 (나)의 '님'은 화자가 변치 않는 절개를 다짐하고 있는 대상이다.

TIPS!

④ (나)의 '님'은 화자가 변치 않는 절개를 다짐하고 있는 대상이다. 그러나 (가)의 '이 몸'은 화자 자신을 가리킨다.
※ 작품해설
㉠ 성삼문의 '이 몸이 주거 가셔' : 사계절 푸른 소나무를 소재로 사용하여 단종을 향한 변함없는 굳은 절개를 우의적으로 표현
㉡ 박팽년의 '가마귀 눈비 마ᄌᆞ' : 수양대군 일파로 대변되는 '가마귀'와 단종의 충신으로 대변되는 '야광명월'을 대조하며 자신의 변치 않는 절개를 표현

Answer 2.④

2018. 10. 13. 소방공무원

3 다음 시에 대한 설명으로 적절하지 않은 것은?

> 산이 날 에워싸고
> 씨나 뿌리며 살아라 한다.
> 밭이나 갈며 살아라 한다.
>
> 어느 짧은 산자락에 집을 모아
> 아들 낳고 딸을 낳고
> 흙담 안팎에 호박 심고
> 들찔레처럼 살아라 한다.
> 쑥대밭처럼 살아라 한다.
>
> 산이 날 에워싸고
> 그믐달처럼 사위어지는 목숨
> 그믐달처럼 살아라 한다.
> 그믐달처럼 살아라 한다.
>
> – 박목월, 「산이 날 에워싸고」

① 화자는 순수하고도 탈속적인 세계를 지향하고 있다.
② 유사한 통사 구조의 반복을 통해 주제를 강조하고 있다.
③ 화자는 자신의 소망을 '산'이 자신에게 말하는 것처럼 표현하고 있다.
④ 화자는 절제된 감정으로 '산'과의 일정한 거리를 유지하려 하고 있다.

TIPS!

박목월의 '산이 날 에워싸고'는 산을 소재로 하여 자연 친화적이고 초월적인 삶에 대한 동경을 표현하고 있다.
④ '산'은 화자가 소망하고 동경하는 이상적 삶을 나타내는 대상으로 일정한 거리를 유지한다는 것은 적절하지 않다.

Answer 3.④

4 다음 글의 ㉠에 해당하는 작품이 아닌 것은?

> 역사적으로 볼 때 우리나라의 극 갈래는 가면극, 인형극, 판소리 등을 거쳐 신파극, 근대극, 현대극으로 발전해 왔다. 가면극은 신라의 오기, 검무, 처용무에서 시작하여 고려의 나례, 조선의 산대희와 탈춤으로 발전하였다. 인형극은 삼국 시대의 목우희에서 나무인형으로 노는 인형극, 고려 시대의 꼭두각시놀음과 그림자극인 망석중 놀이로 이어졌다. 조선 후기에 발생한 판소리는 신재효가 ㉠ 여섯 마당으로 정리하면서 전환기를 맞이하였다.

① 만분가　　② 적벽가
③ 심청가　　④ 춘향가

TIPS!
신재효가 정리한 판소리 여섯 마당에는 춘향가, 심청가, 수궁가, 흥부가(박타령), 적벽가, 변강쇠가(가루지기타령)가 있다.
① 만분가는 조선 연산군 때 조위가 무오사화로 전라남도 순천에 유배되었을 때의 생활을 읊은 것으로, 유배 가사의 효시이다.

Answer 4.①

2018. 10. 13. 소방공무원

5 다음 시의 표현상 특징으로 적절하지 않은 것은?

> 들길은 마을에 들자 붉어지고
> 마을 골목은 들로 내려서자 푸르러졌다
> 바람은 넘실 천 이랑 만 이랑
> 이랑 이랑 햇빛이 갈라지고
> 보리도 허리통이 부끄럽게 드러났다
> 꾀꼬리는 여태 혼자 날아 볼 줄 모르나니
> 암컷이라 쫓길 뿐
> 수놈이라 쫓을 뿐
> 황금 빛난 길이 어지럴 뿐
> 얇은 단장하고 아양 가득 차 있는
> 산봉우리야 오늘 밤 너 어디로 가 버리련?
>
> – 김영랑, 「오월」

① 반복을 통해 운율을 형성하고 있다.
② 시선의 이동에 따라 시상이 전개되고 있다.
③ 색채 대비를 통해 풍경을 선명하게 드러내고 있다.
④ 직유를 통해 산봉우리를 친근감 있게 표현하고 있다.

TIPS!

김영랑의 '오월'은 들, 바람, 보리, 꾀꼬리, 산봉우리 등 자연적 소재를 활용하여 오월(봄)의 생동감과 생명력에 대해 표현하고 있다. ④ 직유는 '~같은', '~처럼' 등을 사용하여 비유하는 것으로 이 시에서는 직유는 사용되지 않았다. 산봉우리를 사람으로 의인화하여 친근감 있게 표현하고 있다.

Answer 5.④

2018. 10. 13. 소방공무원

6 다음 시의 ㉠~㉣에서 역설적 표현이 사용된 것은?

> ㉠ 매운 계절(季節)의 채찍에 갈겨
> 마침내 북방(北方)으로 휩쓸려 오다.
>
> 하늘도 그만 지쳐 끝난 고원(高原)
> ㉡ 서릿발 칼날진 그 위에 서다.
>
> 어데다 무릎을 꿇어야 하나
> ㉢ 한 발 재겨 디딜 곳조차 없다.
>
> 이러매 눈 감아 생각해 볼밖에
> ㉣ 겨울은 강철로 된 무지갠가 보다.
>
> – 이육사, 「절정」

① ㉠ ② ㉡

③ ㉢ ④ ㉣

TIPS!

역설은 모순을 일으키기는 하지만 그 속에 중요한 진리가 함축되어 있는 표현으로 ㉣에 '강철로 된 무지개'가 역설적 표현이라고 할 수 있다. '강철'로 대변되는 현실의 극한 상황을 초월하고자 하는 의지를 '무지개'로 표현하고 있다.

Answer 6.④

2018. 4. 7. 인사혁신처

7 다음 글에 대한 이해로 가장 적절한 것은?

> ㈎ 내 마음 베어 내어 저 달을 만들고져
> 구만 리 장천(長天)의 번듯이 걸려 있어
> 고운 님 계신 곳에 가 비추어나 보리라
>
> ㈏ 열다섯 아리따운 아가씨가
> 남부끄러워 이별의 말 못 하고
> 돌아와 겹겹이 문을 닫고는
> 배꽃 비친 달 보며 흐느낀다

① ㈎와 ㈏에서 '달'은 사랑하는 마음을 임에게 전달하는 매개체이다.
② ㈎의 '고운 님'과, ㈏의 '아리따운 아가씨'는 화자가 사랑하는 대상이다.
③ ㈎의 '나'는 적극적인 태도로, ㈏의 '아가씨'는 소극적인 태도로 정서를 드러낸다.
④ ㈎의 '장천(長天)'은 사랑하는 임이 머무르는 공간이고, ㈏의 '문'은 사랑하는 임에 대한 마음을 숨기는 공간이다.

TIPS!

① ㈏의 달은 임에게 마음을 전달하는 매개체가 아니다.
② ㈏의 '아리따운 아가씨'는 화자가 관찰하는 대상이다.
④ ㈎의 '장천'은 화자가 임에게 마음이 전달되기를 바라는 공간이다.

Answer 7.③

2018. 4. 7. 인사혁신처

8 ㉠~㉣에 대한 이해로 가장 적절한 것은?

막차는 좀처럼 오지 않았다
대합실 밖에는 밤새 송이눈이 쌓이고
㉠흰 보라 수수꽃 눈시린 유리창마다
톱밥난로가 지펴지고 있었다
그믐처럼 몇은 졸고
몇은 감기에 쿨럭이고
그리웠던 순간들을 생각하며 나는
한 줌의 톱밥을 불빛 속에 던져 주었다
내면 깊숙이 할 말들은 가득해도
㉡청색의 손바닥을 불빛 속에 적셔 두고
모두들 아무 말도 하지 않았다
산다는 것이 때론 술에 취한 듯
한 두름의 굴비 한 광주리의 사과를
만지작거리며 귀향하는 기분으로
침묵해야 한다는 것을
모두들 알고 있었다
㉢오래 앓은 기침소리와
쓴 약 같은 입술담배 연기 속에서
싸륵싸륵 눈꽃은 쌓이고
그래 지금은 모두들
눈꽃의 화음에 귀를 적신다
자정 넘으면
낯설음도 뼈아픔도 다 설원인데
단풍잎 같은 몇 잎의 차창을 달고
밤열차는 또 어디로 흘러가는지
㉣그리웠던 순간들을 호명하며 나는
한 줌의 눈물을 불빛 속에 던져 주었다

– 곽재구, 「사평역에서」 –

Answer 8.④

① ㉠ – 여러 개의 난로가 지펴져 안온한 대합실의 상황을 비유적으로 표현하였다.
② ㉡ – 대조적 색채 이미지를 통해, 눈 오는 겨울 풍경의 서정적 정취를 강조하였다.
③ ㉢ – 오랜 병마에 시달린 이들의 비관적 심리와 무례한 행동을 묘사하였다.
④ ㉣ – 화자가 그리워하는 지난 때를 떠올리며 느끼는 정서를 화자의 행위에 투영하였다.

TIPS!

① '안온하다'는 '조용하고 편안하다'는 뜻이다. 대합실의 상황은 안온하지 않다.
② 대조적 색체 이미지를 사용했지만, 눈 오는 겨울 풍경의 서정적 정취를 강조하고 있지는 않다.
③ 막차를 기다리는 사람들과 대합실의 모습을 묘사하고 있다. 비관적 심리와 무례한 행동을 묘사하는 장면이 아니다.

2018. 3. 24. 제1회 서울특별시

9 〈보기〉에 대한 설명으로 가장 옳지 않은 것은?

〈보기〉

동지(冬至)ㅅ돌 기나긴 밤을 한 허리를 버혀 내여
춘풍(春風) 니불 아레 서리서리 너헛다가
어론님 오신날 밤이여든 구뷔구뷔 펴리라

① 사랑하는 임의 안위에 대해 걱정하고 있다.
② 추상적인 시간을 구체화하여 제시하고 있다.
③ 의태어를 사용하여 생동감을 자아내고 있다.
④ '어론님 오신날'은 화자의 소망과 관련된 구절이다.

TIPS!

① 사랑하는 임의 안위에 대해 걱정하는 부분은 나타나지 않았다.
② 초장에서 추상적인 시간을 구체화하여 제시하고 있다.
③ 서리서리, 구뷔구뷔 등 의태어를 사용하여 생동감을 자아내고 있다.
④ 종장에서 화자의 소망이 드러나고 있다.
[현대어 풀이]
동짓달 기나긴 밤을 한 허리를 베어 내어
춘풍 이불 아래 서리서리 넣었다가
정든 임 오신 날 밤이면 굽이굽이 펴리라

Answer 9.①

2017. 6. 24. 제2회 서울특별시

10 다음 중 〈보기〉의 시에 대한 감상으로 가장 적절한 것은?

〈보기〉

계절이 지나가는 하늘에는 / 가을로 가득 차 있습니다.

나는 아무 걱정도 없이 / 가을 속의 별들을 다 헤일 듯합니다.

가슴 속에 하나 둘 새겨지는 별을 / 이제 다 못 헤는 것은
쉬이 아침이 오는 까닭이요,
내일 밤이 남은 까닭이요,
아직 나의 청춘이 다하지 않은 까닭입니다.

별 하나에 추억과 / 별 하나에 사랑과 / 별 하나에 쓸쓸함과
별 하나에 동경과 / 별 하나에 시와 / 별 하나에 어머니, 어머니

① 화자는 어린 시절 친구들을 청자로 설정하여 내면을 고백하고 있다.
② 화자의 내면과 갈등관계에 있는 현실에 비판적 시각을 드러내고 있다.
③ 별은 시적 화자가 지향하는 내적 세계를 나타낸다.
④ 별은 현실 상황의 변화를 바라는 화자의 현실적 욕망을 상징한다.

TIPS!

제시된 작품은 윤동주의 '별 헤는 밤'으로 아름다운 이상세계(별)에 대한 동경과 자아성찰이 주제이다.
① 청자가 따로 설정되지 않고 독자에게 내면을 고백하는 형식이다.
② 이상향에 대한 동경이 나타나지만, 현실을 비판하고 있지는 않다.
④ 별은 화자가 지향하는 이상적인 세계라고 할 수 있다.

Answer 10.③

2017. 6. 24. 제2회 서울특별시

11 다음 글에 나타난 서술자에 대한 설명으로 가장 옳은 것은?

> 내 이상과 계획은 이렇거든요.
> 우리집 다이쇼*가 나를 자별히 귀애하고 신용을 하니까 인제한 십 년만 더 있으면 한밑천 들여서 따로 장사를 시켜 줄 그런 눈치거든요.
> 그러거들랑 그것을 언덕삼아 가지고 나는 삼십 년 동안 예순 살 환갑까지만 장사를 해서 꼭 십만 원을 모을 작정이지요. 십만 원이면 죄선* 부자로 쳐도 천석꾼이니, 뭐 떵떵거리고 살 게 아니라구요?
> 그리고 우리 다이쇼도 한 말이 있고 하니까, 나는 내지인* 규수한테로 장가를 들래요. 다이쇼가 다 알아서 얌전한 자리를 골라 중매까지 서준다고 그랬어요. 내지 여자가 참 좋지요.
> 나는 죄선 여자는 거저 주어도 싫어요.
> 구식 여자는 얌전은 해도 무식해서 내지인하고 교제하는 데 안됐고, 신식 여자는 식자나 들었다는 게 건방져서 못쓰고, 도무지 그래서 죄선 여자는 신식이고 구식이고 다 제바리여요.
> 내지 여자가 참 좋지 뭐. 인물이 개개 일자로 이쁘겠다, 얌전 하겠다, 상냥하겠다, 지식이 있어도 건방지지 않겠다, 좀이나 좋아!
> 그리고 내지 여자한테 장가만 드는 게 아니라 성명도 내지인 성명으로 갈고 집도 내지인 집에서 살고 옷도 내지 옷을 입고 밥도 내지식으로 먹고 아이들도 내지인 이름을 지어서 내지인 학교에 보내고…….
> 내지인 학교라야지 죄선 학교는 너절해서 아이들 버려 놓기나 꼭 알맞지요.
> 그리고 나도 죄선말은 싹 걷어치우고 국어만 쓰고요.
> 이렇게 다 생활법식부터도 내지인처럼 해야만 돈도 내지인처럼 잘 모으게 되거든요.
>
> * 다이쇼 : 주인 * 죄선 : 조선 * 내지인 : 일본인

① 서술자가 내지인을 비판함으로써 자기 주장을 강화하고 있다.
② 서술자가 전지적 존재로서 인물과 사건을 모두 조망할 수 있다.
③ 서술자가 작품 속에 등장하는 다른 인물의 내면을 추리 하고 있다.
④ 서술자가 신뢰할 수 없는 존재로서, 독자로 하여금 서술자를 비판적으로 바라보게 한다.

TIPS!

제시문은 채만식의 '치숙'의 일부이다. 이 글의 서술자 '나'는 조선인으로서 정체성을 부정하고 일본인처럼 살고자 한다. 이러한 설정은 독자로 하여금 서술자를 신뢰할 수 없게 만들며, 비판적으로 바라보게 한다.

Answer 11.④

12 다음 시조에 대한 설명으로 적절하지 않은 것은?

> 재 너머 셩권농(成勸農) 집의 술 닉닷 말 어제 듯고
> 누은 쇼 발로 박차 언치 노하 지즐ᄐᆞ고
> 아희야 네 권농 겨시냐 뎡좌슈(鄭座首) 왓다 ᄒᆞ여라

① 화자는 소박한 풍류를 즐기며 살고 있다.
② '박차'라는 표현에서 역동성과 생동감을 느낄 수 있다.
③ '언치 노하'는 엄격한 격식을 갖추려는 태도를 드러낸다.
④ '아희'는 화자의 의사를 간접적으로 전달하는 존재이면서도, 대화체로 이끄는 영탄적 어구이다.

TIPS!

제시된 시조는 정철의 작품으로 전원 생활의 멋과 풍류에 대해 노래하고 있다.
③ '언치'는 말이나 소 안장 밑에 깔아 등을 덮어주는 방석이나 담요이다. '언치 노하'는 안장은 올리지 않고 방석만 놓고 타는 것으로 격식을 갖추는 태도가 아니다.
※ 현대어 풀이
고개 너머 성권농 집에 술 익었다는 말 어제 듣고
누운 소 발로 박차 방석만 놓아 껑충 눌러 타고
여봐라, 네 권농 계시냐? 정좌수 왔다 하여라.

국어 | 한국사 | 영어

Answer 12.③

2016. 3. 19. 사회복지직

13 다음 시에 대한 설명으로 옳지 않은 것은?

> 이 비 그치면
> 내 마음 강나루 긴 언덕에
> 서러운 풀빛이 짙어 오것다.
>
> 푸르른 보리밭길
> 맑은 하늘에
> 종달새만 무어라고 지껄이것다.
>
> 이 비 그치면
> 시새워 벙글어질 고운 꽃밭 속
> 처녀애들 짝하여 새로이 서고,
>
> 임 앞에 타오르는
> 향연(香煙)과 같이
> 땅에선 또 아지랑이 타오르것다.
>
> – 이수복, 「봄비」 –

① 비유를 통해 애상적 정서를 환기하고 있다.
② 3음보의 변형 민요조 율격을 지니고 있다.
③ 동일한 종결 어미를 반복적으로 사용하고 있다.
④ 주관을 배제한 시각으로 자연을 묘사하고 있다.

TIPS!

④ '서러운 풀빛' 등의 표현을 통해 저자의 주관적 정서를 표현하고 있다.
① '향연(香煙)과 같이'라는 비유적 표현을 확인할 수 있다.
② 모든 시행을 3음보로 끊어 읽을 수 있다.
③ '~것다'를 반복적으로 사용하고 있다.

Answer 13.④

2016. 3. 19. 사회복지직

14 밑줄 친 단어들의 시대적 상징성이 같은 것끼리 묶인 것은?

"어디 일들 가슈?"
"아뇨, 고향에 갑니다."
"고향이 어딘데……."
"삼포라구 아십니까?"
"어 알지, 우리 아들놈이 거기서 ㉠도자를 끄는데……."
"삼포에서요? 거 어디 공사 벌일 데나 됩니까? 고작해야 고기잡이나 하구 감자나 매는데요."
"어허! 몇 년 만에 가는 거요?"
"십 년."
노인은 그렇겠다며 고개를 끄덕였다.
"말두 말우. 거긴 지금 육지야. 바다에 ㉡방둑을 쌓아 놓구, ㉢트럭이 수십 대씩 돌을 실어 나른다구."
"뭣 땜에요?"
"낸들 아나. 뭐 관광호텔을 여러 채 짓는담서, 복잡하기가 말할 수 없네."
"동네는 그대루 있을까요?"
"그대루가 뭐요. 맨 천지에 공사판 사람들에다 장까지 들어섰는걸."
"그럼 나룻배두 없어졌겠네요."
"바다 위로 신작로가 났는데, 나룻배는 뭐에 쓰오. 허허, 사람이 많아지니 변고지. 사람이 많아지면 ㉣하늘을 잊는 법이거든."

– 황석영, 「삼포가는 길」 중에서 –

① ㉠, ㉡, ㉢　　② ㉠, ㉡, ㉣
③ ㉠, ㉢, ㉣　　④ ㉡, ㉢, ㉣

TIPS!

① 주어진 작품 「삼포가는 길」은 농촌의 해체와 산업화가 활발했던 1970년대의 시대상이 드러나는 작품이다. '도자, 방둑, 트럭'은 고향이 산업화되어 공사를 벌이고 있음을 표현하고 있고 '하늘'은 이와 대비되는 자연(고향)을 상징하는 표현이다.

Answer 14.①

15 밑줄 친 부분의 함축적 의미로 가장 적절한 것은?

> 그는 피아노를 향하여 앉아서 머리를 기울였습니다. 몇 번 손으로 키를 두드려 보다가는 다시 머리를 기울이고 생각하고 하였습니다. 그러나 다섯 번 여섯 번을 다시 하여 보았으나 아무 효과도 없었습니다. 피아노에서 울려나오는 음향은 규칙 없고 되지 않은 한낱 소음에 지나지 못하였습니다. 야성? 힘? 귀기? 그런 것은 없었습니다. 감정의 재뿐이 있었습니다.
> "선생님, 잘 안 됩니다."
> 그는 부끄러운 듯이 연하여 고개를 기울이며 이렇게 말하였습니다.
> "두 시간도 못 되어서 벌써 잊어버린담?"
> 나는 그를 밀어 놓고 내가 대신하여 피아노 앞에 앉아서 아까 베낀 그 음보를 펴 놓았습니다. 그리고 내가 베낀 곳부터 다시 시작하였습니다.
> 화염! 화염! 빈곤, 주림, 야성적 힘, 기괴한 감금당한 감정! 음보를 보면서 타던 나는 스스로 흥분이 되었습니다.
>
> – 김동인, 「광염 소나타」 중에서 –

① 화려한 기교가 없는 연주
② 악보와 일치하지 않는 연주
③ 도저히 이해할 수 없는 연주
④ 기괴한 감정이 느껴지지 않는 연주

"두 시간도 못 되어서 벌써 잊어버린담?"이라는 나의 대사를 통해 두 시간 전 그의 연주는 야성, 힘, 귀기가 담겨있는 연주였음을 유추할 수 있다. 따라서 밑줄 친 '감정의 재'는 그런 것이 느껴지지 않는 연주를 말한다.

Answer 15.④

2016. 6. 18. 제1회 지방직

16 두 사람의 대화에 대한 설명으로 적절한 것은?

> "저어기, 개천에서 올라오는 저 사람이 인제 어딜 가는지 알아내시겠에요?"
> "어디, 누구?"
> "저거, 땅꾼 아니냐?"
> "땅꾼요?"
> "거지 대장 말야."
> "저건 둘째 대장예요. 근데 지금 어딜 가는지 아시겠에요?"
> "인석, 그걸 내가 으떻게 아니?"
> 그러면 소년은 가장 자랑스러이,
> "인제 보세요. 저어 다리께 가게루 갈 테니."
> "어디 ……. 참, 딴은 가게로 들어가는구나. 저눔이 담밸 사러 갔을까?"
> "아무것두 안 사구 그냥 나올 테니 보세요. 자아, 다시 돌쳐서서 이쪽으로 오죠?"
> "그래 인젠 저눔이 어딜 가누."
> "인제, 개천가 선술집으루 들어갈 테니 보세요."
> "어디 ……. 참, 딴은 술집으루 들어가는구나. 그래두 저눔이 가게서 뭐든지 샀겠지, 그냥 거긴 갔다 올 까닭이 있나?"
> "왜 들어가는지 아르켜 드릴까요? 저 사람이, 곧잘, 다리 밑으루 들어가서, 게서, 거지들한테 돈을 십 전이구 이십 전이구, 얻어 갖거든요. 그래 그걸루 술두 사 먹구, 밥두 사 먹구 허는데, 그게 거지들이 동냥해 들인 거니, 이십 전이구, 삼십 전이구 간에, 모두 동전 한 푼짜릴 거 아녜요? 근데 저 사람이 동전 가지군 절대 술집엘 안 들어가거든요. 그래 은제든지 꼭 가게루 가서 그걸 모두 십 전짜리루 바꿔 달래서 ……."
>
> – 박태원, 「천변풍경」 중에서 –

① 두 사람의 관심사가 달라서 대화가 지속되지 못하고 있다.
② 한 사람이 대화를 주도하면서 상대방의 관심을 끌어들이고 있다.
③ 상대방의 질문에 답하는 가운데 현실의 문제점을 확인하고 있다.
④ 서로 간의 의견 차이를 조정하면서 절충점을 찾아내고 있다.

TIPS!

② 소년은 대화를 주도하면서 거지 대장에 대한 상대방의 관심을 끌어들이고 있다.

Answer 16.②

2015. 6. 27. 제1회 지방직

17 다음 글에 대한 설명으로 적절하지 않은 것은?

> "심청은 시각이 급하니 어서 바삐 물에 들라."
> 심청이 거동 보소. 두 손을 합장하고 일어나서 하느님 전에 비는 말이,
> "비나이다. 비나이다. 하느님 전에 비나이다. 심청이 죽는 일은 추호라도 섧지 아니하되, 병든 아비 깊은 한을 생전에 풀려 하고 이 죽음을 당하오니 명천(明天)은 감동하사 어두운 아비 눈을 밝게 띄워 주옵소서."
> 눈물지며 하는 말이,
> "여러 선인네 평안히 가옵시고, 억십만금 이문 남겨 이 물가를 지나거든 나의 혼백 불러내어 물밥이나 주시오."
> 하며 안색을 변치 않고 뱃전에 나서 보니 티 없이 푸른 물은 월러렁 콸넝 뒤둥구리 굽이쳐서 물거품 북적찌데한데, 심청이 기가 막혀 뒤로 벌떡 주저앉아 뱃전을 다시 잡고 기절하여 엎딘 양은 차마 보지 못할 지경이었다.
>
> -「심청가」 중에서 -

① 사건에 대한 서술자의 주관적 서술이 나타나 있다.
② 등장인물들의 발화를 통해 사건의 상황을 보여준다.
③ 죽음을 초월한 심청의 면모와 효심이 드러나 있다.
④ 대상을 나열하여 장면을 다양하게 제시하고 있다.

TIPS!

① '심청이 거동 보소', '차마 보지 못할 지경이었다'를 통해 사건에 대한 서술자의 주관적 서술이 나타나 있음을 알 수 있다.
② 등장인물들의 대화를 통해 사건의 상황을 보여주고 있다.
③ 병든 아버지를 위해 죽는 일은 추호라도 싫지 않다는 것으로 보아 죽음을 초월한 심청의 면모와 효심을 알 수 있다.

Answer 17.④

2015. 6. 27. 제1회 지방직

18 다음 글의 등장인물에 대한 설명으로 적절하지 않은 것은?

> 양반이라는 말은 선비 족속의 존칭이다. 강원도 정선군에 한 양반이 있었는데, 그는 어질면서도 글 읽기를 좋아하였다. 군수가 새로 부임하면 반드시 그 집에 몸소 나아가서 경의를 표하였다. 그러나 그는 집안이 가난해서 해마다 관가에서 환곡을 빌려 먹다 보니 그 빚이 쌓여서 천 석에 이르렀다. 관찰사가 각 고을을 돌아다니다가 이곳의 환곡 출납을 검열하고는 매우 노하여, "어떤 놈의 양반이 군량을 이렇게 축내었느냐?" 라고 하였다. 그리고는 명령을 내려 그 양반을 잡아 가두라고 하였다. 군수는 마음속으로 그 양반이 가난해서 갚을 길이 없는 것을 불쌍히 여겼지만 그렇다고 해서 가두지 않을 수도 없었다.
> 그 양반은 밤낮으로 훌쩍거리며 울었지만 별다른 대책도 생각해 낼 수 없었다. 그런 상황에서 그의 아내가 몰아세우기를, "당신은 한평생 글 읽기를 좋아했지만 관가의 환곡을 갚는 데 아무런 도움이 못 되는구려. 양반 양반 하더니 양반은 한 푼 가치도 못 되는구려."라고 하였다.
>
> – 박지원, 「양반전」 중에서 –

① 양반은 자구책을 마련하지 못하고 있다.
② 군수는 양반에게 측은지심을 느끼고 있다.
③ 관찰사는 공평무사하게 일을 처리하고 있다.
④ 아내는 남편에 대해 외경하는 마음을 지니고 있다.

TIPS!

④ 아내는 '양반 양반하더니 양반은 한 푼 가치도 못 되는구려'라고 하면서 남편을 몰아세우고 있다. 따라서 '공경하면서 두려워함'을 뜻하는 '외경'과는 거리가 멀다.

국어

한국사

영어

Answer 18.④

2015. 3. 14. 사회복지직

19 다음 글에 대한 설명으로 적절한 것은?

"그래 일인들이 죄다 내놓구 가는 것을, 백성들더러 돈을 내구 사라구 마련을 했다면서?"
"아직 자세힌 모르겠어두, 아마 그렇게 되기가 쉬우리라구들 하드군요."
해방 후에 새로 난 구장의 대답이었다.
"그런 놈의 법이 어딨단 말인가? 그래, 누가 그렇게 마련을 했는구?"
"나라에서 그랬을 테죠."
"나라?"
"우리 조선 나라요."
"나라가 다 무어 말라비틀어진 거야? 나라 명색이 내게 무얼 해 준 게 있길래, 이번엔 일인이 내 놓구 가는 내 땅을 저이가 팔아먹으려구 들어? 그게 나라야?"
"일인의 재산이 우리 조선 나라 재산이 되는 거야 당연한 일이죠."
"당연?"
"그렇죠."
"흥, 가만 둬두면 저절루 백성의 것이 될 걸 나라 명색은 가만히 앉었다 어디서 툭 튀어나와 가지구, 걸 뺏어서 팔아먹어? 그따위 행사가 어딨다든가?"
"한 생원은, 그 논이랑 멧갓이랑 길천이한테 돈을 받구 파셨으니깐 임자로 말하면 길천이지 한 생원인가요?"
"암만 팔았어두, 길천이가 내 놓구 쫓겨 갔은깐, 도루 내 것이 돼야 옳지, 무슨 말야. 걸, 무슨 탁에 나라가 뺏을 영으루 들어?"
"한 생원한테 뺏는 게 아니라, 길천이한테 뺏는 거랍니다."

– 채만식, 「논 이야기」 중에서 –

① 독백과 대화를 혼용하여 이야기를 이끌어가고 있다.
② 서술자가 인물의 성격을 직접적으로 평가하고 있다.
③ 특정한 단어를 활용하여 시대적 배경을 나타내고 있다.
④ 작가는 국민의 도덕성과 국가의 비도덕성을 대조하여 보여준다.

TIPS!

③ '해방', '일인' 등의 단어를 통해 시대적 배경을 나타내고 있다.

Answer 19.③

2014. 4. 19. 안전행정부

20 다음 작품에 대한 설명으로 가장 적절한 것은?

> 그 녀석은 박 씨 앞에 삿대질을 하듯이 또 거쉰 소리를 질렀다. 검초록색 잠바에 통이 좁은 깜장색 바지 차림의 서른 남짓 되어 보이는 사내였다. 짧게 깎은 앞머리가 가지런히 일어서 있고 손에는 올이 굵은 깜장 모자를 들었다. 칼칼하게 야윈 몸매지만 서슬이 선 눈매를 지녔고, 하관이 빠르고 얼굴색도 까무잡잡하다. 앞니에 금니 두 개를 해 박았다. 구두가 인상적으로 써늘하게 생겼다. 구둣방에 진열되어 있는 구두는 구두에 불과하지만 일단 사람의 발에 신기면 구두도 그 주인의 위인과 더불어 주인을 닮아 가게 마련이다. 끝이 뾰족하고 반들반들 윤기를 내고 있다.
> 헤프고, 사근사근하고, 무르고, 게다가 병역 기피자인 박 씨는 대번에 꺼칠한 얼굴이 되었다. 처음부터 나오는 것이 예사 손님 같지는 않다.
> "글쎄, 앉으십쇼. 빨리 해 드릴 테니."
> "얼마나 빨리 되어? 몇 분에 될 수 있소?"
> "허어, 이 양반이 참 급하기도."
> "뭐? 이 양반? 얻다 대구 반말이야? 말조심해."
> 앉았던 손님 두엇이 거울 속에서 힐끗 쳐다보았다. 그리고 거울 속에서 눈길이 부딪힐 듯하자 급하게 외면을 하였다. 세발대의 두 소년도 우르르 머리들을 이편으로 내밀고 구경을 하고 손이 빈 민 씨와 김 씨도 구석 쪽 빈 이발 의자에 앉아 묵은 신문을 보다가 말고 몸체만을 엉거주춤히 돌렸다.
>
> – 이호철, 「1965년, 어느 이발소에서」 중에서 –

① 개인과 사회의 갈등을 중심으로 사건이 전개되고 있다.
② 외모와 말투를 통해서 등장인물의 성격이 드러나고 있다.
③ 초점이 되는 인물의 내면 심리를 중심으로 서술되고 있다.
④ 등장인물 중의 하나인 서술자가 자신의 관점에서 상황을 서술하고 있다.

TIPS!

② 전체적으로 등장인물들의 외모와 대화를 통해 등장인물의 성격을 드러내고 있다.

Answer 20.②

Let's check it out

05 출제예상문제

1 다음 작품이 지닌 특징으로 적절하지 않은 것은?

> 새끼오리도 헌신짝도 소똥도 갓신창도 개니빠디도 너울쪽도 짚검불도 가랑잎도 머리카락도 헝겊조각도 막대꼬치도 기왓장도 닭의 깃도 개 터럭도 타는 모닥불 //
> 재당도 초시도 문장 늙은이도 더부살이 아이도 새사위도 갓사돈도 나그네도 주인도 할아버지도 손자도 붓장수도 땜장이도 큰 개도 강아지도 모두 모닥불을 쪼인다 //
> 모닥불은 어려서 우리 할아버지가 어미 아비 없는 서러운 아이로 불쌍하니도 몽둥발이가 된 슬픈 역사가 있다 //
>
> – 백석, 「모닥불」 –

① 구체적 대상을 열거하여 시상을 전개하고 있다.
② 특정한 조사를 반복하여 운율을 형성하고 있다.
③ 사물을 의인화하여 대상의 속성을 강조하고 있다.
④ 토속적 시어를 활용하여 향토색을 드러내고 있다.

TIPS!

③ 사물을 의인화하여 표현하고 있지는 않다.
① 1연에서는 모닥불에 타는 여러 사물들을 열거하였고 2연에서는 모닥불을 쬐는 여러 인물 및 동물들을 열거하였다.
② 1연과 2연 모두에서 조사 '도' 반복하여 나타나고 있다.'갓신창',
④ 1연의 '갓신창', '개니빠디', '너울쪽', '짚검불', '개 터럭', 2연의 '재당', '초시', '갓사돈', 3연의 '몽동발이' 등과 같은 토속적 시어를 통해 향토색을 드러내고 있다.

Answer 1.③

2 다음 시의 중심 소재가 된 객관적 사물은?

> 내 마음 속 우리 님의 고운 눈썹을
> 즈믄 밤의 꿈으로 맑게 씻어서
> 하늘에다 옮기어 심어 놨더니
> 동지 섣달 나르는 매서운 새가
> 그걸 알고 시늉하며 비끼어 가네.
>
> – 서정주, 「동천(冬天)」 –

① 바람 ② 초승달
③ 샛별 ④ 소나무

TIPS!

동천(冬天)
㉠ 지은이 : 서정주
㉡ 주제 : 절대적 가치에 대한 애정과 외경의 정신
㉢ 형식 : 7 · 5조의 정형률을 기반으로 한 자유시
㉣ 경향 : 상징적, 주정적
㉤ 특징 : 일체의 설명적 요소를 배제하고 고도의 상징적 수법으로 압축 된 5행의 단시로 강렬한 언어적 긴장과 구성으로 차원 높은 경지를 암시한다. 고운 눈썹, 매서운 새 등을 사용하여 싸늘하면서도 투명한 겨울 하늘을 배경으로 하고 있다. 눈썹은 초승달로 해석되고, 즈믄 밤의 꿈으로 맑게 씻어서는 초승달은 시인이 염원하는 동경과 구조의 상징적 사물이며, 시인이 추구하는 절대적 가치를 임→초승달→만월로 전개하여 영원의 세계를 암시하고 있다.

Answer 2.②

3 다음 시에 나타나는 죽음에 대한 작가의 세계관은?

내 세상 뜨면 풍장시켜다오.
섭섭하지 않게
옷은 입은 채로 전자시계는 가는 채로
손목에 달아놓고
아주 춥지는 않게
가죽 가방에 넣어 전세 택시에 싣고
군산(群山)에 가서
검색이 심하면
곰소쯤에 가서
통통배에 옮겨 실어다오.

가방 속에서 다리 오그리고
그러나 편안히 누워 있다가
선유도 지나 무인도 지나 통통 소리 지나
배가 육지에 허리 대는 기척에
잠시 정신을 잃고
가방 벗기우고 옷 벗기우고
무인도의 늦가을 차가운 햇빛 속에
구두와 양말도 벗기우고
손목시계 부서질 때
남 몰래 시간을 떨어뜨리고
바람 속에 익은 붉은 열매에서 툭툭 튕기는 씨들을
무연히 안 보이듯 바라보며
살을 말리게 해 다오.
어금니에 박혀 녹스는 백금(白金) 조각도
바람 속에 빛나게 해 다오.

바람 이불처럼 덮고
화장(化粧)도 해탈(解脫)도 없이
이불 여미듯 바람을 여미고
마지막으로 몸의 피가 다 마를 때까지
바람과 놀게 해 다오.

– 황동규, 「풍장(風葬) 1」 –

① 인간의 죽음은 신성한 것이다.
② 인간이 죽음 후에 도달할 최고의 정신적 경지는 해탈이다.
③ 자연의 일부로서 인간은 죽음을 자연스럽게 받아들여야 한다.
④ 죽음은 새로운 세계로의 여행이다.

TIPS!

황동규 「풍장 1」
㉠ 성격 : 주지적, 허무적, 포월적
㉡ 중요 시구
- 옷은 입은 채로 전자시계는 가는 채로 / 손목에 달아 놓고 : 죽은 모습 그대로, 아무런 꾸밈 없이
- 가죽 가방에 ~ 통통배 실어 다오 : 죽어서까지도 자유로울 수 없는 현실적 구속에 대한 풍자와 비판
- 검색 : 군사독재로 지칭되는 시대상황 상징
- 곰소 : 시대상황의 힘이 미치지 않는, 인간의 자취가 드문 지명
- 무인도 : 화자가 육신의 진정한 자유를 획득할 수 있는 지향점
- 남몰래 시간을 떨어트리고 : 시간과의 단절, 세상과의 이별을 의미, 동시에 시간의 경과 암시
- 살을 말리게 해다오 : 육신의 모든 질곡으로부터 벗어나고 싶어하는 화자의 소망
- 화장도 해탈도 없이 : 서정적 자아는 자신의 죽음이 세속적인 가식으로도, 신성한 의미로도 받아들여지는 것을 거부
- 마지막으로 몸의 피가 다 마를 때까지 : 자신의 존재가 비바람 속에서 사라져 버릴 때까지

㉢ 주제 : 자유에로의 귀환 의지, 존재의 소멸을 통한 자연과의 합일
㉣ 풍장의 의미 : 시체를 한데에 내버려두어 비바람에 없어지게 하는 장례 풍속

4 다음 글에 나타난 국문학의 미적 범주는?

> 임이여 물을 건너지 마오
> 그래도 물을 건너네
> 물에 빠져 죽으니
> 이제 그대 어찌할꺼나

① 골계미　　② 숭고미
③ 비장미　　④ 우아미

TIPS!

제시된 고대 가요는 공무도하가로서 남편과의 사별(死別) 후 그에 대한 체념을 노래하였다.

Answer 3.③ 4.③

5 다음 시에 대한 설명으로 옳지 않은 것은?

> 벚꽃 지는 걸 보니
> 푸른 솔이 좋아
> 푸른 솔이 지는 걸 보니
> 벚꽃마저 좋아

① 형태상 자유시에 속한다.
② 주로 시각적 심상이 드러난다.
③ 대립과 갈등의 상황이 내포되어 있다.
④ 조화로운 삶을 추구하고 있다.

TIPS!
제시된 시는 김지하의 새 봄으로 새 봄을 맞이하는 기쁜 마음을 나타낸 긍정적인 내용이다.

Answer 5.③

6 다음 글에 대한 설명으로 옳지 않은 것은?

> 쫓아오던 햇빛인데
> ㉠ 지금 교회당 꼭대기
> 십자가에 걸리었습니다.
>
> 첨탑(尖塔)이 저렇게도 높은데
> 어떻게 올라갈 수 있을까요.
>
> 종소리도 들려오지 않는데
> ㉡ 휘파람이나 불며 서성거리다가,
>
> 괴로웠던 사나이,
> 행복한 예수 그리스도에게처럼
> 십자가가 허락된다면
>
> 모가지를 드리우고
> 꽃처럼 피어나는 피를
> 어두워가는 하늘 밑에
> 조용히 흘리겠습니다.
>
> – 윤동주의 십자가 –

① ㉠은 희망이나 광명이 지상에 도달하지 못하고 있는 상황을 암시한다.
② ㉡에는 절망적 상황에 대한 극복 양상이 잘 나타나 있다.
③ 서시를 쓴 작가이다.
④ 상징어가 사용되었고, 역설적 기교가 사용되었다.
⑤ 자기 희생의 의지가 잘 나타나 있다.

TIPS!

제시된 지문은 윤동주의 십자가로 암담한 일제 치하의 현실을 상징적인 표현을 사용하여 나타내고 있으며 역설적인 표현으로 자기 희생의 결연한 의지를 보여준다.
② ㉡은 시적 화자가 암담한 현실 속에서 방황함을 나타내고 있다.

Answer 6.②

국어
한국사
영어

7 다음 시의 '벼'는 백성을 나타낸다. '벼'에 대한 설명으로 옳은 것은?

> 벼는 서로 어우러져
> 기대고 산다.
> 햇살 따가워질수록
> 깊이 익어 스스로를 아끼고
> 이웃들에게 저를 맡긴다.
>
> 서로가 서로의 몸을 묶어
> 더 튼튼해진 백성들을 보아라.
> 죄도 없이 죄지어서 더욱 불타는
> 마음들을 보아라. 벼가 춤출 때,
> 벼는 소리 없이 떠나간다.
>
> 벼는 가을 하늘에도
> 서러운 눈 씻어 맑게 다스릴 줄 알고
> 바람 한 점에도
> 제 몸의 노여움을 덮는다.
> 저의 가슴도 더운 줄을 안다.
>
> 벼가 떠나가며 바치는
> 이 넓디넓은 사랑,
> 쓰러지고, 쓰러지고 다시 일어서서 드리는
> 이 피 묻은 그리움,
> 이 넉넉한 힘…….
>
> − 이성부의 벼 −

① 가난하고 힘 없는 서민들이지만 이웃과 더불어 살아가는 사람이다.
② 분노가 극도로 치밀어 올랐을 때 하늘을 쳐다보면서 살아갈 수 있는 사람들이다.
③ 자신을 억압하는 존재를 한 없이 사랑하는 사람들이다.
④ 죄가 없으면서도 죄지은 사람처럼 쫓기는 사람들이다.

TIPS!
제시된 시는 이성부의 벼로, 여기에서 '벼'는 서로 의지하며 삶을 꿋꿋하게 일구어 가는 백성들의 생명 의식을 상징한다.

Answer 7.①

┃8~9┃ 다음 글을 읽고 물음에 답하시오.

> 일찍이 윤 직원 영감은 그 소싯적 윤두꺼비 시절에 자기 부친 말대가리 윤용규가 화적의 손에 무참히 맞아 죽은 시체 옆에 서서 노적이 불타느라고 화광이 충천한 하늘을 우러러,
> "이놈의 세상 언제 망하려느냐? 우리만 빼놓고 어서 망해라."
> 하고 부르짖은 적이 있겠다요.
> 이미 반세기 전, 그리고 그것은 당시의 나한테 불리한 세상에 대한 격분된 저주요, 겸하야 웅장한 투쟁의 선언이었습니다.

국어

8 위 작품에 대한 설명으로 옳지 않은 것은?

① 풍자 소설
② 작가 관찰자 시점
③ 판소리 구어체
④ 가족사 소설의 전형

TIPS!

② 전지적 작가 시점을 취하고 있다.

※ 채만식의 태평천하 … 채만식의 사실주의적 중편 풍자 소설로, 1930년대 말의 한국 사회를 배경으로 삼아 온 윤 직원이라는 놀부형 인간을 회화적으로 제시하면서 일제가 조장한 상업 자본주의에 기생하여 자신의 부를 늘리는 한 지주 집안의 붕괴 과정을 다루고 있는 가족사 소설의 전형에 드는 작품이다. 이 작품의 화자는 '입니다' 식의 경어체나 '겠다요' 식의 경박한 어투를 빌려 한층 독자에게 가까운 위치에서 작중 인물들의 행위를 내려다보고 있으며, 작중 인물이나 사건을 알려 주고 인물의 행위를 구체적으로 묘사하면서 때로 독자의 편에서 작중 내용을 조롱하고 경멸하듯이 평가하는 판소리 사설조의 문체를 원용하고 있다. 작가는 주인공 윤 직원을 전면에 내세워 왜곡된 사회와 그 속의 부정적 인물을 조롱하고, 일제 강점하의 현실을 태평천하라고 믿는 주인공의 시국관을 풍자하고 있다.

한국사

영어

9 다음 중 밑줄 친 부분에 나타난 윤 직원 영감의 성격으로 옳은 것은?

① 자기만 생각하는 성격
② 가족을 위해 희생하는 성격
③ 나라를 위해 희생하는 성격
④ 고뇌하는 지식인의 전형

TIPS!

밑줄 친 부분은 평민 출신의 지주인 윤 직원 일가가 부를 축적하기에 불리한 사회 현실에 대한 증오와 분노가 담긴 표현으로, 자기만 잘 살면 그만이라는 식의 사고 방식이 담겨 있다.

Answer 8.② 9.①

10 ㉠~㉣에 대한 풀이로 가장 적절한 것은?

> ㉠ <u>天텬根근</u>을 못내 보와 望망洋양亭뎡의 올은말이, 바다 밧근 하늘이니 하늘 밧근 므서신고. ㉡ <u>궃득 노흔 고래</u>, 뉘라셔 놀래관듸, 블거니 쁨거니 어즈러이 구는디고. ㉢ <u>銀은山산</u>을 것거 내여 六뉵合합의 ᄂᆞ리는 둧, 五오月월 長댱天텬의 ㉣ <u>白빅雪셜</u>은 므ᄉᆞ일고.
>
> – 정철, 「관동별곡」 중에서 –

① ㉠ – 은하수
② ㉡ – 성난 파도
③ ㉢ – 태백산
④ ㉣ – 흰 갈매기

TIPS!

② ㉡ <u>궃득 노흔 고래</u> : 성난 파도
① ㉠ <u>天텬根근</u> : 하늘의 끝
③ ㉢ <u>銀은山산</u> : 흰 물결(파도)
④ ㉣ <u>白백雪셜</u> : 포말(파도)

11 다음 시조에 드러난 화자의 정서와 가장 가까운 것은?

> 흥망(興亡)이 유수(有數)ᄒᆞ니 만월대(滿月臺)도 추초(秋草) | 로다.
> 오백 년(五百年) 왕업(王業)이 목적(牧笛)에 부쳐시니
> 석양(夕陽)에 지나는 객(客)이 눈물계워 ᄒᆞ노라.

① 서리지탄(黍離之歎)
② 만시지탄(晩時之歎)
③ 망양지탄(亡羊之歎)
④ 비육지탄(髀肉之歎)

TIPS!

① 나라가 멸망하여 옛 궁터에는 기장만이 무성한 것을 탄식한다는 뜻으로, 세상의 영고성쇠가 무상함을 탄식하며 이르는 말
② 시기에 늦어 기회를 놓쳤음을 안타까워하는 탄식
③ 갈림길이 매우 많아 잃어버린 양을 찾을 길이 없음을 탄식한다는 뜻으로, 학문의 길이 여러 갈래여서 한 갈래의 진리도 얻기 어려움을 이르는 말
④ 재능을 발휘할 때를 얻지 못하여 헛되이 세월만 보내는 것을 한탄함을 이르는 말

Answer 10.② 11.①

12 다음 글에 대한 설명 중 옳지 않은 것은?

> 양반이란 사족(士族)들을 높여서 부르는 말이다. 정선군(旌善郡)에 한 양반이 살았다. 이 양반은 어질고 글 읽기를 좋아하여 매양 군수가 새로 부임하면 으레 몸소 그 집을 찾아가서 인사를 드렸다. 그런데 이 양반은 집이 가난하여 해마다 고을의 환자를 타다 먹은 것이 쌓여서 천 석에 이르렀다. 강원도 감사(監使)가 군읍(郡邑)을 순시하다가 정선에 들러 환곡(還穀)의 장부를 열람하고는 대노해서,
> "어떤 놈의 양반이 이처럼 군량(軍糧)을 축냈단 말이냐?"
> 하고, 곧 명령을 내려 그 양반을 가두게 하였다. 군수는 그 양반이 가난해서 갚을 길이 없는 것을 불쌍히 여겼다. 그래서 차마 가두지 못했지만 무슨 도리가 없었다. 양반 역시 밤낮 울기만 하고 해결할 방도를 차리지 못했다. 그 부인이 역정을 냈다.
> "당신은 평생 글읽기만 좋아하더니 고을의 환곡을 갚는 데는 아무런 도움이 안 되는군요. 쯧쯧 양반, 양반이란 한푼어치도 안 되는 걸."
> 그 마을에 사는 한 부자가 가족들과 의논하기를,
> "양반은 아무리 가난해도 늘 존귀하게 대접받고 나는 아무리 부자라도 항상 비천(卑賤)하지 않느냐. 말도 못하고, 양반만 보면 늘 굽신굽신 두려워해야 하고, 엉금엉금 가서 정하배(庭下拜)를 하는데, 코를 땅에 대고 무릎으로 기는 등 우리는 노상 이런 수모를 받는단 말이다. 이제 동네 양반이 가난해서 타먹은 환자를 갚지 못하고 시방 아주 난처한 판이니 그 형편이 도저히 양반을 지키지 못할 것이다. 내가 장차 그의 양반을 사서 가져 보겠다."
> 부자는 곧 양반을 찾아가서 자기가 대신 환자를 갚아 주겠다고 청했다. 양반은 크게 기뻐하며 승낙했다. 부자는 즉시 곡식을 관가에 실어가서 양반의 환자를 갚았다.

① 간결하면서도 사실적으로 쓴 작품이다.
② 출전은 열하일기이다.
③ 한문 소설이며 풍자 소설이다.
④ 양반의 무능함과 비생산성을 비판하고 있다.

TIPS!
② 제시된 글은 박지원의 양반전으로, 출전은 방경각외전이다.

Answer 12.②

13 작자의 입장과 주제면에서 다음 글과 가장 유사한 작품은?

> 내 님믈 그리ᅀᆞ와 우니다니
> 山(산) 졉동새 난 이슷ᄒᆞ요이다.
> 아니시며 거츠르신 ᄃᆞᆯ 아으
> 殘月曉星(잔월효성)이 아ᄅᆞ시리이다.
> 넉시라도 님은 ᄒᆞᆫᄃᆡ 녀져라 아으
> 벼시더시니 뉘러시니잇가
> 過(과)도 허믈도 千萬(천만) 업소이다.
> ᄆᆞᆯ힛마리신뎌
> ᄉᆞᆯ읏븐뎌 아으
> 니미 나ᄅᆞᆯ ᄒᆞ마 니ᄌᆞ시니잇가.
> 아소 님하, 도람 드르샤 괴오쇼셔.

① 면앙정가
② 신도가
③ 고산구곡
④ 사미인곡

제시된 글은 고려 의종 때 고려 가요인 정서(鄭敍)의 정과정곡으로 충신연군지사(忠臣戀君之詞)이며, 사미인곡 또한 정철의 서정 가사로 정과정을 원류로 하는 충신연군지사이다.

14 다음 두 작품의 공통점에 대한 설명으로 옳은 것은?

> (가) 선화공주니믄
> ᄂᆞᆷ 그ᅀᅳ지 얼어 두고
> 맛둥바ᄋᆞᆯ
> 바ᄆᆡ 몰 안고 가다.
>
> (나) 딛배 바회 ᄀᆞᇫ히
> 자ᄇᆞ온 손 암쇼 노ᄒᆡ시고
> 나ᄒᆞᆯ 안디 븟ᄒᆞ리샤ᄃᆞᆫ
> 곶ᄒᆞᆯ 것가 받ᄌᆞ보리이다.

① 대상에 대한 분노와 증오의 감정이 깔려 있다.
② 노래로 부르기에 어려운 형식이다.
③ 서정적 자아의 내적 갈등이 잘 나타나 있다.
④ 현실적인 제약을 극복하려는 태도가 나타나 있다.

Answer 13.④ 14.④

TIPS!

(가)는 백제 무왕이 지은 서동요로, 선화공주에게 구애하기 위해 지어서 아이들에게 부르게 한 참요적 성격의 동요이고, (나)는 실명 노인이 지은 헌화가로, 소를 끌고 가던 노인이 수로부인에게 벼랑 위의 철쭉꽃을 꺾어 바치며 부른 노래로, 민요이다. 두 작품 모두 신분과 나이를 초월한 사랑을 다루고 있다.

15 다음 중 괄호 안에 들어갈 말로 옳은 것은?

> 이른바 규중 칠우는 부인내 방 가온데 일곱 벗이니 글하는 선배는 필묵(筆墨)과 조희 벼루로 문방사우(文房四友)를 삼았나니 규중 녀잰들 홀로 어찌 벗이 없으리오.
> 그러므로 침선(針線) 돕는 유를 각각 명호를 정하여 벗을 삼을새, 바늘로 세요(細腰)각시라 하고, 척을 척(戚)부인이라 하고, 가위로 교두(咬頭)라 하고, 인도로 인화(引火)부인이라 하고, 달우리로 울낭자라 하고, 실로 청홍흑백 각시라 하며, 골모로 감토할미라 하여, 칠우를 삼아 규중 부인내 아츰 소세를 마치매 칠위 일제히 모여 종시 하기를 한 가지로 의논하여 각각 소임을 일워 내는지라.
> 일일은 칠위 모혀 침선의 공을 의논하더니 (　　)이 긴 허리를 자히며 이르되,
> "제우(諸友)는 들으라. 나는 세명지 굵은 명지 백저포 세승포와 청홍녹라 자라 홍단을 다 내여 펼쳐 놓고 남녀의 옷을 마련할 새, 장단(長短)광협(廣狹)이며 수품(手品)제도(制度)를 내 곧 아니면 어찌 일으리오. 이러므로 의지공(衣之功)이 내 으뜸되리라."

① 세요 각시　　② 척 부인
③ 교두 각시　　④ 인화 부인

TIPS!

② '장단(長短)광협(廣狹)이며'를 통해 척 부인에 대한 내용임을 알 수 있다.

Answer 15.②

06 국어 상식

section 1 고유어

ㄱ

가늠 : ① 어떤 목표에 맞고 안 맞음을 헤아림. 또는 그 표준 ② 시세의 기미를 엿보는 눈치
가름 : ① 구별, 분별 ② 함께 하던 일을 서로 가르는 일
갈음 : 같은 것으로 서로 바꾸어 대신하다.
　㉠ 기말 시험을 리포트로 갈음했더니 모두 비슷비슷해서 학생들의 실력을 가늠할 수가 없다.

가르치다 : 지식이나 기예를 알게 해주다. 가르키다(×)
가리키다 : 무엇이 있는 곳을 말이나 손짓으로 일러 주다.
　㉠ 내가 가리키는 곳을 자세히 살펴보십시오.

가없다 : 끝이 안 보이게 넓다. 헤아릴 수 없다.
가엾다(가엽다) : 딱하다. 불쌍하다.

갑절 : ① 어떤 수량이나 분량을 두 번 합친 분량. 배 ② 어떤 수량이나 분량을 두 번 합친 만큼
곱절 : 같은 물건의 수량이나 분량을 세는 단위(의존 명사이므로 관형어의 수식을 필요로 함)
　㉠ 이 일은 어제 한 일보다 몇 곱절 힘이 든다.

갖은 : 고루 갖춘. 가지가지의
　㉠ 갖은 방법을 다 강구해 보았다.
가진 : 가지고 있는
　㉠ 당신이 손에 가진 것은 영어책입니까?

개펄 : 바닷물은 들어오지 않으나 습기가 있는 물가의 개흙 땅
갯벌 : 바닷물이 들고나는 바닷가의 땅

거름 : 땅을 걸게 하거나 식물이 잘 자라게 하기 위하여 땅에 뿌리거나 흙에 섞거나 하는 영양 물질. 비료
㉠ 풀에 썩힌 거름
걸음 : ① 두 발을 번갈아 떼어 옮기는 동작. 발걸음
② 발을 떼어 옮기는 동작의 횟수(回數)를 세는 단위
㉠ 빠른 걸음

걷잡다 : 쓰러지는 것을 거두어 붙잡다.
겉잡다 : ① 겉가량으로 대강 어림치다. ② 겉으로 대강 짐작하여 헤아리다.

거치다 : 어떤 처소를 지나거나 잠깐 들르다.
㉠ 집으로 돌아오는 길에 영월을 거쳐 왔다.
걷히다 : 걷음을 당하다.
㉠ 외상값이 잘 걷힌다.

겨누다 : ① 목적물이 있는 곳의 방향과 거리를 똑바로 잡다.
② 한 물체의 길이나 너비 등을 알기 위하여 다른 물체로서 마주대어 헤아리다.
겨루다 : ① 둘 이상의 사물을 어느 편이 더 좋고 나쁜가 또는 많고 적은가를 알려고 마주 대보다.
② 힘을 비교하여 우월 · 승부를 가리다.

골다 : 잠을 잘 때 숨을 따라 콧구멍으로 드르렁 소리를 내다.
곯다 : ① 곡식 같은 것이 담은 그릇에 차지 못하고 좀 비다. ② 먹는 것이 모자라서 늘 배가 고프다.
③ 속이 물크러져 상하다. ④ (크게 드러 나지는 않으나) 속으로 골병이 들다.
곪다 : 살에 염증이 생겨 고름이 생기다. 내부의 부패나 모순이 쌓여 터질 정도에 이르다.

귀걸이 : 귀에 걸어 추위를 막는 제구. 귀거리(×)
귀고리 : 여자들이 귀에 장식으로 다는 고리. 귀엣고리(×)

그러모으다 : 흩어져 있는 것을 한 곳에 모아 놓다. 끄러모으다(×)
긁어모으다 : ① 이리저리 부정한 방법으로 재물을 모으다. ② 물건을 긁어서 한데 모으다.

그저 : 무조건. 아주
㉠ 너를 보니 그저 반갑기만 하구나.
거저 : 공짜로
㉠ 연주회 관람권을 거저 얻었다.

그러므로(그러니까) : 앞의 내용이 뒤에 오는 내용의 원인 · 전제 · 조건이 됨을 나타내는 접속 부사. 그러한 까닭으로
예 그는 부지런하다. 그러므로 잘 산다.
그럼으로(써) : 그렇게 하는 것으로
예 그는 열심히 공부한다. 그럼으로(써) 은혜에 보답한다.

금세 : '금시에'의 준말 예 떡 한 접시를 금세 먹어 치웠다.
금새 : 물가의 높낮이 정도 예 끝물 수박이라 금새가 형편없이 낮다.

깃들다 : 아늑히 서려 있다.
깃들이다 : ① 새나 짐승이 보금자리를 만들어 그 안에서 살다. ② 속에 머물러 살다.

깐보다 : 마음속으로 가늠하다. 속을 떠보다.
깔보다 : 남을 업신여겨 우습게 보다.

깨치다 : 깨달아 사물의 이치를 알게 되다.
깨우치다 : 모르는 사리를 깨닫게 하여 주다. 일깨우다.

껍데기 : 겉을 싸고 있는 단단한 물질 예 달걀 · 조개 · 호두 껍데기
껍질 : 거죽을 싸고 있는 단단하지 않으나 질긴 물질 예 사과 껍질

꼬리 : ① 동물의 꽁무니나 몸뚱이의 뒤 끝에 길게 내민 부분 ② '맨뒤'를 비유하는 말 ③ 무나 배추의 뿌리
꽁지 : 새의 꽁무니에 붙은 기다란 깃
꽁무니 : ① 짐승이나 새의 등마루뼈의 끝이 되는 부분 ② 엉덩이를 중심으로 한 몸의 뒷부분 ③ 뒤. 맨 끝

나가다 : 안에서 밖이나 앞쪽으로 가다.
나아가다 : ① 앞으로 향하여 가다. ② 하는 일이 점점 잘 되어 가다. 진전하다.
③ 병이 점점 좋아지다. ④ 높은 자리로 향하여 가다.

너비 : 가로퍼진 양쪽의 거리. 폭
넓이 : 면적. 넓은 정도

노느다 : 물건을 여러 몫으로 나누다. ㉮ 집에 놀러온 애들에게 연필 1자루씩을 노나 주었다.
나누다 : 둘 또는 그 이상으로 가르다.

노름 : 돈 따위를 걸고 따먹기를 하는 내기
놀음 : 여럿이 즐겁게 노는 일

누긋하다 : ① 메마르지 않고 약간 눅눅하다. ② (추위가) 약간 녹다. ③ 성미가 급하지 않고 부드럽다.
느긋하다 : (촉박하거나 조들리지 아니하고) 마음에 넉넉하다.
㉮ 고향에 돌아가 며칠 느긋하게 쉬다가 와야겠다.

-느니보다 : 어미 앞의 행동(사실)보다 차라리 뒤의 행동(사실)을 취함이 마땅하다는 뜻을 나타내는 종속적 연결 어미 ㉮ 나를 찾아 오느니보다 집에 있거라.
-는 이보다 : 의존명사 ㉮ 오는 이가 가는 이보다 많다.

느리다 : 움직임이나 일을 해내는 속도가 더디다.
㉮ 진도가 너무 느리다.
늘리다 : ㉶ 본디보다 크게 하거나 수를 많게 하다.
늘이다 : ㉶ ① 본디보다 더 길게 하다. ② 아래로 처지게 하다.

ㄷ

다리다 : (옷이나 피륙의 구김살을 펴려고) 다리미로 문지르다. ㉮ 옷을 다리다.
달이다 : 끓여서 우러나게 하다. ㉮ 약을 달인다.

다치다 : 부딪치거나 맞거나 하여 상하다. ㉮ 부주의하게 손을 다쳤다.
닫히다 : 닫음을 당하다. ㉮ 문이 저절로 닫혔다.
닫치다 : 문이나 창 따위를 힘주어 닫다.

단박(에) : 그 자리에서 바로 ㉮ 그가 나를 단박 알아보았다.
대번(에) : 서슴지 않고 단숨에

담그다 : ① 다시 꺼내기로 하고 액체 속에 넣어 두다.
② 김치 · 간장 · 술 따위를 만들 때 그 원료에 물을 부어 익도록 하다. ㉮ 김치 한 항아리를 담갔다.
③ 소금을 쳐서 젓갈을 만들다.
담다 : ① 그릇 속에 물건을 넣다. ② 욕을 입에 올리다. ③ 그림이나 글 따위에 나타내다.

도막 : 짧고 작은 동강 ⓔ 도막도막
토막 : ① 크고 덩어리진 동강 ② 잘라진 동강을 세는 단위 ⓔ 동태를 칼로 세 토막 냈다.

돋구다 : 안경 따위의 도수를 더 높게 하다. 양기 따위를 보강하다.
돋우다 : ① 위로 끌어 올리거나 높아지게 하다. ② 감정을 자극하여 상기하게 하다.
③ 입맛이 좋아지게 하다. ⓔ 구미를 돋우다.

두텁다 : (인정이나 정의가) 깊다.
두껍다 : 두께가 크다. ⓔ 비록 두꺼운 벽에 둘러싸여 따로따로 살더라도 우리의 정분만은 두텁게 유지합시다.

띠다 : ㉰ ① 띠를 두르다. ② 용무 · 직책 · 사명을 가지다. ③ 빛깔을 약간 가지다. ④ 물건을 몸에 지니다.
띄다 : ㉮ '뜨이다'와 ㉰ '띄우다'의 준말
ⓔ 중요한 임무를 띠고 몰래 떠나려다 그만 이웃의 눈에 띄고 말았다.

ㅁ

마치다 : (하던 일을) 끝내다. 마무리하다. ⓔ 벌써 일을 마쳤다.
맞히다 : 물음에 옳은 답을 대다. ⓔ 그는 퀴즈 프로그램에 나가 여러 문제를 맞혔다.

목거리 : 목이 붓고 몹시 아픈 병 ⓔ 목거리가 덧났다.
목걸이 : (주로 여자가 양장을 할 때) 보석 등을 꿰어 목에 거는 장식품 ⓔ 금 목걸이, 은 목걸이

몹쓸 : 몹시 악독하고 고약한
못쓸 : 쓰지 못함. 좋지 않은

ㅂ

바치다 : 자기의 정성이나 힘 · 목숨 등을 남을 위해서 아낌없이 다하다. ⓔ 나라를 위해 목숨을 바치다.
받치다 : 우산이나 양산 따위를 펴서 들다. ⓔ 우산을 받치고 간다.
받히다 : 머리나 뿔 따위로 세차게 부딪침을 당하다. ⓔ 소에게 받혔다.
밭치다 : 건더기가 섞인 액체를 체 따위로 걸러 국물만 받아 내다. ⓔ 술을 체에 밭친다.

반드시 : 꼭. 틀림없이 ⓔ 약속은 반드시 지켜라.
반듯이 : 기울거나 굽거나 찌그러져 있지 않고 바르다. ⓔ 고개를 반듯이 들어라.

┌벌리다 : ㉷ 돈벌이가 되다. ㉸ ① 둘 사이를 넓히다. ② 열어서 속을 드러내다.
└벌이다 : ① 일을 베풀어 놓다. ② 가게를 차리다. ③ 물건을 늘어놓다.

┌부딪치다 : 물체와 물체가 세게 마주 닿다. 물체와 물체를 세게 마주 대다. ㉾ 차와 차가 마주 부딪쳤다.
└부딪히다 : 부딪음을 당하다. ㉾ 마차가 화물차에 부딪혔다.

┌부치다 : ㉷ 힘이 모자라다.
㉸ ① 부채 같은 것을 흔들어서 바람을 일으키다. ② 논밭을 다루어 농사를 짓다.
③ 번철 따위에 빈대떡 · 전 · 저냐 등을 익혀서 만들다. ④ 편지나 물건을 보내다.
⑤ 다른 장소 · 기회에 넘겨 맡기다. 회부하다. ㉾ 인쇄에 부치다. 공판에 부치다.
⑥ 어떤 대우를 하기로 하다. ㉾ 불문에 부치다.
⑦ 몸이나 식사를 어떤 곳에 의탁하다. ㉾ 삼촌 집에 숙식을 부치고 있다.
└붙이다 : ① 서로 맞닿아서 떨어지지 않게 하다. ② 가까이 닿게 하다. ③ 불이 붙게 하다.
④ 딸리게 하다. ⑤ 둘 사이를 어울리게 하다. ⑥ 마음 · 취미 따위를 몸에 붙게 하다.
⑦ 암수를 교미시키다. ⑧ (뺨을) 때리다. ⑨ 이름을 지어 달다.

┌비추다 : ㉸ 빛을 내는 대상이 다른 대상에 빛을 보내어 밝게 하다. ㉾ 손전등을 비추다.
└비치다 : ㉷ ① 빛이 나서 환하게 되다. ② 물체의 그림자가 나타나 보이다.
③ 빛이 반사하여 거울이나 수면에 모양이 나타나 보이다. ④ 눈을 통하여 어떤 인상이 느껴지다.
㉾ 외국인의 눈에 비친 한국
㉸ ① 남의 속을 떠 보려고 약간의 말을 꺼내다. ㉾ 그는 이번 선거에 출마할 의사를 비쳤다.
② 얼굴 따위를 잠시 나타내다. ㉾ 그는 하루종일 코빼기도 비치지 않았다.

┌시키다 : (무엇을) 하게 하다. ㉾ 일을 시킨다.
└식히다 : 식게 하다.('식다'의 사동) ㉾ 머리도 식힐 겸 여행을 다녀와야겠다.

┌아름 : 양팔을 벌려 껴안은 둘레 ㉾ 세 아름 되는 둘레
├알음 : 서로 아는 안면(顔面) ㉾ 전부터 알음이 있는 사이
└앎 : 아는 일. 지식(知識) ㉾ 앎이 힘이다.

안치다 : 삶거나 찌거나 끓일 물건을 솥이나 시루에 넣다. ⓔ 솥에 쌀을 안치다.
앉히다 : 앉게 하다. ⓔ 윗자리에 앉힌다.

어름 : 두 물건이 맞닿은 자리 ⓔ 경계선 어름에서 일어난 현상
얼음 : 물이 얼어서 굳어진 것 ⓔ 얼음이 얼었다.

애끊다 : 몹시 슬퍼서 창자가 끊어질 듯하다.
애끓다 : 너무 걱정이 되어 속이 끓는 듯하다.

엉덩이 : 볼기의 윗부분
궁둥이 : 주저앉아서 바닥에 붙는 엉덩이의 아랫부분

왠지 : '왜인지'의 준말 ⓔ 왠지 모르게 서글퍼진다
웬 : 어찌 된. 어떤. 어떠한 ⓔ 이 밤중에 웬 소란일까?

원만하다 : ① 충분히 가득하다. ② 규각이 없이 온화하다. ③ 서로 의가 좋다. 사이가 구순하다.
웬만하다 : ① 정도가 표준에 가깝거나 그보다 약간 낫다. ⓔ 성적이 웬만하다.
② 허용되는 범위에서 크게 벗어나지 않은 상태에 있다. ⓔ 웬만하면 참으세요.

-(으)리만큼 : 어미 ⓔ 그가 나를 미워하리만큼 내가 그에게 잘못한 일이 없다.
-(으)ㄹ 이만큼 : 의존명사 ⓔ 찬성할 이도 반대할 이만큼이나 많을 것이다.

-(으)러 : (목적) ⓔ 공부하러 간다.
-(으)려 : (의도) ⓔ 서울에 가려 한다.

-(으)로서 : (자격) ⓔ 사람으로서 그럴 수는 없다.
-(으)로써 : (수단) ⓔ 닭으로써 꿩을 대신했다.

-(으)므로 : 어미 ⓔ 그가 나를 믿음으로 나도 그를 믿는다.
-(ㅁ, 음)으로 : 조사 ⓔ 그는 믿음으로(써) 산 보람을 느꼈다.

장사 : 이익을 위하여 물건을 파는 일
장수 : 장사를 하는 사람. 상인. 장사치

저리다 : 몸의 일부가 너무 오래 눌려 있어서 신경이 마비된 듯한 느낌이 있다. ㉑ 다친 다리가 저린다.
절이다 : 소금이나 식초 따위를 써서 절게 하다. ㉑ 김장 배추를 절인다.

조리다 : 어육이나 채소 등을 양념하여 바특하게 끓이다.
졸이다 : ① 졸아들게 하다. ② 마음을 초조하게 먹다.

좇다 : ① 뒤를 따르다. ② 복종하다. ③ 대세에 거역하지 않다.
쫓다 : ① 못 오게 하다. 있는 데서 떠나도록 몰다.
② 급한 걸음으로 뒤를 따르다.(잡을 목적의 급한 행동을 나타냄)

주리다 : ① 먹는 것을 먹지 못하여 배곯다. ② 욕망을 못채워 모자람을 느끼다.
줄이다 : 줄어들게 하다.

지그시 : ① 눈을 슬그머니 감는 모양
② 느리고도 힘있게 당기거나 누르거나 미는 모양
지긋이 : ① 나이가 비교적 많고 듬직하게 ㉑ 나이가 지긋이 든 할아버지
② 참을성 있게 ㉑ 좀 지긋이 앉아 있어라.

추기다 : 가만히 있는 사람을 살살 꾀어서 하도록 하다. 선동하다.
축이다 : 물을 뿜거나 적셔서 축축하게 하다. ㉑ 샘물로 목을 축였다.
추키다 : ① 위로 거뜬하게 추슬러 올리다.
② 힘있게 위로 끌어 올리거나 채어 올리다.

한참 : ① 일을 하거나 쉬는 동안에 한 차례 ② 시간이 상당히 지나는 동안
③ 한동안 ㉑ 그가 오기를 한참 기다렸다.
한창 : ① 가장 성하고 활기가 있을 때 ㉑ 모내기가 한창이다.
② 가장 성한 모양 ㉑ 한창 바쁜 시간에 전화가 왔다.
해지다 : 닳아서 떨어지다.
헤(어)지다 : ① 흩어지다. ② 이별하다. ③ 살갗이 터져서 갈라지다.
㉑ 심하게 앓고 났더니 입안이 헤졌다.

┌ 홀 : 짝이 없고 하나뿐임 ⓔ 홀몸, 홀어미
└ 홑 : 겹이 아닌 것 ⓔ 홑이불, 홑몸

┌ 홀몸 : 형제나 배우자가 없는 사람
└ 홑몸 : 아이를 배지 아니한 몸

┌ 흔전만전 : 아주 흔하고 넉넉한 모양
└ 흥청망청 : 돈이나 물건 따위를 함부로 마구 써 버리는 모양. 흥청방청(×) ⓔ 그는 돈을 흥청망청 쓴다.

section 2 한자어

┌ 강수량(降水量) : 비나 눈 · 우박 등으로 지상에 내린 물의 총량
└ 강우량(降雨量) : 일정한 시간 동안 일정한 곳에 내린 비의 양

┌ 갱신(更新) : ① 계약의 존속 중 현존 계약의 유효 기간이 지난 후에도 존속되도록 하기 위해 새 계약을 채결함
② 다시 새롭게 만듦 ⓔ 비자 갱신
└ 경신(更新) : (추상적인 사실의) 먼저 것을 고치어 새롭게 함
ⓔ 100m 달리기 기록 경신

┌ 결재(決裁) : 아랫사람이 올린 안건을 상관이 헤아려 승인함
└ 결제(決濟) : ① 결정하여 끝냄 ② 증권 또는 대금의 수불에 의하여 대차를 청산하는 일
ⓔ 대금 결제 사건에 반드시 기획 실장의 결재를 받으시오.

┌ 계발(啓發) : (슬기와 재능 등을) 깨우쳐 열어 줌. 일깨움
└ 개발(開發) : ① 개척하여 발전시킴
② 물적 · 인적 자원에 작용하여 그 경제적 가치를 높여 산업을 일으킴
③ 제품, 장치를 창조하여 실용화함

┌ 괴멸(壞滅) : 파괴되어 멸망함
└ 궤멸(潰滅) : 무너져 망함

구별(區別) : 어떤 것과 다른 것 사이에서 나타나는 차이. 또는 그 차이에 따라서 나눔
㉠ 쓸 것과 못 쓸 것을 구별하다.
구분(區分) : 구별하여 나눔 ㉠ 주방과 식당이 구분되어 있다.

금슬(琴瑟) : 거문고와 비파. '금실'의 본딧말
금실(琴瑟) : 부부 사이의 화목한 즐거움 ㉠ 금실지락

ㄷ

덕분(德分) : 남이 베푼 고마움 ㉠ 지도하여 주신 덕분에 성공했습니다.
덕택(德澤) : 베풀어 준 혜택이나 도움 ㉠ 전축을 쓸 수 있게 된 것은 에디슨의 덕택이다.

막역(莫逆)하다 : 서로 허물없이 매우 친하게 지내다. 절친하다.
㉠ 막역한 친구가 일주일 전에 이민을 갔다.
막연(漠然)하다 : ① 아득하다. ② 똑똑하지 못하고 어렴풋하다.

반증(反證) : 사실과는 반대되는 증거
방증(傍證) : 증거가 될 방계의 자료. 간접적인 증거

방적(紡績) : 동식물의 섬유를 가공하여 실을 만드는 섬유 공업
방직(紡織) : 실로 피륙을 짜는 일

변조(變造) : ① (이미 만들어진 것을) 손질하여 다시 만듦 ② (유가 증권 따위의) 내용을 다르게 고침
위조(僞造) : (물건이나 문서 따위의) 가짜를 만듦 ㉠ 화폐위조범

보전(保全) : 온전하게 잘 지키거나 지님 ㉠ 우리의 영토를 보전하자.
보존(保存) : 잘 지니어 상하거나 없어지거나 하지 않도록 함 ㉠ 유물을 보존하다.

ㅇ

- 일체(一切) : 온갖 사물. 모든 것 ② 통틀어, 모두(긍정적인 의미) ㉒ 내 것을 일체 가지시오.
- 일절(一切) : 아주, 도무지, 전혀, 결코(사물을 부인하거나 금지할 때 사용)
  ㉒ 작업 중에는 면회를 일절 금합니다.

- 작렬(炸裂) : 터져서 산산이 흩어짐
- 작열(灼熱) : ① 새빨갛게 닮. 열을 받아서 뜨거워짐. ② 찌는 듯한 더위

- 전장(戰場) : 전쟁이 일어난 곳. 싸움터
- 전쟁(戰爭) : 싸움. 국제법상 선전 포고에 의하여 국가 간에 싸우는 일

- 주요(主要) : 주되고 중요함
- 중요(重要) : 없어서는 아니될 정도로 소중하고 요긴함

- 지양(止揚) : 더 높은 단계로 오르기 위하여 어떠한 것을 하지 아니함
- 지향(指向) : 일정한 목적을 향하여 나아감. 목표로 함

- 특색(特色) : 보통 것과 다른 점
- 특징(特徵) : 다른 것과 비교하여 특별히 눈에 띄는 점

ㅍ

- 폐해(弊害) : 폐단과 손해. 폐가 되는 나쁜 일
- 피해(被害) : 손해를 입음

- 포격(砲擊) : 대포로 사격함. 또는 대포에 의한 공격
- 폭격(爆擊) : 군용 비행기가 폭탄 등을 떨어뜨려 적의 전력이나 국토를 파괴함

┌ 혼돈(混沌) : 사물의 구별이 확연하지 않고 모호한 상태
└ 혼동(混同) : ① 뒤섞음. ② 뒤섞어 보거나 잘못 판단함

section 3 주제별 한자성어

(1) 교우(交友)

① 知音(지음) : 백아(伯牙)와 종자기(鍾子期) 사이의 고사로부터 (거문고) 소리를 알아 듣는다는 뜻에서 유래

※ 伯牙絕絃(백아절현)은 '친한 친구의 죽음을 슬퍼한다.'는 뜻

② 水魚之交(수어지교) : 고기와 물과의 관계처럼 떨어질 수 없는 특별한 친분

③ 莫逆之友(막역지우) : 서로 거역하지 아니하는 친구

④ 金蘭之契(금란지계) : 금이나 난초와 같이 귀하고 향기로움을 풍기는 친구의 사이의 맺음(사귐)
= 金蘭之交(금란지교) : 쇠처럼 날카롭고 난초처럼 향기나는 친구 사이

⑤ 管鮑之交(관포지교) : 관중과 포숙의 사귐과 같은 친구 사이의 허물없는 교재

⑥ 竹馬故友(죽마고우) : 어릴 때, 대나무말을 타고 놀며 같이 자란 친구

⑦ 刎頸之交(문경지교) : 대신 목을 내주어도 좋을 정도로 친한 친구의 사귐

⑧ 管鮑之交(관포지교) : 썩 친밀한 교제. 관중(管仲)과 포숙아(鮑叔牙)의 사귐

⑨ 水魚之交(수어지교) : 물과 고기의 관계처럼 뗄 수 없는 사이

⑩ 竹馬故友(죽마고우) : 어릴 때부터의 친한 벗

⑪ 莫逆之友(막역지우) : 아주 허물 없는 벗

⑫ 金石之交(금석지교) : 쇠와 돌처럼 굳은 사귐

⑬ 肝膽相照(간담상조) : 간과 쓸개가 가까이 서로 보여 주듯이 서로 마음을 터놓고 사귐

⑭ 膠漆之交(교칠지교) : 매우 친밀하여 떨어질 수 없는 사귐

⑮ 芝蘭之交(지란지교) : 영지와 난초의 향기로운 향기 같은 벗 사이의 교제

⑯ 斷金之交(단금지교) : 매우 정의가 두터운 사이의 교제

⑰ 交友以信(교우이신) : 친구를 믿음으로써 사귐. 世俗五戒의 하나

⑱ 朋友有信(붕우유신) : 친구사이의 도리는 신의에 있음. 五倫의 하나

⑲ 布衣之交(포의지교) : 곤경한 상황에서 사귄 친구

⑳ 知音知己(지음지기) : 소리를 듣고 나를 인정해 주는 친구

(2) 세태(世態)

① 桑田碧海(상전벽해) : 뽕나무밭이 푸른 바다가 됨. 세상이 몰라볼 정도로 변함

② 天旋地轉(천선지전) : 세상일이 크게 변함

③ 吳越同舟(오월동주) : 서로 원수의 사이인 오나라 사람과 월나라 사람이 같은 배를 탐

※ 吳越同舟는 ① 원수는 외나무 다리에서 만난다. ② 세상 일이 크게 변한다. ③ 아무리 원수지간이라도 위급한 상황에서는 서로 돕지 않을 수 없다의 세 가지 의미를 동시에 지닌다.

(3) 상쟁(相爭)

① 漁父之利(어부지리) : 조개와 도요새가 서로 버티는 통에 어부가 둘을 다 잡아 이득을 봄

② 犬兎之爭(견토지쟁) : 개와 토끼가 싸우다 지쳐서 둘다 쓰러져 숨져 있는 것을 지나가던 농부가 주워서 이득을 봄

③ 蚌鷸之爭(방휼지쟁) : 도요새가 방합(조개)를 먹으려고 껍질안에 주둥이를 넣는 순간, 방합이 입(껍질)을 닫는 바람에 도리어 물려서 서로 다툰다는 뜻. 서로 적대하고 양보하지 않음을 이른다. 도요새와 조개가 서로 다투다가 어부가 힘들이지 않고 이들을 주워서 이득을 봄

(4) 여럿 가운데서 제일 뛰어난 것

① 白眉(백미) : 마씨 오형제 중에서 가장 재주가 뛰어난 맏이 마량이 눈썹이 희었다는 데서 나온 말

② 鐵中錚錚(철중쟁쟁) : 같은 동아리 가운데 가장 뛰어난 사람을 비유

(5) 어떤 일에 일관성이 없음

① 高麗公事三日(고려공사삼일) : 고려의 정책이나 법령은 기껏해야 사흘밖에 가지 못함

② 早變夕改(조변석개) : 아침 저녁으로 뜯어 고침

③ 朝令暮改(조령모개) : 아침에 영(명령)을 내리고 저녁에 다시 고침

(6) 불가능한 일을 굳이 하려함

① 緣木求魚(연목구어) : 나무에 올라가서 물고기를 구함

② 陸地行船(육지행선) : 뭍으로 배를 저으려 함

③ 以卵投石(이란투석) : 달걀로 바위 치기

(7) 무척 위태로운 일의 형세

① 風前燈火(풍전등화) : 바람 앞에 놓인 등불, 사물이 매우 위태로운 처지에 놓여 있음을 비유하는 말

② 焦眉之急(초미지급) : 눈썹이 타면 끄지 않을 수 없다는 뜻으로, 매우 다급한 일을 일컬음

③ 危機一髮(위기일발) : 위급함이 매우 절박한 순간.(거의 여유가 없는 위급한 순간)

④ 累卵之勢(누란지세) : 새알을 쌓아놓은 듯한 위태로운 형세

⑤ 百尺竿頭(백척간두) : 백척 높이의 장대 위에 올라섰다는 뜻. 몹시 위태롭고 어려운 지경에 빠짐

⑥ 如履薄氷(여리박빙) : 얇은 얼음을 밟는 것 같다는 뜻으로, 몹시 위험하여 조심함을 이르는 말

⑦ 四面楚歌(사면초가) : 사방에서 적군 초나라 노랫소리가 들려옴. 사면이 모두 적에게 포위되어 고립된 상태

⑧ 一觸卽發(일촉즉발) : 조금만 닿아도 곧 폭발할 것 같은 모양. 막 일이 일어날 듯하여 위험한 지경

(8) 이러지도 저러지도 못하는 상황

① 進退兩難(진퇴양란) : 앞으로 나아가기도 어렵고 뒤로 물러나기도 어려움

② 進退維谷(진퇴유곡) : 앞으로 나아가도 뒤로 물러나도 골짜기만 있음. 어쩔 수 없는 궁지에 빠진 상태

③ 鷄肋(계륵) : '닭갈비'라는 뜻으로 먹자니 먹을 것이 없고, 버리자니 아까움

(9) 아주 무식함

① 目不識丁(목불식정) : '낫 놓고 기역자도 모름'

② 魚魯不辨(어로불변) : '魚'자와 '魯'자를 분별하지 못함

③ 一字無識(일자무식) : 글자 한자도 알지 못함

(10) 화합할 수 없는 원수지간

① 氷炭不相容(빙탄불상용) : 얼음과 숯불은 서로 용납되지 아니함

② 氷炭之間(빙탄지간) : 얼음과 숯불의 사이(관계)

③ 不俱戴天之讐(불구대천지수) : 하늘을 함께 이고 살아갈 수 없는 원수

(11) 평범한 사람들

① 甲男乙女(갑남을녀) : 갑이라는 남자와 을이라는 여자

② 張三李四(장삼이사) : 장씨 세 사람과 이씨 네 사람(당시 흔했던 성씨임)

③ 匹夫匹婦(필부필부) : 한 사람의 지아비와 한 사람의 지어미, 평범한 남녀

④ 樵童汲婦(초동급부) : 나무하는 아이와 물 긷는 아낙네

⑿ 대세의 흐름에 적응하지 못하고 융통성이 없어 무척 고지식함.

① 刻舟求劍(각주구검) : 배에 금을 긋고 칼을 찾음

② 膠柱鼓瑟(교주고슬) : 아교로 붙이고 거문고를 탐

③ 守株待兎(수주대토) : 구습을 고수하여 변통할 줄 모름. 진보가 없음을 비유

⒀ 불치의 병처럼 굳어진 자연에 대한 애착

① 泉石膏肓(천석고황) : 산수를 사랑하는 것이 정도에 지나쳐 마치 불치의 고질과 같음

② 煙霞痼疾(연하고질) : 산수의 경치를 깊이 사랑하고 집착하여 여행을 즐기는 고질같은 성격

⒁ 아무리 실패하여도 그에 굴하지 아니함

① 百折不屈(백절불굴) : 여러 번 꺾어져도 굽히지 않음

② 七顚八起(칠전팔기) : 일곱 번 넘어져도 여덟 번 일어남

⒂ 부모님에게 효도를 함

① 昏定晨省(혼정신성) : 저녁에는 부모님의 잠자리를 정하고 아침에는 부모님께서 안녕히 주무셨는지를 살핌

② 斑衣之戱(반의지희) : 부모를 위로하려고 색동 저고리를 입고 기어가 보임

③ 反哺報恩(반포보은) : 자식이 부모가 길러 준 은혜를 갚음 = 반포지효

④ 風樹之嘆(풍수지탄) : 효도를 다하지 못하고 어버이를 여읜 자식의 슬픔을 비유한 말

※ 이는 "樹欲靜而風不止하고 子欲養而親不待니라"(나무는 고요하고자 하나 바람은 멎지 아니하고, 자식은 봉양하고자 하나 어버이는 그를 기다려 주지 않는다.)는 말에서 유래된 것이다.

⑤ 事親以孝(사친이효) : 어버이를 섬김에 효도로써 함. 세속오계의 하나

⑥ 父子有親(부자유친) : 아버지와 아들의 道는 친애에 있음. 五倫의 하나

⑦ 父爲子綱(부위자강) : 아버지와 자식 사이에 지킬 떳떳한 도리. 삼강의 하나

⑧ 出必告反必面(출필고반필면) : 밖에 나갈 때 가는 곳을 반드시 아뢰고, 되돌아와서는 반드시 얼굴을 보여 드린다. = 出告反面

⑨ 昊天罔極(호천망극) : 끝없는 하늘과 같이 부모의 은혜가 크다는 것을 말함

⑩ 望雲之情(망운지정) : 객지에서 부모를 생각하는 마음

⑪ 白雲孤飛(백운고비) : 멀리 떠나는 자식이 어버이를 그리워 함

⑫ 冬溫夏凊(동온하청) : 부모에 효도함. 겨울은 따뜻하게 여름은 시원하게 해드림

⑬ 伯兪之孝(백유지효) : 韓伯兪는 효성이 지극하여 어머니로부터 종아리를 맞아도 아프지 않다하여 어머니의 노쇠함을 탄식함

(16) 누군가를 그리워하여 잊지 못함

① 寤寐不忘(오매불망) : 자나 깨나 잊지 못함

② 輾轉反側(전전반측) : 누워서 이리 뒤척 저리 뒤척 잠을 이루지 못함

③ 輾轉不寐(전전불매) : 누워서 이리저리 뒤척이며 잠을 이루지 못함

(17) 말이나 글씨로는 전하지 못할 것을 마음에서 마음으로 전함

① 以心傳心(이심전심) : 마음에서 마음으로 전함

② 心心相印(심심상인) : 마음과 마음에 서로를 새김

③ 不立文字(불립문자) : 문자나 말로써 도를 전하지 아니함

④ 敎外別傳(교외별전) : 석가 일대의 설교 외에 석가가 마음으로써 따로 심원한(깊은) 뜻을 전함

⑤ 拈華微笑(염화미소) : 이심전심의 경지를 이름

(18) 겉 다르고 속 다름

① 面從腹背(면종복배) : 면전에서는 따르나 뱃속으로는 배반함

② 勸上搖木(권상요목) : 나무 위에 오르라고 권하고는 오르자마자 아래서 흔들어 댐

③ 羊頭狗肉(양두구육) : 겉으로는 그럴 듯하게 내세우나 속은 음흉한 딴 생각이 있음

④ 敬而遠之(경이원지) : 겉으로는 존경하는 체하면서 속으로는 멀리함

⑤ 口蜜腹劍(구밀복검) : 입 속으로는 꿀을 담고 뱃속으로는 칼을 지녔다는 뜻으로 입으로는 친절하나 속으로는 해칠 생각을 품었음을 비유하여 일컫는 말

⑥ 表裏不同(표리부동) : 겉과 속이 다름

(19) 학문에 전념함

① 自强不息(자강불식) : 스스로 힘써 행하여 쉬지 않음

② 發憤忘食(발분망식) : 발분(분발)하여 끼니를 잊고 노력함

③ 手不釋卷(수불석권) : 손에서 책을 놓을 사이 없이 열심히 공부함

④ 螢窓雪案(형창설안) : 반딧불이 비치는 창과 눈(雪)이 비치는 책상이라는 뜻으로, 어려운 가운데서도 학문에 힘씀을 비유한 말

※ 螢窓雪案의 고사의 주인공은 '차윤'과 '손강'이다.

⑤ 切磋琢磨(절차탁마) : 옥돌을 쪼고 갈아서 빛을 냄. 곧 학문이나 인격을 수련, 연마함

⑥ 走馬加鞭(주마가편) : 달리는 말에 채찍을 더한다. 자신의 위치에 만족하지 않고 계속 노력함

(20) 한바탕의 헛된 꿈

① 南柯一夢(남가일몽) : 꿈과 같이 헛된 한 때의 꿈

② 一場春夢(일장춘몽) : 한바탕의 봄꿈처럼 헛된 영화(富貴榮華)

③ 邯鄲之夢(한단지몽) : 세상의 부귀영화가 허황됨을 이르는 말

※ 邯鄲之步(한단지보)는 "본분을 잊고 억지로 남의 흉내를 내면 실패한다."는 말로 한단지몽과는 아주 다른 말이다.

(21) 필요할 때는 취하고 필요 없을 때는 미련없이 버림

① 甘呑苦吐(감탄고토) : 달면 삼키고 쓰면 내뱉음

② 兎死狗烹(토사구팽) : 교활한 토끼가 죽으면 충실한 사냥개는 주인에게 잡혀 먹힘

※ 원래는 狡兎死而良狗烹(교토사양구팽)의 준말로 할 일이 없는 사냥개는 아무리 훌륭해도 쓸모없는 존재가 됨을 이르는 말

(22) 아주 빼어난 인물의 여자

① 傾國之色(경국지색) : 임금이 혹하여 국정을 게을리함으로써 나라를 위기에 빠뜨리게 할 미인이라는 뜻

② 傾城之美(경성지미) : 한 성(城)을 기울어뜨릴 만한 미색(美色)

③ 花容月態(화용월태) : 꽃 같은 용모에 달 같은 자태

④ 丹脣皓齒(단순호치) : 붉은 입술에 흰 이를 가진 여자

(23) 앞길이 유망함

① 前程萬里(전정만리) : 앞길이 구만 리 같음

② 鵬程萬里(붕정만리) : 붕새가 날아가는 하늘 길이 만리로 트임

(24) 한 나라의 정사를 떠받들 만한 재목. 뛰어난 인재

① 股肱之臣(고굉지신) : 팔, 다리가 될 만한 신하

② 社稷之臣(사직지신) : 사직(왕조)을 지탱할 만한 신하

③ 棟梁之材(동량지재) : 대들보(동량)가 될 만한 재목

④ 柱石之臣(주석지신) : 주춧돌(주석)이 될 만한 신하

(25) 약자가 강자 틈에 끼어 고생함

① 鯨戰鰕死(경전하사) : 고래 싸움에 새우등 터진다.

② 間於齊楚(간어제초) : 제나라와 초나라 사이에 끼임

(26) 매우 가까운 거리나 근소한 차

① 咫尺之地(지척지지) : 매우 가까운 곳

② 咫尺之間(지척지간) : 매우 가까운 거리

③ 指呼之間(지호지간) : 손짓하여 부를만한 가까운 거리

④ 五十步百步(오십보백보) : 피차의 차이는 있으나 본질적으로는 같다. (〈孟子〉에 나온 말임)

(27) 공연히 남에게 의심살 만한 일은 하지 않음

① 瓜田不納履(과전불납리) : 외밭(오이밭)에 신을 들여 놓지 않음

② 李下不整冠(이하부정관) : 오얏나무 아래에선 갓을 바로 쓰지 않음

(28) 견문이 좁아 세상 형편을 모르는 사람

① 井底之蛙(정저지와) : 우물 안의 개구리

② 坐井觀天(좌정관천) : 우물에 앉아서 하늘을 본다 함이니, 견문이 좁음을 뜻함

③ 管見(관견) : 붓 대롱 속으로 세상을 보는 것처럼 소견머리가 없음

④ 通管窺天(통관규천) : 붓 대롱을 통해서 하늘을 엿본다.

(29) 일이 다 틀린 후에 뒤늦게 손을 씀

① 死後藥方文(사후약방문) : 죽은 뒤에야 약방문(藥方文 : 현대의 처방전)을 줌

② 亡羊補牢(망양보뢰) : 양(羊)을 잃은 후에 우리를 고침

③ 渴而穿井(갈이천정) : 목이 마르니까 비로소 우물을 판다.

(30) 학문에서 진리를 찾기 어려움

① 亡羊之歎(망양지탄) : 달아날 양을 쫓는데 갈림길이 많아서 잃어버리고 탄식한다는 뜻으로, 학문의 길이 다방면이어서 진리를 깨닫기가 어려움을 한탄함을 비유한 말

② 多岐亡羊(다기망양) : 여러 갈래의 길에서 양을 잃음

(31) 앞날의 길흉화복은 예측하기 힘들다.

① 塞翁之馬(새옹지마) : 변방에 사는 늙은이가 기르던 말이 달아났다가 준마와 함께 돌아왔는데, 그 노인의 외아들이 그 준마를 타다가 떨어져 절름발이가 되었다. 때마침 난리가 일어나 성한 젊은이들은 모두 전쟁에 끌려나가 죽었으나 그 노인의 아들은 절름발이여서 목숨을 보전하였다는 데서 나온 말

② 轉禍爲福(전화위복) : 화가 바뀌어 복이 됨

(32) 부부 사이에 금슬이 좋음

① 百年偕老(백년해로) : 부부가 화락하게 일생을 늙음

② 偕老同穴(해로동혈) : 함께 늙어서 같이 묻힘

③ 琴瑟相和(금슬상화) : 거문고와 비파 소리가 조화를 잘 이룸을 비유한 말

④ 琴瑟之樂(금슬지락) : 거문고와 비파. 금슬 좋은 부부간의 애정.

※ 거문고와 비파가 서로 어울려 아름다운 합주를 만들어 내듯이 아내와 남편이 서로 양보하며 서로를 존중하면, 가정이 화목하고 만사가 잘 이루어진다. 가화만사성(家和萬事成)

⑤ 夫唱婦隨(부창부수) : 부부의 화합을 뜻하는 말로 예로부터 남편이 부르면 부인이 따른다는 말

⑥ 賢婦令夫貴和六親(현부영부귀화육친) : 현명한 부인은 남편을 귀하게 하고, 또한 일가친척을 화목하게 함

⑦ 백년가약(百年佳約) : 남녀가 부부가 되어 평생을 함께 하겠다는 아름다운 언약(言約)이란 뜻

(33) 어떤 일의 시작이나 발단

① 嚆矢(효시) : '우는 화살'이란 뜻으로 옛날에 전쟁을 할 경우에 가장 소리가 잘나는 화살을 쏘아서 개전(開戰)을 알렸다는 데서 유래한 말

㉥ 우리나라 근대극의 효시

② 濫觴(남상) : '술잔에서 넘친다'는 뜻으로 아무리 큰 물줄기라 하더라도 그 근원을 따지고 보면 자그마한 술잔에서 넘치는 물로부터 시작된다는 뜻

③ 破天荒(파천황) : 이전에 아무도 하지 못한 일을 처음으로 함

(34) 몹시 가난함

① 三旬九食(삼순구식) : 서른 날에 아홉 끼니밖에 못 먹음

② 桂玉之嘆(계옥지탄) : 식량 구하기가 계수나무 구하듯이 어렵고, 땔감을 구하기가 옥을 구하기만큼 어려움

※ 계옥지탄은 물가가 너무 비싼 것을 탄식한다는 뜻고 있음

③ 男負女戴(남부여대) : 남자는 지고 여자는 이고 감. 곧 가난한 사람들이 떠돌아다니며 사는 것을 말함

(35) 가혹한 정치

① 苛斂誅求(가렴주구) : 세금을 너무 가혹하게 거두어 들임

② 泡烙之刑(포락지형) : 잔혹하고 가혹한 형벌

③ 塗炭之苦(도탄지고) : 진구렁에 빠지고 숯불에 타는 고생

(36) 대(大)를 위해 소(小)를 희생함

① 先公後私(선공후사) : 공적인 것을 앞세우고 사적인 것은 뒤로 함

② 大義滅親(대의멸친) : 대의를 위해서 사사로움을 버림

③ 見危致命(견위치명) : 나라의 위태로움을 보고 목숨을 버림

④ 滅私奉公(멸사봉공) : 사를 버리고 공을 위해 희생함

(37) 향수(鄕愁)

① 首邱初心(수구초심) : 여우가 죽을 때에 머리를 저 살던 굴 쪽으로 향한다는 뜻, 고향을 그리워하는 마음

② 看雲步月(간운보월) : 낮에는 구름을 바라버고 밤에는 달빛 아래 거닌다는 뜻, 고향을 그리워하는 마음

(38) 환경의 중요성

① 近墨者黑(근묵자흑) : 먹을 가까이 하면 검게 된다. 좋지 못한 사람과 가까이 하면 악에 물들게 됨

② 三遷之教(삼천지교) : 맹자의 교육을 위하여 그 어머니가 세 번이나 집을 옮긴 일. 교육에는 환경이 중요함

③ 孟母三遷(맹모삼천) : 孟母三遷之教의 준말

④ 橘化爲枳(귤화위지) : 회남의 귤을 회북으로 옮기어 심으면 귤이 탱자가 된다는 말. 환경에 따라 사물의 성질이 달라진다는 말

(39) 입장이 서로 뒤바뀜

① 本末顚倒(본말전도) : 일의 원줄기를 잊고 사소한 일에 사로잡힘

② 主客顚倒(주객전도) : 입장이 서로 뒤바뀜

(40) 이제까지 없었던 일(사건)

① 前代未聞(전대미문) : 이제까지 들어 본 적이 없는 일

② 前人未踏(전인미답) : 이제까지 아무도 발을 들여놓거나 도달한 사람이 없음

③ 前無後無(전무후무) : 전에도 없었고 앞으로도 없음

④ 空前絶後(공전절후) : 전에도 없었고 앞으로도 없음

⑤ 未曾有(미증유) : 지금까지 한 번도 있어본 일이 없음

(41) 서로 모순됨. 태평함

① 矛盾(모순) : 창과 방패. 일의 앞뒤가 서로 안맞는 상태. 서로 대립하여 양립하지 못함

② 自家撞着(자가당착) : 같은 사람의 말이나 행동이 앞뒤가 맞지 아니함. 자기 모순

③ 二律背反(이율배반) : 꼭 같은 근거를 가지고 정당하다고 주장되는 서로 모순되는 두 명제. 관계

(42) 시절이 무척 태평함

① 太平聖代(태평성대) : 태평스런 시절

② 康衢煙月(강구연월) : 강구(康衢)의 거리 풍경(康衢는 지명임)

③ 鼓腹擊壤(고복격양) : 배를 두드리며 흙덩이를 침. 곧 의식(衣食)이 풍족한 상황

④ 擊壤老人(격양노인) : 태평한 생활을 즐거워하여 노인이 땅을 치며 노래함

(43) 실속이 없음

① 虛張聲勢(허장성세) : 실속이 없으면서 허세만 떠벌림

② 虛禮虛飾(허례허식) : 예절, 법식 등을 겉으로만 번드레하게 하는 일

(44) 후배나 제자가 선배나 스승보다 더 뛰어남

① 靑出於藍(청출어람) : 제자가 스승보다 나은 것을 말함

※ 이는 靑出於藍而靑於藍(청색은 남색으로부터 나오지만 남색보다 푸르다.)에서 나온 말

② 後生可畏(후생가외) : '후배를 선배보다 더 두려워 하라'는 뜻으로 공자(孔子)가 쓴 말

(45) 몹시 지루하거나 애타게 기다림

① 鶴首苦待(학수고대) : 학의 목처럼 길게 늘여 고대함

② 一日如三秋(일일여삼추) : 하루가 삼년같다.

(46) 학문과 관련된 성어

① 日就月將(일취월장) : 날로 달로 나아감. 곧 학문이 계속 발전해 감

② 刮目相對(괄목상대) : 옛날 중국의 오(吳)나라의 노숙과 여몽 사이의 고사에서 나온 말로, 눈을 비비고 다시 보며 상대를 대한다는 뜻으로, 얼마동안 못 보는 사이에 상대가 깜짝 놀랄 정도의 발전을 보임을 뜻함

(47) 독서와 관련된 성어

① 韋編三絕(위편삼절) : 옛날에 공자가 주역을 즐겨 열심히 읽은 나머지 책을 맨 가죽 끈이 세 번이나 끊어졌다는 데서 유래한 말로 책을 정독(精讀)함을 일컬음

② 男兒須讀五車書(남아수독오거서) : 당(唐)의 두보(杜甫)가 한 말로 남자라면 다섯 수레 정도의 책은 읽어야 한다는 뜻으로 책을 다독(多讀)할 것을 일컬음

③ 晝耕夜讀(주경야독) : 낮에는 밭을 갈고 밤에는 책을 읽음

④ 三餘之功(삼여지공) : 독서하기에 가장 좋은 '겨울, 밤, 음우(陰雨)'를 일컬음

⑤ 汗牛充棟(한우충동) : '짐으로 실으면 소가 땀을 흘리고, 쌓으면 들보에 가득 찬다'는 뜻으로 썩 많은 장서(藏書)를 이르는 말

⑥ 博而不精(박이부정) : 여러 방면으로 널리 아나 정통하지는 못함. 즉, '숲은 보되 나무는 보지 못함'

⑦ 博而精(박이정) : 여러 방면으로 널리 알 뿐만 아니라 깊게도 앎. 즉, '나무도 보고 숲도 봄'

※ 博而不精은 多讀과 연관된 말이며 博而精은 가장 바람직한 독서 방법이라 할 수 있다.

(48) 나이와 관련된 표현

① 沖年(충년) : 10대의 나이

② 志學(지학) : 15세

③ 弱冠(약관) : 20대의 나이

④ 而立(이립) : 30세

⑤ 不惑(불혹) : 40세

⑥ 知天命(지천명) : 50세

⑦ 耳順(이순) : 60세

⑧ 古稀(고희) : 70세(두보의 한시 '곡강(曲江)'에 처음 보인 말

從心(종심) : 70세. 논어 從心所欲不踰矩(종심소욕불유구)에서 유래

⑨ 喜壽(희수) : 77세

⑩ 傘壽(산수) : 80세

⑪ 米壽(미수) : 88세

⑫ 白壽(백수) : 99세

(49) 전쟁에서 유래한 성어

① 背水之陣(배수지진) : "적과 싸울 때 강이나 바다를 등지고 친 진"이란 말로, 한신이 초나라의 군대와 싸울 때 시용한 진법에서 유래하여 목숨을 걸고 어떤 일에 대처하는 경우를 비유한 말이다.

② 乾坤一擲(건곤일척) : 운명과 흥망을 걸고 단판걸이로 승부나 승패를 겨룸

③ 捲土重來(권토중래) : 한 번 실패하였다가 세력을 회복하여 다시 쳐들어옴

④ 臥薪嘗膽(와신상담) : 원수를 갚으려고 괴롭고 어려운 일을 참으고 겪음. 옛날 오왕 부차가 섶 위에서 잠을 자면서 월왕 구천에게 패한 설움을 설욕하였고, 구천 역시 쓴 쓸개의 맛을 보면서 부차에게 다시 복수를 하였다는 데서 유래한 성어

(50) 소문과 관련된 성어

① 流言蜚語(유언비어) : 아무 근거 없이 널리 퍼진 소문. 풍설. 떠돌아다니는 말

② 道聽途說(도청도설) : 길거리에 떠돌아다니는 뜬 소문

③ 街談巷語(가담항어) : 거리나 항간에 떠도는 이야기

(51) 애정과 관련된 성어

① 戀慕之情(연모지정) : 사랑하여 그리워하는 정

② 相思病(상사병) : 남녀가 서로 몹시 그리워하여 생기는 병

③ 相思不忘(상사불망) : 서로 그리워하여 잊지 못함

④ 同病相憐(동병상련) : 같은 병의 환자끼리 서로 가엾게 여김. 처지가 비슷한 사람끼리 동정함

(52) 의리나 은덕을 저버림

① 背恩忘德(배은망덕) : 은덕을 저버림

② 見利忘義(견리망의) : 이익을 보면 의리를 잊음

(53) 기쁨, 좋음과 관련된 성어

① 抱腹絕倒(포복절도) : 배를 끌어안고 넘어질 정도로 몹시 웃음

② 弄璋之慶(농장지경) 또는 弄璋之喜(농장지희) : '장(璋)'은 사내 아이의 장난감인 구슬이라는 뜻으로, 아들을 낳은 기쁨. 또는 아들을 낳은 일을 이르는 말

③ 弄瓦之慶(농와지경) 또는 弄瓦之喜(농와지희) : '와(瓦)'는 계집 아이의 장난감인 실패라는 뜻으로, 딸을 낳은 기쁨을 이르는 말

④ 錦上添花(금상첨화) : 비단 위에 꽃을 놓는다는 뜻으로, 좋은 일이 겹침을 비유

⑤ 多多益善(다다익선) : 많을수록 더욱 좋음

⑥ 拍掌大笑(박장대소) : 손뼉을 치며 크게 웃음

(54) 슬픔과 관련된 성어

① 哀而不悲(애이불비) : 속으로는 슬프지만 겉으로는 슬픔을 나타내지 아니함. 김소월 '진달래꽃'의 사상

② 哀而不傷(애이불상) : 슬퍼하되 도를 넘지 아니함

(55) 비분(悲憤)과 관련된 성어

① 天人共怒(천인공노) : 하늘과 사람이 함께 분노한다는 뜻으로, 누구나 분노할 만큼 증오스럽고 용납될 수 없다.

② 含憤蓄怨(함분축원) : 분하고 원통한 마음을 품음

③ 悲憤慷慨(비분강개) : 슬프고 분한 느낌이 마음 속에 가득 차 있음

④ 切齒腐心(절치부심) : 몹시 분하여 이를 갈면서 속을 썩임

(56) 무례와 관련된 성어

① 傍若無人(방약무인) : 곁에 사람이 없는 것 같다는 뜻. 거리낌 없이 함부로 행동함

② 眼下無人(안하무인) : 방자하고 교만하여 사람을 모두 얕잡아 보는 것

③ 回賓作主(회빈작주) : 주장하는 사람의 의견을 무시하고 자기 마음대로 함

④ 厚顔無恥(후안무치) : 뻔뻔스러워 부끄러워할 줄 모름

⑤ 破廉恥漢(파렴치한) : 염치를 모르는 뻔뻔한 사람

⑥ 天方地軸(천방지축) : 함부로 날뛰는 모양

(57) 불행과 관련된 성어

① 雪上加霜(설상가상) : 눈 위에 서리가 덮인다는 뜻으로, 불행한 일이 거듭하여 겹침을 비유

② 七顚八倒(칠전팔도) : 일곱 번 넘어지고 여덟 번 거꾸러진다는 말로, 실패를 거듭하거나 몹시 고생함을 이르는 말

③ 鷄卵有骨(계란유골) : 달걀에도 뼈가 있다는 뜻으로, 운수가 나쁜 사람은 좋은 기회를 만나도 역시 일이 잘 안됨을 이르는 말

(58) 행복과 관련된 성어

① 前途有望(전도유망) : 앞으로 잘 될 희망이 있음. 장래가 유망함

② 風雲兒(풍운아) : 좋은 기회를 타고 활약하여 세상에 두각을 나타내는 사람

③ 遠禍召福(원화소복) : 재앙을 물리쳐 멀리하고 복을 불러들임

(59) 출중한 사람

① 群鷄一鶴(군계일학) : 닭의 무리 가운데서 한 마리의 학이란 뜻. 여럿 가운데서 가장 뛰어난 사람

② 棟梁之材(동량지재) : 한 집안이나 한 나라의 기둥이 될 만한 훌륭한 인재

③ 鐵中錚錚(철중쟁쟁) : 평범한 사람 가운데서 특별히 뛰어난 사람

④ 囊中之錐(낭중지추) : 주머니 속의 송곳이란 뜻으로서 재능이 뛰어난 사람은 숨어 있어도 남의 눈에 띄게 됨을 이르는 말

⑤ 泰斗(태두) : 남에게 존경받는 뛰어난 존재. 泰山北斗(태산북두)의 준말

⑥ 綺羅星(기라성) : 밤하늘에 반짝이는 수많은 별. 즉, 실력자들이 늘어선 것을 비유하는 말

(60) 속담과 관련된 성어 I

① 得隴望蜀(득롱망촉) : 말타면 경마(말의 고삐) 잡히고 싶다. 농 지방을 얻고 또 촉나라를 탐낸다는 뜻으로 인간의 욕심이 무한정함을 나타냄

② 磨斧爲針(마부위침) : 열 번 찍어 안 넘어가는 나무 없다. "도끼를 갈면 바늘이 된다"는 뜻으로 아무리 어렵고 험난한 일도 계속 정진하면 꼭 이룰 수가 있다는 말

③ 登高自卑(등고자비) : 천리길도 한 걸음부터. 일을 하는 데는 반드시 차례를 밟아야 한다는 말

④ 狐假虎威(호가호위) : 원님 덕에 나팔 분다. 다른 사람의 권세를 빌어서 위세를 부림

⑤ 金枝玉葉(금지옥엽) : 불면 꺼질까 쥐면 터질까. 아주 귀한 집안의 소중한 자식

⑥ 同族相殘(동족상잔) : 갈치가 갈치 꼬리 문다. 동족끼리 서로 헐뜯고 싸움

(61) 속담과 관련된 성어 II

① 螳螂拒轍(당랑거철) : 하룻강아지 범 무서운 줄 모른다. "사마귀가 수레에 항거한다"는 뜻으로 자기 힘을 생각하지 않고 강적 앞에서 분수없이 날뛰는 것을 비유한 말

② 烏飛梨落(오비이락) : 까마귀 날자 배 떨어진다. 아무 관계도 없는 일인데 우연히 때가 같음으로 인하여 무슨 관계가 있는 것처럼 의심을 받게 되는 것

③ 咸興差使(함흥차사) : 강원도 포수. 일을 보러 밖에 나간 사람이 오래도록 돌아오지 않을 때 하는 말.

④ 走馬加鞭(주마가편) : 달리는 말에 채찍질 하랬다. 잘하고 있음에도 불구하고 더 잘되어 가도록 부추기거나 몰아침

⑤ 走馬看山(주마간산) : 수박 겉 핥기. 말을 타고 달리면서 산수를 본다는 뜻으로 바쁘게 대충 보며 지나감을 일컫는 말

⑥ 矯角殺牛(교각살우) : 빈대 잡으려다 초가삼간 태운다. 뿔을 바로잡으려다가 소를 죽인다. 곧 조그마한 일을 하려다 큰 일을 그르친다는 뜻

⑦ 牝鷄司晨(빈계사신) : 암탉이 울면 집안이 망한다. 집안에서 여자가 남자보다 활달하여 안팎 일을 간섭하면 집안 일이 잘 안 된다는 말

(62) 학문(學問)

① 溫故知新(온고지신) : 옛 것을 익혀서 그것으로 미루어 새 것을 깨달음 ☞ 法古創新(법고창신)

② 稽古(계고) : 옛일을 생각한다는 뜻으로, 학문을 닦는 것을 일컬음

③ 螢雪之功(형설지공) : 고생을 하면서도 꾸준히 학문을 닦은 보람

④ 日就月將(일취월장) : 학문이 날로 달로 나아감 ☞ 刮目相對(괄목상대)

⑤ 盈科後進(영과후진) : 구덩이에 물이 찬 후에 밖으로 흐르듯 학문도 단계에 맞게 진행해야 한다는 뜻

⑥ 敎學相長(교학상장) : 가르치는 사람과 배우는 사람이 서로의 학업을 증진시킨다는 뜻

⑦ 讀書三到(독서삼도) : 독서하는 데는 눈으로 보고, 입으로 읽고, 마음으로 깨우쳐야 함 ☞ 手不釋卷, 讀書三昧, 讀書尙友, 三餘(수불석권, 독서삼매, 독서상우, 삼여)

⑧ 亡羊之歎(망양지탄) : 갈림길이 많아 양을 잃고 탄식한다는 뜻으로, 학문의 길도 여러 갈래여서 진리를 찾기 어렵다는 말 ☞ 多岐亡羊(다기망양)

⑨ 不恥下問(불치하문) : 자기보다 아래 사람에게 배우는 것을 부끄럽게 여기지 않음

⑩ 靑出於藍(청출어람) : 제자나 후배가 스승이나 선배보다 낫다는 말

⑪ 後生可畏(후생가외) : 후배들이 선배들보다 훌륭하게 될 수 있는 가능성이 있기 때문에 두려운 존재가 될 수 있다는 말

⑫ 孟母三遷(맹모삼천) : '孟母三遷之敎맹모삼천지교'의 준말. 맹자의 어머니가 맹자를 가르치기 위하여 세 번 이사했다는 고사에서 유래. 처음에 공동묘지 가까이 살다가, 맹자가 장사지내는 흉내를 내서, 시전 가까이 옮겼더니 이번에는 물건파는 흉내를 내므로 다시 글방 있는 곳으로 옮겨 공부시켰다 함

⑬ 曲學阿世(곡학아세) : 올바른 학문을 굽혀, 속된 세상에 아부함

⑭ 換骨奪胎(환골탈태) : 뼈를 바꾸고 태를 빼앗았다는 뜻으로, 옛사람이나 타인의 글에서 그 뜻을 취하거나 모방하여 자기의 작품인 것처럼 꾸미는 일

06 기출문제분석

2018. 10. 13. 소방공무원

1 다음 ㉠~㉣ 중 순우리말인 것은?

> 유럽을 여행할 때면 ㉠ 국경을 넘는 일이 자연스럽게 다가온다. ㉡ 거미줄처럼 유럽 주요 ㉢ 도시를 이어 주는 국제선 열차를 타고 있으면 수많은 여행자와 함께 하루에도 몇 번씩 국경을 넘나들게 된다. 대부분 국경이 있는 지도 모르고 ㉣ 순식간에 넘는다. 휴대 전화의 통신사가 바뀌면서 다른 국가로 들어왔다는 문자가 딩동 울리고 서야 국경을 넘은 사실을 알아차릴 정도다.

① ㉠ ② ㉡

③ ㉢ ④ ㉣

TIPS!

① 국경(國境) : 나라와 나라의 영역을 가르는 경계
③ 도시(都市) : 일정한 지역의 정치 · 경제 · 문화의 중심이 되는, 사람이 많이 사는 지역
④ 순식간(瞬息間) : 눈을 한 번 깜짝하거나 숨을 한 번 쉴 만한 아주 짧은 동안

Answer 1.②

2018. 10. 13. 소방공무원

2 다음 상황에 어울리는 사자성어로 가장 적절한 것은?

> 수진이는 시험에 합격하기 위해서는 책 한 권의 내용을 다 공부해야 한다며 공부 계획을 짜서 보여주었다. 하지만 정훈이는 그 책의 두께를 보는 순간 그것은 불가능하다고 생각했다. 여섯 달이 지난 후 시험에 합격한 수진이는 자신도 처음엔 책 두께를 보고 포기하고 싶었지만 계획을 세우고 매일매일 빼먹지 않고 공부한 결과 그 내용을 다 공부할 수 있었다고 했다.

① 마부위침(磨斧爲針)
② 설상가상(雪上加霜)
③ 어부지리(漁夫之利)
④ 상전벽해(桑田碧海)

TIPS!

① 마부위침(磨斧爲針) : 도끼를 갈아서 바늘을 만든다는 뜻으로, 아무리 어려운 일이라도 끊임없이 노력하면 반드시 이룰 수 있음을 이르는 말
② 설상가상(雪上加霜) : 눈 위에 서리가 덮인다는 뜻으로, 난처한 일이나 불행한 일이 잇따라 일어남을 이르는 말
③ 어부지리(漁父之利) : 두 사람이 이해관계로 서로 싸우는 사이에 엉뚱한 사람이 애쓰지 않고 가로챈 이익을 이르는 말
④ 상전벽해(桑田碧海) : 뽕나무밭이 변하여 푸른 바다가 된다는 뜻으로, 세상일의 변천이 심함을 비유적으로 이르는 말

2018. 10. 13. 소방공무원

3 밑줄 친 고유어 '느낌'에 대한 유의어를 한자어로 바꾸었을 때, 적절하지 않은 것은?

① 나도 잘 알지, 그 <u>느낌</u>이 어떤 건지. → 기분(氣分)
② 그 책에 대한 <u>느낌</u>은 정말 신선한 충격이었어. → 소감(所感)
③ 전학 가는 보람이를 배웅하는데 서운한 <u>느낌</u>이 들었다. → 감정(感情)
④ 어딘지 모르게 그들의 행동에서 미심쩍은 <u>느낌</u>을 지울 수가 없다. → 감회(感懷)

TIPS!

④ 감회(感懷)는 '지난 일을 돌이켜 볼 때 느껴지는 회포'를 말한다. 따라서 적절하지 않다.
① 기분(氣分) : 대상 · 환경 따위에 따라 마음에 절로 생기며 한동안 지속되는, 유쾌함이나 불쾌함 따위의 감정
② 소감(所感) : 마음에 느낀 바
③ 감정(感情) : 어떤 현상이나 일에 대하여 일어나는 마음이나 느끼는 기분

Answer 2.① 3.④

2016. 3. 19. 사회복지직

4 밑줄 친 단어에 가장 적절한 한자는?

> 나는 구청의 담당자에게 연유를 설명하고 서류를 찾아와서 서류 내용을 정정해야만 했다.

① 訂正 ② 正定
③ 正丁 ④ 正正

TIPS!

① 訂正(바로잡을 정, 바를 정) : 글자나 글 따위의 잘못을 고쳐서 바로잡음
② 正定(바를 정, 정할 정) : 번뇌로 인한 어지러운 생각을 버리고 마음을 안정하는 일
③ 正丁(바를 정, 넷째 천간 정) : 직접 군역(軍役)에 나가는 사람
④ 正正(바를 정, 바를 정) : '정정하다(바르고 가지런하다)'의 어근

2016. 3. 19. 사회복지직

5 밑줄 친 단어의 쓰임이 옳은 것은?

① 요즘 앞산에는 진달래가 한참이다.
② 과장님, 김 주사의 기획안을 결제해 주세요.
③ 민철이는 어릴 때 일찍 아버지를 여위었다.
④ '가물에 콩 나듯'이라더니 제대로 싹이 난 것이 없다.

TIPS!

④ '가물'은 오랫동안 계속하여 비가 내리지 않아 메마른 날씨를 뜻하는 '가뭄'과 동의어이므로 옳은 표현이다.
① 한참 → 한창(어떤 일이 가장 활기 있고 왕성하게 일어나는 때)
② 결제 → 결재(결정할 권한이 있는 상관이 부하가 제출한 안건을 검토하여 허가하거나 승인함)
③ 여위었다 → 여의었다(여의다 : 부모나 사랑하는 사람이 죽어서 이별하다)

Answer 4.① 5.④

2016. 4. 9. 인사혁신처

6 두 한자어의 의미 관계가 나머지 셋과 다른 것은?

① 광정(匡正) – 확정(廓正)
② 부상(扶桑) – 함지(咸池)
③ 중상(中傷) – 비방(誹謗)
④ 갈등(葛藤) – 알력(軋轢)

TIPS!

② 서로 반대되는 의미의 한자어
①③④ 서로 유사한 의미의 한자어

2016. 4. 9. 인사혁신처

7 밑줄 친 어휘의 뜻풀이가 옳지 않은 것은?

① 해미 때문에 한 치 앞도 보이지 않았다.
– 해미 : 바다 위에 낀 짙은 안개
② 이제는 안갚음할 때가 되었다.
– 안갚음 : 남에게 해를 받은 만큼 저도 그에게 해를 다시 줌
③ 그 울타리는 오랫동안 살피지 않아 영 볼썽이 아니었다.
– 볼썽 : 남에게 보이는 체면이나 태도
④ 상고대가 있는 풍경을 만났다.
– 상고대 : 나무나 풀에 내려 눈처럼 된 서리

TIPS!

② '안갚음'은 까마귀 새끼가 자라서 늙은 어미에게 먹이를 물어다 주는 일 또는 자식이 커서 부모를 봉양하는 일을 의미한다. 남에게 해를 받은 만큼 저도 그에게 해를 다시 준다는 의미를 가진 어휘는 '앙갚음'이다.

Answer 6.② 7.②

8 ㉠～㉣의 밑줄 친 어휘의 한자가 옳지 않은 것은?

- 그는 적의 ㉠사주를 받아 내부 기밀을 염탐했다.
- 남의 일에 지나친 ㉡간섭을 하지 않기 바랍니다.
- 그 선박은 ㉢결함을 지닌 채로 출항을 강행하였다.
- 비리 ㉣척결이 그가 내세운 가장 중요한 목표였다.

① ㉠ – 使嗾　　② ㉡ – 間涉
③ ㉢ – 缺陷　　④ ㉣ – 剔抉

TIPS!

② 간섭(干涉) : 직접 관계가 없는 남의 일에 부당하게 참견함
① 사주(使嗾) : 남을 부추겨 좋지 않은 일을 시킴
③ 결함(缺陷) : 부족하거나 완전하지 못하여 흠이 되는 부분
④ 척결(剔抉) : 나쁜 부분이나 요소들을 깨끗이 없애 버림

9 밑줄 친 말의 쓰임이 적절하지 않은 것은?

① 이 숲에서 자생하던 희귀 식물들의 개체 수가 줄었다.
② 상황이 급박하게 돌아가서 이것저것 따질 개재가 아니다.
③ 이번 아이디어 상품의 출시 여부에 따라 사업의 성패가 결정된다.
④ 현대 사회에서는 유례를 찾아볼 수 없을 만큼 정보가 넘쳐 난다.

TIPS!

②에서는 '어떤 일을 할 수 있게 된 형편이나 기회'라는 의미의 '계제'를 쓰는 것이 적절하다.

Answer 8.② 9.②

2016. 6. 18. 제1회 지방직

10 밑줄 친 한자 성어의 쓰임이 적절하지 않은 것은?

① 말이 너무 번드르르해 미덥지 않은 자들은 대부분 口蜜腹劍형의 사람이다.

② 그는 싸움다운 전쟁도 못하고 一敗塗地가 되어 고향으로 달아나고 말았다.

③ 그에게 마땅히 대응했어야 했는데, 그대는 어찌하여 首鼠兩端하다가 시기를 놓쳤소?

④ 요새 신입생들이 선배들에게 예의를 차릴 줄 모르는 걸 보면 참 後生可畏하다는 생각이다.

TIPS!

④ 후생가외 : 젊은 후학들을 두려워할 만하다는 뜻으로, 후배들이 선배들보다 젊고 기력이 좋아, 학문을 닦음에 따라 큰 인물이 될 수 있으므로 가히 두렵다는 말

① 구밀복검 : 입에는 꿀이 있고 배 속에는 칼이 있다는 뜻으로, 말로는 친한 듯하나 속으로는 해칠 생각이 있음을 이르는 말

② 일패도지 : 싸움에 한 번 패하여 간과 뇌가 땅바닥에 으깨어진다는 뜻으로, 여지없이 패하여 다시 일어날 수 없게 되는 지경에 이름을 이르는 말

③ 수서양단 : 구멍에서 머리를 내밀고 나갈까 말까 망설이는 쥐라는 뜻으로, 머뭇거리며 진퇴나 거취를 정하지 못하는 상태를 이르는 말

2015. 4. 18. 인사혁신처

11 다음 글에서 경계하고자 하는 태도와 유사한 것은?

> 비판적 사고는 지엽적이고 시시콜콜한 문제를 트집 잡아 물고 늘어지는 것이 아니라 문제의 핵심을 중요한 대상으로 삼는다. 비판적 사고는 제기된 주장에 어떤 오류나 잘못이 있는가를 찾아내기 위해 지엽적인 사항을 확대하여 문제로 삼는 태도나 사고방식과는 거리가 멀다.

① 격물치지(格物致知)
② 본말전도(本末顚倒)
③ 유명무실(有名無實)
④ 돈오점수(頓悟漸修)

TIPS!

② 본말전도 : 중요한 것과 중요하지 않은 것이 구별되지 않거나 일의 순서가 잘못 바뀐 상태가 되다.

① 격물치지 : 「대학」에 나오는 말로, 실제 사물의 이치를 연구하여 지식을 완전하게 한다는 의미이다.

③ 유명무실 : 이름만 그럴듯하고 실속은 없음을 이른다.

④ 돈오점수 : 불교 용어로 돈오(頓悟), 즉 문득 깨달음에 이르는 경지에 이르기까지에는 반드시 점진적 수행단계가 필요하다는 말이다.

Answer 10.④ 11.②

2015. 4. 18. 인사혁신처

12 밑줄 친 사자성어의 쓰임이 적절하지 않은 것은?

① 그는 결단력이 없어 좌고우면(左顧右眄)하다가 적절한 대응 시기를 놓쳐 버렸다.

② 다수의 기업이 새로운 투자보다 변화에 대한 암중모색(暗中摸索)을 시도하고 있다.

③ 그 친구는 침소봉대(針小棒大)하는 경향이 있어서 하는 말을 곧이곧대로 믿기 어렵다.

④ 그 사람이 경제적으로 매우 어려운 상황에서 성공한 것은 연목구어(緣木求魚)나 마찬가지이다.

TIPS!

④ 연목구어 : 나무에 올라가서 물고기를 구한다는 뜻으로, 도저히 불가능한 일을 굳이 하려 함을 비유적으로 이르는 말

① 좌고우면 : 이쪽저쪽을 돌아본다는 뜻으로, 앞뒤를 재고 망설임을 이르는 말

② 암중모색 : 물건 따위를 어둠 속에서 더듬어 찾음. 어림으로 무엇을 알아내거나 찾아내려 함. 은밀한 가운데 일의 실마리나 해결책을 찾아내려 함 등의 의미로 쓰인다.

③ 침소봉대 : 작은 일을 크게 불리어 떠벌림

2015. 6. 27. 제1회 지방직

13 다음과 같은 뜻의 속담은?

> 임시변통은 될지 모르나 그 효력이 오래가지 못할 뿐만 아니라 결국에는 사태가 더 나빠진다는 것을 말한다.

① 빈대 잡으려다 초가삼간 태운다.
② 언 발에 오줌 누기
③ 여름 불도 쬐다 나면 서운하다.
④ 밑 빠진 독에 물 붓기

TIPS!

② '언 발에 오줌 누기'란 언 발을 녹이려고 오줌을 누어 봤자 효력이 별로 없다는 뜻으로, 임시변통은 될지 모르나 그 효력이 오래가지 못할 뿐만 아니라 결국에는 사태가 더 나빠짐을 비유적으로 이르는 말이다.

① 손해를 크게 볼 것을 생각지 아니하고 자기에게 마땅치 아니한 것을 없애려고 그저 덤비기만 하는 경우를 비유적으로 이르는 말이다.

③ 쓸데없는 것이라도 없어지고 보면 섭섭하다.

④ 밑 빠진 독에 아무리 물을 부어도 독이 채워질 수 없다는 뜻으로, 아무리 힘이나 밑천을 들여도 보람 없이 헛된 일이 되는 상태를 비유적으로 이르는 말이다.

Answer 12.④ 13.②

2015. 6. 27. 제1회 지방직

14 다음 내용에 부합하는 사자성어는?

> 다양한 의견을 지닌 사회의 주체들이 서로 어우러지면서도 개개인의 의견을 굽혀 야합하지 않는 열린 토론의 장을 만들자.

① 동기상구(同氣相求) ② 화이부동(和而不同)
③ 동성이속(同聲異俗) ④ 오월동주(吳越同舟)

TIPS!

② 다양한 의견을 지닌 주체들이 서로 어우러지면서도 야합하지 않는다고 했으므로 '남과 사이좋게 지내기는 하나 무턱대고 어울리지는 아니함'을 뜻하는 ②가 적절하다.
① 같은 소리끼리는 서로 응하여 울린다는 뜻으로, 같은 무리끼리 서로 통하고 자연히 모인다는 말이다.
③ 사람이 날 때는 다 같은 소리를 가지고 있으나, 자라면서 그 나라의 풍속으로 인해 서로 달라짐을 이르는 말이다.
④ 서로 적의를 품은 사람들이 한자리에 있게 된 경우나 서로 협력하여야 하는 상황을 비유적으로 이르는 말이다.

2015. 6. 13. 서울특별시

15 다음 중 〈보기〉의 뜻으로 옳은 것은?

> 〈보기〉
> 털을 뽑아 신을 삼는다.

① 힘든 일을 억지로 함
② 자신의 온 정성을 다하여 은혜를 꼭 갚음
③ 모든 물건은 순리대로 가꾸고 다루어야 함
④ 사리를 돌보지 아니하고 남의 것을 통으로 먹으려 함

TIPS!

털을 뽑아 신을 삼는다는 말은 자신의 온 정성을 다하여 은혜를 꼭 갚는다는 말이다.

Answer 14.② 15.②

1 다음 글의 괄호 안에 들어갈 말로 가장 적절한 것은?

> 베이징이나 시안 등지에서 볼 수 있는 중국의 유적들은 왜 그리도 클까? 이들 유적들은 크기만 한 것이 아니라 비인간적이라 할 만큼 권위적이다. 왜 그런가? 중국은 광대한 나라였다. 그러므로 그 넓은 나라를 효과적으로 통치하기 위해서는 천자로 대표되는 정치적 권위가 절실하게 요구되었다. 이 넓은 나라의 통일성을 유지하기 위해서는 예상되는 지방의 반란에 대비하고 중앙의 권위에 복종하지 않는 지방 세력가들을 다스릴 수 있는 무자비한 권력이 절대로 필요하였다. 그래서 중국의 황제는 천자로 불리었으며, 그 권위에는 누구든지 절대 복종할 것을 요구하였다. 그러므로 중국의 황제는 단순한 세속인이 아니라 일종의 신적인 존재이기도 하였다. 중국 황제의 절대 권위, 이것을 온 천하에 확실하게 보여 주지 않는다면 중국의 중심이 어디에 있는지 모를 것이며, 그러면 그 나라는 다시 분열된 여러 왕국으로 나뉘게 될 것이었다. 이런 이념으로 만들어진 중국의 정치적 유물들은 그 규모가 장대할 뿐 아니라 고도로 권위적인 것이 될 수밖에 없었다.
> 반면에 우리나라는 그렇게 광대한 나라는 아니었다. 그렇다고 해서 우리나라가 권위를 강조하지 않은 것은 아니었다. 그러한 사실은 조선 시대를 통해서도 잘 드러난다. 그러나 조선 시대의 왕들은 중국의 황제와 같은 권위를 (㉠)할 수는 없었다. 두 나라의 사회 구조, 정치 이념, 자연 환경 등 모든 것이 다르기 때문이었다. 그로 인해 조선의 왕들은 주변의 정치 세력에 대하여 훨씬 더 (㉡)이어야만 하였다. 더욱이 중국은 황토로 이루어진 광대한 평원 위에 도시를 만들 수밖에 없었지만, 우리는 높고 낮은 수많은 산으로 이루어진 지형을 이용하여 왕성을 건설할 수밖에 없었다. 이러한 차이점들이 복합적으로 어울려 양국의 역사와 문화의 성격을 서로 다르게 만들었다. 큰 것이 선천적으로 잘나서도 아니며, 그렇다고 작은 것이 못나서도 아닌 것이다. 한중 양국은 각자의 (㉢)에 따라 오랜 세월에 걸쳐 이처럼 서로 다른 문화를 발전시켜 온 것이다.

	㉠	㉡	㉢
①	강조(強調)	위압적(威壓的)	전망(展望)
②	향유(享有)	정략적(政略的)	능력(能力)
③	구축(構築)	타협적(妥協的)	필요(必要)
④	행사(行使)	당파적(黨派的)	권고(勸告)

Answer 1.③

TIPS!

③ 구축(構築) : 어떤 시설물을 쌓아 올려 만듦. 또는 체제, 체계 따위의 기초를 닦아 세움
타협적(妥協的) : 어떤 일을 서로 양보하는 마음으로 협의해서 하거나 협의하려는 태도를 보이는. 또는 그런 것
필요(必要) : 반드시 요구되는 바가 있음

① 강조(强調) : 어떤 부분을 특별히 강하게 주장하거나 두드러지게 함
위압적(威壓的) : 위엄이나 위력 따위로 압박하거나 정신적으로 억누르는. 또는 그런 것
전망(展望) : 앞날을 헤아려 내다봄. 또는 내다보이는 장래의 상황

② 향유(享有) : 누리어 가짐
정략적(政略的) : 정치상의 책략을 목적으로 하는. 또는 그런 것
능력(能力) : 일을 감당해 낼 수 있는 힘

④ 행사(行使) : 어떤 일을 시행함. 또는 그 일
당파적(黨派的) : 한 덩어리가 되지 않고 파(派)로 갈리는. 또는 그런 것
권고(勸告) : 어떤 일을 하도록 권함. 또는 그런 말

2 밑줄 친 한자 성어의 쓰임이 옳지 않은 것은?

① 황제는 논공행상(論功行賞)을 통해 그의 신하를 벌하였다.
② 그들은 산야를 떠돌며 초근목피(草根木皮)로 목숨을 이어 나갔다.
③ 부모를 반포지효(反哺之孝)로 모시는 것은 자식의 마땅한 도리이다.
④ 오늘의 영광은 각고면려(刻苦勉勵)의 결과이다.

TIPS!

① 논공행상(論功行賞) : 공로를 논하여 그에 맞는 상을 준다는 의미로 보기의 문장과는 어울리지 않는다.
② 초근목피(草根木皮) : 풀뿌리와 나무껍질이라는 뜻으로 곡식이 없어 산나물 따위로 만든 험한 음식을 이르거나 영양가가 적은 음식을 이르는 말로 쓰인다.
③ 반포지효(反哺之孝) : 까마귀가 다 자란 뒤에 자신의 늙은 부모에게 먹이를 물어다 주는 효성을 나타낸 말로 자식이 자라 부모를 봉양함을 의미한 말이다.
④ 각고면려(刻苦勉勵) : 몸과 마음을 괴롭히고 노력함. 매우 고생하여 힘써 정성을 들임을 의미하는 말이다.

Answer 2.①

3 ㉠~㉣에 들어갈 한자숙어나 고사성어가 바르게 연결된 것은?

> • (㉠)이라고, 내가 가지지 못한 것을 보니 욕심이 생긴다.
> • 그 교수님의 강의 내용은 작년 것과 (㉡)하다.
> • 부정부패를 (㉢)하고서야 나라의 기강이 바로 서는 법이다.
> • 공무원은 (㉣)의 자세로 업무를 처리해야 한다.

	㉠	㉡	㉢	㉣
①	見勿生心	大同少異	發本塞源	不偏不黨
②	見勿生心	大同小異	拔本塞源	不便不黨
③	見物生心	大同小異	拔本塞源	不偏不黨
④	見物生心	大同少異	發本塞源	不便不黨

TIPS!

㉠ 견물생심(見物生心) : 어떠한 실물을 보게 되면 그것을 가지고 싶은 마음이 생김을 뜻하는 말
㉡ 대동소이(大同小異) : 큰 차이가 없이 거의 같음을 뜻하는 말
㉢ 발본색원(拔本塞源) : 좋지 않은 일의 근본 원인이 되는 요소를 완전히 없애 버려서 다시는 그러한 일이 생길 수 없도록 함을 뜻하는 말
㉣ 불편부당(不偏不黨) : 아주 공평하여 어느 쪽으로도 치우침이 없음을 뜻하는 말

국어

한국사

영어

Answer 3.③

4 다음의 글에서 (　　) 안에 들어갈 말로 적절한 것은?

> 내가 원하는 우리 민족의 사업은 결코 세계를 무력으로 정복하거나 경제력으로 지배하려는 것이 아니다. 오직 사랑의 문화, 평화의 문화로 우리 스스로 잘 살고 인류 전체가 의좋게, 즐겁게 살도록 하는 일을 하자는 것이다. 어느 민족도 일찍이 그러한 일을 한 이가 없으니 그것은 공상(空想)이라고 하지 마라. 일찍이 아무도 한 자가 없기에 우리가 하자는 것이다. 이 큰 일은 하늘이 우리를 위하여 남겨 놓으신 것임을 깨달을 때에 우리 민족은 비로소 제 길을 찾고 제 일을 알아본 것이다. 나는 우리나라의 청년 남녀가 모두 과거의 조그맣고 좁다란 생각을 버리고, 우리 민족의 큰 사명에 눈을 떠서, 제 마음을 닦고 제 힘을 기르기로 낙을 삼기를 바란다. 젊은 사람들이 모두 이 정신을 가지고 이 방향으로 힘을 쓸진댄 30년이 못하여 우리 민족은 (　　)하게 될 것을 나는 확신하는 바다.
>
> − 김구, 「나의 소원」 −

① 刮目相對　　② 明若觀火
③ 面從腹背　　④ 興亡盛衰

TIPS!

① 눈을 비비고 다시 본다는 뜻으로 남의 학식이나 재주가 생각보다 부쩍 진보한 것을 이르는 말
② 밝기가 불을 보는 것과 같다는 뜻으로, 의심할 여지없이 매우 분명하다는 말
③ 겉으로는 복종하는 체하면서 내심으로는 배반함
④ 흥하고 망함과 성하고 쇠함

Answer 4.①

5 밑줄 친 부분과 맥락이 닿는 한자 성어는?

석벽에 매달려 백록담을 따라 남쪽으로 내려가다가, 털썩 주저앉아 잠시 동안 휴식을 취하였다. 모두 지쳐서 피곤했지만, 서쪽을 향해 있는 봉우리가 이 산의 정상이었으므로 조심스럽게 조금씩 올라갔다. 그러나 나를 따라오는 사람은 겨우 셋뿐이었다. … (중략) … 멀리 보이는 섬들이 옹기종기, 큰 것은 구름장만 하게 작은 것은 달걀만 하게 보이는 등 풍경이 천태만상이었다. 「맹자」에 "바다를 본 자에게는 바다 이외의 물은 물로 보이지 않으며, 태산에 오르면 천하가 작게 보인다."라고 했는데, 성현의 역량(力量)을 어찌 우리가 상상이나 할 수 있겠는가?

① 浩然之氣　　② 勞心焦思
③ 乾坤一擲　　④ 焦眉之急

TIPS!
맹자가 '浩然之氣'를 설명하기 위하여 공자의 말을 인용한 것으로 서문은 최익현의 「유한라산기」에서 발췌한 내용이다.

6 다음 글은 '우리 밀 살리기' 광고 문안으로 이 글이 주장하는 것은?

우리 밀은 믿음이요, 생명입니다. 수입 개방이 시작되면서 사라지기 시작한 우리 밀… 우리 땅에서 나는 가장 안전하고 맛있는 우리 밀을 포기하고, 재배와 운송, 보관 과정에서 뿌린 농약에 찌든 외국 밀을 먹고 있는 것이 우리의 현실입니다.

우리가 우리 것으로 밥상을 지켜나갈 때 우리는 건강한 시민정신을 갖게 됩니다. 지금 우리 사회에 한창 우리 밀을 살리는 일이 펼쳐지고 있습니다. 이것은 바로 우리 것에 대한 믿음입니다.

① 自然保護　　② 身土不二
③ 愛國主義　　④ 節約精神

TIPS!
① 자연보호 ③ 애국주의 ④ 절약정신

Answer 5.① 6.②

7 다음 중 한자 성어의 풀이가 잘못된 것은?

① 塞翁之馬 – 인생의 길흉화복은 변화가 많아서 예측하기가 어려움

② 狐假虎威 – 남의 권세에 의지하여 위세를 부림을 이르는 말

③ 亡羊補牢 – 이미 어떤 일을 실패한 뒤에 뉘우쳐도 아무 소용이 없음을 이르는 말

④ 亡羊之歎 – 자식이 객지에서 고향에 계신 어버이를 생각하는 마음

TIPS!

① 塞翁之馬(새옹지마) : 인생의 길흉화복은 항상 바뀌어 미리 헤아릴 수가 없다는 말
② 狐假虎威(호가호위) : (여우가 범의 위세를 빌려 호기를 부린다는 뜻으로) 남의 권세에 의지하여 위세를 부림을 이르는 말
③ 亡羊補牢(망양보뢰) : (양 잃고 우리를 고친다는 뜻으로) 이미 일을 그르친 뒤에 뉘우쳐도 소용없음을 이르는 말
④ 亡羊之歎(망양지탄) : 방침이 많아서 어찌할 바를 모름을 뜻함
[= 다기망양(多岐亡羊)]

8 다음 글의 한시의 내용이 의미하는 것과 같은 한자 성어는?

> 운봉이 반겨 듣고 필연(筆硯)을 내어 주니 좌중(座中)이 다 못하여 글 두 귀(句)를 지었으되, 민정(民情)]을 생각하고 본관의 정체(政體)를 생각하여 지었겠다.
> "금준미주(金樽美酒) 천인혈(千人血)이요,
> 옥반가효(玉盤佳肴)는 만성고(萬成膏)라.
> 촉루낙시(燭淚落時) 민루락(民淚落)이요,
> 가성고처(歌聲高處) 원성고(怨聲高)."

① 가렴주구(苛斂誅求)　　② 혹세무민(惑世誣民)

③ 선우후락(先憂後樂)　　④ 곡학아세(曲學阿世)

TIPS!

제시된 한시는 변사또의 화려한 생일 잔치와 그로 인한 민생의 피폐를 대조해서 변사또의 가렴주구(苛斂誅求 : 조세 따위를 가혹하게 거두어들여, 백성을 못살게 들볶는다)를 풍자하고 있다.
② 혹세무민 : 세상 사람을 속여 미혹하게 하고 세상을 어지럽힘
③ 선우후락 : 자신보다 세상을 먼저 생각하는 지사(志士)의 마음씨
④ 곡학아세 : 바른 길에서 벗어난 학문으로 시세(時勢)나 권력자에게 아첨하여 인기를 얻으려는 언행을 함

Answer 7.④ 8.①

9 다음 중 '서당개 3년이면 풍월을 한다'와 유사한 의미가 담긴 속담은?

① 토막 보고 목수 안다.
② 서투른 무당이 장구만 나무랜다.
③ 산 까마귀 염불한다.
④ 군불에 밥짓기

TIPS!

① 일하는 것으로 그 사람의 실력을 안다는 말
② 제 실력의 부족함을 다른 것으로 핑계댈 때 이르는 말
④ 어떤 일에 부가하여 다른 일이 쉽게 이루어짐을 이르는 말

10 다음 문장 중에서 밑줄 친 관용 표현이 문맥에 어울리지 않는 것은?

① 입추의 여지가 없을 정도로 공연장에는 관람객이 많았다.
② 쇠털같이 많은 날에 왜 그리 서두릅니까?
③ 그는 경기에 임하자 물 건너온 범처럼 맹활약을 하였다.
④ 이번 시험을 잘 보았으니 합격은 떼어 놓은 당상이다.

TIPS!

③ 물 건너온 범: 한풀 꺾인 사람을 비유적으로 이르는 말이다.
① 입추의 여지가 없다: 빈틈이 없다, 발 들여 놓을 틈도 없다.
② 쇠털같이 많은 날: 수효가 셀 수 없이 많음을 이른다.
④ 떼어 놓은 당상: 변할 턱도 없고, 다른 곳으로 갈 리도 없다는 의미로 그렇게 될 것이니 조금도 염려하지 말라는 의미이다.

Answer 9.③ 10.③

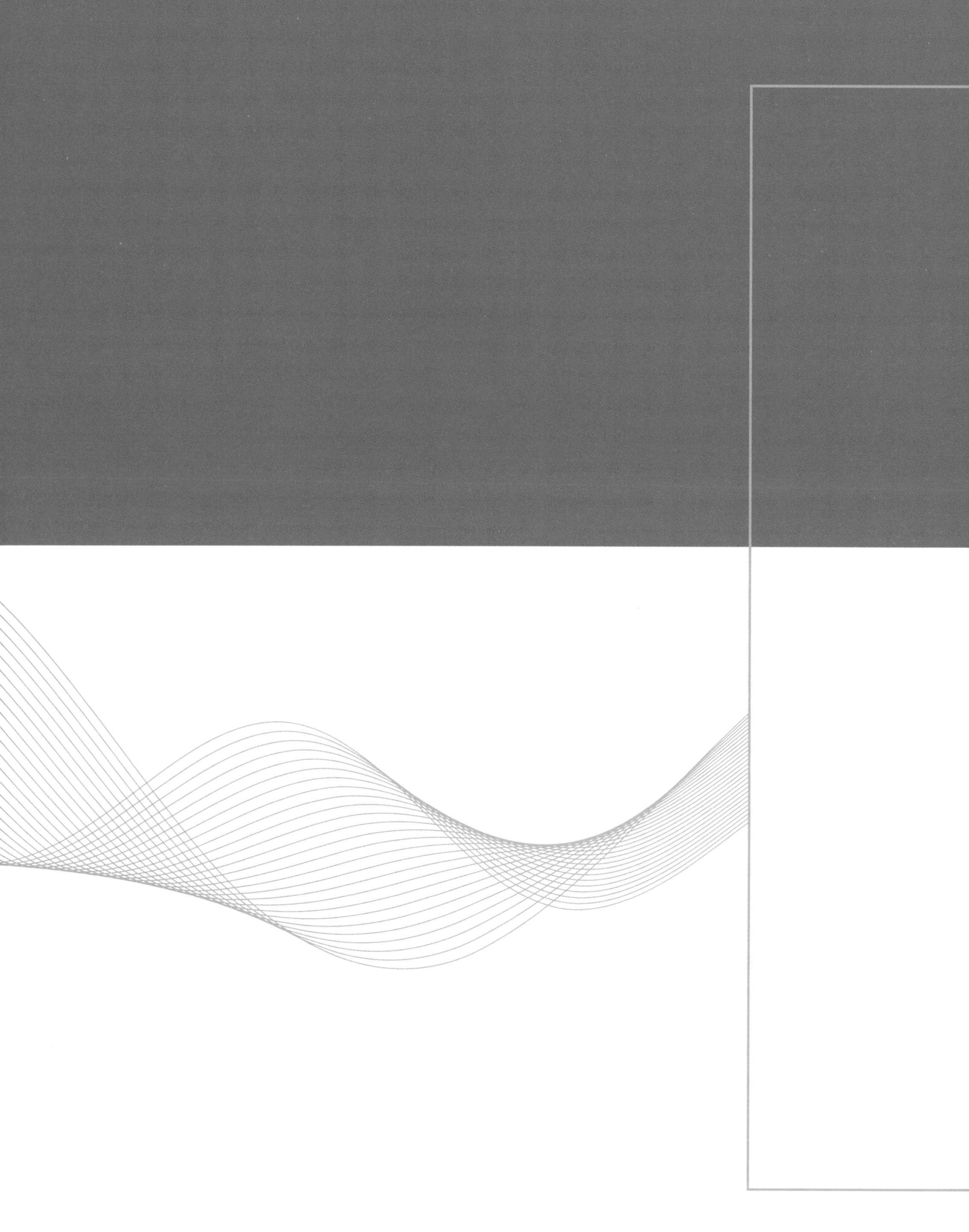

PART 02

한국사

한국사의 바른 이해

section 1 역사의 학습목적

1. 역사의 의미

(1) 역사의 일반적 의미

일반적으로 '과거에 있었던 사실'과 '조사되어 기록된 과거'의 두 가지 뜻을 지니고 있다.

(2) 사실로서의 역사(history as past)와 기록으로서의 역사(history as historiography)

① 사실로서의 역사

㉠ 객관적 의미의 역사. 시간적으로 현재에 이르기까지 일어났던 모든 과거 사건을 의미한다. 이러한 의미에서 역사란 바닷가의 모래알과 같이 수많은 과거 사건들의 집합체가 된다.

㉡ 우리가 역사를 배운다고 할 때는 역사들이 선정하여 연구하는 기록으로서의 역사를 배우는 것이다.

② 기록으로서의 역사

㉠ 주관적 의미의 역사. 역사가가 과거의 사실을 토대로 조사 · 연구하여 주관적으로 재구성한 것을 의미한다. 이 경우의 역사는 기록된 자료 또는 역사서와 같은 의미가 된다.

㉡ 우리가 역사를 배운다고 할 때는 역사가들이 선정하여 연구한 기록으로서 역사를 배우는 것이다.

③ 랑케(L. Ranke)와 카(E.H. Carr)의 역사인식

㉠ 랑케 : 사실로서의 역사인식 → "역사가는 자기 자신을 죽이고 과거가 본래 어떠했는가를 밝히는 것을 그의 지상 과제로 삼아야 하고, 이때 오직 역사적 사실로 하여금 이야기하게 해야 한다."

㉡ 카 : 기록으로서의 역사인식 → "역사가와 역사상의 사실은 서로를 필요로 한다. 사실을 갖지 못한 역사가는 뿌리가 없는 존재로 열매를 맺지 못한다. 역사가가 없는 사실은 생명이 없는 무의미한 존재이다."

2. 역사학습의 목적

(1) 역사학습의 의의

① 의미 … 역사는 지식의 보고이므로 역사 그 자체를 배워서 과거 사실에 대한 지식을 늘리는 것을 의미한다.

② 의의

㉠ 역사를 통하여 현재를 살아가는 데 필요한 능력과 교훈이 있다.

㉡ 인간 생활에 대한 지식을 얻을 수 있다.

(2) 역사학습의 목적

① 과거 사실을 통한 현재의 이해 … 과거의 사실을 통해 현재를 바르게 이해할 수 있고 개인과 민족의 정체성 확립에 유용하다.

② 삶의 지혜를 습득 … 현재 우리가 당면한 문제를 올바르게 파악하고 대처하여 미래에 대한 전망을 할 수 있다.

③ 역사적 사고력과 비판능력 함양 … 역사적 사건의 보이지 않는 원인과 의도, 목적을 추론하는 역사적 사고력이 길러지게 되고 잘잘못을 가려 정당한 평가를 내리는 비판능력을 길러준다.

section 2 한국사와 세계사

1. 한국사의 보편성과 특수성

(1) 세계사적 보편성

국가와 민족을 초월한 전세계 인류의 공통성을 말한다. 동물이나 식물과 다른 인간 고유의 생활모습과 자유, 평등, 박애, 평화, 행복 등 공통적인 이상을 추구하는 것을 말한다.

(2) 민족의 특수성

고유한 자연환경과 역사 경험을 통해 다양한 언어, 풍속, 종교, 예술, 사회제도가 창출되는 것으로 근대 이전에 두드러졌으며 이에 세계를 몇 개의 문화권으로 나누기도 하고 하나의 문화권 안에서 민족문화의 특수성을 추출하기도 한다.

(3) 우리 민족사의 발전

우리 민족은 국토의 자연환경을 효과적으로 활용하여 다양한 민족과 국가들과 문물을 교류하면서 내재적인 변화와 발전을 이룩하였다.

① 우리 역사의 보편성 … 자유와 평등, 민주와 평화 등 전인류의 공통적 가치를 추구해 왔다.

② 우리 민족의 특수성 … 반만년의 역사와 단일민족국가의 전통을 유지해오고 있다. 국가에 대한 충성과 부모에 대한 효도가 중시되고, 두레 · 계 · 향도와 같은 공동체조직이 발달하였다.

(4) 한국사의 이해

우리 역사와 문화의 특수성에 대한 이해는 한국사를 바르게 인식하는 기초가 되며 우리가 민족적 자존심을 잃지 않고 세계 문화에 공헌하는 데에도 필요하다.

2. 민족문화의 이해

(1) 민족문화의 형성

① 선사시대 … 아시아 북방문화와 연계되는 문화를 형성하였다. 조상들의 슬기와 노력으로 다른 어느 민족의 그것과도 구별되는 특수성을 지니고 있으면서도 보편적 가치를 추구해 왔다.

② 고대사회 … 중국문화와 깊은 연관을 맺으면서 독자적인 고대문화를 발전시켰다.

③ 고려시대 … 불교를 정신적 이념으로 채택하였다.

④ 조선시대 … 삼강오륜과 같은 유교적 가치를 중시하였다.

POINT 우리나라 불교와 유교의 특수성

불교는 현세구복적이며 호국적인 성향이 매우 강하였고, 유교는 삼강오륜의 덕목 중에서 나라에 대한 의리를 강조하였다.

(2) 민족문화의 발전

전통문화의 기반 위에서 한국문화의 개성을 확립하였으며 외래문화를 주체적으로 수용하여 세계사적 보편성을 추구하였다.

(3) 세계화시대의 역사의식

안으로는 민족주체성을 견지하되, 밖으로는 외부세계의 변화에 적극적으로 대응하는 개방적 민족주의에 기초하여야 하며 인류 사회의 평화와 복리 증진 등 인류 공동의 가치를 추구하는 진취적 역사정신이 세계화시대에 요구된다. 즉 역사를 바르게 이해하기 위해서는 세계사적 보편성과 지역적 특수성을 균형 있게 파악하는 자세가 필요하다.

Let's check it out

01 출제예상문제

국어

한국사

영어

1 우리 역사의 특수성을 보여주는 설명만으로 묶은 것은?

> ㉠ 선사시대는 구석기, 신석기, 청동기 시대 순으로 발전하였다.
> ㉡ 고대사회의 불교는 현세구복적이고 호국적인 성향이 있었다.
> ㉢ 조선시대 농촌사회에서는 두레, 계와 같은 공동체 조직이 발달하였다.
> ㉣ 전근대사회에서 신분제 사회가 형성되어 있었다.

① ㉠㉡ ② ㉡㉢
③ ㉢㉣ ④ ㉠㉣

TIPS!

보편성과 특수성

㉠ 보편성: 전세계 사람은 모두 의식주의 생활을 영위하고 있다는 것처럼 일반적으로 모든 사람이 영위하고 있는 것이 보편성이라 한다.

㉡ 특수성: 환경 및 지역에 따라 개별적인 언어, 종교, 풍습, 제도 등 또는 우리나라만이 가지고 있는 독특한 문화 등을 말한다.

Answer 1.②

2 다음 중 기록으로 역사와 관련이 없는 것은?

① 객관적 역사관이다.
② 현재와 과거는 만난다.
③ Carr의 입장이다.
④ 역사가의 주관적 요소가 개입되었다.

TIPS!

① 역사의 객관성을 강조한 실증주의 사관으로 사실로서의 역사의 내용이다.
※ 주관적 역사관
㉠ 역사가가 과거의 사실을 토대로 조사 · 연구하여 주관적으로 재구성한 역사이다.
㉡ 카(E.H. Carr)의 주장으로, 역사는 과거와 현재의 대화이다.
㉢ 모든 과거의 사실을 역사라고 하지 않고 역사가들이 의미 있다고 선정한 사실이며, 역사연구를 위해서는 과학적 인식을 토대로한 학문적 검증이 필요하다.

3 다음은 어떤 역사서의 서문이다. 역사를 바라보는 필자의 태도와 가장 가까운 진술은?

> 듣건대 새 도끼 자루를 다루듯 헌 도끼 자루를 표준으로 삼고 …… 〈중략〉 …… 범례는 사마천의 사기를 본받았고, 본기라고 하지 않고 세가라고 한 것은 명분의 중요함을 보이려 한 것인데 신우(우왕), 신창(창왕)을 세가에 넣지 않고 열전으로 내려놓은 것은 왕위 찬탈한 죄를 엄히 밝히려 한 까닭입니다.

① 역사는 과거의 복원이다.
② 역사는 과학 그 이상도 이하도 아니다.
③ 역사학습의 목적은 교훈을 얻는 데 있다.
④ 역사가는 과거의 사건을 평가해서는 안 된다.

TIPS!

제시된 내용은 기록으로서의 역사로, 역사는 과거의 사실을 토대로 역사가가 이를 조사하고 연구하여 주관적으로 재구성한 것이라고 보고 있다.
①②④ 사실로서의 역사로, 객관적 사실만을 의미한다.

Answer 2.① 4.③

4 다음은 역사의 의미나 본질에 대한 견해이다. 이와 일치하는 활동은?

> • 모든 역사는 현재의 역사이다.
> • 모든 역사는 사상의 역사이다.
> • 역사는 과거와 현재와의 끊임 없는 대화이다.

① 한강변에 16세기 정자(亭子)를 그대로 복원하였다.
② 청계천 복원공사에서 발견된 조선의 유물을 박물관으로 옮겼다.
③ 아차산 고구려 산성 유적은 5세기 고구려의 팽창과 관련이 있다는 보고서를 제출하였다.
④ 한강변 재건축 현장에서 움집터가 발견되자, 관련법규에 따라 전문가에게 조사를 의뢰하였다.

TIPS!
제시된 내용은 기록으로서의 역사를 말한다. 주관적 의미의 역사, 즉 역사가가 과거의 사실을 토대로 조사 · 연구하여 주관적으로 재구성하는 것이다.
①②④ 사실로서의 역사, 즉 과거로부터 현재에 이르기까지 일어난 객관적 사실을 말한다.

5 다음 중 역사학습의 목적으로 옳지 않은 것은?

① 자연에 대한 경외심을 습득한다.
② 정당한 평가를 내리는 역사적 비판력을 기른다.
③ 역사적 사건의 보이지 않는 원인과 의도, 목적을 추론할 수 있다.
④ 현재의 문제를 올바르게 파악하고 대처하여 삶의 지혜를 습득한다.

TIPS!
역사를 배움으로써 과거의 사실을 토대로 현재를 바르게 이해할 수 있고, 역사를 통하여 삶의 지혜를 습득할 수 있으며, 역사적 사고력과 비판력을 기를 수 있다.

Answer 4.③ 5.①

6 다음 중 역사와 역사학에 관한 내용으로 옳지 않은 것은?

① 역사라는 말은 '사실로서의 역사'와 '기록된 사실'이라는 두 측면의 의미가 있다.
② 역사학의 주된 관심은 인간 활동의 구조적 측면을 연구하는 데 있다.
③ 사료의 해석은 역사가의 사관이나 역사의식이 주관적으로 작용되기도 한다.
④ 카(Carr)는 역사는 과거와 현재의 대화라고 하여 기술로서의 역사를 강조하였다.

TIPS!

② 역사학은 인간 활동의 변화적 측면에 관심을 가지며, 사회과학은 구조적 측면의 연구에 주목한다.

7 다음 중 역사 이해에 대한 설명으로 옳지 않은 것은?

① 국가와 민족을 초월하여 전 인류에게 공통적으로 나타나는 성향을 세계적 보편성이라 한다.
② 각 민족의 고유한 문화를 민족적 특수성이라 한다.
③ 교통, 통신이 발달하지 못하였던 근대 이전에는 세계사적 보편성이 두드러졌다.
④ 세계를 몇 개의 문화권으로 나누어 그 지역적 특수성을 이해한다.

TIPS!

③ 교통, 통신이 발달하지 못하였던 근대 이전 시대에는 민족적 · 지역적 특수성이 강하게 나타났다.

8 다음 중 선사시대 인류의 생활 모습을 알기 위한 연구 방법으로 가장 기초적인 것은?

① 유적이나 유물을 발굴 · 조사한다.
② 벼농사의 흔적을 찾아본다.
③ 동굴이나 강가 지역을 조사한다.
④ 당시에 씌어진 기록이나 문헌을 찾아본다.

TIPS!

① 문자기록이 없기 때문에 유적이나 유물의 발굴을 통하여 추정한다.

Answer 6.② 7.③ 8.①

9 세계화시대에 바람직한 한국사 이해를 위해 필요한 것은?

① 세계화시대에는 민족의 특수성보다는 세계사적 보편성을 우선시해야 한다.
② 민족사의 특수성을 이해하는 것은 세계문화의 공헌과는 거리가 멀다.
③ 민족 주체성은 지키되 개방적 민족주의에 기초한 역사의식이 필요하다.
④ 민족의 우수성을 강조하여 민족적 정체성을 확립한다.

TIPS!

① 세계사적 보편성과 민족사적 특수성이 서로 조화가 이루어야 한다.
② 세계사적 보편성과 민족사적 특수성을 이해하고 조화를 이루도록 해야 한다.
④ 배타적 민족주의나 배타적 국수주의는 지양해야 한다.

Answer 9.③

선사시대의 문화와 국가의 형성

section 1 선사시대의 전개

1. 선사시대의 세계

(1) 신석기문화

농경과 목축의 시작으로 식량 생산 등의 경제활동을 전개하여 인류의 생활모습 · 양식이 크게 변화하였다.

(2) 청동기문명의 발생

기원전 3,000년경을 전후하여 4대 문명이 형성되었는데 청동기시대에는 관개농업이 발달하고, 청동기가 사용되었으며, 도시가 출현하고, 문자를 사용하고, 국가가 형성되었다.

2. 우리나라의 선사시대

(1) 우리 민족의 기원

우리 조상들은 만주와 한반도를 중심으로 동북아시아에 넓게 분포하였으며 신석기시대부터 청동기시대를 거쳐 민족의 기틀이 형성되었다.

(2) 구석기시대

① 생활 … 주먹도끼 · 찍개 · 팔매돌 등은 사냥도구이고, 긁개 · 밀개 등은 대표적인 조리도구이며, 뗀석기와 동물의 뼈나 뿔로 만든 뼈도구를 사용하여 채집과 사냥을 하면서 생활하였다.

② 주거 … 동굴이나 바위 그늘에서 살거나 강가에 막집을 짓고 살았는데 후기의 막집에는 기둥자리, 담자리, 불땐 자리가 남아 있고 집터의 규모는 작은 것은 3 ~ 4명, 큰 것은 10명이 살 수 있을 정도의 크기였다.

③ 사회 … 무리생활을 했으며 평등한 공동체적 생활을 하였다.

④ **종교, 예술** … 풍성한 사냥감을 얻기 위한 주술적 의미로서 석회암이나 동물의 뼈 또는 뿔 등에 고래와 물고기를 새긴 조각품을 만들었다.

(3) 신석기시대

① **경제** … 활이나 창을 이용한 사냥과 작살, 돌이나 뼈로 만든 낚시 등을 이용한 고기잡이를 하였으며, 또한 가락바퀴나 뼈바늘이 출토되는 것으로 의복이나 그물을 제작하였다.

② **토기** … 이른 민무늬토기, 덧무늬토기, 눌러찍기토기 등이 발견되며 빗살무늬토기는 밑모양이 뾰족하며 크기가 다양하고, 전국 각지에 널리 분포되어 있다.

③ **주거** … 바닥이 원형 또는 둥근 네모꼴인 움집에서 4 ~ 5명 정도의 가족이 거주하였다. 남쪽으로 출입문을 내었으며, 화덕이나 출입문 옆에는 저장구덩을 만들어 식량이나 도구를 저장하였다.

④ **사회** … 혈연을 바탕으로 한 씨족이 족외혼을 통해 부족을 형성하였고, 평등한 사회였다.

⑤ **원시신앙의 출현**

㉠ **애니미즘** : 자연현상, 자연물에 영혼이 있다고 믿어 재난을 피하거나 풍요를 기원하는 것으로 태양과 물에 대한 숭배가 대표적이다.

㉡ **영혼, 조상숭배** : 사람이 죽어도 영혼은 없어지지 않는다는 믿음을 말한다.

㉢ **샤머니즘** : 인간과 영혼 또는 하늘을 연결시켜 주는 존재인 무당과 그 주술을 믿는 것이다.

㉣ **토테미즘** : 자기 부족의 기원을 특정 동물과 연결시켜 그것을 숭배하는 믿음이다.

기출예제 01 2019. 4. 6. 소방공무원

밑줄 친 '이 시대'의 유물로 옳은 것은?

> <u>이 시대</u>에는 인류가 농경과 목축을 시작하여 스스로 식량을 생산하는 단계에 이르렀다. 한반도 일대에 살았던 <u>이 시대</u> 사람들은 주로 강가나 바닷가에 움집을 짓고 마을을 이루었으며, 부족 사회를 형성해 갔다.

①
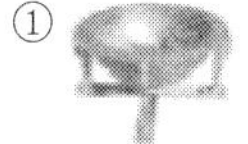

②
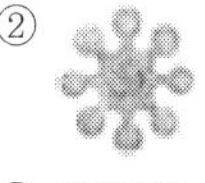

③
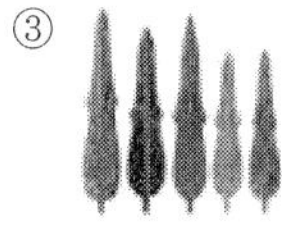

④
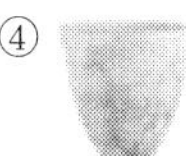

✱

농경과 목축이 처음 시작된 시대는 신석기 시대이다. 농경과 목축이 가능해지면서 강가나 바닷가 근처에서 사람들은 씨족 단위로 정착생활을 하기 시작했다. 또한 식량을 저장하기 위한 토기도 제작하였는데 빗살무늬토기, 이른민무늬토기 등이 있다.

① 앙부일구(해시계, 조선 세종) ② 청동방울(청동기)
③ 비파형동검(청동기) ④ 빗살무늬토기(신석기)

답 ④

section 2 국가의 형성

1. 고조선과 청동기문화

(1) 청동기의 보급

① 사회 변화 … 생산경제의 발달, 청동기 제작과 관련된 전문 장인의 출현, 사유재산제도와 계급이 발생하게 되었다.

② 유물

㉠ 석기 : 반달돌칼, 바퀴날도끼, 홈자귀

㉡ 청동기 : 비파형 동검과 화살촉 등의 무기류, 거친무늬거울

㉢ 토기 : 미송리식 토기, 민무늬토기, 붉은간토기

㉣ 무덤 : 고인돌, 돌널무덤, 돌무지무덤

(2) 철기의 사용

① 철기문화의 보급 … 철제 농기구의 사용으로 농업이 발달하여 경제 기반이 확대되었으며, 철제 무기와 철제 연모의 사용으로 청동기는 의식용 도구로 변하였다.

② 유물 … 명도전, 오수전, 반량전을 통하여 중국과의 활발한 교류를 알 수 있으며 경남 창원 다호리 유적에서 나온 붓을 통해 한자를 사용했음을 알 수 있다.

③ 청동기의 독자적 발전 … 비파형 동검은 세형 동검으로, 거친무늬거울은 잔무늬거울로 형태가 변하였으며 거푸집도 전국의 여러 유적에서 발견되고 있다.

(3) 청동기 · 철기시대의 생활

① 경제생활의 발전 … 조, 보리, 콩, 수수 등 밭농사 중심이었지만 일부 저습지에서 벼농사가 시작되었다. 또한 사냥이나 고기잡이도 여전히 하고 있었지만 농경의 발달로 점차 그 비중이 줄어들었고 돼지, 소, 말 등의 가축의 사육이 증가되었다.

② 주거생활의 변화

㉠ 집터 유적 : 대체로 앞쪽에는 시냇물이 흐르고 뒤쪽에는 북서풍을 막아 주는 나지막한 야산이 있는 곳에 우물을 중심으로 자리잡고 있다.

㉡ 정착생활의 규모의 확대 : 집터는 넓은 지역에 많은 수가 밀집되어 취락형태를 이루고 있으며, 이는 농경의 발달과 인구의 증가로 정착생활의 규모가 점차 확대되었음을 보여 주는 것이다.

③ **사회생활의 변화** … 여성은 가사노동, 남성은 농경 · 전쟁에 종사하였다. 생산력의 증가에 따른 잉여생산물은 빈부의 격차와 계급의 분화를 촉진하였고 이는 무덤의 크기와 껴묻거리의 내용에 반영되었다.

④ **고인돌의 출현** … 고인돌은 청동기시대의 계급사회의 발생을 보여주는 대표적인 무덤으로 북방식 고인돌이 전형적인 형태이며 우리나라 전역에 걸쳐 분포되어 있는데 당시 지배층이 가진 정치권력과 경제력을 잘 반영해 주고 있다.

⑤ **군장의 출현** … 정치, 경제력이 우세한 부족이 선민사상을 가지고 주변의 약한 부족을 통합하거나 정복하고 공납을 요구하였으며 군장이 출현하게 되었다.

(4) 청동기 · 철기시대의 예술

청동으로 만든 도구의 모양이나 장식에는 미의식과 생활모습이 표현되었고, 흙으로 빚은 사람이나 짐승모양의 토우는 본래의 용도 외에도 풍요를 기원하는 주술적 의미를 가지고 있다. 울주반구대 바위그림은 사냥과 고기잡이의 성공과 풍성한 수확을 기원하였음을 알 수 있고, 고령 양전동 알터 바위그림은 태양 숭배와 풍요를 기원하는 의미를 가진다.

(5) 단군과 고조선

① **고조선의 건국** … 족장사회에서 가장 먼저 국가로 발전한 고조선은 단군왕검이 건국하였다(B.C. 2333).

② **고조선의 발전** … 초기에는 요령지방, 후기에는 대동강 유역의 왕검성 중심으로 독자적인 문화를 이룩하면서 발전하였다. 부왕, 준왕 같은 강력한 왕이 등장하여 왕위를 세습하였고 상(相), 대부(大夫), 장군 등의 관직을 두었으며 요서지방을 경계로 하여 연(燕)과 대립하였다.

(6) 위만의 집권

① **위만 조선의 성립 및 발전** … 준왕을 축출하고 중국 유이민 집단인 위만이 왕이 되었으며 지리적인 이점을 이용한 중계무역의 이득을 독점하기 위해 한과 대립하였다.

② **고조선의 멸망** … 위만 조선에 위협을 느낀 한의 무제는 대규모 침략을 강행하였으나 고조선은 한의 군대에 맞서 완강하게 대항하여 장기간의 전쟁으로 지배층의 내분이 일어나 왕검성이 함락되어 멸망하였다(B.C. 108). 고조선이 멸망하자 한은 고조선의 일부 지역에 군현을 설치하여 지배하고자 하였으나 고구려의 공격으로 소멸되었다.

(7) 고조선의 사회

① **8조법과 고조선의 사회상** … 권력과 경제력의 차이 및 사유 재산의 발생은 형벌과 노비가 생겨나게 하였다.

② **한 군현의 엄한 율령 시행** … 한 군현의 설치 후 억압과 수탈을 당하던 토착민들은 이를 피하여 이주하거나 단결하여 한 군현에 대항하였다. 이에 한 군현은 엄한 율령을 시행하여 자신들의 생명과 재산을 보호하려 하였으며 법 조항도 60여 조로 증가시켜 풍속도 각박해져 갔다.

2. 여러 나라의 성장

(1) 부여

① 정치

㉠ 왕 아래에는 가축의 이름을 딴 마가, 우가, 저가, 구가와 대사자, 사자 등의 관리가 있었다.

㉡ 가(加)는 저마다 따로 행정구획인 사출도를 다스리고 있어서 왕이 직접 통치하는 중앙과 합쳐 5부를 이루었다.

㉢ 왕의 권력이 미약하여 제가들이 왕을 추대 · 교체하기도 하였고, 수해나 한해로 농사가 잘 되지 않으면 그 책임을 왕에게 묻기도 하였다. 그러나 왕이 나온 대표 부족의 세력은 매우 강해서 궁궐, 성책, 감옥, 창고 등의 시설을 갖추고 있었다.

② 법률(부여의 4조목)

㉠ 살인자는 사형에 처하고, 그 가족은 데려다 노비로 삼는다.

㉡ 절도죄를 지은 자는 12배의 배상을 물린다.

㉢ 간음한 자는 사형에 처한다.

㉣ 부인이 투기가 심하면 사형에 처하되, 그 시체는 산 위에 버린다. 단, 그 여자의 집에서 시체를 가져가려면 소 · 말을 바쳐야 한다.

③ 풍습

㉠ 순장 : 왕이 죽으면 많은 사람들을 껴묻거리와 함께 묻는 순장의 풍습이 있었다.

㉡ 흰 옷을 좋아했고, 형사취수와 일부다처제 풍습이 있었다.

㉢ 은력(殷曆)을 사용하였다.

㉣ 제천행사 : 12월에 하늘에 제사를 지내고 노래와 춤을 즐기는 영고를 열었다.

㉤ 우제점복 : 소를 죽여 그 굽으로 길흉을 점치기도 하였다.

(2) 고구려

① 정치 … 왕 아래 상가, 고추가 등의 대가들이 있었으며, 대가들은 독립적인 세력을 유지하였다. 이들은 각기 사자, 조의, 선인 등의 관리를 거느리고 있었다.

② 풍속

㉠ 서옥제 : 혼인을 정한 뒤 신부집의 뒤꼍에 조그만 집을 짓고 거기서 자식을 낳고 장성하면 아내를 데리고 신랑집으로 돌아가는 제도이다.

㉡ 제천행사 : 10월에는 추수감사제인 동맹을 성대하게 열었다.

㉢ 조상신 제사 : 건국 시조인 주몽과 그 어머니 유화부인을 조상신으로 섬겨 제사를 지냈다.

(3) 옥저와 동예

① 옥저 … 비옥한 토지를 바탕으로 농사를 지었으며, 어물과 소금 등 해산물이 풍부하였으며 민며느리제와 골장제(가족공동무덤)가 유행하였다.

② 동예

㉠ 경제 … 단궁(활)과 과하마(조랑말), 반어피(바다표범의 가죽) 등이 유명하였다.

㉡ 풍속 … 무천이라는 제천행사를 10월에 열었으며 족외혼을 엄격하게 지켰다. 또한 각 부족의 영역을 함부로 침범하지 못하게 하고 만약 침범하면 노비와 소, 말로 변상하게 하였다(책화)

(4) 삼한

① 진(辰)의 성장과 발전 … 고조선 남쪽지역에는 일찍부터 진이 성장하고 있었는데 고조선 사회의 변동에 따라 대거 남하해 온 유이민에 의하여 새로운 문화가 보급되어 토착문화와 융합되면서 진이 발전하여 마한, 변한, 진한의 연맹체들이 나타나게 되었다.

② 삼한의 제정 분리 … 정치적 지배자 외에 제사장인 천군이 있었다. 그리고 신성지역으로 소도가 있었는데, 이 곳에서 천군은 농경과 종교에 대한 의례를 주관하였다.

③ 삼한의 경제 · 사회상

㉠ 두레조직을 통하여 여러 가지 공동작업을 하였다.

㉡ 제천행사 : 5월의 수릿날과 10월에 계절제를 열어 하늘에 제사를 지냈다.

㉢ 변한의 철 생산 : 철이 많이 생산되어 낙랑, 왜 등에 수출하였고 교역에서 화폐처럼 사용되기도 하였다. 마산의 성산동 등지에서 발견된 야철지는 제철이 성하였음을 보여주고 있다.

Let's check it out

02 기출문제분석

2019. 4. 6. 인사혁신처

1 청동기시대의 유적과 유물에 대한 설명으로 옳은 것은?

① 연천 전곡리에서는 사냥도구인 주먹도끼가 출토되었다.
② 창원 다호리에서는 문자를 적는 붓이 출토되었다.
③ 강화 부근리에서는 탁자식 고인돌이 발견되었다.
④ 서울 암사동에서는 곡물을 담는 빗살무늬토기가 나왔다.

TIPS!

청동기 시대에는 일부 저습지에서 벼농사가 시작되면서 반달돌칼과 같은 정교해진 간석기를 생활용 도구로 활용하고 민무늬 토기, 미송리식 토기 등도 제작되었다. 청동기가 무기와 의식용 도구로 사용되면서 비파형동검, 거친무늬 청동거울이 제작되었으며 계급의 분화로 지배층의 무덤으로 고인돌이 제작되었다.
① 구석기 시대
② 철기 시대
④ 신석기 시대

Answer 1.③

2019. 4. 6. 인사혁신처

2 (가), (나)의 나라에 대한 설명으로 옳은 것은?

> (가) 음력 12월에 지내는 제천행사가 있는데, 이를 영고라고 한다. 이때에는 형옥을 중단하고 죄수를 풀어 주었다.
> (나) 해마다 10월 하늘에 제사를 지내는데, 밤낮으로 술마시며 노래부르고 춤추니 이를 무천이라고 한다.
> –『삼국지』–

① (가) – 5부가 있었으며, 계루부에서 왕위를 차지하였다.

② (가) – 정치적 지배자로 신지, 읍차 등이 있었다.

③ (나) – 죄를 지은 사람이 소도에 들어가면 잡아가지 못하였다.

④ (나) – 다른 부족의 영역을 침범하면 책화라 하여 노비나 소, 말로 변상하였다.

TIPS!

(가)는 부여, (나)는 동예의 제천 행사이다. 부여는 5부족 연맹체로 이루어진 연맹 왕국으로 부족장인 제가(마가, 우가, 구가, 저가) 세력들이 사출도를 통치하였다. 왕 밑에는 대사자, 사자와 같은 관리를 두기도 했다. 동예는 군장 국가로 읍군, 삼로라는 군장이 통치하였으며 족외혼, 책화 등의 풍습이 있었고, 특산물로 단궁, 과하마, 반어피가 생산되었다.

① 초기 고구려 ②③ 삼한

Answer 2.④

Let's check it out

02 출제예상문제

1 선사 시대에 대한 설명으로 옳지 않은 것은?

① 구석기 시대에는 무리 중에서 경험이 많고 지혜로운 사람이 지도자가 되었으나 권력을 가지지는 못했다.
② 신석기 시대의 대표적인 토기는 빗살무늬 토기이지만 이보다 앞선 시기의 토기도 발견되고 있다.
③ 신석기 시대의 부족은 혈연을 바탕으로 한 씨족을 기본 구성단위로 하였다.
④ 구석기 시대의 대표적인 사냥 도구로는 긁개, 밀개 등이 있다.

TIPS!
④ 긁개와 밀개는 구석기 시대의 조리도구이다. 사냥도구로는 주먹도끼와 슴베찌르개 등이 있다.

2 초기국가 부여에 대한 설명으로 옳지 않은 것은?

① 이미 1세기 초에 왕호를 사용하였다.
② 왕이 죽으면 순장을 하는 풍습이 있었다.
③ 남의 물건을 훔친 자는 노비로 삼았다.
④ 투기가 심한 부인은 사형에 처했다.

TIPS!
부여에는 1책 12법이 있었으며, 남의 물건을 훔친 자를 노비로 삼는 것은 고조선의 8조 금법에 해당하는 내용이다.

Answer 1.④ 2.③

3 고조선의 세력 범위가 요동반도에서 한반도에 걸쳐 있었음을 알게 해주는 유물을 모두 고르면?

㉠ 조개 껍데기 가면	㉡ 거친무늬 거울
㉢ 비파형 동검	㉣ 미송리식 토기

① ㉠㉡ ② ㉡㉢
③ ㉠㉡㉢ ④ ㉡㉢㉣

고조선의 세력범위를 알게 해주는 유물로는 비파형 동검, 북방식 고인돌, 미송리식 토기, 거친무늬 거울 등이 있다.

4 다음 중 단군신화와 관련한 역사적 사실로 옳지 않은 것은?

① 홍익인간의 정신으로 평등사회가 성립되었다.
② 농경을 중시하는 관념체계가 성립하였다.
③ 선민사상을 가지고 있던 부족은 우월성을 과시했다.
④ 각 부족들은 특정한 동물이나 식물을 자신의 부족과 연결하여 숭배하고 있었다.

TIPS!

단군신화에 나타난 사회의 모습 … 구릉지대에 거주하면서 농경생활을 하고 있었고 선민사상을 가지고 있었으며 사유재산의 성립과 계급의 분화에 따라 사회생활을 주도하였다.

5 다음 중 신석기 시대에 대한 설명으로 옳지 않은 것은?

① 토기를 사용하여 음식을 조리하고 저장하게 되었다.
② 움집생활을 하였으며 중앙에 화로를 두었다.
③ 주식으로 쌀을 먹었다.
④ 조, 피, 수수 등의 잡곡류의 경작과 개, 돼지 등을 목축하였다.

TIPS!

③ 신석기 시대의 유적지인 황해도 봉산 지탑리와 평양 남경의 유적에서 탄화된 좁쌀이 발견된 것으로 보아 잡곡류를 경작하였다는 것을 알 수 있다.

Answer 3.④ 4.① 5.③

6 다음과 같은 사상이 등장한 사회의 모습은?

> • 영혼이나 하늘을 인간과 연결시켜주는 무당과 그 주술을 믿었다.
> • 사람이 죽어도 영혼은 사라지지 않는다고 믿었다.

① 무리를 이끄는 지도자는 권력을 가지고 있었다.
② 가락바퀴를 이용하여 의복을 제작하였다.
③ 동굴이나 강가에 막집을 짓고 살았다.
④ 벼농사가 일반적으로 행해졌다.

TIPS!

제시된 사상은 영혼불멸사상과 샤머니즘으로 신석기시대의 신앙의 형태이다.
①④ 청동기 ③ 구석기

7 다음 중 청동기시대에 등장한 신앙은?

① 토테미즘 ② 애니미즘
③ 선민사상 ④ 샤머니즘

TIPS!

① 토테미즘 : 신석기시대의 신앙으로 특정한 동물이나 식물을 자신의 부족과 연결하여 숭배하는 것이다.
② 애니미즘 : 신석기시대의 자연물에 영혼이 존재한다는 사상으로 태양과 물에 대한 숭배가 두드러졌다.
③ 선민사상 : 청동기시대에 농경이 발달하고 사유재산이 형성되면서 계급이 등장하게 되었다. 이때 지배계층은 자신들이 신의 선택을 받은 특별한 존재라고 여겼다.
④ 샤머니즘 : 인간과 영혼을 연결시켜주는 주술사와 그의 주술을 믿는 것으로 신석기 시대에 발생하였으며 여전히 숭배의 대상이다.

Answer 6.② 7.③

8 위만 조선이 한나라의 침입으로 왕검성이 함락되어 멸망하게 된 직접적인 원인으로 옳은 것은?

① 독자적인 문화를 발전시키지 못하였다.
② 철기 문화를 수용하지 못하여 군사력이 약하였다.
③ 상업과 무역이 발달하지 못하여 폐쇄적인 자급자족의 경제였다.
④ 예와 진의 무역을 막고 중계무역의 이득을 독점하였다.

TIPS!

위만 조선 … 본격적으로 철기문화를 수용하고 철기의 사용에 따른 무기생산과 농업이 발달하여 이에 따른 상업과 무역이 융성하였다. 중앙정치조직을 갖추고 우세한 무력을 기반으로 영토를 확장했으며 지리적 이점을 이용하여 예와 진이 직접 중국과 교역하는 것을 막고 중계무역의 이득을 독점하려 하였다. 이에 한나라의 무제는 대규모 공격을 감행하였는데 장기간의 전쟁으로 인한 고조선 지배층의 내분이 원인이 되어 B.C. 108년에 왕검성이 함락되면서 멸망하였다.

9 다음 중 신석기시대의 특징으로 옳지 않은 것은?

① 결혼의 상대를 다른 씨족에서 구하는 족외혼이 행해졌다.
② 씨족 중심의 혈연사회이다.
③ 자연물에 영혼이 있다고 믿는 애니미즘적인 신앙을 지니고 있었다.
④ 사유재산제의 발달로 씨족장 중심의 계급사회가 출현하였다.

TIPS!

④ 사유재산제 계급의 발생은 청동기 시대부터 나타나기 시작했다.

10 다음 중 구석기시대에 관한 설명으로 옳지 않은 것은?

① 농경, 목축이 시작되었다. ② 평등한 공동체적 생활을 하였다.
③ 뗀석기와 골각기를 사용하였다. ④ 주술적인 조각품을 남겼다.

TIPS!

① 농경과 목축이 시작된 시기는 신석기시대이다.

Answer 8.④ 9.④ 10.①

11 다음 중 신석기시대의 원시신앙에 대한 설명이 아닌 것은?

① 자연현상, 자연물에 영혼이 있다고 믿었다.
② 사람이 죽어도 영혼이 없어지지 않는다고 믿었다.
③ 인간과 영혼 또는 하늘을 연결시켜 주는 존재인 무당과 그 주술을 믿었다.
④ 스스로 하늘의 자손이라고 믿는 부족이 생겨났다.

TIPS!

④ 선민사상을 가진 부족은 청동기시대에 나타났다.

12 다음 중 씨족을 통해 부족을 형성하여 살았던 사람들의 생활상을 잘 재현한 것은?

① 가락바퀴나 뼈바늘로 그물을 손질하는 아낙네
② 반달돌칼로 추수하는 사람들
③ 민무늬토기에 음식을 담는 여자
④ 무리를 이루어 큰 사냥감을 찾아다니며 생활하는 사람들

TIPS!

씨족을 통한 부족을 이뤘던 시기는 신석기시대이다.
②③ 청동기시대의 생활상이다.
④ 구석기시대의 생활상이다.

13 철기문화의 전래에 관한 설명으로 옳지 않은 것은?

① 새로운 무덤 형태인 독무덤이 출현하였다.
② 한자가 전래되었다.
③ 청동기는 의기화되었다.
④ 지배와 피지배 관계가 형성되었다.

TIPS!

④ 계급이 발생하고 사유재산제도가 생긴 것은 청동기 시대이다.

Answer 11.④ 12.① 13.④

14 다음과 같은 생활모습을 지녔던 사회에 대해 역사적 탐구를 하고자 할 때, 가장 거리가 먼 조사활동은?

> • 매년 5월 씨뿌리기가 끝날 때와 10월에 농사가 끝날 때면 제사를 올리고 음주가무를 즐겼다.
> • 철을 생산하여 낙랑 및 왜와 교역하였고, 시장에서 물건을 살 때 화폐처럼 사용하였다.

① 삼국지 동이전의 내용을 분석한다.
② 낙동강 유역의 철 산지를 알아본다.
③ 서남해안의 해류와 고대 항로를 조사한다.
④ 돌무지 덧널무덤의 분포를 조사한다.

TIPS!

제시된 내용은 삼한의 사회에 대한 설명이다.
④ 돌무지 덧널무덤은 신라에서 주로 만든 무덤으로 삼한 사회에 대한 역사적 탐구에는 적절하지 않다.

15 유적지에서 반달돌칼, 비파형 동검, 바퀴날도끼, 토기 파편, 탄화된 볍씨 등이 발견되었다. 당시의 사회 모습으로 옳지 않은 것은?

① 촌락은 배산임수형태를 가지고 있었다.
② 일부 저습지에서 벼농사가 이루어졌다.
③ 금속제 무기를 사용한 정복활동이 활발하였다.
④ 주로 해안이나 강가에서 농경 생활을 하였다.

TIPS!

반달돌칼, 바퀴날도끼, 토기 파편, 탄화된 볍씨 등은 청동기시대의 유물이다. 당시의 집자리 유적은 주로 구릉지나 산간지방에서 발견된다.

Answer 14.④ 15.④

16 다음과 같은 현상을 바탕으로 일어난 역사적 사실은?

> 이 시기에는 고인돌이 많이 만들어졌다. 무게가 수십 톤 이상인 덮개돌을 채석하여 운반하고 무덤을 설치하기까지는 많은 인력이 필요하다. 따라서 이와 같은 무덤을 만들 수 있는 강한 세력이 나타났음을 알 수 있다.

① 제정분리의 심화
② 선민사상의 대두
③ 보편종교의 탄생
④ 성 역할의 분리

청동기시대에는 고인돌 무덤을 만들 수 있을 정도로 상당한 정치력과 경제력을 갖춘 지배자가 나타났다. 이는 사유재산제도와 계급이 발생하면서 나타났으며, 부족 내에서 족장세력이 성장하여 세력이 약한 다른 부족을 통합하면서 국가가 성립되기 시작하였다. 정치·경제적 영향력이 강한 부족에서는 스스로 하늘의 자손이라 칭하는 선민사상이 나타나게 되었다.

Answer 16.②

고대 국가의 형성과 발전

section 1 고대의 정치

1. 고대국가의 성립

(1) 초기의 고구려

① 성장 : 졸본성에서 주변 소국을 통합하여 성장하였으며, 국내성으로 도읍을 옮겼다.

② 지배체제의 정비

㉠ 태조왕(1세기 후반) : 옥저와 동예를 복속하고, 독점적으로 왕위를 세습하였으며 통합된 여러 집단들은 5부 체제로 발전하였다.

㉡ 고국천왕(2세기 후반) : 부족적인 전통의 5부가 행정적 성격의 5부로 개편되었고 왕위가 형제상속에서 부자상속으로 바뀌었으며, 족장들이 중앙귀족으로 편입하는 등 중앙집권화와 왕권 강화가 진전되었다.

(2) 초기의 백제

① 건국(B.C. 18) : 한강 유역의 토착민과 고구려 계통의 북방 유이민의 결합으로 성립되었는데, 우수한 철기문화를 보유한 유이민 집단이 지배층을 형성하였다.

② 고이왕(3세기 중엽) : 한강 유역을 완전히 장악하고, 중국의 문물을 수용하였다. 율령을 반포하였으며 관등제를 정비하고 관복제를 도입하는 등 지배체제를 정비하였다.

(3) 초기의 신라

① 건국(B.C. 57) : 경주의 토착집단과 유이민집단의 결합으로 건국되었다.

② 발전 : 박 · 석 · 김의 3성이 번갈아 왕위를 차지하다가 주요 집단들이 독자적인 세력 기반을 유지하면서 유력 집단의 우두머리는 왕(이사금)으로 추대되었다.

③ 지배체제의 정비(내물왕, 4세기) : 활발한 정복활동을 통해 낙동강 유역으로 영역을 확장하고 김씨가 왕위를 세습하였으며 마립간의 칭호를 사용하였다.

(4) 초기의 가야

① 위치 : 낙동강 하류의 변한지역에서는 철기문화를 토대로 한 정치집단들이 등장하였다.

② 전기 가야연맹(금관가야 중심) : 김해를 주축으로 하여 경남해안지대에 소국연맹체를 형성하였는데 농경문화의 발달과 철의 생산(중계무역 발달)으로 경제적인 발전을 이루었다. 그러나 백제와 신라의 팽창으로 세력이 약화되어(4세기 초) 고구려군의 가야지방 원정으로 몰락하게 되었다. 이에 따라 중심세력이 해체되어 낙동강 서쪽 연안으로 축소되었다.

2. 삼국의 발전과 통치체제

(1) 삼국의 정치적 발전

① 고구려 … 4세기 미천왕 때 서안평을 점령하고 낙랑군을 축출하여 압록강 중류를 벗어나 남쪽으로 진출할 수 있는 발판을 마련하였고, 고국원왕 때는 전연과 백제의 침략으로 국가적 위기를 맞기도 하였다. 4세기 후반 소수림왕 때에는 불교의 수용, 태학의 설립, 율령의 반포로 중앙집권국가로의 체제를 강화하였다.

② 백제 … 4세기 후반 근초고왕은 마한의 대부분을 정복하였으며, 황해도 지역을 두고 고구려와 대결하기도 하였다. 또한 낙동강 유역의 가야에 지배권을 행사하였고, 중국의 요서지방과 산둥지방, 일본의 규슈지방까지 진출하였으며 왕위의 부자상속이 시작되었다.

③ 신라

㉠ 지증왕(6세기 초) : 국호(사로국 → 신라)와 왕의 칭호(마립간 → 왕)를 변경하고, 수도와 지방의 행정구역을 정리하였으며 대외적으로 우산국(울릉도)을 복속시켰다.

㉡ 법흥왕(6세기 중엽) : 병부의 설치, 율령의 반포, 공복의 제정 등으로 통치질서를 확립하였다. 또한 골품제도를 정비하고, 새로운 세력을 포섭하고자 불교를 공인하였다. 독자적 연호인 건원을 사용하여 자주국가로서의 위상을 높였고 금관가야를 정복하여 영토를 확장시켜 중앙집권체제를 완비하였다.

기출예제 01 2019. 4. 6. 소방공무원

밑줄 친 '왕'의 업적으로 옳은 것은?

> 왕 13년 여름 6월 우산국이 항복하여 매년 토산물을 공물로 바치기로 하였다. 우산국은 명주의 정동쪽 바다에 있는 섬인데, 울릉도라고도 한다. 그 섬은 사방 일백리인데, 그들은 지세가 험한 것을 믿고 항복하지 않았다. 이찬 이사부가 …(중략)… 우산국의 해안에 도착하였다. 그는 거짓말로 "너희들이 만약 항복하지 않는다면 이 맹수를 풀어 너희들을 밟아 죽이도록 하겠다."라고 말하였다. 우산국의 백성들이 두려워하여 곧 항복하였다.
>
> – 삼국사기 –

① 불교를 공인하였다. ② 대가야를 정복하였다.
③ 국호를 신라로 정하였다. ④ 이사금을 왕호로 사용하였다.

✱

6세기 초 신라 지증왕(500~514)에 대한 업적이다. 지증왕의 업적으로는 우산국 복속, 국호를 신라로 확정, '왕'이라는 호칭 사용, 우경 보급 등이 있다.
① 법흥왕(514~540)
② 진흥왕(540~576)
④ 유리왕(24~57)

답 ③

(2) 삼국 간의 항쟁

① 고구려의 대제국 건설

㉠ 광개토대왕(5세기) : 영락이라는 연호를 사용하였고 만주지방에 대한 대규모 정복사업을 단행하였으며, 백제를 압박하여 한강 이남으로 축출하였다. 또한 신라에 침입한 왜를 격퇴함으로써 한반도 남부에까지 영향력을 확대하였다.

㉡ 장수왕(5세기) : 남북조의 교류 및 평양 천도(427)를 단행하여 백제의 수도인 한성을 함락하였다. 죽령 ~ 남양만 이북을 확보(광개토대왕비와 중원고구려비 건립)하여 한강 유역으로 진출하였는데 만주와 한반도에 걸친 광대한 영토를 차지하여 중국과 대등한 지위의 대제국을 건설하였다.

② 백제의 중흥

㉠ 5세기 후반 문주왕은 고구려의 남하정책으로 대외팽창이 위축되고 무역활동이 침체되어 서울을 웅진으로 천도하게 되고, 동성왕은 신라와 동맹을 강화하여 고구려에 대항, 무령왕은 지방의 22담로에 왕족을 파견하여 지방통제를 강화하는 등 체제를 정비하고자 하였다.

㉢ 성왕(6세기 중반) : 사비로 천도하고, 남부여로 국호를 개칭하고 중앙은 22부, 수도는 5부, 지방은 5방으로 정비하였다. 불교를 진흥시키고, 일본에 전파하였으며, 중국의 남조와 교류하였다.

국어 한국사 영어

③ 신라의 발전(진흥왕, 6세기)

㉠ 체제 정비 : 화랑도를 국가적 조직으로 개편하고, 불교를 통해 사상적 통합을 꾀하였다.

㉡ 영토 확장 : 한강 유역을 장악하여 경제적 기반을 강화하고 전략적 거점을 확보할 수 있었고 중국 교섭의 발판이 되었다. 북으로는 함경도, 남으로는 대가야를 정복하였다(단양적성비, 진흥왕순수비).

(3) 삼국의 통치체제

① 통치조직의 정비 … 삼국의 초기에는 부족 단위 각 부의 귀족들이 독자적으로 관리를 거느리는 방식으로 귀족회의에서 국가의 중요한 일을 결정하였는데 후에는 왕을 중심으로 한 통치체제로 왕의 권한이 강화되었고, 관등제와 행정구역이 정비되어 각 부의 귀족들은 왕권 아래 복속되고, 부족적 성격이 행정적 성격으로 개편되었다.

② 관등조직 및 중앙관제

구분	관등	수상	중앙관서	귀족합의제
고구려	10여 관등	대대로(막리지)		제가회의
백제	16관등	상좌평	6좌평, 22부(사비천도 이후)	정사암회의
신라	17관등	상대등	병부, 집사부	화백회의

③ 지방제도

㉠ 지방조직

구분	관등	수상	중앙관서	귀족합의제
고구려	5부	5부(욕살)	3경(평양성, 국내성, 한성)	제가회의
백제	5부	5방(방령)	22담로(지방 요지)	정사암회의
신라	5부	6주(군주)	2소경[중원경(충주), 동원경(강릉)]	화백회의

㉡ 지방제도의 정비 : 최상급 지방행정단위로 부와 방 또는 주를 두고 지방장관을 파견하였고, 그 아래의 성이나 군에도 지방관을 파견하여 지방민을 직접 지배하였으나, 말단 행정단위인 촌은 지방관을 파견하지 않고 토착세력을 촌주로 삼았다. 그러나 대부분의 지역은 중앙정부의 지배가 강력히 미치지 못하여 지방세력가들이 지배하게 되었다.

④ 군사조직 … 지방행정조직이 그대로 군사조직이기도 하여 각 지방의 지방관은 곧 군대의 지휘관(백제의 방령, 신라의 군주)이었다.

3. 대외항쟁과 신라의 삼국통일

(1) 고구려와 수 · 당의 전쟁

① 수와의 전쟁 … 고구려가 요서지방을 선제공격하자 수의 문제와 양제는 고구려를 침입해왔는데 을지문덕이 살수에서 큰 승리를 거두었다(612).

② 당과의 전쟁 … 당 태종은 요동의 여러 성을 공격하고 전략상 가장 중요한 안시성을 공격하였으나 고구려에 의해 패하였다(645).

(2) 백제와 고구려의 멸망

① 백제의 멸망 … 정치질서의 문란과 지배층의 향락으로 국방이 소홀해진 백제는 황산벌에서 신라에게 패하면서 결국 사비성이 함락되고 말았다. 복신과 흑치상지, 도침 등은 주류성과 임존성을 거점으로 하여 사비성과 웅진성을 공격하였으나 나 · 당연합군에 의하여 진압되었다.

③ 고구려의 멸망 … 지배층의 분열과 국력의 약화로 정치가 불안정한 틈을 타고 나 · 당연합군의 침입으로 평양성이 함락되었다(668). 검모잠과 고연무 등은 한성과 오골성을 근거지로 평양성을 탈환하였으나 결국 실패하였다.

(3) 신라의 삼국통일

① 과정 … 당은 한반도에 웅진도독부, 안동도호부, 계림도독부를 설치하여 한반도를 지배하려 하였으나 신라 · 고구려 · 백제 유민의 연합으로 당 주둔군을 공격하여 매소성과 기벌포싸움에서 승리를 거두게 되고 당군을 축출하여 삼국통일을 이룩하였다(676).

② 삼국통일의 의의와 한계 … 당의 축출로 자주적 성격을 인정할 수 있으며 고구려와 백제 문화의 전통을 수용하여 민족문화 발전의 토대를 마련하였다는 점에서 큰 의의가 있으나 외세의 협조를 받았다는 점과 대동강에서 원산만 이남에 국한된 불완전한 통일이라는 점에서 한계성을 가진다.

4. 남북국시대의 정치 변화

(1) 통일신라의 발전

① 왕권의 전제화

㉠ 무열왕 : 통일과정에서 왕권을 강화하였으며 이후 직계자손이 왕위를 계승하게 되었다.

㉡ 유교정치이념의 수용 : 통일을 전후하여 유교정치이념이 도입되었고, 중앙집권적 관료정치의 발달로 왕권이 강화되어 갔다.

㉢ 집사부 시중의 기능 강화 : 상대등의 세력을 억제하였고 왕권의 전제화가 이루어졌다.

㉣ 신문왕 : 관료전의 지급, 녹읍의 폐지, 국학을 설립하여 유교정치이념을 확립시켰다.

② 정치세력의 변동 … 6두품은 학문적 식견을 바탕으로 왕의 정치적 조언자로 활동하거나 행정실무를 총괄하였다. 이들은 전제왕권을 뒷받침하고, 학문 · 종교분야에서 활약하였다.

③ 전제왕권의 동요 … 8세기 후반부터 진골귀족세력의 반발로 녹읍제가 부활하고, 사원의 면세전이 증가되어 국가재정의 압박을 가져왔다. 귀족들의 특권적 지위 고수 및 향락과 사치가 계속되자 농민의 부담은 가중되었다.

(2) 발해의 건국과 발전

① 건국 … 고구려 출신의 대조영이 길림성에 건국하였으며 지배층은 고구려인, 피지배층은 말갈인으로 구성되었으나 일본에 보낸 국서에 고려 또는 고려국왕이라는 칭호를 사용하였고, 고구려 문화와 유사성이 있다는 점에서 고구려 계승의식이 나타나고 있다.

② 발해의 발전

㉠ 영토 확장(무왕) : 동북방의 여러 세력을 복속시켜 북만주 일대를 장악하였고, 당의 산동반도를 공격하고, 돌궐 · 일본과 연결하여 당과 신라에 대항하였다.

㉡ 체제 정비(문왕) : 당과 친선관계를 맺고 문물을 수입하였는데 중경에서 상경으로 천도하였고, 신라와의 대립관계를 해소하려 상설교통로를 개설하였으며 천통(고왕), 인안(무왕), 대흥(문왕), 건흥(선왕) 등 독자적인 연호를 사용하였다.

㉢ 중흥기(선왕) : 요동지방으로 진출하였으며 남쪽으로는 신라와 국경을 접할 정도로 넓은 영토를 차지하고, 지방제도를 완비하였다. 당에게서 '해동성국'이라는 칭호를 받았다.

㉣ 멸망 : 거란의 세력 확대와 귀족들의 권력투쟁으로 국력이 쇠퇴하자 거란에 멸망당하였다.

(3) 남북국의 통치체제

① 통일신라

㉠ 중앙정치체제 : 전제왕권의 강화를 위해 집사부 시중의 지위 강화 및 집사부 아래에 위화부와 13부를 두고 행정업무를 분담하였으며 관리들의 비리와 부정 방지를 위한 감찰기관인 사정부를 설치하였다.

㉡ 유교정치이념의 수용 : 국학을 설립하였다.

㉢ 지방행정조직의 정비(신문왕) : 9주 5소경으로 정비하여 중앙집권체제를 강화하였으며 지방관의 감찰을 위하여 외사정을 파견하였고 상수리제도를 실시하였으며, 향 · 부곡이라 불리는 특수행정구역도 설치하였다.

㉣ 군사조직의 정비

- 9서당 : 옷소매의 색깔로 표시하였는데 부속민에 대한 회유와 견제의 양면적 성격이 있다.
- 10정 : 9주에 각 1정의 부대를 배치하였으나 한산주에는 2정(남현정, 골내근정)을 두었다.

② 발해

㉠ 중앙정치체계 : 당의 제도를 수용하였으나 명칭과 운영은 독자성을 유지하였다.

- 3성 : 정당성(대내상이 국정 총괄), 좌사정, 우사정(지 · 예 · 신부)
- 6부 : 충부, 인부, 의부, 자부, 예부, 신부
- 중정대(감찰), 문적원(서적 관리), 주자감(중앙의 최고교육기관)

㉡ 지방제도 : 5경 15부 62주로 조직되었고, 촌락은 주로 말갈인 촌장이 지배하였다.

㉢ 군사조직 : 중앙군(10위), 지방군

(4) 신라말기의 정치 변동과 호족세력의 성장

① 전제왕권의 몰락 … 진골귀족들의 반란과 왕위쟁탈전이 심화되고 집사부 시중보다 상대등의 권력이 더 커졌으며 지방민란의 발생으로 중앙의 지방통제력이 더욱 약화되었다.

② 농민의 동요 … 과중한 수취체제와 자연재해는 농민의 몰락을 가져오고, 신라 정부에 저항하게 되었다.

③ 호족세력의 등장 … 지방의 행정 · 군사권과 경제적 지배력을 가진 호족세력은 성주나 장군을 자처하며 반독립적인 세력으로 성장하였다.

④ 개혁정치 … 6두품 출신의 유학생과 선종의 승려가 중심이 되어 골품제 사회를 비판하고 새로운 정치이념을 제시하였다. 지방의 호족세력과 연계되어 사회 개혁을 추구하였다.

section 2 고대의 경제

1. 삼국의 경제생활

(1) 삼국의 경제정책

① **정복활동과 경제정책** … 정복지역의 지배자를 내세워 공물을 징수하였고 전쟁포로들은 귀족이나 병사에게 노비로 지급하였다.

② **수취체제의 정비** … 노동력의 크기로 호를 나누어 곡물 · 포 · 특산물 등을 징수하고 15세 이상 남자의 노동력을 징발하였다.

③ **농민경제의 안정책** … 철제 농기구를 보급하고, 우경이나 황무지의 개간을 권장하였으며, 저수지를 축조하였다.

④ **수공업** … 노비들이 무기나 장신구를 생산하였으며, 수공업 생산을 담당하는 관청을 설치하였다.

⑤ **상업** … 도시에 시장이 형성되었으며, 시장을 감독하는 관청을 설치하였다.

⑥ **국제무역** … 왕실과 귀족의 수요품을 중심으로 공무역의 형태로 이루어졌다. 고구려는 남북조와 북방민족을 대상으로 하였으며 백제는 남중국, 왜와 무역하였고 신라는 한강 확보 이전에는 고구려, 백제와 교류하였으나 한강 확보 이후에는 당항성을 통하여 중국과 직접 교역하였다.

(2) 경제생활

① **귀족의 경제생활** … 자신이 소유한 토지와 노비, 국가에서 지급받은 녹읍과 식읍을 바탕으로 하였으며 귀족은 농민의 지배가 가능하였으며, 기와집, 창고, 마구간, 우물, 주방을 설치하여 생활하였다.

② **농민의 경제생활** … 자기 소유의 토지(민전)나 남의 토지를 빌려 경작하였으며, 우경이 확대되었다. 그러나 수취의 과중한 부담으로 생활개선을 위해 농사기술을 개발하고 경작지를 개간하였다.

2. 남북국시대의 경제적 변화

(1) 통일신라의 경제정책

① 수취체제의 변화

㉠ 조세 : 생산량의 10분의 1 정도를 수취하였다.

㉡ 공물 : 촌락 단위로 그 지역의 특산물을 징수하였다.

㉢ 역 : 군역과 요역으로 이루어져 있었으며, 16 ~ 60세의 남자를 대상으로 하였다.

② 민정문서

㉠ 작성 : 정부가 농민에 대한 조세와 요역 부과 자료의 목적으로 작성한 것으로 추정되며, 자연촌 단위로 매년 변동사항을 조사하여 3년마다 촌주가 작성하였다. 토지의 귀속관계에 따라 연수유전답, 촌주위답, 관모전답, 내시령답, 마전 등으로 분류되어 있다.

㉡ 인구조사 : 남녀별, 연령별로 6등급으로 조사하였다. 양인과 노비, 남자와 여자로 나누어 기재되어 있다.

㉢ 호구조사 : 9등급으로 구분하였다.

③ 토지제도의 변화

㉠ 관료전 지급(신문왕) : 식읍을 제한하고, 녹읍을 폐지하였으며 관료전을 지급하였다.

㉡ 정전 지급(성덕왕) : 왕토사상에 의거 백성에게 정전을 지급하고, 구휼정책을 강화하였다.

㉢ 녹읍 부활(경덕왕) : 녹읍제가 부활되고 관료전이 폐지되었다.

(2) 통일신라의 경제

① 경제 발달

㉠ 경제력의 성장

- 중앙 : 동시(지증왕) 외에 서시와 남시(효소왕)가 설치되었다.
- 지방 : 지방의 중심지나 교통의 요지에서 물물교환이 이루어졌다.

㉡ 무역의 발달

- 대당 무역 : 나 · 당전쟁 이후 8세기 초(성덕왕)에 양국관계가 재개되면서 공무역과 사무역이 발달하였다. 수출품은 명주와 베, 해표피, 삼, 금 · 은세공품 등이었고 수입품은 비단과 책 및 귀족들이 필요로 하는 사치품이었다.
- 대일 무역 : 초기에는 무역을 제한하였으나, 8세기 이후에는 무역이 활발하였다.
- 국제무역 : 이슬람 상인이 울산을 내왕하였다.
- 청해진 설치 : 장보고가 해적을 소탕하였고 남해와 황해의 해상무역권을 장악하여 당, 일본과의 무역을 독점하였다.

② 귀족의 경제생활

㉠ 귀족의 경제적 기반 : 녹읍과 식읍을 통해 농민을 지배하여 조세와 공물을 징수하고, 노동력을 동원하였으며 국가에서 지급한 것 외에도 세습토지, 노비, 목장, 섬을 소유하기도 하였다.

㉡ 귀족의 일상생활 : 사치품(비단, 양탄자, 유리그릇, 귀금속)을 사용하였으며 경주 근처의 호화주택과 별장을 소유하였다(안압지, 포석정 등).

③ 농민의 경제생활

㉠ 수취의 부담 : 전세는 생산량의 10분의 1 정도를 징수하였으나, 삼베 · 명주실 · 과실류를 바쳤고, 부역이 많아 농사에 지장을 초래하였다.

㉡ 농토의 상실 : 8세기 후반 귀족이나 호족의 토지 소유 확대로 토지를 빼앗겨 남의 토지를 빌려 경작하거나 노비로 자신을 팔거나, 유랑민이나 도적이 되기도 하였다.

㉢ 향 · 부곡민 : 농민보다 많은 부담을 가졌다.

㉣ 노비 : 왕실, 관청, 귀족, 사원(절) 등에 소속되어 물품을 제작하거나, 일용 잡무 및 경작에 동원되었다.

(3) 발해의 경제 발달

① 수취제도

㉠ 조세 : 조 · 콩 · 보리 등의 곡물을 징수하였다.

㉡ 공물 : 베 · 명주 · 가죽 등 특산물을 징수하였다.

㉢ 부역 : 궁궐 · 관청 등의 건축에 농민이 동원되었다.

② 귀족경제의 발달 … 대토지를 소유하였으며, 당으로부터 비단과 서적을 수입하였다.

③ 농업 … 밭농사가 중심이 되었으며 일부지역에서 철제 농기구를 사용하고, 수리시설을 확충하여 논농사를 하기도 하였다.

④ 목축 · 수렵 · 어업 … 돼지 · 말 · 소 · 양을 사육하고, 모피 · 녹용 · 사향을 생산 및 수출하였으며 고기잡이 도구를 개량하고, 숭어, 문어, 대게, 고래 등을 잡았다.

⑤ 수공업 … 금속가공업(철, 구리, 금, 은), 직물업(삼베, 명주, 비단), 도자기업 등이 발달하였다.

⑥ 상업 … 도시와 교통요충지에 상업이 발달하고, 현물과 화폐를 주로 사용하였으며, 외국 화폐가 유통되기도 하였다.

⑦ 무역 … 당, 신라, 거란, 일본 등과 무역하였다.

㉠ 대당 무역 : 산둥반도의 덩저우에 발해관을 설치하였으며, 수출품은 토산품과 수공업품(모피, 인삼, 불상, 자기)이며 수입품은 귀족들의 수요품인 비단, 책 등이었다.

㉡ 대일 무역 : 일본과의 외교관계를 중시하여 활발한 무역활동을 전개하였다.

㉢ 신라와의 관계 : 필요에 따라 사신이 교환되고 소극적인 경제, 문화 교류를 하였다.

section 3 고대의 사회

1. 신분제 사회의 성립

(1) 삼국시대의 계층구조

왕족을 비롯한 귀족 · 평민 · 천민으로 구분되며, 지배층은 특권을 유지하기 위하여 율령을 제정하고, 신분은 능력보다는 그가 속한 친족의 사회적 위치에 따라 결정되었다.

(2) 귀족 · 평민 · 천민의 구분

① 귀족 … 왕족을 비롯한 옛 부족장 세력이 중앙의 귀족으로 재편성되어 정치권력과 사회 · 경제적 특권을 향유하였다.

② 평민 … 대부분 농민으로서 신분적으로 자유민이었으나, 조세를 납부하고 노동력을 징발당하였다.

③ 천민 … 노비들은 왕실과 귀족 및 관청에 예속되어 신분이 자유롭지 못하였다.

2. 삼국사회의 풍습

(1) 고구려

① 형법 … 반역 및 반란죄는 화형에 처한 뒤 다시 목을 베었고, 그 가족들은 노비로 삼았다. 적에게 항복한 자나 전쟁 패배자는 사형에 처했으며, 도둑질한 자는 12배를 배상하도록 하였다.

② 풍습 … 형사취수제, 서옥제가 있었고 자유로운 교제를 통해 결혼하였다.

(2) 백제

① 형법 … 반역이나 전쟁의 패배자는 사형에 처하고, 도둑질한 자는 귀양을 보내고 2배를 배상하게 하였으며, 뇌물을 받거나 횡령을 한 관리는 3배를 배상하고 종신토록 금고형에 처하였다.

② 귀족사회 … 왕족인 부여씨와 8성의 귀족으로 구성되었다.

(3) 신라

① 화백회의 … 여러 부족의 대표들이 함께 모여 정치를 운영하던 것이 기원이 되어, 국왕 추대 및 폐위에 영향력을 행사하면서 왕권을 견제 및 귀족들의 단결을 굳게 하였다.

② 골품제도 … 관등 승진의 상한선이 골품에 따라 정해져 있어 개인의 사회활동과 정치활동의 범위를 제한하는 역할을 하였다.

③ 화랑도

㉠ 구성 : 귀족의 자제 중에서 선발된 화랑을 지도자로 삼고, 귀족은 물론 평민까지 망라한 많은 낭도들이 그를 따랐다.

㉡ 국가조직으로 발전 : 진흥왕 때 국가적 차원에서 그 활동을 장려하여 조직이 확대되었고, 원광은 세속5계를 가르쳤으며, 화랑도 활동을 통해 국가가 필요로 하는 인재가 양성되었다.

3. 남북국시대의 사회

(1) 통일신라와 발해의 사회

① 통일 후 신라 사회의 변화

㉠ 신라의 민족통합책 : 백제와 고구려 옛 지배층에게 신라 관등을 부여하였고, 백제와 고구려 유민들을 9서당에 편성시켰다.

㉡ 통일신라의 사회모습 : 전제왕권이 강화 되었고 6두품이 학문적 식견과 실무 능력을 바탕으로 국왕을 보좌하였다.

② 발해의 사회구조 … 지배층은 고구려계가 대부분이었으며, 피지배층은 대부분이 말갈인으로 구성되었다.

(2) 통일신라 말의 사회모순

① 호족의 등장 … 지방의 유력자들을 중심으로 무장조직이 결성되었고, 이들을 아우른 큰 세력가들이 호족으로 등장하였다.

② 빈농의 몰락 … 토지를 상실한 농민들은 소작농이나 유랑민, 화전민이 되었다.

③ 농민봉기 … 국가의 강압적인 조세 징수에 대하여 전국 각지에서 농민봉기가 일어나게 되었다.

section 4 고대의 문화

1. 학문과 사상 · 종교

(1) 한자의 보급과 교육

① 한자의 전래 … 한자는 철기시대부터 지배층을 중심으로 사용되었다가 삼국시대에는 이두 · 향찰이 사용되었다.

② 교육기관의 설립과 한자의 보급

㉠ 고구려 : 태학(수도)에서는 유교경전과 역사서를 가르쳤으며 경당(지방)에서는 청소년에게 한학과 무술을 가르쳤다.

㉡ 백제 : 5경 박사 · 의박사 · 역박사에서는 유교경전과 기술학 등을 가르쳤으며, 사택지적 비문에는 불당을 세운 내력을 기록하고 있다.

㉢ 신라 : 임신서기석을 통해 청소년들이 유교경전을 공부하였던 사실을 알 수 있다.

③ 유학의 교육

㉠ 삼국시대 : 학문적으로 깊이 있게 연구된 것이 아니라, 충 · 효 · 신 등의 도덕규범을 장려하는 정도였다.

㉡ 통일신라 : 신문왕 때 국학이라는 유학교육기관을 설립하였고, 경덕왕 때는 국학을 태학이라고 고치고 박사와 조교를 두어 논어와 효경 등 유교경전을 가르쳤으며, 원성왕 때 학문과 유학의 보급을 위해 독서삼품과를 마련하였다.

㉢ 발해 : 주자감을 설립하여 귀족 자제들에게 유교경전을 교육하였다.

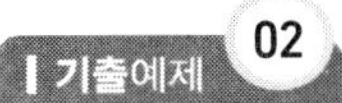

2019. 4. 6. 소방공무원

(가) 나라에 대한 설명으로 옳은 것은?

> 부여씨와 고씨가 망한 다음에 김씨의 신라가 남에 있고 대씨의 [(가)]이/가 북에 있으니 이것이 남북국이다. 여기에는 마땅히 남북국사가 있어야 할 터인데 고려가 편찬하지 않은 것은 잘못이다. 저 대씨는 어떤 사람인가. 바로 고구려 사람이다. 그들이 차지하고 있던 땅은 어떤 땅인가. 바로 고구려의 땅이다.

① 22담로에 왕족을 파견하였다.
② 최고 교육 기관으로 주자감을 두었다.
③ 특별 행정 구역인 5소경을 설치하였다.
④ 사회 질서를 유지하기 위한 8조법이 있었다.

✻

조선 후기 실학자인 유득공의 〈발해고〉 중 일부이다. 유득공은 고구려 유장 출신인 대조영이 건국한 발해를 고구려의 역사를 계승한 우리 민족의 역사로 인식하였다. 발해의 중앙관제는 당의 3성 6부제를 도입하였으나 명칭과 운영에 있어 발해의 독자성이 나타나있고, 최고 교육 기관으로 주자감을 설치하였다. 이외에 관리 감찰 기구로 중정대, 서적 및 문서 관리 기관으로 문적원을 설치하여 운영하였다.

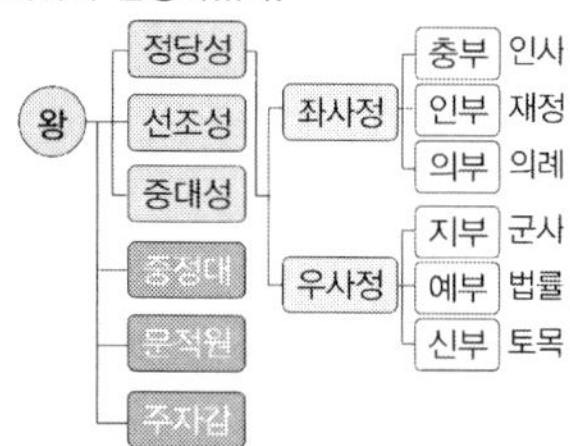

① 백제 무령왕(521~523)
③ 신라 신문왕(681~691)
④ 고조선

답 ②

(2) 역사 편찬과 유학의 보급

① 삼국시대 … 학문이 점차 발달되고 중앙집권적 체제가 정비됨에 따라 왕실의 권위를 높이고 백성들의 충성심을 모으기 위해 편찬 하였으며 고구려에는 유기, 이문진의 신집 5권, 백제에는 고흥의 서기, 신라에는 거칠부의 국사가 있다.

② 통일신라

㉠ 김대문 : 화랑세기, 고승전, 한산기를 저술하여 주체적인 문화의식을 드높였다.

㉡ 6두품 유학자 : 강수(외교문서를 잘 지은 문장가)나 설총(화왕계 저술)이 활약하여 도덕적 합리주의를 제시하였다.

㉢ 도당 유학생 : 김운경, 최치원이 다양한 개혁안을 제시하였다. 특히 최치원은 당에서 빈공과에 급제하고 계원필경 등 뛰어난 문장과 저술을 남겼으며, 유학자이면서도 불교와 도교에 조예가 깊었다.

③ 발해 … 당에 유학생을 파견하였고 당의 빈공과에 급제한 사람도 여러 명 나왔다.

(3) 불교의 수용

① 수용 … 고구려는 소수림왕(372), 백제는 침류왕(384), 신라는 법흥왕(527) 때 수용되었다.

② 불교의 영향

㉠ 새로운 국가정신의 확립과 왕권 강화의 결과를 가져왔다.

㉡ 신라 시대의 불교는 업설, 미륵불신앙이 중심교리로 발전하였다.

(4) 불교사상의 발달

① 원효 … 불교의 사상적 이해기준을 확립시켰고(금강삼매경론, 대승기신론소), 종파 간의 사상적인 대립을 극복하고 조화시키려 애썼으며, 불교의 대중화에 이바지하였다(아미타신앙).

② 의상 … 화엄일승법계도를 통해 화엄사상을 정립하였고, 현세에서 고난을 구제한다는 관음사상을 외치기도 하였다.

③ 혜초 … 인도에 가서 불교를 공부하였으며, 왕오천축국전을 저술하기도 하였다.

(5) 선종과 풍수지리설

① 선종 … 참선을 중시했고 실천적 경향이 강하였으며, 호족세력과 결합하였다.

② 풍수지리설 … 신라말기의 도선과 같은 선종 승려들이 중국에서 풍수지리설을 들여왔다.

㉠ 성격 : 도읍, 주택, 묘지 등을 선정하는 인문지리적 학설을 말하며, 도참사상과 결합하기도 하였다.

㉡ 국토를 지방 중심으로 재편성하는 주장으로 발전하였다.

2. 과학기술의 발달

(1) 천문학과 수학

① 천문학의 발달 … 농경과 밀접한 관련이 있었으며, 고구려의 천문도 · 고분벽화, 신라의 천문대를 통해 천문학이 발달했음을 알 수 있다.

② 수학의 발달 … 수학적 지식을 활용한 조형물을 통해 높은 수준으로 발달했음을 알 수 있다.

㉠ 고구려 : 고분의 석실과 천장의 구조

㉡ 백제 : 정림사지 5층 석탑

㉢ 신라 : 황룡사지 9층 목탑, 석굴암의 석굴구조, 불국사 3층 석탑, 다보탑

(2) 목판인쇄술과 제지술의 발달

① 배경 … 불교의 발달로 불경의 대량인쇄를 위해 목판인쇄술과 제지술이 발달하였다.

② 무구정광대다라니경 … 세계에서 가장 오래된 목판인쇄물이며, 닥나무 종이를 사용하였다.

(3) 금속기술의 발달

① 고구려 … 철의 생산이 중요한 국가적 산업이었으며, 우수한 철제 무기와 도구가 출토되었다. 고분벽화에는 철을 단련하고 수레바퀴를 제작하는 기술자의 모습이 묘사되어 있다.

② 백제 … 금속공예기술이 발달하였다(칠지도, 백제 금동대향로).

③ 신라 … 금세공기술이 발달하고(금관), 금속주조기술도 발달하였다(성덕대왕 신종).

(4) 농업기술의 혁신

① 철제 농기구의 보급으로 농업생산력이 증가하였다.

② 삼국의 농업기술 … 쟁기, 호미, 괭이 등의 농기구가 보급되어 농업 생산이 증가되었다.

3. 고대인의 자취와 멋

(1) 고분과 고분벽화

① 고구려 … 초기에는 돌무지무덤으로, 장군총이 대표적이며 후기에는 굴식 돌방무덤으로 무용총(사냥그림), 강서대묘(사신도), 쌍영총, 각저총(씨름도) 등이 대표적이다.

② 백제 … 한성시대에는 계단식 돌무지무덤으로서 서울 석촌동에 있는 무덤은 고구려 초기의 고분과 유사하며 웅진시대에는 굴식 돌방무덤과 벽돌무덤이 유행하였다. 사비시대에는 규모는 작지만 세련된 굴식 돌방무덤을 만들었다.

③ 신라 … 거대한 돌무지 덧널무덤을 만들었으며, 삼국통일 직전에는 굴식 돌방무덤도 만들었다.

④ 통일신라 … 굴식 돌방무덤과 화장이 유행하였으며, 둘레돌에 12지 신상을 조각하였다.

⑤ 발해 … 정혜공주묘(굴식 돌방무덤 · 모줄임 천장구조), 정효공주묘(묘지 · 벽화)가 유명하다.

(2) 건축과 탑

① 삼국시대

㉠ 사원 : 신라의 황룡사는 진흥왕의 팽창의지를 보여주고, 백제의 미륵사는 무왕이 추진한 백제의 중흥을 반영하는 것이다.

㉡ 탑 : 불교의 전파와 함께 부처의 사리를 봉안하여 예배의 주대상으로 삼았다.

- 고구려 : 주로 목탑 건립(현존하는 것은 없음)
- 백제 : 목탑형식의 석탑인 익산 미륵사지 석탑, 부여 정림사지 5층 석탑.
- 신라 : 몽고의 침입 때 소실된 황룡사 9층 목탑과 벽돌모양의 석탑인 분황사탑.

② 통일신라

㉠ 건축 : 불국토의 이상을 조화와 균형감각으로 표현한 사원인 불국사, 석굴암 및 인공 연못인 안압지는 화려한 귀족생활을 보여 준다.

㉡ 탑 : 감은사지 3층 석탑, 불국사 석가탑, 양양 진전사지 3층 석탑이 있다.

㉢ 승탑과 승비 : 신라말기에 선종이 유행하면서 승려들의 사리를 봉안하는 승탑과 승비가 유행하였다.

③ 발해 … 외성을 쌓고, 주작대로를 내고, 그 안에 궁궐과 사원을 세웠다.

(3) 불상 조각과 공예

① 삼국시대 … 불상으로는 미륵보살반가상을 많이 제작하였다. 그 중에서도 금동미륵보살반가상은 날씬한 몸매와 자애로운 미소로 유명하다.

② 통일신라

㉠ 석굴암의 본존불과 보살상 : 사실적 조각으로 불교의 이상세계를 구현하는 것이다.

㉡ 조각 : 태종 무열왕릉비의 받침돌, 불국사 석등, 법주사 쌍사자 석등이 유명하다.

㉢ 공예 : 상원사 종, 성덕대왕 신종 등이 유명하다.

③ 발해

㉠ 불상 : 흙을 구워 만든 불상과 부처 둘이 앉아 있는 불상이 유명하다.

㉡ 조각 : 벽돌과 기와무늬, 석등이 유명하다.

㉢ 공예 : 자기공예가 독특하게 발전하였고 당에 수출하기도 했다.

(4) 글씨 · 그림과 음악

① 서예 … 광개토대왕릉 비문(웅건한 서체), 김생(독자적인 서체)이 유명하다.

② 그림 … 천마도(신라의 힘찬 화풍), 황룡사 벽에 그린 소나무 그림(솔거)이 유명하다.

③ 음악과 무용 … 신라의 백결선생(방아타령), 고구려의 왕산악(거문고), 가야의 우륵(가야금)이 유명하다.

4. 일본으로 건너간 우리 문화

(1) 삼국문화의 일본 전파

① 백제 … 아직기는 한자 교육, 왕인은 천자문과 논어 보급, 노리사치계는 불경과 불상을 전래하였다.

② 고구려 : 담징(종이 먹의 제조방법을 전달, 호류사 벽화), 혜자(쇼토쿠 태자의 스승), 혜관(불교 전파)을 통해 문화가 전파되었다.

③ 신라 … 축제술과 조선술을 전해주었다.

④ 삼국의 문화는 야마토 정권과 아스카 문화의 형성에 큰 영향을 주었다.

(2) 일본으로 건너간 통일신라 문화

① 원효, 강수, 설총이 발전시킨 유교와 불교문화는 일본 하쿠호문화의 성립에 기여하였다.

② 심상에 의하여 전해진 화엄사상은 일본 화엄종의 토대가 되었다.

03 기출문제분석

2019. 4. 6. 인사혁신처

1 (가) 왕대의 사실에 대한 설명으로 옳은 것은?

> ((가))은/는 흑수말갈이 당과 통하려고 하자 군사를 동원하여 흑수말갈을 치게 하였다. 또한 일본에 사신 고제덕 등을 보내 "여러 나라를 관장하고 여러 번(蕃)을 거느리며, 고구려의 옛 땅을 회복하고 부여의 옛 습속을 지니고 있다."라고 하여 강국임을 자부하였다.

① 국호를 진국에서 발해로 바꾸었다.
② 신라는 급찬 숭정을 발해에 사신으로 보냈다.
③ 대흥이라는 독자적인 연호를 사용하였다.
④ 장문휴가 당의 등주를 공격하였다.

TIPS!
발해 무왕은 대조영의 아들로 대조영의 뒤를 이어 왕위를 계승하고 대외적으로 영토를 확장하고 일본과 교류하였다. 동북방 말갈족을 복속시켜 만주 북부 지역 일대를 장악하고, 장문휴로 하여금 당의 산둥반도 등주를 공격하게 하였다. 인안(仁安)이라는 독자적 연호를 사용하였다.
① 발해 고왕(대조영) ② 발해 희왕 ③ 발해 문왕

2019. 4. 6. 인사혁신처

2 우리나라 문화유산에 대한 설명으로 옳지 않은 것은?

① 개성 경천사지 10층 석탑은 원의 석탑을 본떠 만들어졌다.
② 영주 부석사 무량수전은 주심포식 목조 건물이다.
③ 부여 정림사지 5층 석탑에서는 백제 무왕의 왕후가 넣은 사리기가 발견되었다.
④ 김제 금산사 미륵전은 다층 건물이나 내부가 하나로 통한다.

TIPS!
③ 부여 정림사지 5층 석탑이 아닌 익산 미륵사지 석탑에서 발견되었다.

Answer 1.④ 2.③

2019. 4. 6. 인사혁신처

3 ㈎ 시기의 경제 상황에 대한 설명으로 옳은 것은?

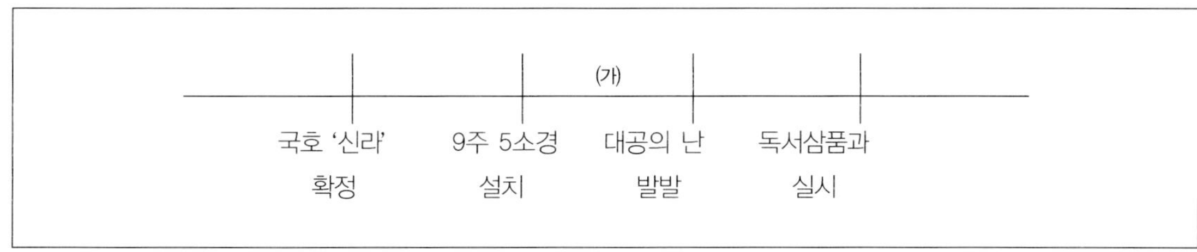

① 백성에게 정전을 처음으로 지급하였다.
② 시장을 감독하는 관청인 동시전을 신설하였다.
③ 백성의 구휼을 위하여 진대법을 제정하였다.
④ 청주(菁州)의 거로현을 국학생의 녹읍으로 삼았다.

TIPS!

국호를 신라로 정한 것은 지증왕(500~514) 때이다. 지방 행정 구역을 9주 5소경으로 확정한 것은 신문왕(681~692) 때이다. 대공의 난은 혜공왕(765~780) 때 발생한 반란이다. 독서삼품과는 원성왕(785~798) 때 시행되었다.
① 신라 성덕왕(722)
② 신라 지증왕(509)
③ 고구려 고국천왕(194)
④ 신라 소성왕(799) → 경덕왕 때 녹읍이 부활한 것과 관련

Answer 3.①

Let's check it out

03 출제예상문제

1 다음 비문의 내용에 해당하는 고구려왕의 업적으로 옳은 것은?

> 영락 10년(400) 경자에 보병과 기병 5만을 보내 신라를 구원하게 하였다. 후퇴하는 왜적을 추격하여 종발성을 함락하고 병사를 두어 지키게 하였다.

① 후연을 격파하여 요동으로 진출하였다.
② 율령을 반포하여 국가체제를 정비하였다.
③ 지방세력 통제를 위해 불교를 공인하였다.
④ 지두우를 분할 점령하여 흥안령 일대의 초원지대를 장악하였다.

TIPS!
제시된 내용은 광개토대왕릉비의 내용이다.
②③ 소수림왕의 업적이다.
④ 장수왕의 업적이다.

2 일본에 사신을 보내면서 스스로를 '고려국왕 대흠무'라고 불렀던 발해 국왕대에 있었던 통일신라의 상황으로 옳은 것은?

① 귀족세력의 반발로 녹읍이 부활되었다.
② 9주 5소경 체제의 지방행정조직을 완비하였다.
③ 의상은 당에서 귀국하여 영주에 부석사를 창건하였다.
④ 장보고는 청해진을 설치하고 남해와 황해의 해상무역권을 장악하였다.

TIPS!
발해 문왕(737～793)은 스스로를 황제라 칭하였으며, 이 시기 통일신라에서는 757년 경덕왕 시절 내외관의 월봉인 관료전이 폐지되고 녹읍이 부활하였다.
②③ 7C
④ 신라 하대

Answer 1.① 2.①

3 보기의 내용에 해당하는 역사적 사실로 옳은 것은?

> 혜공왕의 등극 후 왕권투쟁이 빈번해지면서 민란이 발생하였다.

① 녹읍이 폐지되었다.　　② 시중의 권한이 강해졌다.
③ 호족이 성장하였다.　　④ 6두품의 권한이 강해졌다.

신라하대는 왕위쟁탈전이 심해, 왕권은 불안정하고 지방의 반란은 지속되었다. 이에 호족세력은 스스로 성주나 장군으로 자처하며 반독립적인 세력으로 성장하게 되었는데, 지방의 행정과 군사권을 장악하고 경제적 지배력도 행사하였다.

4 발해를 우리 민족사의 일부로 포함시키고자 할 때 그 증거로 제시할 수 있는 내용으로 옳은 것은?

> ㉠ 발해의 왕이 일본에 보낸 외교문서에서 '고(구)려국왕'을 자처하였다.
> ㉡ 발해 피지배층은 말갈족이었다.
> ㉢ 발해 건국주체세력은 고구려 지배계층이었던 대씨, 고씨가 주류를 이루었다.
> ㉣ 수도상경에 주작 대로를 만들었다.

① ㉠㉣　　② ㉠㉢
③ ㉠㉡　　④ ㉠㉣

TIPS!

발해가 건국된 지역은 고구려 부흥운동이 활발하게 일어난 요동지역이었다. 발해의 지배층 대부분은 고구려 유민이었으며 발해의 문화는 고구려적 요소를 많이 포함하고 있었다.

Answer 3.③ 4.②

5 삼국통일 후에 신라가 다음과 같은 정책을 실시하게 된 궁극적인 목적으로 옳은 것은?

> • 문무왕은 고구려, 백제인에게도 관직을 내렸다.
> • 옛 고구려, 백제 유민을 포섭하려 노력했다.
> • 고구려인으로 이루어진 황금서당이 조직되었다.
> • 말갈인으로 이루어진 흑금서당이 조직되었다.

① 민족융합정책
② 전제왕권강화
③ 농민생활안정
④ 지방행정조직의 정비

TIPS!

삼국통일 이후 신라의 9서당은 중앙군사조직에 신라인뿐만 아니라 고구려 · 백제인 · 말갈인 등 다른 국민까지 포함시켜 조직함으로써 다른 국민에 대한 우환을 경감시키고 중앙병력을 강화할 수 있었다. 그러나 가장 궁극적인 목적은 민족융합에 있었다고 할 수 있다.

6 다음 중 발해의 군사 및 행정제도에 관한 설명으로 옳은 것은?

① 특수 행정구역으로 22담로가 존재하였다.
② 당의 3성 6부제를 모방하여 그대로 운영하였다.
③ 중앙군은 9서당으로 구성되었다.
④ 중정대는 관리감찰기구로 고려시대의 어사대와 유사한 기능을 수행하였다.

TIPS!

① 22담로는 백제시대의 특수 행정구역이며, 발해의 지방제도는 5경 15부 62주이다.
② 당의 3성 6부제를 모방하여 발해의 실정에 맞게 변화시켜 운영하여 2성 6부제였으며, 6부의 이름도 당과는 차이가 있었다.
③ 9서당은 통일신라의 중앙군이며, 발해의 중앙군은 10위로 궁성과 수도의 경비를 담당하였다.

Answer 5.① 6.④

국어

한국사

영어

7 통일신라시대에 관료전을 지급하고 백성들에게 정전을 지급했던 시기의 시대적 상황으로 옳지 않은 것은?

① 6두품의 활약
② 신문왕 때(687) 시행
③ 집사부 시중의 권한 강화
④ 관료전 지급으로 귀족세력 강화

TIPS!

④ 신문왕때 귀족세력을 약화시키기 위하여 관료전을 지급하고 녹읍을 폐지하여 국가의 토지지배권을 강화하였다.

8 다음 중 신라왕의 칭호가 가장 늦게 나타난 것은?

① 거서간
② 차차웅
③ 이사금
④ 마립간

TIPS!

신라 왕호의 변천
㉠ 거서간 : 대인, 군장의 의미(박혁거세)
㉡ 차차웅 : 제주, 무당의 의미(남해)
㉢ 이사금 : 계승자, 연장자의 의미(유리 ~ 흘해)
㉣ 마립간 : 대군장, 우두머리를 의미(내물 ~ 소지)
㉤ 왕 : 지증왕(한자식 왕호), 법흥왕(불교식 왕명), 무열왕(중국식 시호)

9 다음 중 신라 문무왕에 관한 설명으로 옳지 않은 것은?

① 당나라의 문화 수입에 배타적이었다.
② 진골 출신의 첫 왕인 무열왕의 아들이다.
③ 호국적 신념으로 인하여 유언에 따라 화장하고 수중릉인 대왕암을 만들었다.
④ 668년 고구려를 멸망시켰다.

TIPS!

① 문무왕은 즉위 후 당의 문물과 제도를 도입하면서 당나라와 우의를 다지는 데 힘썼다. 664년 부인들의 의복을 당제(唐制)에 따르게 하였으며, 당나라의 음악인 당악을 수입하였다. 또한 674년에는 당의 역력을 모방하여 새로운 역력을 제정하였다.

Answer 7.④ 8.④ 9.①

10 다음은 신라시대의 정치변천과정에 대한 설명이다. 옳지 않은 것은?

① 박, 석, 김의 3성이 교대로 왕위를 차지하였는데, 이때 그 우두머리를 마립간이라 하였다.
② 내물왕 때 고구려 광개토대왕의 군대가 왜를 물리치기도 하였다.
③ 지증왕 때 국호를 신라로 바꾸었다.
④ 진흥왕은 화랑도를 국가적 조직으로 개편하였다.

TIPS!

① 신라는 처음 진한 소국의 하나인 사로국에서 출발하였는데, 경주지역의 토착민집단과 유이민집단의 결합으로 건국되었다. 이후 동해안으로 들어온 석탈해 집단이 등장하면서 박 · 석 · 김의 3성(姓)이 교대로 왕위를 차지하였다. 이때 유력집단의 우두머리는 이사금(왕)으로 추대되었고 주요 집단들은 독자적인 세력 기반을 유지하고 있었다.

11 신라의 군사제도에 대한 설명으로 옳은 것은?

① 지방군은 9주에 각 1정씩 두어 9정으로 형성되었다.
② 지방군은 토착인을 장군으로 삼아 통치하였다.
③ 통일 후 지방에 있는 군대를 약화시켜 지방 반란에 대비하였다.
④ 중앙군인 9서당에는 민족 융합을 위해 신라 이외의 사람들도 포함되었다.

TIPS!

신라의 군사제도로는 중앙군인 9서당과 지방군인 10정이 있다. 9서당에는 고구려와 백제 사람은 물론 말갈족까지 포함하며 민족 융합을 시도하였으며, 지방군인 10정은 8주에 각 1정씩 두고 한산주에는 2정을 두었다. 주의 도독이나 군대의 장군 등 핵심적인 권력은 진골귀족이 독점하였다.

12 신라말기에 등장한 호족들에 대한 설명으로 옳은 것은?

① 녹읍을 기반으로 경제적 지배력을 행사하였다.
② 군대를 보유하여 스스로 성주 혹은 장군이라고 칭하였다.
③ 호족들은 대부분 도당유학생 출신이었다.
④ 경제력과 군사력을 바탕으로하여 왕위 쟁탈전을 벌었다.

TIPS!

② 신라말기의 호족세력은 지방의 행정 · 군사권과 경제적 지배력을 행사하고 있었으며 스스로 성주나 장군으로 칭하면서 반중앙적인 세력으로 성장하였다.

Answer 10.① 11.④ 12.②

13 중앙집권적 고대국가의 특징으로 옳은 것을 모두 고르면?

> ㉠ 왕의 다른 집단에 대한 지배력 강화
> ㉡ 지배, 피지배관계의 발달로 계급 발생
> ㉢ 율령을 반포하여 통치체제 정비
> ㉣ 족장들의 부족에 대한 지배력 강화
> ㉤ 집단의 통합을 강화하기 위하여 불교 수용

① ㉠㉡㉢
② ㉠㉢㉣
③ ㉠㉢㉤
④ ㉡㉣㉤

TIPS!
㉡ 청동기시대에 계급이 발생되었다.
㉣ 족장들의 부족에 대한 지배력이 점차 약해지고, 족장은 중앙으로 흡수되어 갔다.

14 4세기 중반 백제의 대외관계에 대한 설명으로 옳지 않은 것은?

① 마한세력을 정복하여 전라도 남해안까지 이르렀다.
② 낙동강 유역의 가야에 지배권을 행사하였다.
③ 수군을 정비하여 고구려가 점령하고 있던 중국의 요동지방으로 진출하였다.
④ 일본의 규슈지방에 진출하였다.

TIPS!
③ 중국의 산둥 · 요서 지방으로 진출하였다.

Answer 13.③ 14.③

15 다음 중 가야연맹에 대한 설명으로 옳지 않은 것은?

① 철의 생산이 풍부해 경제가 발달하였다.
② 신라, 왜의 세력을 끌어들여 백제를 공략하는 동시에 중앙집권국가로 발전하게 되었다.
③ 전기에는 금관가야가 중심이 되었으나 후기에는 대가야를 중심으로 가야연맹이 새롭게 형성되었다.
④ 한 군현, 왜와의 중계무역을 통해 많은 이득을 얻었다.

TIPS!

② 가야는 왜 · 백제와 연결하여 신라를 여러 차례 공격하였지만, 중앙집권국가로는 발전하지 못하였다.

16 다음 중 민정문서(신라장적)에 대한 설명으로 옳은 것은?

① 천민 집단과 노비의 노동력은 기록하지 않았다.
② 소백 산맥 동쪽에 있는 중원경과 그 주변 촌락의 기록이다.
③ 인구를 연령별로 6등급으로 나누어 작성하였다.
④ 5년마다 촌락의 노동력과 생산력을 지방관이 작성하였다.

TIPS!

③ 연령과 성별에 따라 6등급으로, 호는 인구수에 따라 9등급으로 나누어 기록하였다.

17 신문왕 때 폐지되었던 녹읍이 경덕왕 때 다시 부활한 이유로 옳은 것은?

① 왕권 강화
② 귀족 세력의 반발
③ 피정복민의 회유
④ 농민의 생활 안정

TIPS!

② 경덕왕때 귀족의 반발로 녹읍제가 부활되어 국가경제가 어렵게 되었다.

Answer 15.② 16.③ 17.②

18 다음은 통일신라 때의 토지 제도에 대한 설명이다. 이에 관한 설명으로 옳은 것은?

> 통일 후에는 문무 관료들에게 토지를 나누어 주고, 녹읍을 폐지하는 대신 해마다 곡식을 나누어 주었다.

① 농민 경제가 점차 안정되었다.
② 귀족들의 농민 지배가 더욱 강화되었다.
③ 귀족들의 기반이 더욱 강화되었다.
④ 귀족에 대한 국왕의 권한이 점차 강화되었다.

TIPS!
제시된 내용은 관료전을 지급하는 대신 녹읍을 폐지한 조치에 대한 설명이다. 녹읍은 토지세와 공물은 물론 농민의 노동력까지 동원할 수 있었으나 관료전은 토지세만 수취할 수 있었다.

19 다음 중 통일신라의 무역활동과 관계 없는 것은?

① 한강 진출로 당항성을 확보하여 중국과의 연결을 단축시켰다.
② 산둥반도와 양쯔강 하류에 신라인 거주지가 생기게 되었다.
③ 통일 직후부터 일본과의 교류가 활발해졌다.
④ 장보고가 청해진을 설치하고 남해와 황해의 해상무역권을 장악하였다.

TIPS!
③ 일본과의 무역은 통일 직후에는 일본이 신라를 견제하고, 신라도 일본의 여·제 유민을 경계하여 경제교류가 활발하지 못하였으나 8세기 이후 정치의 안정과 일본의 선진문화에 대한 욕구로 교류가 활발해졌다.

Answer 18.④ 19.③

20 고대 여러 나라의 무역활동에 관한 설명으로 옳지 않은 것은?

① 고구려 – 중국의 남북조 및 유목민인 북방 민족과 무역하였다.
② 백제 – 남중국 및 왜와 무역을 하였다.
③ 발해 – 당과 평화관계가 성립되어 무역이 활발하게 이루어졌다.
④ 통일신라 – 삼국통일 직후 당, 일본과 활발하게 교류하였다.

④ 통일 이후 일본과의 교류를 제한하여 무역이 활발하지 못하였으며, 8세기 이후부터 다시 교역이 이루어졌다.

21 삼국시대의 수공업 생산에 대한 설명으로 옳은 것은?

① 국가가 관청을 두고 기술자를 배치하여 물품을 생산하였다.
② 도자기가 생산되어 중국에 수출하였다.
③ 수공업의 발달은 상품경제의 성장을 촉진하였다.
④ 노예들은 큰 작업장에 모여 공동으로 생산활동을 하였다.

TIPS!

초기에는 기술이 뛰어난 노비에게 국가가 필요로 하는 물품을 생산하게 하였으나, 국가체제가 정비되면서 수공업 제품을 생산하는 관청을 두고 수공업자를 배치하여 물품을 생산하였다.

Answer 20.④ 21.①

22 다음에서 발해의 경제생활에 대한 내용으로 옳은 것을 모두 고르면?

> ㉠ 밭농사보다 벼농사가 주로 행하였다.
> ㉡ 제철업이 발달하여 금속가공업이 성행하였다.
> ㉢ 어업이 발달하여 먼 바다에 나가 고래를 잡기도 하였다.
> ㉣ 가축의 사육으로 모피, 녹용, 사향 등이 생산되었다.

① ㉠㉡
② ㉠㉢
③ ㉠㉣
④ ㉡㉢㉣

TIPS!

㉠ 발해의 농업은 기후가 찬 관계로 콩, 조 등의 곡물 생산이 중심을 이루었고 밭농사가 중심이 되었다.

23 다음의 자료에 나타난 나라에 대한 설명으로 옳은 것은?

> 큰 산과 깊은 골짜기가 많고 평원과 연못이 없어서 계곡을 따라 살며 골짜기 물을 식수로 마셨다. 좋은 밭이 없어서 힘들여 일구어도 배를 채우기는 부족하였다.
>
> − 삼국지 동이전 −

① 국동대혈에서 제사를 지내는 의례가 있었다.
② 가족 공동의 무덤인 목곽에 쌀을 부장하였다.
③ 특산물로는 단궁 · 과하마 · 반어피 등이 유명하였다.
④ 남의 물건을 훔쳤을 때에는 50만 전을 배상토록 하였다.

TIPS!

① 고구려 ② 옥저 ③ 동예 ④ 고조선

Answer 22.④ 23.①

24 다음에 대한 설명으로 옳지 않은 것은?

> 국가가 필요로 하는 인재를 육성하려는 목적으로 조직되어 조직 내에서 일체감을 갖고 활동하면서 교육적 · 수양적 · 사교적 · 군사적 · 종교적 기능도 가지고 있다.

① 귀족들로 구성되어 국왕과 귀족 간의 권력을 중재하는 기능을 담당하였다.
② 계층 간의 대립과 갈등을 조절 · 완화하는 기능을 하였다.
③ 진흥왕은 보기의 활동을 장려하여 조직이 확대되었다.
④ 제천의식을 통하여 협동과 단결 정신을 기르고 심신을 연마하였다.

화랑도는 귀족 출신의 화랑과 평민 출신의 낭도로 구성되어 계급 간의 대립과 갈등을 조절하고 완화하는 기능을 하였다.

25 다음 중 신라하대의 6두품의 성향으로 옳은 것은?

① 각 지방에서 반란을 일으켰다.
② 새로운 정치 질서의 수립을 시도하지만 탄압과 배척을 당하자 점차 반신라적 경향으로 바뀌었다.
③ 화백회의의 기능을 강화시켰다.
④ 진골에 대항하여 광권과 결탁하였다.

TIPS!

6두품의 성향

신라중대	신라하대
• 진골귀족에 대항하여 왕권과 결탁 • 학문적 식견과 실무능력을 바탕으로 국왕 보좌 • 집사부 시중 등 관직을 맡으며 정치적으로 진출 • 행정실무 담당	• 중앙권력에서 배제 • 호족과 연결 • 합리적인 유교이념을 내세움 • 개혁이 거부되자 반신라적 경향으로 바뀜 • 선종의 등장에 주된 역할을 함

Answer 24.② 25.②

26 다음 중 통일신라말기의 사회 상황으로 옳은 것은?

① 억불숭유 정책의 실시
② 교종 세력의 강화
③ 성골과 진골의 왕위 쟁탈전
④ 지방 호족 세력의 성장

TIPS!
④ 통일신라말기에는 지방의 유력자들을 중심으로 무장조직이 결성되었고, 이들을 아우른 큰 세력가들이 호족으로 등장하였다.

국어

27 통일신라 사회에 대한 설명으로 옳지 않은 것은?

① 금성은 귀족들이 모여 사는 곳으로 정치와 문화의 중심지였다.
② 6두품은 중앙관청이나 지방의 장관직으로 올라 정치적 주도권을 장악하였다.
③ 가난한 농민들은 귀족의 토지를 빌려서 경작하며 생계를 유지하였다.
④ 3, 2, 1두품은 평민과 동등하게 지위가 허락되었다.

TIPS!
중앙관청의 장관이나 지방장관직은 진골귀족들의 독점적 전유물이었다. 6두품들은 신분의 제약으로 높은 관직 진출에 한계가 있었다. 3두품에서 1두품 사이의 구분은 실질적 의미를 잃고, 평민과 동등하게 간주되었다.

한국사

영어

28 다음 중 발해의 사회구조에 대한 설명으로 옳지 않은 것은?

① 지배층의 대다수는 고구려계 사람이다.
② 상층사회에서는 당의 제도와 문물이 확산되었다.
③ 말갈인들은 전부 피지배층이다.
④ 노비와 예속민이 존재하는 차별적인 사회다.

TIPS!
③ 발해는 고구려계 유민과 말갈족으로 구성된 이중적인 사회였다. 지배층의 대다수는 고구려계 유민으로 형성되었으나 말갈족에서도 지배계층으로 편입된 사람이 있었으며, 촌락의 촌주가 되어 국가 행정을 보조하였다.

Answer 26.④ 27.② 28.③

29 신라의 화백회의에 대한 설명으로 옳지 않은 것은?

① 계급 간의 대립과 갈등을 조절, 완화하는 기능을 가졌다.
② 귀족들의 대표자 회의의 변형으로 국가의 주요사항을 회의하던 기구이다.
③ 회의에 참여하던 진골 이상의 귀족을 대등이라 하고, 그 의장을 상대등이라 하였다.
④ 만장일치제의 의견통일원칙을 취하였다.

① 화랑도의 기능이다. 화백의 기능은 귀족들의 단결을 강화하고 국왕과 귀족 간의 권력을 조절하는 기능을 수행하였다.

30 금석문의 내용에 대한 설명으로 옳지 않은 것은?

① 울진 봉평신라비 – 이 지역에 발생한 중대 사건을 처리하고 관련자를 처벌하였다.
② 임신서기석 – 공부와 인격 도야에 관해 맹세하였다.
③ 광개토대왕릉비 – 광개토대왕이 침략해 온 북위를 크게 무찔렀다.
④ 사택지적비 – 사택지적이 지난 세월의 덧없음을 한탄하였다.

TIPS!

광개토대왕릉비에 북위를 크게 무찔렀다는 기록은 없다.
① 울진 봉평신라비 : 6C 법흥왕 때 울진 지역의 중대한 사건을 처리하고 관련자를 처벌한 것을 기록한 비석으로, 법흥왕 때 율령반포와 관련이 있다.
② 임신서기석 : 진평왕 때 두 명의 화랑이 학문에 전념할 것과 국가에 충성할 것을 다짐하며 새긴 비석으로 유학의 발달을 알 수 있다.
④ 사택지적비 : 백제 의자왕 때 사택지적이 불당을 건립하면서 세운 비석으로, 인생의 무상함을 한탄하는 내용이 있어 백제에 도교가 전래되었음을 알 수 있다.

Answer 29.① 30.③

국
어

한
국
사

영
어

31 다음 사료를 통해 추론할 수 있는 역사 서술의 특징과 맥락을 같이 하는 사례를 고른 것은?

> 부여는 장성의 북쪽에 있으며 현도에서 천리 쯤 떨어져 있다. …(중략)… 사람들의 체격은 매우 크고 성품이 강직용맹하며 근엄후덕해서 다른 나라를 노략질하지 않았다. 고구려는 요동의 동쪽 천리에 있다. …(중략)… 좋은 밭이 없어서 힘들여 일구어도 배를 채우기에는 부족하였다. 사람들의 성품은 흉악하고 급해서 노략질하기를 좋아했다.
>
> – 삼국지 동이전 –

> ㉠ 김부식의 「삼국사기」는 불교 관련 기사가 거의 없다.
> ㉡ 「고려사」는 우왕을 부정적으로 기록하였다.
> ㉢ 한백겸의 「동국지리지」는 문헌고증에 입각한 객관적인 역사 연구를 추구하였다.
> ㉣ 사마천의 「사기」는 기전체로서 역사를 본기, 세가, 지, 열전, 연표 등으로 나누어 설명하였다.

① ㉠㉡　　② ㉠㉢
③ ㉡㉢　　④ ㉢㉣

TIPS!

서문을 보면 부여는 긍정적으로 고구려는 부정적으로 저자의 주관을 서술하고 있음을 알 수 있다. 반면 ㉢㉣은 문헌고증에 입각한 역사서이므로 주관이 배제되어 있다.

32 보기의 내용과 관련있는 사실로 옳은 것은?

> • 일본의 다카마스　　• 호류사 금당벽화　　• 정효공주묘의 모줄임 구조

① 활발한 정복활동과 불교전파　　② 고구려 문화의 대외전파
③ 백제 문화의 대외전파　　④ 신라 문화의 대외전파

TIPS!

② 고구려는 일본에 주로 의학과 약학을 전해 주었으며 혜자는 쇼토쿠 태자의 스승이 되었다. 또한 담징은 호류사의 금당벽화를 그렸으며, 다카마쓰고분에서도 고구려의 흔적이 나타난다. 정효공주묘의 천장에 나타나는 모줄임 구조도 고구려적 요소라고 할 수 있다.

Answer 31.① 32.②

33 불교의 교리를 알지 못하여도 '나무아미타불 관세음보살 '만 외우면 서방의 극락에서 왕생할 수 있다고 주장한 승려는?

① 원측
② 원효
③ 의상
④ 혜초

TIPS!
② 원효는 정토신앙을 널리 전파시켜 불교의 대중화에 기여하였다.

34 다음 중 강서고분, 무용총, 각저총 등 벽화가 남아있는 고분의 형태는?

① 굴식벽돌무덤
② 굴식돌방무덤
③ 돌무지무덤
④ 돌무지덧널무덤

TIPS!
굴식돌방무덤…판 모양의 돌을 이용하여 널을 안치하는 방을 만들고 널방벽의 한쪽에 외부로 통하는 출입구를 만든 뒤 봉토를 씌운 무덤으로 횡혈식 석실묘라고도 한다. 고대의 예술수준을 알 수 있는 고분벽화는 널방벽에 그려진 것이다.

35 우리 문화의 일본 전파와 관련된 내용으로 옳지 않은 것은?

① 백제가람은 백제가 일본에서 유행시킨 건축양식이다.
② 신라의 조선술·축제술의 전파로 일본에는 한인의 연못이 생겼다.
③ 고구려의 노리사치계는 일본에 불경과 불상을 전례하였다.
④ 삼국 문화의 일본 전파는 삼국의 독자적인 문화를 전해 준 것이다.

TIPS!
③ 노리사치계는 백제 사람이다.

Answer 33.② 34.② 35.③

36 다음 중 백제 건국의 근거가 되는 것은?

① 단양적성비
② 몽촌토성
③ 칠지도
④ 울진봉평신라비

② 몽촌토성은 백제 초기의 토성터로 목책구조와 토성방비용 해자로 되어있는 독특한 구조를 지닌다. 위치나 견고함 등으로 보았을 때 하남위례성의 주성(主成)으로 추정된다.

37 다음에서 제시된 통일신라시대 예술의 특징은?

상원사종, 석굴암 본존불상, 불국사 3층 석탑, 쌍사자 석등

① 균형미와 조화미
② 선종의 영향
③ 남북조시대 미술의 직접적 영향을 받음
④ 신라말기 풍수지리설과 관련

통일신라 예술의 특징은 고구려, 백제의 영향과 자신들의 균형감각으로 균형미와 조화미를 특징으로 한다.

Answer 36.② 37.①

38 다음과 같은 사상에 대한 설명으로 알맞은 것은?

> (가) 일(一) 안에 일체(一切)요, 다(多) 안에 일(一)이며, 일(一)이 곧 일체(一切)요, 다(多)가 곧 일(一)이다. 한 찰나가 곧 영원이다. 양에 있어서 셀 수 없이 많은 것이 있지만 그것은 실은 하나이다.
> (나) 불교의 길은 일심(一心)으로 귀환케 하는 데 있는데, 그러기 위하여 긍정과 부정의 두 면이 있게 됨은 자연스러운 현상임을 깨달아야 한다. 모든 인간은 평등하며, 성불할 수 있다.

① (가) – 성리학이 수용될 수 있는 기틀을 마련하였다.
② (가) – 내외겸전(內外兼全)을 통해 종파의 통합을 추구하였다.
③ (나) – 전제왕권의 강화에 기여한 바가 크다.
④ (나) – 정토신앙을 통해 대중불교로 나아갔다.

TIPS!

(가)는 의상의 화엄사상, (나)는 원효의 일심사상에 대한 설명이다. 원효는 극락에 가고자 하는 아미타신앙(정토신앙)을 자신이 직접 전도하여 불교대중화의 길을 열었다.
① 조계종은 좌선 등을 통한 심성의 도야를 강조함으로써 점차 성리학을 받아들일 수 있는 사상적 터전을 마련하였다.
② 의천이 내외겸전을 통해 종파의 통합을 추구하였다.
③ 화엄종에 대한 설명이다.

Answer 38.④

고려의 형성과 발전

section 1 고려의 정치

1. 중세사회의 성립과 전개

(1) 고려의 성립과 민족의 재통일

① 고려의 건국 … 왕건은 송악의 호족으로서 처음에는 궁예 휘하로 들어가 한강 유역과 나주지방을 점령하여 후백제를 견제하였는데 궁예의 실정을 계기로 정권을 장악하게 되었으며, 고구려의 후계자임을 강조하여, 국호를 고려라 하고 송악에 도읍을 세웠다.

② 민족의 재통일 … 중국의 혼란기를 틈타 외세의 간섭 없이 통일이 성취되었다.

(2) 태조의 정책

① 취민유도(取民有度)정책 … 조세경감, 노비해방 및 빈민구제기관인 흑창을 설치하였다.

② 통치기반 강화

㉠ 관제 정비 : 태봉의 관제를 중심으로 신라와 중국의 제도를 참고하여 정치제도를 만들고, 개국공신과 호족을 관리로 등용하였다.

㉡ 호족 통합 : 호족과 정략결혼을 하였으며 그들의 향촌지배권을 인정하고, 공신들에게는 역분전을 지급하였다.

㉢ 호족 견제 : 사심관제도(우대)와 기인제도(감시)를 실시하였다.

㉣ 통치 규범 : 정계, 계백료서를 지어 관리들이 지켜야 할 규범을 제시하였고, 후손들이 지켜야 할 교훈이 담긴 훈요 10조를 남겼다.

③ 북진정책 … 고구려를 계승하였음을 강조하여 국호를 고려라 하고 국가의 자주성을 강조하기 위해 천수(天授)라는 연호를 사용하였다.

| 기출예제 01 2019. 4. 6. 소방공무원

다음 유훈을 남긴 왕의 업적으로 옳은 것은?

> 제1조 우리나라의 대업은 부처께서 지켜 주는 힘에 의지한 것이니, 후세에 간신들이 정권을 잡아, 승려들의 청에 따라 각자 맡은 사원을 다투어 서로 빼앗지 못하게 하라.
> 제2조 모든 사원은 도선이 세울 곳을 정해 개창하였으니 함부로 더 짓지 마라.
> 제6조 연등회와 팔관회를 가감하지 말고 시행하라.
> 제7조 신하의 의견을 존중하고 백성의 부역과 세금을 경감하라.
>
> – 고려사 –

① 정계와 계백료서를 지어 관리의 규범을 제시하였다.
② 노비안검법을 실시하여 호족의 경제력을 약화시켰다.
③ 전국의 주요 지역에 12목을 설치하고 지방관을 파견하였다.
④ 중국에서 귀화한 쌍기의 건의를 받아들여 과거제를 시행하였다.

✱

고려 태조 왕건이 후대의 왕들에게 내린 〈훈요 10조〉에 관한 내용이다. 왕건은 건국 초 호족을 통합하기 위한 정책으로 정략혼인, 사성정책, 사심관 제도, 기인 제도 등을 시행하였으며, 고구려 계승을 위한 북진정책을 시행하였다. 민생안정책으로는 조세 경감을 통한 취민유도 정책과 흑창을 설치하였다. 신하들이 지켜야 할 예법에 관한 〈계백료서〉를 편찬하기도 하였다.
②④ 고려 광종(949~975)
③ 고려 성종(981~997)

답 ①

(3) 광종의 개혁정치

왕권의 안정과 중앙집권체제를 확립하기 위하여 노비안검법, 과거제도 실시, 공복제도, 불교 장려, 제위보의 설치, 독자적인 연호 사용 및 송과의 문화적 · 경제적 목적에서 외교관계를 수립하였으나, 군사적으로는 중립적 자세를 취하였다.

(4) 유교적 정치질서의 강화

① 최승로의 시무 28조 … 유교정치이념을 강조하고 지방관의 파견과 문벌귀족 중심의 정치를 이루게 되었다.

② 성종의 중앙집권화 … 6두품 출신의 유학자를 등용, 12목에 지방관의 파견, 향리제도 실시, 국자감과 향교의 설치 및 과거제도를 실시하고 중앙통치기구는 당, 태봉, 신라, 송의 관제를 따랐다.

2. 통치체제의 정비

(1) 중앙의 통치조직

① 정치조직(2성 6부)

㉠ 2성

• 중서문하성 : 중서성과 문하성의 통합기구로 문하시중이 국정을 총괄하였다.

– 재신 : 2품 이상의 고관으로 백관을 통솔하고 국가의 중요정책을 심의 · 결정하였다.

– 낭사 : 3품 이하의 관리로 정책을 건의하거나, 정책 집행의 잘못을 비판하는 일을 담당하였다.

• 상서성 : 실제 정무를 나누어 담당하는 6부를 두고 정책의 집행을 담당하였다.

㉡ 중추원(추부) : 군사기밀을 담당하는 2품 이상의 추밀과 왕명 출납을 담당하는 3품의 승선으로 구성되었다.

㉢ 삼사 : 화폐와 곡식의 출납에 대한 회계업무만을 담당하였다.

㉣ 어사대 : 풍속을 교정하고 관리들의 비리를 감찰하는 감찰기구이다.

㉤ 6부 : 상서성에 소속되어 실제 정무를 분담하던 관청으로 각 부의 장관은 상서, 차관은 시랑이었다.

② 귀족 중심의 정치

㉠ 귀족합좌 회의기구(중서문하성의 재신, 중추원의 추밀)

• 도병마사 : 재신과 추밀이 함께 모여 회의로 국가의 중요한 일을 결정하는 곳이다. 국방문제를 담당하는 임시기구였으나, 도평의사사(도당)로 개편되면서 구성원이 확대되고 국정 전반에 걸친 중요사항을 담당하는 최고정무기구로 발전하였다.

• 식목도감 : 임시기구로서 재신과 추밀이 함께 모여 국내 정치에 관한 법의 제정 및 각종 시행규정을 다루던 회의기구였다.

㉡ 대간(대성)제도 : 어사대의 관원과 중서문하성의 낭관으로 구성되었다. 비록 직위는 낮았지만 왕, 고위관리들의 활동을 지원하거나 제약하여 정치 운영의 견제와 균형을 이루었다.

• 서경권 : 관리의 임명과 법령의 개정이나 폐지 등에 동의하는 권리

• 간쟁 : 왕의 잘못을 말로 직언하는 것

• 봉박 : 잘못된 왕명을 시행하지 않고 글로 써서 되돌려 보내는 것

(2) 지방행정조직의 정비

① 정비과정

㉠ 초기 : 호족세력의 자치로 이루어졌다.

㉡ 성종 : 12목을 설치하여 지방관을 파견하였다.

㉢ 현종 : 4도호부 8목으로 개편되어 지방행정의 중심이 되었고, 그 후 전국을 5도와 양계, 경기로 나눈 다음 그 안에 3경 · 4도호부 · 8목을 비롯하여 군 · 현 · 진을 설치하였다.

② 지방조직

㉠ 5도(일반행정구역) : 상설 행정기관이 없는 일반 행정 단위로서 안찰사를 파견하여 도내의 지방을 순찰하게 하였다. 도에는 주와 군(지사) · 현(현령)이 설치되고, 주현에는 지방관을 파견하였지만 속현에는 지방관을 파견하지 않았다.

㉡ 양계(군사행정구역) : 북방의 국경지대에는 동계와 북계의 양계를 설치하여 병마사를 파견하고, 국방상의 요충지에 군사특수지역인 진을 설치하였다.

㉢ 8목 4도호부 : 행정과 군사적 방비의 중심적인 역할을 맡은 곳이다.

㉣ 특수행정구역

- 3경 : 풍수설과 관련하여 개경(개성), 서경(평양), 동경(경주, 숙종 이후 남경)에 설치하였다.
- 향 · 소 · 부곡 : 천민의 집단거주지역이었다.

㉤ 지방행정 : 실제적인 행정사무는 향리가 실질적으로 처리하여 지방관보다 영향력이 컸다(속현, 향, 소, 부곡 등).

(3) 군역제도와 군사조직

① 중앙군

㉠ 2군 6위 : 국왕의 친위부대인 2군과 수도 경비와 국경 방어를 담당하는 6위로 구성되었다.

㉡ 직업군인 : 군적에 올라 군인전을 지급받고 군역을 세습하였으며, 군공을 세워 신분을 상승시킬 수 있는 중류층이었다. 이들은 상장군, 대장군 등의 무관이 지휘하였다.

② 지방군

㉠ 주진군(양계) : 상비군으로 좌군, 우군, 초군으로 구성되어 국경을 수비하는 의무를 지녔다.

㉡ 주현군(5도) : 지방관의 지휘를 받아 치안과 지방방위 · 노역에 동원되었고 농민으로 구성하였다.

(4) 관리임용제도

① 과거제도(법적으로 양인 이상이면 응시가 가능)

㉠ 제술과 : 문학적 재능과 정책을 시험하는 것이다.

㉡ 명경과 : 유교경전에 대한 이해능력을 시험하는 것이다.

㉢ 잡과 : 기술관을 선발하는 것으로 백정이나 농민이 응시하였다.

㉣ 한계와 의의 : 능력 중심의 인재 등용과 유교적 관료정치의 토대 마련의 계기가 되었으나 과거출신자보다 음서출신자가 더 높이 출세할 수 밖에 없었고, 무과는 실시하지 않았다.

② 음서제도 … 공신과 종실의 자손 외에 5품 이상의 고관의 자손은 과거를 거치지 않고 관직에 진출할 수 있는 제도이다.

3. 문벌귀족사회의 성립과 동요

(1) 문벌귀족사회의 성립

① 지방호족 출신이 중앙관료화된 것으로, 신라 6두품 계통의 유학자들이 과거를 통해 관직에 진출하여 성립되었으며, 대대로 고위관리가 되어 중앙정치에 참여하게 되고, 과거와 음서를 통해 관직을 독점하였다.

② 문벌귀족사회의 모순

㉠ 문벌귀족의 특권 : 정치적으로 과거와 음서제를 통해 고위 관직을 독점하였으며 경제적으로 과전, 공음전, 사전 등의 토지 겸병이 이루어지고, 사회적으로 왕실 및 귀족들 간의 중첩된 혼인관계를 이루었다.

㉡ 측근세력의 대두 : 과거를 통해 진출한 지방 출신의 관리들이 국왕을 보좌하면서 문벌귀족과 대립하였다.

㉢ 이자겸의 난, 묘청의 서경천도운동 : 문벌귀족과 측근세력의 대립으로 발생한 사건들이다.

(2) 이자겸의 난과 서경천도운동

① 이자겸의 난(인종, 1126) … 문종 ~ 인종까지 경원 이씨가 80여년간 권력을 독점하였다. 여진(금)의 사대관계 요구에 이자겸 정권은 굴복하여 사대관계를 유지하였으나, 인종의 척준경 회유로 이자겸의 왕위찬탈반란은 실패로 돌아가게 되었다. 그 결과 귀족사회의 동요가 일어나고 묘청의 서경천도운동의 계기가 되었다.

② 묘청의 서경천도운동(1135) … 서경(평양) 천도, 칭제건원, 금국 정벌을 주장하였으나 문벌귀족의 반대에 부딪혔으며, 김부식이 이끄는 관군에 의해 진압되고 말았다.

기출예제 02 2019. 4. 6. 소방공무원

(가), (나) 시기 사이에 있었던 사실로 옳은 것은?

> (가) 이자겸은 척준경과 함께 반란을 일으켜 궁궐을 불태우고 왕의 측근 세력들을 제거하였으며, 인종을 감금하였다.
> (나) 최충헌은 최고 집권 기구로 교정도감을 설치하였으며 신변 경호를 위하여 도방을 운영하였다.

① 묘청이 서경 천도를 주장하였다.
② 거란 장수 소손녕이 대군을 이끌고 침입하였다.
③ 최영과 이성계 등 신흥 무인 세력이 성장하였다.
④ 삼별초가 배중손의 지휘로 몽골과의 항쟁을 계속하였다.

✱

(가)는 이자겸의 난(1126), (나)는 최씨 무신정권(1209)이다. 고려는 문벌귀족이 중심이 되어 음서와 공음전을 기반으로 세력을 유지하였으나 12세기 초 대외적으로는 금국의 침입과 대내적으로는 문벌귀족 간의 대립으로 인하여 문벌귀족 사회에 분열이 생기기 시작하였다. 이자겸의 난과 묘청의 서경천도 운동은 문벌귀족 간의 대립을 보여주는 결정적 사건으로 이후 무신정권이 등장하는 계기가 되었다.
② 서희의 외교담판 ③ 고려 말 원간섭기 ④ 몽골의 침입(무신정권 말기)

답 ①

(3) 무신정권의 성립

① 무신정변(1170) … 숭문천무정책으로 인한 무신을 천시하는 풍조와 의종의 실정이 원인이 되어 문신 중심의 귀족사회에서 관료체제로 전환되는 계기가 되었으며 전시과체제가 붕괴되고 무신에 의해 토지의 독점이 이루어져 사전과 농장이 확대되었다.

② 사회의 동요 … 무신정권에 대한 반발로 김보당의 난과 조위총의 난이 일어났으며, 신분해방운동으로 농민(김사미 · 효심의 난) · 천민의 난(망이 · 망소이의 난)이 일어났다.

③ 최씨 정권

㉠ 최씨 정권의 기반

- 정치적 : 교정도감(최충헌)과 정방(최우), 서방(최우)을 중심으로 전개되었다.
- 경제적 : 광대한 농장을 소유하였다.
- 군사적 : 사병을 보유하고 도방을 설치하여 신변을 경호하였다.

㉡ 한계 : 정치적으로 안정되었지만 국가통치질서는 오히려 약화되었다.

4. 대외관계의 변화

(1) 거란의 침입과 격퇴

① 고려의 대외정책 … 친송배요정책으로 송과는 친선관계를 유지했으나 거란은 배척하였다.

② 거란의 침입과 격퇴

㉠ 1차 침입 : 서희의 담판으로 강동 6주를 확보하였으며, 거란과 교류관계를 맺었다.

㉡ 2차 침입 : 고려의 계속되는 친송정책과 강조의 정변을 구실로 침입하여 개경이 함락되었고, 현종의 입조(入朝)를 조건으로 퇴군하였다.

㉢ 3차 침입 : 현종의 입조(入朝)를 거부하여 다시 침입하였으나 강감찬이 귀주대첩으로 큰 승리를 거두어 양국은 강화를 맺었다.

㉣ 결과 및 영향 : 고려, 송, 거란 사이의 세력 균형이 유지되고 고려는 나성과 천리장성(압록강 ~ 도련포)을 축조하여 수비를 강화하였다.

(2) 여진 정벌과 9성 개척

기병을 보강한 윤관의 별무반이 여진을 토벌하여 동북 9성을 축조하였으나 고려를 침략하지 않고 조공을 바치겠다는 조건을 수락하면서 여진에게 9성을 돌려주었다. 그러나 여진은 더욱 강해져 거란을 멸한 뒤 고려에 대해 군신관계를 요구하자 현실적인 어려움으로 당시의 집권자 이자겸은 금의 요구를 받아들였다.

(3) 몽고와의 전쟁

① 몽고와의 전쟁

㉠ 원인 : 몽고의 과중한 공물 요구와, 몽고의 사신 저고여가 피살되는 사건이 일어났다.

㉡ 몽고의 침입

- 제1차 침입(1231) : 몽고 사신의 피살을 구실로 몽고군이 침입하였고 박서가 항전하였으나, 강화가 체결되고 철수되었다.
- 제2차 침입(1232) : 최우는 강화로 천도하였고, 용인의 김윤후가 몽고의 장군 살리타를 죽이고 몽고 군대는 쫓겨갔다.
- 제3차 ~ 제8차 침입 : 농민, 노비, 천민들의 활약으로 몽고를 끈질기게 막아냈다.

㉢ 결과 : 전 국토가 황폐화되고 민생이 도탄에 빠졌으며 대장경(초판)과 황룡사의 9층탑이 소실되었다.

② 삼별초의 항쟁(1270 ~ 1273) … 몽고와의 굴욕적인 강화를 맺는 데 반발하여 진도로 옮겨 저항하였고, 여 · 몽연합군의 공격으로 진도가 함락되자 다시 제주도로 가서 김통정의 지휘 아래에 계속 항쟁하였으나 여 · 몽연합군에 의해 진압되었다.

(4) 홍건적과 왜구의 침입

① 홍건적의 격퇴 … 제1차 침입은 모거경 등 4만군이 서경을 침입하였으나, 이승경, 이방실 등이 격퇴하였으며 제2차 침입은 사유 등 10만군이 개경을 함락하였으나, 정세운, 안우, 이방실 등이 격퇴하였다.

② 왜구의 침략 … 잦은 왜구의 침입에 따른 사회의 불안정은 시급히 해결해야 할 국가적 과제였다. 왜구를 격퇴하고 이 문제를 해결하는 과정에서 신흥무인세력이 성장하였다.

5. 고려후기의 정치 변동

(1) 원(몽고)의 내정 간섭

① 정치적 간섭

㉠ 일본 원정 : 두 차례의 원정에 인적 · 물적 자원이 수탈되었으나 실패하였다.

㉡ 영토의 상실과 수복

- 쌍성총관부 : 원은 화주(영흥)에 설치하여 철령 이북 땅을 직속령으로 편입하였는데, 공민왕(1356) 때 유인우가 무력으로 탈환하였다.
- 동녕부 : 자비령 이북 땅에 차지하여 서경에 두었는데, 충렬왕(1290) 때 고려의 간청으로 반환되었다.
- 탐라총관부 : 삼별초의 항쟁을 평정한 후 일본 정벌 준비를 위해 제주도에 설치하고(1273) 목마장을 두었다. 충렬왕 27년(1301)에 고려에 반환하였다.

㉢ 관제의 개편 : 관제를 격하시키고(3성 → 첨의부, 6부 → 4사) 고려를 부마국 지위의 왕실호칭을 사용하게 하였다.

㉣ 원의 내정 간섭

- 다루가치 : 1차 침입 때 설치했던 몽고의 군정지방관으로 공물의 징수 · 감독 등 내정간섭을 하였다.
- 정동행성 : 일본 원정준비기구로 설치된 정동행중서성이 내정간섭기구로 남았다. 고려 · 원의 연락기구였다.
- 이문소 : 정동행성에 설립된 사법기구로 고려인을 취조 · 탄압하였다.
- 응방 : 원에 매를 생포하여 조달하는 기구였으나 여러 특권을 행사해 폐해가 심하였다.

② 사회 · 경제적 수탈 … 금 · 은 · 베 · 인삼 · 약재 · 매 등의 막대한 공물의 부담을 가졌으며, 몽고어 · 몽고식 의복과 머리가 유행하고, 몽고식 성명을 사용하는 등 풍속이 변질되었다.

(2) 공민왕의 개혁정치

① 반원자주정책 … 친원세력의 숙청, 정동행성 이문소를 폐지, 몽고식 관제의 폐지, 원의 연호 · 몽고풍을 금지, 쌍성총관부를 공격하여 철령 이북의 땅을 수복하고 요동지방을 공격하여 요양을 점령하였다.

② 왕권강화책 … 정방을 폐지, 성균관을 통한 유학교육 강화 및 과거제도를 정비하고 신돈을 등용하여 전민변정도감을 설치한 개혁은 권문세족들의 경제기반을 약화시키고 국가재정수입의 기반을 확대하였다.

③ 개혁의 실패원인 … 개혁추진세력인 신진사대부 세력이 아직 결집되지 못한 상태에서 권문세족의 강력한 반발을 효과적으로 제어하지 못하였고, 원나라의 간섭 등으로 인해 실패하고 말았다.

기출예제 03 2019. 4. 6. 소방공무원

밑줄 친 '왕'의 업적으로 옳은 것은?

> 신돈은 왕에게 전민변정도감을 설치할 것을 청원하고, "…(중략)… 근래에 기강이 파괴되어 …(중략)… 공전과 사전을 권세가들이 강탈하였다. …(중략)… 스스로 토지를 반환하는 자는 과거를 묻지 않는다."라고 공포하였다. 권세가들이 강점했던 전민(田民)을 그 주인에게 반환하였으므로 온 나라가 모두 기뻐하였다.

① 규장각을 설치하였다.
② 대동법을 실시하였다.
③ 독서삼품과를 시행하였다.
④ 쌍성총관부를 공격하였다.

고려 말 공민왕은 중국의 원명교체기의 혼란한 틈을 이용하여 반원자주정책을 시행하였다. 원의 내정간섭으로 벗어나기 위해 기철을 비롯한 친원파를 숙청하고, 정동행성 이문소 폐지, 격하된 관제를 복구하였으며 쌍성총관부를 탈환하여 영토를 수복하였다. 대내적으로는 신돈을 기용하여 전민변정도감을 설치하고 토지 개혁과 노비 개혁을 단행하였다.
① 조선 정조(1776~1800) ② 조선 광해군(1608~1623) ③ 신라 원성왕(785~798)

답 ④

(3) 신진사대부의 성장

① 학문적 실력을 바탕으로 과거를 통하여 중앙에 진출한 지방의 중소지주층과 지방향리 출신이 많았다. 성리학을 수용하였으며, 불교의 폐단을 비판하였고 권문세족의 비리와 불법을 견제하였다. 신흥무인세력과 손을 잡으면서 사회의 불안과 국가적인 시련을 해결하고자 하였다.

② 한계 … 권문세족의 인사권 독점으로 관직의 진출이 제한되었고, 과전과 녹봉도 제대로 받지 못하는 등 경제적 기반이 미약하다는 한계를 가졌다.

(4) 고려의 멸망

우왕 말에 명은 쌍성총관부가 있던 땅에 철령위를 설치하여 명의 땅으로 편입하겠다고 통보하였다. 이에 최영은 요동정벌론을, 이성계는 4불가론을 주장하여 대립하였는데 최영의 주장에 따라 요동정벌군이 파견되었으나 위화도 회군으로 이성계가 장악하였다. 결국 급진개혁파(혁명파)는 정치적 실권을 장악하고 온건개혁파를 제거 한 후 도평의사사를 장악하여 공양왕의 왕위를 물려받아 조선을 건국하였다.

section 2 고려의 경제

1. 경제 정책

(1) 전시과 제도

① 전시과제도의 특징 … 토지소유권은 국유를 원칙으로 하나 사유지가 인정되었으며 수조권에 따라 공 · 사전을 구분하여 수조권이 국가에 있으면 공전, 개인 · 사원에 속해 있으면 사전이라 하였으며 경작권은 농민과 외거노비에게 있었다. 관직 복무와 직역에 대한 대가로 지급되었기 때문에 세습이 허용되지 않았다.

② 토지제도의 정비과정

㉠ 역분전(태조) : 후삼국 통일과정에서 공을 세운 사람들에게 충성도와 인품에 따라 경기지방에 한하여 지급하였다.

㉡ 시정전시과(경종) : 관직이 높고 낮음과 함께 인품을 반영하여 역분전의 성격을 벗어나지 못하였고 전국적 규모로 정비되었다.

㉢ 개정전시과(목종) : 관직만을 고려하여 지급하는 기준안을 마련하고, 지급량도 재조정하였으며, 문관이 우대되었고 군인전도 전시과에 규정하였다.

㉣ 경정전시과(문종) : 현직 관리에게만 지급하고, 무신에 대한 차별대우가 시정되었다.

ⓜ 녹과전(원종) : 무신정변으로 전시과체제가 완전히 붕괴되면서 관리의 생계 보장을 위해 지급하였다.
ⓗ 과전법(공양왕) : 권문세족의 토지를 몰수하여 공전에 편입하고 경기도에 한해 과전을 지급하였다. 이로써 신진사대부의 경제적 토대가 마련되었다.

⑵ 토지의 소유

고려는 국가에 봉사하는 대가로 관료에게 전지와 시지를 차등있게 나누어 주는 전시과와 개인 소유의 토지인 민전을 근간으로 운영하였다.

2. 경제활동

⑴ 귀족의 경제생활

대대로 상속받은 토지와 노비, 과전과 녹봉 등이 기반이 되었으며 노비에게 경작시키거나 소작을 주어 생산량의 2분의 1을 징수하고, 외거노비에게 신공으로 매년 베나 곡식을 징수하였다.

⑵ 농민의 경제생활

민전을 경작하거나, 국유지나 공유지 또는 다른 사람의 토지를 경작하여, 품팔이를 하거나 가내 수공업에 종사하였다. 삼경법이 일반화되었고 시비법의 발달, 윤작의 보급 및 이앙법이 남부지방에서 유행하였다.

⑶ 수공업자의 활동

① 관청수공업 … 공장안에 등록된 수공업자와 농민 부역으로 운영되었으며, 주로 무기, 가구, 세공품, 견직물, 마구류 등을 제조하였다.
② 소(所)수공업 … 금, 은, 철, 구리, 실, 각종 옷감, 종이, 먹, 차, 생강 등을 생산하여 공물로 납부하였다.
③ 사원수공업 … 베, 모시, 기와, 술, 소금 등을 생산하였다.
④ 민간수공업 … 농촌의 가내수공업이 중심이 되었으며(삼베, 모시, 명주 생산), 후기에는 관청수공업에서 제조하던 물품(놋그릇, 도자기 등)을 생산하였다.

⑷ 상업활동

① 도시의 상업활동 … 개경, 서경(평양), 동경(경주) 등 대도시에 서적점, 약점, 주점, 다점 등의 관영상점이 설치되었고 비정기 시장도 활성화되었으며 물가조절 기구인 경시서가 설치되었다.
② 지방의 상업활동 … 관아 근처에서 쌀이나 베를 교환할 수 있는 시장이 열렸으며 행상들의 활동도 두드러졌다.

③ 사원의 상업활동 … 소유하고 있는 토지에서 생산한 곡물과 승려나 노비들이 만든 수공업품을 민간에 판매하였다.

④ 고려후기의 상업활동 … 벽란도가 교통로와 산업의 중심지로 발달하였고, 국가의 재정수입을 늘리기 위하여 소금의 전매제가 실시되었고, 관청 · 관리 등은 농민에게 물품을 강매하거나, 조세를 대납하게 하였다.

(5) 화폐 주조와 고리대의 유행

① 화폐 주조 및 고리대의 성행 … 자급자족적 경제구조로 유통이 부진하였고 곡식이나 삼베가 유통의 매개가 되었으며, 장생고라는 서민금융기관을 통해 사원과 귀족들은 폭리를 취하여 부를 확대하였는데 이로 인하여 농민은 토지를 상실하거나 노비가 되기도 하였다.

② 보(寶) … 일정한 기금을 조성하여 그 이자를 공적인 사업의 경비로 충당하는 것을 말한다.

㉠ 학보(태조) : 학교 재단

㉡ 광학보(정종) : 승려를 위한 장학재단

㉢ 경보(정종) : 불경 간행

㉣ 팔관보(문종) : 팔관회 경비

㉤ 제위보(광종) : 빈민 구제

㉥ 금종보 : 현화사 범종주조 기금

(6) 무역활동

① 공무역을 중심으로 발전하였으며, 벽란도가 국제무역항으로 번성하게 되었다.

② 고려는 문화적 · 경제적 목적으로 송은 정치적 · 군사적 목적으로 친선관계를 유지하였으며 거란과 여진과는 은과 농기구, 식량을 교역하였다. 일본과는 11세기 후반부터 김해에서 내왕하면서 수은 · 유황 등을 가지고 와서 식량 · 인삼 · 서적 등과 바꾸어 갔으며 아라비아(대식국)는 송을 거쳐 고려에 들어와 수은 · 향료 · 산호 등을 판매하였다. 또한 이 시기에 고려의 이름이 서방에 알려졌다.

③ 원 간섭기의 무역 … 공무역이 행해지는 한편 사무역이 다시 활발해졌고, 상인들이 독자적으로 원과 교역하면서 금, 은, 소, 말 등이 지나치게 유출되어 사회적으로 물의가 일어날 정도였다.

section 3 고려의 사회

1. 고려의 신분제도

(1) 귀족

① 귀족의 특징 … 음서나 공음전의 혜택을 받으며 고위 관직을 차지하여 문벌귀족을 형성하였으며, 가문을 통해 특권을 유지하고, 왕실 등과 중첩된 혼인관계를 맺었다.

② 귀족층의 변화 … 무신정변을 계기로 종래의 문벌귀족들이 도태되면서 무신들이 권력을 장악하게 되었으나 고려후기에는 무신정권이 붕괴되면서 등장한 권문세족이 최고권력층으로서 정계 요직을 장악하였다.

③ 신진사대부 … 경제력을 토대로 과거를 통해 관계에 진출한 향리출신자들이다.

(2) 중류

중앙관청의 서리, 궁중 실무관리인 남반, 지방행정의 실무를 담당하는 향리, 하급 장교 등이 해당되며, 통치체제의 하부구조를 맡아 중간 역할을 담당하였다.

(3) 양민

① 양민 … 일반 농민인 백정, 상인, 수공업자를 말한다.

② 백정 … 자기 소유의 민전을 경작하거나 다른 사람의 토지를 빌려 경작하였다.

③ 특수집단민

㉠ 향 · 부곡 : 농업에 종사하였다.

㉡ 소 : 수공업과 광업에 종사하였다.

㉢ 역과 진의 주민 : 육로교통과 수로교통에 종사하였다.

(4) 천민

① 공노비 … 공공기관에 속하는 노비이다.

② 사노비 … 개인이나 사원에 예속된 노비이다.

③ 노비의 처지 … 매매 · 증여 · 상속의 대상이며, 부모 중 한 쪽이 노비이면 자식도 노비가 될 수밖에 없었다.

2. 백성들의 생활모습

(1) 농민의 공동조직

① 공동조직 … 일상의례와 공동노동 등을 통해 공동체의식을 함양하였다.

② 향도 … 불교의 신앙조직으로, 매향활동을 하는 무리들을 말한다.

(2) 사회시책과 사회제도

① 사회시책 … 농번기에 잡역을 면제하여 농업에 전념할 수 있도록 배려하였고, 재해시 조세와 부역을 감면해 주었다. 또한 법정 이자율을 정하여 고리대 때문에 농민이 몰락하는 것을 방지하였다. 황무지나 진전을 개간할 경우 일정 기간 면세해 주었다.

② 사회제도

㉠ 의창 : 흉년에 빈민을 구제하는 춘대추납제도이다.

㉡ 상평창 : 물가조절기관으로 개경과 서경 및 각 12목에 설치하였다.

㉢ 의료기관 : 동 · 서대비원, 혜민국을 설치하였다.

㉣ 구제도감, 구급도감 : 재해 발생시 백성을 구제하였다.

㉤ 제위보 : 기금을 조성하여 이자로 빈민을 구제하였다.

(3) 법률과 풍속 및 가정생활

① 법률과 풍속 … 중국의 당률을 참작한 71개조의 법률이 시행되었으나 대부분은 관습법을 따랐고, 장례와 제사에 대하여 정부는 유교적 의례를 권장하였으나, 민간에서는 토착신앙과 융합된 불교의 전통의식과 도교의 풍습을 따랐다.

② 혼인과 여성의 지위 … 일부일처제가 원칙이었으며, 왕실에서는 근친혼이 성행하였고 부모의 유산은 자녀에게 골고루 분배되었으며, 아들이 없을 경우 딸이 제사를 받들었다.

3. 고려후기의 사회 변화

(1) 무신집권기 하층민의 봉기

수탈에 대한 소극적 저항에서 대규모 봉기로 발전하였으며, 만적의 난, 공주 명학소의 망이 · 망소이의 봉기, 운문 · 초전의 김사미와 효심의 봉기 등이 대표적이다.

(2) 몽고의 침입과 백성의 생활

최씨무신정권은 강화도로 서울을 옮기고 장기항전 태세를 갖추었으며, 지방의 주현민은 산성이나 섬으로 들어가 전쟁에 대비하였으나 몽고군들의 살육으로 백성들은 막대한 희생을 당하였다.

(3) 원 간섭기의 사회 변화

① 신흥귀족층의 등장 … 원 간섭기 이후 전공을 세우거나 몽고귀족과의 혼인을 통해서 출세한 친원세력이 권문세족으로 성장하였다.

② 원의 공녀 요구 … 결혼도감을 통해 공녀로 공출되었고 이는 고려와 원 사이의 심각한 사회문제로 대두되었다.

③ 왜구의 출몰(14세기 중반) … 원의 간섭하에서 국방력을 제대로 갖추기 어려웠던 고려는 초기에 효과적으로 왜구의 침입을 격퇴하지 못하였으며, 이들을 소탕하는 과정에서 신흥무인세력이 성장하였다.

section 4 고려의 문화

1. 유학의 발달과 역사서의 편찬

(1) 유학의 발달

① 고려초기의 유학 … 유교주의적 정치와 교육의 기틀이 마련되었다.

㉠ 태조 때 : 신라 6두품 계열의 유학자들이 활약하였다.

㉡ 광종 때 : 유학에 능숙한 관료를 등용하는 과거제도를 실시하였다.

㉢ 성종 때 : 최승로의 시무 28조를 통해 유교적 정치사상이 확립되고 유학교육기관이 정비되었다.

② 고려중기 … 문벌귀족사회의 발달과 함께 유교사상이 점차 보수적 성격을 띠게 되었다.

㉠ 최충 : 9재학당 설립, 훈고학적 유학에 철학적 경향을 가미하기도 하였다.

㉡ 김부식 : 보수적이고 현실적인 성격의 유학을 대표하였다.

(2) 교육기관

① 초기(성종) … 지방에는 지방관리와 서민의 자제를 교육시키는 향교를, 중앙에는 국립대학인 국자감이 설치되었다.

② 중기

㉠ 최충의 9재 학당 등의 사학 12도가 융성하여 관학이 위축되었다.

㉡ **관학진흥책** : 7재 개설 및 서적포, 양현고, 청연각을 설치하였고, 개경에서는 경사 6학과 향교를 중심으로 지방교육을 강화시켰다.

③ **후기** … 교육재단인 섬학전을 설치하고, 국자감을 성균관으로 개칭하였으며, 공민왕 때에는 성균관을 순수 유교교육기관으로 개편하였다.

(3) 역사서의 편찬

① **삼국사기(김부식)** … 기전체로 서술되었고, 신라 계승의식과 유교적 합리주의 사관이 짙게 깔려 있다.

② **해동고승전(각훈)** … 삼국시대의 승려 30여명의 전기를 수록하였다.

③ **동명왕편(이규보)** … 고구려 동명왕의 업적을 칭송한 영웅 서사시로서, 고구려 계승의식을 반영하고 고구려의 전통을 노래하였다.

④ **삼국유사(일연)** … 단군의 건국 이야기를 수록하였고, 불교사를 중심으로 서술되었다.

⑤ **제왕운기(이승휴)** … 우리나라 역사를 단군으로부터 서술하면서 우리 역사를 중국사와 대등하게 파악하려 하였다.

(4) 성리학의 전래

① **성리학** … 송의 주희가 집대성한 성리학은 인간의 심성과 우주의 원리문제를 철학적으로 탐구하는 신유학이었다.

② **영향**

㉠ 현실 사회의 모순을 시정하기 위한 개혁사상으로 신진사대부들은 성리학을 수용하게 되었다.

㉡ 권문세족과 불교의 폐단을 비판하였다(정도전의 불씨잡변).

㉢ 국가사회의 지도이념이 불교에서 성리학으로 바뀌게 되었다.

2. 불교사상과 신앙

(1) 불교정책

① **태조** … 훈요 10조에서 불교를 숭상하고, 연등회와 팔관회 등 불교행사를 개최하였다.

② **광종** … 승과제도, 국사 · 왕사제도를 실시하였다.

③ **사원** … 국가가 토지를 지급했으며, 승려에게 면역의 혜택을 부여하였다.

(2) 불교통합운동과 천태종

① 화엄종, 법상종 발달 … 왕실과 귀족의 지원을 받았다.

② 천태종 … 대각국사 의천이 창시하였다.

㉠ 교단통합운동 : 화엄종 중심으로 교종통합, 선종의 통합을 위해 국청사를 창건하여 천태종을 창시하였다.

㉡ 교관겸수 제창 : 이론의 연마와 실천을 강조하였다.

③ 무신집권 이후의 종교운동

㉠ 지눌 : 당시 불교계의 타락을 비판하고, 조계종 중심의 선 · 교 통합, 돈오점수 · 정혜쌍수를 제창하였다.

㉡ 혜심 : 유불일치설을 주장하고 심성의 도야를 강조하였다.

(3) 대장경 간행

① 초조대장경 … 현종 때 거란의 퇴치를 염원하며 간행하였으나 몽고의 침입으로 소실되었다.

② 속장경(의천) … 교장도감을 설치하여 속장경을 간행하였는데, 몽고 침입시 소실되었다.

③ 팔만대장경(재조대장경) … 대장도감을 설치하여 부처의 힘으로 몽고의 침입을 극복하고자 하였다.

2019. 4. 6. 소방공무원

밑줄 친 '이것'에 대한 설명으로 옳은 것은?

> 이것은 고려 최초의 대장경으로 거란의 침입을 받았던 현종 때 부처의 힘을 빌려 이를 물리치려는 염원에서 만들기 시작하였다.

① 몽골의 침입 때 불타 버렸다.
② 현재 합천 해인사에 보관되어 있다.
③ 흥왕사에 교장도감을 설치하여 간행하였다.
④ 대장도감을 설치하여 16년에 걸쳐 판각하였다.

*

고려 시대 최초의 대장경은 초조대장경으로 현종 때 거란의 침입을 막기 위해 제작되었다. 후일 몽고의 침입으로 대부분이 소실되었지만 재조대장경(팔만대장경)과 더불어 호국불교 정신을 상징하는 대표적인 목판인쇄물이다.
②③④ 재조대장경(팔만대장경)에 대한 설명이다.

답 ①

(4) 도교와 풍수지리설

① 도교 … 국가의 안녕과 왕실의 번영을 기원하였는데 교단이 성립되지 못하여 민간신앙으로 전개되었다.

② 풍수지리설 … 서경천도와 북진정책 추진의 이론적 근거가 되었으며, 개경세력과 서경세력의 정치적 투쟁에 이용되어 묘청의 서경천도운동을 뒷받침하기도 하였다.

3. 과학기술의 발달

(1) 천문학과 의학

① 천문학 … 사천대를 설치하여 관측업무를 수행하였고, 당의 선명력이나 원의 수시력 등 역법을 수용하였다.

② 의학 … 태의감에서 의학을 교육하였고, 의과를 시행하였으며, 향약구급방과 같은 자주적 의서를 편찬하였다.

(2) 인쇄술의 발달

① 목판인쇄술 … 대장경을 간행하였다.

② 금속활자인쇄술 … 직지심체요절(1377)은 현존하는 세계 최고(最古)의 금속 활자본이다.

③ 제지술의 발달 … 닥나무의 재배를 장려하고, 종이 제조의 전담관서를 설치하여 우수한 종이를 제조하여 중국에 수출하기도 하였다.

(3) 농업기술의 발달

① 권농정책 … 농민생활의 안정과 국가재정의 확보를 위해 실시하였다.

② 농업기술의 발달

㉠ 토지의 개간과 간척 : 묵은땅, 황무지, 산지 등을 개간하였으며 해안지방의 저습지를 간척하였다.

㉡ 수리시설의 개선 : 김제의 벽골제와 밀양의 수산제를 개축하였다.

㉢ 농업기술의 발달 : 1년 1작이 기본이었으며 논농사의 경우는 직파법을 실시하였으나, 말기에 남부 일부 지방에 이앙법이 보급되어 실시되기도 하였다. 밭농사는 2년 3작의 윤작법과 우경에 의한 깊이갈이가 보급되어 휴경기간의 단축과 생산력의 증대를 가져왔다.

㉣ 농서의 도입 : 이암은 원의 농상집요를 소개·보급하였다.

(4) 화약무기의 제조와 조선기술

① 최무선은 화통도감을 설치하여 화약과 화포를 제작하였고 진포싸움에서 왜구를 격퇴하였다.

② 대형 범선이 제조되었고 대형 조운선이 등장하였다.

4. 귀족문화의 발달

(1) 문학의 성장

① 전기

㉠ 한문학 : 광종 때부터 실시한 과거제로 한문학이 크게 발달하였고, 성종 이후 문치주의가 성행함에 따라 한문학은 관리들의 필수교양이 되었다.

㉡ 향가 : 균여의 보현십원가가 대표적이며, 향가는 점차 한시에 밀려 사라지게 되었다.

② 중기 … 당의 시나 송의 산문을 숭상하는 풍조가 나타났다.

③ 무신집권기 … 현실도피적 경향의 수필문학(임춘의 국순전, 이인로의 파한집)이 유행하였다.

④ 후기 … 신진사대부와 민중이 주축이 되어 수필문학, 패관문학, 한시가 발달하였으며, 사대부문학인 경기체가 및 서민의 감정을 자유분방하게 표현한 속요가 유행하였다.

(2) 건축과 조각

① 건축 … 궁궐과 사원이 중심이 되었으며, 주심포식 건물(안동 봉정사 극락전, 영주 부석사 무량수전, 예산 수덕사 대웅전)과 다포식 건물(사리원 성북사 응진전)이 건축되었다.

② 석탑 … 신라 양식을 계승하였으나 독자적인 조형감각을 가미하여 다양한 형태로 제작되었다. (불일사 5층 석탑, 월정사 팔각 9층 석탑, 경천사 10층 석탑).

③ 승탑 … 선종의 유행과 관련이 있다(고달사지 승탑, 법천사 지광국사 현묘탑).

④ 불상 … 균형을 이루지 못하여 조형미가 다소 부족한 것이 많았다(광주 춘궁리 철불, 관촉사 석조 미륵보살 입상, 안동 이천동 석불, 부석사 소조아미타여래 좌상).

(3) 청자와 공예

① 자기공예 … 상감청자가 발달하였다.

② 금속공예 … 은입사 기술이 발달하였다(청동 은입사 포류수금문 정병, 청동향로).

③ 나전칠기 … 경함, 화장품갑, 문방구 등이 현재까지 전해진다.

(4) 글씨 · 그림과 음악

① 서예 … 전기에는 구양순체가 유행했으며 탄연의 글씨가 뛰어났고, 후기에는 송설체가 유행했으며, 이암이 뛰어났다.

② 회화 … 전기에는 예성강도, 후기에는 사군자 중심의 문인화가 유행하였다.

③ 음악

㉠ 아악 : 송에서 수입된 대성악이 궁중음악으로 발전된 것이다.

㉡ 향악(속악) : 우리 고유의 음악이 당악의 영향을 받아 발달한 것으로 동동 · 대동강 · 한림별곡이 유명하다.

국어

한국사

영어

Let's check it out

04 기출문제분석

2019. 4. 6. 인사혁신처

1 ㈎왕의 시기에 일어난 사실로 옳은 것은?

> 이자겸, 척준경이 말하기를 "금이 예전에는 작은 나라여서 요와 우리나라를 섬겼으나, 지금은 갑자기 흥성하여 요와 송을 멸망시켰다. …(중략)… 작은 나라로서 큰 나라를 섬기는 것은 선왕의 도이니, 마땅히 우선 사절을 보내야 합니다."라고 하니 ㈎ 이/가 그 의견을 따랐다.
>
> -『고려사』-

① 도평의사사를 중심으로 정치를 주도하였다.
② 성리학을 수용하면서 『주자가례』를 보급하였다.
③ 서경에 대화궁을 짓게 하고 칭제건원을 주장하였다.
④ 몽골의 침략에 대응하기 위해 강화도로 도읍을 옮겼다.

TIPS!

고려 인종 때 발생한 이자겸의 난이다. 당시 고려는 금국의 사대 요구에 대하여 이자겸을 비롯한 중신들이 금국과의 사대관계 요구를 수용하자는 주장을 받아들였다. 이후 이자겸과 척준경에 의해 이자겸의 난이 발생하지만 실패로 끝나게 되었고, 금국과의 사대 관계 체결에 반대하면서 묘청, 정지상을 중심으로 한 서경 세력이 서경천도운동을 일으켰다. 서경파는 고구려 계승 정신을 표방하고 국호를 대위국으로 바꾸고 칭제건원을 할 것을 왕에게 건의하였다. 나아가 금국을 정벌하여 북진정책을 지속할 것을 주장하였지만 김부식을 중심으로 한 개경파에 의해 진압되면서 서경천도운동은 실패하였다. 이자겸의 난과 서경천도운동은 문벌귀족 사회 내부의 분열을 드러낸 대표적인 사건이었다.
① 원간섭기 권문세족
② 고려 말 신진사대부
④ 고려 고종(최씨 무신정권 말기)

Answer 1.③

2019. 4. 6. 인사혁신처

2 ㈎ 토지제도에 대한 설명으로 옳은 것은?

> 비로소 직관(職官) · 산관(散官) 각 품(品)의 ㈎ 을/를 제정하였는데, 관품의 높고 낮은 것은 논하지 않고 다만 인품만 가지고 그 등급을 결정하였다.
>
> -『고려사』-

① 4색 공복을 기준으로 문반, 무반, 잡업으로 나누어 지급 결수를 정하였다.

② 산관이 지급 대상에서 제외되었으며 무반의 차별 대우가 개선되었다.

③ 전임 관료와 현임 관료를 대상으로 경기지방에 한하여 지급하였다.

④ 고려의 건국과정에서 충성도와 공로에 따라 차등 지급되었다.

TIPS!

고려 경종 원년에 시행된 전시과 체제이다. 경종 원년에 시행된 전시과를 시정 전시과라 하는데 관품과 인품을 기준으로 관리들에게 차등적으로 전지와 시지를 나누어 지급하였다. 이후 목종 원년에는 전지와 시지 지급 기준에 인품은 사라지고 관직을 기준으로 지급하였다. 문종 30년에는 경정 전시과를 시행하면서 전체 지급액수를 축소시키는 반면 무신에 대한 차별을 완화하였다. 더불어 토지 지급 액수의 부족으로 현직 관리 위주로 지급하였다.

② 경정전시과(고려 문종, 1076) ③ 과전법(고려 공양왕, 1391) ④ 역분전(고려 태조, 940)

2019. 4. 6. 인사혁신처

3 단군에 대한 인식을 설명한 것으로 옳지 않은 것은?

① 이승휴의 『제왕운기』에서는 우리 역사를 단군부터 서술하였다.

② 홍만종의 『동국역대총목』은 단군 정통론의 입장에서 기술하였다.

③ 이규보의 「동명왕편」은 단군의 건국 과정을 다루고 있다.

④ 「기미독립선언서」에는 '조선건국 4252년'으로 연도를 표기하였다.

TIPS!

동명왕편은 고려 후기 이규보가 지은 한문 서사시로 고구려 동명왕(주몽)과 관련된 사실을 서술하고 있다. 고조선의 역사를 기록한 고려 후기의 작품으로는 일연의 삼국유사와 이승휴의 제왕운기가 있으며, 동명왕편과 더불어 고려 후기 자주적인 역사 인식을 보여주는 대표적인 역사서들이다.

Answer 2.① 3.③

2019. 4. 6. 인사혁신처

4 다음 내용이 실린 사서에 대한 설명으로 옳은 것은?

> 제왕이 장차 일어날 때는 하늘의 명령과 상서로운 기운을 받아서 반드시 보통 사람과는 다른 점이 있으니, 그런 뒤에야 능히 큰 변화를 타서 제왕의 지위를 얻고 대업을 이루었다. …(중략)… 삼국의 시조들이 모두 신이(神異)한 일로 탄생했음이 어찌 괴이하겠는가. 이것이 책 첫머리에 「기이(紀異)」편이 실린 까닭이며, 그 의도도 여기에 있는 것이다.

① 불교 승려의 전기를 수록한 고승전이다.
② 불교 중심의 고대 민간 설화를 수록하였다.
③ 고조선부터 고려 말까지의 역사를 정리하였다.
④ 유교적 사관에 기초하여 기전체로 서술하였다.

TIPS!

삼국유사는 고려 후기 충렬왕 때 승려 일연이 저술하였다. 삼국유사는 기사본말체 사서로서 고조선부터 삼국시대의 여러 사건을 순서에 맞게 배열하였다. 특히 고조선의 역사를 다루고 있다는 점에서 민족적.자주적 의식을 고취시킨 점에서 그 의의가 있다.
① 각훈의 〈해동고승전〉 (고려 고종)
④ 김부식의 〈삼국사기〉 (고려 인종)

Answer 4.②

Let's check it out

04 출제예상문제

국어

한국사

영어

1 우리 역사 속의 제주도에 관한 설명으로 옳은 것은?

① 원래 탐라라고 불렸는데 고려시대에 제주라는 이름으로 바뀌었다.
② 삼별초는 관군의 압박이 심해지자 이 섬을 버리고 진도로 옮겨갔다.
③ 장보고는 완도에 청해진, 이곳에 혈구진을 세워 해상 세력을 형성했다.
④ 구한말 영국 함대가 러시아를 견제하기 위해 이곳을 무단 점령하였다.

TIPS!
② 강화도와 관련된 내용이다. 삼별초는 강화도에서 진도, 제주도로 옮겨갔다.
③ 강화도와 관련된 내용이다.
④ 거문도와 관련된 내용이다.

2 고려의 대외관계에 대한 설명으로 옳지 않은 것은?

① 송과는 문화적 · 경제적으로 밀접한 유대를 맺었다.
② 거란의 침입에 대비하여 광군을 조직하기도 하였다.
③ 송의 판본은 고려의 목판인쇄 발달에 영향을 주었다.
④ 고려는 송의 군사적 제의에 응하여 거란을 협공하였다.

TIPS!
송은 고려에 대하여 정치 · 군사적 목적을 고려는 송에 대하여 경제 · 문화적 외교 목적을 갖고 있었다. 즉, 송의 국자감에 유학생을 파견한다든가 의술 및 약재 수입, 불경 · 경서 · 사서 등의 서적 구입에 대외관계를 구축하는 등 경제 · 문화 관계는 유지하였으나 군사적으로 송을 지원하지는 않았다.

Answer 1.① 2.④

3 다음 여러 왕대의 정책들과 정치적 목적이 가장 유사한 것은?

> • 신라 신문왕 : 문무 관리에게 관료전을 지급하고 녹읍을 폐지하였다.
> • 고려 광종 : 과거 제도를 시행하고 관리의 공복을 제정하였다.
> • 조선 태종 : 6조 직계제를 확립하고 사병을 혁파하였다.

① 집사부 시중보다 상대등의 권력을 강화하였다.
② 향약과 사창제를 실시하고 서원을 설립하였다.
③ 장용영을 설치하고 규장각을 확대 개편하였다.
④ 중방을 실질적인 최고 권력 기관으로 만들었다.

TIPS!

㉠ 신문왕은 왕권 강화의 차원으로 녹읍제를 폐지하고 관료전의 지급을 실시하였다.
㉡ 광종은 신진관료 양성을 통한 왕권의 강화를 목적으로 하여 무력이 아닌 유교적 학식을 바탕으로 정치적 식견과 능력을 갖춘 관료층의 형성을 위해 과거제도를 실시하였으며 공복을 제정하여 관료제도의 질서를 통한 왕권의 확립을 꾀하였다.
㉢ 태종은 국정운영체제를 도평의사사에서 의정부서사제로, 다시 이를 6조직계제로 고쳐 왕권을 강화하였으며, 사원의 토지와 노비를 몰수하여 전제개혁을 마무리하고, 개인의 사병을 혁파하고 노비변정도감이라는 임시관청을 통해 수십만의 노비를 해방시키는 등 국가 재정과 국방을 강화하기 위한 노력을 하였다.

4 다음 중 원간섭기 때의 설명으로 옳지 않은 것은?

① 왕권이 원에 의해 유지되면서 통치 질서가 무너져 제기능을 수행하기 어려워졌다.
② 충선왕은 사림원을 통해 개혁정치를 실시하면서, 우선적으로 충렬왕의 측근세력을 제거하고 관제를 바꾸었다.
③ 공민왕 때에는 정치도감을 통해 개혁정치가 이루어지면서 대토지 겸병 등의 폐단이 줄어들었다.
④ 고려는 일년에 한 번 몽고에게 공물의 부담이 있었다.

TIPS!

공민왕의 개혁정치 … 공민왕은 반원자주정책과 왕권 강화를 위하여 개혁정치를 펼쳤다. 친원세력을 숙청하고 정동행성을 폐지하였으며 관제를 복구하였다. 몽고풍을 금지하고 쌍성총관부를 수복하고 요동을 공격하였다. 그리고 정방을 폐지하고 전민변정도감을 설치하였으며 성균관을 설치하여 유학을 발달시키고 신진사대부를 등용하였다.
③ 정치도감을 통한 개혁정치는 충목왕이었다.

Answer 3.③ 4.③

5 고려사에는 태조가 취민유도를 내세워 십일세법에 의하여 세금을 10분의 1로 낮추고 민간에게 3년 동안 조세를 면제해 주었다는 기록이 있다. 태조가 이러한 정책을 시행한 목적으로 옳은 것은?

① 북진정책 추진
② 지방 세력의 흡수와 통합
③ 국가재정 확충
④ 자영농의 보호를 통한 민생안정

TIPS!

취민유도정책
㉠ 유교적 민본이념으로 백성들에게 조세를 거둘 때는 일정한 법도가 있어야 함을 의미
㉡ 호족들의 백성들에 대한 지나친 조세 수취 억제
㉢ 세율을 10분의 1로 낮춤
㉣ 자영농의 보호를 통한 민생안정 추구

6 고려시대 중앙관제인 중서문하성의 낭사와 어사대로 이루어진 기구에 대한 설명으로 옳지 않은 것은?

① 백관을 규찰하고 탄핵한다.
② 관리 임명에 동의 서명하는 서경의 권한이 있다.
③ 전곡의 출납과 회계를 관장한다.
④ 새로운 법을 반포하고 시행하기 전에 가부를 심사한다.

TIPS!

중서문하성의 낭사와 어사대 관원은 대간으로 불리면서 간쟁(왕의 잘못을 논함), 서경권(관리의 임명과 법령의 폐지·개정에 동의), 봉박(잘못된 왕명을 시행하지 않고 돌려보냄)을 수행하였다. 직위는 낮았으나 정치운영의 견제와 균형을 이루는 역할을 담당하였다.
③ 삼사에서 행하였던 업무이다.

7 신채호가 조선상고사에서 '일천년래 일대 사건 '이라고 높이 평가한 사건은?

① 묘청의 서경천도운동
② 신라의 삼국 통일
③ 태조 왕건의 고려 건국
④ 고구려의 대제국 건설

TIPS!

신채호는 조선사연구초에서 묘청의 서경천도운동을 "낭가와 불가 양가 대 유교의 싸움이며, 국풍파 대 한학파의 싸움이며, 독립당 대 사대당의 싸움이며, 진취사상 대 보수사상의 싸움이니, 묘청은 전자의 대표요, 김부식은 후자의 대표였다. 만약 김부식이 패하고 묘청이 이겼더라면 조선사가 독립적·진취적으로 진전하였을 것이다."라고 하여 자주성을 높이 평가하였다.

Answer 5.④ 6.③ 7.①

8 다음 중 태조 왕건의 정책에 관한 설명으로 옳은 것은?

① 고구려의 옛 땅을 되찾기 위해서 북방 영토의 확장에 힘썼다.
② 공신과 호족세력을 숙청하고 집권체제를 강화하였다.
③ 군현제를 정비하고 호족세력을 지방관으로 임명하였다.
④ 거란과 연합하여 여진을 공격하고 청천강에서 영흥만까지 영토를 회복하였다.

TIPS!

② 태조 왕건은 호족세력에 대한 회유와 포섭정책으로 정략결혼을 선택하였으며, 호족세력의 향촌지배권을 인정하였다.
③ 성종 때 전국에 12목을 설치하여 지방관을 파견하였다.
④ 거란을 배격하는 북진정책을 펴서 청천강에서 영흥만까지 영토를 회복하였다.

9 다음 글과 관련 있는 민란은?

> 이미 우리 시골(소)의 격을 올려서 현으로 삼고, 또 수령을 두어 그로써 안무하였는데, 돌이켜 다시 군사를 내어와서 토벌하여 내 어머니와 처를 잡아들여 얽어매니 그 뜻이 어디에 있는가……. 반드시 왕경에 이른 뒤에야 그칠 것이다.

① 김사미의 난
② 최광수의 난
③ 효심의 난
④ 망이·망소이의 난

TIPS!

향·소·부곡은 천민거주자로 망이·망소이의 난은 천민들의 신분해방운동이었다. 이 난으로 인해 공주명학소는 충순현으로 승격되었다.

Answer 8.① 9.④

10 고려시대의 경제 활동에 대한 설명으로 옳지 않은 것은?

① 전기에는 관청 수공업과 소 수공업 중심으로 발달하였다.
② 상업은 촌락을 중심으로 발달하였다.
③ 대외 무역에서 가장 큰 비중을 차지한 것은 송과의 무역이었다.
④ 사원에서는 베, 모시, 기와, 술, 소금 등의 품질 좋은 제품을 생산하였다.

고려시대에는 상품화폐경제가 발달하지 못하였고 상업은 촌락이 아니라 도시를 중심으로 발달하였다.

11 다음과 같은 문화 활동을 전후한 시기의 농업 기술 발달에 관한 내용으로 옳은 것을 모두 고르면?

> • 서예에서 간결한 구양순체 대신에 우아한 송설체가 유행하였다.
> • 고려 태조에서 숙종 대까지의 역대 임금의 치적을 정리한 「사략」이 편찬되었다.

> ㉠ 2년 3작의 윤작법이 점차 보급되었다.
> ㉡ 원의 「농상집요」가 소개되었다.
> ㉢ 우경에 의한 심경법이 확대되었다.
> ㉣ 상품 작물이 광범위하게 재배되었다.

① ㉠㉡
② ㉡㉢
③ ㉠㉡㉢
④ ㉡㉢㉣

TIPS!

구양순체는 고려 전기의 유행서체이며 송설체가 유행한 시기는 고려 후기에 해당한다. 또한 13세기 후반 성리학의 수용으로 대의명분과 정통의식을 고수하는 성리학과 사관이 도입되었는데 이제현의 「사략」은 이 시기의 대표적인 역사서이다. 따라서 고려 후기의 농업 기술 발달에 관한 내용을 선택하여야 하며 상품작물이 광범위하게 재배된 것은 조선 후기의 특징에 해당하므로 제외하여야 한다.

※ 고려 후기의 농업 발달
- ㉠ 밭농사에 2년 3작의 윤작법이 보급되었다.
- ㉡ 원의 사농사에서 편찬한 화북지방의 농법 「농상집요」를 전통적인 것을 보다 더 발전시키려는 노력의 일단으로 소개 보급하였다.
- ㉢ 소를 이용한 심경법이 널리 보급되었다.

Answer 10.② 11.③

12 다음 중 고려시대 토지제도의 기본이 되었던 것은?

① 과전법 ② 전시과
③ 녹읍 ④ 녹과전

TIPS!
② 고려는 국가에 봉사하는 대가로 관료에게 전지와 시지를 차등 있게 지급한 전시과와 개인 소유지인 민전을 토지제도의 기본으로 하였다.

13 고려시대의 사회 · 경제상에 대한 설명으로 옳지 않은 것은?

① 교환 수단은 대체로 곡물과 포, 쇄은 등을 사용하였다.
② 공공 시설에서 사업 경비 충당을 목적으로 하는 보가 발달하였다.
③ 사원에서는 제지, 직포 등의 물품을 제조하기도 하였다.
④ 이암이 화북 농법을 바탕으로 농상집요를 저술하였다.

TIPS!
④ 이암은 원의 농상집요를 소개 · 보급하였다.

14 고려시대 농민에 대한 설명으로 옳지 않은 것은?

① 양민의 대다수를 차지하였다.
② 고리대를 운영하여 부를 축적하였다.
③ 주현군에 편제되어 군역을 담당하였다.
④ 민전을 경작하고 10분의 1의 조세를 납부하였다.

TIPS!
② 고리대는 높은 이자로 돈이나 곡물을 빌려 주어 재산을 증식하는 것으로 고려시대에는 주로 귀족이나 사찰에서 행하였으며, 이로 인해 농민의 생활이 피폐해졌다.

Answer 12.② 13.④ 14.②

15 고려시대의 화폐 사용에 대한 설명으로 옳지 않은 것은?

① 철전과 동전이 만들어졌다
② 국가에서 화폐 발행을 독점하였다.
③ 은으로 만든 활구라는 화폐가 있었다.
④ 귀족들의 화폐사용빈도가 높았다.

TIPS!
④ 귀족들의 화폐 사용은 저조하였다.

16 고려시대의 여성의 지위에 관한 일반적 사항으로서 적절한 것을 모두 고르면?

㉠ 부모의 유산은 자녀에게 골고루 분배되었다.
㉡ 태어난 차례대로 호적을 기재하여 남녀 차별을 하지 않았다.
㉢ 아들이 없을 경우 양자를 들이지 않고 딸이 제사를 받들었다.
㉣ 재가한 여성이 낳은 자식의 사회적 진출에 차별을 두지 않았다.
㉤ 사위와 외손자에게까지 음서의 혜택이 있었다.

① ㉠㉡㉢
② ㉠㉢㉣
③ ㉠㉡㉢㉣
④ ㉠㉡㉢㉣㉤

TIPS!
고려의 가족제도 및 여성의 삶
㉠ 재산 상속은 남녀균분상속으로 이루어졌다.
㉡ 호적에 남녀 구별없이 연령순으로 기재하였다.
㉢ 아들이 없을 경우 양자를 들이지 않고 딸이 제사를 받들었다.
㉣ 여성도 호주가 될 수 있었다.
㉤ 양자와 양녀가 모두 있었으며, 사위가 처가의 호적에 입적하여 처가에서 생활을 하기도 하였다.
㉥ 여성은 비교적 자유롭게 가정 밖을 출입하고 남녀관계도 자유로웠다.
㉦ 남녀 모두 재혼이 자유롭고 자식을 데리고 가는 것은 물론 죽은 남편의 재산을 가지고도 재혼이 가능하였다.
㉧ 소생 자식의 사회적 진출에도 차별이 없으며, 가정생활 및 경제운영에서는 남녀 모두 동등한 위치에 있었다.

Answer 15.④ 16.④

17 고려시대 백성들의 생활 모습에 대한 설명으로 바르게 기술한 것을 다음에서 고르면?

> ㉠ 아들이 없을 경우 제사를 지내기 위해 양자를 들였다.
> ㉡ 장례와 제사는 정부 정책에 따라 주로 유교적 규범을 따랐다.
> ㉢ 여러 가지 조세와 잡역 등의 부담으로 안정된 생활을 유지하기 어려웠다.
> ㉣ 초기의 신앙적인 향도가 후기에는 점차 마을의 공동체 생활을 주도하는 조직으로 바뀌었다.

① ㉠㉡　② ㉡㉢
③ ㉢㉣　④ ㉠㉣

TIPS!
㉠㉡ 조선후기의 생활모습에 대한 설명이다.

18 다음에 해당하는 세력에 대한 설명으로 옳은 것은?

> 경제력을 토대로 과거를 통해 관계에 진출한 향리출신자들이다. 이들은 사전의 폐단을 지적하고, 권문세족과 대립하였으며 구질서와 여러 가지 모순을 비판하고 전반적인 사회개혁과 문화혁신을 추구하였다. 이들은 온건파와 급진파로 나뉘는데 조선건국을 도운 급진파가 조선의 지배층이 되었다.

① 자기 근거지에 성을 쌓고 군대를 보유하여 스스로 성주 혹은 장군이라 칭하면서, 그 지방의 행정권과 군사권을 장악하였을 뿐 아니라 경제적 지배력도 행사하였다.
② 원간섭기 이후 중류층 이하에서 전공을 세우거나 몽고귀족과의 혼인을 통해서 정계의 요직을 장악하고, 음서로서 신분을 유지하고 광범위한 농장을 소유하였다.
③ 6두품과 호족들이 중앙으로 진출하여 결혼을 통하여 거대한 가문을 이루고 관직을 독점하며 각종 특권을 누렸다.
④ 하급 관리나 향리의 자제 중 과거를 통해 벼슬에 진출하고 성리학을 공부하고 유교적 소양을 갖추고 행정 실무에도 밝은 학자 출신 관료이다.

TIPS!
신진사대부 … 경제력을 노내로 과거를 통해 관계에 진출한 향리출신자들이다. 사전의 폐단을 지적하고, 권문세족과 대립하였으며 구질서와 여러 가지 모순을 비판하고 전반적인 사회개혁과 문화혁신을 추구하였다.
① 호족 ② 권문세족 ③ 문벌귀족 ④ 신진사대부

Answer 17.③ 18.④

19 다음 중 고려시대의 신분제도에 대한 설명으로 옳지 않은 것은?

① 대다수의 일반 양민층은 백정이 차지했다.
② 대체로 문신보다 무신이 우대되었다.
③ 향 · 부곡의 주민들은 과거응시에 있어서 제한을 받았다.
④ 중류층에는 향리도 포함된다.

TIPS!
② 대체로 무신보다 문신이 우대되었다.

20 권문세족과 신진사대부의 비교로 옳지 않은 것은?

	권문세족	신진사대부
①	친원파	친명파
②	행정 실무 담당	도평의사사 장악
③	불교 옹호	배불론자
④	부재 대지주	재향 중소지주

TIPS!
② 권문세족은 원의 세력을 배경으로 도평의사사를 장악하는 등 고위관직을 독점하였고 주로 과거를 통해 관리가 된 신진사대부는 행정실무에 능한 학자적 관료이다.

21 다음 중 고려의 문벌귀족에 대한 설명으로 옳지 않은 것은?

① 고려의 귀족 사회는 신라의 골품제가 붕괴되고 형성되었다.
② 고려의 귀족들은 서로 중첩된 혼인 관계로 신분 사회를 유지하였다.
③ 고려 귀족의 경제 기반은 광대한 농장이었다.
④ 고려의 귀족 사회는 이자겸의 난과 무신정변을 계기로 붕괴되었다.

TIPS!
③ 광대한 농장을 소유한 최고 권력층은 권문세족이다.

Answer 19.② 20.② 21.③

22 다음은 무엇에 대한 설명인가?

> • 원래 불상, 석탑을 만들거나 절을 지을 때 주도적 역할을 했던 조직이었다.
> • 고려말기에 이르러 마을노역, 혼례와 상장례 등을 함께 했던 농민조직으로 발달하였다.

① 계 ② 두레
③ 향도 ④ 향약

TIPS!
향도 … 불교신앙의 하나로 위기가 닥쳐올 때를 대비하여 향나무를 바닷가에 묻었다가, 이를 통하여 미륵을 만나 구원받고자 하는 염원에서 향나무를 땅에 묻는 활동을 매향이라고 한다. 이 매향 활동을 하는 무리를 향도라고 하였다.

23 고려시대의 사회기구에 대한 다음 설명 중 옳지 않은 것은?

① 흑창 – 태조 때 평시에 곡물을 비축하였다가 흉년에 빈민을 구제하기 위한 기관이었다.
② 의창 – 성종 때 흑창을 개칭한 것으로 평시에 곡물로 비축하였다가 흉년에 구제하는 기관이다.
③ 상평창 – 광종 때 일정 기금을 만들어 그 이자로 빈민을 구제하는 제도이다.
④ 혜민국 – 백성들이 약을 구할 수 있도록 편의를 제공하였다.

TIPS!
③ 제위보에 대한 내용이다. 상평창은 본래 물가조절기구로서, 흉년이 들어 곡가가 오르면 시가보다 싼 값으로 내다 팔아 가격을 조절함으로써 백성들의 생활을 안정시켰다. 후에 의창과 같이 춘대추납의 빈민구휼을 하기도 하였다.

24 다음의 고려 후기 역사서 중 자주적 사관과 관련이 없는 것은?

① 제왕운기 ② 삼국유사
③ 동명왕편 ④ 삼국사기

TIPS!
④ 삼국사기는 인종 때 김부식에 의해 저술된(1145) 고려중기 역사서로 유교적 합리주의 사관에 기초하여 기전체로 저술되었다. 김부식은 신라 계승의식을 갖고 있었으며, 대외적으로 사대주의의 입장에서 정권의 안정만을 도모하였다.

Answer 22.③ 23.③ 24.④

25 다음은 고려시대의 목조건축물이다. 다포양식의 건축물은?

① 봉정사 극락전
② 수덕사 대웅전
③ 성불사 응진전
④ 부석사 무량수전

TIPS!

①②④ 기둥 위에만 공포를 짜 올리는 주심포 양식으로 하중이 기둥에만 전달되어 기둥은 굵으며 배흘림 양식이다.
③ 기둥과 기둥 사이에 공포를 짜 올리는 다포 양식으로 하중이 고르게 분산되어 지붕이 더욱 커졌다. 이는 중후하고 장엄한 느낌을 준다.

26 고려말 성리학에 대한 설명으로 옳지 않은 것은?

① 충렬왕 때 안향이 처음으로 소개하였다.
② 정몽주는 '동방이학의 조'라는 칭호를 들을 정도로 뛰어난 성리학자였다.
③ 고려말에 사림파가 새롭게 등장하였다.
④ 정도전은 불씨잡변을 저술하여 불교를 비판하였다.

TIPS!

③ 사림파는 고려말 은거하고 있던 길재가 양성한 세력으로 조선 성종을 전후로 정계에 등장하였다.

27 고려말의 진화는 "송은 이미 쇠퇴하고 북방 오랑캐는 아직 미개하니, 앉아서 기다려라. 문명의 아침은 동쪽의 하늘을 빛내고자 한다."는 내용의 시로 자신감과 자주의식을 나타내었다. 이러한 자주 의식과 관련이 없는 사람은?

① 일연
② 이이
③ 김대문
④ 이종휘

TIPS!

② 이이는 존화주의적 역사의식을 가지고 기자조선을 정통으로 보는 기자실기를 작성하였다.

Answer 25.③ 26.③ 27.②

국어
한국사
영어

28 다음 중 도교와 관련된 설명으로 옳은 것은?

① 불교의 영향을 받았다.
② 조선에서는 마니산 초제를 통하여 민간의 도교를 중앙에서 관장하였다.
③ 신라말기에 귀족생활이 갈수록 향락 · 퇴폐화됨에 따라 도교도 타락하였다.
④ 고구려의 도교는 무용총에 잘 나타나 있다.

TIPS!
① 백제의 산경전, 사택지적비, 무령왕릉의 지석(매지권) 등은 도교의 영향을 받았음을 보여준다.
② 유교 교리에 의하면 조선은 제후국이므로 유교식으로는 하늘에 제사를 지낼 수 없어 도교식으로 제를 올렸다.
③ 신라말기에 귀족들의 향락과 퇴폐가 심해지자 이에 대한 반발로 은둔적인 도교와 노장사상이 널리 퍼졌다.
④ 고구려인의 도교사상을 엿볼 수 있는 고분은 강서고분이다. 강서고분 내부 석실에는 도교의 영향을 받은 사신도가 그려져 있다.

29 다음과 같은 주장을 한 승려와 관련이 있는 것은?

> 인간의 마음이 곧 부처의 마음이라는 것을 깨닫고, 그것을 깨달은 후에는 꾸준히 수행해야 해탈에 이를 수 있다.

① 당시의 타락한 불교계를 비판했다.
② 화엄일승법계도를 저술하고 화엄사상을 정립했다.
③ 귀족불교를 민중에게 전파시켰다.
④ 교관겸수를 수행방법으로 주장했다.

TIPS!
제시된 내용은 지눌에 대한 설명으로 지눌은 명리에 집착하는 당시 불교계의 타락성을 비판하였다.
② 의상
③ 원효
④ 의천

Answer 28.② 29.①

30 다음 ㉠에 알맞은 사서는?

시대적 상황	사서 편찬
무신정변으로 인해 사회가 혼란하고 몽고가 침략하였다.	㉠

① 7대 실록

② 삼국사기

③ 동명왕편

④ 사략

무신정변 이후의 사회적 혼란과 몽고침략의 위기를 겪은 후에 민족적 자주의식을 바탕으로 전통문화를 올바르게 이해하려는 경향이 대두하였다. 이러한 경향을 반영한 이규보의 동명왕편에는 고구려의 건국에 관한 자주적 내용이 실려 있다.

31 다음은 고려의 문화유산이다. 이에 대한 평가로 옳은 것은?

① 봉정사 극락전 – 목조건축물로 다포양식을 대표한다.

② 향약구급방 – 우리 실정에 맞는 자주적 의학서이다.

③ 직지심체요절 – 현존하는 세계 최고(最古)의 목판인쇄물이다.

④ 경천사 10층석탑 – 송탑의 양식과 통일신라 탑파양식을 계승하였다.

TIPS!

① 봉정사 극락전은 주심포양식이다.

③ 현존하는 세계 최고(最古)의 금속활자본이다.

④ 원의 석탑을 본뜬 것으로 조선시대로 이어졌다.

Answer 30.③ 31.②

32 다음 중 의천에 대한 설명이 아닌 것은?

① 교관겸수
② 국청사 창건
③ 정혜결사
④ 속장경

TIPS!

③ 정혜결사는 보조국사 지눌의 결사이다.

33 고려시대에 들어와 성행했던 도교에 대한 설명으로 옳지 않은 것은?

① 나라의 안녕과 왕실의 번영을 비는 국가적인 도교행사가 행해졌다.
② 불교적인 요소와 함께 도참사상도 융합되어 일관된 체계가 없었다.
③ 몽고 침입 이후 교단이 형성되어 민간에 널리 퍼졌다
④ 예종 때 도교사원이 처음으로 건립되었다.

TIPS!

③ 도교는 일관된 체계가 없었으며 교단도 성립되지 못하여 민간신앙으로 전개되었다.

Answer 32.③ 33.③

조선의 형성과 발전

section 1 조선의 정치

1. 근세사회의 성립과 전개

(1) 국왕 중심의 통치체제정비와 유교정치의 실현

① 태조 … 국호를 '조선'이라 하고 수도를 한양으로 천도하였으며 3대 정책으로 숭유억불정책, 중농억상정책, 사대교린정책을 실시하였다.

② 태종 … 왕권 확립을 위해 개국공신세력을 견제하고 숙청하였으며 6조직계제를 실시, 사간원을 독립시켜 대신들을 견제하고, 신문고의 설치, 양전사업의 실시 및 호패법을 시행하고 사원전의 몰수, 노비해방, 사병을 폐지하였다.

③ 세종 … 집현전을 설치, 한글 창제 및 6조직계제를 폐지하고 의정부서사제(재상합의제)로 정책을 심의하였으며, 국가행사를 오례에 따라 거행하였다.

(2) 문물제도의 정비

① 세조 … 왕권의 재확립과 집권체제의 강화를 위하여 6조직계제를 실시하고 집현전과 경연을 폐지하였으며, 경국대전의 편찬에 착수하였다.

② 성종 … 홍문관의 설치, 경연의 활성화 및 경국대전의 완성 · 반포를 통하여 조선의 기본통치방향과 이념을 제시하였다.

2. 통치체제의 정비

(1) 중앙정치체제

① 양반관료체제의 확립 … 경국대전으로 법제화하고 문 · 무반이 정치와 행정을 담당하게 하였으며, 18품계로 나누어 당상관(관서의 책임자)과 당하관(실무 담당)으로 구분하였다.

② 의정부와 6조

㉠ 의정부 : 최고 관부로서 재상의 합의로 국정을 총괄하였다.

㉡ 6조 : 직능에 따라 행정을 분담하였다.

- 이조 : 문관의 인사(전랑이 담당), 공훈, 상벌을 담당하였다.
- 호조 : 호구, 조세, 회계, 어염, 광산, 조운을 담당하였다.
- 예조 : 외교, 교육, 문과과거, 제사, 의식 등을 담당하였다.
- 병조 : 국방, 통신(봉수), 무과과거, 무관의 인사 등을 담당하였다.
- 형조 : 형률, 노비에 대한 사항을 담당하였다.
- 공조 : 토목, 건축, 수공업, 도량형, 파발에 대한 사항을 담당하였다.

③ 언론학술기구 … 삼사로 정사를 비판하고 관리들의 부정을 방지하였다.

㉠ 사간원(간쟁) · 사헌부(감찰) : 서경권을 행사하였다(관리 임명에 동의권 행사).

㉡ 홍문관 : 학문적으로 정책 결정을 자문하는 기구이다.

④ 왕권강화기구 … 왕명을 출납하는 승정원과 큰 죄인을 다스리는 국왕 직속인 의금부, 서울의 행정과 치안을 담당하는 한성부가 있다.

⑤ 그 밖의 기구 … 역사서의 편찬과 보관을 담당하는 춘추관, 최고 교육기관인 성균관 등이 있다.

(2) 지방행정조직

① 지방조직 … 전국을 8도로 나누고, 하부에 부 · 목 · 군 · 현을 설치하였다.

㉠ 관찰사(감사) : 8도의 지방장관으로서 행정, 군사, 감찰, 사법권을 행사하였다. 수령에 대한 행정을 감찰하는 역할을 담당하였다.

㉡ 수령 : 부, 목, 군, 현에 임명되어 관내 주민을 다스리는 지방관으로서 행정, 사법, 군사권을 행사하였다.

㉢ 향리 : 6방에 배속되어 향역을 세습하면서 수령을 보좌하였다(아전).

② 향촌사회

㉠ 면 · 리 · 통 : 향민 중에서 책임자를 선임하여, 수령의 명령을 받아 인구 파악과 부역 징발을 주로 담당하게 하였다.

㉡ 양반 중심의 향촌사회질서 확립

• 경재소 : 유향소와 정부간 연락을 통해 유향소를 통제하여 중앙집권을 효율적으로 강화하였다.
• 유향소(향청) : 향촌양반의 자치조직으로 좌수와 별감을 선출하고, 향규를 제정하며, 향회를 통한 여론의 수렴과 백성에 대한 교화를 담당하였다.

(3) 군역제도와 군사조직

① 군역제도

㉠ 양인개병제 : 양인(현직 관료와 학생을 제외한 16세 이상 60세 이하의 남자)의 신분이면 누구나 병역의 의무를 지는 제도이다.

㉡ 보법 : 정군(현역 군인)과 보인(정군의 비용 부담)으로 나눈다.

㉢ 노비 : 권리가 없으므로 군역이 면제되고, 특수군(잡색군)으로 편제되었다.

② 군사조직

㉠ 중앙군(5위) : 궁궐과 서울을 수비하며 정군을 중심으로 갑사(시험을 거친 직업군인)나 특수병으로 지휘 책임을 문관관료가 맡았다.

㉡ 지방군 : 병영(병마절도사)과 수영(수군절도사)으로 조직하였다.

㉢ 잡색군 : 서리, 잡학인, 신량역천인(신분은 양인이나 천한 일에 종사), 노비 등으로 조직된 일종의 예비군으로 유사시에 향토 방위를 담당한다(농민은 제외).

③ 교통 · 통신체계의 정비

㉠ 봉수제(통신) : 군사적 목적으로 설치하였으며, 불과 연기를 이용하여 급한 소식을 알렸다.

㉡ 역참 : 물자 수송과 통신을 위해 설치되어 국방과 중앙집권적 행정 운영이 한층 쉬워졌다.

(4) 관리등용제도

① 과거 … 문과는 예조에서 담당하였으며 무과는 병조에서 담당하고 28명을 선발하였다. 또한 잡과는 해당 관청에서 역과, 율과, 의과, 음양과의 기술관을 선발하였다.

② 취재 … 재주가 부족하거나 나이가 많아 과거 응시가 어려운 사람이 특별채용시험을 거쳐 하급 실무직에 임명되는 제도이다.

③ 음서와 천거 … 과거를 거치지 않고 고관의 추천을 받아 간단한 시험을 치른 후 관직에 등용되거나 음서를 통하여 관리로 등용되는 제도이다. 그러나 천거는 기존의 관리들을 대상으로 하였고, 음서도 고려시대에 비하여 크게 줄어들었고 문과에 합격하지 않으면 고관으로 승진하기 어려웠다.

④ 인사관리제도의 정비

㉠ 상피제 : 권력의 집중과 부정을 방지하였다.

㉡ 서경제 : 사헌부와 사간원에서 관리 임명시에 심사하여 동의하는 절차로서 5품 이하 관리 임명시에 적용하는 것이다.

㉢ 근무성적평가 : 하급관리의 근무성적평가는 승진 및 좌천의 자료가 되었다.

3. 사림의 대두와 붕당정치

(1) 훈구와 사림

① 훈구세력 … 조선초기 문물제도의 정비에 기여하였으며 고위관직을 독점 및 세습하고, 왕실과의 혼인으로 성장하였다.

② 사림세력 … 여말 온건파 사대부의 후예로서 길재와 김종직에 의해 영남과 기호지방에서 성장한 세력으로 대부분이 향촌의 중소지주이다.

(2) 사림의 정치적 성장

① 사화의 발생

㉠ 무오사화(1498)·갑자사화(1504) : 연산군의 폭정으로 발생하였으며 영남 사림은 몰락하게 되었다.

㉡ 조광조의 개혁정치 : 현량과를 실시하여 사림을 등용하여 급진적 개혁을 추진하였다. 위훈삭제사건으로 훈구세력을 약화시켰으며, 공납의 폐단을 시정, 불교와 도교행사를 폐지하고, 소학교육을 장려하고, 향약을 보급하였다. 그러나 훈구세력의 반발을 샀으며 기묘사화(1519)로 조광조는 실각되고 말았다.

㉢ 을사사화(명종, 1545) : 중종이 다시 사림을 등용하였으나 명종 때 외척 다툼으로 을사사화가 일어나고 사림은 축출되었다.

② 결과 … 사림은 정치적으로 위축되었으나 중소지주를 기반으로 서원과 향약을 통해 향촌에서 세력을 회복하게 되었다.

2019. 4. 6. 소방공무원

(가) 정치 세력에 대한 설명으로 옳은 것은?

> 조광조를 비롯한 [(가)]은/는 왕도 정치를 실현하기 위해 급진적 개혁을 단행하였다. 현량과를 통해 [(가)]을/를 등용하고, 중종반정의 공신을 조사하여 부적격한 사람의 공훈을 삭제하였다. 또한 불교 및 도교와 관련된 종교 행사를 폐지하고, 「소학」을 널리 보급하여 유교적 가치관을 사회에 정착시키려 하였다.

① 화백회의에 참여하였다.
② 조선 건국을 주도하였다.
③ 스스로 성주 또는 장군이라 칭하였다.
④ 서원과 향약을 기반으로 세력을 확대하였다.

✱

사림 세력은 고려 말 길재, 정몽주를 비롯한 온건파 신진사대부의 학문적 이념을 계승한 세력이다. 이들은 조선 건국 후 지방 중소지주로 남아 서원과 향약을 중심으로 세력을 확대하였다. 성종 때부터 정계에 진출하여 훈구파와 대립하였으며 4차례에 걸친 사화가 발생하였다. 조광조를 비롯한 사림세력의 개혁으로 발생한 사건이 기묘사화이다.

① 신라 귀족회의로 진골이 참여하였다.

② 정도전을 비롯한 혁명파 신진사대부이다.

③ 신라 하대 지방 호족세력이다.

답 ④

국어

한국사

영어

(3) 붕당의 출현(사림의 정계 주도)

① 동인과 서인 … 척신정치의 잔재를 청산하기 위한 방법을 둘러싸고 대립행태가 나타났다.

㉠ 동인 : 신진사림 출신으로서 정치 개혁에 적극적이며 수기(修己)를 강조하고 지배자의 도덕적 자기 절제를 강조하고 이황, 조식, 서경덕의 학문을 계승하였다.

㉡ 서인 : 기성사림 출신으로서 정치 개혁에 소극적이며 치인(治人)에 중점을 두고 제도 개혁을 통한 부국 안민에 힘을 썼고 이이, 성혼의 문인들을 중심으로 구성되었다.

② 붕당의 성격과 전개 … 정파적 성격과 학파적 성격을 지닌 붕당은 초기에는 강력한 왕권으로의 형성이 불가능하였으나, 중기에 이르러 왕권이 약화되고 사림정치가 전개되면서 붕당이 형성되었다.

(4) 붕당정치의 전개

① 동인의 분당은 정여립의 모반사건을 계기로 세자책봉문제를 둘러싸고 시작되었다. 남인은 온건파로 초기에 정국을 주도하였으며 북인은 급진파로 임진왜란이 끝난 뒤부터 광해군 때까지 정권을 장악하였다.

② 광해군의 개혁정치 … 명과 후금 사이의 중립외교를 펼쳤으며, 전후복구사업을 추진하였으나 무리한 전후복구사업으로 민심을 잃은 광해군과 북인세력은 서인이 주도한 인조반정으로 몰락하였다.

③ 주로 서인이 집권하여 남인 일부가 연합하고, 상호비판 공존체제가 수립되었던 것이 서인과 남인의 경신환국으로 정치 공존이 붕괴되었다.

(5) 붕당정치의 성격

비변사를 통한 여론 수렴이 이루어졌으며, 3사의 언관과 이조전랑의 정치적 비중이 증대되었고 재야의 여론이 수렴되어 재야의 공론주도자인 산림이 출현하였고, 서원과 향교를 통한 수렴이 이루어졌다. 그러나 국가의 이익보다는 당파의 이익을 앞세워 국가 발전에 지장을 주기도 하였고, 현실문제보다는 의리와 명분에 치중하였으며 지배층의 의견만을 정치에 반영하였다.

4. 조선초기의 대외관계

(1) 명과의 관계

명과의 관계에서는 사대외교를 중국 이외의 주변 민족에게는 교린정책을 기본으로 하였다.

(2) 여진과의 관계

① 대여진정책 … 회유책으로 귀순을 장려하였고, 북평관을 세워 국경무역과 조공무역을 허락하였으며 강경책으로 본거지를 토벌하고 국경지방에 자치적 방어체제를 구축하여 진 · 보를 설치하였다.

② 북방개척

㉠ 4군 6진 : 최윤덕, 김종서 등은 압록강에서 두만강에 이르는 4군 6진을 설치하였다.

㉡ 사민정책 : 삼남지방의 주민을 강제로 이주시켜 북방 개척과 국토의 균형 있는 발전을 꾀하였다.

㉢ 토관제도 : 토착인을 하급관리로 등용하는 것이다.

(3) 일본 및 동남아시아와의 관계

① 대일관계

㉠ 왜구의 토벌 : 수군을 강화하고 화약무기를 개발해 오던 조선은 왜구가 무역을 요구해오자 제한된 무역을 허용하였으나 왜구의 계속된 약탈로 이종무가 쓰시마섬을 토벌하였다(세종).

㉡ 교린정책 : 3포(부산포, 제포, 염포)를 개항하여, 계해약조를 맺고 조공무역을 허용하였다.

② 동남아시아와의 교역 … 조공, 진상의 형식으로 물자 교류를 하고 특히 불경, 유교경전, 범종, 부채 등을 류큐(오키나와)에 전해주어 류큐의 문화 발전에 기여하였다.

5. 양 난의 극복과 대청관계

(1) 왜군의 침략

① 조선의 정세

㉠ 왜구 약탈 : 3포왜란(임신약조) → 사량진왜변(정미약조) → 을묘왜변(교역 중단)

㉡ 국방대책 : 3포왜란 이후 군사문제를 전담하는 비변사가 설치되었다.

㉢ 16세기 말 : 사회적 혼란이 가중되면서 국방력이 약화되어 방군수포현상이 나타났다

② 임진왜란(1592) … 왜군 20만이 기습하고 정발과 송상현이 분전한 부산진과 동래성의 함락과 신립의 패배로 국왕은 의주로 피난하였다. 왜군은 평양, 함경도까지 침입하였고 명에 파병을 요청하였다.

(2) 수군과 의병의 승리

① 수군의 승리

㉠ 이순신(전라좌수사)의 활약 : 판옥선과 거북선을 축조하고, 수군을 훈련시켰다.

㉡ 남해의 재해권 장악 : 옥포(거제도)에서 첫 승리를 거두고, 사천(삼천포, 거북선을 이용한 최초의 해전), 당포(충무), 당항포(고성), 한산도대첩(학익진 전법) 등지에서 승리를 거두어 남해의 제해권을 장악하였고 전라도지방을 보존하였다.

② 의병의 항쟁

㉠ 의병의 봉기 : 농민이 주축이 되어 전직관리, 사림, 승려가 주도한 자발적인 부대였다.

㉡ 전술 : 향토지리와 조건에 맞는 전술을 사용하였다. 매복, 기습작전으로 아군의 적은 희생으로 적에게 큰 타격을 주었다.

㉢ 의병장 : 곽재우(의령), 조헌(금산), 고경명(담양), 정문부(길주), 서산대사 휴정(평양, 개성, 한성 등), 사명당 유정(전후 일본에서 포로 송환) 등이 활약하였다.

㉣ 전세 : 관군이 편입되어 대일항전이 조직화되고 전력도 강화되었다.

(3) 전란의 극복과 영향

① 전란의 극복

㉠ 조 · 명연합군의 활약 : 평양성을 탈환하고 행주산성(권율) 등지에서 큰 승리를 거두었다.

㉡ 조선의 군사력 강화 : 훈련도감과 속오군을 조직하였고 화포 개량과 조총을 제작하였다.

㉢ 휴전회담 : 왜군은 명에게 휴전을 제의하였으나, 무리한 조건으로 3년만에 결렬되었다.

㉣ 정유재란 : 왜군은 조선을 재침하였으나 이순신에게 명량 · 노량해전에서 패배하였다.

② 왜란의 영향

㉠ 국내적 영향 : 인구와 농토가 격감되어 농촌의 황폐화, 민란의 발생 및 공명첩의 대량 발급으로 인하여 신분제의 동요, 납속의 실시, 토지대장과 호적의 소실, 경복궁, 불국사, 서적, 실록 등의 문화재가 소실 · 약탈당했으며, 일본을 통하여 조총, 담배, 고추, 호박 등이 전래되었다.

㉡ 국제적 영향 : 일본은 문화재를 약탈하고, 성리학자와 도공을 납치하여 일본 문화가 발전하는 계기가 되었으나 명은 여진족의 급성장으로 인하여 쇠퇴하였다.

(4) 광해군의 중립외교

① 내정개혁 … 양안(토지대장)과 호적을 재작성하여 국가재정기반을 확보하고, 산업을 진흥하였으며 동의보감(허준)을 편찬하고 소실된 사고를 5대 사고로 재정비하였다.

② **대외정책** … 임진왜란 동안 조선과 명이 약화된 틈을 타 여진이 후금을 건국하였다(1616). 후금은 명에 대하여 전쟁을 포고하고, 명은 조선에 원군을 요청하였으나, 조선은 명의 원군 요청을 적절히 거절하면서 후금과 친선정책을 꾀하는 중립적인 정책을 취하였다. 광해군의 중립외교는 국내에 전쟁의 화가 미치지 않아 왜란 후의 복구사업에 크게 기여하였다.

(5) 호란의 발발과 전개

① **정묘호란(1627)** … 명의 모문룡 군대의 가도 주둔과 이괄의 난 이후 이괄의 잔당이 후금에 건너가 조선 정벌을 요구한 것으로 발생하였으며, 후금의 침입에 정봉수, 이립 등이 의병으로 활약하였다. 후금의 제의로 쉽게 화의(정묘조약)가 이루어져 후금의 군대는 철수하였다.

② **병자호란(1636)** … 후금의 군신관계 요구에 조선이 거부한 것이 발단이 되어 발생하였으며, 삼전도에서 항복하고 청과 군신관계를 맺게 되었으며 소현세자와 봉림대군이 인질로 끌려갔다.

(6) 북벌운동의 전개

① 서인세력(송시열, 송준길, 이완 등)은 군대를 양성하는 등의 계획을 세웠으나 실천하지 못하였다.

② **효종의 북벌계획** … 이완을 훈련대장으로 임명하고 군비를 확충하였으나 효종의 죽음으로 북벌계획은 중단되었다.

section 2 정치상황의 변동

1. 통치체제의 변화

(1) 정치구조의 변화

① **비변사의 기능 강화** … 중종 초 여진족과 왜구에 대비하기 위해 설치한 임시기구였으나, 임진왜란을 계기로 문무고관의 합의기구로 확대되었다. 군사뿐만 아니라 외교, 재정, 사회, 인사 등 거의 모든 정무를 총괄하였으며, 왕권의 약화, 의정부 및 6조 기능의 약화를 초래하였다.

② **정치 운영의 변질** … 3사는 공론을 반영하기보다 각 붕당의 이해관계를 대변하기에 급급하고 이조·병조의 전랑 역시 상대 붕당을 견제하는 기능으로 변질되어 붕당 간의 대립을 격화시켰다.

(2) 군사제도의 변화

① 중앙군(5군영)

㉠ 훈련도감 : 삼수병(포수 · 사수 · 살수)으로 구성되었으며, 직업적 상비군이었다.

㉡ 어영청 : 효종 때 북벌운동의 중추기관이 되었다. 기 · 보병으로 구성되며, 지방에서 교대로 번상하였다.

㉢ 총융청 : 북한산성 등 경기 일대의 방어를 위해 속오군으로 편성되었다.

㉣ 수어청 : 정묘호란 후 인조 때 설치되어 남한산성을 개축하고 이를 중심으로 남방을 방어하기 위해 설치되었다.

㉤ 금위영 : 숙종 때 수도방위를 위해 설치되었다. 기 · 보병 중심의 선발 군사들로 지방에서 교대로 번상케 하였다.

② 지방군(속오군)

㉠ 지방군제의 변천

- 진관체제 : 세조 이후 실시된 체제로 외적의 침입에 효과가 없었다.
- 제승방략체제(16세기) : 유사시에 필요한 방어처에 각 지역의 병력을 동원하여 중앙에서 파견되는 장수가 지휘하게 하는 방어체제이다.
- 속오군체제 : 진관을 복구하고 속오법에 따라 군대를 정비하였다.

㉡ 속오군 : 양천혼성군(양반, 농민, 노비)으로서, 농한기에 훈련하고 유사시에 동원되었다.

(3) 수취제도의 개편

① 전세제도의 개편 … 전세를 풍흉에 관계없이 1결당 미곡 4두로 고정시키는 영정법은 전세율이 다소 낮아졌으나 농민의 대다수인 전호들에게는 도움이 되지 못하였고, 전세 외에 여러 가지 세가 추가로 징수되어 조세의 부담은 증가하였다.

② 공납제도의 개편 … 방납의 폐단으로 토지의 결수에 따라 미, 포, 전을 납입하는 대동법을 시행하였는데 그 결과 농민의 부담을 감소하였으나 지주에게 부과된 대동세가 소작농에게 전가되는 경우가 있었으며, 조세의 금납화 촉진, 국가재정의 회복 및 상공업의 발달과 상업도시의 발전을 가져왔다. 그러나 진상 · 별공은 여전히 존속하였다.

③ 군역제도의 개편 … 균역법(군포 2필에서 1필로 내게 함)의 실시로 일시적으로 농민부담은 경감되었으나 폐단의 발생으로 인하여 전국적인 저항을 불러왔다.

2. 정쟁의 격화와 탕평정치

(1) 탕평론의 대두

공리공론보다 집권욕에만 집착하여 균형관계가 깨져서 정쟁이 끊이지 않고 사회가 분열되었으며, 이에 강력한 왕권을 토대로 세력 균형을 유지하려는 탕평론이 제기되었다. 숙종은 공평한 인사 관리를 통해 정치집단 간의 세력 균형을 추구하려 하였으나 명목상의 탕평책에 불과하여 편당적인 인사 관리로 빈번한 환국이 발생하였다.

(2) 영조의 탕평정치

① 탕평파를 육성하고, 붕당의 근거지인 서원을 정리하였으며, 이조전랑의 후임자 천거제도를 폐지하였다. 그 결과 정치권력은 국왕과 탕평파 대신에게 집중되었다. 또한 균역법의 시행, 군영의 정비, 악형의 폐지 및 사형수에 대한 삼심제 채택, 속대전을 편찬하였다.

② 한계 … 왕권으로 붕당 사이의 다툼을 일시적으로 억제하기는 하였으나 소론 강경파의 변란(이인좌의 난, 나주괘서사건)획책으로 노론이 권력을 독점하게 되었다.

(3) 정조의 탕평정치

① 정치세력의 재편 … 탕평책을 추진하여 벽파를 물리치고 시파를 고루 기용하여 왕권의 강화를 꾀하였다. 또한 영조 때의 척신과 환관 등을 제거하고, 노론과 소론 일부, 남인을 중용하였다.

② 왕권 강화 정책 … 규장각의 육성, 초계문신제의 시행, 장용영의 설치, 수원 육성, 수령의 권한 강화, 서얼과 노비의 차별 완화, 금난전권 폐지, 대전통편, 동문휘고, 탁지지 등을 편찬하였다.

3. 정치질서의 변화

(1) 세도정치의 전개(19세기)

정조가 죽은 후 정치세력 간의 균형이 다시 깨지고 몇몇 유력가문 출신의 인물들에게 집중되었다. 순조 때에는 정순왕후가 수렴청정을 하면서 노론 벽파가 정권을 잡았으나, 정순왕후가 죽자 순조의 장인인 김조순을 중심으로 안동 김씨의 세도정치가 시작되었으며 헌종, 철종 때까지 풍양조씨, 안동 김씨의 세도정치가 이어졌다.

(2) 세도정치의 폐단

① 수령직의 매관매직으로 탐관오리의 수탈이 극심해지고 삼정(전정, 군정, 환곡)이 문란해졌으며, 그 결과 농촌경제는 피폐해지고, 상품화폐경제는 둔화되었다.

② 세도정치의 한계 … 고증학에 치중되어 개혁의지를 상실하였고 지방의 사정을 이해하지 못했다.

국어

4. 대외관계의 변화

(1) 청과의 관계

① 북벌정책 … 17세기 중엽, 효종 때 추진한 것으로 청의 국력 신장으로 실현가능성이 부족하여 정권 유지의 수단이 되기도 하였으나 양난 이후의 민심 수습과 국방력 강화에 기여하였다.

② 북학론의 대두 … 청의 국력 신장과 문물 융성에 자극을 받아 18세기 말 북학파 실학자들은 청의 문물 도입을 주장을 하였으며 사신들은 천리경, 자명종, 화포, 만국지도, 천주실의 등의 신문물과 서적을 소개하였다.

한국사

(2) 일본과의 관계

① 대일외교관계

㉠ 기유약조(1609) : 임진왜란 이후 도쿠가와 막부의 요청으로 부산포에 왜관을 설치하고, 대일무역이 행해졌다.

㉡ 조선통신사 파견 : 17세기 초 이후부터 200여년간 12회에 걸쳐 파견하였다. 외교사절의 역할뿐만 아니라 조선의 선진학문과 기술을 일본에 전파하였다.

② 울릉도와 독도 … 안용복이 일본으로 건너가(숙종) 일본 막부에게 울릉도와 독도가 조선 영토임을 확인받고 돌아왔다. 그 후 조선 정부는 울릉도의 주민 이주를 장려하였고, 울릉도에 군을 설치하고 관리를 파견하여 독도까지 관할하였다.

영어

section 3 조선의 경제

1. 경제정책

(1) 과전법의 시행과 변화

① 과전법의 시행 … 국가의 재정기반과 신진사대부세력의 경제기반을 확보하기 위해 시행되었는데 경기지방의 토지에 한정되었고 과전을 받은 사람이 죽거나 반역을 한 경우에는 국가에 반환하였고 토지의 일부는 수신전, 휼양전, 공신전 형태로 세습이 가능하였다.

② **과전법의 변화** … 토지가 세습되자 신진관리에게 나누어 줄 토지가 부족하게 되었다.

㉠ **직전법**(세조) : 현직 관리에게만 수조권을 지급하였고 수신전과 휼양전을 폐지하였다.

㉡ **관수관급제**(성종) : 관청에서 수조권을 행사하고, 관리에게 지급하여 국가의 지배권이 강화하였다.

㉢ **직전법의 폐지**(16세기 중엽) : 수조권 지급제도가 없어졌다.

③ **지주제의 확산** … 직전법이 소멸되면서 고위층 양반들이나 지방 토호들은 토지 소유를 늘리기 시작하여 지주전호제가 일반화되고 병작반수제가 생겼다.

(2) 수취체제의 확립

① **조세** … 토지 소유자의 부담이었으나 지주들은 소작농에게 대신 납부하도록 강요하는 경우가 많았다.

㉠ **과전법** : 수확량의 10분의 1을 징수하고, 매년 풍흉에 따라 납부액을 조정하였다.

㉡ **전분6등법 · 연분9등법**(세종) : 1결당 최고 20두에서 최하 4두를 징수하였다.

- 전분6등법
  - 토지의 비옥한 정도에 따라 6등급으로 나누고 그에 따라 1결의 면적을 달리하였다.
  - 모든 토지는 20년마다 측량하여 대장을 만들어 호조, 각도, 각 고을에 보관하였다.
- 연분9등법
  - 한 해의 풍흉에 따라 9등급으로 구분하였다.
  - 작황의 풍흉에 따라 1결당 최고 20두에서 최하 4두까지 차등을 두었다.

㉢ **조세 운송** : 군현에서 거둔 조세는 조창(수운창 · 해운창)을 거쳐 경창(용산 · 서강)으로 운송하였으며, 평안도와 함경도의 조세는 군사비와 사신접대비로 사용하였다.

② **공납** … 중앙관청에서 각 지역의 토산물을 조사하여 군현에 물품과 액수를 할당하여 징수하는 것으로 납부기준에 맞는 품질과 수량을 맞추기 어려워 농민들의 부담이 컸다.

③ **역** … 16세 이상의 정남에게 의무가 있다.

㉠ **군역** : 정군은 일정 기간 군사복무를 위하여 교대로 근무했으며, 보인은 정군이 복무하는 데에 드는 비용을 보조하였다. 양반, 서리, 향리는 군역이 면제되었다.

㉡ **요역** : 가호를 기준으로 정남의 수를 고려하여 뽑았으며, 각종 공사에 동원되었다. 토지 8결당 1인이 동원되었고, 1년에 6일 이내로 동원할 수 있는 날을 제한하였으나 임의로 징발하는 경우도 많았다.

④ **국가재정** … 세입은 조세, 공물, 역 이외에 염전, 광산, 산림, 어장, 상인, 수공업자의 세금으로 마련하였으며, 세출은 군량미나 구휼미로 비축하고 왕실경비, 공공행사비, 관리의 녹봉, 군량미, 빈민구제비, 의료비 등으로 지출하였다.

2. 양반과 평민의 경제활동

(1) 양반 지주의 생활

농장은 노비의 경작과 주변 농민들의 병작반수의 소작으로 행해졌으며 노비는 재산의 한 형태로 구매, 소유 노비의 출산 및 혼인으로 확보되었고, 외거노비는 주인의 땅을 경작 및 관리하고 신공을 징수하였다.

(2) 농민생활의 변화

① 농업기술의 발달

㉠ 밭농사 : 조 · 보리 · 콩의 2년 3작이 널리 행해졌다.

㉡ 논농사 : 남부지방에 모내기 보급과 벼와 보리의 이모작으로 생산량이 증가되었다.

㉢ 시비법 : 밑거름과 덧거름을 주어 휴경제도가 거의 사라졌다.

㉣ 농기구 : 쟁기, 낫, 호미 등의 농기구도 개량되었다.

㉤ 수리시설의 확충

② 상품 재배 … 목화 재배가 확대되어 의생활이 개선되었고, 약초와 과수 재배가 확대되었다.

(3) 수공업 생산활동

① 관영수공업 … 관장은 국역으로 의류, 활자, 화약, 무기, 문방구, 그릇 등을 제작하여 공급하였고, 국역기간이 끝나면 자유로이 필수품을 제작하여 판매할 수 있었다.

② 민영수공업 … 농기구 등 물품을 제작하거나, 양반의 사치품을 생산하는 일을 맡았다.

③ 가내수공업 … 자급자족 형태로 생활필수품을 생산하였다.

(4) 상업활동

① 시전 상인 … 왕실이나 관청에 물품을 공급하는 특정 상품의 독점판매권(금난전권)을 획득하였으며, 육의전(시전 중 명주, 종이, 어물, 모시, 삼베, 무명을 파는 점포)이 번성하였다. 또한 경시서를 설치하여 불법적인 상행위를 통제하였고 도량형을 검사하고 물가를 조절하였다.

② 장시 … 서울 근교와 지방에서 농업생산력 발달에 힘입어 정기 시장으로 정착되었으며, 보부상이 판매와 유통을 주도하였다.

③ 화폐 … 저화(태종, 조선 최초의 지폐)와 조선통보(세종)를 발행하였으나 유통이 부진하였다. 농민에겐 쌀과 무명이 화폐역할을 하였다.

④ 대외무역 … 명과는 공무역과 사무역을 허용하였으며, 여진과는 국경지역의 무역소를 통해 교역하였고 일본과는 동래에 설치한 왜관을 통해 무역하였다.

(5) 수취제도의 문란

① 공납의 폐단 발생 … 중앙관청의 서리들이 공물을 대신 납부하고 수수료를 징수하는 것을 방납이라 하는데 방납이 증가할수록 농민의 부담이 증가되었다. 이에 이이 · 유성룡은 공물을 쌀로 걷는 수미법을 주장하였다.

② 군역의 변질

㉠ 군역의 요역화 : 농민 대신에 군인을 각종 토목공사에 동원시키게 되어 군역을 기피하게 되었다.

㉡ 대립제 : 보인들에게서 받은 조역가로 사람을 사서 군역을 대신시키는 현상이다.

㉢ 군적수포제 : 장정에게 군포를 받아 그 수입으로 군대를 양성하는 직업군인제로서 군대의 질이 떨어지고, 모병제화되었으며 농민의 부담이 가중되는 결과를 낳았다.

③ 환곡 … 농민에게 곡물을 빌려 주고 10분의 1 정도의 이자를 거두는 제도로서 지방 수령과 향리들이 정한 이자보다 많이 징수하는 폐단을 낳았다.

section 4 경제상황의 변동

1. 수취체제의 개편

(1) 영정법의 실시(1635)

① 배경 … 15세기의 전분 6등급과 연분 9등급은 매우 번잡하여 제대로 운영되지 않았고, 16세기에는 아예 무시된 채 최저율의 세액이 적용되게 되었다.

② 내용 … 풍흉에 관계 없이 전세로 토지 1결당 미곡 4두를 징수하였다.

③ 결과 … 전세율은 이전보다 감소하였으나 여러 명목의 비용을 함께 징수하여 농민의 부담은 다시 증가하였으며 또한 지주전호제하의 전호들에겐 적용되지 않았다.

(2) 공납의 전세화

① 방납의 폐단을 시정하고 농민의 토지 이탈을 방지하기 위해서 대동법을 실시하였다. 과세기준이 종전의 가호에시 도지의 결 수로 바뀌어 농민의 부담이 감소하였다.

② 영향 … 공인의 등장, 농민부담의 경감, 장시와 상공업의 발달, 상업도시의 성장, 상품 · 화폐경제의 성장, 봉건적 양반사회의 붕괴 등에 영향을 미쳤으나 현물 징수는 여전히 존속하였다.

③ 의의 … 종래의 현물 징수가 미곡, 포목, 전화 등으로 대체됨으로써 조세의 금납화 및 공납의 전세화가 이루어졌다.

(3) 균역법의 시행

① 균역법의 실시 … 농민 1인당 1년에 군포 1필을 부담 하였으며 지주에게는 결작으로 1결당 미곡 2두를 징수하고, 상류층에게 선무군관이라는 칭호로 군포 1필을 징수하였으며 어장세, 선박세 등 잡세 수입으로 보충하였다.

② 결과 … 농민의 부담은 일시적으로 경감하였지만 농민에게 결작의 부담이 강요되었고 군적의 문란으로 농민의 부담이 다시 가중되었다.

2. 서민경제의 발전

(1) 양반 지주의 경영 변화

상품화폐경제의 발달로 소작인의 소작권을 인정하고, 소작료 인하 및 소작료를 일정액으로 정하는 추세가 등장하게 되었으며, 토지 매입 및 고리대로 부를 축적하거나, 경제 변동에 적응하지 못한 양반이 등장하게 되었다.

(2) 농민경제의 변화

① 모내기법의 확대 … 이모작으로 인해 광작의 성행과 농민의 일부는 부농으로 성장하였다.

② 상품작물의 재배 … 장시가 증가하여 상품의 유통(쌀, 면화, 채소, 담배, 약초 등)이 활발해졌다.

③ 소작권의 변화 … 소작료가 타조법에서 도조법으로 변화하였고, 곡물이나 화폐로 지불하였다.

④ 몰락 농민의 증가 … 부세의 부담, 고리채의 이용, 관혼상제의 비용 부담 등으로 소작지를 잃은 농민은 도시에서 상공업에 종사하거나, 광산이나 포구의 임노동자로 전환되었다.

(3) 민영수공업의 발달

① 민영수공업 … 관영수공업이 쇠퇴하고 민영수공업이 증가하였다.

② 농촌수공업 … 전문적으로 수공업제품을 생산하는 농가가 등장하여, 옷감과 그릇을 생산하였다.

③ 수공업 형태의 변화 … 상인이나 공인으로부터 자금이나 원료를 미리 받고 제품을 생산하는 선대제수공업이나 독자적으로 제품을 생산하고 판매하는 독립수공업의 형태로 변화하였다.

(4) 민영 광산의 증가

① 광산 개발의 증가 … 민영수공업의 발달로 광물의 수요가 증가, 대청 무역으로 은의 수요가 증가, 상업자본의 채굴과 금광 투자가 증가하고, 잠채가 성행하였다.

② 조선후기의 광업 … 덕대가 상인 물주로부터 자본을 조달받아 채굴업자와 채굴노동자, 제련노동자 등을 고용하여 분업에 토대를 둔 협업으로 운영하였다.

3. 상품화폐경제의 발달

(1) 사상의 대두

① 상품화폐경제의 발달 … 농민의 계층 분화로 도시유입인구가 증가되어 상업활동은 더욱 활발해졌으며 이는 공인과 사상이 주도하였다.

② 사상의 성장 … 초기의 사상은 농촌에서 도시로 유입된 인구의 일부가 상업으로 생계를 유지하여 시전에서 물건을 떼어다 파는 중도아(中都兒)가 되었다가, 17세기 후반에는 시전상인과 공인이 상업활동에서 활기를 띠자 난전이라 불리는 사상들도 성장하였고 시전과 대립하였다. 이후 18세기 말, 정부는 육의전을 제외한 나머지 시전의 금난전권을 폐지하였다.

(2) 장시의 발달

① 15세기 말 개설되기 시작한 장시는 18세기 중엽 전국에 1,000여개 소가 개설되었으며, 보통 5일마다 열렸는데 일부 장시는 상설 시장이 되기도 하였으며, 인근의 장시와 연계하여 하나의 지역적 시장권을 형성하였다.

② 보부상의 활동 … 농촌의 장시를 하나의 유통망으로 연결하여 생산자와 소비자를 이어주는 데 큰 역할을 하였고, 자신들의 이익을 지키기 위하여 보부상단 조합을 결성하였다.

(3) 포구에서의 상업활동

① 포구의 성장

㉠ 수로 운송 : 도로와 수레가 발달하지 못하여 육로보다 수로를 이용하였다.

㉡ 포구의 역할 변화 : 세곡과 소작료 운송기지에서 상업의 중심지로 성장하였다.

㉢ 선상, 객주, 여각 : 포구를 거점으로 상행위를 하는 상인이 등장했다.

② 상업활동

㉠ 선상 : 선박을 이용하여 포구에서 물품을 유통하였다.

㉡ 경강상인 : 대표적인 선상으로 한강을 근거지로 소금, 어물과 같은 물품의 운송과 판매를 장악하여 부를 축적하였고 선박의 건조 등 생산분야에까지 진출하였다.

㉢ 객주, 여각 : 선상의 상품매매를 중개하거나, 운송 · 보관 · 숙박 · 금융 등의 영업을 하였다.

(4) 중계무역의 발달

① 대청 무역 … 7세기 중엽부터 활기를 띄었으며, 공무역에는 중강개시, 회령개시, 경원개시 등이 있고, 사무역에는 중강후시, 책문후시, 회동관후시, 단련사후시 등이 있었다. 주로 수입품은 비단, 약재, 문방구 등이며 수출품은 은, 종이, 무명, 인삼 등이었다.

② 대일 무역 … 왜관개시를 통한 공무역이 활발하게 이루어졌고 조공무역이 이루어졌다. 조선은 수입한 물품들을 일본에게 넘겨 주는 중계무역을 하고 일본으로부터 은, 구리, 황, 후추 등을 수입하였다.

③ 상인들의 무역활동 … 의주의 만상, 동래의 내상, 개성의 송상 등이 있다.

(5) 화폐 유통

① 화폐의 보급 … 인조 때 동전이 주조되어, 개성을 중심으로 유통되다가 효종 때 널리 유통되었다. 18세기 후반에는 세금과 소작료도 동전으로 대납이 가능해졌다.

② 동전 부족(전황) … 지주, 대상인이 화폐를 고리대나 재산 축적에 이용하자 전황이 생겨 이익은 폐전론을 주장하기도 하였다.

③ 신용화폐의 등장 … 상품화폐경제의 진전과 상업자본의 성장으로 대규모 상거래에 환 · 어음 등의 신용화폐를 이용하였다.

section 5 조선의 사회

1. 양반관료 중심의 사회

(1) 양반

① 문무양반만 사족으로 인정하였으며 현직 향리층, 중앙관청의 서리, 기술관, 군교, 역리 등은 하급 지배신분인 중인으로 격하시켰다.

② 과거, 음서, 천거 등을 통해 고위 관직을 독점하였으며 각종 국역이 면제되고, 법률과 제도로써 신분적 특권이 보장되었다.

(2) 중인

좁은 의미로는 기술관, 넓은 의미로는 양반과 상민의 중간계층을 의미하며 전문기술이나 행정실무를 담당하였다.

(3) 상민

평민, 양인으로도 불리며 백성의 대부분을 차지하는 농민, 수공업자, 상인을 말한다. 과거응시자격은 있으나 과거 준비에는 많은 시간과 비용이 들었으므로 상민이 과거에 응시하는 것은 사실상 어려웠다.

(4) 천민

천민의 대부분은 비자유민으로 재산으로 취급되어 매매 · 상속 · 증여의 대상이 되었다.

2. 사회정책과 사회시설

(1) 사회정책 및 사회제도

① 목적 … 성리학적 명분론에 입각한 사회신분질서의 유지와 농민의 생활을 안정시켜 농본정책을 실시하는 데 그 목적이 있다.

② 사회시책 … 지주의 토지 겸병을 억제하고, 농번기에 잡역의 동원을 금지시켰으며, 재해시에는 조세를 감경해 주기도 하였다.

③ 환곡제 실시 … 춘궁기에 양식과 종자를 빌려 준 뒤에 추수기에 회수하는 제도로 의창과 상평창을 실시하여 농민을 구휼하였다.

④ 사창제 … 향촌의 농민생활을 안정시켜 양반 중심의 향촌질서가 유지되었다.

⑤ 의료시설 … 혜민국, 동 · 서대비원, 제생원, 동 · 서활인서 등이 있었다.

(2) 법률제도

① 형법 … 대명률에 의거하여 당률의 5형 형벌과 반역죄와 강상죄와 같은 중죄에는 연좌제가 적용되었다.

② 민법 … 지방관이 관습법에 따라 처리하였다.

③ 상속 … 종법에 따라 처리하였으며, 제사와 노비의 상속을 중요시하였다.

④ 사법기관

㉠ 중앙 : 사헌부 · 의금부 · 형조(관리의 잘못이나 중대사건을 재판), 한성부(수도의 치안), 장례원(노비에 관련된 문제)이 있다.

㉡ 지방 : 관찰사와 수령이 사법권을 행사하였다.

3. 향촌사회의 조직과 운영

(1) 향촌사회의 모습

① 향촌의 편제 … 행정구역상 군현의 단위인 향은 중앙에서 지방관을 파견하였으며, 촌에는 면 · 리가 설치되었으나 지방관은 파견되지 않았다.

② 향촌자치

㉠ 유향소 : 수령을 보좌, 향리를 감찰, 향촌사회의 풍속교정기구이다.

㉡ 경재소 : 중앙정부가 현직 관료로 하여금 연고지의 유향소를 통제하게 하는 제도이다.

㉢ 유향소의 변화 : 경재소가 혁파되면서 향소 · 향청으로 명칭이 변경, 향안 작성, 향규를 제정하였다.

③ 향약의 보급 … 면리제와 병행된 향약조직이 형성되었고, 중종 때 조광조에 의하여 처음 시행되었으며, 군현 내에서 지방 사족의 지배력 유지수단이 되었다.

(2) 촌락의 구성과 운영

① 촌락 … 농민생활 및 향촌구성의 기본 단위로서 동과 리(里)로 편제되었으며 면리제와 오가작통법을 실시하였다.

② 촌락의 신분 분화

㉠ 반촌 : 주로 양반들이 거주하였으며, 18세기 이후에 동성 촌락으로 발전하였다.

㉡ 민촌 : 평민과 천민으로 구성되었고 지주의 소작농으로 생활하였다.

③ 촌락공동체

㉠ 사족 : 동계 · 동약을 조직하여 촌락민을 신분적, 사회 · 경제적으로 지배하였다.

㉡ 일반 백성 : 두레 · 향도 등 농민조직을 형성하였다.

④ 촌락의 풍습

㉠ 석전(돌팔매놀이) : 상무정신 함양 목적, 국법으로는 금지하였으나 민간에서 계속 전승되었다.

㉡ 향도계 · 동린계 : 남녀노소를 불문하고 며칠 동안 술과 노래를 즐기는 일종의 마을 축제였는데, 점차 장례를 도와주는 기능으로 전환되었다.

4. 성리학적 사회질서의 강화

(1) 예학과 족보의 보급

① 예학 … 성리학적 도덕윤리를 강조하고, 신분질서의 안정을 추구하였다.

㉠ 기능 : 가부장적 종법질서를 구현하여 성리학 중심의 사회질서 유지에 기여하였다.

㉡ 역할 : 사림은 향촌사회에 대한 지배력 강화, 정쟁의 구실로 이용, 양반 사대부의 신분적 우월성 강조, 가족과 친족공동체의 유대를 통해서 문벌을 형성하였다.

② 보학 … 가족의 내력을 기록하고 암기하는 것으로 종족의 종적인 내력과 횡적인 종족관계를 확인시켜 준다.

(2) 서원과 향약

① 서원

㉠ 목적 : 성리학을 연구하고 선현의 제사를 지내며, 교육을 하는 데 그 목적이 있다.

㉡ 기능 : 유교를 보급하고 향촌 사림을 결집시켰으며, 지방유학자들의 위상을 높이고 선현을 봉사하는 사묘의 기능이 있었다.

② 향약

㉠ 역할 : 풍속의 교화, 향촌사회의 질서 유지, 치안을 담당하고 농민에 대한 유교적 교화 및 주자가례의 대중화에 기여하였다.

㉡ 문제점 : 토호와 향반 등 지방 유력자들의 주민 수탈 위협의 수단이 되었고, 향약 간부들의 갈등을 가져와 풍속과 질서를 해치기도 하였다.

section 6 사회의 변동

1. 사회구조의 변동

(1) 신분제의 동요

① 조선의 신분제 … 법제적으로 양천제를, 실제로는 양반, 중인, 상민, 노비의 네 계층으로 분화되어 있었다.

② 양반층의 분화 … 권력을 장악한 일부의 양반을 제외한 다수의 양반(향반, 잔반)이 몰락하였다.

③ 신분별 구성비의 변화 … 양반의 수는 증가하고, 상민과 노비의 수는 감소하였다.

(2) 중간계층의 신분상승운동

① 서얼 … 임진왜란 이후 납속책과 공명첩을 통한 관직 진출, 집단상소를 통한 청요직에의 진출을 요구, 정조 때 규장각 검서관으로 진출하기도 하였다.

② 중인 … 신분 상승을 위한 소청운동을 전개하였다. 역관들은 청과의 외교업무에 종사하면서 서학 등 외래 문물의 수용을 주도하고 성리학적 가치 체계에 도전하는 새로운 사회의 수립을 추구하였다.

(3) 노비의 해방

① 노비 신분의 변화 … 군공과 납속 등을 통한 신분 상승의 움직임 및 국가에서는 공노비를 입역노비에서 신공을 바치는 납공노비로 전환시켰다.

② 공노비 해방 … 노비의 도망과 합법적인 신분 상승으로 순조 때 중앙관서의 노비를 해방시켰다.

③ 노비제의 혁파 … 사노비의 도망이 일상적으로 일어났고, 갑오개혁(1894) 때 노비제가 폐지되었다.

(4) 가족제도의 변화와 혼인

① 가족제도의 변화

㉠ 조선중기 : 혼인 후 남자가 여자 집에서 생활하는 경우가 있었으며 아들과 딸이 부모의 재산을 똑같이 상속받는 경우가 많았다.

㉡ 17세기 이후 : 성리학적 의식과 예절의 발달로 부계 중심의 가족제도가 확립되었다. 제사는 반드시 장자가 지내야 한다는 의식이 확산되었고, 재산 상속에서도 큰 아들이 우대를 받았다.

㉢ 조선후기 : 부계 중심의 가족제도가 더욱 강화되었으며, 양자 입양이 일반화되었다.

② 가족윤리 … 효와 정절을 강조하였고, 과부의 재가는 금지되었으며, 효자와 열녀를 표창하였다.

③ 혼인풍습 … 일부일처를 기본으로 남자의 축첩의 허용 · 서얼의 차별이 있었다.

2. 향촌질서의 변화

(1) 양반의 향촌지배 약화

① 양반층의 동향 … 족보의 제작 및 청금록과 향안을 작성하여 향약 및 향촌자치기구의 주도권을 장악하였다.

② 향촌지배력의 변화 … 부농층은 관권과 결탁하여 향안에 참여하고 향회를 장악하고자 하였으며 향회는 수령의 조세징수자문기구로 전락하였다.

(2) 부농층의 대두

경제적 능력으로 납속이나 향직의 매매를 통해 신분 상승을 이루고 향임을 담당하여 양반의 역할을 대체하였으며 향임직에 진출하지 못한 곳에서도 수령이나 기존의 향촌세력과 타협하여 상당한 지위를 확보하였다.

3. 농민층의 변화

(1) 농민층의 분화

① 농민의 사회적 현실 … 농민들은 자급자족적인 생활을 하였으나. 양 난 이후 국가의 재정 파탄과 기강해이로 인한 수취의 증가는 농민의 생활을 어렵게 하였고, 대동법과 균역법이 효과를 거두지 못하자 농민의 불만은 커져 갔다.

② 농민층의 분화 … 부농으로 성장하거나, 상공업으로 생활을 영위하고, 도시나 광산의 임노동자가 되기도 했다.

(2) 지주와 임노동자

① 지주 … 광작을 하는 대지주가 등장하였으며, 재력을 바탕으로 공명첩을 사거나 족보를 위조하여 양반의 신분을 획득한 부농층이 나타났다.

② 임노동자 … 토지에서 밀려난 다수의 농민은 임노동자로 전락하였다.

4. 사회 변혁의 움직임

(1) 사회불안의 심화

정치기강이 문란해지고, 재난과 질병이 거듭되어 굶주려 떠도는 백성이 속출하였으나 지배층의 수탈은 점점 심해지면서 농민의식이 향상되어 곳곳에서 적극적인 항거운동이 발생하였다.

(2) 예언사상의 대두

비기 · 도참을 이용한 말세의 도래, 왕조의 교체 및 변란의 예고 등 낭설이 횡행하였으며 현세의 어려움을 미륵신앙에서 해결하려는 움직임과 미륵불을 자처하며 서민을 현혹하는 무리가 등장하였다.

(3) 천주교의 전파

① 17세기에 중국을 방문한 우리나라 사신들에 의해 서학으로 소개되었다.

② 초기 활동 … 18세기 후반 남인계열의 실학자들이 신앙생활을 하게 되었으며, 이승훈이 베이징에서 영세를 받고 돌아온 이후 신앙활동이 더욱 활발해졌다.

③ 천주교 신앙의 전개와 박해

㉠ 초기 : 제사 거부, 양반 중심의 신분질서 부정, 국왕에 대한 권위 도전을 이유로 사교로 규정하였다.

㉡ 정조 때 : 시파의 집권으로 천주교에 관대하여 큰 탄압이 없었다.

㉢ 순조 때 : 벽파의 집권으로 대탄압을 받았으며 실학자와 양반계층이 교회를 떠나게 되었다.

㉣ 세도정치기 : 탄압의 완화로 백성들에게 전파, 조선 교구가 설정되었다.

(4) 동학의 발생

① 창시 … 1860년 경주의 몰락양반 최제우가 창시하였다.

② 교리와 사상…신분 차별과 노비제도의 타파, 여성과 어린이의 인격 존중을 추구하였다. 유불선을 바탕으로 주문과 부적 등 민간신앙의 요소들이 결합되었고 사회모순의 극복 및 일본과 서양국가의 침략을 막아내자고 주장하였다.

③ 정부의 탄압…혹세무민을 이유로 최제우를 처형하였다.

(5) 농민의 항거

① 배경…사회 불안이 고조되자 유교적 왕도정치가 점점 퇴색되었고 탐관오리의 부정, 삼정의 문란, 극도에 달한 수령의 부정은 중앙권력과 연결되어 갈수록 심해져 갔다.

② 홍경래의 난 : 몰락한 양반 홍경래의 지휘 아래 영세농민과 중소상인, 광산노동자들이 합세하여 일으킨 봉기였으나 5개월 만에 평정되었다.

③ 임술농민봉기(1862) : 진주에서 시작되어 탐관오리와 토호가 탐학에 저항하였으며 한때 진주성을 점령하기도 하였다.

section 7 조선의 문화

1. 민족문화의 융성

(1) 한글의 창제

① 배경…한자음의 혼란을 방지하고 피지배층에 대한 도덕적인 교화에 목적이 있었다.

② 보급…용비어천가 · 월인천강지곡 등을 제작하고, 불경, 농서, 윤리서, 병서 등을 간행하였다.

(2) 역사서의 편찬

① 건국 초기…왕조의 정통성을 확보하고 성리학적 통치규범을 정착시키기 위한 것이었다. 정도전의 고려국사와 권근의 동국사략이 대표적이다.

② 15세기 중엽…고려역사를 자주적 입장에서 재정리하였고 고려사, 고려사절요, 동국통감이 간행되었다.

③ 16세기…사림의 정치 · 문화 의식을 반영하였고, 박상의 동국사략이 편찬되었다.

④ 실록의 편찬…국왕 사후에 실록청을 설치하여 편찬하였다.

(3) 지리서의 편찬

① 목적 … 중앙 집권과 국방 강화를 위하여 지리지와 지도의 편찬에 힘썼다.

② 지도 … 혼일강리역대국도지도, 팔도도, 동국지도, 조선방역지도 등이 있다.

③ 지리지 … 신찬팔도지리지, 동국여지승람, 신증동국여지승람, 해동제국기 등이 있다.

(4) 윤리 · 의례서와 법전의 편찬

① 윤리 · 의례서 … 유교적인 사회질서 확립을 위해 편찬하였으며, 삼강행실도, 이륜행실도, 동몽수지 등의 윤리서와 의례서로는 국조오례의가 있다.

② 법전의 편찬

㉠ 초기 법전 : 정도전의 조선경국전, 경제문감, 조준의 경제육전이 편찬되었다.

㉡ 경국대전 : 육전체제에 따라 6전으로 구성된 법전으로 유교적 통치 질서와 문물제도가 완성되었음을 의미한다.

2. 성리학의 발달

(1) 조선 초의 성리학

① 관학파(훈구파) … 정도전, 권근 등의 관학파는 다양한 사상과 종교를 포용하고, 주례를 중시하였다.

② 사학파(사림파) … 길재 등은 고려말의 온건개혁파를 계승하여 교화에 의한 통치를 강조하였고, 성리학적 명분론을 중시하였다.

(2) 성리학의 융성

① 이기론의 발달

㉠ 주리론 : 기(氣)보다는 이(理)를 중심으로 이론을 전개하였다.

㉡ 주기론 : 이(理)보다는 기(氣)를 중심으로 세계를 이해하였다.

② 성리학의 정착

㉠ 이황

- 인간의 심성을 중시하였고, 근본적이며 이상주의적 성격이 강하였다.
- 주자서절요, 성학십도 등을 저술하여 이기이원론을 더욱 발전시켜 주리철학을 확립하였다.

㉡ 이이

- 기를 강조하여 일원론적 이기이원론을 주장하였으며 현실적이고 개혁적인 성격이 강하였다.
- 동호문답, 성학집요 등을 저술하였다.

(3) 학파의 형성과 대립

① 동인

㉠ 남인 : 이황학파, 서인과 함께 인조반정에 성공하였다.

㉡ 북인 : 서경덕학파, 조식학파, 광해군 때 사회개혁을 추진하였다.

② 서인 … 이이학파 · 성혼학파로 나뉘고, 인조반정으로 집권하였으며, 송시열 이후 척화론과 의리명분론을 강조하였다.

(4) 예학의 발달

① 성격 … 유교적 질서를 유지하였고, 예치를 강조하였다.

② 영향 … 각 학파간 예학의 차이가 예송논쟁을 통해 표출되었다.

3. 불교와 민간신앙

(1) 불교의 정비

① 불교 정책 … 사원의 토지와 노비를 회수하고, 사찰 및 승려 수를 제한하였으며, 도첩제를 실시하였다.

② 정비과정 … 선 · 교 양종에 모두 36개 절만 인정하였고, 사람들의 적극적인 불교비판으로 불교는 산속으로 들어가게 되었다.

(2) 도교와 민간신앙

① 도교 … 소격서를 설치하고 참성단에서 일월성신에 대해 제사를 지내는 초제를 시행하였다.

② 풍수지리설과 도참사상 … 한양 천도에 반영되었고, 산송문제를 야기하기도 하였다.

③ 민간신앙 … 무격신앙, 산신신앙, 삼신숭배, 촌락제가 성행하게 되었다.

4. 과학기술의 발달

(1) 천문 · 역법과 의학

① 각종 기구의 발명 · 제작

㉠ 천체관측기구 : 혼의, 간의

㉡ 시간측정기구 : 해시계(앙부일구), 물시계(자격루)

㉢ 강우량측정기구 : 측우기(세계 최초)

㉣ 토지측량기구 : 인지의, 규형(토지 측량과 지도 제작에 활용)

② 역법 … 중국의 수시력과 아라비아의 회회력을 참고한 칠정산을 발달시켰다.

③ 의학분야 … 향약집성방과 의방유취가 편찬되었다.

(2) 농서의 편찬과 농업기술의 발달

① 농서의 편찬

㉠ 농사직설 : 세종의 명에 의해 편찬된 최초의 농서로서 독자적인 농법을 정리(씨앗의 저장법 · 토질의 개량법 · 모내기법)하였다.

㉡ 금양잡록 : 금양(시흥)지방을 중심으로 경기지방의 농사법을 정리하였다.

② 농업기술의 발달 … 2년 3작(밭농사), 이모작 · 모내기법(논농사), 시비법, 가을갈이가 실시되었다.

2019. 4. 6. 소방공무원

(가) 왕에 대한 설명으로 옳은 것은?

> 농사는 천하의 대본이다. 예로부터 성왕(聖王)이 이를 힘쓰지 아니한 사람이 없었다. …(중략)… (가) 께서는 정사에 힘을 써 더욱 백성 일에 마음을 두셨다. 지방마다 풍토가 같지 아니하여 곡식을 심고 가꾸는 법이 각기 맞는 게 있어, 옛글과 다 같을 수 없다 하여, 여러 도의 감사에게 명하여 고을의 늙은 농부들에게 물어 이미 그 효과가 입증된 것을 아뢰게 하시고 …(하략)…
>
> – 농사직설 –

① 경국대전을 반포하였다.

② 6조 직계제를 실시하였다.

③ 삼강행실도를 간행하였다.

④ 집현전을 계승한 홍문관을 설치하였다.

✱

농사직설은 조선 세종 때 편찬된 농서로 우리나라의 토질에 맞는 농법을 소개하였다. 또한 유교 이념을 보급하기 위해 주자가례, 삼강행실도, 국조오례의를 보급하기도 하였다.

①④ 조선 성종(1469~1494)

② 조선 태종(1400–1418), 조선 세조(1455~1468)

답 ③

(3) 병서 편찬과 무기 제조

① 병서의 편찬 … 총통등록, 병장도설이 편찬되었다.

② 무기 제조 … 최해산은 화약무기를 제조하였고, 화포가 만들어졌다.

③ 병선 제조 … 태종 때에는 거북선과 비거도선을 제조하여 수군의 전투력을 향상시켰다.

5. 문학과 예술

(1) 다양한 문학

① 15세기 … 격식을 존중하고, 질서와 조화를 내세웠다.

㉠ 악장과 한문학 : 용비어천가, 월인천강지곡, 동문선

㉡ 시조문학 : 김종서 · 남이(패기 넘침)

㉢ 설화문학 : 관리들의 기이한 행적, 서민들의 풍속 · 감정 · 역사의식을 담았다(서거정의 필원잡기, 김시습의 금오신화)

② 16세기 … 사림문학이 주류를 이루었다.

㉠ 시조문학 : 황진이, 윤선도(오우기 · 어부사시사)

㉡ 가사문학 : 송순, 정철(관동별곡 · 사미인곡 · 속미인곡)

(2) 왕실과 양반의 건축

① 15세기 … 궁궐 · 관아 · 성곽 · 성문 · 학교건축이 중심이 되었고, 건물은 건물주의 신분에 따라 일정한 제한을 두었다.

② 16세기 … 서원건축은 가람배치양식과 주택양식이 실용적으로 결합된 독특한 아름다움을 지녔으며, 옥산서원(경주) · 도산서원(안동)이 대표적이다.

(3) 분청사기 · 백자와 공예

① 분청사기 … 안정된 그릇모양이었으며 소박하였다.

② 백자 … 깨끗하고 담백하며 선비취향이었다.

③ 공예 … 목공예, 화각공예, 자개공예가 주류를 이루었다.

(4) 그림과 글씨

① 그림

㉠ 15세기 : 안견(몽유도원도), 강희안(고사관수도), 강희맹 등이 있다.

㉡ 16세기 : 산수화와 사군자가 유행하였으며, 이암, 이정, 황집중, 어몽룡, 신사임당 등이 있다.

② 글씨 … 안평대군(송설체), 양사언(초서), 한호(석봉체)가 유명하였다.

section 8 문화의 새 기운

1. 성리학의 변화

(1) 성리학의 교조화 경향

① 서인의 의리명분론 강화 … 송시열은 주자중심의 성리학을 절대화 하였다.

② 성리학 비판

㉠ 윤휴 : 유교경전에 대한 독자적으로 해석하였다.

㉡ 박세당 : 양명학과 조장사상의 영향을 받아 주자의 학설을 비판하였으나 사문난적으로 몰렸다.

③ 성리학의 발달

㉠ 이기론 중심 : 이황학파의 영남 남인과 이이학파인 노론 사이에 성리학의 이기론을 둘러싼 논쟁이 치열하게 전개되었다.

㉡ 심성론 중심 : 인간과 사물의 본성이 같은가 다른가 등의 문제를 둘러싸고 충청도 지역의 호론과 서울 지역의 낙론이 대립하였다.

(2) 양명학의 수용

① 성리학의 교조화와 형식화를 비판하였고, 실천성을 강조하였다.

② 강화학파의 형성 … 18세기 초 정제두가 양명학 연구와 제자 양성에 힘써 강화학파라 불리는 하나의 학파를 이루었으나 제자들이 정권에서 소외된 소론이었기 때문에 그의 학문은 집안의 후손들과 인척을 중심으로 가학(家學)의 형태로 계승되었다.

2. 실학의 발달

(1) 실학의 등장

① 배경 … 사회모순의 해결이 필요했으며, 성리학의 한계가 나타났다.

② 새로운 문화운동 … 현실적 문제를 연구했으며, 이수광의 지봉유설, 한백겸의 동국지리지가 편찬되었다.

③ 성격 … 민생안정과 부국강병이 목표였고, 비판적 · 실증적 논리로 사회개혁론을 제시하였다.

(2) 농업 중심의 개혁론(경세치용학파)

① 특징 … 농민의 입장에서 토지제도의 개혁을 추구하였다.

② 주요 학자와 사상

㉠ 유형원 : 반계수록을 저술, 균전론 주장, 양반문벌제도 · 과거제도 · 노비제도의 모순을 비판하였다.

㉡ 이익 : 이익학파를 형성하고 한전론을 주장, 6좀의 폐단을 지적했다.

㉢ 정약용 : 실학을 집대성, 목민심서 · 경세유표를 저술, 여전론을 주장하였다.

2019. 4. 6 소방공무원

다음 자료에 나타난 시기의 경제 상황으로 옳은 것은?

> 밭에 심는 것은 9곡(九穀)뿐이 아니다. 모시, 오이, 배추, 도라지 등의 농사를 잘 지으면 조그만 밭이라도 얻는 이익이 헤아릴 수 없이 크다. 한성 내외의 읍과 도회지의 파밭, 마늘밭, 배추밭, 오이밭에서는 10무(畝)의 땅으로 많은 돈을 번다. 서쪽 지방의 담배밭, 북쪽 지방의 삼밭[麻田], 한산 지방의 모시밭, 전주의 생강밭, 강진의 고구마밭, 황주의 지황밭은 모두 다 논 상상등(上上等)보다 그 이익이 10배에 달한다.
>
> – 경세유표 –

① 모내기법이 전국적으로 보급되었다.
② 토지 소유자에게 지계가 발급되었다.
③ 고액 화폐인 은병(활구)이 주조되었다.
④ 관료전이 지급되고 녹읍이 혁파되었다.

✱

조선 후기 실학자인 정약용은 관제 및 토지 제도 등 광범위한 개혁을 위해 편찬한 〈경세유표〉이다. 조선 후기에는 정약용을 비롯한 실학자들에 의해 토지 개혁, 상공업 중시 등의 새로운 학문적 경향이 출현하고 있었다. 경제적으로 농업에서 모내기법이 전국적으로 보급되어 광작이 유행하였고, 광업에서는 덕대제, 수공업에서는 선대제 수공업, 상업에서는 독점적 도매상인(도고) 등이 출현하기도 하였다. 이러한 경향은 사회적으로 영향을 주어 신분제가 동요되기 시작하고 서민 문화가 발달하는 모습이 나타나기도 하였다.

② 대한제국 광무개혁 ③ 고려 성종(981~997) ④ 신라 신문왕(681~691)

답 ①

(3) 상공업 중심의 개혁론(이용후생학파, 북학파)

① 특징 … 청나라 문물을 적극적으로 수용하여 부국 강병과 이용 후생에 힘쓰자고 주장하였다.

② 주요 학자와 사상

㉠ 유수원 : 우서를 저술, 상공업 진흥 · 기술혁신을 강조, 사농공상의 직업평등과 전문화를 주장하였다.

㉡ 홍대용 : 임하경륜 · 의산문답을 저술, 기술혁신과 문벌제도를 철폐, 성리학 극복을 주장하였다.

㉢ 박지원 : 열하일기를 저술, 상공업의 진흥 강조(수레와 선박의 이용 · 화폐유통의 필요성 주장), 양반문벌제도의 비생산성 비판, 농업 생산력 증대에 관심(영농방법의 혁신 · 상업적 농업의 장려 · 수리시설의 확충)을 가졌다.

국어
한국사
영어

㉣ 박제가 : 북학의를 저술, 청과의 통상 강화, 수레와 선박 이용, 소비권장을 주장하였다.

(4) 국학 연구의 확대

① 국사

㉠ 이익 : 실증적 · 비판적 역사서술, 중국 중심의 역사관을 비판하였다.

㉡ 안정복 : 동사강목을 저술하였고 고증사학의 토대를 닦았다.

㉢ 이긍익 : 조선시대의 정치와 문화를 정리하여 연려실기술을 저술하였다.

㉣ 이종휘와 유득공 : 이종휘의 동사와 유득공의 발해고는 각각 고구려사와 발해사 연구를 중심으로 연구 시야를 만주지방까지 확대하여 한반도 중심의 협소한 사관을 극복하고자 했다.

㉤ 김정희 : 금석과안록을 지어 북한산비가 진흥왕순수비임을 고증하였다.

③ 국토에 대한 연구

㉠ 지리서 : 한백겸의 동국지리지, 정약용의 아방강역고, 이중환의 택리지가 편찬되었다.

㉡ 지도 : 동국지도(정상기), 대동여지도(김정호)가 유명하다.

④ 언어에 대한 연구 … 신경준의 훈민정음운해, 유희의 언문지, 이의봉의 고금석립이 편찬되었다.

⑤ 백과사전의 편찬 … 이수광의 지봉유설, 이익의 성호사설, 서유구의 임원경제지, 홍봉한의 동국문헌비고가 편찬되었다.

3. 과학기술의 발달

(1) 천문학과 지도제작기술의 발달

① 천문학 … 김석문 · 홍대용의 지전설은 근대적 우주관으로 성리학적 세계관을 비판하였다.

② 역법과 수학 … 시헌력(김육)과 유클리드 기하학을 도입하였다.

③ 지리학 … 곤여만국전도(세계지도)가 전래되어 세계관이 확대되었다.

(2) 의학의 발달과 기술의 개발

① 의학 … 허준은 동의보감, 허임은 침구경험방, 정약용은 마과회통, 이제마는 동의수세보원을 저술하였다.

② 정약용의 기술관 … 한강에 배다리를 설계하고, 수원 화성을 설계 및 축조하였다(거중기 사용).

(3) 농서의 편찬과 농업기술의 발달

① 농서의 편찬

㉠ 신속의 농가집성 : 벼농사 중심의 농법이 소개되고, 이앙법 보급에 기여하였다.

㉡ 박세당의 색경 : 곡물재배법, 채소, 과수, 원예, 축산, 양잠 등의 농업기술을 소개하였다.

㉢ 홍만선의 산림경제 : 농예, 의학, 구황 등에 관한 농서이다.

㉣ 서유구 : 해동농서와 농촌생활 백과사전인 임원경제지를 편찬하였다.

② 농업기술의 발달

㉠ 이앙법, 견종법의 보급으로 노동력이 절감되고 생산량이 증대되었다.

㉡ 쟁기를 개선하여 소를 이용한 쟁기를 사용하기 시작하였다.

㉢ 시비법이 발전되어 여러 종류의 거름이 사용됨으로써 토지의 생산력이 증대되었다.

㉣ 수리시설의 개선으로 저수지를 축조하였다(당진의 합덕지, 연안의 남대지 등).

㉤ 황무지 개간(내륙 산간지방)과 간척사업(해안지방)으로 경지면적을 확대시켰다.

4. 문학과 예술의 새 경향

(1) 서민문화의 발달

① 배경 … 서당교육이 보급되고, 서민의 경제적 · 신분적 지위가 향상되었다.

② 서민문화의 대두 … 중인층(역관 · 서리), 상공업 계층, 부농층의 문예활동과 상민, 광대들의 활동이 활발하였다.

③ 문학상의 특징 … 인간감정을 적나라하게 표현하고 양반들의 위선적인 모습을 비판하며, 사회의 부정과 비리를 풍자 · 고발하였다. 서민적 주인공이 등장했으며, 현실세계를 배경으로 설정하였다.

(2) 판소리와 탈놀이

① 판소리 … 서민문화의 중심이 되었으며, 직접적이고 솔직하게 감정을 표현하였다. 다섯마당(춘향가 · 심청가 · 흥보가 · 적벽가 · 수궁가)이 대표적이며, 신재효는 판소리 사설을 창작하고 정리하였다.

② 탈놀이 · 산대놀이 … 승려들의 부패와 위선을 풍자하고, 양반의 허구를 폭로하였다.

(3) 한글소설과 사설시조

① 한글소설 … 홍길동전, 춘향전, 별주부전, 심청전, 장화홍련전 등이 유명하였다.

② 사설시조 … 남녀 간의 사랑, 현실에 대한 비판을 거리낌없이 표현하였다.

③ 한문학 … 정약용은 삼정의 문란을 폭로하는 한시를 썼고, 박지원은 양반전, 허생전, 호질을 통해 양반사회의 허구성을 지적하며 실용적 태도를 강조하였다.

(4) 진경산수화와 풍속화

① 진경산수화 … 우리나라의 고유한 자연을 표현하였고, 정선의 인왕제색도 · 금강전도가 대표적이다.

② 풍속화 … 김홍도는 서민생활을 묘사하였고, 신윤복은 양반 및 부녀자의 생활과 남녀 사이의 애정을 표현하였다.

③ 민화 … 민중의 미적 감각과 소박한 정서를 표현하였다.

④ 서예 … 이광사(동국진체), 김정희(추사체)가 대표적이었다.

(5) 백자 · 생활공예와 음악

① 자기공예 … 백자가 민간에까지 널리 사용되었고, 청화백자가 유행하였으며 서민들은 옹기를 많이 사용하였다.

② 생활공예 … 목공예와 화각공예가 발전하였다.

③ 음악 … 음악의 향유층이 확대되어 다양한 음악이 출현하였다. 양반층은 가곡 · 시조, 서민들은 민요를 애창하였다.

05 기출문제분석

2019. 4. 6. 인사혁신처

1 밑줄 친 '성상(聖上)'대에 편찬된 서적에 대한 설명으로 옳은 것은?

> 세조가 신하들에게 말씀하시기를, "법의 과목(科目)이 너무 번잡하고 앞뒤가 맞지 않았기 때문에 상세히 살펴 다듬어 자손만대의 성법(成法)을 만들고자 한다."라고 하셨다. 「형전(刑典)」과 「호전(戶典)」은 이미 반포되어 시행하고 있으나 나머지 네 법전은 미처 교정을 마치지 못했다. 이에 성상(聖上)께서 세조의 뜻을 받들어 여섯 권의 법전을 완성하게 하여 중외에 반포하셨다.

① 『동국병감』은 고조선에서 고려말까지의 전쟁을 정리한 병서이다.
② 『동몽선습』은 중국과 우리나라의 역사를 담은 아동교육서이다.
③ 『삼강행실도』는 모범적인 효자·충신·열녀를 다룬 윤리서이다.
④ 『국조오례의』는 국가의 여러 행사에 필요한 의례를 정비한 의례서이다.

TIPS!

경국대전은 조선 세조 때 편찬되기 시작하여 성종 때 완성되었다.
④ 세종 때 편찬되기 시작하여 성종 때 완성
① 조선 문종
② 조선 중종
③ 조선 세종

Answer 1.④

2019. 4. 6. 인사혁신처

2 ㈎ 교육기관에 대한 설명으로 옳은 것은?

> 주세붕이 비로소 ㈎ 을/를 창건할 적에 세상에서 자못 의심했으나, 그의 뜻은 더욱 독실해져 무리들의 비웃음을 무릅쓰고 비방을 극복하여 전례 없던 장한 일을 이루었습니다. …(중략)… 최충, 우탁, 정몽주, 길재, 김종직, 김굉필 같은 이가 살던 곳에 ㈎ 을/를 건립하게 될 것입니다.
>
> －『퇴계집』－

① 지방의 군현에 있던 유일한 관학이다.
② 선비와 평민의 자제에게『천자문』등을 가르쳤다.
③ 성적 우수자는 문과의 초시를 면제해 주었다.
④ 학문 연구와 선현의 제사를 위해 설립된 사설 교육기관이다.

TIPS!

조선 중종 때 풍기군수 주세붕이 건립한 백운동 서원이 우리나라 서원의 효시이다. 서원은 선현에 대한 제사와 학문 연구를 위해 설립된 기관으로 조광조가 사림의 지방 세력 기반을 확립하기 위해 전국에 서원과 향약을 보급하려 하였고, 명종 때 이황이 풍기군수로 임명되면서 서원에 대한 국가의 지원이 증가하게 되었다. 후에 서원을 중심으로 향촌 지배세력의 권한이 강화되면서 강력한 중앙집권체제를 시도한 흥선대원군에 의해 전국의 서원은 47개소만 남기고 모두 철폐되었다.
① 향교 ② 서당 ③ 성균관

2019. 4. 6. 인사혁신처

3 다음은 어떤 인물에 대한 연보이다. 밑줄 친 ㉠～㉣의 설명으로 옳은 것은?

1566년(31세)	㉠ 사간원 정언에 제수되다.
1568년(33세)	㉡ 이조좌랑이 되었으나 외할머니 이씨의 병환 소식을 듣고 사퇴하다.
1569년(34세)	동호독서당에 머물면서『동호문답』을 찬진하다.
1574년(39세)	㉢ 승정원 우부승지에 제수되어「만언봉사」를 올리다.
1575년(40세)	㉣ 홍문관 부제학에서 사퇴하고『성학집요』를 편찬하다.

① ㉠ – 왕명을 출납하면서 왕의 비서기관의 업무를 하였다.
② ㉡ – 삼사의 관리를 추천하는 권한이 있었다.
③ ㉢ – 왕의 정책을 간쟁하고 관원의 비행을 감찰하였다.
④ ㉣ – 서적 출판 및 간행의 업무를 전담하였다.

Answer 2.④ 3.②

TIPS!

이조전랑은 행정부 기능을 담당하는 6조 중 이조의 하급 관직으로 정5품 정랑과 정6품 좌랑을 합쳐 부르는 말이다. 비록 관직은 낮지만 삼사 관리 임명과 후임자 추천권을 가지고 있어 권한이 막강하였다. 동인과 서인으로 대비되는 붕당정치의 계기가 되기도 하였다.

① 승정원

③ 사간원

④ 궁중의 서적을 관리하고 경연 기능을 수행하였다. 서적 출판 및 간행의 업무를 전담한 것은 아니다.

2019. 4. 6. 인사혁신처

4 밑줄 친 ㉠~㉣과 관련된 임란 이후 경제에 대한 설명으로 옳지 않은 것은?

> • ㉠서울 안팎과 번화한 큰 도시에 파·마늘·배추·오이 밭 따위는 10묘의 땅에서 얻은 수확이 돈 수만을 헤아리게 된다. 서도 지방의 ㉡담배 밭, 북도 지방의 삼밭, 한산의 모시밭, 전주의 생강 밭, 강진의 ㉢고구마 밭, 황주의 지황 밭에서의 수확은 모두 상상등전(上上等田)의 논에서 나는 수확보다 그 이익이 10배에 이른다.
> • 작은 보습으로 이랑에다 고랑을 내는데, 너비 1척, 깊이 1척이다. 이렇게 한 이랑, 즉 1묘 마다 고랑 3개와 두둑 3개를 만들면, 두둑의 높이와 너비는 고랑의 깊이와 너비와 같아진다. 그 뒤 ㉣고랑에 거름 재를 두껍게 펴고, 구멍 뚫린 박에 조를 담고서 파종한다.

① ㉠ – 신해통공을 반포하여 육의전의 금난전권을 폐지하였다.

② ㉡ – 인삼과 더불어 대표적인 상업작물로 재배되었다.

③ ㉢ – 『감저보』, 『감저신보』에서 재배법을 기술하였다.

④ ㉣ – 밭농사에서 농업 생산력의 발전을 가져온 농법이었다.

TIPS!

신해통공(1791)은 정조 때 시행된 정책으로 육의전을 제외한 모든 시전에서의 금난전권을 폐지하였다. 조선 전기에는 시전에서 불법으로 상행위를 하는 난전을 단속하고 시전 상인들의 상권을 보호하기 위해 금난전권을 시행하였으나, 물가 상승과 사상들의 지속적인 반발로 금난전권을 폐지하였다.

Answer 4.①

Let's check it out

05 출제예상문제

1 다음 시의 지은이와 관련이 없는 것은?

> 임금 사랑하기를 어버이 사랑하듯이 하고/ 나라를 내 집안 근심하듯이 했노라./ 밝은 해가 이 땅을 비치고 있으니/ 내 붉은 충정을 밝혀 비추리라.

① 군주의 마음을 바르게 하는 것이 중요하다고 믿어 경연을 강화하였다.

② 자신들의 의견을 공론이라고 표방하면서 급진적 개혁을 요구하였다.

③ 「조의제문」으로 인해 사화를 당하였다.

④ 도교 및 민간 신앙을 배격하였다.

TIPS!

지문의 시는 조광조가 기묘사화로 사약 받기 전에 남긴 절명시이다. 조광조는 중종 때 위훈 삭제, 소격서 폐지 등 공론을 표방하며 급진적인 개혁정치를 하려다 훈구 세력의 반발로 제거되었다.

※ 조의제문 … 연산군 때 발생한 무오사화의 원인이 된 글. 사림파 김종직이 지은 조의제문을 그의 제자인 김일손이 사초에 실었고, 이를 세조의 즉위찬탈에 대해 비난한 것이라며 훈구파가 트집을 잡아 사림파가 대거 탄압받는 무오사화가 발생하였다.

Answer 1.③

2 영조 집권 초기에 일어난 다음 사건과 관련된 설명으로 옳지 않은 것은?

> 충청도에서 정부군과 반란군이 대규모 전투를 벌였으며 전라도에서도 반군이 조직되었다. 반란에 참가한 주동자들은 비록 정쟁에 패하고 관직에서 소외되었지만, 서울과 지방의 명문 사대부 가문 출신이었다. 반군은 청주성을 함락하고 안성과 죽산으로 향하였다.

① 주요 원인 중의 하나는 경종의 사인에 대한 의혹이다.
② 반란군이 한양을 점령하고 왕이 피난길에 올랐다.
③ 탕평책을 추진하는데 더욱 명분을 제공하였다.
④ 소론 및 남인 강경파가 주동이 되어 일으킨 것이다.

TIPS!

이인좌의 난(영조 4년, 1728년) … 경종이 영조 임금에게 독살되었다는 경종 독살설을 주장하며 소론과 남인의 일부가 영조의 왕통을 부정하여 반정을 시도한 것이다. 영조의 즉위와 함께 실각 당하였던 노론이 다시 집권하고 소론 대신들이 처형을 당하자 이에 불만을 품은 이인좌 등이 소론·남인세력과 중소상인, 노비를 규합하여 청주에서 대규모 반란을 일으켜 한성을 점령하려고 북진하다가 안성과 죽산전투에서 오명환이 지휘한 관군에게 패하여 그 목적이 좌절되었다.

3 18세기 조선 사상계의 동향에 대한 설명으로 옳지 않은 것은?

① 북학사상은 인물성동론을 철학적 기초로 하였다.
② 낙론은 대의명분을 강조한 북벌론으로 발전되어 갔다.
③ 인물성이론은 대체로 충청도지역 노론학자들이 주장했다.
④ 송시열의 유지에 따라 만동묘를 세워 명나라 신종과 의종을 제사지냈다.

TIPS!

② 북벌의 대의명분을 강조한 것은 호론에 해당한다.

※ 낙론 … 화이론을 극복하고 북학사상의 내제적 요인으로 인간과 짐승이 본질적으로 같은 품성을 갖는다고 파악하였다. 또한 인간과 자연 사이에 도덕적 일체화를 요구하여 심성위주의 사고에서 벗어나 새로운 물론을 성립시켰으며 이로 인해 자연관의 변화, 경제지학, 상수학 등에 대한 관심을 증대시키고 이를 기반으로 북학사상을 수용하였다. 성인과 범인의 마음이 동일하다는 것을 강조하고 당시 성장하는 일반민의 실체를 현실로 인정하며 이들을 교화와 개혁책으로 지배질서에 포섭하여 위기를 타개해 나가려 하였다.

Answer 2.② 3.②

4 보기의 대화를 읽고 대화내용에 해당하는 시기의 사건으로 옳은 것은?

> A : 현량과를 실시해서, 이 세력들을 등용하여 우리들의 세력이 약해졌어.
> B : 맞아. 위훈삭제로 우리 공을 깎으려고 하는 것 같아.

① 을사사화가 발생하였다.
② 조광조 등 사림들이 개혁정치를 펼쳤다.
③ 훈구파가 제거되었다.
④ 김종직의 '조의제문'이 문제가 되어 일어났다.

TIPS!

기묘사화 … 1519년(중종 4)에 일어났는데, 조광조의 혁신정치에 불만을 품은 훈구세력이 위훈 삭제 사건을 계기로 계략을 써서 중종을 움직여 조광조 일파를 제거하였다. 이로 인하여 사림세력은 다시 한 번 크게 기세가 꺾였다.

5 다음 아래 각 시기의 사건에 대한 설명으로 옳은 것은?

① ㉠ 시기에 북인정권이 외교정책을 추진했다.
② ㉡ 시기에 송시열이 북벌론을 주장하였다.
③ ㉢ 시기에는 예송논쟁이 펼쳐졌다.
④ ㉣ 시기에 남인이 집권하게 되었다.

TIPS!

② ㉢시기에 북벌론이 주장되었다.
③ ㉡시기에 예송논쟁이 있었다.
④ ㉣시기에 서인이 집권하였다.

Answer 4.② 5.①

6 다음 보기의 내용을 순서대로 바르게 나열한 것은?

> ㉠ 세조를 비방한 조의제문을 사초에 기록한 것을 트집잡아 훈구파가 연산군을 충동질하여 사림파를 제거하였다.
> ㉡ 연산군의 생모 윤씨의 폐출사건을 들추어서 사림파를 제거하였다.
> ㉢ 조광조 등이 현량과를 실시하여 사림을 등용하여 급진적 개혁을 추진하자 이에 대한 훈구세력의 반발로 조광조는 실각되고 말았다.
> ㉣ 인종의 외척인 윤임과 명종의 외척인 윤형원의 왕위계승 문제가 발단이 되었는데, 왕실 외척인 척신들이 윤임을 몰아내고 정국을 주도하여 사림의 세력이 크게 위축되었다.

① ㉠ - ㉡ - ㉢ - ㉣　　② ㉡ - ㉠ - ㉢ - ㉣

③ ㉡ - ㉢ - ㉠ - ㉣　　④ ㉣ - ㉢ - ㉡ - ㉠

조선시대의 사화

㉠ 무오사화 : 1498년(연산군 4)에 일어났는데, 김종직의 제자인 김일손이 사관으로 있으면서 김종직이 지은 조의제문을 사초에 올린 일을 빌미로 훈구세력이 사림파 학자들을 죽이거나 귀양보냈다.

㉡ 갑자사화 : 1504년(연산군 10)에 일어났는데, 연산군이 그의 생모인 윤씨의 폐출사사사건을 들추어서 자신의 독주를 견제하려는 사림파의 잔존세력을 죽이거나 귀양보냈다.

㉢ 기묘사화 : 1519년(중종 4)에 일어났는데, 조광조의 혁신정치에 불만을 품은 훈구세력이 위훈 삭제 사건을 계기로 계략을 써서 중종을 움직여 조광조 일파를 제거하였다. 이로 인하여 사림세력은 다시 한 번 크게 기세가 꺾였다.

㉣ 을사사화 : 1545년(명종 즉위년)에 일어났는데, 중종의 배다른 두 아들의 왕위 계승을 에워싼 싸움의 결과로 일어났다. 인종과 명종의 왕위계승문제는 그들 외척의 대립으로 나타났고, 이에 당시의 양반관리들이 또한 부화뇌동하여 파를 이루었다. 인종이 먼저 즉위하였다가 곧 돌아간 뒤를 이어 명종이 즉위하면서 집권한 그의 외척세력이 반대파를 처치하였다. 이 때에도 사림세력이 많은 피해를 입었다.

Answer 6.①

7 다음 보기와 같은 시대의 왕의 업적으로 옳지 않은 것은?

> 적극적인 탕평책을 추진하여 벽파를 물리치고 시파를 고루 기용하여 왕권의 강화를 꾀하였다. 또한 영조 때의 척신과 환관 등을 제거하고, 노론과 소론 일부, 남인을 중용하였다.

① 군역 부담의 완화를 위하여 균역법을 시행하였다.
② 붕당의 비대화를 막고 국왕의 권력과 정책을 뒷받침하는 기구인 규장각을 육성하였다.
③ 신진 인물과 중·하급 관리를 재교육한 후 등용하는 초계문신제를 시행하였다.
④ 수령이 군현 단위의 향약을 직접 주관하게 하여 지방 사림의 영향력을 줄이고 국가의 백성에 대한 통치력을 강화하였다.

TIPS!

① 군역 부담을 줄이기 위하여 균역법을 시행한 것은 영조의 치적이다.

※ 정조의 개혁정치
- ㉠ 규장각의 육성
- ㉡ 초계문신제의 시행
- ㉢ 장용영의 설치
- ㉣ 수원 육성
- ㉤ 수령의 권한 강화
- ㉥ 서얼과 노비의 차별을 완화
- ㉦ 통공정책으로 금난전권을 폐지
- ㉧ 대전통편, 동문휘고, 탁지지 등을 편찬

8 다음 중 조선을 근세사회로 규정하는 근거로 옳은 것은?

① 민족의식이 성장하여 국가사회를 이끌어 왔다.
② 문화의 폭이 보다 넓어지고 문화의 수준이 크게 높아졌다.
③ 수준있는 지방문화가 등장하였다.
④ 중앙 집권적으로 제도를 개편하여 관료체제의 기틀을 마련하였다.

TIPS!

조선이 중앙정치체제는 경국대전으로 법제화되었고 강력한 왕권을 위해 중앙집권석으로 제도가 정비되었다.

Answer 7.① 8.④

9 다음을 종합하여 조선시대의 지방 행정조직의 특징으로 옳은 것은?

> • 서울에 경재소를 두어 유향소와 정부 사이의 연락 기능을 담당하게 하였다.
> • 속현을 없애고 모든 군현에 수령을 파견하여 조세와 공물을 징수하게 하였다.
> • 향촌의 인사들이 유향소를 구성하여 수령을 보좌하고 향리를 규찰하였다.

① 중앙정부에서 향촌자치기구를 운영하였다.
② 향촌의 인사들이 지방행정사무를 담당하였다.
③ 향촌 양반들이 백성을 임의적으로 지배하였다.
④ 중앙집권과 향촌자치가 조화를 이루었다.

TIPS!
조선시대에는 속현을 폐지하고 모든 군현에 수령을 파견하였으며 향리를 격하시켰다. 수령보좌, 향리규찰, 풍속규정 등의 업무에 향촌의 덕망있는 인사들로 유향소를 구성하여 참여시켰으며 경재소를 두어 유향소를 중앙에서 직접통제 하였다. 이는 향촌자치를 허용하면서 중앙집권의 효율화를 추구한 것이다.

10 다음 중 정조의 개혁정치에 해당하지 않는 것은?

① 규장각 설치 ② 통공정책 시행
③ 화성 건설 ④ 대전회통 편찬

TIPS!
④ 대전회통은 고종 때 편찬된 법전이고, 정조 때 편찬된 법전은 대전통편이다.

Answer 9.④ 10.④

11 다음을 종합하여 조선의 중앙정치기구에 대해 내린 결론으로 가장 옳은 것은?

• 사간원과 사헌부	• 승정원과 의금부

① 신권 강화 ② 왕권 강화
③ 왕도정치 실현 ④ 왕권과 신권의 조화

TIPS!
사간원과 사헌부, 홍문관은 삼사로 불렸는데 정사를 비판하고 관리들의 비리를 감찰하는 언론기능을 수행하여 권력의 독점과 부정을 방지하고자 하였다. 승정원은 국왕의 비서기관으로 왕명출납을, 의금부는 왕의 특명에 의해 큰 죄인을 다스렸는데 왕권강화를 위한 핵심기관이었다. 이것으로 미루어 조선은 왕권과 신권의 조화를 추구했음을 알 수 있다.

12 다음 중 왜란과 호란 이후 조선의 지배층에 의해 추진된 개혁 정책으로 옳지 않은 것은?

① 영정법 ② 과전법
③ 균역법 ④ 대동법

TIPS!
② 과전법은 고려말 이성계를 중심으로 모인 급진개혁파 사대부 세력이 우왕과 창왕을 잇따라 폐하고 공양왕을 세운 후 전제개혁을 단행하여 신진관료들의 경제기반을 위해 마련하였다.

13 다음 중 비변사가 국정의 최고 기관이 된 시기는?

① 을묘왜변 후 ② 삼포왜란 후
③ 임진왜란 후 ④ 대원군 집권 후

TIPS!
임진왜란의 영향으로 비변사는 거의 모든 업무를 총괄하는 국정 최고 기관이 되었다.

Answer 11.④ 12.② 13.③

14 길재, 정몽주 등에서 김종직, 김굉필로 학통이 이어져 내려오는 사림과 관련 없는 것은?

① 부국강병과 민생안정을 추구하였다.
② 향촌에서 교육과 향촌 건설에 주력하였다.
③ 성종 때를 전후하여 중앙정계 진출이 활발해졌다.
④ 조선왕조의 개창을 유교적 윤리와 의리에 부합하지 않는다고 비난하였다.

TIPS!
① 훈구파가 부국강병에 관심을 두었다.

15 다음 정책과 관련 있는 조선전기의 인물은?

㉠ 향약 시행	㉡ 공납의 폐단시정
㉢ 위훈 삭제	㉣ 불교, 도교에 관한 종교 행사 폐지

① 조광조 ② 이이
③ 유성룡 ④ 이황

TIPS!
조광조의 개혁정치
㉠ 현량과 실시
㉡ 위훈 삭제로 훈구대신의 토지, 노비 몰수
㉢ 불교와 도교의 종교행사 폐지
㉣ 향약 실시
㉤ 방납제도 폐단시정
㉥ 경연, 언론활동의 강화

Answer 14.① 15.①

16 다음 글에서 설명하는 정치제도에 대해 옳게 설명한 것은?

> 6조는 각기 모든 직무를 먼저 의정부에 품의하고, 의정부는 가부를 헤아린 뒤에 왕에게 아뢰어 (왕의) 전지를 받아 6조에 내려 보내어 시행한다. 다만, 이조 · 병조의 제수, 병조의 군사업무, 형조의 사형수를 제외한 판결 등은 종래와 같이 각 조에서 직접 아뢰어 시행하고 곧바로 의정부에 보고한다. 만약, 타당하지 않으면 의정부가 맡아 심의 논박하고 다시 아뢰어 시행토록 한다.

① 태조 때 정치적 · 사회적 안정과 왕권의 안정을 목적으로 하였다.
② 태종 때 국왕 중심의 통치체제를 정비하고자 하였다.
③ 세종 때 왕권과 신권의 조화를 목적으로 실시하였다.
④ 세조 때 시행한 것으로 왕권 강화를 목적으로 하였다.

TIPS!

의정부서사제 … 왕의 권한을 의정부에 많이 넘겨주고, 훌륭한 재상들을 등용하여 정치를 맡기고자 하였다. 그러면서도 인사와 군사에 관한 일은 왕이 직접 처리함으로써 왕권과 신권의 조화를 이루었다.

17 다음 중 조선시대에 대한 설명으로 옳지 않은 것은?

① 평화 추구의 친선정책을 외교정책의 기본으로 삼았다.
② 향 · 소 · 부곡 같은 특수행정구역이 존속하고 있다.
③ 양반 중심의 지배질서와 가족제도에 종법사상이 적용되었다.
④ 불교, 도교, 토속신앙을 포함하는 종교적 생활까지도 유교사상으로 흡수하고자 하였다.

TIPS!

② 조선시대에는 향 · 소 · 부곡이 일반 군현으로 승격되었다.

Answer 16.③ 17.②

국어

한국사

영어

18 조선의 군역제도와 군사조직에 대한 설명으로 옳지 않은 것은?

① 잡색군은 일종의 예비군으로 유사시 향토 방위를 맡았다.
② 노비는 원칙적으로 군역의 의무가 없었으나, 필요에 따라 특수군으로 편제되었다.
③ 5위는 중앙군으로 궁궐의 수비와 수도의 방비를 담당하였다.
④ 정군은 고급관료의 자제로 구성되어 복무 연한에 따라 품계와 녹봉을 받았다.

TIPS!

정군은 현역군인을 말한다. 16세 이상의 정남에게 의무가 있으며, 양반 · 서리 · 향리는 군역이 면제되었다.

19 다음 중 조선시대의 향리에 관한 설명으로 옳은 것은?

① 과거 응시에 제한이 없었다.
② 과전을 지급받아 생계를 유지하였다.
③ 향촌사무를 자치적으로 처리하였다.
④ 조세, 공납, 요역 징발의 업무를 보좌하였다.

TIPS!

① 자제들 중 1명에게만 과거응시자격이 주어졌다.
② 과전은 관리들에게 지급된 토지이며 향리에게는 토지가 지급되지 않았다.
③ 수령에게 예속되어 행정을 보좌하였다.

20 조선초기 대외관계에 관한 설명으로 옳은 것은?

① 왜구를 막기 위하여 일본과의 교역을 확대하였다.
② 여진과는 무역을 단절하고 본거지를 토벌하였다.
③ 명과의 친선관계가 수립되었으나, 요동수복운동을 계속 추진하였다.
④ 류쿠, 시암, 자바 등의 동남아시아 각국과 교류가 있었다.

TIPS!

① 왜구가 침략하면 그 보복조치로서 무역량을 줄이고 제한된 범위 내에서 교역을 허락하였다.
② 여진족에 대해서는 회유와 토벌이라는 양면정책을 폈다.
③ 이방원이 일으킨 왕자의 난으로 정도전이 제거되어 요동수복운동은 중단되었다.

Answer 18.④ 19.④ 20.④

21 다음 중 임진왜란의 영향이 아닌 것은?

① 국가재정 타개책으로 공명첩을 대량 발급하여 신분제가 동요되었다.
② 인구와 농토가 격감되고 농촌이 황폐화되었다.
③ 일본을 통하여 조총, 담배, 고추, 호박 등이 전래되었다.
④ 서인세력이 군대를 양성하는 등의 계획을 세우는 계기가 되었다.

④ 병자호란 이후의 북벌운동에 대한 설명이다.

22 다음 중 유향소와 경재소에 대한 설명으로 옳지 않은 것은?

① 정부는 경재소를 통해서 유향소를 중앙에서 직접 통제할 수 있었다.
② 유향소는 수령을 보좌하고 향리를 규찰하면서 지방행정에 참여하였다.
③ 경재소는 유향소와 정부 사이의 연락기능을 맡았다.
④ 유향소와 경재소는 향촌자치와 지방분권을 위한 것이었다.

TIPS!

유향소와 경재소의 설치
㉠ 유향소: 좌수와 별감이 있어 수령의 보좌, 풍속의 교정, 향리의 규찰 등의 임무를 맡았다. 그러므로 지방에 있어서의 양반세력의 거점과도 같은 구실을 하며 지방행정에 미치는 영향이 컸다. 유향소는 때로는 수령의 횡포를 견제하기도 하였으나 수령과 결탁하여 민폐를 끼치는 경우도 없지 않았다.
㉡ 경재소: 해당 지방의 유향소에 대한 통제권을 가지고 있었으며, 제반사를 주선하고 서울과 지방 간의 연락을 담당하는 기능을 하였다. 현직 중앙관료들은 경재소를 통하여 유향소를 통제하면서 연고지에 대한 영향력을 행사하였다.

Answer 21.④ 22.④

23 다음 토지 및 조세제도에 관한 내용을 시기 순으로 바르게 나열한 것은?

㉠ 풍흉에 관계없이 전세를 토지 1결당 미곡 4두로 고정시켰다.
㉡ 토지 비옥도와 풍흉의 정도에 따라 조세 액수를 1결당 최고 20두에서 최하 4두로 하였다.
㉢ 토지의 지급 대상을 현직 관리로 한정하였다.
㉣ 관료들을 18과로 나누어 최고 150결에서 최하 10결의 과전을 지급하였다.

① ㉡→㉢→㉣→㉠ ② ㉡→㉣→㉠→㉢
③ ㉣→㉠→㉡→㉢ ④ ㉣→㉡→㉢→㉠

TIPS!
㉣ 공양왕 때 과전법
㉡ 세종 때 연분 9등법
㉢ 세조 때 직전법
㉠ 인조 때 영정법

24 밑줄 친 부분에 대한 올바른 설명을 아래에서 고르면?

조선 건국 후 세종 즉위 전까지 양반의 경제 기반은 <u>과전</u>, <u>녹봉</u>, <u>자기 소유의 토지</u>와 <u>노비</u> 등이 있었다.

㉠ 과전 – 경기도를 비롯하여 전국의 토지를 대상으로 지급하였다.
㉡ 녹봉 – 과전을 받는 관리에게는 녹봉이 지급되지 않았다.
㉢ 자기 소유의 토지 – 유망민들을 모아 노비처럼 만들어 자신의 토지를 경작하게 하는 경우도 있었다.
㉣ 노비 – 외거 노비는 자기 재산을 가질 수 있었고 조상에 대한 제사를 지내기도 했다.

① ㉠㉡ ② ㉡㉢
③ ㉢㉣ ④ ㉠㉣

TIPS!
조선시대 양반들은 유망민들을 모아 노비처럼 만들어 자신의 토지를 경작하게 하는 경우도 있었고, 노비 중 외거노비는 독립된 생활을 하며 자기 재산을 가질 수 있었고 제사를 지내기도 했다.
㉠ 과전은 경기도에 한정되어 있었다.
㉡ 관리들은 과전과는 별도로 녹봉을 지급받았으며, 문종 때 직전제가 폐지된 후에는 녹봉만 지급받았다.

Answer 23.④ 24.③

25 다음에서 설명하는 제도가 시행되었던 왕대의 상황에 대한 설명으로 옳은 것은?

> 양인들의 군역에 대한 절목 등을 검토하고 유생의 의견을 들었으며, 개선 방향에 관한 면밀한 검토를 거친 후 담당 관청을 설치하고 본격적으로 시행하였다. 핵심 내용은 1년에 백성이 부담하는 군포 2필을 1필로 줄이는 것이었다.

① 증보문헌비고가 편찬, 간행되었다.
② 노론의 핵심 인물이 대거 처형당하였다.
③ 통공정책을 써서 금난전권을 폐지하였다.
④ 청계천을 준설하여 도시를 재정비하고자 하였다.

TIPS!

서문은 영조시대 백성에게 큰 부담이 된 군포제도를 개혁한 균역법에 대한 설명이다. 이 시대에는 도성의 중앙을 흐르는 청계천을 준설하는 준천사업을 추진하였고 1730년을 전후하여 서울인구가 급증하고 겨울용 땔감의 사용량이 증가하면서 서울 주변 산이 헐벗게 되고 이로 인하여 청계천에 토사가 퇴적되어 청계천이 범람하는 사건이 발생하였다.

26 보기의 세 사람이 공통적으로 주장한 내용으로 옳은 것은?

> • 유형원 • 이익 • 정약용

① 자영농을 육성하여 민생을 안정시키자.
② 상공업의 진흥과 기술혁신을 주장하였다.
③ 개화기의 개화사상가들에 의해 계승되었다.
④ 농업부문에서 도시제도의 개혁보다는 생산력 증대를 중요시 하였다.

TIPS!

중농학파(경세치용)
㉠ 농촌 거주의 남인학자들에 의해 발달
㉡ 국가제도의 개편으로 유교적 이상국가의 건설을 주장
㉢ 토지제도의 개혁을 강조하여 자영농의 육성과 농촌경제의 안정을 도모
㉣ 대원군의 개혁정치, 한말의 애국계몽사상, 일제시대의 국학자들에게 영향

Answer 25.④ 26.①

27 영조 때 실시된 균역법에 대한 설명으로 옳지 않은 것은?

① 군포를 1년에 2필에서 1필로 경감시켰다.
② 균역법의 실시로 모든 양반에게도 군포를 징수하였다.
③ 균역법의 시행으로 감소된 재정은 어장세 · 염전세 · 선박세로 보충하였다.
④ 결작이라 하여 토지 1결당 미곡 2두를 부과하였다.

② 균역법의 시행으로 감소된 재정은 결작(토지 1결당 미곡 2두)을 부과하고 일부 상류층에게 선무군관이라는 칭호를 주어 군포 1필을 납부하게 하였으며 선박세와 어장세, 염전세 등으로 보충하였다.

28 조선시대 토지제도에 대한 설명이다. 변천순서로 옳은 것은?

> ㉠ 국가의 재정기반과 신진사대부세력의 경제기반을 확보하기 위해 시행되었다.
> ㉡ 현직관리에게만 수조권을 지급하였다.
> ㉢ 관청에서 수조권을 행사하여 백성에게 조를 받아, 관리에게 지급하였다.
> ㉣ 국가가 관리에게 현물을 지급하는 급료제도이다.

① ㉠ – ㉡ – ㉢ – ㉣
② ㉡ – ㉠ – ㉢ – ㉣
③ ㉢ – ㉡ – ㉠ – ㉣
④ ㉣ – ㉡ – ㉢ – ㉠

TIPS!

토지제도의 변천
㉠ 통일신라시대 : 전제왕권이 강화되면서 녹읍이 폐지되고 신문왕 관료전이 지급되었다.
㉡ 고려시대 : 역분전 → 시정전시과 → 개정전시과 → 경정전시과 → 녹과전 → 과전법의 순으로 토지제도가 변천되었다.
㉢ 조선시대 : 과전법 → 직전법 → 관수관급제 → 직전법의 폐지와 지주제의 확산 등으로 이루어졌다.

Answer 27.② 28.①

29 다음 중 방납으로 인해 국가 수입이 줄고 농민의 부담이 가중됨에 따라 실시하게 된 제도는?

① 대동법
② 균역법
③ 호포법
④ 군적 수포제

TIPS!

대동법은 농민 집집마다 부과하였던 공물 납부 방식을 토지의 면적에 따라 쌀, 삼베, 무명, 동전 등으로 납부하게 하는 제도이다.

30 조선시대 토지제도의 변천에 대한 설명이다. (　　)에 알맞은 내용은?

과전법 → (　　) → 관수관급제 → 직전법 폐지

① 관리 등급에 따라 전지와 시지를 지급
② 현직 관리에게만 수조권 지급
③ 하급관리의 자제로 관직에 오르지 못한 자에게 한인전 지급
④ 관료의 유가족에게 수신전, 휼양전 지급

TIPS!

관리들에게 지급할 토지의 부족현상을 해결하기 위해서 세조 12년 현직 관리에게만 과전을 지급하는 직전법을 실시하였다.

Answer 29.① 30.②

31 다음의 사실과 관련이 깊은 수취제도는?

• 양안	• 연분9등법	• 조창

① 토지 수확의 10분의 1을 냈다.
② 가호를 기준으로 일정한 액수를 분담하였다.
③ 성인 남성이면 모두 부담하였다.
④ 각 지역의 토산물을 현물로 중앙 관청에 납부하였다.

TIPS!

제시된 내용은 조세와 관련이 있는 것으로 양안은 토지조사의 결과를 기록한 대장이며, 연분 9등법은 그 해 농사의 풍흉을 고려하여 조세의 액수를 달리한 제도이고, 조창은 조세를 거두어 수로를 통해 운반하기 위해 집결해 놓은 곳이다.
②④ 공납
③ 역(요역과 군역)

32 다음 중 조선시대 군역제에 대한 설명으로 옳지 않은 것은?

① 초기에는 양인개병과 농병일치제가 행해졌다.
② 정군은 서울에서 근무하거나 국경 요충지에 재치되었다.
③ 방군수포제의 실시로 농민의 군역 부담은 전보다 가벼워졌다.
④ 노비에게 군역의 의무는 없으나, 잡색군에 편입되기도 하였다.

TIPS!

③ 방군수포제의 실시로 농민의 부담이 가중되었다.

Answer 31.① 32.③

33 조선전기 상공업에 대한 설명으로 옳지 않은 것은?

① 장인 – 관청에 예속되어 물품을 제조하였다.
② 육의전 – 대외무역을 독점하는 특권을 보유하였다.
③ 보부상 – 지방의 5일장을 중심으로 활동하였다.
④ 경시서 – 시전 상인의 불법적인 상행위를 통제하였다.

TIPS!

② 육의전은 시전 중에서 명주, 종이, 모시, 어물, 삼베, 무명 등을 취급하는 상점으로 금난전권을 가지고 있었다.

34 다음 중 조선중기 농촌의 모습을 바르게 서술한 것은?

① 족징, 인징 등의 폐단을 해결하기 위하여 방군수포가 행해졌다.
② 지주전호제가 일반화되면서 농민의 부담은 점차 가벼워졌다.
③ 방납의 폐단으로 농민의 부담이 가중되자 공납을 쌀로 내게 하자는 수미법이 주장되었다.
④ 구휼제도인 환곡제가 사창에서 실시되면서 고리대로 변질되었다.

TIPS!

① 방군수포는 군포를 받고 군역을 면제해주는 것이다.
② 지주전호제와 군적수포제로 인해 농민의 부담이 더욱 가중되었다.
④ 환곡은 상평창에서 실시되었다.

35 다음 중 조선후기 농업의 변화된 모습으로 옳지 않은 것은?

① 정부는 봄가뭄 때문에 이앙법을 금지시켰으나 계속 확대되어 갔다.
② 광작이 가능해지면서 농민 계층의 분화가 촉진되었다.
③ 도조법이 확대·시행되어 많은 농민의 토지 이탈을 가져왔다.
④ 시장에 내다 팔아 이익을 얻을 수 있는 상품작물이 재배되었다.

TIPS!

③ 도조법은 농사의 풍·흉에 관계없이 해마다 정해진 일정 지대액을 납부하는 것으로 타조법보다 소작인에게 유리하였다.

Answer 33.② 34.③ 35.③

36 다음에서 호포제와 균역법의 공통점을 고르면?

① 농민의 부담은 점차 늘어났다.
② 농민의 부담은 줄고 수취 대상은 늘어났다.
③ 농민의 부담은 증가하고 수취 대상은 늘어났다.
④ 농민의 부담은 줄어들고 수취 대상은 변하지 않았다.

TIPS!
균역법은 1년에 2필씩 납부하던 군포를 1필로 줄인 것이며, 호포제의 실시로 양반들도 군포를 납부하게 되었다.

37 다음에 해당하는 조선 상인은?

• 운송업 종사	• 한강 근거	• 선박 건조 · 생산

① 만상 ② 내상
③ 송상 ④ 경강상인

TIPS!
조선후기 선상(船商)은 선박을 이용해서 각 지방의 물품을 구입해와 포구에서 처분하였는데, 운송업에 종사하다가 거상으로 자라난 경강상인이 대표적 선상이었다. 이들은 한강을 근거지로 하여 주로 서남 연해안을 오가며 미곡, 소금, 어물이나 그 밖의 물품의 운송과 판매를 장악하여 부를 축적하였고, 선박의 건조 등 생산분야까지 진출하여 활동분야를 확대하였다.

Answer 36.② 37.④

38 유수원의 다음 설명에 해당하는 것은?

> • 상인의 경영규모 확대와 상인이 수공업자를 직접 지배하면서 물건을 생산한다(상인과 상인의 합작, 상인이 장인을 고용한 뒤 주문받아서 생산하는 방식).
> • 상공업을 진흥시키기 위한 구체적 방안으로서 상인 간의 합자를 통한 경영규모의 확대와 상인의 생산자를 고용하여 판매를 주관할 것을 제안하였다.

① 가내수공업 ② 선대제수공업
③ 공장제수공업 ④ 독립수공업과 공장제수공업의 결합

제시된 내용은 중상적 실학자 유수원이 그의 저서 우서에서 밝힌 수공업 형태인 선대제수공업을 설명한 것이다. 선대제수공업이란 수공업자들이 상인에게 주문과 함께 원료와 자금을 선대받아 제품을 생산하는 것을 말한다.

39 조선후기 민영수공업의 발달에 대한 설명으로 옳지 않은 것은?

① 장인의 대다수는 관청의 부역 노동에 동원되었다.
② 장인들은 상인 자본에 예속되어 있었다.
③ 시장의 상품 수요를 중심으로 제조하였다.
④ 장인세를 납부하는 수공업자가 증가하였다.

TIPS!

① 장인들은 장인세를 납부하여 관청의 부역 노동에서 벗어나기 시작하였다.

40 조선후기의 국제 무역에 대한 설명으로 옳은 것은?

① 청과의 무역이 대외무역의 중심이었다.
② 개시무역 이외의 무역활동은 불가능했다.
③ 일본과의 무역을 통해 비단, 서적, 약재 등을 수입하였다.
④ 청과의 무역은 개성상인들에 의해 이루어졌다.

Answer 38.② 39.① 40.①

TIPS!

② 개시무역보다는 비공식적으로 이루어지는 후시무역의 규모가 더 컸다.
③ 대일 수입품은 구리, 후추, 황이었다.
④ 개성상인이 아니라 만상(의주상인)이 중심이었다.

41 여말선초 성리학의 도입으로 나타난 조선후기의 사회 풍습으로 옳지 않은 것은?

① 과부의 재가를 금지하고 효자나 열녀를 표창하였다.
② 재산 상속에서 제사를 담당하는 장자를 우대하는 경향이 나타났다.
③ 남귀여가혼이 점차 축소되면서 친영제로 전환되어 갔다.
④ 사찰 대신 집안에 가묘를 설치하고 영정을 봉안하여 제사를 지냈다.

고려 말 성리학의 도입으로 신진사대부들은 집안에 가묘를 설치하고 제사를 지내기 시작하였다. 이것은 성리학의 도입으로 나타난 조선후기의 모습으로는 볼 수 없다.

42 조선전기의 상업 활동에 대한 설명으로 옳은 것은?

① 공인(貢人)의 활동이 활발해졌다.
② 시전이 도성 내 특정 상품 판매의 독점권을 보장받기도 하였다.
③ 개성의 송상, 의주의 만상은 대외 무역을 통해 대상인으로 성장하였다.
④ 경강상인들은 경강을 중심으로 매점 활동을 통해 부유한 상업 자본가로 성장하였다.

TIPS!

①③④ 조선후기의 상업 활동에 대한 설명이다.
※ 조선전기의 상업 활동
㉠ 통제 경제와 시장 경제를 혼합한 형태로 장시의 전국적 확산과 대외무역에서 사무역이 발달하였다.
㉡ 지주제의 발달, 군역의 포납화, 농민층의 분화와 상인 증가, 방납의 성행 등으로 장시와 장문이 발달하게 되었다.
㉢ 시정세, 궁중과 부중의 관수품조달 등의 국역을 담당하는 대가로 90여종의 전문적인 특정 상품에 대한 독점적 특권을 차지한 어용상인인 시전이 발달하였다.
㉣ 5일 마다 열리는 장시에서 농산물, 수공업제품, 수산물, 약제 같은 것을 종 · 횡적으로 유통시키는 보부상이 등장하였다.

Answer 41.④ 42.②

43 다음의 내용과 관련있는 것은?

> 향촌의 덕망있는 인사들로 구성되어 지방민의 자치를 허용하고 자율적인 규약을 만들었고, 중앙집권과 지방자치는 효율적으로 운영하였다.

㉠ 승정원	㉡ 유향소
㉢ 홍문관	㉣ 경재소

① ㉠㉡　　② ㉡㉣
③ ㉠㉢　　④ ㉠㉣

TIPS!

㉡ 유향소 : 수령을 보좌하고 향리를 감찰하며, 향촌사회의 풍속을 교정하기 위한 기구이다.
㉣ 경재소 : 중앙정부가 현직 관료로 하여금 연고지의 유향소를 통제하게 하는 제도로서, 중앙과 지방의 연락업무를 맡거나 수령을 견제하는 역할을 하였다.

44 다음 중 조선시대의 신분제도에 대한 설명으로 옳은 것은?

① 양반은 과거가 아니면 관직에 진출할 수 없었다.
② 농민은 법제적으로는 관직에 진출하는 것이 가능하였다.
③ 향리는 과거를 통하여 문반직에 오를 수 있었고, 지방의 행정실무를 담당하였다.
④ 서얼도 문과에 응시할 수 있었다.

TIPS!

조선의 신분제 … 법제적으로 양천제를 채택하였지만, 실제로는 양반, 중인, 상민, 노비의 네 계층으로 분화되어 있었다. 양인은 직업에 따른 권리와 의무에 차등이 있었다. 농민은 과거응시권이 있었으나, 공인과 상인은 불가능 하였다. 과거의 응시제한계층은 공인, 상인, 승려, 천민, 재가녀의 자, 탐관오리의 자손, 국사범의 자손, 전과자 등이었다.

Answer 43.② 44.②

45 다음으로 인하여 나타난 변화로 옳은 것은?

> • 조선후기 이앙법이 전국적으로 시행되면서 광작이 가능해졌으며, 경영형 부농이 등장하였다.
> • 대동법의 시행으로 도고가 성장하였으며, 상업자본이 축적되었다.

① 정부의 산업 주도
② 양반의 지위 하락
③ 신분구조의 동요
④ 국가 재정의 확보

조선후기에 이르러 경제상황의 변동으로 부를 축적한 상민들이 신분을 매매하여 양반이 되는 등 신분제의 동요가 발생하였다.

46 조선후기에 사족의 지배에서 수령과 향리의 지배로 바뀌면서 나타난 현상은?

① 부농층이 향안에 참여하여 관권세력이 쇠퇴하였다.
② 공동납제가 폐지되면서 농민의 부담이 줄었다.
③ 아전, 서리 등 향리에 의한 농민수탈이 증가되었다.
④ 부농층과 관권세력이 극심하게 대립하여 농촌의 혼란이 가중되었다.

TIPS!

③ 조선후기에는 사족들의 향촌지배력이 약화되고 관권이 강화되었다. 관권의 성장과 함께 향리의 세력도 강화되면서 이들에 의한 농민 수탈이 심화되었다.

Answer 45.③ 46.③

47 다음의 내용이 설명하는 향약의 덕목은?

> 옛날에는 각 고을에서 장례가 있을 때마다 각 세대에서 일정량의 쌀을 거두어 도와주는 풍속이 있었다.

① 환난상휼(患難相恤) ② 예속상교(禮俗相交)
③ 과실상규(過失相規) ④ 덕업상권(德業相勸)

TIPS!

향약의 4대 덕목
㉠ 덕업상권(德業相勸) : 좋은 일은 서로 권한다.
㉡ 과실상규(過失相規) : 잘못은 서로 규제한다.
㉢ 예속상교(禮俗相交) : 좋은 풍속은 서로 권한다.
㉣ 환난상휼(患難相恤) : 어려운 일을 당하면 서로 돕는다.

48 다음 중 서원에 대한 설명으로 옳지 않은 것은?

① 관립학교로 되어 있었다.
② 주세붕이 세운 백운동서원이 시초이다.
③ 사액서원의 경우 국가로부터 토지, 서적, 노비 등을 받았다.
④ 선현에 대한 봉사를 하는 사묘의 기능을 하였다.

TIPS!

① 선현을 받들고 교육과 연구를 하던 서원은 향교와 달리 관립이 아니라 사립이었으나, 사액서원의 경우 국가로부터 서적과 토지·노비 등을 지원받고, 면세·면역의 특권까지 받아 후에 많은 부작용을 초래하였다.

49 조선시대 유향소의 설치목적 및 기능에 대한 설명으로 가장 거리가 먼 것은?

① 지방자치의 기능을 수행하였다.
② 향리를 감찰하고 수령을 보좌하였다.
③ 향촌사회의 풍속 교정을 담당하였다.
④ 서울의 행정 및 치안 유지를 위해 설치하였다.

Answer 47.① 48.① 49.④

TIPS!

유향소(향청) … 지방자치를 위하여 설치한 기구로 수령을 보좌하고 향리를 감찰하며 향촌사회의 풍속을 바로 잡았으며 수시로 향회를 소집하여 여론을 수렴하면서 백성을 교화하였다.
④ 수도의 행정 및 치안 담당을 위해서 한성부가 설치되었다.

국어

50 조선시대 양천제도에 대한 설명으로 잘못된 것은?

① 조선 사회는 지배층인 양반과 중인, 피지배층인 상민과 천민으로 존재하는 점에서 신분제사회였다.
② 국가적 수취의 대상인 천민은 비자유민으로서 국가나 개인에 속해 천역을 담당하였다.
③ 관직을 가진 사람을 의미하는 양반은 세월이 지나면서 하나의 신분으로 굳어졌다.
④ 양인은 과거에 응시하고 벼슬길에 오를 수 있는 자유민이었다.

한국사

TIPS!

국가의 수취대상의 중심이 된 계층은 양인이다. 천민의 대부분을 차지했던 노비는 재산으로 취급되어 매매 · 상속 · 증여의 대상이 되었다.

51 다음 중 조선후기 향촌 사회의 변화로 옳은 것은?

① 지방사족이 향촌 자치의 주도세력이었다.
② 면리제와 함께 향약조직을 형성하였다.
③ 부농층이 향촌사회를 주도하던 사족에 도전하였다.
④ 매향활동을 하는 사람들이 향도를 형성하였다.

영어

TIPS!

조선후기에는 양반층이 분화되었으며 새로운 부농층이 신분 상승을 도모하면서 향촌질서가 새롭게 편성되었다.
①② 조선초기 ④ 고려

Answer 50.② 51.③

52 조선후기의 변화 가운데 근대 지향적 움직임과 가장 관련이 적은 것은?

① 붕당정치의 변질과 세도정치
② 농업생산력의 발전
③ 사회개혁론의 제기와 상공업 중심의 발전방향 제시
④ 봉건적 신분구조의 변화

TIPS!
① 붕당정치의 변질과 세도정치는 근대사회를 위한 움직임에 후퇴하는 태도이다.

53 조선후기 서얼과 중인의 동향에 대한 설명으로 옳지 않은 것은?

① 서얼은 납속책을 통해 관직에 나갈 수 있었다.
② 서얼 중에 규장각 검서관으로 기용되는 사람이 있었다.
③ 중인은 소청운동을 통하여 자신들의 지위를 개선하고자 하였다.
④ 서얼과 중인은 성리학적 명분론을 지키고자 하여 양반층과 입장을 같이하였다.

TIPS!
④ 중인과 서얼들은 서학을 비롯한 외래 문화 수용에 있어서 적극적인 역할을 수행하여 성리학적 가치 체계에 도전하는 새로운 사회의 수립을 추구하였다.

54 다음은 어느 신분층에 대한 설명이다. 조선후기에 있었던 이들의 움직임으로 잘못된 것은?

- 고려시대에 처음 등장한 신분으로 양반층 아래에서 실무를 집행하는 하부 지배층이었다.
- 주로 무과와 잡과에 응시하였으며, 기술관 · 향리 · 서리 · 토관 · 군교 · 서얼 등이 이에 속하였다.

① 시사(詩社)를 조직하여 문예활동을 하였다.
② 강화학파를 형성하여 성리학의 한계를 극복하려 하였다.
③ 개화운동의 선구적 역할을 담당하기도 하였다.
④ 재력을 축적하고, 전문인으로서의 역할이 커졌다.

Answer 52.① 53.④ 54.②

TIPS!

제시된 내용은 조선시대 중인층에 대한 설명이다.

① 시사는 시인 동우회를 말하는데, 동인지를 간행하기도 하였다.

② 양명학자에 해당하는데, 양명학은 주로 경기지방을 중심으로 재야의 소론계열 학자와 불우한 종친 출신의 학자들 사이에서 많이 연구되었다.

③ 역관 오경석, 의관 유홍기 등이 있다.

④ 조선후기의 경제변동에 따라 가능하였다.

55 조선시대의 미술 작품에 대한 설명이다. 바르게 연결한 것은?

> • 창덕궁과 창경궁의 전모를 그려낸 (㉠)는 기록화로서의 정확성과 정밀성이 뛰어날 뿐 아니라 배경산수의 묘사가 극히 예술적이다.
> • 강희안의 (㉡)는 무념무상에 빠진 선비의 모습을 그린 작품으로 간결하고 과감한 필치로 인물의 내면세계를 느낄 수 있게 표현 하였다.
> • 노비 출신으로 화원에 발탁된 이상좌의 (㉢)는 바위틈에 뿌리를 박고 모진 비바람을 이겨내고 있는 나무를 통하여 강인한 정신과 굳센 기개를 표현하였다.

	㉠	㉡	㉢
①	동궐도	송하보월도	금강전도
②	동궐도	고사관수도	송하보월도
③	서궐도	송하보월도	금강전도
④	서궐도	고사관수도	송하보월도

TIPS!

㉠ 동궐도 : 순조 연간에 도화서 화원들이 그린 것으로 추정. 조선왕조의 정궁(正宮)인 경복궁 동쪽에 위치하고 있는 창덕궁과 창경궁을 조감도 형식으로 그린 조선후기 대표적인 궁궐 그림

㉡ 고사관수도 : 15C 사대부 화가 강희안의 작품으로 인물의 내면세계를 표현한 작품

㉢ 송하보월도 : 16C 노비출신 화가 이상좌의 작품으로 강인한 정신과 굳센 기개를 표현한 작품

Answer 55.②

56 「혼일강리역대국도지도」가 제작된 왕대의 문화계 동향에 대한 설명으로 옳은 것은?

① 주자소를 설치하고 구리로 '계미자'를 주조하였다.
② 유교적 질서를 확립하기 위하여 윤리서인 「삼강행실도」를 편찬하였다.
③ 「경국대전」을 간행하여 유교적 통치 질서와 문물제도를 일단락 하였다.
④ 서거정 등이 중심이 되어 편년체 통사인 「동국통감」을 편찬하였다.

TIPS!

혼일강리역대국도지도는 조선 태종 때 권근 등에 의해 제작된 우리나라 최초의 세계지도이다. 17세기에 마테오리치의 곤여만국전도가 한국에 들어오기 전까지 사실상 유일한 세계지도였다. 중화적세계관에 기초하면서도 우리나라를 중국과 거의 대등하게 표현하였고, 이슬람 사회에서 전래된 지리적 지식을 바탕으로 교류가 전혀 없던 유럽, 아프리카 등의 나라들까지 지도에 나타나 있다.
② 세종 때 편찬되었다.
③④ 성종 때 편찬되었다.

57 다음 역사서 저자들의 정치적 입장에 관한 설명으로 옳지 않은 것은?

① 「여사제강」 – 서인의 입장에서 북벌운동을 지지하였다.
② 「동사(東事)」 – 붕당정치를 비판하였다.
③ 「동사강목」 – 성리학적 명분론을 비판하였다.
④ 「동국통감제강」 – 남인의 입장에서 왕권 강화를 주장하였다.

TIPS!

동사강목 … 17세기 이후 축적된 국사연구의 성과를 계승 발전시켜 역사인식과 서술내용 면에서 가장 완성도가 높은 저술로서 정통론인식과 문헌고증방식의 양면을 집대성한 대표적인 통사이다. 단군 → 기자 → 마한 → 통일신라 → 고려까지의 유교적 정통론을 완성하였으며 위만조선을 찬탈왕조로 다루고 발해를 말갈왕조로 보아 우리 역사에서 제외시켰는데 이는 조선의 성리학자로서의 명분론에 입각한 것이었다.

Answer 56.① 57.③

58 다음은 조선 초기 과학기술에 관한 설명이다. 이와 관련이 없는 것은?

15세기는 역법의 제정과 천문, 시간측정기구의 제작 및 농업, 의약서적, 인쇄술이 발달하는 등 각 분야에 걸쳐서 과학기술이 눈부시게 발달하였다.

① 칠정산
② 향약구급방
③ 측우기
④ 자격루

TIPS!

② 향약구급방은 우리 실정에 맞는 고려시대의 자주적 의서이다.

59 다음 보기의 내용들을 시대순으로 바르게 나열한 것은?

㉠ 충청도 지방의 호론과 서울 지방의 낙론 사이에 성리학의 심성논쟁이 벌어졌다.
㉡ 붕당 사이에 예론을 둘러싼 논쟁이 전개되었다.
㉢ 이황과 이이 사이에 성리학의 이기론을 둘러싼 논쟁이 전개되었다.

① ㉠ - ㉡ - ㉢
② ㉡ - ㉠ - ㉢
③ ㉢ - ㉠ - ㉡
④ ㉢ - ㉡ - ㉠

TIPS!

㉠ 제시된 글은 노론 내부에서 펼쳐진 호락논쟁으로 서울지역의 인물성동론은 북학파에, 충청지역의 인물성이론은 위정척사에 영향을 주었다.
㉡ 예송 논쟁이란 예법에 대한 송사와 논쟁으로 제1차는 1659년에 기해 예송, 제2차는 1674년 갑인 예송으로 나타났다.
㉢ 이황은 주리론의 입장에서 학문의 본원적 연구에 치중하였고, 이이는 주기론의 입장에서 현실세계의 개혁에 깊이 관여하였다. 그러나 두 학파 모두 도덕세계의 구현이라는 점에서는 입장이 같다.

Answer 58.② 59.④

60 다음의 사상에 관한 설명으로 옳은 것은?

> (가) 인간과 사물의 본성은 동일하다.
> (나) 인간과 사물의 본성은 동일하지 않다.

① (가)는 구한말 위정척사 사상으로 계승되었다.
② (나)는 실학파의 이론적 토대가 되었다.
③ (나)는 사문난적으로 학계에서 배척당했다.
④ (가)와 (나)는 노론 인사들을 중심으로 이루어졌다.

제시된 글은 노론 내부에서 펼쳐진 호락논쟁으로 (가)는 서울지역의 인물성동론으로 북학파에, (나)는 충청지역의 인물성이론으로 위정척사에 영향을 주었다.

61 조선후기 화풍에 관한 설명으로 옳지 않은 것은?

① 중국의 화풍을 수용하여 독자적으로 재구성하였다.
② 민중의 기복적 염원과 미의식을 표현한 민화가 발달하였다.
③ 강세황의 작품에서는 서양화법의 영향이 드러난다.
④ 뚜렷한 자아의식을 바탕으로 우리의 자연을 직접 눈으로 보고 사실적으로 그리려는 화풍의 변화가 나타났다.

TIPS!

① 조선전기 화풍의 특징이다.

Answer 60.④ 61.①

62 다음 중 조선후기에 유행한 사상에 관한 설명으로 옳지 않은 것은?

① 굿과 같은 현세구복적인 무속신앙이 유행하였다.
② 말세도래와 왕조교체 등의 내용이 실린 정감록과 같은 비기 · 도참서가 유행하였다.
③ 인내천, 보국안민, 후천개벽을 내세운 동학이 창시되었다.
④ 서학(천주교)은 종교로 수용되어 점차 학문적 연구대상으로 변하였다.

TIPS!
④ 서학은 사신들에 의해 전래되어 문인들의 학문적 호기심에 의해 자발적으로 수용되었다.

63 다음 중 실학자의 주장으로 옳은 것은?

① 이익 – 중상주의 실학자로 상공업의 발달을 강조하였다.
② 박제가 – 절약과 저축의 중요성을 강조하였다.
③ 박지원 – 우서에서 우리나라와 중국의 문물을 비교 · 분석하여 개혁안을 제시하였다.
④ 정약용 – 토지의 공동소유 및 공동경작 등을 통한 집단 농장체제를 주장하였다.

TIPS!
① 이익은 중농주의 실학자로 토지소유의 상한선을 정하여 대토지소유를 막는 한전론을 주장하였다.
② 박제가는 소비와 생산의 관계를 우물물에 비교하면서 검약보다 소비를 권장하였다.
③ 유수원에 관한 설명이다.

64 여말선초의 과학기술 발달에 대한 설명으로 옳지 않은 것은?

① 고려 말에 최무선이 아리바아 상인으로부터 화약제조법을 배웠다.
② 세종 때 우리나라 풍토에 맞는 농업기술서인 농사직설이 편찬되었다.
③ 세종 때 천문관측기구인 대 · 소간의, 천구의인 혼천의, 물시계인 자격루 등이 제작되었다.
④ 고려 말에 서양보다 200여 년이나 앞서 금속활자를 만들어 인쇄를 하였다.

TIPS!
① 최무선은 원나라 상인 이원에게 화약제조법을 배웠다.

Answer 62.④ 63.④ 64.①

65 15세기와 16세기 조선의 미술에 대한 설명으로 옳지 않은 것은?

① 그림은 도화서의 화원들과 문인 선비들의 것으로 나눌 수 있다.
② 이들은 진경산수라는 독자적 화풍을 만들어냈다.
③ 글씨로는 안평대군, 양사언, 한호가 유명하였다.
④ 16세기에는 산수화와 사군자가 유행하였다.

TIPS!

진경산수화는 조선후기의 일이다. 15세기의 화가들은 중국 화풍을 선택적으로 수용하였고, 이는 일본 무로마치시대의 미술에 큰 영향을 주었다.

66 한글 창제에 대한 설명으로 옳지 않은 것은?

① 조선 한자음의 혼란을 방지하기 위해 만들어졌다.
② 피지배층을 도덕적으로 교화시켜 양반중심사회를 운영하는 데 목적이 있었다.
③ 집현전 학자들과 더불어 정음청을 설치하고 한글을 창제하였다.
④ 관리채용에 훈민정음을 시험으로 치르게 하였다.

TIPS!

④ 훈민정음은 서리채용에 시험으로 치러졌다.

67 조선전기 과학기술의 발달에 대한 설명으로 옳지 않은 것은?

① 금속활자인쇄술이 크게 발달하였다.
② 서울을 기준으로 천체운동을 정확히 계산한 칠정산의 달력이 편찬되었다.
③ 농사직설, 금양잡록 등의 농서가 편찬되었다.
④ 과학기술에 대한 높은 관심으로 16세기 이후 과학기술은 더욱 꽃을 피우게 되었다.

TIPS!

16세기 이후 기술경시의 풍조로 과학기술은 침체되기 시작하였다.

Answer 65.② 66.④ 67.④

68 16세기에는 주리론 철학과 주기론 철학이 발달하였다. 그 영향으로 바른 것은?

① 배타적 명분론의 영향으로 정치 참여의 범위가 축소되었다.
② 지나친 도덕주의로 현실적인 부국강병책을 소홀히 하게 되었다.
③ 민본주의의 강조로 민생이 안정되었다.
④ 상공업의 발전을 중시하여 경제가 크게 발전하였다.

TIPS!

② 지나친 철학에의 치중으로 현실을 소홀히 하게 되었다.

69 세종 7년 2월 2일, 왕이 예조를 통해 각 도에 공문을 보내 다음의 내용을 조사하여 춘추관으로 보내도록 지시하였다. 이러한 지시사항들을 토대로 편찬되었으리라고 추정되는 것은?

- 여러 섬의 수륙교통의 원근과 인물 및 농토의 유무
- 영(營), 진(鎭)을 설치한 곳과 군정(軍丁), 전함(戰艦)의 수
- 온천, 얼음굴, 동굴, 염전(소금밭), 철광, 목장, 양마의 유무
- 각 도 · 읍의 역대 명칭과 연혁, 주 · 부 · 군 · 현 · 향 · 소 · 부곡의 설치와 이합에 관한 사실

① 택리지 ② 동국여지승람
③ 조선방역지도 ④ 동국지리지

TIPS!

② 동국여지승람은 세종 때 편찬된 최초의 인문지리서인 팔도지리지에 인문에 관한 내용을 자세히 추가한 현존하는 최초의 인문지리서이다.

Answer 68.② 69.②

70 다음과 같은 문학과 예술이 등장하게 된 배경으로 옳은 것은?

> 서민들의 감정을 솔직하게 나타내는 경향의 판소리와 사설시조가 등장하였으며, 양반의 허구를 폭로하고 현실에 대한 비판을 하였다.

① 상업 발달에 따른 상인문화가 발달하였다.
② 성리학이 현실문제 해결능력을 잃어버렸기 때문이다.
③ 서민의 사회 · 경제적 지위가 향상되었다.
④ 인간의 심성을 중시하고 이상주의적 성격이 강하였다.

조선후기 서당교육이 보급되고 서민의 경제적 · 사회적 지위가 향상됨에 따라 서민문화가 대두하였다.

Answer 70.③

근현대사의 이해

section 1 국제 질서의 변동과 근대 국가 수립 운동

1. 제국주의 열강의 침략과 조선의 대응

(1) 흥선대원군의 개혁 정치

① 흥선 대원군 집권 당시 국내외 정세

㉠ 국내 정세 : 세도 정치의 폐단→삼정의 문란으로 인한 전국적 농민 봉기 발생, 평등사상 확산(천주교, 동학)

㉡ 국외 정세 : 제국주의 열강의 침략적 접근→이양선 출몰, 프랑스, 미국 등 서구열강의 통상 요구

② 흥선 대원군의 내정 개혁

㉠ 목표 : 세도정치 폐단 시정→전제 왕권 강화, 민생 안정

㉡ 정치 개혁

- 세도 정치 타파 : 안동 김씨 세력의 영향력 축소, 당파와 신분을 가리지 않고 능력별 인재 등용
- 관제 개혁 : 비변사 기능 축소(이후 철폐)→의정부와 삼군부의 기능 부활
- 법전 편찬 : 통치 체제 재정비→'대전회통', '육전조례'

㉢ 경복궁 중건 : 왕실의 권위 회복→재원 조달을 위해 원납전 강제 징수, 당백전 발행, 부역 노동 강화, 양반 묘지림 벌목

- 결과 : 물가 폭등(당백전 남발), 부역 노동 강화로 인한 민심 악화 등으로 양반과 백성 반발 초래

③ 민생 안정을 위한 노력

㉠ 서원 철폐 : 지방 양반세력의 근거지로서 면세 혜택 부여→국가 재정 악화 문제 초래, 백성 수탈 심화

- 전국의 서원 중 47개소만 남기고 모두 철폐→양반층 반발, 국가 재정 확충에 기여

㉡ 수취 체제의 개편 : 삼정의 문란 시정
- 전정 : 양전 사업 시행 → 은결을 찾아내어 조세 부과, 불법적 토지 겸병 금지
- 군정 : 호포제(호 단위로 군포 징수) 실시 → 양반에게 군포 징수
- 환곡 : 사창제 실시, 마을(里) 단위로 사창 설치 → 지방관과 아전의 횡포 방지

| 기출예제 01 2019. 4. 6. 소방공무원

다음 상소문이 작성된 배경으로 옳은 것은?

> 장령(掌令) 최익현이 올린 상소의 대략은 이러하였다.
> - 첫째는 토목 공사를 중지하는 일입니다.
> - 둘째는 백성들에게 세금을 가혹하게 거두는 정사를 그만두는 것입니다.
> - 셋째는 당백전을 혁파하는 것입니다.
> - 넷째는 문세(門稅)를 받는 것을 금지하는 것입니다.

① 경복궁을 중건하였다.
② 조선책략이 유포되었다.
③ 군국기무처가 설치되었다.
④ 조청 상민 수륙 무역 장정이 체결되었다.

✱

흥선대원군은 고종이 집권하자 세도가문을 약화시키고 왕권을 강화하기 위해 비변사 기능 축소, 의정부와 삼군부 기능 강화, 서원 철폐, 경복궁 중건을 단행하였다. 경복궁 중건(1865) 과정에서 부족한 재원과 노동력을 충당하기 위해 당백전 발행, 백성의 부역 노동을 강화하였고 이는 지배층과 피지배층 모두의 반발을 초래하기도 하였다.
② 2차 수신사로 파견된 김홍집이 도입 ③ 1차 갑오개혁 ④ 조선책략의 유포 이후 체결

답 ①

(2) 통상 수교 거부 정책과 양요

① 배경 … 서구 열강의 통상 요구, 러시아가 청으로부터 연해주 획득, 천주교 교세 확장 → 열강에 대한 경계심 고조

② 병인양요(1866)
㉠ 배경 : 프랑스 선교사의 국내 활동(천주교 확산), 흥선 대원군이 프랑스를 이용하여 러시아를 견제하려 하였으나 실패 → 병인박해(1866)로 천주교 탄압
㉡ 전개 : 병인박해를 계기로 로즈 제독이 이끄는 프랑스 함대가 강화도 침략 → 문수산성(한성근), 정족산성(양헌수) 전투에서 프랑스군에 항전
㉢ 결과 : 프랑스군은 외규장각 도서를 비롯한 각종 문화재 약탈

③ 오페르트 도굴 사건(1868)
㉠ 배경 : 독일 상인 오페르트의 통상 요구를 조선이 거절
㉡ 전개 : 오페르트 일행이 흥선 대원군 아버지 묘인 남연군 묘 도굴을 시도하였으나 실패
㉢ 결과 : 서양에 대한 반감 고조, 조선의 통상 수교 거부 정책 강화

④ 신미양요(1871)

㉠ 배경 : 평양(대동강)에서 미국 상선 제너널 셔먼호의 통상 요구 → 평안도 관찰사 박규수의 통상 거부 → 미국 선원들의 약탈 및 살상 발생 → 평양 군민들이 제너럴 셔먼호를 불태움

㉡ 전개 : 미국이 제너럴 셔먼호을 계기로 배상금 지불, 통상 수교 요구 → 조선 정부 거부 → 미국 함대의 강화도 침략 → 초지진, 덕진진 점령 → 광성보 전투(어재연) → 미군 퇴각(어재연 수(帥)자기 약탈)

㉢ 결과 : 흥선 대원군은 전국에 척화비 건립 (통상 수교 거부 의지 강화)

2. 문호 개방과 근대적 개화 정책의 추진

(1) 조선의 문호 개방과 불평등 조약 체결

① 통상 개화론의 대두와 흥선 대원군의 하야

㉠ 통상 개화론 : 북학파 실학 사상 계승 → 박규수, 오경석, 유홍기 등이 문호 개방과 서양과의 교류 주장 → 개화파에 영향 : 통상 개화론의 영향을 받아 급진 개화파(김옥균, 박영효, 홍영식, 서광범 등), 온건 개화파(김홍집, 김윤식, 어윤중 등)로 분화

- 온건개화파 : 점진적 개혁 추구 (청의 양무운동 모방) → 동도서기론 주장
- 급진개화화 : 급진적 개혁 추구 (일본의 메이지유신 모방) → 문명개화론 주장, 갑신정변을 일으킴

㉡ 흥선 대원군 하야 : 고종이 친정을 실시하며 통상 수교 거부 정책 완화

② 강화도 조약(1876, 조 · 일수호 조규)

㉠ 배경 : 일본의 정한론(조선 침략론) 대두와 운요호 사건(1875)

㉡ 내용 : 외국과 체결한 최초의 근대적 조약, 불평등 조약

- '조선은 자주국' : 조선에 대한 청의 종주권 부정, 일본의 영향력 강화
- '부산 이외에 2개 항구 개항' : 경제적, 군사적, 정치적 목적을 위해 각각 부산, 원산, 인천항 개항
- '해안 측량권 허용 및 영사 재판권(치외법권) 인정' : 불평등 조약

㉢ 부속 조약

- 조 · 일 수호 조규 부록 : 개항장에서 일본 화폐 사용, 일본인 거류지 설정(간행이정 10리)을 규정
- 조 · 일 무역 규칙 : 양곡의 무제한 유출 허용, 일본 상품에 대한 무관세 적용

③ 서구 열강과의 조약 체결

㉠ 조 · 미 수호 통상 조약(1882) : 제2차 수신사로 파견된 김홍집이 황준헌의 '조선책략' 유입 · 유포, 청의 알선

- 내용 : 치외 법권(영사 재판권)과 최혜국 대우 인정, 수출입 상품에 대한 관세 부과, 거중 조정
- 성격 : 서양과 맺은 최초의 조약이자 불평등 조약
- 영향 : 미국에 보빙사 파견, 다른 서구 열강과 조약 체결에 영향

㉡ 다른 서구 열강과의 조약 체결 : 영국(1882), 독일(1882), 러시아(1884), 프랑스(1886)
- 성격 : 최혜국 대우 등을 인정한 불평등 조약

(2) 개화 정책의 추진

① 외교 사절단 파견

㉠ 수신사 : 일본에 외교 사절단 파견 → 제1차 김기수(1876), 제2차 김홍집(1880) 파견

㉡ 조사시찰단(1881) : 일본의 근대 문물 시찰, 개화 정책에 대한 정보 수집을 목적으로 파견 – 비밀리에 파견(박정양, 어윤중, 홍영식)

㉢ 영선사(1881) : 청의 근대 무기 제조술 습득을 목적으로 파견(김윤식) → 귀국 후 기기창 설치

㉣ 보빙사(1883) : 조미수호통상조약 체결 후 미국 시찰 → 민영익, 홍영식, 유길준 등

② 정부의 개화 정책

㉠ 통리기무아문(1880) 및 12사 설치 : 개화 정책 총괄

㉡ 군제 개편 : 신식 군대인 별기군 창설(일본인 교관 초빙), 구식 군대인 5군영은 2영(무위영, 장어영)으로 개편

㉢ 근대 시설 : 기기창(근대 신식 무기 제조), 박문국(한성순보 발행), 전환국(화폐 발행), 우정총국(우편)

(3) 개화 정책에 대한 반발

① 위정척사 운동의 전개 … 성리학적 질서를 회복하고 서양 문물의 유입 반대 → 양반 유생 중심(반외세)

㉠ 통상 반대 운동(1860년대) : 서구 열강의 통상 요구 거부 → 이항로, 기정진 등

㉡ 개항 반대 운동(1870년대) : 강화도 조약 체결을 전후로 개항 반대 주장 → 최익현(왜양일체론 주장)

㉢ 개화 반대 운동(1880년대) : '조선책략' 유포 반대, 미국과의 수교 거부(영남만인소) → 이만손, 홍재학

㉣ 항일 의병 운동(1890년대) : 을미사변, 단발령(을미개혁)에 반발 → 유인석, 이소응 등

② 임오군란(1882) … 반외세, 반정부 운동

㉠ 배경 : 개항 이후 일본으로의 곡물 유출로 물가가 폭등하여 민생 불안정, 구식군인에 대한 차별대우

㉡ 전개 : 구식 군인의 봉기, 도시 빈민 합세 → 별기군 일본 교관 살해, 일본 공사관과 궁궐 습격 → 명성 황후 피신 → 흥선대원군의 재집권(신식 군대 및 개화 기구 폐지) → 청군 개입(흥선 대원군을 청으로 납치) → 민씨 정권 재집권(친청 정권 수립)

㉢ 결과
- 제물포 조약 체결(1882) : 일본에 배상금 지불, 일본 공사관 경비를 위해 일본군의 조선 주둔 허용
- 청의 내정 간섭 심화 : 청군의 주둔 허용, 청의 고문 파견(마건상과 묄렌도르프)
- 조 · 청 상민 수륙 무역 장정 체결(1882) : 청 상인의 내지 통상권 허용 → 청의 경제적 침투 강화

(4) 갑신정변(1884)

① 배경 … 친청 정권 수립과 청의 내정 간섭 심화로 개화 정책 후퇴, 급진 개화파 입지 축소, 청·프 전쟁

② 전개 … 급진 개화파가가 우정총국 개국 축하연에 정변 일으킴 → 민씨 고관 살해 → 개화당 정부 수립 → 14개조 개혁 정강 발표 → 청군의 개입으로 3일만에 실패 → 김옥균, 박영효는 일본 망명

③ 갑신정변 14개조 개혁 정강 … 위로부터의 개혁

㉠ 정치적 개혁 : 친청 사대 정책 타파, 내각 중심의 정치 → 입헌 군주제 지향

㉡ 경제적 개혁 : 모든 재정의 호조 관할(재정 일원화), 지조법(토지세) 개정, 혜상공국 혁파, 환곡제 개혁

㉢ 사회적 개혁 : 문벌 폐지, 인민 평등권 확립, 능력에 따른 인재 등용 → 신분제 타파 주장

④ 결과

㉠ 청의 내정 간섭 심화, 개화 세력 약화, 민씨 재집권

㉡ 한성 조약(1884) : 일본인 피살에 대한 배상금 지불, 일본 공사관 신축 비용 부담

㉢ 톈진 조약(1884) : 한반도에서 청·일 양국 군대의 공동 출병 및 공동 철수 규정

⑤ 의의와 한계

㉠ 의의 : 근대 국가 수립을 위한 최초의 근대적 정치·사회 개혁 운동

㉡ 한계 : 급진 개화파의 지나친 일본 의존적 성향과 토지 개혁의 부재 등으로 민중 지지 기반 결여

(5) 갑신정변 이후의 국내외 정세

① 거문도 사건(1885~1887) … 갑신정변 이후 청 견제를 위해 조선이 러시아와 비밀리에 교섭 진행 → 러시아 견제를 위해 영국이 거문도 불법 점령 → 청 중재로 영국군 철수

② 한반도 중립화론 … 한반도를 둘러싼 열강의 대립이 격화되자 이를 막기 위해 조선 중립화론 제시 → 독일 영사 부들러와 유길준에 의해 제시

3. 구국 운동과 근대 국가 수립 운동의 전개

(1) 동학 농민 운동

① 농촌 사회의 동요 … 지배층의 농민 수탈 심화, 일본의 경제 침탈로 곡가 상승, 수공업 타격(면직물 수입)

② 동학의 교세 확장 및 교조 신원 운동

㉠ 동학의 교세 확장 : 교리 정비(동경대전, 용담유사), 교단 조직(포접제)

㉡ 교조 신원 운동 : 교조 최제우의 억울한 누명을 풀고 동학의 합법화 주장

- 전개 : 삼례집회(1892) → 서울 복합 상소(1893) → 보은 집회(1893)
- 성격 : 종교적 운동 → 정치적, 사회적 운동으로 발전(외세 배척, 탐관오리 숙청 주장)

③ 동학 농민 운동의 전개

㉠ 고부 농민 봉기 : 고부 군수 조병갑의 횡포(만석보 사건) → 전봉준 봉기(사발통문) → 고부 관아 점령 및 만석보 파괴 → 후임 군수 박원명의 회유로 농민 자진 해산 → 안핵사 이용태 파견

㉡ 제1차 봉기 : 안핵사 이용태의 농민 탄압 → 동학 농민군 재봉기하여 고부 재점령

- 백산 집결 : 동학 농민군이 보국안민, 제폭구민의 기치를 걸고 격문 발표, 호남 창의소 설치 → 이후 황토현, 황룡촌 전투에서 관군 격파 → 전주성 점령(폐정개혁안 12개조 요구)
- 전주 화약 체결 : 정부는 청에 군사 요청 → 청 · 일 양군 출병(톈진조약) → 전주 화약 체결(집강소 설치)

㉢ 제2차 봉기 : 전주 화약 체결 후 정부는 청일 양군의 철수 요구 → 일본이 거부하고 경복궁 무단 점령(청일전쟁)

- 삼례 재봉기 : 일본군 축출을 위해 동학 농민군 재봉기 → 남접(전봉준)과 북접(손병희) 합세하여 서울로 북상
- 우금치 전투(공주) : 관군과 일본군의 화력에 열세 → 동학 농민군 패배, 전봉준을 비롯한 지도부 체포

④ 동학 농민 운동의 의의와 한계

㉠ 의의 : 반봉건 운동(신분제 폐지, 악습 철폐 요구), 반외세 운동(일본 및 서양 침략 반대) → 이후 동학 농민군의 일부 요구가 갑오개혁에 반영, 잔여 세력 일부는 항일 의병 운동에 가담

㉡ 한계 : 근대 사회 건설을 위한 구체적인 방안을 제시하지 못함

기출예제 02 2019. 4. 6. 소방공무원

(가)에 들어갈 내용으로 적절한 것은?

〈동학 농민 운동의 전개 과정〉

백산에서 격문을 발표하고, 황토현에서 관군에 승리하였다.
⇩
전주성을 점령하고, 관군과 화약을 체결하였다.
⇩
(가)
⇩
우금치에서 관군과 일본군에게 패하였다.

① 을미사변에 반발하여 의병을 일으켰다.
② 집강소를 설치하고 폐정 개혁을 추진하였다.
③ 조병갑의 탐학에 맞서 고부 관아를 습격하였다.
④ 우정총국 개국 축하연을 이용하여 정변을 일으켰다.

*

동학농민운동은 1894년 고부민란에서 시작되었다. 고부 군수 조병갑의 횡포에 저항하여 전봉준을 중심으로 한 농민세력의 반발로 일어났고, 이에 정부는 안핵사 이용태를 파견하여 진상 조사를 하였지만 제대로 이루어지지 않았다. 동학농민군은 다시 백산에서 재봉기하여 관군을 상대로 황토현 전투에서 승리하여 전주성을 점령하였다. 전주성 점령 이후 폐정개혁안 12개조를 요구하였으나 이를 전부 관철하지는 못하고 정부와 전주화약을 체결하였다. 이 과정에서 농민 자치 기구인 집강소가 설치되었다. 그 사이 일본이 경복궁을 무단으로 점령하자 동학 남접과 북접은 논산에 집결하여 일본군을 몰아내기 위해 서울로 진격하던 중 공주 우금치 전투에서 일본군에게 패배하여 동학농민운동은 실패로 끝나고 말았다.

① 을미의병(1895)

③ 고부민란

④ 갑신정변(1884)

답 ②

(2) 갑오 · 을미개혁

① 배경 … 갑신정변 및 동학 농민 운동 이후 내정 개혁의 필요성 대두 → 교정청(자주적 개혁) 설치(1894. 6.)

② 제1차 갑오개혁 … 일본군의 경복궁 무단 점령, 개혁 강요 → 제1차 김홍집 내각 수립(민씨 정권 붕괴, 흥선대원군 섭정), 군국기무처 설치

㉠ 정치 : 왕실 사무(궁내부)와 국정 사무(의정부) 분리, 6조를 8아문으로 개편, 과거제 폐지 등

㉡ 경제 : 탁지아문으로 재정 일원화, 은 본위 화폐제 채택, 도량형 통일, 조세 금납화 시행

㉢ 사회 : 신분제 철폐(공사 노비제 혁파), 봉건적 악습 타파(조혼 금지, 과부 재가 허용), 고문 및 연좌제 폐지

③ 제2차 갑오개혁 … 청 · 일 전쟁에서 일본의 승세로 내정 간섭 강화 → 제2차 김홍집 · 박영효 연립 내각 수립(흥선대원군 퇴진, 군국기무처 폐지, 홍범 14조 반포)

㉠ 정치 : 내각 제도 실시(의정부), 8아문을 7부로 개편, 지방 행정 체계 개편(8도 → 23부), 지방관 권한 축소, 재판소 설치(사법권을 행정권에서 분리)

㉡ 군사 : 훈련대와 시위대 설치

㉢ 교육 : 교육입국 조서 반포, 신학제(한성 사범 학교 관제, 소학교 관제, 외국어 학교 관제) 마련

④ 을미개혁(제3차 갑오개혁)

㉠ 배경 : 청 · 일 전쟁에서 일본이 승리 → 일본의 랴오둥반도 차지(시모노세키 조약) → 러시아 주도의 삼국간섭 → 랴오둥반도 반환 → 조선에서는 친러내각 수립 → 을미사변(명성황후 시해) → 김홍집 내각 수립

㉡ 주요 개혁 내용

- 정치 : '건양' 연호 사용
- 군사 : 시위대(왕실 호위), 친위대(중앙), 진위대(지방) 설치
- 사회 : 태양력 사용, 소학교 설치, 우체사 설립(우편 제도), 단발령 실시

㉢ 결과 : 아관파천(1896) 직후 개혁 중단 → 김홍집 체포 및 군중에 피살

⑤ 갑오개혁의 의의와 한계

㉠ 의의 : 갑신정변과 동학 농민 운동의 요구 반영(신분제 철폐), 여러 분야에 걸친 근대적 개혁

㉡ 한계 : 일본의 강요에 의해 추진, 일본의 조선 침략을 용이하게 함, 국방력 강화 개혁 소홀

(3) 독립 협회

① 독립 협회의 창립

㉠ 배경 : 아관파천 직후 러시아를 비롯한 열강의 이권 침탈 가속화, 러 · 일의 대립 격화

㉡ 과정 : 미국에서 귀국한 서재필이 독립신문 창간 → 이후 독립문 건립을 명분으로 독립 협회 창립(1896)

② 독립 협회 활동 … 자주 국권, 자유 민권, 자강 개혁 운동을 통해 민중 계몽 → 강연회 · 토론회 개최

㉠ 자주 국권 운동 : 고종 환궁 요구, 러시아의 절영도 조차 저지 및 열강 이권 침탈 저지(만민 공동회 개최)

㉡ 자유 민권 운동 : 언론 · 출판 · 집회 · 결사의 자유 주장

㉢ 자강 개혁 운동 : 헌의 6조 결의(관민 공동회 개최), 의회 설립 운동 전개(중추원 관제 개편)

③ 독립 협회 해산 … 보수 세력 반발(독립 협회가 공화정 도모한다고 모함) → 고종 해산 명령 → 황국협회의 만민공동회 습격

④ 의의와 한계 … 열강의 침략으로부터 국권 수호 노력

㉠ 의의 : 민중 계몽을 통한 국권 수호와 민권 신장에 기여

㉡ 한계 : 열강의 침략적 의도를 제대로 파악하지 못함, 외세 배척이 러시아에 한정

(4) 대한제국(1897～1910)

① 대한 제국 수립 … 아관파천으로 국가적 위신 손상 → 고종의 환궁 요구 여론 고조 → 고종이 경운궁으로 환궁

㉠ 대한제국 선포 : 연호를 '광무'로 제정 → 환구단에서 황제 즉위식 거행, 국호를 '대한제국'으로 선포

㉡ 대한국 국제 반포(1899) : 황제의 무한 군주권(전제 군주제) 규정

② 광무개혁 … 구본신참(舊本新參)의 원칙에 따른 점진적 개혁 추구

㉠ 내용

- 정치 : 황제권 강화(대한국 국제)
- 군사 : 원수부 실치(황제가 직접 군대 통솔), 시위대 · 진위대 증강
- 경제 : 양전 사업 추진(토지 소유자에게 지계 발급), 식산흥업(근대적 공장과 회사 설립), 금본위 화폐제
- 교육 : 실업 학교 설립(상공 학교, 광무 학교), 기술 교육 강조, 해외에 유학생 파견
- 사회 : 근대 시설 도입(전차 · 철도 부설, 전화 가설 등 교통 · 통신 시설 확충)

㉡ 의의와 한계
- 의의 : 자주독립과 상공업 진흥 등 근대화를 지향한 자주적 개혁
- 한계 : 집권층의 보수적 성향, 열강의 간섭 등으로 개혁 성과 미흡

4. 일제의 국권 침탈과 국권 수호 운동

(1) 일제의 침략과 국권 피탈

① 러 · 일 전쟁(1904)과 일본의 침략

㉠ 한반도를 둘러싼 러 · 일 대립 격화 : 제1차 영 · 일동맹(1902), 러시아의 용암포 조차 사건(1903)

㉡ 러 · 일 전쟁(1904. 2) : 대한제국 국외 중립 선언→일본이 러시아를 선제 공격

㉢ 일본의 한반도 침략
- 한 · 일 의정서(1904. 2) : 한반도의 군사적 요충지를 일본이 임의로 사용 가능
- 제1차 한 · 일 협약(1904. 8.) : 고문 정치 실시 (외교 고문 美. 스티븐스, 재정 고문 日.메가타 파견)

㉣ 일본의 한국 지배에 대한 열강의 인정
- 가쓰라 · 태프트 밀약(1905. 7.) : 일본은 미국의 필리핀 지배 인정, 미국은 일본의 한국 지배를 인정
- 제2차 영 · 일 동맹(1905. 8.) : 일본은 영국의 인도 지배 인정, 영국은 일본의 한국 지배를 인정

㉤ 포츠머스 조약 체결(1905. 9) : 러 · 일 전쟁에서 일본 승리→일본의 한국 지배권 인정

② 일제의 국권 침탈

㉠ 을사늑약(제2차 한일협약. 1905. 11) : 통감 정치 실시
- 내용 : 통감부 설치(대한제국 외교권 박탈), 초대 통감으로 이토 히로부미 부임
- 고종의 대응 : 조약 무효 선언, 미국에 헐버트 파견, 헤이그 특사 파견(이준, 이상설, 이위종. 1907)
- 민족의 저항 : 민영환과 황현의 자결, 장지연의 '시일야방성대곡'(황성신문), 오적 암살단 조직(나철, 오기호), 스티븐스 저격(장인환 · 전명운. 1908), 안중근의 이토 히로부미 처단(1909)

㉡ 한 · 일 신협약(정미 7조약, 1907. 7) : 차관 정치 실시
- 배경 : 헤이그 특사 파견→고종의 강제 퇴위, 순종 즉위
- 내용 : 행정 각 부처에 일본인 차관 임명, 대한 제국 군대 해산(부속 각서)→이후 기유각서(1909) 체결

㉢ 한국 병합 조약(1910. 8) : 친일 단체(일진회 등)의 합방 청원→병합조약 체결→조선 총독부 설치

| 기출예제 03 2019. 4. 6. 소방공무원

밑줄 친 '그'에 대한 설명으로 옳은 것은?

> 그는 을사조약이 체결되자 조약의 무효를 주장하는 상소를 올렸다. 1906년에는 이동녕 등과 함께 간도 용정촌에 서전서숙을 설립하여 항일 민족정신을 높이기 위해 온 힘을 다하였다. 1907년 이준, 이위종 등과 함께 고종의 특사로 헤이그 만국 평화 회의에 참석하려다가 일본의 방해로 좌절되었다. 이 사건으로 국내에서는 궐석 재판이 진행되어 사형이 선고되었다.

① 물산 장려 운동에 적극 참여하였다.
② 조선 건국 준비 위원회를 조직하였다.
③ 연해주에서 대한 광복군 정부 수립을 주도하였다.
④ 국민 대표 회의에서 새로운 정부 수립을 주장하였다.

✱

1905년 외교권이 박탈당한 을사조약이 체결되자 고종은 이의 부당함을 세계에 알리고자 이준, 이상설, 이위종을 헤이그 2차 만국 평화 회의에 밀사로 파견하였다. 하지만 대한제국의 주장은 수용되지 않았고 비밀리에 파견한 헤이그 특사의 정체가 탄로나자 일제는 고종을 강제 퇴위시켰다. 이후 이상설은 연해주에서 성명회와 대한 광복군 정부 수립을 주도하였다.
① 조만식 ② 여운형 ④ 신채호

답 ③

(2) 항일 의병 운동

① 을미의병 … 을미사변, 단발령 실시(1895)를 계기로 발생
- ㉠ 중심세력 : 유인석, 이소응 등의 양반 유생층
- ㉡ 활동 : 친일 관리 처단, 지방 관청과 일본 거류민, 일본군 공격
- ㉢ 결과 : 아관 파천 이후 고종이 단발령 철회, 의병 해산 권고 조칙 발표→자진 해산→일부는 활빈당 조직

② 을사의병 … 을사늑약 체결(1905)에 반발하며 발생, 평민 출신 의병장 등장
- ㉠ 중심세력 : 최익현 · 민종식(양반 유생), 신돌석(평민 출신) 등
- ㉡ 활동 : 전북 태인에서 거병(최익현), 홍주성 점령(민종식), 태백산 일대 평해 · 울진에서 활양(신돌석)

③ 정미의병 … 고종의 강제 퇴위, 대한 제국의 군대 해산(1907)을 계기로 발생
- ㉠ 특징 : 해산 군인의 가담으로 의병의 전투력 강화(의병 전쟁), 각국 영사관에 국제법상 교전 단체로 인정할 것 요구
- ㉡ 13도 창의군 결성(총대장 이인영, 군사장 허위) : 서울 진공 작전 전개(1908)→일본군에 패배

③ 호남 의병 … 13도 창의군 해산 이후 호남 지역이 의병 중심지로 부상→일제의 '남한 대토벌 작전'(1909)으로 위축

④ 의병 운동의 의의와 한계

㉠ 의의 : '남한 대토벌 작전' 이후 만주와 연해주 등지로 이동하여 무장 독립 투쟁 계승

㉡ 한계 : 양반 유생 출신 의병장의 봉건적 신분 의식의 잔존으로 세력 약화

(3) 애국 계몽 운동

① 성격 … 사회진화론의 영향(약육강식) → 점진적 실력 양성(교육, 식산흥업)을 통한 국권 수호 추구

② 애국 계몽 운동 단체

㉠ 보안회(1904) : 일제의 황무지 개간권 요구 반대 운동 전개 → 성공

㉡ 헌정 연구회(1905) : 의회 설립을 통한 입헌 군주제 수립 추구 → 일제의 탄압

㉢ 대한 자강회(1906) : 헌정 연구회 계승, 전국에 지회 설치 → 고종 강제 퇴위 반대 운동 전개

㉣ 신민회(1907)

- 조직 : 안창호, 양기탁 등을 중심으로 공화정에 입각한 근대 국가 설립을 목표로 비밀 결사 형태로 조직
- 활동 : 학교 설립(오산 학교, 대성 학교), 민족 산업 육성(태극 서관, 자기 회사 운영), 국외 독립운동 기지 건설(남만주 삼원보에 신흥 강습소 설립)
- 해체 : 일제가 조작한 105인 사건으로 와해(1911)

㉤ 언론 활동 : 대한매일신보, 황성신문 등이 일제 침략 비판, 국채 보상 운동 지원

③ 의의와 한계

㉠ 의의 : 국민의 애국심 고취와 근대 의식 각성, 식산흥업을 통한 경제 자립 추구, 민족 운동 기반 확대

㉡ 한계 : 실력 양성(교육, 식산흥업)에만 주력, 의병 투쟁에 비판적인 태도를 취함

(4) 독도와 간도

① 독도

㉠ 역사적 연원 : 신라 지증왕 때 이사부가 우산국 복속, 조선 숙종 때 안용복이 우리 영토임을 확인

㉡ 대한 제국 칙령 제41호(1900) : 울릉도를 울도군으로 승격, 독도가 우리 영토임을 선포

㉢ 일제의 강탈 : 러 · 일 전쟁 중 일본이 불법적으로 편입(시네마 현 고시 제 40호. 1905)

② 간도 … 백두산정계비문(1712)의 토문강 해석에 대한 조선과 청 사이의 이견 발생으로 영유권 분쟁 발생

㉠ 대한 제국의 대응 : 이범윤을 간도 관리사로 임명, 간도를 함경도 행정 구역으로 편입

㉡ 간도 협약(1909) : 남만주 철도 부설권을 얻는 대가로 일제가 간도를 청의 영토로 인정

5. 개항 이후 경제 · 사회 · 문화의 변화

(1) 열강의 경제 침탈

① 청과 일본의 경제 침탈

㉠ 개항 초 일본의 무역 독점 : 강화도 조약 및 부속 조약
- 치외 법권, 일본 화폐 사용, 무관세 무역 등의 특혜 독점
- 거류지 무역 : 개항장 10리 이내로 제한 → 조선 중개 상인 활약(객주, 여각, 보부상 등)
- 중계 무역 : 영국산 면제품 수입, 쌀 수출(미면 교환 경제) → 곡가 폭등, 조선 가내 수공업 몰락

㉡ 일본과 청의 무역 경쟁 : 임오군란 이후 청 상인의 조선 진출 본격화 → 청 · 일 상권 경쟁 심화
- 조 · 청 상민 수륙 무역 장정(1882) : 청 상인의 내지 통상권 허용(양화진과 한성에 상점 개설)
- 조 · 일 통상 장정(1883) : 조 · 일 무역 규칙 개정, 관세권 설정, 방곡령 규정, 최혜국 대우 인정

② 제국주의 열강의 이권 침탈

㉠ 배경 : 아관 파천 이후 열강이 최혜국 대우 규정을 내세워 각종 분야(삼림, 광산, 철도 등)에서 이권 침탈

㉡ 일본의 재정 및 금융 지배
- 재정 지배 : 차관 강요(시설 개선 등의 명목)를 통한 대한 제국 재정의 예속화 시도
- 금융 지배 : 일본 제일 은행 설치(서울, 인천 등)
- 화폐 정리 사업(1905) : 백동화를 일본 제일 은행권으로 교환(재정 고문 메가타 주도) → 민족 자본 몰락

㉢ 일본의 토지 약탈 : 철도 부지와 군용지 확보를 위해 조선의 토지 매입, 동양 척식 주식회사 설립(1908)

(2) 경제적 구국 운동

① 방곡령 선포(1889~1890) … 일본으로의 곡물 유출 심화로 곡가 폭등, 농민 경제 악화

㉠ 과정 : 함경도, 황해도 등지의 지방관이 방곡령을 선포함(조 · 일 통상 장정 근거)

㉡ 결과 : 일본이 '1개월 전 통보' 규정 위반을 빌미로 방곡령 철회 요구 → 방곡령 철회, 일본에 배상금 지불

② 상권 수호 운동 … 열강의 내지 진출 이후 국내 상권 위축

㉠ 시전 상인 : 일본과 청 상인의 시전 철수 요구, 황국 중앙 총상회 조직(1898)

㉡ 객주, 보부상 : 상회사 설립 → 대동 상회, 장통 상회 등

㉢ 민족 자본, 기업 육성 : 민족 은행과 회사를 설립(조선 은행 등) → 1890년대 이후

③ 이권 수호 운동

㉠ 독립 협회 : 만민 공동회 개최 → 러시아의 절영도 조차 요구 저지, 한 · 러 은행 폐쇄

㉡ 황무지 개간권 요구 반대 운동(1904) : 일제의 황무지 개간권 요구 압력에 반대 → 농광 회사, 보안회 설립

④ 국채 보상 운동(1907) … 일본의 차관 강요에 의한 대한 제국 재정의 일본 예속 심화
 ㉠ 과정 : 대구에서 시작(서상돈 중심) → 국채 보상 기성회 설립(서울) → 대한매일신보 후원
 ㉡ 결과 : 전국적인 금주, 금연, 가락지 모으기 운동으로 확산 → 통감부의 탄압과 방해로 실패함

(3) 근대 시설과 문물의 수용

① 근대 시설의 도입
 ㉠ 교통 : 전차(서대문~청량리. 1889), 경인선(1899)을 시작으로 철도 부설(경부선 1905, 경의선 1906)
 ㉡ 통신 : 우편(우정총국. 1884), 전신(1885), 전화(경운궁. 1898)
 ㉢ 전기 : 경복궁에 전등 설치(1887), 한성 전기 회사 설립(1898)
 ㉣ 의료 : 광혜원(제중원으로 개칭. 1885), 세브란스 병원(1904), 대한의원(1907)
 ㉤ 서양식 건축물 : 독립문(1896), 명동성당(1898), 덕수궁 석조전(1910) 등이 만들어짐

② 언론 활동 … 일제의 신문지법(1907) 제정 이전까지 활발한 활동
 ㉠ 한성순보(1883) : 최초의 신문으로 관보의 성격(정부 정책 홍보)을 지님 → 순한문, 박문국에서 발행
 ㉡ 독립신문(1896) : 독립협회가 발간한 최초의 민간 사설 신문 → 한글판, 영문판 발행
 ㉢ 제국신문(1898) : 서민층과 부녀자 대상으로 한 계몽적 성격의 신문 → 순한글
 ㉣ 황성신문(1898) : 양반 지식인을 대상으로 간행, 장지연의 '시일야방성대곡' 게재 → 국한문 혼용
 ㉤ 대한매일신보(1904) : 영국인 베델과 양기탁의 공동 운영, 일제의 국권 침탈 비판 → 순한글

③ 교육 기관
 ㉠ 1880년대 : 원산 학사(최초의 근대 학교. 덕원 주민), 동문학(외국어 교육), 육영 공원(근대적 관립 학교)
 ㉡ 1890년대 : 갑오개혁(교육입국조서 반포, 한성사범학교, 소학교 설립), 대한제국(각종 관립학교 설립)
 ㉢ 1900년대 : 사립 학교 설립 → 개신교(배재학당, 이화학당, 숭실학교), 민족지사(대성학교, 오산학교 등)

2019. 4. 6. 소방공무원

(가) 신문에 대한 설명으로 옳은 것은?

> 영국인 베델이 서울에 신문사를 창설하여 이를 [(가)](이)라고 하고, 박은식을 주필로 맞이하였다. …(중략)… 각 신문사에서도 의병들을 폭도나 비류(匪類)로 칭하였지만 오직 [(가)]은/는 의병으로 칭하며, 그 논설도 조금도 굴하지 않고 일본인의 악행을 게재하여 들으면 들은 대로 모두 폭로하였다. 그러므로 사람들은 모두 그 신문을 구독하여 한때 그 신문은 품귀상태에까지 이르렀고, 1년도 못 되어 매일 간행되는 신문이 7천~8천 장이나 되었다.
>
> – 매천야록 –

① 박문국에서 인쇄하였다.
② 국채 보상 운동을 지원하였다.
③ 우리나라 최초의 민간 신문이었다.
④ 대한민국 임시 정부의 기관지 역할을 하였다.

*

영국인 베델과 양기탁이 공동 운영한 대한매일신보이다. 한글과 영문판으로 간행되었으며 영국인 베델 때문에 일제의 신문지법(1907)이 제정되었을 때에도 폐간되지 않았던 민족 신문이다. 하지만 이듬해 신문지법이 개정되면서 폐간되었으나 폐간 직전까지 신민회의 기관지로의 역할을 수행하였으며 국채보상운동을 지원하기도 하였다.
① 한성순보(1883) ③ 독립신문(1896) ④ 독립신문(1919)

답 ②

(4) 문화와 종교의 새 경향

① 문화의 새 경향 … 신소설(혈의 누 등), 신체시(해에게서 소년에게) 등장, 창가 및 판소리 유행

② 국학 연구

㉠ 국어 : 국문 연구소(지석영 · 주시경, 1907), 조선 광문회(최남선, 1910)

㉡ 국사 : 근대 계몽 사학 발달, 민족 의식 고취

- 위인전 간행(을지문덕전, 이순신전), 외국 역사 소개(월남 망국사 등), 신채호(독사신론, 민족주의 역사학)

③ 종교계의 변화

㉠ 유교 : 박은식 '유교 구신론' 저술→성리학의 개혁과 실천 유학 주장(양명학) 개신교 의료 · 교육 활동을 전개함

㉡ 불교 : 한용운 '조선불교 유신론' 저술→조선 불교의 개혁 주장

㉢ 천도교 : 손병희가 동학을 천도교로 개칭→'만세보' 간행

㉣ 대종교 : 나철, 오기호가 창시→단군 신앙 바탕, 국권 피탈 이후 만주로 이동하여 무장 독립 투쟁 전개

㉤ 천주교 : 사회 사업 실시(양로원, 고아원 설립)

㉥ 개신교 : 교육 기관 설립, 세브란스 병원 설립

section 2 일제의 강점과 민족 운동의 전개

1. 일제의 식민 통치와 경제 수탈

(1) 일제의 무단 통치와 경제 수탈(1910년대)

① 일제의 식민 통치 기관 … 조선 총독부(식민통치 최고 기관, 1910), 중추원(조선 총독부 자문 기구)

② 무단 통치 … 헌병 경찰제 도입(즉결 처분권 행사), 조선 태형령 제정, 관리 · 교원에게 제복과 착검 강요, 언론 · 집회 · 출판 · 결사의 자유 제한, 한국인의 정치 단체와 학회 해산

③ **제1차 조선 교육령** … 한국인에 대한 차별 교육 실시(고등 교육 제한), 보통 교육과 실업 교육 강조, 일본어 교육 강조, 사립학교 · 서당 탄압

④ **경제 수탈**

㉠ **토지 조사 사업**(1910~1918) : 공정한 지세 부과와 근대적 토지 소유권 확립을 명분으로 시행→실제로는 식민 지배에 필요한 재정 확보

- 방법 : 임시 토지 조사국 설치(1910), 토지 조사령 공포(1912)→기한부 신고제로 운영
- 전개 : 미신고 토지, 왕실 · 관청 소유지(역둔토), 공유지 등을 조선 총독부로 편입→동양척식주식회사로 이관
- 결과 : 조선 총독부의 지세 수입 증가, 일본인 이주민 증가, 조선 농민의 관습적 경작권 부정, 많은 농민들이 기한부 소작농으로 전락하거나 만주 · 연해주 등지로 이주

㉡ **각종 산업 침탈**

- 회사령 (1910) : 한국인의 회사 설립 및 민족 자본의 성장 억압→허가제로 운영
- 자원 침탈 : 삼림령, 어업령, 광업령, 임업령, 임야 조사령 등 제정

기출예제 05 2019. 4. 6. 소방공무원

다음 법령이 시행된 시기의 사실로 옳은 것은?

> 제7조 태형은 태 30 이상일 경우에는 이를 한 번에 집행하지 않고 30을 넘길 때마다 1횟수를 증가시킨다. 태형의 집행은 하루 한 회를 넘을 수 없다.
> 제11조 태형은 감옥 또는 즉결 관서에서 비밀리에 행한다.
> 제13조 본령은 조선인에 한하여 적용한다.
>
> – 조선 총독부 관보 –

① 헌병 경찰제가 실시되었다.
② 치안 유지법이 제정되었다.
③ 국가 총동원법이 선포되었다.
④ 황국 신민 서사 암송을 강요하였다.

✱

1910년대 일제의 식민통치 정책은 무단통치 방식이었다. 이를 헌병경찰제 도입, 공무원과 교사에게 제복과 착검 강요, 조선 태형령 실시, 언론 · 출판 · 집회 · 결사의 자유 박탈 등과 같은 정책을 시행하였다. 한편 경제적으로는 전국적인 대규모 토지조사사업을 시행하여 토지 수탈을 자행하였다.
② 1925년
③ 1938년
④ 1937년

답 ①

(2) 일제의 민족 분열 통치와 경제 수탈(1920년대)

① 문화 통치

㉠ 배경 : 3 · 1 운동(1919) 이후 무단 통치에 대한 한계 인식, 국제 여론 악화

㉡ 목적 : 소수의 친일파를 양성하여 민족 분열의 획책을 도모한 기만적인 식민 통치

㉢ 내용과 실상

- 문관 총독 임명 가능 : 실제로 문관 총독이 임명된 적 없음
- 헌병 경찰제를 보통 경찰제로 전환 : 경찰 수와 관련 시설, 장비 관련 예산 증액
- 언론 · 집회 · 출판 · 결사의 자유 부분적 허용(신문 발간 허용) : 검열 강화, 식민통치 인정하는 범위 내에서 허용
- 보통학교 수업 연한 연장(제2차 조선 교육령), 대학 설립 가능 : 고등교육 기회 부재, 한국인 취학률 낮음
- 도 · 부 · 면 평의회, 협의회 설치 : 일본인, 친일 인사만 참여(친일 자문 기구)

㉣ 영향 : 일부 지식인들이 일제와 타협하려 함 → 민족 개조론, 자치론 주장

② 경제 수탈

㉠ 산미 증식 계획(1920~1934)

- 배경 : 일본의 공업화로 자국 내 쌀 부족 현상을 해결하기 위해 시행
- 과정 : 농토 개간(밭 → 논), 수리 시설(수리 조합 설립) 확충, 품종 개량, 개간과 간척 등으로 식량 증산 추진
- 결과 : 수탈량이 증산량 초과(국내 식량 사정 악화) → 한국인의 1인당 쌀 소비량 감소, 만주 잡곡 유입 증가, 식량 증산 비용의 농민 전가 → 소작농으로 전락하는 농민 증가, 소작농의 국외 이주 심화

㉡ 회사령 폐지(허가제 → 신고제, 1920), 일본 상품에 대한 관세 철폐 : 일본 자본의 침투 심화

(3) 일제의 민족 말살 통치(1930년대 이후)

① 민족 말살 통치

㉠ 배경 : 대공황(1929) 이후 일제의 침략 전쟁 확대(만주 사변, 중 · 일 전쟁, 태평양 전쟁)

㉡ 목적 : 한국인의 침략 전쟁 동원 → 한국인의 민족의식 말살, 황국 신민화 정책 강요

- 내선일체 · 일선동조론 강조, 창씨 개명, 신사 참배, 궁성 요배, 황국 신민 서사 암송, 국어 · 국사 교육 금지
- 병참기지화 정책 : 전쟁 물자 공급을 위해 북부 지방에 중화학 공업 시설 배치

㉢ 결과 : 공업 생산이 북부 지역에 편중, 산업 간 불균형 심화(소비재 생산 위축)

② 경제 수탈

㉠ 남면북양 정책 : 일본 방직 산업의 원료 확보를 위해 면화 재배와 양 사육 강요

㉡ 농촌 진흥 운동(1932~1940) : 식민지 지배 체제의 안정을 위해 소작 조건 개선 제시 → 성과 미흡

㉢ 국가 총동원법 제정(1938) : 중 · 일 전쟁 이후 부족한 자원 수탈을 위해 제정→인적 · 물적 자원 수탈 강화

- 인적 수탈 : 강제 징용 및 징병, 지원병제(학도 지원병제 포함), 징병제, 국민 징용령, 여자 정신 근로령
- 물적 수탈 : 공출제 시행(미곡, 금속류), 식량 수탈(산미 증식 계획 재개, 식량 배급제 실시 등), 국방 헌금 강요

③ 식민지 억압 통치 강화

㉠ 민족 언론 폐간 : 조선일보 · 동아일보 폐간(1940)

㉡ 조선어 학회 사건(1942) : 치안 유지법 위반으로 조선어 학회 회원들 구속 → 우리말 큰사전 편찬 실패

2. 3 · 1 운동과 대한민국 임시 정부의 활동

(1) 1910년대 국내/국외 민족 운동

① 국내 민족 운동

㉠ 일제 탄압 강화 : 남한 대토벌 작전과 105인 사건 등으로 국내 민족 운동 약화→국외로 이동

㉡ 비밀 결사 단체

- 독립 의군부(1912) : 고종의 밀명을 받아 임병찬이 조직→의병 전쟁 계획, 복벽주의 추구
- 대한 광복회(1915) : 김좌진, 박상진이 군대식 조직으로 결성→친일파 처단, 군자금 모금, 공화정 추진
- 기타 : 조선 국권 회복단(단군 숭배, 1915), 송죽회, 기성단, 자립단 등이 조직됨

② 국외 민족 운동

㉠ 만주 지역 : 북간도(서전서숙, 명동학교, 중광단), 서간도(삼원보 중심, 경학사 · 부민단, 신흥강습소 조직)

㉡ 중국 관내 : 상하이 신한 청년당→김규식을 파리 강화 회의에 대표로 파견함

㉢ 연해주 지역 : 신한촌 건설(블라디보스토크), 권업회 조직→이후 대한 광복군 정부(이상설, 이동휘 중심) 수립

㉣ 미주 지역 : 대한인 국민회, 대조선 국민 군단(박용만)

(2) 3 · 1 운동(1919)

① 배경

㉠ 국내 : 일제 무단 통치에 대한 반발 고조, 고종의 사망

㉡ 국외 : 윌슨의 민족 자결주의 대두, 레닌의 약소민족 해방 운동 지원, 파리강화회의에 김규식 파견(신한청년당) 동경 유학생들에 의한 2 · 8 독립 선언, 만주에서 대한 독립 선언 제창

② 과정 … 초기 비폭력 만세 시위 운동→이후 무력 투쟁의 성격으로 전환

㉠ 준비 : 고종 황제 독살설 확산, 종교계 및 학생 중심으로 만세 운동 준비

㉡ 전개 : 민족 대표가 종로 태화관에서 독립 선언서 낭독→탑골공원에서 학생 · 시민들 만세 운동 전개

㉢ 확산 : 도시에서 농촌으로 확산→농민층이 가담하면서 무력 투쟁으로 전환→일제 탄압(제암리 사건)→국외 확산

③ 의의 및 영향

㉠ 국내 : 최대 규모의 민족 운동, 대한민국 임시 정부 수립에 영향, 식민 통치 방식 변화(무단 통치→문화 통치), 독립 운동의 분수령 역할→무장 투쟁, 노동 · 농민 운동 등 다양한 민족 운동 전개

㉡ 국외 : 중국의 5 · 4 운동, 인도의 비폭력 · 불복종 운동 운동 등에 영향

(3) 대한민국 임시 정부 수립과 활동

① 여러 임시 정부 수립 … 3 · 1 운동 이후 조직적인 독립운동의 필요성 자각

㉠ 대한 국민 의회(1919. 3) : 연해주 블라디보스토크에서 조직→손병희를 대통령으로 선출

㉡ 한성 정부(1919. 4) : 서울에서 13도 대표 명의로 조직→집정관 총재로 이승만 선출

㉢ 상하이 임시 정부(1919. 4) : 상하이에서 국무총리로 이승만 선출

② 대한민국 임시 정부의 수립

㉠ 각지의 임시 정부 통합 : 한성 정부의 정통성 계승, 외교 활동에 유리한 상하이에 임시 정부 수립

㉡ 형태 : 삼권 분립에 입각한 민주 공화정→임시 의정원(입법), 법원(사법), 국무원(행정)

㉢ 구성 : 대통령 이승만, 국무총리 이동휘, 국무위원

③ 대한민국 임시 정부의 활동

㉠ 연통제, 교통국 운영 : 국내외를 연결하는 비밀 행정 및 통신 조직

㉡ 군사 활동 : 광복군 사령부, 국무원 산하에 군무부 설치하고 직할 군단 편성(서로 군정서 · 북로 군정서)

㉢ 외교 활동 : 파리 강화 회의에 독립 청원서 제출(김규식), 미국에 구미 위원부를 설치(이승만)

㉣ 독립 자금 모금 : 독립 공채(애국 공채) 발행, 국민 의연금을 모금

㉤ 기타 : 독립신문 발간

④ 국민 대표 회의(1923)

㉠ 배경 : 연통제와 교통국 해체 후 자금 조달 곤란, 외교 활동 성과 미흡

• 독립운동 방법론을 둘러싼 갈등 발생 : 외교 독립론과 무장 독립론의 갈등

• 이승만의 국제 연맹 위임 통치 청원(1919)에 대한 내부 반발

㉡ 과정 : 임시 정부의 방향을 둘러싼 창조파와 개조파의 대립 심화

• 개조파 : 현 임시 정부를 유지하며 드러난 문제점 개선 주장

• 창조파 : 현 임시 정부의 역할 부정, 임시 정부의 위치를 연해주로 옮겨야 한다고 주장

ⓒ 결과 : 회의가 결렬 및 독립운동가 다수 이탈

⑤ 대한민국 임시 정부의 개편

㉠ 배경 : 국민 대표 회의 결렬 이후 독립 운동가들의 임시 정부 이탈 심화→이승만 탄핵→제2대 대통령으로 박은식 선출 후 체제 개편 추진

㉡ 체제 개편 : 대통령제(1919)→국무령 중심 내각 책임제(1925)→국무위원 중심의 집단 지도 체제(1927)→주석 중심제(1940)→주석 · 부주석제(1944)

㉢ 임시정부 이동 : 상하이(1932)→충칭에 정착(1940)

3. 국내 민족 운동의 전개

(1) 실력 양성 운동

① 실력 양성 운동의 대두 … 사회 진화론의 영향→식산흥업, 교육을 통해 독립을 위한 실력 양성

② 물산 장려 운동

㉠ 배경 : 회사령 폐지(1920), 일본 상품에 대한 관세 철폐(1923)로 일본 자본의 한국 침투 심화→민족기업 육성을 통해 경제적 자립 실현하고자 함

㉡ 과정 : 평양에서 조선 물산 장려회 설립(조만식, 1920)→전국적으로 확산

㉢ 활동 : 일본 상품 배격, '내 살림 내 것으로, 조선 사람 조선 것'을 기치로 토산품 애용 장려, 금주 · 단연 운동 전개

㉣ 결과 : 토산품 가격 상승, 사회주의 계열 비판(자본가와 일부 상인에게만 이익), 일제의 탄압으로 실패

③ 민립 대학 설립 운동

㉠ 배경 : 일제의 식민지 우민화 교육(보통 교육, 실업 교육 중심)→고등 교육의 필요성 제기

㉡ 과정 : 조선 민립 대학 기성회 조직(이상재, 1920)→모금 운동('한민족 1천만이 한 사람이 1원씩')

㉢ 결과 : 일제의 방해로 성과 저조→일제는 한국인들의 불만을 무마하기 위해 경성 제국 대학 설립

④ 문맹 퇴치 운동 … 문자 보급을 통한 민중 계몽 추구

㉠ 야학 운동(주로 노동자, 농민 대상), 한글 강습회

㉡ 문자 보급 운동 : 조선일보 주도→"한글 원본" 발간('아는 것이 힘, 배워야 산다')

㉢ 브나로드 운동 : 동아일보 주도→학생들이 참여하여 농촌 계몽 운동 전개

(2) 민족 협동 전선 운동의 전개

① 사회주의 사상 수용

㉠ 배경 : 러시아 혁명 이후 약소국가에서 사회주의 사상 확산(레닌의 지원 선언)

㉡ 전개 : 3 · 1 운동 이후 청년 · 지식인층을 중심 사회주의 사상 수용→조선 공산당 결성(1925)

㉢ 영향 : 이념적 차이로 인하여 민족 운동 세력이 민족주의 계열과 사회주의 계열로 분화→이후 일제는 사회주의 세력을 탄압하기 위해 치안 유지법 제정(1925)

② 6 · 10 만세 운동(1926)

㉠ 배경 : 일제의 수탈과 차별적인 식민지 교육에 대한 불만 고조, 사회주의 운동 확대, 순종 서거

㉡ 전개 : 학생과 사회주의 계열, 천도교 계열이 순종 인산일을 계기로 대규모 만세 시위 계획→시민 가담

㉢ 의의 : 학생들이 독립 운동의 주체 세력으로 부상, 민족주의 계열과 사회주의 계열의 연대 계기(민족 유일당)

③ 신간회 결성(1927~1931)

㉠ 배경

- 국내 : 친일 세력의 자치론 등장, 치안 유지법→민족주의와 사회주의 세력 연대의 필요성 공감
- 국외 : 중국에서 제1차 국 · 공 합작 실현

㉡ 활동 : 정우회 선언을 계기로 비타협적 민족주의 세력과 사회주의 세력 연대→신간회 결성

- 이상재를 회장으로 선출하고 전국 각지에 지회 설치
- 강령 : 정치적 · 경제적 각성, 민족의 단결 강화, 기회주의 일체 배격
- 전국적 연회 · 연설회 개최, 학생 · 농민 · 노동 · 여성 등의 운동 지원, 조선 형평 운동 지원
- 광주 학생 항일 운동에 조사단을 파견하여 지원

㉢ 해체 : 일부 지도부가 타협적 민족주의 세력과 연대 시도, 코민테른 노선 변화→사회주의자 이탈→해체

㉣ 의의 : 민족 유일당 운동 전개, 국내에서 가장 규모가 큰 합법적 항일 민족 운동 단체

④ 광주 학생 항일 운동(1929)

㉠ 배경 : 차별적 식민 교육, 학생 운동의 조직화, 일본인 남학생의 한국인 여학생 희롱이 발단

㉡ 전개 : 광주 지역 학생들 궐기→신간회 및 여러 사회 단체들의 지원→전국적으로 확산

㉢ 의의 : 3 · 1 운동 이후 국내 최대 규모의 항일 민족 운동

⑤ 농민 · 노동 운동

㉠ 농민 운동 : 고율의 소작료 및 각종 대금의 소작인 전가로 소작농 부담 증대

- 전개 : 조선 농민 총동맹(1927) 주도→소작료 인하, 소작권 이동 반대 주장→암태도 소작쟁의(1923)

㉡ 노동 운동 : 저임금, 장시간 노동 등 열악한 노동 환경에 대한 노동자 반발

- 전개 : 조선 노동 총동맹(1927) 주도→노동 조건의 개선과 임금 인상 요구→원산 노동자 총파업(1929)

㉢ 1930년대 농민 · 노동 운동 : 사회주의 세력과 연계하여 정치적 투쟁의 성격 나타남(반제국주의)

⑥ 각계 각층의 민족 운동

㉠ 청년 운동 : 조선 청년 총동맹 결성

㉡ 소년 운동 : 천도교 소년회 중심(방정환) → 어린이날을 제정, 잡지 "어린이" 발간

㉢ 여성 운동 : 신간회 자매 단체로 근우회 조직 → 여성 계몽 활동 전개

㉣ 형평 운동 : 조선 형평사 조직 → 백정 출신에 대한 사회적 차별 반대, 평등 사회 추구

(3) 민족 문화 수호 운동

① 한글 연구

㉠ 조선어 연구회(1921) : 가갸날 제정함, 잡지 "한글" 간행

㉡ 조선어 학회(1931) : 조선어 연구회 계승, 한글 맞춤법 통일안과 표준어 제정, 우리말 큰사전 편찬 시도 → 일제에 의한 조선어 학회 사건(1942)으로 강제 해산

② 국사 연구

㉠ 식민 사관 : 식민 통치의 정당화를 위해 우리 역사 왜곡 → 조선사 편수회 → 정체성론, 당파성론, 타율성론

㉡ 민족주의 사학 : 한국사의 독자성과 주체성 강조

• 박은식 : 근대사 연구, 민족혼을 강조 → '한국통사', '한국독립운동지혈사' 저술

• 신채호 : 고대사 연구, 낭가사상 강조 → '조선사연구초', '조선상고사' 저술

• 정인보 : 조선 얼 강조, 조선학 운동 전개

㉢ 사회 경제 사학 : 마르크스의 유물 사관 수용

• 백남운 : 식민 사관인 정체성론 비판 → '조선 사회 경제사' 저술, 세계사의 보편적 발전 법칙에 따라 한국사 이해

㉢ 실증 사학 : 객관적 사실 중시

• 진단 학회 : 이병도, 손진태 등이 결성 → '진단 학보' 발간

③ 종교 활동

㉠ 불교 : 일제의 사찰령으로 탄압 → 한용운이 중심이 되어 조선 불교 유신회 조직

㉡ 원불교 : 박중빈이 창시 → 개간 사업, 미신 타파, 저축 운동 등 새생활 운동 전개

㉢ 천도교 : 소년 운동 주도, 잡지 '개벽' 발행

㉣ 대종교 : 단군 숭배, 중광단 결성(북간도)함 → 이후 북로 군정서로 확대 · 개편 → 항일 무장 투쟁 전개

㉤ 개신교 : 교육 운동, 계몽 운동을 전개 → 신사 참배 거부

㉥ 천주교 : 사회 사업 전개(고아원, 양로원 설립), 항일 무장 투쟁 단체인 의민단 조직

④ 문화 활동

㉠ 문학 : 동인지 발간 및 신경향파 문학 등장(1920년대) → 저항 문학(이육사, 윤동주) · 순수 문학(1930년대)

㉡ 영화 : 나운규의 '아리랑(1926)'

| 기출예제 06

2019. 4. 6. 소방공무원

㈎, ㈏를 주장한 인물에 대한 설명으로 옳은 것은?

> ㈎ 우리 조선의 역사적 발전의 전 과정은 가령 지리적 조건, 인종학적 골상, 문화 형태의 외형적 특징 등 다소의 차이는 인정되더라도, 다른 문화 민족의 역사적 발전 법칙과 구별되어야 하는 독자적인 것이 아니다. 세계사적인 일원론적 역사 법칙에 의해 다른 민족과 거의 같은 궤도로 발전 과정을 거쳐 왔다.
> ㈏ 국가의 역사는 민족의 소장성쇠(消長盛衰)의 상태를 서술할지라. 민족을 빼면 역사가 없으며 역사를 빼어 버리면 민족의 그 국가에 대한 관념이 크지 않을지니, 오호라 역사가의 책임이 그 역시 무거울 진저 …(하략)…

① ㈎ - 고대사 연구에 주력하여 조선상고사를 저술하였다.
② ㈎ - 유물 사관의 영향을 받아 사회 경제 사학을 내세웠다.
③ ㈏ - 진단학회의 결성을 주도하였다.
④ ㈏ - 한국통사와 한국독립운동지혈사를 저술하였다.

*

㈎는 〈조선사회경제사〉, 〈조선봉건사회경제사〉를 저술한 백남운이고, ㈏는 〈조선상고사〉, 〈조선사연구초〉를 저술한 신채호이다. 백남운은 마르크스 유물사관을 토대로 일제의 식민사관 중 정체성론을 비판하면서 우리 역사를 세계사적 보편사 수준의 인식 단계로 확장시켰다. 반면 신채호는 대표적인 민족주의 역사학자로서 고대사를 연구하며 민족 정신을 강조하였다.
① 신채호 ③ 이병도, 손진태 ④ 박은식

답 ②

4. 국외 민족 운동의 전개

(1) 1920년대 무장 독립 투쟁

① 봉오동 전투와 청산리 대첩

㉠ 봉오동 전투(1920.6) : 대한 독립군(홍범도), 군무 도독부군(최진동), 국민회군(안무) 연합부대가 봉오동에서 일본군 격파

㉡ 청산리 대첩(1920. 10) : 봉오동 전투에서 패배한 일본이 만주에 대규모로 일본군 파견(훈춘사건)
 - 북로 군정서(김좌진), 대한 독립군(홍범도) 등 연합 부대 청산리 일대에서 일본군에게 크게 승리

② 독립군의 시련

㉠ 간도 참변(1920, 경신참변) : 봉오동 전투, 청산리 대첩에서 패배한 일본군의 복수→간도 이주민 학살

㉡ 독립군 이동 : 일본군을 피해 독립군은 밀산에 모여 대한독립군단 결성(총재 서일)→소련령 자유시로 이동

㉢ 자유시 참변(1921) : 독립군 내부 분열, 러시아 적군과의 갈등→적군에 의해 강제 무장 해제 당함

③ 독립군 재정비 … 간도 참변, 자유시 참변으로 약화된 독립군 재정비 필요성 대두

㉠ 3부 성립 : 자치 정부의 성격→민정 기능과 군정 기능 수행

- 참의부(대한민국 임시 정부 직속), 정의부, 신민부

㉡ 미쓰야 협정(1925) : 조선 총독부와 만주 군벌 장작림 사이에 체결→독립군 체포·인도 합의, 독립군 위축

㉢ 3부 통합 : 국내외에서 민족 협동 전선 형성(민족 유일당 운동)

- 국민부(남만주) : 조선 혁명당, 조선 혁명군(양세봉) 결성
- 혁신의회(북만주) : 한국 독립당, 한국 독립군(지청천) 결성

(2) 1930년대 무장 독립 투쟁

① 한·중 연합 작전

㉠ 배경 : 일제가 만주 사변(1931) 후 만주국을 수립하자 중국 내 항일 감정 고조→한·중 연합 전선 형성

㉡ 전개

- 남만주 : 조선 혁명군(양세봉)이 중국 의용군과 연합→흥경성·영릉가 전투 등에서 승리
- 북만주 : 한국 독립군(지청천)이 중국 호로군과 연합→쌍성보·사도하자·대전자령 전투 등에서 승리

㉢ 결과 : 한중 연합군의 의견 대립, 일본군의 공격 등으로 세력 약화→일부 독립군 부대는 중국 관내로 이동

② 만주 항일 유격 투쟁

㉠ 사회주의 사상 확산 : 1930년대부터 조선인 사회주의자들이 중국 공산당과 연합하여 항일 운동 전개→동북 항일 연군 조직(1936)

㉡ 조국 광복회 : 동북 항일 연군 일부와 민족주의 세력이 연합→국내 진입(1937, 보천보 전투)

③ 중국 관내의 항일 투쟁

㉠ 민족 혁명당(1935) : 민족 협동 전선 아래 독립군 통합을 목표로 조직→한국독립당, 조선혁명군 등 참여

- 김원봉, 지청천, 조소앙 중심(좌우 합작)→이후 김원봉이 주도하면서 지청천, 조소앙 이탈
- 이후 조선 민족 혁명당으로 개편→조선 민족 전선 연맹 결성(1937)→조선 의용대 결성(1938)

㉡ 조선 의용대(1938, 한커우) : 김원봉 등이 중국 국민당 정부의 지원을 받아 조직

- 중국 관내에서 조직된 최초의 한인 독립군 부대→이후 한국 광복군에 합류(1942)
- 분화 : 일부 세력이 중국 화북 지방으로 이동→조선 의용군으로 개편됨(조선 독립 동맹의 군사 기반)

㉢ 조선 의용군(1942) : 조선 의용대 일부와 화북 사회주의자자들이 연합하여 옌안에서 조직
- 중국 공산당과 연합하여 항일 투쟁 전개, 해방 이후에는 북한 인민군으로 편입

(3) 의열 투쟁과 해외 이주 동포 시련

① 의열단(1919) … 김원봉을 중심으로 만주 지린에서 비밀 결사로 조직

㉠ 목표 : 민중의 직접 혁명을 통한 독립 추구(신채호 '조선 혁명 선언')

㉡ 활동 : 조선 총독부의 주요 인사 · 친일파 처단, 식민 통치 기구 파괴 → 김익상, 김상옥, 나석주 등의 의거

㉢ 변화 : 개별적인 무장 활동의 한계 인식 → 체계적 군사 훈련을 위해 김원봉을 중심으로 황푸 군관학교 입교 → 이후 조선 혁명 간부 학교 설립함(독립군 간부 양성) → 민족 혁명당 결성 주도

② 한인 애국단(1931) … 김구가 주도

㉠ 활동 : 일왕 암살 시도(이봉창), 상하이 훙커우 공원 의거(1932, 윤봉길)

㉡ 의의 : 대한민국 임시 정부와 독립군에 대한 중국 국민당 정부의 지원 약속 → 한중 연합작전의 계기

③ 해외 이주 동포의 시련

㉠ 만주 : 한인 무장 투쟁의 중심지 → 일본군의 간도 참변으로 시련

㉡ 연해주 : 중 · 일 전쟁 발발 이후 소련에 의해 중앙아시아로 강제 이주(1937)

㉢ 일본 : 관동 대지진 사건(1923)으로 많은 한국인들 학살

㉣ 미주 : 하와이로 노동 이민 시작(1900년대 초) → 독립운동의 재정을 지원함

기출예제 07 2019. 4. 6. 소방공무원

(가) 단체에 대한 설명으로 옳은 것은?

> 조선 안에 있는 모든 관청을 폭탄으로 깨트리고 조선 안 관공리를 암살하며 뒤로 아라사의 무서운 힘을 업고 앞으로는 독립을 열망하는 청년을 앞세운 [(가)] 사건의 일부가 조선 안에서 계획을 실행하려다가 미리 발각된 일은 …(중략)… [(가)]은/는 단장 김원봉을 중심으로 오년 전에 설립된 조선독립당의 비밀 단체이니 …(하략)…
>
> – 동아일보 –

① 신흥 무관 학교를 설립하였다.
② 민족 혁명당 결성에 참여하였다.
③ 정우회 선언을 계기로 결성되었다.
④ 상하이 훙커우 공원 의거를 일으켰다.

✽

김원봉을 단장으로 하여 결성된 의열단은 항일 무장 단체로 신채호는 〈조선혁명선언〉이라는 의열단 선언문을 작성하기도 했다. 나석주, 김상옥 등이 국내에서 폭탄 의거를 단행하였으나 조직의 한계를 느낀 김원봉은 이후 황포군관학교에 입학하여 체계적인 군사 훈련을 받았다. 김원봉은 이후 조선혁명간부학교, 민족혁명당, 조선의용대 결성을 주도하면서 항일 무장 투쟁에 앞장섰다.
① 신민회 ③ 신간회 ④ 한인애국단(윤봉길)

답 ②

(4) 대한민국 임시정부 재정비와 건국 준비 활동

① 충칭 임시 정부 … 주석 중심제로 개헌, 전시 체제 준비

㉠ 한국 독립당(1940) : 김구, 지청천, 조소앙의 중심으로 결성

㉡ 대한민국 건국 강령 발표(1941) : 민주 공화국 수립 → 조소앙의 삼균주의 반영

㉢ 민족 협동 전선 성립 : 김원봉의 조선 의용대를 비롯한 민족혁명당 세력 합류 → 항일 투쟁 역량 강화

② 한국 광복군(1940)

㉠ 조직 : 중국 국민당 정부의 지원으로 조직된 정규군으로 조선 의용대 흡수, 총사령관에 지청천 임명

㉡ 활동 : 대일 선전 포고, 연합 작전 전개(인도, 미얀마에서 선전 활동, 포로 심문 활동 전개)

- 국내 진공 작전 준비 : 미국 전략 정보국(OSS)의 지원으로 국내 정진군 편성 → 일제 패망으로 작전 실패

③ 조선 독립 동맹(1942)

㉠ 조직 : 화북 지역의 사회주의자들 중심으로 조직 → 김두봉 주도

㉡ 활동 : 항일 무장 투쟁 전개(조선 의용군), 건국 강령 발표(민주 공화국 수립, 토지 분배 등의 원칙 수립)

④ 조선 건국 동맹(1944)

㉠ 조직 : 국내 좌우 세력을 통합하여 비밀리에 조직 → 여운형이 주도

㉡ 활동 : 국외 독립운동 세력과 연합 모색, 민주 공화국 수립 표방 → 광복 직후 조선 건국 준비 위원회로 발전

section 3 대한민국의 발전과 현대 세계의 변화

1. 대한민국 정부 수립과 6 · 25 전쟁

(1) 광복 직후 국내 상황

① 광복 … 우리 민족의 지속적 독립운동 전재, 국제 사회의 독립 약속(카이로 회담, 얄타 회담, 포츠담 회담)

② 38도선의 확정 … 광복 후 북위 38도선을 기준으로 미군과 소련군의 한반도 주둔

㉠ 미군 : 38도선 이남에서 미군정 체제 실시 → 대한민국 임시 정부 부정, 조선 총독부 체제 답습

㉡ 소련군 : 북위 38도선 이북에서 군정 실시 → 김일성 집권 체제를 간접적으로 지원

③ 자주적 정부 수립 노력

㉠ 조선 건국 준비 위원회 : 조선 건국 동맹 계승 · 발전→여운형, 안재홍 중심의 좌우 합작 단체

- 활동 : 전국에 지부를 설치하고 치안, 행정 담당
- 해체 : 좌익 세력 중심으로 운영되면서 우익 세력 이탈→조선 인민 공화국 선포(1945. 9.) 후 해체

㉡ 한국 민주당 : 송진우 · 김성수를 비롯한 보수 세력이 결성→미 군청과 협력

㉢ 독립 촉성 중앙 협의회 : 이승만 중심

㉣ 임시 정부 요인 : 개인 자격으로 귀국→한국 독립당을 중심으로 김구를 비롯한 임시 정부 요인 활동

(2) 통일 정부 수립을 위한 노력

① 모스크바 3국 외상 회의(1945. 12.)

㉠ 결정 사항 : 민주주의 임시 정부 수립, 미 · 소 공동 위원회 설치, 최대 5년간 한반도 신탁 통치 결의

㉡ 국내 반응 : 신탁 통치를 둘러싼 좌 · 우익의 대립 심화로 국내 상황 혼란

- 좌익 세력 : 초기에는 반탁 주장→이후 찬탁 운동으로 변화
- 우익 세력 : 반탁 운동 전개(김구, 이승만 등)

② 제1차 미 · 소 공동 위원회(1946. 3) … 임시 정부 수립에 참여할 단체 선정을 위해 개최 → 미 · 소 의견 대립으로 결렬

③ 좌우 합작 운동(1946)

㉠ 배경 : 제1차 미 · 소 공동 위원회 결렬, 이승만의 정읍 발언(남한 만의 단독 정부 수립 주장)

㉡ 좌우 합작 위원회 결성 : 미 군정의 지원 하에 여운형과 김규식(중도 세력) 등이 주도하여 결성

- 좌우 합작 7원칙 발표 : 토지제도 개혁, 반민족 행위자 처벌 등을 규정
- 결과 : 토지 개혁에 대한 좌익과 우익의 입장 차이, 여운형의 암살, 제2차 미소 공동 위원회 성과 미흡으로 실패

④ 남한 만의 단독 총선거와 남북 협상

㉠ 한국 문제의 유엔 상정 : 미국이 한반도 문제를 유엔에 상정

- 유엔 총회 : 인구 비례에 따른 총선거 실시안 통과→유엔 한국 임시 위원단 파견→소련은 위원단의 입북 거절
- 유엔 소총회 : '위원단이 접근 가능한 지역의 총선거' 결의→남한만의 단독 총선거 실시

㉡ 남북 협상(1948) : 김구와 김규식이 남한만의 단독 총선거에 반대하며 남북 정치 회담 제안

- 과정 : 김구와 김규식이 평양 방문→남북 협상 공동 성명 발표(단독 정부 수립 반대, 미 · 소 양군 공동 철수)
- 결과 : 성과를 거두지 못함, 김구 암살(1949. 6)→통일 정부 수립 노력 실패

기출예제 08 2019. 4. 6. 소방공무원

다음 주장이 제기된 시기를 연표에서 옳게 고른 것은?

> 단독정부가 출현한다면 나뿐 아니라 전 민족이 반대할 것이다. 나는 민전이나 민주의원을 초월한 통일기관의 필요를 적극적으로 제창한다. …(중략)… 현재 좌우익은 악화된 감정과 경제적 이해에 관한 문제로 대립되어 있다. 감정은 피차에 풀고 좌우익이 합작해 우리 민족 전체의 의사를 대표하는 통일기관을 만들어야 할 것이다.
>
> – 중외신보 –

8 · 15 광복	(가)	모스크바 3국 외상 회의 개최	(나)	제1차 미 · 소 공동 위원회 개최	(다)	유엔에 한국 문제 이관	(라)	5 · 10 총선거 실시

① (가) ② (나)

③ (다) ④ (라)

✱ 해방 이후 모스크바 3상회의 결과 한반도의 문제를 해결하기 위해 미.영.중.소에 의한 신탁통치와 미소공동위원회가 설치가 되었다. 하지만 국내에서 신탁통치안에 대한 찬반 대립이 격화되면서 미국과 소련은 1차 미소공동위원회를 개최한다. 하지만 미소공동위원회 회담에 찬탁과 반탁 세력에 대한 참여를 놓고 미국과 소련의 의견 대립으로 인하여 1차 회담은 결렬된다. 찬탁과 반탁의 대립이 좌우 대립으로 확산되는 경향을 보이자 이를 해결하기 위해 여운형과 김규식은 좌우합작위원회를 설립하였고 좌우합작 7원칙을 제시하였다. 하지만 일부 좌우합작 7원칙에 대한 일부 우익 세력들의 반발과 여운형의 암살로 좌우합작위원회는 성과를 내지 못했고 이후 한반도 문제는 UN으로 이관되었다.

답 ③

(3) 대한민국 정부 수립

① 정부 수립을 둘러싼 갈등

㉠ 제주 4 · 3 사건(1948) : 제주도 좌익 세력 등이 단독 선거 반대, 통일 정부 수립을 내세우며 무장봉기 → 제주 일부 지역에서 선거 무산, 진압 과정에서 무고한 양민 학살

㉡ 여수 · 순천 10 · 19 사건(1948) : 제주 4 · 3 사건 진압을 여수 주둔 군대에 출동 명령 → 군대 내 좌익 세력이 반발하며 봉기

② 대한민국 정부 수립

㉠ 5 · 10 총선거(1948) : 우리나라 최초의 민주적 보통 선거 → 2년 임기의 제헌 국회의원 선출(198명)

- 과정 : 제헌 국회에서 국호를 '대한민국'으로 결정, 제헌 헌법 제정
- 한계 : 김구, 김규식 등의 남북 협상파와 좌익 세력이 선거에 불참

㉡ 제헌 헌법 공포(1948. 7. 17) : 3·1 운동 정신과 대한민국 임시 정부의 법통을 계승한 민주 공화국 규정
• 국회에서 정·부통령을 선출, 삼권 분립과 대통령 중심제 채택

㉢ 정부 수립(1948. 8. 15) : 대통령에 이승만, 부통령에 이시영 선출

③ 북한 정부 수립

㉠ 북조선 임시 인민 위원회 수립(1946) : 토지 개혁과 주요 산업 국유화 추진

㉡ 북조선 인민 위원회 조직(1947) : 최고 인민 회의 구성과 헌법 제정→조선 민주주의 인민 공화국 선포(1948. 9.9)

(4) 제헌 국회 활동

① 친일파 청산을 위한 노력

㉠ 반민족 행위 처벌법 제정(1948. 9) : 반민족 행위자(친일파) 처단 및 재산 몰수

㉡ 반민족 행위 특별 조사 위원회 활동 : 이승만 정부의 비협조와 방해로 친일파 청산 노력 실패

② 농지 개혁(1949) … 유상매수, 유상분배를 원칙으로 농지 개혁 시행→가구당 농지 소유 상한을 3정보로 제한

(5) 6·25 전쟁과 그 영향

① 6·25 전쟁 배경

㉠ 한반도 정세 : 미·소 양군 철수 후 38도선 일대에서 소규모 군사 충돌 발생, 미국이 애치슨 선언 선포(1950)

㉡ 북한의 전쟁 준비 : 소련과 중국의 지원을 받음

㉢ 남한의 상황 : 좌익 세력 탄압, 국군 창설, 한·미 상호 방위 원조 협정 체결(1950. 1.)

② 전쟁 과정

㉠ 전개 : 북한의 무력 남침(1950. 6. 25)→서울 함락→유엔 안전 보장 이사회의 유엔군 파견 결정→낙동강 전투→ 인천 상륙 작전(서울 수복)→38도선 돌파→압록강 유역까지 진격→중국군 참전(1950. 10. 25)→1·4 후퇴→서울 재탈환(1951. 3.)→38도선 일대에서 전선 고착

㉡ 정전 협정 : 소련이 유엔에서 휴전 제의→포로 교환 방식, 군사 분계선 설정 문제로 협상 지연→이승만 정부가 휴전 반대 성명을 발표하고 반공 포로 석방→협청 체결(군사 분계선 설정)

㉢ 전쟁 피해 : 인명 피해 및 이산가족 문제 발생, 산업 시설 및 경제 기반 붕괴로 열악한 환경 조래

③ 영향 … 한·미 상호 방위 조약 체결(1953. 10), 남북한의 독재 체제 강화

2. 자유 민주주의 시련과 발전

(1) 이승만 정부

① 발췌 개헌(1952)

㉠ 배경 : 제2대 국회의원 선거(1950. 5.) 결과 이승만 반대 성향의 무소속 의원 대거 당선→국회의원에 의한 간선제 방식으로 이승만의 대통령 재선 가능성이 희박

㉡ 과정 : 6 · 25 전쟁 중 임시 수도인 부산에서 자유당 창당 후 계엄령 선포→야당 국회의원 연행 · 협박

㉢ 내용 및 결과 : 대통령 직선제 개헌안 통과→이승만이 제2대 대통령에 당선

② 사사오입 개헌(1954)

㉠ 배경 : 이승만과 자유당의 장기 집권 추구를 위해 대통령 중임 제한 규정의 개정 필요

㉡ 과정 : 개헌 통과 정족수에 1표 부족하여 개헌안 부결→사사오입 논리를 내세워 통과

㉢ 내용 및 결과 : 초대 대통령에 한해 중임 제한 규정 철폐→이승만이 제3대 대통령에 당선

③ 독재 체제의 강화 … 1956년 정 · 부통령 선거에서 민주당의 장면이 부통령에 당선, 무소속 조봉암의 선전→진보당 사건(조봉암 탄압), 정부에 비판적인 경향신문 폐간, 국가 보안법 개정(1958)

④ 전후 복구와 원조 경제

㉠ 전후 복구 : 산업 시설과 사회 기반 시설 복구, 귀속 재산 처리 등

㉡ 원조 경제 : 미국이 잉여 농산물 제공 → 삼백 산업(밀, 사탕수수, 면화) 발달

⑤ 북한의 변화

㉠ 김일성 1인 독재 체제 강화 : 반대 세력 숙청, 주체사상 강조

㉡ 사회주의 경제 체제 확립 : 소련 · 중국의 원조, 협동 농장 체제 수립, 모든 생산 수단 국유화

(2) 4 · 19 혁명과 장면 내각

① 4 · 19 혁명(1960)

㉠ 배경 : 1960년 정 · 부통령 선거에서 이승만과 이기붕을 당선시키기 위해 3 · 15 부정 선거 실행

㉡ 전개 : 부정 선거 규탄 시위 발생→마산에서 김주열 학생의 시신 발견→전국으로 시위 확산→비상 계엄령 선포→대학 교수들의 시국 선언 발표 및 시위 참여→이승만 하야

㉢ 결과 : 허정 과도 정부 구성→내각 책임제와 양원제 국회 구성을 골자로 한 개헌 성립

㉣ 의의 : 학생과 시민 주도로 독재 정권을 붕괴시킨 민주 혁명

② 장면 내각(1960)

㉠ 성립 : 새 헌법에 따라 치른 7 · 29총선에서 민주당 압승→대통령 윤보선 선출, 국무총리 장면 지정

㉡ 정책 : 경제 개발 계획 마련, 정부 규제 완화

㉢ 한계 : 부정 선거 책임자 처벌에 소극적, 민주당 구파와 신파의 대립으로 인한 정치 불안 초래

(3) 5 · 16 군사 정변과 박정희 정부

① 5 · 16 군사 정변(1961) … 박정희를 중심으로 군부 세력이 정변 일으킴 → 국가 재건 최고회의 설치(군정 실시)

㉠ 정치 : 부패한 공직자 처벌, 구정치인의 활동 금지

㉡ 경제 : 경제 개발 5개년 계획을 추진

㉢ 개헌 : 대통령 중심제와 단원제 국회 구성을 주요 내용으로 하는 개헌 단행

② 박정희 정부

㉠ 성립 : 민주 공화당 창당 → 박정희가 대통령에 당선(1963)

㉡ 한 · 일 국교 정상화(1965) : 한 · 미 · 일 안보 체제 강화, 경제 개발에 필요한 자금을 확보 목적

- 과정 : 김종필 · 오히라 비밀 각서 체결 → 한 · 일 회담 반대 시위(6 · 3 시위, 1964) → 계엄령 선포
- 결과 : 한 · 일 협정 체결

㉢ 베트남 전쟁 파병(1964~1973) : 미국의 요청으로 브라운 각서 체결(경제 · 군사적 지원 약속) → 경제 성장

㉣ 3선 개헌(1969) : 박정희가 재선 성공 후에 3선 개헌안 통과 → 개정 헌법에 따라 박정희의 3선 성공(1971)

③ 유신 체제

㉠ 유신 체제 성립 : 1970년대 냉전 완화(닉슨 독트린), 경제 불황

- 과정 : 비상 계엄령 선포, 국회 해산, 정당 · 정치 활동 금지 → 유신 헌법 의결 · 공고(1972) → 통일 주체 국민 회의에서 박정희를 대통령으로 선출
- 내용 : 대통령 간선제(통일 주체 국민 회의에서 선출), 대통령 중임 제한 조항 삭제, 대통령 임기 6년, 대통령에게 긴급 조치권, 국회 해산권, 국회의원 1/3 추천권 부여

㉡ 유신 체제 반대 투쟁 : 개헌 청원 100만인 서명 운동 전개, 3 · 1 민주 구국 선언
→ 긴급 조치 발표, 민청학련 사건과 인혁당 사건 조작

㉢ 유신 체제 붕괴

- 배경 : 국회의원 선거에서 야당 득표율 증가(1978), 경제위기 고조(제2차 석유 파동), YH 무역 사건 과정에서 김영삼의 국회의원 자격 박탈 → 부 · 마 항쟁 발생
- 결과 : 박정희 대통령 피살(1979. 10 · 26 사태)로 유신 체제 붕괴

(4) 5 · 18 민주화 운동과 자유 민주주의의 발전

① 민주화 열망의 고조

㉠ 12 · 12 사태(1979) : 10 · 26 사태 직후 전두환 중심의 신군부 세력이 권력 장악

㉡ 서울의 봄(1980) : 시민과 학생들이 신군부 퇴진, 유신 헌법 폐지를 요구하며 시위 전개
→ 비상계엄령 선포 및 전국 확대

② 5 · 18 민주화 운동(1980)

㉠ 배경 : 신군부 세력 집권과 비상계엄 확대에 반대하는 광주 시민들을 계엄군이 과잉 무력 진압

㉡ 의의 : 1980년대 민주화 운동의 기반이 됨.

③ 전두환 정부

㉠ 신군부 집권 과정 : 국가 보위 비상 대책 위원회(국보위) 설치→삼청교육대 설치, 언론 통폐합 등

㉡ 전두환 집권 : 통일주체 국민회의에서 전두환을 11대 대통령으로 선출(1980. 8)

- 개헌 : 대통령을 선거인단에 의해 선출, 대통령 임기는 7년 단임제 적용
- 개헌 이후 : 대통령 선거인단에서 전두환을 12대 대통령으로 선출(1981. 2)

㉢ 전두환 정부 정책

- 강압책 : 언론 통제, 민주화 운동 탄압
- 유화책 : 두발과 교복 자율화, 야간 통행금지 해제, 프로야구단 창단, 해외여행 자유화

④ 6월 민주 항쟁(1987)

㉠ 배경 : 대통령 직선제 개헌 운동 고조, 박종철 고문 치사 사건 발생

㉡ 4 · 13 호헌 조치 : 전두환 정부는 대통령 직선제 개헌안 요구를 거부하고 간선제 유지를 발표 →시민들의 반발 확산, 이한열 사망→호헌 철폐 요구하며 시위 확산

㉢ 6 · 29 민주화 선언 : 민주 정의당 대통령 후보인 노태우가 대통령 직선제 개헌 요구 수용

㉣ 결과 : 대통령 직선제, 5년 단임제의 개헌 실현

2019. 4. 6. 소방공무원

다음 자료에 나타난 민주화 운동에 대한 설명으로 옳은 것은?

> 우리는 왜 총을 들 수밖에 없었는가? 그 대답은 너무나 간단합니다. 너무나 무자비한 만행을 더 이상 보고 있을 수만 없어서 너도나도 총을 들고 나섰던 것입니다. …(중략)… 계엄 당국은 18일 오후부터 공수 부대를 대량 투입하여 시내 곳곳에서 학생, 젊은이들에게 무차별 살상을 자행하였으니!
>
> -「광주 시민군 궐기문」-

① 직선제 개헌이 이루어졌다.
② 3 · 15 부정 선거를 규탄하였다.
③ 대통령이 하야하는 계기가 되었다.
④ 신군부 세력의 퇴진을 요구하였다.

✱

5.18 광주민주화 운동(1980)은 박정희 대통령 암살사건인 10.26 사태 이후 전두환을 비롯한 신군부 세력이 12.12사태를 통해 정권을 장악하면서 이에 대한 반발로 일어난 민주화 운동이다. 당시 불법적으로 정권을 장악한 신군부 세력은 국민들의 반발에 무력 진압을 단행하여 수많은 사상자가 발생하였다.

① 6월 민주항쟁(1987)

②③ 4.19혁명(1960)

답 ④

(5) 민주화 진전

① 노태우 정부

㉠ 성립 : 야권 분열 과정에서 노태우가 대통령에 당선 → 이후 3당 합당(노태우, 김영삼, 김종필)

㉡ 성과 : 북방 외교 추진(공산권 국가들과 수교), 서울 올림픽 개최, 5공 청문회, 남북한 유엔 동시 가입

② 김영삼 정부 … 지방 자치제 전면 실시, 금융 실명제 시행, OECD(경제 협력 개발 기구) 가입, 외환위기(IMF) 초래

③ 김대중 정부

㉠ 성립 : 선거를 통한 최초의 평화적 여야 정권 교체가 이루어짐

㉡ 성과 : 국제 통화 기금(IMF) 지원금 조기 상환, 국민 기초 생활 보장법 제정, 대북 화해 협력 정책(햇볕 정책) → 제1차 남북 정상 회담 개최, 6 · 15 남북 공동 선언 채택(2000)

④ 노무현 정부 … 권위주의 청산 지향, 제2차 남북 정상 회담 개최, 10 · 4 남북 공동 선언 채택(2007)

⑤ 이명박 정부 … 한 · 미 FTA 추진, 기업 활동 규제 완화

3. 경제 발전과 사회 · 문화의 변화

(1) 경제 발전 과정

① 경제 개발 5개년 계획

㉠ 제1차, 2차 경제 개발 5개년 계획(1962~1971) : 노동집약적 경공업 육성, 수출 주도형 산업 육성 정책 추진

- 베트남 경제 특수 효과, 사회 간접 자본 확충(경부 고속 국도 건설, 1970)
- 외채 상환 부담 증가, 노동자의 저임금, 정경 유착 등의 문제가 나타남

㉡ 제3차, 4차 경제 개발 5개년 계획(1972~1911) : 자본집약적 중화학 공업 육성, 수출액 100억 달러 달성(1977)

- 정경 유착, 저임금 · 저곡가 정책으로 농민 · 노동자 소외, 빈부 격차 확대, 2차례에 걸친 석유 파동으로 경제 위기

② 1980년대 경제 변화 … '3저 호황'(저유가, 저금리, 저달러) 상황 속에서 자동차, 철강 산업 등이 발전

③ 1990년대 이후 경제 변화

㉠ 김영삼 정부 : 경제 협력 개발 기구(OECD) 가입, 외환 위기 발생 → 국제 통화 기금(IMF)의 긴급 금융 지원

㉡ 김대중 정부 : 금융 기관과 대기업 구조 조정(실업률 증가), 국제 통화 기금(IMF) 지원금 조기 상환

| 기출예제 10 2019. 4. 6. 소방공무원

다음 담화문을 발표한 정부 시기에 있었던 사실로 옳은 것은?

> 저는 이 순간 엄숙한 마음으로 헌법 제76조 1항의 규정에 의거하여, 「금융실명 거래 및 비밀 보장에 관한 대통령 긴급명령」을 반포합니다. 아울러 헌법 제47조 3항의 규정에 따라, 대통령의 긴급명령을 심의하기 위한 임시국회 소집을 요청하고자 합니다. …(중략)… 이 시간 이후 모든 금융 거래는 실명으로만 이루어집니다.

① 삼백 산업이 발달하였다.
② 새마을 운동이 전개되었다.
③ 경부 고속 국도(도로)가 개통되었다.
④ 경제 협력 개발 기구(OECD)에 가입하였다.

✱

1992년 선거에서 김영삼이 대통령으로 당선되어 이듬해 문민정부가 출범하였다. 이전 전두환, 노태우 대통령이 모두 신군부 세력으로 수많은 인권 탄압과 부정 비리를 자행한 것을 거울삼아 새로운 개혁 정치를 시행하였다. 공직자 재산 등록, 지방자치제 전면 실시, 신자유주의 도입, 금융 실명제, OECD에 가입 등 전방위적으로 개혁 정책을 시행하였다. 하지만 1997년 말 IMF 위기를 초래하여 국가 경제가 파탄 지경에 이르렀고 이를 위해 전 국민 '금 모으기 운동'을 전개하였다.
① 한국전쟁 이후 미국의 원조로 발달하였다.(1950년대)
②③ 박정희 정권(1970년)

답 ④

(2) 사회 · 문화의 변화

① 급속한 산업화 · 도시화 … 주택 부족, 교통 혼잡, 도시 빈민 등의 사회적 문제 발생
② 농촌의 변화 … 이촌향도 현상으로 농촌 인구 감소, 고령화 문제 출현, 도농 간 소득 격차 확대
③ 새마을 운동(1970) … 농촌 환경 개선과 소득 증대 목표(근면 · 자조 · 협동)
④ 노동 문제 … 산업화로 노동자 급증, 열악한 노동 환경(저임금 · 장시간 노동) → 전태일 분신 사건(1970) → 6월 민주 항쟁 이후 노동 운동 활발

(3) 통일을 위한 노력

① 7 · 4 남북 공동 성명(1972) … 평화 통일 3대 원칙 합의(자주 통일, 평화 통일, 민족적 대단결) → 남북 조절 위원회 설치
② 전두환 정부 … 이산가족 고향 방문단과 예술 공연단 교환(1985)
③ 노태우 정부(1991) … 남북한 유엔 동시 가입, 남북 기본 합의서 채택(남북 사이 화해와 불가침, 교류와 협력)
④ 김영삼 정부 … 북한에 경수로 원자력 발전소 건설 사업 지원

⑤ 김대중 정부 … 대북 화해 협력 정책(햇볕 정책), 금강산 관광 사업 시작, 남북 정상 회담 개최(6.15 남북 공동 선언)

㉠ 6 · 15 남북 공동 선언(2000) : 남측의 연합제 통일안과 북측의 연방제 통일안의 공통성 인정

㉡ 개성 공단 건설, 이산가족 상봉, 경의선 복구 사업 진행

⑥ 노무현 정부 … 제2차 남북 정상 회담(2007) → 10 · 4 남북 공동 선언

06 기출문제분석

2019. 4. 6. 인사혁신처

1 밑줄 친 ㉠ 이후에 일어난 사실로 옳지 않은 것은?

> 상쾌한 아침의 나라라는 뜻을 지닌 조선은 일본의 총칼 아래 민족정신을 무참하게 유린당했다. …(중략)… 조선민족은 독립항쟁을 줄기차게 계속하였다. 그 중에서도 중요한 것은 ㉠ 1919년의 독립만세운동이었다.
>
> – 네루, 『세계사 편력』 –

① '암태도 소작쟁의'가 일어났다.

② '정우회 선언'이 발표되었다.

③ 임병찬이 독립의군부를 조직하였다.

④ 조선 민립대학 기성회가 창립되었다.

TIPS!

1919년 일제의 무단통치에 저항하며 전 민족적 운동으로 나타난 3.1운동이다. 3.1 운동은 독립운동의 분수령 역할을 하면서 이후 대한민국 임시정부를 수립하는 계기가 되었다.

③ 고종의 밀지를 받아 조직된 독립운동 단체(1912)

① 전남 신안군에 발생한 대표적 소작쟁의(1923)이다.

② 정우회 선언(1926)을 계기로 신간회가 조직되었다.

④ 이상재를 중심으로 실력양성운동의 일환을 조직(1922)

Answer 1.③

2019. 4. 6. 인사혁신처

2 ㈎, ㈏ 시기에 있었던 사실로 옳은 것은?

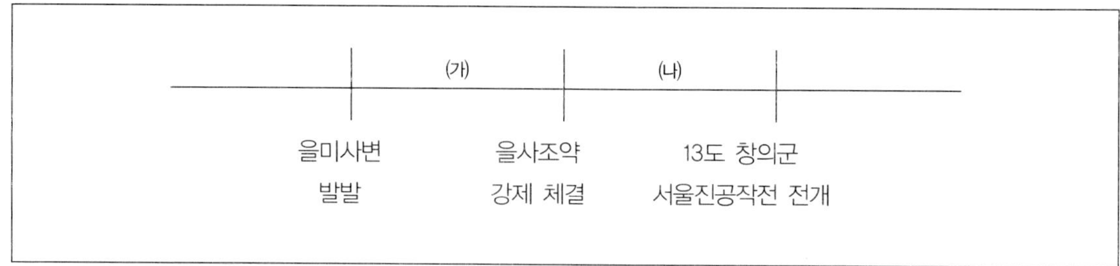

① ㈎ – 시전상인을 중심으로 황국중앙총상회가 조직되었다.
② ㈎ – 신민회는 일제가 날조한 105인 사건으로 와해되었다.
③ ㈏ – 함경도 관찰사 조병식이 곡물 수출을 막는 방곡령을 내렸다.
④ ㈏ – 일제의 황무지 개간권 요구를 반대하기 위해 보안회가 창설되었다.

TIPS!

을미사변(1895)은 일제가 명성황후를 시해한 사건이다. 을사조약(1905)은 일제에 의해 대한제국의 외교권이 박탈된 사건으로 통감정치가 시작되었다. 13도 창의군(1907)은 일제에 의한 한일신협약(정미조약)의 체결과 고종의 강제퇴위, 군대 해산에 반발하여 일어난 전국 단위 의병 조직으로 서울진공작전을 계획하고 실행하였으나 실패하였다.

① 황국중앙총상회 : 1898년

② 105인 사건 : 1911년 ③ 방곡령 : 1889년 ④ 보안회 : 1904년

2019. 4. 6. 인사혁신처

3 다음 전투를 이끈 한국인 부대에 대한 설명으로 옳은 것은?

> 아군은 사도하자에 주둔 병력을 증강시키면서 훈련에 여념이 없었다. 새벽에 적군은 황가둔에서 이도하 방면을 거쳐 사도하로 진격하여 왔다. 그런데 적군은 아군이 세운 작전대로 함정에 들어왔고, 이에 일제히 포문을 열어 급습함으로써 적군은 응전할 사이도 없이 격파되었다.

① 양세봉이 총사령관이었다.
② 미쓰야 협정이 체결되기 직전까지 활약하였다.
③ 한국독립당의 산하부대로 동경성 전투도 수행하였다.
④ 조선민족전선연맹이 중국 국민당의 지원을 받아 창설하였다.

Answer 2.① 3.③

TIPS!

1931년 일제가 만주사변을 일으킨 후 한중연합작전이 본격화되기 시작하였다. 남만주 일대에서는 조선혁명당 산하 양세봉이 이끄는 조선혁명군이 중국 의용군과 연합하여 흥경성, 영릉가 전투에서 일본군을 격파하였다. 북만주 일대에서는 한국독립당 산하 지청천이 이끄는 한국독립군이 중국 호로군과 연합하여 쌍성보, 사도하자, 동경성, 대전자령 전투에서 대승을 거두었다.

① 조선혁명군

② 대한독립군단

④ 조선의용대

2019. 4. 6. 인사혁신처

4 (가)의 체결 이후에 일어난 사실로 옳은 것은?

> 청군과 일본군의 개입으로 사태가 악화되자 농민군은 폐정개혁을 제시하며 정부와 (가) 을/를 맺었다. 이에 따라 농민군은 해산하였다.

① 농민군이 황토현에서 감영군을 격파하였다.

② 고부군수 조병갑이 만석보를 쌓아 수세를 강제로 거두었다.

③ 안핵사 이용태가 농민을 동학도로 몰아 처벌하였다.

④ 남접군과 북접군이 논산에서 합류하여 연합군을 형성하였다.

TIPS!

동학농민운동은 1894년 고부민란에서 시작되었다. 고부 군수 조병갑의 횡포에 저항하여 전봉준을 중심으로 한 농민세력의 반발로 일어났고, 이에 정부는 안핵사 이용태를 파견하여 진상 조사를 하였지만 제대로 이루어지지 않았다. 동학농민군은 다시 백산에서 재봉기하여 관군을 상대로 황토현 전투에서 승리하여 전주성을 점령하였다. 전주성 점령 이후 폐정개혁안 12개조를 요구하였으나 이를 전부 관철하지는 못하고 정부와 전주화약을 체결하였다. 이 과정에서 농민 자치 기구인 집강소가 설치되었다. 그 사이 일본이 경복궁을 무단으로 점령하자 동학 남접과 북접은 논산에 집결하여 일본군을 몰아내기 위해 서울로 진격하던 중 공주 우금치 전투에서 일본군에게 패하여 동학농민운동은 실패로 끝나고 말았다.

Answer 4.④

2019. 4. 6. 인사혁신처

5 (가), (나)가 설명하는 조약을 옳게 짝 지은 것은?

(가) 강화도 조약에 이어 몇 달 뒤 체결되었다. 양곡의 무제한 유출을 가능하게 한 규정과 일본정부에 소속된 선박은 항세를 납부하지 않는다는 규정이 들어 있었다.

(나) 김홍집이 일본에서 황준헌의 『조선책략』을 가져 오면서 그 내용의 영향으로 체결되었으며, 청의 적극적인 알선이 있었다. 거중조정 조항과 최혜국 대우의 규정이 포함되어 있었다.

	(가)	(나)
①	조 · 일무역규칙	조 · 미수호통상조약
②	조 · 일무역규칙	조 · 러수호통상조약
③	조 · 일수호조규부록	조 · 미수호통상조약
④	조 · 일수호조규부록	조 · 러수호통상조약

TIPS!

조일무역규칙(1876)은 쌀과 잡곡에 대한 일본으로의 무제한 유출을 허용한 불평등 조약이다. 조미수호통상조약(1882)은 2차 수신사로 파견된 김홍집이 황쭌쎈의 〈조선책략〉을 도입하면서 러시아의 침략을 막기 위해 조선이 일본, 청, 미국과 연합해야 한다는 내용을 근거로 하여 체결되었다.

④ 조일수호조규부록(1876)은 강화도조약 체결 직후 강화도 조약을 보완하기 위한 것으로 일본 관리의 조선내 여행의 자유 보장, 개항장에서 일본인 거주지역 설정 및 일본 화폐 사용을 허가하는 내용이 포함되었다. 조러통상조약(1884)은 임오군란 이후 청나라의 내정 간섭이 심해지자 이를 견제하고자 체결하였다.

Answer 5.①

2019. 4. 6. 인사혁신처

6 다음 글의 저자에 대한 설명으로 옳은 것은?

> 무릇 동양의 수천 년 교화계(敎化界)에서 바르고 순수하며 광대 정밀하여 많은 성현들이 전해주고 밝혀 준 유교가 끝내 인도의 불교와 서양의 기독교와 같이 세계에 큰 발전을 하지 못함은 어째서이며 …(중략)… 유교계에 3대 문제가 있는지라. 그 3대 문제에 대하여 개량하고 구신(求新)을 하지 않으면 우리 유교는 흥왕할 수가 없을 것이다.

① '조선얼'을 강조하며 '조선학 운동'을 펼쳤다.
② '나라는 형(形)이고 역사는 신(神)'이라고 주장하였다.
③ 주석 · 부주석 체제하의 대한민국 임시정부에서 주석을 역임하였다.
④ 「독사신론」에서 민족을 역사서술의 주체로 설정하고 사대주의를 비판하였다.

TIPS!

박은식은 유학 사상이 시대적 흐름에 역행한다는 것을 비판하며 보다 실천적인 유학 사상으로 재정립되어야 함을 강조하는 〈유교구신론〉을 저술하였다. 그는 일제강점기 대표적인 민족주의 역사학자로서 민족 혼(정신)을 강조하면서 〈한국통사〉, 〈한국독립운동지혈사〉를 저술하기도 하였다.
① 정인보 ③ 김구 ④ 신채호

2019. 4. 6. 인사혁신처

7 (가)~(라)를 시기순으로 바르게 나열한 것은?

> (가) 좌우합작 7원칙이 발표되었다.
> (나) 조선 건국 준비 위원회가 결성되었다.
> (다) 모스크바 3국 외상 회의가 개최되었다.
> (라) 김구와 김규식이 남북협상을 제의하였다.

① (나)→(가)→(라)→(다)
② (나)→(다)→(가)→(라)
③ (다)→(가)→(나)→(라)
④ (다)→(나)→(가)→(라)

TIPS!

(가) 좌우합작 7원칙(1946년) : 여운형과 김규식을 중심으로 좌우합작위원회 결성
(나) 조선 건국 준비 위원회(1945) : 광복 직후 여운형, 안재홍을 중심으로 조직된 대표적 건국 준비 단체
(다) 모스크바 3국 외상 회의(1945) : 1945년 12월 한반도 문제를 놓고 미국, 영국, 소련의 대표가 모스크바에 모여 회의
(라) 남북협상(1948) : UN소총회의에서 남한만의 단독 총선거가 결정되자 김구와 김규식이 남한만의 단독 정부 수립을 반대하고 통일 정부 수립을 위해 북과 연석 회의를 제의

Answer 6.② 7.②

Let's check it out

06 출제예상문제

1 다음 자료와 관련된 설명으로 옳지 않은 것은?

> • 제1조 – 일본 정부와 통모하여 한일 합병에 적극 협력한 자, 한국의 주권을 침해하는 조약 또는 문서에 조인한 자와 모의한 자는 사형 또는 무기징역에 처하고 그 재산과 유산의 전부 혹은 2분지 1 이상을 몰수한다.
> • 제3조 – 일본 치하 독립 운동자나 그 가족을 악의로 살상 박해한 자 또는 이를 지휘한 자는 사형, 무기 또는 5년 이상의 징역에 처하고 그 재산의 전부 혹은 일부를 몰수한다.

① 독립을 방해할 목적으로 단체를 조직했다면 10년 이하의 징역과 재산의 몰수 등이 가능했다.
② 기술관을 포함하여 고등관 3등급 이상의 관공리는 공소시효 경과 전에는 공무원 임용이 불허되었다.
③ 반민족행위를 조사하기 위하여 특별조사위원회를 설치하였다.
④ 일본 정부로부터 작위를 받은 자는 무기 또는 5년 이상의 징역과 재산 · 유산의 몰수 등이 가능했다.

TIPS!

반민족 행위 처벌법 … 광복 이후 친일파 청산을 위해 1948년에 제정되었다.
① 제4조 내용
② 제5조 : 일본치하에 고등관 3등급 이상, 훈장 5등급 이상을 받은 관공리 또는 헌병, 헌병보, 고등경찰의 직에 있던 자는 본법의 공소시효 경과 전에는 공무원에 임명될 수 없다. 단 기술관은 제외된다.
③ 반민족 행위 처벌법이 제정된 후 국회의원 10명으로 구성된 반민족 행위 특별 조사 위원회가 구성되었다.
④ 제2조 : 일본정부로부터 작을 수한 자 또는 일본제국의회의 의원이 되었던 자는 무기 또는 5년 이상의 징역에 처하고 그 재산과 유산의 전부 혹은 2분지 1이상을 몰수한다.

Answer 1.②

2 일제 강점기의 문예 활동과 관련하여 옳지 않은 것은?

① 1920년대 중반에는 신경향파 문학이 대두하여 문학의 사회적 기능이 강조되었다.
② 정지용과 김영랑은 「시문학」 – 동인으로 순수 문학의 발전에 이바지 하였다.
③ 미술에서는 안중식이 서양화를 대표하였다.
④ 영화에서는 나운규가 아리랑을 발표하여 한국 영화 발전에 기여하였다.

안중식은 일제강점기 때 한국화를 대표하는 화가이다. 서양화는 고희동, 이중섭 등의 대표 화가가 있다.

3 현대 문화의 성장과 발전에 대한 설명으로 옳지 않은 것은?

① 1970년대 이후 무비판적으로 수용하였던 서구 문화에 대한 반성이 일어나면서 전통 문화를 되살리는 노력이 펼쳐졌다.
② 1960년대 이후 정치적 민주화와 사회 경제적 평등을 지향하는 민중 문화 활동이 활발하였다.
③ 1987년 6월 민주 항쟁을 거치면서 언론에 대한 정부의 통제와 간섭은 줄어들고 언론의 자유는 확대되었다.
④ 1980년대 이후에는 고등 교육의 대중화를 위하여 대학이 많이 세워졌다.

TIPS!

1960년대에 문화 대중화 · 참여문학론이 대두하였고, 1970년대에 현실비판, 민주화 운동의 실천, 민족 통일 문제 등의 민중문학론이 대두하고 민중문학운동이 전개되었다.

Answer 2.③ 3.②

4 다음은 1876년 개항 이후 우리나라가 외국과 맺은 조약의 내용이다. 시기 순으로 바르게 나열한 것은?

> ㉠ 조선과 미국 두 나라 중 한 나라가 다른 나라의 핍박을 받을 경우 분쟁을 해결하도록 주선한다.
> ㉡ 일본국 국민은 본국에서 사용되는 화폐로 조선국 국민의 물자와 마음대로 교환할 수 있다.
> ㉢ 영국군함은 개항장 이외에 조선 국내 어디서나 정박할 수 있고 선원을 상륙할 수 있게 한다.
> ㉣ 일본 공사관에 군인 약간을 두어 경비하게 하고 그 비용은 조선국이 부담한다.

① ㉡→㉣→㉢→㉠
② ㉡→㉠→㉢→㉣
③ ㉡→㉣→㉠→㉢
④ ㉡→㉠→㉣→㉢

㉡ 조일수호조규부록(1976년)
㉠ 조미수호통상조약(1882년 5월)
㉣ 제물포조약(1882년 8월)
㉢ 조영통상조약(1883년)

5 다음은 간도와 관련된 역사적 사실들이다. 옳지 않은 것은?

① 1909년 일제는 청과 간도협약을 체결하여 남만주의 철도 부설권을 얻는 대가로 간도를 청의 영토로 인정하였다.
② 조선과 청은 1712년 "서쪽으로는 압록강, 동쪽으로는 토문강을 국경으로 한다."는 내용의 백두산 정계비를 세웠다.
③ 통감부 설치 후 일제는 1906년 간도에 통감부 출장소를 두어 간도를 한국의 영토로 인정하였다.
④ 1902년 대한제국 정부는 간도관리사로 이범윤을 임명하는 한편, 이를 한국 주재 청국 공사에게 통고하고 간도의 소유권을 주장하였다.

TIPS!

③ 통감부 설치 후 일제는 1907년 8월 23일에 간도용정에 간도통감부 출장소를 설치하고, 간도는 조선의 영토이며 출장소를 설치한 것은 간도조선인을 보호하기 위한 것이라 천명하고 청과 외교교섭을 시작했다.

Answer 4.④ 5.③

6 다음에 제시된 개혁 내용을 공통으로 포함한 것은?

• 청과의 조공 관계 청산	• 인민 평등 실현
• 혜상공국 혁파	• 재정의 일원화

① 갑오개혁의 홍범 14조
② 독립협회의 헌의 6조
③ 동학 농민 운동의 폐정개혁안
④ 갑신정변 때의 14개조 정강

제시된 지문은 갑신정변 때 개화당 정부의 14개조 혁신 정강의 내용이다.

7 1919년 3 · 1운동 전후의 국내외 정세에 대한 설명으로 옳지 않은 것은?

① 일본은 시베리아에 출병하여 러시아 영토의 일부를 점령하고 있었다.
② 러시아에서는 볼셰비키가 권력을 장악하여 사회주의 정권을 수립하였다.
③ 미국의 윌슨 대통령이 민족자결주의를 내세워 전후 질서를 세우려 하였다.
④ 산동성의 구 독일 이권에 대한 일본의 계승 요구는 5 · 4 운동으로 인해 파리평화회의에서 승인받지 못하였다.

TIPS!

파리평화회의 … 제1차 세계대전 종료 후, 전쟁에 대한 책임과 유럽 각국의 영토 조정, 전후의 평화를 유지하기 위한 조치 등을 협의한 1919 ~ 1920년 동안의 일련의 회의 일체를 말한다. 이 회의에서 국제문제를 풀어나갈 원칙으로 미국의 윌슨 대통령이 14개 조항을 제시하였는데 각 민족은 정치적 운명을 스스로 결정할 권리가 있다는 민족자결주의와 다른 민족의 간섭을 받을 수 없다는 집단안전보장원칙을 핵심으로 주장하였고 이는 3 · 1운동에 영향을 주었다.

Answer 6.④ 7.④

8 1950년대 이후 한국사회의 상황에 대한 설명으로 옳은 것은?

① 1950년에 시행된 농지 개혁으로 토지가 없던 농민이 토지를 갖게 되었다.
② 1960년대에 임금은 낮았지만 낮은 물가 덕분으로 노동자들이 고통을 겪지는 않았다.
③ 1970년대에 이르러 정부는 노동 3권을 철저히 보장하는 정책을 채택하였다.
④ 1980년대 초부터는 노동조합을 자유롭게 설립할 수 있게 되었다.

농지 개혁 … 논과 밭을 대상으로 3정보를 초과하는 농가의 토지나 부재지주의 토지를 국가에서 유상으로 매수하고 이들에게 지가증권을 발급하는 제도이다. 농지의 연 수확량의 150%를 한도로 5년간 보상하고 국가에서 매수한 농지는 영세농민에게 3정보를 한도로 유상분배하며 그 대가로 5년간 수확량의 30%씩 상환곡으로 수납하게 하였다. 그러나 개혁 자체가 농민이 배제된 지주층 중심으로 이루어져 소기의 목적을 달성할 수는 없었다.

9 6 · 25 전쟁 이전 북한에서 일어난 다음의 사건들을 연대순으로 바르게 나열한 것은?

㉠ 북조선 5도 행정국 설치	㉡ 토지개혁 단행
㉢ 북조선 노동당 창당	㉣ 조선공산당 북조선 분국 조직

① ㉠㉡㉢㉣ ② ㉠㉡㉣㉢
③ ㉡㉠㉣㉢ ④ ㉣㉠㉡㉢

TIPS!

㉣ 1945년 10월
㉠ 1945년 11월
㉡ 1946년 3월
㉢ 1946년 8월

Answer 8.① 9.④

국어

한국사

영어

10 다음 보기의 내용과 같은 시기에 일어난 역사적 사실로 옳은 것은?

> 비밀결사조직으로 국권회복과 공화정체의 국민국가 건설을 목표로 하였다. 국내적으로 문화적 · 경제적 실력양성운동을 펼쳤으며, 국외로 독립군기지 건설에 의한 군사적인 실력양성운동에 힘쓰다가 105인사건으로 해체되었다.

① 차관제공에 의한 경제예속화정책에 반대하여 국민들이 국채보상기성회를 조직하여 모금운동을 벌였다.
② 지주제가 강화되고 소작농이 증가하면서, 고율의 소작료로 인하여 농민들이 몰락하였다.
③ 노동자들은 생존권을 지키기 위하여 임금인상이나 노동조건 개선 등을 주장하는 노동운동을 벌였다.
④ 일본 상품을 배격하고 국산품을 애용하자는 운동을 전개하였다.

TIPS!

① 일제의 화폐 정리 및 금융 지배에 대해 1907년 국채보상운동을 전개하여 일제의 침략정책에 맞섰으나 일제의 방해로 중단되었다.

※ 신민회 … 비밀결사조직으로 국권 회복과 공화정체의 국민국가 건설을 목표로 하였다. 국내적으로 문화적 · 경제적 실력양성운동을 펼쳤으며, 국외로 독립군기지 건설에 의한 군사적인 실력양성운동에 힘쓰다가 105인사건으로 해체되었다.

11 다음 중 '을사조약' 체결 당시의 사건에 대한 설명으로 옳은 것은?

① 영국은 일본의 한국에 대한 지배권을 인정하였다.
② 구식군대가 차별대우를 받았다.
③ 일본의 한국에 대한 지배권을 인정하며, 미국의 필리핀 지배를 확인하였다.
④ 러시아, 프랑스, 독일이 일본에 압력을 가했다.

TIPS!

을사조약 체결(1905. 11) … 러 · 일전쟁에서 승리한 일본은 조선의 독점적 지배권을 인정받고 조선의 외교권을 박탈하고 통감부를 설치하였다. 이에 초대 통감으로 이토 히로부미가 부임하였으며 고종황제는 조약의 부당성을 알리기 위해 1907년에 개최된 헤이그 만국평화회의에 밀사를 파견하였다.

Answer 10.① 11.①

12 다음과 같은 식민 통치의 근본적 목적으로 옳은 것은?

> • 총독은 원래 현역군인으로 임명되는 것이 원칙이었으나, 문관도 임명될 수 있게 하였다.
> • 헌병 경찰이 보통 경찰로 전환되었다.
> • 민족 신문 발행을 허가하였다.
> • 교육은 초급의 학문과 기술교육만 허용되었다.

① 소수의 친일분자를 키워 우리 민족을 이간하여 분열시키는 것이 목적이었다.
② 한반도를 대륙 침략의 병참기지로 삼고 태평양전쟁을 도발하였다.
③ 한국의 산업을 장악하여 상품시장화 하였다.
④ 1910년대의 무단통치에 대한 반성으로 시행하였다.

TIPS!

문화통치(1919 ~ 1931)
㉠ 발단 : 3 · 1운동과 국제 여론의 악화로 제기되었다.
㉡ 내용
• 문관총독의 임명을 약속하였으나 임명되지 않았다.
• 헌병경찰제를 보통경찰제로 바꾸었지만 경찰 수나 장비는 증가하였다.
• 교육은 초급의 학문과 기술교육만 허용되었다.
㉢ 본질 : 소수의 친일분자를 키워 우리 민족을 이간질하여 분열시켰다.

13 다음 보기의 내용과 관련있는 단체의 업적으로 옳은 것은?

> 동학농민전쟁의 주체이며, 최시형의 뒤를 이은 3세 교주 손병희는 3 · 1운동 민족대표 33인 중의 한 사람이었다.

① 미신타파　② 고아원 설립
③ 북로군정서 중광단　④ 개벽, 만세보

TIPS!

천도교 … 제2의 3 · 1운동을 계획하여 자주독립선언문을 발표하였다. 개벽, 어린이, 학생 등의 잡지를 간행하여 민중의 자각과 근대문물의 보급에 기여하였다.

Answer 12.① 13.④

14 다음 보기의 기본 강령으로 활동한 사회단체에 대한 설명으로 옳은 것은?

> 1. 우리는 정치적 · 경제적 각성을 촉진한다.
> 2. 우리는 단결을 공공히 한다.
> 3. 우리는 기회주의를 일체 거부한다.

① 비밀 결사 조직으로 국외 독립 운동 기지 건설에 앞장섰다.
② 실력양성운동을 전개하였다.
③ 입헌정체와 정치의식을 고취시켰다.
④ 노동쟁의, 고각쟁의를 지원하는 등 노동운동과 농민운동을 지도하였다.

TIPS!

신간회 … 민족주의 진영과 사회주의 진영은 민족유일당, 민족협동전선이라는 표어 아래 이상재, 안재홍 등을 중심으로 신간회를 결성하였다. 노동운동과 농민운동을 지도하였고 광주학생항일운동의 진상단을 파견하였다.

국어

한국사

영어

15 다음 중 연결이 옳지 않은 것은?

① 한일의정서 – 군사기지 점유
② 제1차 한일협정서 – 사법권, 경찰권박탈
③ 제2차 한일협정서 – 외교권박탈
④ 한일신협약 – 차관정치, 군대해산

TIPS!

제1차 한 · 일협약 체결(1904. 8) … 러 · 일전쟁 중 체결되었으며 일본 정부가 추천하는 외교와 재정고문을 두는 고문정치가 시작되었다.

Answer 14.④ 15.②

16 다음은 어느 신문의 사설이다. 밑줄 친 것과 관련된 운동으로 옳은 것은?

> 1931년부터 4년간에 걸쳐 벌인 <u>브나로드 운동</u>은 대표적인 계몽운동이었다. 남녀 청년학도들이 계몽대, 강연대를 조직하여 삼천리 방방곡곡을 누비며 우리글, 우리 역사를 가르치고 농촌위생, 농촌경제개발에 앞장섰던 이 운동은 지식인과 학생이 이 땅에서 일으킨 최초의 민중운동이었다.

① 언론사 중심의 문맹퇴치운동이 전개되었다.
② 사회운동계열이 주도하였다.
③ 이 운동의 영향으로 민립대학설립운동이 추진되었다.
④ 이 시기에 언론과 지식인과 학생이 주도한 만세시위가 확산되고 있었다.

'브나로드'는 '민중 속으로'라는 러시아 말에서 유래된 것으로 일제강점기에 동아일보사가 주축이 되어 전국적 문맹퇴치운동으로 전개되었다. 브나로드 운동은 문자교육과 계몽활동(미신 타파, 구습 제거, 근검 절약 등)을 병행한 대표적인 농촌계몽운동이다.

17 다음 중 독립협회에 관한 설명으로 옳지 않은 것은?

① 자주국권운동을 전개하였다.
② 박정양의 진보적 내각이 수립되었다.
③ 최초의 근대적 민중대회인 만민공동회를 개최하였다.
④ 일본의 황무지 개간권 요구를 저지시켰다.

TIPS!

④ 보안회에 관한 설명이다.

Answer 16.① 17.④

18 동학농민군이 전주화약 이후 폐정개혁안을 실천하고 전라도 일대의 행정과 치안을 담당하기 위해 설치한 기구는?

① 통감부
② 군국기무처
③ 집강소
④ 통리기무아문

TIPS!
① 일제가 조선을 병탄하기 위해 서울에 실시한 기구이다.
② 청 · 일 전쟁 당시 관제를 개혁하기 위해 임시로 설치한 기구이다.
④ 고종 때 설치된 군국기밀과 일반 정치를 관장한 기구이다.

19 다음 중 개항 이후의 사건은?

㉠ 전화의 가설
㉡ 천주교의 전래
㉢ 여학교의 설립
㉣ 신문의 발행

① ㉠㉡㉢
② ㉠㉢㉣
③ ㉡㉢㉣
④ ㉠㉡㉢㉣

TIPS!
㉠ 1896년 ㉡ 인조 23년(1645) ㉢ 1886년(이화학당) ㉣ 1883년(한성순보)

20 다음 중 대원군의 개혁정치와 관계가 없는 것은?

① 서원을 47개만 남기고 대부분 철폐
② 호포법을 실시하여 양반에게도 군포를 부과
③ 5위가 유명무실하자 훈련도감을 설치
④ 비변사를 폐지하고 의정부를 부활

TIPS!
③ 훈련도감은 5위제도의 무력함이 드러나 국방력 강화의 필요성이 대두되어 임진왜란 중 용병제를 기본으로 설치하였다.

Answer 18.③ 19.② 20.③

21 미국과의 수교통상조약에 대한 설명으로 옳지 않은 것은?

① 청의 알선으로 성립되었다.
② 치외법권이 규정되어 있다.
③ 신미양요를 계기로 성립되었다.
④ 최혜국 조관을 규정한다.

TIPS!

조미통상조약은 개항 후 러시아와 일본 세력의 조선 침투를 견제하고, 조선에 대한 종주권을 국제적으로 확인받기 위하여 청이 알선하였다.

22 동학농민운동과 위정척사운동의 공통점으로 옳은 것은?

① 봉건체제를 타파하고 근대사회로의 전환을 추구하였다.
② 청에 대한 사대외교를 청산할 것을 주장하였다.
③ 조선왕조의 전통적 지배질서를 반대하였다.
④ 제국주의 침략 세력에 대한 강한 저항의식을 가졌다.

TIPS!

④ 동학농민운동의 성격은 반봉건적 · 반제국주의적 민족운동이며, 위정척사운동의 성격은 반침략적, 반제국주의적 운동이다.

23 다음 중 외세의 직접적 개입으로 실패한 것은?

> ㉠ 입헌군주제로 바꾸고 근대적 평등사회를 이루려고 하였다.
> ㉡ 반봉건적, 반침략적 근대민족운동의 성격을 띠었다.
> ㉢ 자주권, 행정 · 재정 · 관리 임용, 민권 보장의 내용을 규정한 국정 개혁의 강령을 발표하였다.
> ㉣ 민중적 구국운동을 전개하며 외세의 이권 침탈을 배격하였다.
> ㉤ 일제의 황무지개간권 요구에 반대운동을 벌였다.

① ㉠㉡
② ㉠㉣
③ ㉡㉢
④ ㉢㉤

Answer 21.③ 22.④ 23.①

TIPS!

㉠ 갑신정변(1884) : 중국에 대한 사대관계를 청산하고 입헌군주제로의 변화를 추구한 근대화 운동이었으나 청의 무력 간섭과 일본의 원조약속이 지켜지지 않아 실패하였다.
㉡ 동학농민운동(1894) : 반봉건적, 반침략적 성격의 동학농민운동은 폐정개혁안 12조를 주장하였으나 관군과 일본군과의 우금치 전투에서 패하면서 실패하였다.
㉢ 갑오개혁(1894) : 온건개화파들이 국왕의 명을 받아 교정청을 설치하여 자주적 개혁을 추진하였다. 이는 비록 일본의 강압에 의한 타율적 성격도 있으나 조선인의 개혁의지가 일부 반영된 근대적 개혁이었다.
㉣ 독립협회(1896) : 과거의 개혁이 민중의 지지를 얻지 못해 실패한 것을 깨닫고 민중 계몽에 힘썼으나 입헌군주제를 반대하던 보수세력이 황국협회를 이용하여 탄압하였으며 결국 해산되었다.
㉤ 보안회(1904) : 일제가 황무지개간권을 요구하자 보안회는 이를 저지하기 위해 가두집회를 열고 반대운동을 하여 결국 일본의 요구를 철회시켰다.

24 다음 (가)는 어떤 역사적 사건의 주체 세력이 제시한 정강(政綱)의 일부이고, (나)는 이 사건에 대한 평가이다. 이 사건의 기반이 된 윤리사상에 대한 설명으로 옳은 것은?

> (가) • 의정부와 6조 외의 모든 불필요한 기관을 폐지한다.
> • 대신과 참찬은 의정부에 모여 정령(政令)을 의결하고 반포한다.
> • 문벌을 폐지하고 인민평등의 권리를 세워, 능력에 따라 관리를 임명한다.
> • 지조법(地租法)을 개혁하여 관리의 부정을 막고 백성을 보호하며, 국가재정을 넉넉하게 한다.
>
> (나) 이 사건은 우리 역사에 있어서 자주적인 근대국가 건설을 지향한 최초의 정치개혁운동이었다. 그러나 결과적으로는 근대화 운동의 흐름을 상당 기간 동안 약화시키고 외세 간섭을 더욱 강화시키는 계기가 되기도 하였다.

① 동도서기론의 입장에서 온건개혁론을 제시하였다.
② 올바른 것은 지키고 사악한 것은 배척한다는 대의 명분을 내세웠다.
③ 경천사상을 기반으로 유 · 불 · 도사상을 융합하여 형성되었다.
④ 이용후생을 강조한 북학파 사상의 전통을 계승하였다.

TIPS!

(가)는 김옥균이 중심이 되어 일으킨 갑신정변 때의 14개조 정강 중의 일부이다.
① 변법적 개화론과 대별되는 개량적 개화론에 해당한다.
② 위정척사 사상이다.
③ 동학 사상에 해당한다.
④ 변법적 개화론, 급진개화파로 불리는 이들은 기술의 혁신과 문벌제도의 철폐, 중국 중심의 세계관을 비판한 북학파의 실학사상을 이어받아 청의 내정 간섭을 물리쳐 자주 독립을 이룩하고 급진적인 개혁을 추진하려 하였다.

Answer 24.④

25 다음의 시도들이 실패로 끝난 이유로 옳은 것은?

> • 입헌 군주제적 정치구조를 세우려 하였다.
> • 청에 대한 사대외교를 폐지하였다.
> • 재정기관을 호조로 일원화하였다.

① 외세의 간섭이 극심하였다.
② 정부의 반대가 심하였다.
③ 아래로부터의 개혁이었다.
④ 개혁 주체의 세력 기반이 미약하였다.

제시된 내용은 갑신정변의 정강이다. 갑신정변은 일본에 의지하여 개혁하려던 주체 세력인 개화당의 기반이 미약하여 실패하였다.

26 다음 중 무장독립전쟁에 대한 설명으로 옳은 것은?

① 일본군은 독립군을 지원하는 동포 사회를 파괴하고자 간도참변을 일으켰다.
② 대한독립군은 봉오동전투와 청산리전투에서 승리를 거두었다.
③ 참의부는 자유시참변 이후 귀환한 독립군 중심으로 편성되었다.
④ 신민부는 상해임시정부의 직할대였다.

TIPS!

② 대한독립군은 봉오동전투에서, 북로군정서는 청산리전투에서 승리를 거두었다.
③ 자유시참변 이후 독립군을 중심으로 북만주 일대에서 조직된 것은 신민부이다.
④ 임시정부의 직할부대는 육군주만참의부이다.

Answer 25.④ 26.①

국
어

27 다음의 내용에 대한 설명으로 올바른 것은?

> 농가나 부재지주가 소유한 3정보 이상의 농지는 국가가 매수하고, 국가에서 매수한 농지는 영세농민에게 3정보를 한도로 분배하였다. 그 대가를 5년간에 걸쳐 보상토록 하였다.

① 북한의 토지개혁에 영향을 주었다.
② 무상몰수, 무상분배의 원칙하에 전개되었다.
③ 토지국유제에 입각하여 경작권을 나누어주었다.
④ 많은 농민들이 자기 토지를 소유하게 되었다.

TIPS!

제시된 내용은 대한민국 정부수립 직후에 단행된 농지개혁법의 내용이다. 이 시기 농민의 대부분은 소작농이었으므로 농지개혁을 실시하여 소작농들이 어느 정도 자기 농토를 소유하게 되었다.
① 남한의 농지개혁에 대한 설명이다.
② 유상몰수, 유상분배의 원칙하에 실시되었다.
③ 토지국유제가 아니었으며, 소유권을 나누어 준 것이다.

한
국
사

28 우리 민족이 일제에 대항하여 벌인 경제적 구국운동으로 옳지 않은 것은?

① 방곡령
② 노동쟁의
③ 소작쟁의
④ 토지조사사업

영
어

TIPS!

④ 일제가 1910～1918년까지 근대적인 토지소유권을 확립한다는 미명하에 행해진 것으로 복잡한 서류와 기한부 신고제로 많은 농민들이 토지를 잃게 되었다.

Answer 27.④ 28.④

29 일제하 민족경제의 변화에 대한 설명으로 옳지 않은 것은?

① 지주제가 강화되고 소작농이 증가하였다.
② 증산량보다 많은 쌀이 수탈되어 식량사정이 악화되었다.
③ 광업령, 임야조사사업, 어업령을 통해 자원이 약탈되었다.
④ 산미증식계획으로 수리조합사업비와 토지개량사업비는 총독부에서 전담하였다.

TIPS!

④ 수리조합사업비와 토지개량사업비를 농민에게 전가하여 농민 부채가 증가하여 농민의 몰락이 가속화되었다.
※ 산미증식계획(1920 ~ 1933)
㉠ 일제가 공업화를 추진하면서 부족한 식량을 우리나라에서 착취하기 위해 15년간 920만석을 증산하도록 강요한 계획이다.
㉡ 증산량보다 많은 양이 수탈되자 한국의 식량사정은 악화되었다.
㉢ 논농사 중심의 구조로 쌀 생산을 강요하였다.
㉣ 수리조합사업비와 토지개량사업비를 농민에게 전가하자 농민부채가 증가하여 농민의 몰락이 가속화되었다.

30 5 · 16군사정변 후 군사정부에 의해 재수정되어 1962년부터 제3 · 4공화국에 의하여 추진된 다음의 경제정책에서 우선적으로 고려된 경제정책의 원리를 고르면?

> 경제개발 5개년계획은 자본, 기술, 자원이 부족한 농업 위주의 경제상황을 극복하여 공업 위주의 산업구조를 형성하기 위한 것이었다. 정부 주도로 진행된 이 계획은 외국 자본을 유치하여 산업설비와 원료를 수입하여 값싼 국내의 노동력을 통해 수출을 증대시키는 방식으로 진행되었다. 따라서 정부는 대외경쟁력을 높이기 위하여 임금을 규제하고, 유망기업에 대한 정부차원의 특혜적 투자를 실시하였다.

① 형평성 위주의 경제정책
② 국민경제의 대외적 자율성
③ 민간경제의 활성화 추진
④ 효율성 위주의 경제정책

TIPS!

경제개발 5개년계획은 성장, 공업, 수출을 우선시한 정부주도형 정부개발정책으로 효율성 위주의 경제정책이었다.

Answer 29.④ 30.④

31 다음과 같은 글에서 일제 식민사학의 내용으로 옳은 것은?

> 1930년대 백남운 등은 유물사관을 토대로 역사를 연구하였는데, 이들은 한국사가 세계사의 보편적 발전 법칙에 입각하여 발전하였음을 강조하였다.

① 일선동조론　　② 당파성론
③ 타율성론　　④ 정체성론

제시된 내용은 사회·경제사학에 관한 설명으로 백남운 등은 한국사를 세계사적 보편성에 맞추어 체계화하면서 일제의 식민사학 중 정체성 이론에 반박하였다.

※ 일제의 식민사학

㉠ 일선동조론 : 일본과 조선의 고대사 연구를 통해 일본과 조선이 한 민족이었으며, 그로 인해 일본이 조선을 지배하는 것은 당연한 것이라는 주장
㉡ 당파성론 : 조선의 민족성은 분열성이 강하여 내분되어 싸웠다는 주장
㉢ 타율성론 : 조선의 역사는 주체적으로 발전하지 못하고 주변국에 종속되어 전개되었다는 주장
㉣ 정체성론 : 조선의 역사는 오랫동안 발전하지 못하고 정체되었다는 주장

Answer 31.④

PART 03

영어

01 어휘

section 1 단어

1. 빈칸 채우기

다음 문장의 빈칸에 들어갈 가장 적당한 것은?

이 유형은 문장 전체에 대한 정확한 이해의 선행과 보기로 주어지는 단어들의 뜻을 확실하게 알고 있어야 정답을 찾을 수 있는 문제로, 출제빈도가 높은 어휘문제의 유형이다.

다음 빈칸에 들어갈 단어로 가장 옳은 것은?

> I consider ______________ the primary enemy of mankind. The human mind is not only self-destructive but naturally stupid. So man requires various kind of education.

① ignorance　　② pessimism

③ distrust　　④ pride

해석 「나는 무지가 인류의 근본적인 적이라고 생각한다. 인류는 자기파괴적일 뿐만 아니라, 선천적으로 어리석다. 그래서 인간은 다양한 종류의 교육이 필요하다.」

단어 primary 첫째의, 근본적인　self-destructive 자기파괴적인　not only A but also B A뿐만 아니라 B도　ignorance 무지, 무학, 부지　pessimism 비관(주의), 염세사상　distrust 불신, 의혹, 의심하다　pride 자부심, 긍지

답 ①

2. 같은 의미의 단어 찾기

다음 밑줄 친 부분과 뜻이 같은 것은?
이 유형은 문장 전체에 대한 정확한 이해와 밑줄 친 단어의 정확한 뜻과 다양한 쓰임을 제대로 알고 있어야 정답을 찾을 수 있는 문제로, 출제빈도가 높은 어휘문제의 유형이다.

다음 밑줄 친 부분과 의미가 가장 가까운 것은?

> You can sense it as employers <u>quietly</u> read employee's electronic mail for controlling them.

① silently ② calmly
③ rapidly ④ secretly

해석 「당신은 고용주가 종업원들을 통제하기 위해 은밀하게 전자메일을 읽을 때, 그것을 감지할 수 있을 것이다.」

단어 quietly(= secretly) 은밀하게, 조용하게 control 관리하다, 통제하다 silently 말없이 calmly 침착하게, 냉정하다 rapidly 빠르게, 순식간에 secretly 몰래

답 ④

section 2 숙어

1. 빈칸 채우기

다음 문장의 빈칸에 들어갈 가장 적당한 것은?
이 유형은 문장 전체에 대한 정확한 이해의 선행과 보기로 주어지는 숙어가 나타내는 의미를 알고 있어야 정답을 찾을 수 있는 문제이다. 숙어는 여러 영단어들의 조합이므로 그 뜻을 추론하여 그 숙어가 만들어내는 뜻을 잘 이해할 필요가 있다.

다음 대화에서 밑줄 친 부분에 가장 알맞은 것은?

> A : Can you ____________ with this desk? I want to move it.
> B : Sure. Where are you going to put it?

① put up ② give a ring
③ give a ride ④ give me a hand

국어 한국사 영어

해석 「A : 이 책상을 옮기려고 하는데 나를 좀 도와 주시겠습니까?
B : 물론, 도와드리지요. 그것을 어디에 두려고 합니까?」

단어 give … a hand with ~ ~으로 …를 도와주다(= help … with ~) put up 세우다, ~를 올리다 give a ring 전화를 하다 give a ride 태워주다

답 ④

2. 같은 의미 찾기

다음 밑줄 친 부분과 뜻이 같은 것은?
이 유형은 문장 전체가 나타내는 바를 바르게 이해하고 밑줄 친 숙어의 뜻을 정확하게 알고 있어야 정답을 찾을 수 있는 문제로 출제빈도가 높은 어휘문제의 유형이다.

다음 밑줄 친 부분과 의미가 가장 가까운 것은?

> The couple seemed to be taking calmly, when <u>out of the blue</u> she slapped him in the face.

① all of a sudden
② in no time
③ long before
④ in no way

해석 「갑자기 그녀가 그의 얼굴을 때렸을 때, 그 부부는 침착히 얘기하고 있는 것처럼 보였다.」

단어 calmly 온화하게, 침착히 out of the blue 갑자기 all of a sudden 갑자기 in no time 곧 long before 오래전에 in no way 결코 ~이 아니다

답 ①

Let's check it out

01 기출문제분석

2019. 4. 6. 소방공무원

1 다음 밑줄 친 부분과 의미가 가장 가까운 것은?

> The ability to communicate effectively is often listed as a required <u>attribute</u> in many job advertisements.

① nutrition ② qualification
③ distribution ④ compensation

TIPS!

effectively 효과적으로 advertisements 광고
① 영양 ② 자격 ③ 분배 ④ 보상
「효과적으로 의사소통할 수 있는 능력은 종종 많은 구직 광고에서 요구되는 <u>특성</u>으로 목록에 올라있다.」

2019. 4. 6. 소방공무원

2 다음 빈칸에 들어갈 말로 가장 적절한 것은?

> Fire departments are dedicated to saving lives and property from the ________ of fire. Saving lives is the highest priority at the incident scene.

① perils ② shelters
③ overviews ④ sanctuaries

TIPS!

be dedicated to... ...에 헌신하다 property 재산 priority 우선하는 것 incident 사건
「소방국은 화재의 <u>위험</u>으로부터 생명과 재산을 지키는데 헌신한다. 생명을 구하는 것은 사고현장에서 가장 우선시되는 것이다.」
① 위험 ② 피난처 ③ 개관 ④ 보호구역

Answer. 1.② 2.①

2019. 4. 6. 소방공무원

3 다음 빈칸에 들어갈 말로 가장 적절한 것은?

One of the biggest problems in a high-rise fire is the ________ use of the stairwells for fire suppression activities and occupant evacuation. Many training materials have attempted to direct firefighters to establish one stairwell for evacuation and another for fire suppression. This does not work due to the occupants leaving via the closest exit.

① ingenious
② simultaneous
③ pretentious
④ meticulous

TIPS!

high-rise 고층건물 stairwell 계단통 suppression 진압 activity 활동 occupant 거주자 evacuation 대피 materials 자료 direct 지시하다 establish 확립(확보)하다 due to ... 때문에 via ...를 통해서 exit 출구

「고층건물 화재에 있어서 가장 큰 문제 중 하나는 화재 진압활동과 거주자의 대피를 위해서 계단통을 동시에 사용하는 것이다. 많은 훈련 자료들은 소방관이 대피를 위해서 하나의 개단통과 화재 진압을 위한 다른 계단통을 확보하라고 지시 하도록 한다. 이것은 가장 가까운 출구를 통해서 나가는 거주민 때문에 효과가 없다.」

① 독창적인 ② 동시의 ③ 자만하는 ④ 꼼꼼한

2018. 10. 13. 소방공무원 공개경쟁

4 다음 글의 빈칸에 들어갈 말로 가장 적절한 것은?

If someone has a cardiac arrest, he will suddenly become ________ and show no signs of breathing or a pulse.

① selfish
② sensible
③ unconscious
④ tremendous

TIPS!

cardiac arrest 심장 마비

① 이기적인 ② 합리적인 ③ 의식이 없는 ④ 엄청난

「만일 누군가가 심장마비를 일으킨다면, 그는 갑자기 의식을 잃고, 호흡이나 맥박의 신호가 보이지 않을 것이다.」

Answer 3.② 4.③

2018. 10. 13. 소방공무원 공개경쟁

5 다음 글의 빈칸에 들어갈 말로 가장 적절한 것은?

> Fire can destroy your house and all of your possessions in less than an hour, and it can reduce an entire forest to a pile of ash. It's a(n) _______ weapon, with nearly unlimited destructive power.

① subtle ② ordinary
③ hilarious ④ terrifying

TIPS!

possessions 소지품, 가재도구
① 미묘한, 교묘한 ② 평범한 ③ 재미있는 ④ 무서운

「불은 한 시간도 안 되어서 당신의 집과 전 재산을 파괴할 수 있다. 그리고 숲 전체를 잿더미로 없애버릴 수 있다. 그것은 거의 무한정의 파괴적인 힘을 가진 무서운 무기다.」

2018. 6. 23. 제2회 서울특별시

┃6~8┃ 밑줄 친 부분과 의미가 가장 가까운 것은?

6

> Man has continued to be disobedient to authorities who tried to <u>muzzle</u> new thoughts and to the authority of long-established opinions which declared a change to be nonsense.

① express ② assert
③ suppress ④ spread

TIPS!

disobedient 반항하는, 거역하는 authorities 당국, 관계자 muzzle 재갈을 물리다 authority 권한, 인가
① express 표현하다, 나타내다
② assert 주장하다
③ suppress 진압하다, 억제하다
④ spread 펼치다, 퍼뜨리다

「인간은 새로운 사상을 퍼뜨리지 못하게 한 정부 당국과 변화를 무의미한 것으로 선언한 오랫동안 확립된 의견의 권위에 계속해서 복종하지 않았다.」

Answer 5.④ 6.③

7

> Don't be pompous. You don't want your writing to be too informal and colloquial, but you also don't want to sound like someone you're not—like your professor or boss, for instance, or the Rhodes scholar teaching assistant.

① presumptuous
② casual
③ formal
④ genuinepous

TIPS!

pompous 젠체하는, 거만한 informal 일상적인, 편안한 colloquial 구어의, 일상적인 대화체의 for instance 예를 들어
① presumptuous 주제넘은, 건방진
② casual 무심한, 평상시의
③ formal 정중한, 형식적인
④ genuine 진짜의, 진실한

「잘난 척하지 마십시요. 당신은 당신의 글이 너무 일상적인 구어체가 되는 것을 원하지는 않지만, 예를 들어 여러분의 교수나 상사 같은 사람이나 로즈 장학생 같은 사람처럼 말하고 싶지도 않을 겁니다.」

8

> Surgeons were forced to call it a day because they couldn't find the right tools for the job.

① initiate
② finish
③ wait
④ cancel

TIPS!

call it a day ~을 그만하기로 하다 initiate 개시되게 하다, 착수시키다

「외과 의사들은 그들의 일에 적합한 도구를 찾을 수 없었기 때문에 어쩔 수 없이 그 날 일을 끝낼 수밖에 없었다.」

Answer 7.① 8.②

2018. 5. 19. 제1회 지방직

Ⅰ9~10Ⅰ 밑줄 친 부분의 의미와 가장 가까운 것을 고르시오.

9

> The paramount duty of the physician is to do no harm. Everything else—even healing—must take second place.

① chief ② sworn
③ successful ④ mysterious

TIPS!

paramount 다른 무엇보다 중요한
① 주된 ② 선서를 한 ③ 성공적인 ④ 의문의

「의사의 가장 중요한 의무는 해를 끼치지 않는 것이다. 치료와 같은 그 밖의 다른 것은 2순위이다.」

10

> It is not unusual that people get cold feet about taking a trip to the North Pole.

① become ambitious ② become afraid
③ feel exhausted ④ feel saddened

TIPS!

get cold feet 겁이 나다, 용기를 잃다
① 자랑스러워하다
② 겁을 먹다
③ 기진맥진하다
④ 슬픔을 느끼다

「사람들이 북극으로 여행하는 것에 대해 겁을 먹는 것은 이상한 일이 아니다.」

Answer 9.① 10.②

2018. 4. 7. 인사혁신처

11 밑줄 친 부분에 들어갈 말로 가장 적절한 것을 고르면?

> A : Can I ask you for a favor?
> B : Yes, what is it?
> A : I need to get to the airport for my business trip, but my car won't start. Can you give me a lift?
> B : Sure. When do you need to be there by?
> A : I have to be there no later than 6 : 00.
> B : It's 4 : 30 now. ______________________

① That's cutting it close
② I took my eye off the ball
③ All that glitters is not gold
④ It's water under the bridge

cut it close 시간이 아슬아슬하다

① 시간이 아슬아슬하네요.
② 저는 가장 중요한 것에서 눈을 뗐습니다.
③ 반짝이는 모든 것이 금은 아니다.
④ 이미 다 지나간 일이다.

「A : 부탁 하나만 드려도 될까요?
B : 네, 뭔가요?
A : 제가 출장 때문에 공항에 가야 하는데 차가 시동이 걸리질 않네요. 태워다 주실 수 있을까요?
B : 그럼요. 언제까지 도착해야 하나요?
A : 늦어도 6시까지 도착해야 합니다.
B : 지금이 4시 30분이네요. <u>시간이 아슬아슬하네요</u>. 지금 당장 출발해야겠어요.」

Answer 11.①

2018. 4. 7. 인사혁신처

12 밑줄 친 부분의 의미와 가장 가까운 것은?

> Robert J. Flaherty, a legendary documentary filmmaker, tried to show how <u>indigenous</u> people gathered food.

① itinerant ② impoverished
③ ravenous ④ native

TIPS!

indigenous 토착의, 토종의 itinerant 순회하는, 전전하는 impoverished 가난해진, 허약해진 ravenous 배가고파 죽을 지경인

① 떠돌아다니는
② 빈곤한
③ 배가고파 죽을 지경인
④ 토박이의

「전설적인 다큐멘터리 영화 제작자인 Robert J. Flaherty는 어떻게 토착민들이 음식을 모았는지를 보여주려고 노력했다.」

2018. 4. 7. 인사혁신처

13 밑줄 친 부분에 들어갈 말로 가장 적절한 것은?

> Listening to music is ________________ being a rock star. Anyone can listen to music, but it takes talent to become a musician.

① on a par with ② a far cry from
③ contingent upon ④ a prelude to

TIPS!

① ~와 동등한
② ~와 현저히 다른
③ ~여하에 달린
④ ~의 서막

「음악을 듣는 것은 록 스타가 되는 것과는 전혀 다른 것이다. 누구나 음악을 들을 수 있지만 음악가가 되는 것은 재능을 필요로 한다.」

Answer 12.④ 13.②

2018. 4. 7. 인사혁신처

▌14~15▐ 밑줄 친 부분의 의미와 가장 가까운 것을 고르시오.

14

> The police spent seven months working on the crime case but were never able to determine the identity of the malefactor.

① culprit ② dilettante

③ pariah ④ demagogue

TIPS!

spending A ~ing ~하는데 A를 소요하다 crime case 범죄사건 determine 밝히다 malefactor 악인 culprit 범인, 원인 dilettante 호사가 pariah 버림받는 사람 demagogue 정치 선동가

① 범인 ② 예술 애호가 ③ 버림받은 사람 ④ 정치 선동가

「경찰은 7개월 동안 범죄사건을 조사했지만, 결국 범인의 신원을 밝혀낼 수 없었다.」

15

> While at first glance it seems that his friends are just leeches, they prove to be the ones he can depend on through thick and thin.

① in good times and bad times ② in pleasant times

③ from time to time ④ in no time

TIPS!

at first glance 처음에는 leech 거머리

① 좋을 때나 나쁠 때 ② 행복한 순간에 ③ 이따금 ④ 당장에

「처음에는 그의 친구들이 거머리 같은 보이지만, 그들은 좋을 때나 안 좋을 때나 그가 의존할 수 있는 사람들임을 증명한다.」

Answer 14.① 15.①

2018. 3. 24. 제1회 서울특별시

| 16~17 | 밑줄 친 부분과 의미가 가장 가까운 것은?

16

Ethical considerations can be an <u>integral</u> element of biotechnology regulation.

① key ② incidental

③ interactive ④ popular

TIPS!

integral 필수적인, 완전한 key 필수적인, 핵심적인 incidental 부수적인 interactive 상호적인

「윤리적인 배려는 생명공학 규제를 위한 필수적인 요소가 될 수 있다.」

17

If the area of the brain associated with speech is destroyed, the brain may use <u>plasticity</u> to cause other areas of the brain not originally associated with this speech to learn the skill as a way to make up for lost cells.

① accuracy ② systemicity

③ obstruction ④ suppleness

TIPS!

plasticity 가소성 accuracy 정확도 systemicity 체계성, 계통성, 조직성 obstruction 방해, 장애물 suppleness 유연성

「만약 언어와 관련된 뇌의 부분이 파괴된다면, 뇌는 손상된 세포를 대체하는 방법으로 언어와 원래 관련되지 않은 뇌의 다른 부분이 그 능력을 배우도록 유도하는 유연성을 사용한다.」

Answer 16.① 17.④

2018. 3. 24. 제1회 서울특별시

▌18~19▐ 빈칸에 들어갈 단어로 가장 적절한 것은?

18

Mephisto demands a signature and contract. No mere ____________ contract will do. As Faust remarks, the devil wants everything in writing.

① genuine
② essential
③ reciprocal
④ verbal

TIPS!

genuine 진짜의, 진실한 reciprocal 상호간의 verbal 말로 된, 구두의

「Mephisto는 서명과 계약을 요구하고 있다. 단지 구두 계약으로는 충분하지 않을 것이다. Faust의 말처럼, 그 악마는 서면으로 된 모든 것을 원한다.」

19

The company and the union reached a tentative agreement in this year s wage deal as the two sides took the company's ____________ operating profits seriously amid unfriendly business environments.

① deteriorating
② enhancing
③ ameliorating
④ leveling

TIPS!

tentative 잠정적인, 자신 없는 unfriendly 비우호적인 deteriorating 악화되어가고 있는, 악화 중인 enhancing 향상되는, 높이는 ameliorating 개선되는 leveling 평등화

「노사는 양쪽 모두 사업 환경이 좋지 않은 가운데 회사의 영업 이익 악화를 심각하게 받아들이면서 올해 임금 협상에서 잠정적인 합의에 도달했다.」

Answer 18.④ 19.①

2017. 12. 16. 지방직

Ⅰ20~22Ⅰ 밑줄 친 부분과 의미가 가장 가까운 것을 고르시오.

20

During both World Wars, government <u>subsidies</u> and demands for new airplanes vastly improved techniques for their design and construction.

① financial support
② long-term planning
③ technical assistance
④ non-restrictive policy

subsidy 보조금 demand 수요 vastly 대단히

① 재정 지원
② 장기 계획
③ 기술 지원
④ 비제한적인 정책

「두 차례의 세계 대전 동안 정부 <u>보조금</u>과 새로운 항공기에 대한 수요가 그 설계와 구조의 기술을 대단히 발전시켰다.」

21

Tuesday night's season premiere of the TV show seemed to be trying to strike a balance between the show's <u>convoluted</u> mythology and its more human, character-driven dimension.

① ancient
② unrelated
③ complicated
④ otherworldly

TIPS!

premiere 개봉, 초연, 개봉하다 strike a balance (between A and B) (A와 B 사이에서) 균형을 유지하다 convoluted 대단히 난해한 character-driven 인물 중심 dimension 크기, 치수

① 고대의
② 관련 없는
③ 복잡한
④ 내세의

「화요일 밤 TV 쇼 시즌 첫 방송은 <u>복잡한</u> 신화와 좀 더 인간적인 인물 중심의 관점 사이에서 쇼의 균형을 유지하려고 노력한 것으로 보인다.」

Answer 20.① 21.③

22

> By the time we <u>wound up</u> the conversation, I knew that I would not be going to Geneva.

① initiated ② resumed

③ terminated ④ interrupted

TIPS!

wind up 마무리 짓다

① 착수시키다

② 재개하다

③ 끝나다, 종료되다

④ 방해하다

「우리가 대화를 <u>마무리 지을</u> 때쯤에는, 나는 내가 제네바로 가지 않을 것이란 것을 알았다.」

2017. 12. 16. 지방직

23 밑줄 친 부분에 들어갈 말로 가장 적절한 것은?

> A police sergeant with 15 years of experience was dismayed after being ______________ for promotion in favor of a young officer.

① run over ② asked out

③ carried out ④ passed over

TIPS!

sergeant 병장, 경사 dismay 경악하게 만들다, 크게 실망시키다

① (차로) 치고 가다

② 데이트를 신청하다

③ 수행하다

④ 무시하다, 피하다, 제외시키다

「15년 경력의 한 경찰 경사가 젊은 경관을 선호하는 진급시험에서 <u>제외되어</u> 크게 실망하였다.」

Answer 22.③ 23.④

2017. 6. 24. 제2회 서울특별시

| 24~25 | 밑줄 친 부분과 의미가 가장 가까운 것은?

24

> Leadership and strength are <u>inextricably</u> bound together. We look to strong people as leaders because they can protect us from threats to our group.

① inseparably ② inanimately

③ ineffectively ④ inconsiderately

leadership 지도력 inextricably 불가분하게 threats 위협

inextricably는 「불가분하게, 분리할 수 없는」의 의미로 보기 중 ①번 inseparably와 의미가 유사하다.

① 분리할 수 없는
② 생명이 없이
③ 헛되게, 무능하게
④ 인정머리 없게, 경솔하게

「지도력과 힘은 <u>떨래야 뗄 수 없이</u> 서로 연관되어 있다. 우리는 지도자로서 강인한 사람들을 찾는데 이는 강인한 사람들이 우리 그룹에게 닥치는 위협으로부터 우리를 보호해 주기 때문이다.」

25

> Prudence indeed will dictate that governments long established should not be changed for light and <u>transient</u> causes.

① transparent ② monetary

③ memorable ④ significant

TIPS!

prudence 신중, 조심 dictate 지시하다 transient 일시적인, 순간적인

transient는 「일시적인, 순간적인」의 의미로 보기 중 ②번 momentary와 유사하다.

① 투명한, 명백한 ② 순간적인, 잠깐의
③ 기억할 만한 ④ 중요한

「사실상, 신중함은 오래전에 설립된 정부가 사소하고 <u>일시적인</u> 원인으로 변경될 수 없다는 것을 암시할 것이다.」

Answer 24.① 25.②

2017. 6. 24. 제2회 서울특별시

26 다음 빈칸에 들어갈 가장 적절한 단어는?

> A faint odor of ammonia or vinegar makes one-week-old infants grimace and _______ their heads.

① harness ② avert

③ muffle ④ evoke

TIPS!

faint 희미한 odor 냄새 grimace 얼굴을 찡그리다

신생아들이 냄새에 반응해서 얼굴을 찡그리거나 머리를 돌리는 내용이므로 빈칸에는 ②번 avert가 적절하다.

① (말등의) 마구를 채우다

② 피하다

③ 감싸다

④ 떠올려보다

「암모니아 또는 식초의 희미한 냄새도 1주된 신생아들의 얼굴을 찡그리게 하고 머리를 피하게 만든다.」

Answer 26.②

Let's check it out 01 출제예상문제

1 밑줄 친 부분에 가장 적절한 것은?

> Before she traveled to Mexico last winter, she needed to ___________ her Spanish because she had not practiced it since college.

① make up to ② brush up on
③ shun away from ④ come down with

TIPS!

① ~에게 아첨하다 ② ~을 복습하다 ③ ~을 회피하다 ④ (병에) 걸리다

「그녀가 작년 겨울 멕시코로 여행가기 전에, 그녀는 대학 이후로 연습하지 않았던 스페인어를 복습할 필요가 있었다.」

| 2~3 | 다음 밑줄 친 부분과 의미가 가장 가까운 것을 고르시오.

2 I was told to let Jim pore over computer printouts.

① examine ② distribute
③ discard ④ correct

TIPS!

① 조사(검토)하다 ② 나누어 주다 ③ 폐기하다 ④ 바로잡다

pore over ~을 자세히 조사하다

「나는 Jim이 컴퓨터 출력물들을 자세히 조사해 보도록 해주라는 말을 들었다.」

Answer 1.② 2.①

3 John had just started working for the company, and he <u>was not dry behind the ears</u> yet. We should have given him a break.

① did not listen to his boss
② knew his way around
③ was not experienced
④ was not careful

TIPS!

not dry behind the ears 풋내기의, 경험 없는, 미숙한 give somebody a break ~에게 기회를 주다, 너그럽게 봐주다 know one's way around (장소 · 주제 등에 대해) 잘 알다, 익숙하다

「John은 이제 막 회사에서 일을 시작하여 아직 <u>서툴렀다</u>. 우리는 그를 너그럽게 봐줘야 했다.」

▌4~5▐ 밑줄 친 부분의 의미로 가장 적절한 것을 고르시오.

4 The function of the historian is neither to love the past nor to <u>emancipate</u> himself from the past, but to master and understand it as the key to the understanding of the present.

① free
② please
③ invoke
④ emulate

TIPS!

function 기능, 역할, 의식 historian 역사가, 역사 저작가 neither A nor B but C A, B가 아니라 C이다 free 해방하다, 풀어주다 please 기쁘게 하다 past 지나간, 과거의 emulate 겨루다, 모방하다 emancipate 해방하다, 석방하다 invoke 기원하다, 호소하다

「역사가의 일은 과거에만 집착하거나 과거에서부터 벗어나는 것이 아니라, 현재를 이해하기 위한 열쇠로서 과거를 탐구하는 것이다.」

Answer 3.③ 4.①

5 A : Why do you have to be so stubborn?
B : I don't know. That's just the way I am.
I guess I'm just a chip off the old block.

① I'm just like my father

② I'm just in a bad mood

③ I just have confidence in my intuition

④ I just like to have fun with old friends

TIPS!

stubborn 완고한, 완강한, 다루기 힘든 a chip of[off] the old block 아버지를 꼭 닮은 아들

① 나는 나의 아버지를 꼭 닮았다.
② 나는 완전히 기분이 별로다.
③ 나는 나의 직감에 의존한다.
④ 나는 나의 오래된 친구와 함께 즐거운 시간을 보내는 게 좋아.

「A : 왜 너는 그렇게 고집이 세니?
B : 나도 몰라. 그것은 나의 방식일 뿐이야.
나는 내가 나의 아버지와 성격이 닮았다고 생각해.」

6 빈칸에 들어갈 말로 가장 적절한 것은?

One bacterium that survives keeps replicating because it is not ________ to the drug treatment.

① curable ② susceptible

③ prosperous ④ reproductive

TIPS!

replicate 모사하다, 복제하다 curable 치료할 수 있는, 고칠 수 있는 susceptible 영향을 받기 쉬운, 감염되기 쉬운 prosperous 번영하는, 순조로운 reproductive 번식하는, 복제하는

「약물치료에 영향 받기 쉽지 않기 때문에 살아남는 박테리아는 계속 복제한다.」

Answer 5.① 6.②

7 다음 빈칸에 들어갈 단어로 가장 알맞은 것은?

> Avalanches not only endanger life but they block important avenues of communication and ______________ commercial activity.

① deplore
② disguise
③ disrupt
④ implore

TIPS!

avalanche 눈사태, (질문 등의) 쇄도 not only A but (also) B A뿐만 아니라 B도 endanger 위태롭게 하다, 위험에 빠뜨리다 avenue 가로수 길, 큰 거리, 수단, 방법, 길 deplore (죽음 · 과실 등을) 비탄하다, 한탄하다, 애도하다 disguise 변장, 가장, 변장하다, 위장시키다 disrupt 찢어발기다, 붕괴시키다, 중단시키다 implore 애원하다, 간청하다, 탄원하다 erupt 분화하다, 분출하다

「눈사태는 생명을 위협할 뿐만 아니라 중요한 통신수단을 막고, 상업활동을 중단시킨다.」

▌8~10▐ 다음 밑줄 친 부분의 의미와 가장 가까운 것을 고르시오.

8 Movie studios often <u>boost</u> a new star with guest appearances on television talk show.

① promote
② watch
③ denounce
④ assault

TIPS!

boost(=promote) ~에 앉히다, 모시다, 밀어 올리다, 격려하다, 후원하다, 끌어올리다 promote 진전시키다, 조장하다, 승진하다 appearance 출현, 등장

「영화 스튜디오는 텔레비전 토크쇼에 초대 손님으로 종종 새로운 스타를 모신다.」

Answer 7.③ 8.①

9 In the autumn, the mountain are <u>ablaze</u> with shades of red, yellow, and orange.

① abloom ② inaccessible
③ feasible ④ radiant

ablaze(= radiant) 불타는, 밝게 빛나는, 활활 타오르는 shades of 명암(색의 농도), 그늘, 그림자

① 개화하여, 꽃이 피어(= in bloom)
② 가까이 하기 어려운
③ 실행할 수 있는, 적당한(= suitable)
④ 빛나는, 찬란한

「가을에는 산이 붉고 노랗고 오렌지의 빛깔들로 불타오른다.」

10 With the process of evolution, man <u>broke in</u> some cattle to labor.

① beat ② fed
③ interfered ④ tamed

TIPS!

process 진행, 과정 evolution 전개, 발전, 진전 break in(= tame) 길들이는, 시운전의 cattle 소, 축우

① 치다, 두드리다, 때리다
② 먹을 것을 주다, 먹이다
③ 간섭하다, 말참견하다, 방해하다
④ 길든, 식물이 재배된

「발전과정에서 인간은 노동력으로 사용할 약간의 소들을 길들였다.」

Answer 9.④ 10.④

11 다음 밑줄 친 부분에 주어진 말과 가장 가까운 의미는?

> Many parents in my country bend over backwards to educate their children.

① 앞뒤 분간할 줄 모른다.
② 역효과를 낸다.
③ 발전은커녕 퇴보한다.
④ 기를 쓴다.

TIPS!

bend over backward(s) 비상한 노력을 하다, 필사적으로 ~하려고 애쓰다(노력하다)

「내 나라에 있는 많은 부모들은 필사적으로 그들의 아이들을 교육시키기 위해서 애쓴다.」

12 다음 밑줄 친 부분과 의미가 같은 것은?

> On the whole, the general led a tranquil life.

① calm
② logical
③ sensible
④ self-centered

TIPS!

general 장군, 육군대장 tranquil 조용한

① 조용한 ② 논리적인 ③ 분별있는 ④ 자기 중심의 ⑤ 유력한

「전체적으로 그 장군은 조용한 삶을 살았다.」

Answer 11.④ 12.①

I 13~14 I 밑줄 친 부분의 의미로 가장 가까운 것을 고르시오.

13 He does not hold back his sarcasm.

① realize ② restrain
③ refine ④ withdraw

TIPS!
hold back 억제하다 sarcasm 풍자
① 실현되다 ② 억제하다 ③ 정련하다, 세련되게 하다 ④ 움츠리다
「그는 그의 풍자를 억제하지 않았다.」

14 It was gambling that brought about his ruin.

① accomplished ② reversed
③ caused ④ returned

TIPS!
bring about 발생하다 ruin 파멸, 폐허
① 성취하다 ② 거꾸로 하다 ③ 일어나다 ④ 되돌아가다
「그의 파멸을 부른 것은 도박이었다.」

15 다음 밑줄 친 부분과 의미가 가장 가까운 것은?

> Her husband is very competent ; he will repair the roof himself.

① talented ② industrious
③ thrifty ④ careful

TIPS!
competent 적임의, 유능한(=capable) industrious 근면한, 부지런한 thrifty 검소한, 절약하는 prudent 신중한
「그녀의 남편은 매우 유능하다 ; 그는 혼자 지붕을 고칠 것이다.」

Answer 13.② 14.③ 15.①

16 다음 문장에서 밑줄 친 부분과 같은 의미로 쓰인 것은?

All hope deserted him.

① They drove home through the deserted, windy streets.

② She traveled across the Sahara Desert.

③ His appetite deserted him.

④ Our modern towns are concrete deserts.

TIPS!

desert 사라지다, 버리다, 사막, 불모의, 황량한 deserted 황폐한 appetite 식욕 run away 도망가다

① 그들은 황폐하고 바람부는 거리를 뚫고 집으로 운전했다.
② 그녀는 사하라 사막을 가로질러 여행했다.
③ 그의 식욕은 사라졌다.
④ 우리의 현대 도시들은 콘크리트 지역이다.

「모든 희망이 그에게서 사라졌다.」

▌17~18 ▌ 다음 빈칸에 알맞은 것을 고르시오.

17 Doctors believed he would never walk again let ________ play golf.

① up
② go
③ alone
④ out

TIPS!

let alone ~은 말할 것도 없고(= not to mention)

「의사들은 그가 골프 치는 것은 말할 것도 없고 다시는 걸을 수 없을 것으로 믿었다.」

Answer 16.③ 17.③

18 We waited till seven o 'clock but he didn 't turn ________.

① away　② in
③ off　④ up

TIPS!

turn up 나타나다 출현하다(=appear)

「우리는 일곱 시까지 그를 기다렸지만 그는 끝내 나타나지 않았다.」

19 다음 밑줄 친 부분의 의미와 가장 가까운 것을 고르면?

> Although the work needs to be done more <u>exhaustively</u>, efforts have been made to collect the songs and ballads of the American Revolution.

① precisely　② frantically
③ selectively　④ thoroughly

TIPS!

exhaustively 철저하게, 남김없이　precisely 정밀하게, 정확하게　frantically 미친듯이, 미쳐서　selectively 선택적으로　thoroughly 철저하게, 완전히

「그 일이 더 철저하게 행해질 필요가 있지만, 미국 독립혁명의 노래들과 수집하기 위한 노력들이 있어 왔다.」

국어
한국사
영어

Answer 18.④ 19.④

02 독해

section 1 글의 핵심파악

1. 제목(title) 찾기

다음 글의 제목으로 가장 적절한(알맞은) 것은?

이 유형은 보통 주제 찾기와 비슷한 유형이라고 생각하지만, 제목은 주제보다 상징성이 강하며 독자의 주목을 끌기 위해 명사형의 형태로 간결하고 명료하다. 글의 제목을 찾기 위해서는 무엇보다 글 전체의 내용을 종합적으로 이해할 수 있는 독해능력을 필요로 한다.

다음 글의 제목으로 가장 적절한 것은?

Among the first animals to land our planet were the insects. They seemed poorly adapted to their world. Small and fragile, they were ideal victims for any predator. To stay alive, some of them, such as crickets, chose the path of reproduction. They laid so many young that some necessarily survived. Others, such as the bees, chose venom, providing themselves, as time went by, with poisonous stings that made them formidable adversaries. Others, such as the cockroaches, chose the become inedible. A special gland gave their flesh such an unpleasant taste that no one wanted to eat it. Others, such as moths, chose camouflage. Resembling grass or bark, they went unnoticed by an inhospitable nature.

① Natural Enemies of Insects
② Insects Strategies for Survival
③ Importance of Insects in Food Chain
④ Difficulties in Killing Harmful Insects

해석 「지구에 처음 착륙한 동물 중에 하나가 곤충이다. 이 곤충들은 그들의 세계에 순응하기 힘들었던 것으로 보인다. 작고 약했던 그들은 어떤 육식동물들의 이상적인 희생자들이었다. 귀뚜리미와 같은 그들 중의 일부 곤충은 생존하기 위해 번식이라는 길을 택했다. 귀뚜라미들은 아주 많은 새끼들을 낳아서 일부가 생존한다. 벌과 같은 다른 곤충들은 그들 스스로 생산하는 독을 갖게 되었고, 시간이 지나면서 그들을 무서운 곤충으로 만들어준 독침을 갖게 되었다. 바퀴벌레와 같은 다른 곤충들은 식용에 적합지 않음을 보여주었다. 특별한 땀샘은 어느 누구도 그것을 먹기를 원치 않은 불쾌한 맛과 같은 그들의 냄새를 주었다. 나방 같은 곤충은 위장에 능하다. 잔디나 나무껍질과 닮아 그들은 불친절한 자연에 의해 알아채지지 않는다.」

① 곤충의 천적들　　　　② 생존을 위한 곤충의 전략
③ 먹이사슬에서의 곤충의 중요성　　④ 해로운 곤충을 죽이는 데 있어서의 어려움

단어 adapt to (환경 등에) 순응하다, ~에 적응하다 fragile 체질이 허약한 predator 약탈자, 육식동물 cricket 귀뚜라미 reproduction 재생, 복사, 재현 venom 독액, 독, 독물 poisonous 유독한, 유해한 sting 찌르다 formidable 무서운, 만만찮은, 굉장한 adversary 적, 상대, 대항자 cockroach 바퀴(벌레) inedible 식용에 적합하지 않은 camouflage 위장, 속임, 변장 inhospitable 불친절한, 황량한

해설 이 문제는 귀뚜라미, 벌, 나방 등 각 곤충들이 어떠한 방법으로 생존해 나가고 있는지를 설명한 글이다.

답 ②

2. 주제(topic) 찾기

다음 글의 주제로 가장 적절한(알맞은) 것은?

주제는 글의 중심생각으로 이 유형은 그것을 묻는 문제이다. 주제는 보통 주제문에 분명하게 드러나므로 전체 글을 이해하여 주제문을 찾는 것이 중요하다.

다음 글의 주제로 가장 알맞은 것은?

The Western people eat with utensils to show a high degree of prestige and sophistication ; the Chinese eat with sticks to show their cleverness of dealing with those sticks, the Saudi people eat with their hands. They say, "Why should we eat with utensils or sticks that are used by other people? They may not be as clean as our hands." They also say that they know whether their hands are clean or not and that nobody else uses them.

① 식사법이 다른 이유　　② 식사습관의 중요성
③ 주방기구의 발전　　④ 식사법의 변천과정

해석 「서양 사람들은 높은 품위와 세련미를 나타내기 위해 도구를 가지고 음식을 먹는다; 중국 사람들은 총명함을 나타내기 위해 젓가락을 가지고 음식을 먹는다. (반면에) 사우디 사람들은 손으로 음식을 먹는다. 그들은 "왜 우리가 다른 사람들이 사용한 도구나 젓가락을 가지고 음식을 먹어야 하는가? 그것은 우리 손만큼 깨끗하지 못할지도 모른다."고 말한다. 그들은 또한 자기들의 손이 깨끗한지 아닌지를 알고 있으며, 아무도 그 밖의 용도로 사용하지 않는다고 말한다.」

단어 utensil 기구, 도구, 부엌세간 prestige 명성, 위신, 품위 sophistication 세련, 지적, 교양 cleverness 영리함, 재치 있음, 교묘함

해설 이 문제에는 eat with(~으로 먹다)가 반복되고 있으며 the Western people, the Chinese, the Saudi people의 예가 제시되고 있다.

답 ①

3. 요지(main idea) 찾기

다음 글의 요지로 가장 적절한(알맞은) 것은?
글을 나타내는 상징성의 정도는 요지 < 주제 < 제목의 순으로 드러나는데. 이러한 유형의 문제는 우선 글의 전체 내용을 개괄적으로 파악하는 능력이 필요하다.

다음 글에서 필자가 말하고자 하는 요지는?

> I would certainly sooner live in a monotonous community than in a world of universal war, but I would sooner be dead than live in either of them. My heart is in the world of today, with its varieties and contrasts, its blue and green faces, and my hope is that, through courageous tolerance, the world of today may be preserved.

① Preference for a monotonous life
② Preservation of world peace
③ Varieties and contrasts of the world
④ The necessity of courageous tolerance

해석 「나는 확실히 세계적인 전쟁이 벌어지는 세상에 사느니 차라리 단조로운 공동체사회 속에 살고자 한다. 그러나, 그들 중 어느 한 쪽에 사느니 차라리 죽는 게 훨씬 더 낫다. 내 마음은 다양성과 상반된 것으로 가득찬, 우울하면서도 활기찬 측면을 지닌 오늘날의 세상에 머물고 있다. 그리고 내가 바라는 것은 용기있는 관용을 통해서, 현재의 세계가 유지되는 것이다.」
① 단조로운 생활을 좋아함
② 세계 평화의 유지
③ 세계의 다양함과 상반됨
④ 대담한 관용의 필요성

단어 would sooner A than B B하느니 차라리 A하는 게 훨씬 더 낫다 monotonous 단조로운, 지루한, 무미건조한 variety 다양(성), 변화, 차이, 불일치 contrast 대조, 대비 blue 우울한, 기운없는, 푸른, 학식있는 green 활기있는, 원기왕성한, 미숙한, 안색이 창백한 courageous 용기있는, 용감한, 대담한 tolerance 인내(심), 관용, 관대, 아량 preference for ~을 선호함(좋아함) preservation 보존, 유지, 보호

답 ②

다음 글의 요지로 가장 알맞은 것은?

Research in learning suggests that getting good grades depends more on effective study skills than on a high IQ. Whereas students with high grades prepare for exams in advance, reviewing their notes periodically, students with poor grades wait until the last minute and then cram. Unfortunately, cramming does not produce the desired results. Students with high grades organize their time, planning when they will complete their assignments, while students with low grades ignore schedules and hope they will finish their work on time. Unfortunately, time usually runs out, and they don't get the work done.

① 학교에서 직업교육을 강화해야 한다.
② 사람은 능력에 따라 대접받아야 한다.
③ 좋은 공부습관이 좋은 결과를 낳는다.
④ 공부를 잘 한다고 반드시 성공하는 것은 아니다.

해석 「학습에 대한 연구에서 보여주는 것은 좋은 점수를 얻는다는 것이 높은 지능지수보다는 효과적인 공부방식에 더 의존한다는 점이다. 높은 점수를 가진 학생들은 정기적으로 자신들이 필기한 것들을 복습하면서, 미리 시험에 대한 준비를 하는 반면, 낮은 점수를 가진 학생들은 마지막 순간까지 기다리다가는 벼락치기 공부를 한다. 불행스럽게도, 벼락치기 공부는 바람직한 결과를 낳지 않는다. 높은 점수를 가진 학생들은 자신들의 시간을 관리하여 그들이 언제 자신들의 할당된 바를 완성시킬지를 계획한다. 반면에, 낮은 점수를 가진 학생들은 계획들을 무시하면서도 자신들의 일이 정각에 끝마쳐지기를 바란다. 불행히도, 시간이란 대개의 경우 모자란 것이고, 그 결과 그들은 그 일을 끝마치도록 다하지 못하는 것이다.」

단어 IQ 지능지수(Intelligence Quotient) in advance 미리, 앞서서(= beforehand) review 복습하다, 검토하다 cram 주입식의 공부를 하다, 포식하다, 게걸스럽게 먹다 desired result 바람직한 결과 organize 구성하다, 계통을 세우다, 정리하다, 계획하다 assignment 배당, 할당, 숙제 run out 뛰어나가다, 흘러나오다, 만기가 되다

해설 일관성이 있는 글의 구성의 특징은 주제(topic)가 있고, 그를 뒷받침하는 소재(supporting sentences)들이 있다. 위의 글에서는 처음에 주어진 문장(Research in learning suggests that getting good grades depends more on effective study skills than on a high IQ)이 주제이다. Whereas 이하는 높은 점수의 학생들과 낮은 점수의 학생들을 비교하며 언급함으로써 이를 뒷받침해 주는 역할을 하는 부분이다.

답 ③

국어 한국사 영어

section 2 문맥 속 어구파악

1. 지시어 추론

다음 글에서 밑줄 친 대명사(this, that, it, etc.) 또는 (고유)명사가 구체적으로 가리키는 것으로 가장 알맞은 것은?

이 유형은 대명사나 (고유)명사가 가리키고 있는 대상을 추론하는 문제로, 정확하고 구체적인 정보파악 능력과 논리적이고 종합적인 사고능력도 함께 필요로 한다.

다음 밑줄 친 It이 구체적으로 가리키는 것을 고르면?

> It is the study of relationships among plants and animals and their environment. It includes the study of the biological processes and the needs of plants and animals, as well as the effects that plants, animals and the environment have on each other.

① genetics ② ecology
③ biology ④ zoology

해석 「이것은 식물들과 동물들, 그리고 그들의 환경 사이의 관계에 대한 학문이다. 이것은 식물들과 동물들, 그리고 그 환경이 서로에게 미치는 영향들 뿐만 아니라 식물들과 동물들의 생물학적 과정과 필요한 요소에 대한 연구를 포함한다.」

단어 relationship 관계, 친척관계 environment 환경, 주위(의 상황) include 포함하다 biological 생물학적인 effect 효과, 영향, 결과 genetics 유전학 ecology 생태학 biology 생물학 zoology 동물학

답 ②

2. 어구의 의미파악

다음 글에서 밑줄 친 부분의 의미로 가장 적절한(알맞은) 것은?

이 유형은 주어지는 글에서 쓰이고 있는 어구의 이면적인 의미를 간파해내야 하는 문제로, 주어지는 글의 전체적인 흐름과 전반적인 분위기를 파악하여 이중적 의미를 찾아내는 것이 중요하며 다양한 의미로 쓰이는 어휘와 표현들을 잘 익힐 필요가 있다.

다음 글에서 밑줄 친 a snow job의 의미로 가장 적절한 것은?

> The salesman tried to convince a group of investors that the properties he was selling would soon be worth much more money than he was asking. However, no one bought anything from him because they felt he was giving them a snow job. No one was deceived by his insincerity and exaggerated claims about the worth of the properties.

① 수입한 사치품　　② 과장된 거짓말

③ 적절한 수익성　　④ 위협적인 강매

해석 「그 외판원은 많은 투자자들에게 그가 팔고 있는 상품들이 곧 그가 요구하는 돈보다 더 많은 자산가치가 있게 될 것이라는 점을 확신시키려고 노력하였다. 하지만 그들은 그가 그들에게 과장된 거짓말을 하고 있다고 느꼈기 때문에 그에게서 아무것도 사지 않았다. 아무도 그 상품들의 가치에 관한 그의 불성실과 과장된 주장에 의해 속지 않았다.」

단어 salesman 점원, 판매원, 외판원　convince 확신시키다, 납득시키다　investor 투자가　property 재산, 자산, 소유물, 상품　money 돈, 화폐, 자산, 재산　snow job 과장되고 교묘한 거짓말, 권유·설득하는 말, 감언이설　deceive 속이다, 기만하다　insincerity 불성실, 위선　exaggerated 과장된, 허풍을 떠는, 지나친　claim 주장, 요구, 청구, 권리, 자격

답 ②

3. 말의 의도파악

다음 글에서 밑줄 친 부분의 의도로 가장 적절한(알맞은) 것은?

이 유형은 어구의 의미파악 과정과 크게 다르지 않지만, 좀더 희극적인 효과를 수반하는 영어권 사회와 문화에서 통용되는 사고의 전개방식에 대한 이해를 필요로 하는 문제로, 주로 말에 대한 오해나 엉뚱하고 기발한 사고로 빚어지는 극적인 전개가 있는 하나의 에피소드(episode) 중심의 글로 제시된다.

Dick이 밑줄 친 부분과 같이 말한 의도는?

> Dick was seven years old, and his sister, Catherine, was five. One day their mother took Dick into the kitchen. She gave him a nice cake and a knife and said to him, "Now here's a knife, Dick. Cut this cake in half and give one of the pieces to your sister, but remember to do it like a gentleman." "Like a gentleman?," Dick asked. "How do gentlemen do it?" "They always give the bigger piece to the other person", answered his mother at once. "Oh", said Dick. He thought about this for a few seconds. Then he took the cake to his sister and said to her, "<u>Cut this cake in half, Catherine</u>."

① 이 케이크를 똑같이 나누자.
② 이 케이크를 네 마음대로 잘라라.
③ 내가 이 케이크를 자르겠다.
④ 케이크를 잘라서 내게 큰 조각을 다오.

해석 「Dick은 7살이었고, 그의 누이동생 Catherine은 5살이었다. 어느날 그들의 어머니가 Dick을 부엌으로 데리고 갔다. 그녀는 그에게 맛있는 케이크와 칼을 주면서 말했다. "Dick, 여기 칼이 있다. 이 케이크를 반으로 잘라서 누이동생에게 그 조각 중의 하나를 주어라. 하지만 신사처럼 주는 것을 기억하여라." "신사처럼이요?"라고 Dick이 물었다. "신사들은 그것을 어떻게 주나요?" "그들은 항상 다른 사람에게 더 큰 조각을 준단다."라고 그의 어머니가 즉시 대답했다. "오"라고 Dick은 말했다. 그는 잠시 이것에 관해 생각했다. 그리고 나서 그는 그의 누이동생에게 케이크를 가져가서 말했다. "이 케이크를 반으로 잘라, Catherine."」

단어 in half 절반으로 for a few seconds 잠시동안

해설 Dick은 어머니가 그에게 기대한 행동을 누이동생 Catherine이 자신에게 해주기[신사처럼 주기(케이크를 반으로 잘랐을 때 항상 다른 사람에게 더 큰 조각을 주기)]를 기대하고 있다.

답 ④

section 3 **문맥의 이해**

국어

1. 내용일치 여부의 판단

다음 글의 내용과 일치하지 않는(일치하는) 것은?

이 유형은 글의 세부적인 내용파악을 주로 요구하는 문제로, 주어지는 글보다 질문과 보기의 내용을 먼저 본 후에 질문에 해당하는 부분을 집중적으로 살펴야 한다. 이 때 중요한 것은 반드시 주어지는 글에 담긴 사실적인 내용을 근거로 판단해야 한다는 것이다.

다음 글의 내용과 일치하지 않는 것은?

한국사

From the day the first motor car appeared on the streets it had to me appeared to be a necessity. It was this knowledge and assurance that led me to build to the one end – a car that would meet the wants of the multitudes.

All my efforts were then and still are turned to the production of one car – one model. And year following year, the pressure was, and still is, to improve and refine and make better, with an increasing reduction in price.

① The writer asserts that cars should satisfy the wants of the multitudes.
② The writer did all his might to produce one car – one model.
③ The writer devoted himself to the reduction of price in producing a car.
④ The writer emphasizes the improvement of a car despite a reduction in price.

영어

해석 「최초의 자동차가 거리에 출현했던 날로부터 그것은 나에게 필수품인 것처럼 생각되어 왔었다. 그것은 내가 그 하나의 목적 – 대중들의 욕구에 부응할 차 – 을 만들도록 이끈 지식과 확신이었다.
나의 모든 노력들은 그때나 지금까지 하나의 모델 – 하나의 자동차 생산에 착수하는 데 있다. 그리고 한해 한해가 지날수록, 가격이 내려가는 속에서 성능의 향상과 세련되고 더 좋은 차를 만들어야 하는 압력이 예전이나 지금도 계속되고 있다.」

① 글쓴이는 차들이 대중들의 욕구를 만족시켜야 한다고 주장한다.
② 글쓴이는 한 가지 모델의 하나의 차를 생산하는 데 그의 모든 힘을 썼다.
③ 글쓴이는 차를 생산하는 데 있어서 가격의 절감에 몰두하였다.
④ 글쓴이는 가격인하에도 불구하고 차의 성능 향상을 강조한다.

단어 necessity 필요(불가결한 것), 필수품 assurance 확신, 보증 end 끝, 목적, 목표 multitude 다수, 군중, 대중 turn to ~(쪽)으로 향하다 year following year 해마다 improve 개량하다, 개선하다, 향상시키다 refine 순화하다, 정제하다, 정련하다, 세련되게 하다 reduction 축소, 감소, 절감 assert 단언하다, 주장하다 might 힘 devote oneself to ~에 몰두하다, 전념하다, 헌신하다 emphasize 강조하다

답 ③

2. 무관한 문장 고르기

다음 글의 전체 흐름과 관계없는 문장은?

이 유형은 글의 전체적인 일관성과 통일성을 해치는 문장을 골라내는 문제로, 주제와 그 주제를 뒷받침하지 않고 주제를 벗어나거나 서술방향이 다른 문장을 찾아야 한다. 이때 무관한 문장은 그 문장 없이도 글의 흐름이 자연스럽게 연결될 수 있다.

다음 글의 흐름으로 보아 가장 관계가 먼 문장은?

Different regions of the brain have different jobs. ① If there is any damage to the part of the brain known as Broca's area, a person will have trouble pronouncing words. ② Similarly, if there is damage to the part of the brain called Wernicke's area, a person will have problems remembering certain words. ③ There is much that scientists still do not know about the human brain. ④ The part of the brain called the cerebellum is concerned with controlling bodily position and motion.

해석 「뇌의 갖가지의 영역들은 각기 다른 일(기능)들이 있다. Broca의 영역으로 알려진 뇌의 부위에 어떤 손상이 있으면 단어를 발음하는 데에 문제가 생길 것이다. 마찬가지로 Wernicke의 영역이라 불리는 뇌의 부위에 손상이 있으면 어떤 단어를 기억하는 데에 문제가 생길 것이다. (과학자들이 인간의 뇌에 대해 여전히 잘 모르고 있는 부분이 많다) 소뇌라 불리는 부분은 신체의 자세와 동작에 관계한다.」

단어 region 지역, 영역 pronounce 발음하다, 선언하다 cerebellum 소뇌 bodily 신체(육체)의 motion 동작, 운동

해설 ①②④ 모두 주제문 Different regions of the brain have different jobs를 뒷받침하는 뇌의 각각의 영역들의 기능을 설명하고 있다.

답 ③

3. 주어진 문장 넣기

다음 글의 흐름을 보아, 주어진 문장이 들어가기에 가장 적절한(알맞은) 것은?

이 유형은 주어지는 문장이 제자리에 들어가 더 논리적이고 일관성 있는 글이 되는 문제로, 문장과 문장 사이의 관계 추론능력을 필요로 한다.

다음 주어진 문장이 들어갈 가장 적절한 곳은?

This is not true.

Many people think the Canary Islands were named for the canary birds that live there. ① The word canary comes from the Latin word canis, meaning dog. ② Early explorers of the island found many wild dogs there. ③ They named the islands "Canario," meaning "Isle of Dogs." ④ So the Canary Islands were not named for the canary birds, but the birds were named for the islands!

해석 「많은 사람들은 카나리아 제도가 거기에 사는 카나리아(새)의 이름을 따서 명명되었다고 생각한다. 이것은 사실이 아니다. canary라는 단어는 개를 뜻하는 라틴말 canis에서 유래한다. 그 섬의 초기 탐험가들은 그 곳에서 많은 들개들을 발견하였다. 그들은 "개들의 섬"을 의미하는 "Canario" 섬이라고 이름을 지었다. 그래서 카나리아 제도는 카나리아의 이름을 따서 이름지어진 것이 아니라, 그 새들이 그 섬의 이름을 따서 지어진 것이다!」

단어 name for ~의 이름을 따서 이름을 짓다, 명명하다 come from ~에서 유래하다, 비롯하다 explorer 탐험가 isle (작은) 섬

해설 지시어는 문장 간의 연결고리 역할을 하므로 이 문제는 주어진 문장에서 지시대명사 This가 의미하는 것에 주의해야 한다.

답 ①

국어 한국사 영어

4. 문장의 순서 정하기

다음 (주어진 문장에 이어질) 글의 순서로 가장 적절한(알맞은) 것은?

이 유형은 배열순서가 뒤바뀐 여러 문장들을 연결사와 지시어 등에 유의하여 문장과 문장 사이의 논리적 관계를 정확하게 파악하여 논리적으로 재배열하는 문제로, 기준이 되는 문장이 제시되기도 한다.

다음 주어진 문장에 이어질 글의 순서로 가장 적절한 것은?

Free trade makes possible higher standards of living all over the globe.

(A) The case for free trade rests largely on this principle : as long as trade is voluntary, both partners benefit.
(B) Free trade also makes the world economy more efficient, by allowing nations to capitalize on their strength.
(C) The buyer of a shirt, for example, values the shirt more than the money spent, while the seller values the money more.

① (A) – (B) – (C)
② (B) – (A) – (C)
③ (B) – (C) – (A)
④ (C) – (A) – (B)

해석 「자유무역은 전세계의 더 높은 생활수준을 가능하게 한다(자유무역을 한다면 전세계의 생활수준은 더 높이 향상될 수 있을 것이다).」
「(B) 자유무역은 또한 국가들이 자신들의 힘을 이용할 수 있도록 하기 때문에 세계경제를 더욱 효과적이 되게 한다.
(A) 자유무역을 하는 경우에는 다음의 원칙에 주로 의존한다. 즉, 무역이 자발적으로 이루어지는 동안은 양쪽 상대국이 이익을 얻는다는 것이다.
(C) 셔츠 하나를 예로 들어보면, 구매하는 쪽은 쓰여진 돈보다도 더 그 셔츠가 중요한 것이며, 반면 판매하는 쪽은 그보다는 돈이 더 중요한 것이다.」

단어 free trade 자유무역, 자유거래 make possible 가능하게 하다 all over the globe 전세계에서 efficient 능률적인, 효과있는 capitalize 자본화하다, 이용하다 rest on ~에 의지하다 principle 원리, 원칙

답 ②

5. 전후관계추론

다음 글의 바로 앞(뒤)에 올 수 있는 내용으로 가장 적절한(자연스러운) 것은?

이 유형은 단락간 전개방식을 묻는 문제로, 글의 논리적인 연관성에 따라서 주어지는 단락의 내용을 정확하게 파악하여 앞단락 또는 뒷단락의 내용을 추론해야 한다.

다음 글의 바로 앞에 올 수 있는 내용으로 가장 적절한 것은?

People who must endure loud environments may risk more than their ears. Studies show they can suffer elevated levels of cholesterol and more stomach ulcers, high blood pressure and more heartbeat abnormalities than people who live and work in quieter environments. Loud noise triggers the body's 'fight or flight' response — a rise in the level of adrenalin, and a subsequent increase in blood pressure and contraction of muscles.

① 환경정책의 필요성　② 환경과 심장박동의 관계
③ 소음이 귀에 미치는 영향　④ 소음이 유발시키는 질병의 종류

해석 「소란한 환경을 견뎌야 하는 사람들은 자신들의 귀보다 더 위험할 수 있다. 연구에 의하면 그들은 더 조용한 환경에서 살며 일하는 사람들보다 높은 콜레스테롤 수준과 더 많은 위궤양, 고혈압, 그리고 더 많은 심장박동 이상을 보인다. 소란한 잡음은 신체의 '공격 · 도피반응' – 아드레날린 수치의 상승과 그에 이어지는 혈압의 증가, 근육의 수축 – 을 하도록 야기시키는 것이다.」

단어 endure 참다, 인내하다　risk 위험하다, 위험에 처하다　suffer ~을 받다, 당하다　elevated 높아진, 높은　level of cholesterol 콜레스테롤 수준　stomach ulcer 위궤양　abnormality 이상(異常)　trigger 일으키다, 유발하다, 자극시키다　fight or flight response(reaction) 공격 · 도피반응(스트레스에 대한 교감신경의 반응)　adrenalin 아드레날린　subsequent 다음의, 그 후의, 버금가는, 이어서 일어나는　contraction 수축

답 ③

section 4 글의 감상

1. 글의 어조(tone) · 분위기(mood) 파악

다음 글에 나타나있는 어조 · 분위기로 가장 적절한(알맞은) 것은?

이 유형은 글 속에 명시적이거나 암시적으로 나타나있는 여러 정황들을 종합적으로 감상하는 능력을 요구하는 문제로, 글의 전체적인 분위기를 잘 드러내는 어휘들, 특히 형용사와 부사에 주목하여야 하며, 평소 글의 어조 · 분위기를 나타내는 단어를 잘 알아두어야 한다.

다음 글의 어조로 가장 알맞은 것은?

The boss was disturbed when he saw his employees loafing. "Look," he said, "everytime I come in there I see things I'd rather not see. Now, I'm a fair man, and if there are things that bother you, tell me. I'm putting up a suggestion box and I urge you to use it so that I'll never see what I just saw!"
At the end of the day, when the boss opened the box, there was only one little piece of paper in it. It read : "Don't wear rubber-soled shoes!"

① upset ② instructive
③ humorous ④ critical

해석 「사장은 직원이 빈둥거리는 것을 보았을 때 혼란스러웠다. "여러분, 여기에 내가 올 때마다, 보고 싶지 않은 것을 보는데, 난 공정한 사람이니 여러분을 괴롭히는 것이 있으면 말하십시오. 의견함을 설치할테니까, 내가 방금 보았던 것을 다시는 보지 않도록 의견함을 사용해 주기 바랍니다!" 그 날 퇴근할 무렵, 사장이 의견함을 열었을 때, 그 안에는 작은 종이 한 장만 있었다. 거기에는 "고무구두창을 댄 신발을 신지 마세요!"라고 씌어 있었다.」

단어 disturb 혼란시키다, 괴롭히다, 방해하다, 어지럽히다 loaf 빈둥거리다, 놀고 지내다 fair 공정한, 올바른 suggestion box 의견함, 제안함 urge 강력히 권하다, 설득하다, 주장하다, 강조하다 rubber-soled 고무구두창을 댄 upset 화가 난, 뒤엎다, 당황하게 하다 instructive 교훈적인, 교육적인, 유익한 humorous 익살스런, 해학적인, 재미있는 critical 비판적인, 평론의, 위기의

답 ③

다음 글의 분위기로 가장 적절한 것은?

> The town was beyond description. Heaps of mud and sand crowded all parts of the town. Main street could hardly be recognized. Two large streams were running through the middle of the town. Houses were blown down or brought down by the flood, blocking every possible route. Several dead bodies of unfortunate victims were lying in the streets, while lots of people were searching for their family members and relatives who had disappeared in the ruins.

① calm
② solemn
③ boring
④ miserable

해석 「마을은 말로 형용하기 힘들었다. 진흙과 모래더미가 마을 전체에 가득 찼다. 마을의 주요 도로는 거의 알아볼 수도 없었다. 커다란 두 개의 강물 줄기가 마을 중앙을 관통하여 흐르고 있었다. 집들은 모든 통로를 차단하는 홍수에 의해 쓰러지거나 붕괴되었다. 불운하게 희생된 여러 시신들이 거리에 놓여 있었으며, 한편으로는 많은 사람들이 폐허 속에 사라진 가족과 친척들을 찾고 있었다.」

단어 be beyond description 형언(형용)할 수 없다, 이루 다 말할 수 없다 heap 더미, 무더기, 많음 crowd 떼지어 모이다, 밀려들다 stream (물의) 흐름 blow down 쓰러뜨리다 bring down 파멸시키다, 붕괴시키다 block 장애(물), 훼방, (교통 따위의) 두절, 폐색 route 통로, 길, 노선 dead body 시신 victim 희생(자) lie in ~에 놓여있다 relative 친척, 일가 ruin 폐허, 몰락, 황폐 calm 조용한, 고요한, 침착한 solemn 장엄한, 엄숙한, 진지한 boring 지루한, 따분한 miserable 비참한, 불쌍한

답 ④

2. 글의 심경 · 태도 파악

다음 글에 나타나있는 필자의 심경 · 태도로 가장 적절한(알맞은) 것은?

이 유형은 글의 어조 · 분위기를 감상하는 문제와 같이 글의 종합적인 이해 · 감상능력을 요구하는 문제로, 어떤 일련의 사건들을 통해 드러나는 등장인물의 성격과 태도를 판단할 수 있으며, 평소 글의 심경 · 태도를 나타내는 단어를 잘 알아두면 유용하다.

다음 글에서 주인공이 처한 상황으로 가장 적절한 것은?

The taxi driver looked at his watch and grumbled that there was no time to lose. I had allowed one hour to catch my plane. We watched the flashing lights of the police car ahead. We could see that a truck had been involved in the accident and knew it would take some time to move the vehicles to the side of the road. It did fifteen minutes. Then, as we neared the airport, we were faced with another traffic jam due to a series of rear-end collisions.

① 지루하다.
② 다급하다.
③ 부끄럽다.
④ 후련하다.

해석 「택시기사는 시계를 보았고 지체할 시간이 없다고 불평했다. 내가 비행기를 탈 때까지 한 시간 정도의 여유가 있었다. 우리는 경찰차의 불빛이 앞에서 번쩍이는 것을 지켜봤다. 우리는 어떤 트럭이 사고에 관련되어 있었고 갓길로 차량을 옮기는 데 다소 시간이 걸린다는 것을 알았다. 15분이 걸렸다. 그리고 나서 공항에 가까이 도착하자, 우리는 연속된 추돌사고 때문에 또 다른 교통혼잡에 직면했다.」

단어 grumble 불평하다, 투덜대다, 푸념하다, 툴툴대다 flash 번쩍이다, 빛나다 be involved in ~에 관련되다 vehicle 탈 것, 차량 near ~에 가까이 가다, 접근하다 be faced with ~에 직면하다 traffic jam 교통혼잡 due to ~ 때문에, ~로 인하여(because of) a series of 일련의, 연속된 rear-end (차량) 후미 collision 충돌, 대립, 격돌, 불일치

해설 교통혼잡으로 비행기 시간에 늦을까봐 다급해 하는 주인공의 상황이 나타나 있다.

답 ②

다음 글의 성격은?

> The doctor's receptionist was startled when a nun stormed out of the examining room and left without paying. When the doctor appeared she asked what had happened. "Well," said the doctor, "I examined her and told her she was pregnant." "Doctor!" exclaimed the receptionist, "That can't be!" "Of course not," he replied, "but it sure cured her hiccups."

① tragic ② humorous
③ satiric ④ surprising

해석 「그 의사의 수납원은 한 수녀가 진찰실을 뛰쳐나와 진료비도 내지 않은 채 떠나버렸을 때 깜짝 놀랐다. 그 의사가 나타났을 때 그녀는 어찌된 일이냐고 물었다. "글쎄, 나는 그녀를 진찰하고 그녀에게 임신했다고 말해줬어요."라고 그 의사가 말했다. 그러자 그 수납원은 "절대로 그럴 리가 없어요."라고 소리쳤다. "물론 그렇지 않아요. 하지만 그것이 그녀의 딸꾹질을 낫게 했어요."라고 의사가 대답했다.」

단어 receptionist 수납원, 접수원 storm out of (미친 듯이) ~를 뛰쳐나가다 pregnant 임신한 hiccups 딸꾹질 tragic 비극의, 비극적인 satiric 풍자적인

답 ②

02 기출문제분석

2019. 4. 6. 소방공무원 공개경쟁

1 다음 빈칸에 들어갈 말로 가장 적절한 것은?

> One of the biggest problems in a high-rise fire is the ___________ use of the stairwells for fire suppression activities and occupant evacuation. Many training materials have attempted to direct firefighters to establish one stairwell for evacuation and another for fire suppression. This does not work due to the occupants leaving via the closest exit.

① ingenious
② simultaneous
③ pretentious
④ meticulous

TIPS!

high-rise 고층건물 stairwell 계단통 suppression 진압 activity 활동 occupant 거주자evacuation 대피 materials 자료 direct 지시하다 establish 확립(확보)하다 due to ~ 때문에 via ~를 통해서 exit 출구

① 독창적인 ② 동시의 ③ 자만하는 ④ 꼼꼼한

「고층건물 화재에 있어서 가장 큰 문제 중 하나는 화재 진압활동과 거주자의 대피를 위해서 계단통을 동시에 사용하는 것이다. 많은 훈련 자료들은 소방관이 대피를 위해서 하나의 개단통과 화재 진압을 위한 다른 계단통을 확보하라고 지시 하도록 한다. 이것은 가장 가까운 출구를 통해서 나가는 거주민 때문에 효과가 없다.」

Answer 1.②

2019. 4. 6. 소방공무원 공개경쟁

2 다음 밑줄 친 he[him]가 가리키는 대상이 나머지 셋과 다른 것은?

Victor is a motorman for the Chicago Transit Authority. "Thank you for riding with me this evening. Don't lean against the doors. I don't want to lose you," ① he tells passengers over the intercom as the train departs. As the train makes its way north, ② he points out notable sites, including which connecting buses are waiting in the street below. People compliment ③ him all the time, telling the city he's the best motorman. Why does he have such a positive approach to his job? "My father is a retired motorman, and one day he took me to work with ④ him and I was so impressed looking out that window," he says, speaking of the city skyline. "Ever since I was five years old, I knew I wanted to run the train."

TIPS!

①, ②, ③은 Victor ④는 Victor의 아빠를 가리킨다.

motorman 전차 운전병 Transit Authority 교통당국 lean 기대다 passenger 승객 depart 출발하다 notable 눈에 띄는 compliment 칭찬하다 approach 접근 retired 은퇴한 impressed 감명 받은 skyline 지평선

「Victor는 시카고 운송당국의 전차 운전자이다. "오늘밤 우리 열차를 이용하여 주셔서 감사합니다. 문에 기대지 마십시오. 나는 당신을 잃기를 원하지 않습니다. 그는 기차가 떠날 때 인터폰으로 승객들에게 안내방송을 한다. 기차가 북쪽을 향해 가면서 어떤 환승 버스가 아래 거리에서 기다리는지를 포함해서 그는 유명한 명소를 언급한다. 사람들은 시당국에게 그가 최고의 기차운전자라고 말하면서 항상 그를 칭찬한다. 왜 그는 그의 직업에 대해서 그렇게 긍정적인 접근을 갖게 되었나?" 나의 아버지는 퇴직 전차 운전자입니다. 그리고 어느 날 그는 나를 일터로 데려갔습니다. 그리고 나는 창밖을 보면서 매우 감명 받았습니다. 도시의 지평선에 대해서 말하면서 그가 말했습니다. 내가 5살이 된 이후로 나는 내가 기차를 운행하기를 원한다는 것을 알았습니다.」

Answer 2.④

2019. 4. 6. 소방공무원 공개경쟁

3 다음 글의 제목으로 가장 적절한 것은?

> When we attempt to make major change in our lives, it is natural for us to want to go from all to nothing or vice versa. Let's take Bob, for instance. Bob never really exercised in the past, but wanted to get into shape. To do so, he decided to exercise for an hour every day of the week. Within a few weeks, Bob burned out, lost his motivation, and stopped exercising. He took on too much, too quickly. On the other hand, if Bob had eased into a fitness regimen by starting with two half-hour workouts per week, and then slowly added workout days and workout time over a few months, he would've had a better chance of sticking with the program and of the change lasting. Easing into change helps make it seem less overwhelming and more manageable.

① Extremes Don't Work

② How to Avoid Obesity

③ Why Is It Easy to Be Unhealthy?

④ Workout Time : The More, The Better!

vice versa 반대의 경우도 마찬가지 이다 exercise 운동하다 get into shape 건강을 유지하다 burned out 기진맥진한 motivation 동기 take on 흥분하다 on the other hand 반면에 ease into 친숙해지다 fitness 건강 regimen 훈련, 프로그램 workout 운동 stick with 계속하다 overwhelming 압도하는 manageable 관리할 수 있는

① 극단적임은 효과가 없다

② 비만을 피하는 방법

③ 왜 건강해지지 못하는 것이 쉬운가?

④ 운동시간: 더 많이 할수록, 더 좋다!

On the other hand, if Bob had eased into a fitness regimen by starting with two half-hour workouts per week, and then slowly added workout days and workout time over a few months, he would've had a better chance of sticking with the program and of the change lasting.의 내용을 통해서 ①이 답이라는 것을 알 수 있다.

「우리가 우리의 삶에서 주된 변화를 주고자 노력할 때, 우리가 매우 열심히 하는 것에서 아무것도 하지 않는 쪽으로 가는 것은 당연하고 그 반대의 경우도 마찬가지 이다. Bob을 예로 들어보자. Bob은 과거에 전혀 운동을 하지 않았다. 하지만 건강을 유지하기를 원한다. 그렇게 하기 위해서, 그는 일주일 내내 한 시간 동안 운동하기를 원한다. 몇 주내에 Bob은 기진맥진해지고, 동기를 잃고 운동을 그만두게 된다. 그는 너무 많이, 너무 빨리 흥분하게 되었다. 반면에 만약 Bob이 매주 두 시간의 운동으로 시작함으로서, 건강 프로그램에 친숙해지고 나서 몇 개월에 걸쳐서 운동하는 날과 운동시간을 더했다면 그 프로그램을 계속하고 그 변화가 지속되는 더 나은 기회를 갖았을 것이다. 변화에 친숙해지는 것은 그것을 덜 압도적이고 더 관리할 수 있도록 보이게 만든다.」

Answer 3.①

2019. 4. 6. 소방공무원 공개경쟁

4 다음 글의 주제로 가장 적절한 것은?

> Having a children's party can be an example of a relatively inexpensive benefit to provide for your employees that can yield great returns on the investment. There are unlimited occasions and places to entertain children today. As a boss, you can help your employees' children celebrate holidays, Halloween, spring, or any other event or season. Employees and their children will appreciate the company providing this benefit. This is an excellent way to show appreciation to your employees' families for all the sacrifices they make to support their husbands, wives, fathers, or mothers as they go off to work each day. Finally, everyone will feel good about the company or organization.

① drawbacks of regular family gatherings
② merits of medical support for employees
③ employees' sacrifices for company growth
④ supporting family-related events and its effects

TIPS!

relatively 비교적, 상대적으로 inexpensive 비싸지 않은 benefit 혜택 employee 직원 yield 가져오다, 낳다 return 수익 unlimited 무한의 occasion 행사 entertain 즐겁게 해주다 celebrate 기념하다 appreciate 감사히 여기다 appreciation 감사 sacrifice 희생 go off to work 일하러 가다 organization 조직

Having a children's party can be an example of a relatively inexpensive benefit to provide for your employees that can yield great returns on the investment. 첫 번째 문장이 주제문장으로서 ④가 정답이라는 것을 알 수 있다.

① 정기적인 가족 모임의 문제점
② 직원들을 위한 의료지원의 장점
③ 회사 성장을 위한 직원들의 희생
④ 가족과 관련된 행사를 지원하는 것과 그것의 영향

「(직원의) 자녀의 파티를 열어주는 것은 투자에 있어서 큰 수익을 가져올 당신의 직원을 위해 제공할 수 있는 비교적 비싸지 않은 혜택의 예일 수 있다. 오늘날 아이들을 즐겁게 해줄 수 있는 무수히 많은 행사와 장소들이 있다. 사장으로서, 당신은 당신의 직원 자녀들이 공휴일, 할로윈, 봄 또는 어떤 다른 행사나 계절을 기념하는 것을 도울 수 있다. 직원들과 그들의 아이들은 이러한 혜택을 제공하는 회사를 감사할 것이다. 이것은 그들이 매일 일하러 갈 때 그들의 남편, 아내, 아빠, 엄마를 부양하기 위해서 하는 모든 희생을 대해서 당신의 직원의 가족에게 감사함을 보여줄 수 있는 훌륭한 방법입니다. 마지막으로 모든 사람은 회사와 조직에 대해서 좋게 느낄 것입니다.」

Answer 4.④

2019. 4. 6. 소방공무원 공개경쟁

5 다음 글에서 필자가 주장하는 바로 가장 적절한 것은?

Many people store their medications in the bathroom. But this popular spot is actually one of the worst places to keep medicine. Bathroom cabinets tend to be warm and humid, an environment that speeds up a drug's breakdown process. This is especially true for tablets and capsules. Being exposed to heat and moisture can make medicines less potent before their expiration date. For example, a warm, muggy environment can cause aspirin tablets to break down into acetic acid (vinegar), which can irritate the stomach. Instead, keep medicines in a cool, dry, secure place out of a child's reach. Be aware that medicine that is improperly stored can become toxic.

① 올바른 장소에 약을 보관하라.
② 목욕 전에는 약을 복용하지 마라.
③ 약은 따뜻한 물과 함께 복용하라.
④ 의약품 보관 시 유효기간을 확인하라.

TIPS!

medication 약(물) spot 장소 medicine 약, 의약 cabinet 수납장 tend to~ ~하는 경향이 있다 humid 축축한 speed up 속도를 높이다 breakdown 분해(하다) this is true for~ 이것은 ~에 있어서도 사실이다 tablet 알약 capsule 캡슐 moisture 습기 potent 강력한, 잘 듣는 expiration 유효기간 muggy 후덥지근한, 눅눅한 acetic acid 아세트산 irritate 자극하다 be aware that~ ~를 알다 improperly 부적절하게 store 저장하다 toxic 독성이 있는

Instead, keep medicines in a cool, dry, secure place out of a child's reach. 문장을 통해서 ①이 정답이라는 것을 알 수 있다.

「많은 사람들은 욕실에 그들의 약을 보관한다. 하지만 이 인기 있는 장소는 사실 약을 보관하기에 가장 좋지 않은 장소들 중 하나이다. 욕실 수납장은 따뜻하고 습기가 있는 경향이 있는, (다시 말해) 약의 분해 과정을 과속하는 환경이다. 이러한 사실은 특히 알약과 캡슐 약에 특히 그러하다. 열과 습기에 노출되는 것이 유효기간 전에 약을 덜 효과 있게 만들 수 있다. 예를 들어, 따뜻하고 후덥지근한 환경은 아스피린 알약을 아세트산(식초)로 분해시킨다. 그리고 그것이 위를 자극 할 수 있다. 대신에 약을 아이들의 손에 닿지 않는 시원하고 건조한 장소에 보관해라. 반드시 부적절하게 저장된 약이 독성을 갖을 수 있다는 것을 알도록 해라.」

Answer 5.①

2019. 4. 6. 소방공무원 공개경쟁

6 다음 글의 요지로 가장 적절한 것은?

> Training is all about influencing others, so if you want to maximize your influence on employees' future behavior, the implications for your organization's training programs are clear. Although many companies typically focus their training exclusively on the positive — in other words, on how to make good decisions — a sizable portion of the training should be devoted to how others have made errors in the past and how those errors could have been avoided. Specifically, illustrations and personal testimonials of mistakes should be followed by a discussion of what actions would have been appropriate to take in these and similar situations.

① 타인의 잘못을 관대하게 용서해주어야 한다.
② 회사 내에서 긍정적인 분위기를 만들어야 한다.
③ 회사의 발전을 위해 토론 문화를 확대해야 한다.
④ 실수에 관한 내용도 직원 훈련에 포함되어야 한다.

TIPS!

influence 영향을 미치다 maximize 극대화하다 implication 영향 exclusively 오로지 in other words 다른 말로 하면 sizable 상당한 크기의 be devoted to 헌신하다 error 실수 avoid 피하다 specifically 특히 illustration 묘사 testimonial 증언 follow 따르다 discussion 논의 appropriate 적절한 take in 이해하다

Although many companies typically focus their training exclusively on the positive — in other words, on how to make good decisions — a sizable portion of the training should be devoted to how others have made errors in the past and how those errors could have been avoided.의 주제문을 통해서 ④번이 정답임을 알 수 있다.

「훈련은 온전히 다른 사람에게 영향을 미치는 것에 대한 것이다. 그래서 만약에 직원의 미래 행동에 대한 영향을 극대화하기를 원한다면, 당신의 조직의 훈련 프로그램에 대한 영향은 분명하다. 비록 많은 회사들이 주로 그들의 훈련을 오로지, 다른 말로 해서 훌륭한 결정을 내리는 방법과 같은, 긍정적인 것에만 초점을 맞출지 모르지만, 훈련의 꽤 많은 부분은 다른 사람들이 과거에 어떻게 실수 했는지, 그리고 그러한 실수들을 어떻게 피할 수 있었는지에 헌신되어야한다. 특히, 실수에 대한 묘사와 개인적인 증언이 어떤 행동들이 이러한 비슷한 상황을 이해하는데 적절했었을 것인지에 대한 논의가 뒤따라야만 한다.」

국어

한국사

영어

Answer 6.④

2019. 4. 6. 소방공무원 공개경쟁

7 다음 글에서 전체 흐름과 관계없는 문장은?

> Gum disease is frequently to blame for bad breath. In fact, bad breath is a warning sign for gum disease. ① This issue occurs initially as a result of plaque buildup on the teeth. ② Bacteria in the plaque irritate the gums and cause them to become tender, swollen and prone to bleeding. ③ Foul-smelling gases emitted by the bacteria can also cause bad breath. ④ Smoking damages your gum tissue by affecting the attachment of bone and soft tissue to your teeth. If you pay attention when you notice that bacteria-induced bad breath, though, you could catch gum disease before it gets to its more advanced stages.

TIPS!

gum 잇몸 be to blame for~ ~에 대한 책임이 있다 in fact 사실 issue 문제 occur 발생하다 initially 처음에 plaque 플라크 buildup 강화, 축적 irritate 자극하다 cause~ to~ ~가 ~하도록 야기하다 tender 부드러운 swollen 부풀어 오른 prone to~ ~하기 쉬운 bleeding 출혈 foul-smelling 냄새가 역겨운 emit 내뿜다 tissue 조직 affect 영향을 미치다 attachment 부착물 pay attention 주의를 기울이다 induce 유발하다 though 하지만, 비록 ~이지만 advance 진보하다, 향상하다

잇몸과 입 냄새와의 관계를 설명한 글로서 ④번은 흡연이 잇몸 조직에 영향을 미치는 내용이므로 글의 흐름과 맞지 않는다.

「잇몸 질환은 종종 나쁜 입 냄새의 원인으로 돌려진다. 사실 나쁜 입 냄새는 잇몸질환에 대한 경고 표시이다. ① 이 문제는 처음에 치아에 생기는 플라크의 생성의 결과로 발생한다. ② 플라크의 박테리아가 잇몸을 자극하고 그것들이 더 부드러워지고 부풀어 오르고 쉽게 출혈되도록 야기한다. ③ 박테리아에 의해서 발생되는 냄새나는 가스 역시 나쁜 입 냄새를 야기 할 수 있다. ④ 흡연은 당신의 이에 붙어 있는 뼈 부착물과 부드러운 조직에 영향을 미침으로서 당신의 잇몸 조직에 해를 끼칠 수 있다. 하지만 만약 당신이 박테리아가 야기하는 나쁜 입 냄새를 알아차릴 때 주의를 기울인다면, 당신은 그것이 더 진보된 단계로 나아가기 전에 잇몸 질환을 알아 챌 수 있다.」

Answer 7.④

8 James Baldwin에 관한 다음 글의 내용과 일치하지 않는 것은?

> James Baldwin was one of the leading African American authors of the past century. Novelist, essayist, poet, dramatist — as a writer, he knew no limits. Born in Harlem in 1924 to an unwed domestic worker from Maryland, Baldwin shouldered a good deal of household responsibility in helping raise his eight siblings. Baldwin found an early outlet in writing. He edited the junior high school newspaper. He graduated from DeWitt Clinton High School and worked in construction in New Jersey until he moved to Greenwich Village in 1944. His first sale was a book review to The Nation in 1946. Baldwin came to know civil rights activists Martin Luther King Jr. and Malcolm X. Baldwin earned a number of awards, including a Guggenheim Fellowship. In 1987, the author died of cancer, leaving unfinished a biography of Martin Luther King Jr. Baldwin appeared on a commemorative U.S. postage stamp in 2004 — emblematic of his enduring power for the next generations.

① 아프리카계 미국인 작가였다.
② 1944년에 Greenwich Village로 이사했다.
③ Martin Luther King Jr.의 전기를 완성했다.
④ 2004년 미국 기념우표에 나왔다.

TIPS!

leading 선도하는 essayist 수필가 poet 시인 dramatist 희극작가 unwed 결혼하지 않은 domestic worker 가사 도우미 shoulder 어깨, ~을 짊어지다 a good deal of 상당한 양의 household 가정의 responsibility 책임 raise 양육하다 sibling 형제자매 outlet 배출구 edit 편집하다 graduate 졸업하다 construction 건설, 공사 civil rights 시민 평등권 activist 활동가 include 포함하다 appear 나타나다 commemorative 기념하는 postage stamp 우표 emblematic 상징적인 enduring 지속되는

In 1987, the author died of cancer, leaving unfinished a biography of Martin Luther King Jr.에서 Martin Luther King Jr의 전기를 완성하지 못하고 죽었다고 했다.

「James Baldwin은 지난 세기에 선도하는 아프리카계 미국 작가중 한명이었다. 소설가, 수필가, 시인, 그리고 극작가로서, 그는 어떠한 한계도 알지 못했다. 메릴랜드출신의 한 미혼모 가사 도우미 어머니로부터 1924년 할렘가에서 태어난, Baldwin은 그의 8형제를 키우는데 도움을 주는데 있어서 많은 가정의 책임을 짊어졌다. Baldwin은 어린나이에 글쓰기에 있어서 탈출구를 발견했다. 그는 중학교 신문을 편집했다. 그는 DeWitt Clinton High School을 졸업하고 그가 1944년에 Greenwich 마을로 이사할 때 까지 뉴저지에 있는 건설현장에서 일을 했다. 그가 첫 번째로 판매한 책은 1946년도에 The Nation을 리뷰한 책이었다. Baldwin은 시민 인권 운동가이 Martin Luther King Jr와 Malcolm X를 알게 되었다. Baldwin은 Guggenheim Fellowship을 포함한 많은 상을 받았다. 1987년에 암으로 죽었고, Martin Luther King Jr의 전기를 끝내지 못한 상태로 남겼다. Baldwin은 2004년에 다음 세대를 위한 지속적인 그의 영향력을 기리를 위해 미국 기념 우표에 새겨졌다.」

Answer 8.③

2019. 4. 6. 소방공무원 공개경쟁

9 다음 빈칸에 들어갈 말로 가장 적절한 것은?

When you are with Marines gathering to eat, you will notice that the most junior are served first and the most senior are served last. When you witness this act, you will also note that no order is given. Marines just do it. At the heart of this very simple action is the Marine Corps' approach to leadership. Marine leaders are expected to eat last because the true price of leadership is the willingness to place the needs of others above your own. Great leaders truly care about those they are privileged to lead and understand that the true cost of the leadership privilege comes at the expense of ________________.

① health
② self-interest
③ fait
④ freedom

TIPS!

Marines 해병대 gather 모이다 junior 하급자, 아랫사람 serve (음식을) 제공하다 senior 상급자, 연장자 witness 목격하다 note 주목하다 order 명령(하다) Corps 부대 approach 접근(하다) leadership 리더십 willingness 기꺼이 하고자 하는 마음 care about 돌보다 privilege 특권을 주다 at the expense of~ ~를 희생하여

① 건강 ② 개인의 이익 ③ 믿음 ④ 자유

빈칸 바로 앞 문장 Marine leaders are expected to eat last because the true price of leadership is the willingness to place the needs of others above your own.에서 본인의 필요 위에 다른 사람들의 필요를 둔다는 내용에서 희생하는 것이 개인의 이익이라는 것을 유추할 수 있다.

「당신이 식사를 하기 위해서 모인 해병대와 함께 있을 때, 당신은 음식이 가장 하급자에게 가장 먼저 제공되고, 가장 상급자에게 가장 늦게 제공된다는 것을 알아차릴 것이다. 당신이 이 행동을 목격할 때, 당신은 어떤 명령도 내려지지 않는다는 것에 주목할 것이다. 해병대들은 그렇게 한다. 이러한 매우 간단한 행동의 중심에 리더십에 대한 해병대의 접근이 있다. 해병대 지도자들은 리더십의 진정한 가치가 다른 사람들의 필요를 기꺼이 너 자신의 것 위에 두고자 하는 마음이기 때문이다. 위대한 지도자는 그들이 지도할 특권을 가진 사람들을 진정으로 돌보고 리더십의 특권의 진정한 대가가 개인의 이익을 희생해서 온다는 것을 이해한다.」

Answer 9.②

2019. 4. 6. 소방공무원 공개경쟁

10 다음 빈칸에 들어갈 말로 가장 적절한 것은?

A large body of evidence suggests that a single decision to vote in fact increases the likelihood that others will vote. It is well known that when you decide to vote it also increases the chance that your friends, family, and coworkers will vote. This happens in part because they imitate you and in part because you might make direct appeals to them. And we know that direct appeals work. If I knock on your door and ask you to head to the polls, there is an increased chance that you will. This simple, old-fashioned, person-to-person technique is still the primary tool used by the sprawling political machines in modern-day elections. Thus, we already have a lot of evidence to indicate that ________________ may be the key to solving the voting puzzle.

① financial aid
② social connections
③ political stance
④ cultural differences

TIPS!

evidence 증거 vote 투표하다 likelihood 가능성 chance 가능성, 기회 coworker 직장 동료 in part 부분적으로 imitate 모방하다 appeal 호소(하다) knock on 노크하다 ask~ to~ ~에게 ~할 것을 요청하다 old-fashioned 구식의 person-to-person 직접 대면하는 primary 주요한 sprawling 제 멋대로 뻗어 나가는 political 정치적인 modern-day 현대의 election 선거 thus 그래서

① 재정적인 도움 ② 사회적 연계성 ③ 정치적 입장 ④ 문화적인 차이점들

한사람의 투표가 직/간접적으로 주위의 친구, 가족과 같이 사회적으로 연결되어 있는 사람들로 하여금 투표하도록 독려하는 역할을 한다는 내용의 글이므로 ②번에 사회적 연결성이 정답이다.

「많은 증거가 실제 투표하고자 하는 한 사람의 결정이 다른 사람들이 투표할 가능성을 높여준다는 것을 암시한다. 당신이 투표하기로 결정할 때 그것이 당신의 친구들, 가족, 그리고 동료들이 투표할 가능성을 증가시켜 준다. 이것은 부분적으로 그들이 당신을 모방하기 때문에 일어나고, 또 부분적으로는 당신이 호소를 그들에게 보내기 때문이다. 그리고 우리는 직접적인 호소가 효과가 있다는 것을 알고 있다. 만약에 내가 당신의 문을 두드리고 당신에게 투표장으로 향하라고 요청한다면, 당신이 그렇게 할 가능성이 있다. 이 간단하고 옛날 방식의 직접 대면하는 기법은 현대 시대의 선거에 있어서 아무렇게나 뻗어 나가는 정당 조직에 의해 여전히 사용되는 주된 도구이다. 그래서, 우리는 이미 사회적 연결성들이 선거 퍼즐을 해결하는 열쇠가 될지도 모른다는 것을 나타내는 많은 증거를 가지고 있다.」

Answer 10.②

2019. 4. 6. 소방공무원 공개경쟁

11 다음 빈칸에 들어갈 말로 가장 적절한 것은?

> In The Joy of Stress, Dr. Peter Hanson described an experiment in which two groups of office workers were exposed to a series of loud and distracting background noises. One group had desks equipped with a button that could be pushed at any time to shut out the annoying sounds. The other group had no such button. Not surprisingly, workers with the button were far more productive than those without.
>
> But what's remarkable is that no one in the button group actually pushed the button. Apparently, the knowledge that they could shut out the noise if they wanted to was enough to enable them to work productively in spite of the distractions. Their sense of ________________ resulted in a reduction in stress and an increase in productivity.

① humor ② achievement

③ control ④ responsibility

TIPS!

describe 묘사하다 experiment 실험하다 expose 노출시키다 a series of 일련의 distract 산만하게 하다 background 배경(의) shut out 가로막다 annoying 짜증나는 not surprisingly 당연히 productive 생산적인 remarkable 눈에 띄는 apparently 분명히 knowledge 지식 enable~ to~ ~가 ~할 수 있게 하다 productively 생산적으로 in spite of ~에도 불구하고 distraction 주의산만(하게 하는 것) result in 결과적으로 ~이 되다 reduction 감소 productivity 생산성

① 유머 ② 성취 ③ 통제력 ④ 책임

One group had desks equipped with a button that could be pushed at any time to shut out the annoying sounds.에서 생산성이 높은 직원들의 특징이 소음에 대한 통제력을 가지고 있는 직원들임을 알 수 있다.

「"스트레스의 기쁨"이라는 책속에서, Peter Hanson 박사는 두 그룹의 사무실 직원들이 일련의 시끄럽고 산만한 배경의 소음에 노출된 실험을 묘사했다. 한 그룹은 누르기만 하면 어느 때든지 짜증나게 하는 소리를 멈출 수 있는 버튼이 장착된 책상을 가지고 있었다. 또 다른 그룹은 그러한 버튼을 가지고 있지 않았다. 당연히, 버튼이 있는 노동자들은 버튼이 없는 노동자들보다 훨씬 더 생산적이었다. 하지만 눈에 띄는 것은 버튼을 가지고 있는 어느 누구도 버튼을 누르지 않았다는 것이다. 분명히, 원한다면 그들이 그 소음을 끌 수 있다고 알고 있는 것이 방해하는 소음에도 불구하고 충분히 그들이 생산적으로 일할 수 있도록 하였다는 것이다. 그들의 통제력은 스트레스에 있어서의 감소와 생산성에 있어서 증가를 야기했다는 것이다.」

Answer 11.③

12 다음 밑줄 친 부분 중 문맥상 낱말의 쓰임이 적절하지 않은 것은?

Individuals with low self-esteem may be locking on events and experiences that happened years ago and tenaciously ① refusing to let go of them. Perhaps you've heard religious and spiritual leaders say that it's important to ② forgive others who have hurt you in the past. Research also suggests it's important to your own mental health and sense of well-being to ③ recollect old wounds and forgive others. Looking back at what we can't change only reinforces a sense of helplessness. Constantly replaying ④ negative experiences in our mind serves to make our sense of worth more difficult to change. Becoming aware of the changes that have occurred and can occur in your life can help you develop a more realistic assessment of your value.

TIPS!

individual 개인 self-esteem 자존감 lock on 자동 추적하다, 연결하다 tenaciously 집요하게, 끈질기게 refuse 거부하다 let go of 놓아주다 forgive 용서하다 sense of well being 행복감 recollect 기억해내다 wound 상처 reinforce 강화하다 helplessness 무력감 replay 재연하다 serve 역할을 하다, 도움을 주다 become aware of 알다, 인지하다 occur 발생하다 realistic 현실적인 assessment 평가

정신 건강과 행복감에서 중요한 것은 다른 사람을 용서해주고 오래된 상처를 기억해 내는 것이 아닌 잊는(let go of, forget)임을 알 수 있다.

「낮은 자존감을 가지고 있는 개인은 몇 년 전에 발생한 사건이나 경험을 계속 기억해 내고 집요하게 그것들을 놓아주는 것을 거부할지도 모른다. 아마도 당신은 종교적 그리고 정신적 지도자가 과거에 당신에게 상처 입힌 사람을 용서하는 것이 중요하다고 말하는 것을 들었을지도 모른다. 연구는 또한 오래된 상처를 기억해내고(→잊고) 다른 사람들을 용서하는 것이 당신 자신의 정신건강과 행복감에 중요하다고 제안한다. 우리가 바꿀 수 없는 것을 되돌아보는 것은 무기력감을 강화한다. 우리의 마음에 부정적인 경험들을 끊임없이 다시 재현하는 것은 우리의 자존감을 바꾸기에 더 어렵게 만든다. 당신의 삶에 발생해왔고 발생 할 수 있는 변화를 아는 것은 당신이 당신 가치의 더 현실적인 평가를 발달시키는데 도움을 줄 수 있다.」

Answer 12.③

2019. 4. 6. 소방공무원 공개경쟁

13 다음 주어진 문장이 들어가기에 가장 적절한 곳은?

> But what if one year there was a drought and there wasn't much corn to go around?

> When people bartered, most of the time they knew the values of the objects they exchanged. (①) Suppose that three baskets of corn were generally worth one chicken. (②) Two parties had to persuade each other to execute the exchange, but they didn't have to worry about setting the price. (③) Then a farmer with three baskets of corn could perhaps bargain to exchange them for two or even three chickens. (④) Bargaining the exchange value of something is a form of negotiating.

TIPS!

barter (물물) 교환하다 value 가치 object 물건 exchange 교환하다 basket 바구니 worth 가치있는 persuade 설득하다 each other 서로서로 execute 처형하다, 실행하다 what if ~라면 어떨까? drought 가뭄 corn 옥수수 go around (사람들에게 몫이) 돌아가다 bargain 흥정하다 negotiate 협상하다

가뭄이 있었다는 내용과 함께 옥수수가 많지 않다는 주어진 문장은 3바구니의 옥수수와 2~3마리의 치킨과 바꿀 수 있다는 내용의 앞에 와야 한다. 따라서 정답은 ③번이다.

「사람들이 물물교환을 할 때, 대부분 그들은 그들이 교환하는 사물의 가치를 안다. 옥수수가 들어있는 3개의 바구니가 일반적으로 닭 한 마리의 값어치가 있다고 가정해 보자. 두 사람이 서로에게 교환을 실행하도록 설득해야 하지만, 그들은 가격을 정하는 것에 대해서는 걱정할 필요가 없다. 하지만 일 년 동안 가뭄이 있었고 사람들에게 돌아갈 옥수수가 많지 않다면 어떨까? 그러면 옥수수 3바구니를 가지고 있는 한 농부는 아마 그것들을 2마리나 심지어 3마리의 치킨과 교환할 것을 흥정 할 수도 있다. 어떤 것을 교환 가치를 흥정하는 것은 협상의 한 형태이다.」

Answer 13.③

2019. 4. 6. 소방공무원 공개경쟁

14 다음 빈칸 (A), (B)에 들어갈 말로 가장 적절한 것은?

> Balloons should never be given to children under eight years old. Always supervise children of any age around balloons; they are easily popped, and if inhaled, small pieces can ___(A)___ the airway and hinder respiration. Balloons are not visible on X-rays, so if a child has swallowed a piece of balloon the reason for distress may not be ___(B)___.

	(A)		(B)
①	block	…	apparent
②	block		undetectable
③	expand	…	apparent
④	expand		undetectable

TIPS!

balloon 풍선 supervise 감독하다 pop 터지다 inhale 삼키다 airway 기도 hinder 방해하다 respiration 호흡 visible 보이는 swallow 삼키다 distress 고통 expand 확대하다 apparent 분명한 undetectable 탐지 할 수 없는

「풍선은 결코 8살 아래의 아이들에게 주어서는 안된다. 항상 풍선 주위에서 어떤 나이의 아이든지 감독해라. 그것들은 쉽게 터지고, 만약 삼켜지면, 작은 조각들이 기도를 막을 수 있고 호흡을 방해 할 수 있다. 풍선은 엑스레이로는 보이지 않아서 만약에 아이가 풍선 조각을 삼킨다면 고통에 대한 이유가 명확하지 않을 지도 모른다.」

Answer 14.①

2019. 4. 6. 소방공무원 공개경쟁

15 다음 빈칸 (A), (B)에 들어갈 말로 가장 적절한 것은?

> Culture consists of the rules, norms, values, and mores of a group of people, which have been learned and shaped by successive generations. The meaning of a symbol such as a word can change from culture to culture. To a European, ___(A)___, a "Yankee" is someone from the United Sates; to a player on the Boston Red Sox, a "Yankee" is an opponent; and to someone from the American South, a "Yankee" is someone from the American North. A few years ago, one American car company sold a car called a Nova. In English, nova means bright star — an appropriate name for a car. In Spanish, ___(B)___, the spoken word nova sounds like the words "no va," which translate "It does not go." As you can imagine, this name was not a great sales tool for the Spanish-speaking market.

	(A)		(B)
①	for example	…	as a result
②	for example	…	however
③	similarly	…	moreover
④	similarly	…	in fact

TIPS!

consist of 이루어져 있다 rule 규칙 norm 규범 value 가치 mores 관습 successive 연속적인 opponent 상대 appropriate 적절한 nova 신성 translate 번역하다 for example 예를 들어서 as a result 결과적으로 however 하지만 similarly 마찬가지로 moreover 더욱이 in fact 사실

문화마다 단어의 의미가 달라질 수 있다는 내용이 나오고 다음에 구체적인 내용이 나오기 때문에 "예를 들어"라는 의미의 "for example"이 적절하다. nova라는 이름이 영어로는 "밝을 별"을 의미하지만 스페인어로는 반대의 의미인 "가지 않는다"는 것을 의미하기 때문에 역접을 나타내는 "however"가 적절하다.

「문화는 연속적인 세대들에 의해 학습되고, 형성되는 규칙, 규범, 가치 그리고 한 그룹의 사람들의 사회적 관습으로 구성된다. 단어와 같은 상징의 의미는 문화마다 바뀔 수 있다. 예를 들어 한 유럽인에게, "양키"는 미국 출신의 사람이다. 보스턴 레드삭스에서 뛰는 한 선수에게, "양키"는 상대방 선수이다. 그리고 미국 남부 출신의 사람에게, "양키"는 미국 북부 출신의 사람이다. 몇 년 전에, 한 미국 자동차 회사가 노바라는 이름의 자동차를 팔았다. 영어로, 노바는 밝은 별을 의미하는데, 자동차에 있어서는 적절한 이름이다. 하지만 스페인어로, 구어체로의 노바는 "그것은 가지 않는다"로 번역되는 "노 바"단어처럼 소리가 난다. 당신이 상상 할 수 있듯이, 이 이름은 스페인어를 말하는 시장에서는 훌륭한 도구가 아니었다.」

Answer 15.②

2019. 4. 6. 소방공무원 공개경쟁

16 주어진 글 다음에 이어질 글의 순서로 가장 적절한 것은?

> When people eat, they tend to confuse or combine information from the tongue and mouth (the sense of taste, which uses three nerves to send information to the brain) with what is happening in the nose (the sense of smell, which utilizes a different nerve input).
>
> (A) With your other hand, pinch your nose closed. Now pop one of the jellybeans into your mouth and chew, without letting go of your nose. Can you tell what flavor went into your mouth?
>
> (B) It's easy to demonstrate this confusion. Grab a handful of jellybeans of different flavors with one hand and close your eyes.
>
> (C) Probably not, but you most likely experienced thesweetness of the jellybean. Now let go of your nose. Voilà — the flavor makes its appearance.

① (B) – (A) – (C)
② (B) – (C) – (A)
③ (C) – (A) – (B)
④ (C) – (B) – (A)

TIPS!

confuse 혼란스럽게 하다 combine 결합하다 tongue 혀 nerve 신경 utilize 이용하다 input 입력 정보 pinch 꼬집다 pop (물건을) 탁 놓다 jellybean 젤리빈 chew 씹다 let go of 놔주다 tell 알다 flavor 맛 demonstrate 설명하다 confusion 혼란 grab 잡다 a handful of 한 움큼의 sweetness 달콤함 appearance 출현, 나타남

주어진 글 후반부에 혼란스러워(confuse)하는 경향이 있다는 내용이 (B)에 confusion으로 받고 있다. 또한 후반부에 한 손으로 젤리빈을 움켜 쥐라는 내용과 함께, 다른 손으로 코를 막으라는 내용이 나오는 (A)가 오는 것이 자연스럽고, 후반부에 이어지는 질문에 대한 답이 나오는 (C)가 마지막에 오는 것이 가장 자연스럽다.

「사람들이 먹을 때, 그들은 혀와 입(정보를 뇌로 보내기 위해 3개의 신경을 사용하는 미각)으로부터 오는 정보를 코(다른 신경 입력 정보를 사용하는 후각)에서 일어나는 것과 혼란스러워하거나 결합하는 경향이 있다. (B) 이 혼란스러움을 설명하는 것은 쉽다. 한 움큼의 다른맛의 젤리빈을 한손에 움켜쥐고 눈을 감아 보라. (A) 다른 손으로, 너의 코를 막아라. 이제 젤리빈중 하나를 코를 막은 상태로 너의 입속에 넣고 씹어라. 너는 어떤 맛이 너의 입속으로 들어갔는지를 알 수 있나? (C) 아마도 아닐 것이다. 하지만 당신은 아마 젤리빈의 달콤함은 경험할 것이다. 이제 막고 있었던 너의 코를 놓아라. 자 보세요. 맛이 느껴집니다.」

Answer 16.①

2018. 10. 13. 소방공무원 공개경쟁

17 다음 글의 빈칸에 들어갈 말로 가장 적절한 것은?

> Our desire to control is so powerful that people often act as though they can control the uncontrollable. For instance, people bet more money on games of chance when their opponents seem incompetent than competent, as though they believed they could control the _______ drawing of cards from a deck and thus take advantage of a weak opponent. Likewise, people feel more certain that they will win a lottery if they can pick their lottery ticket numbers.
>
> * deck 카드 한 벌

① random ② popular

③ planned ④ intentional

TIPS!

uncontrollable 통제할 수 없는 opponents 반대자 incompetent 무능한, 무능력자 games of chance 기술보다 운에 좌우되는 게임 Likewise 비슷하게 lottery 복권, 도박

① 무작위의 ② 인기 있는 ③ 계획된 ④ 의도적인

「통제하고자 하는 우리의 욕망은 너무 강력하기 때문에 사람들은 종종 마치 통제할 수 없는 것들을 통제할 수 있는 것처럼 행동한다. 예를 들어, 사람들은 그들의 반대자가 유능한 것보다 무능해 보일 때 운에 좌우되는 게임에 더 많은 돈을 건다. 그들이 마치 한 벌의 카드로부터 무작위의 카드 뽑기를 통제할 수 있고 그래서 약한 상대를 이용하는 것처럼 믿는다. 비슷하게, 사람들은 만약 그들이 그들의 복권 번호를 고른다면 복권에 당첨이 될 것이라고 좀 더 확신을 느낀다.」

Answer 17.①

2018. 10. 13. 소방공무원 공개경쟁

18 다음 글의 빈칸에 들어갈 말로 가장 적절한 것은?

> ________ is the process of removing heated gasses or smoke from a building. This makes the building more tenable and helps to prevent such things as flashover or backdraft. This can be accomplished by several methods, from opening a window to cutting a hole in the roof.

① Ignition ② Ventilation

③ Conduction ④ Evaporation

TIPS!

tenable 유지되는 accomplish 완수하다, 성취하다

① 점화 장치 ② 통풍, 환기 장치 ③ (전기나 열의) 전도 ④ 증발

「통풍은 가열된 가스와 연기를 빌딩으로부터 제거하는 과정이다. 이것은 건물을 좀 더 잘 유지할 수 있게 만들고, 플래시오버나 백드래프트 같은 것들을 예방할 수 있게 도와준다. 이것은 창문을 여는 것에서부터 지붕에 구멍을 내는 것까지 여러 가지 방법으로 완수할 수 있다.」

2018. 10. 13. 소방공무원 공개경쟁

19 다음 글의 빈칸에 들어갈 말로 가장 적절한 것은?

> Why Are Fire Trucks Red?
>
> Fire trucks are red because back in the 1900s, roads were mostly filled with black-colored cars manufactured by Ford. ________, the striking red color of fire trucks stood out amongst the sea of black vehicles vying for space on the roads.
>
> * vying 경쟁하는

① In addition ② Likewise

③ For example ④ Therefore

TIPS!

striking 눈에 띄는 stand out 두드러지다

① 게다가 ② 비슷하게 ③ 예를 들어 ④ 그러므로

「왜 소방차들은 빨간색인가?
소방차들은 빨간색이다, 왜냐하면 1900년대에, 도로는 포드사에 의해 생산된 검정색 자동차들로 거의 꽉 차 있었기 때문이다. 그러므로, 소방차의 눈에 띄는 빨간색은 도로 위 공간을 위해 경쟁하는 검은 자동차들의 바다 사이에서 두드러졌다.」

Answer 18.② 19.④

2018. 10. 13. 소방공무원 공개경쟁

20 다음 글의 제목으로 가장 적절한 것은?

Physical activity is key to improving individual health. First, it can lower your risk for cancer. Physically active women have a lower risk of breast cancer than do people who are not active. Second, as you age, it's important to protect your bones, joints, and muscles. Not only do they support your body and help you move, but keeping bones, joints, and muscles healthy can help ensure that you're able to do your daily activities and be physically active. Some scientific evidence has also shown that even lower levels of physical activity can be beneficial.

① 신체 활동의 이점
② 뼈 건강을 지키는 방법
③ 규칙적 일상생활의 중요성
④ 면역력을 증진시키는 방법

TIPS!

제시된 글은 첫 문장에서 신체 활동이 건강을 향상시키는 비결이라고 제시하고, 뒤로 그에 대한 근거를 들고 있다.

「신체 활동은 개인의 건강을 향상시키는 비결이다. 첫째, 신체 활동은 당신의 암의 위험성을 낮출 수 있다. 신체적으로 활동적인 여성들은 활동적이지 않은 사람들보다 유방암 위험성이 낮다. 둘째, 나이가 들수록, 당신의 뼈, 관절, 그리고 근육을 보호하는 것은 중요하다. 그것들은 당신의 몸을 지지하고 당신의 움직임을 도울 뿐 아니라, 뼈, 관절 그리고 근육들을 건강하게 유지하는 것은 당신이 매일 활동을 할 수 있고, 신체적으로 활동적이라는 것을 보장하는 데 도움이 될 수 있다. 어떤 과학적 증거는 또한 심지어 낮은 수준의 신체 활동도 이로울 수 있다고 보여준다.」

2018. 10. 13. 소방공무원 공개경쟁

21 다음 밑줄 친 부분이 가리키는 대상이 나머지 셋과 다른 것은?

Cyndi was an energetic and happy child. ① She was enthusiastic about life, enjoyed connecting with others, and was a considerably open person. However, when Cyndi was 11 years old, her mother died after a brief illness. Cyndi's struggle with depression began after ② her death. And Cyndi slowly disconnected from ③ her childhood self. As an adult, when listening to upbeat music, ④ she became aware that her core self was attempting to emerge and reconnect.

Answer 20.① 21.②

TIPS!

①③④는 Cyndi를, ②는 Cyndi의 어머니를 가리킨다.

enthusiastic 열렬한 attempt 시도하다

「Cyndi는 활동적이고 행복한 아이었다. ①그녀는 삶에 열정적이었고, 다른 사람과 관계 맺는 것을 즐겼고, 생각하건데 개방적인 사람이었다. 그러나 Cyndi가 11살이었을 때, 그녀의 엄마가 잠시 병을 앓은 후 죽었다. ②그녀의 죽음 이후에 Cyndi의 우울함과의 투쟁이 시작되었다. 그리고 Cyndi는 천천히 그녀를 ③그녀의 어린 시절 자신으로부터 분리시켰다. 성인으로서, 그녀가 경쾌한 음악을 들었을 때, ④그녀는 그녀의 핵심 자아가 나타나 다시 연결하려고 시도했었던 것을 알게 되었다.」

2018. 10. 13. 소방공무원 공개경쟁

22 다음 글에서 Adam이 bucket list로 가장 하고 싶어 하는 것은?

> Sarah : So Adam, we're talking about the bucket lists we would like to do before we die. So what's your number one thing on your bucket list?
>
> Adam : Oh, difficult question. Number one, I'd probably have to say, oh, skydiving maybe. I've wanted to do it for a long time. And I went bungee jumping in New Zealand. That was fun but I still have not yet been skydiving. And jumping out of the plane just sounds like an awesome idea to me.

① skydiving　　② mountain climbing

③ bungee jumping　　④ New Zealand tour

「Sarah : 그래서 Adam, 우리는 우리가 죽기 전에 하고 싶어 하는 버킷 리스트에 대해서 얘기하고 있어요. 당신의 버킷 리스트에서 첫 번째는 무엇인가요?

Adam : 오, 어려운 질문이네요. 첫 번째는, 저는 아마도 스카이다이빙이라고 말해야 할 것 같네요. 저는 오랫동안 그것을 원해 왔어요. 그리고 저는 뉴질랜드에 번지점핑을 하러 갔었어요. 그것은 재밌었지만, 전 여전히 스카이다이빙을 하진 않았어요. 그리고 비행기에서 점프하는 것은 제게 엄청난 생각처럼 들려요.」

Answer 22.①

2018. 10. 13. 소방공무원 공개경쟁

23 다음 밑줄 친 부분과 의미가 가장 가까운 것은?

> All firefighters must receive instruction on how to identify the various hazards they may encounter and describe the actions to be taken that will limit exposure to those hazards. The training must meet the requirements of the occupational health and safety regulations.

① surpass　　② satisfy

③ simplify　　④ eliminate

encounter 맞닥뜨리다　occupational 직업의, 직업과 관련된　regulation 규정

① 능가하다　② 만족시키다　③ 간소화하다　④ 없애다

「모든 소방관들은 그들이 마주할 수 있는 다양한 위험들을 어떻게 구분해야 하는지 그리고 그런 위험들에 노출을 제한하는 데 행해져야 하는 행동들을 어떻게 설명해야 하는지 교육을 받아야 한다. 그 교육은 반드시 직업과 관련된 건강과 안전 규정들의 요구사항들을 충족시켜야 한다.」

2018. 10. 13. 소방공무원 공개경쟁

24 다음 글에 제시된 세미나의 주제로 가장 적절한 것은?

> Today, the seminar you attend will teach you how to come out of your shell or overcome your fears of speaking your mind. You'll also learn how to speak with authority without sounding too assertive or demanding. If you can master this skill, you'll be able to increase your effectiveness and win your audience.

① selling a new product

② hiring skillful employees

③ making effective presentations

④ improving coherency in your writing

Answer　23.②　24.③

TIPS!

assertive 적극적인 demanding 부담이 큰, 요구가 많은

① 신상품 판매
② 유능한 직원 채용
③ 효과적인 프레젠테이션
④ 글쓰기의 일관성 향상

「오늘, 여러분이 참석하고 있는 세미나는 여러분에게 어떻게 당신의 껍데기에서부터 나올지 또는 당신의 마음을 말하는 데 있어서의 두려움을 어떻게 극복할지에 대해서 가르쳐줄 것입니다. 여러분들은 어떻게 하면 너무 적극적이거나 부담스럽게 들리지 않으면서 자신감을 가지고 말할 수 있는지 또한 배울 것입니다. 만약 여러분이 이런 기술을 마스터하게 된다면, 여러분은 효율성을 증가시킬 수 있고, 청중들을 사로잡을 수 있을 것입니다.」

2018. 10. 13. 소방공무원 공개경쟁

25 다음 글의 주제로 가장 적절한 것은?

No matter what we may have learned in books, it is the nature of life that we lose face before we find wisdom, fall to our knees before we look up to the heavens, and face our darkness before we see the light. Each of us wanders through the wilderness of experience to gather worldly wisdom. We succeed by failing, learn by our mistakes, and rise to great heights by a winding staircase.

① having access to wisdom through reading
② gaining wisdom through life's experiences
③ letting go of the past for a better future
④ making important decisions for your career

TIPS!

winding staircase 나선형 계단 wander 헤매다 worldly 세속적인

① 독서를 통해 지혜에 접근하는 것
② 삶의 경험을 통해 지혜를 얻는 것
③ 더 나은 미래를 위해 과거를 버리는 것
④ 당신의 직장 생활을 위해 중요한 결정을 하는 것

「비록 우리가 책에서 배운다고 하더라도, 우리가 지혜를 찾기 전엔 체면을 잃고, 하늘을 올려다보기 전에 무릎을 꿇고, 그리고 빛을 보기 전에 어둠을 직면하는 것이 삶의 본질이다. 우리들 각각은 세속적인 지혜를 얻기 위해서 경험의 황무지 속을 헤맨다. 우리는 실패함으로써 성공하고, 실수로부터 배우고, 그리고 나선형 계단으로 엄청난 높이로 올라간다.」

Answer 25.②

2018. 10. 13. 소방공무원 공개경쟁

26 다음 밑줄 친 부분 중 문맥상 낱말의 쓰임이 적절하지 않은 것은?

There has been ① speculation that recent advancements in artificial intelligence may lead to robots taking over for humans, and the firefighting profession is not free from this discussion. There will not be a complete takeover anytime in the near future, but these technologies are ② advancing at a rapid rate. Firefighting robots are currently in development and testing, and some have been ③ frustrated. Germany has produced a robot called the Turbine Aided Firefighting machine, and this is able to ④ powerfully spray water or foam from 196 feet away. This machine has already been used in a factory fire and proved itself to be effective.

TIPS!

artificial intelligence 인공지능

① 추측, 짐작 ② 진전, 발전 ③ 좌절시키다 ④ 강력하게

「최근의 인공지능의 발전으로 인하여 로봇이 인간을 대체하게 될 수도 있다는 ①추측이 있어 왔다. 그리고 소방직도 이 논의로부터 자유롭지 않다. 가까운 미래의 어떤 때에 완전한 대체는 없을 것이다. 그러나 이런 기술들은 빠른 속도로 ②발전하고 있다. 소방 로봇은 현재 개발, 시험 중에 있고, 일부는 ③좌절했다(→ 성공했다). 독일은 Turbine Aided Fire-fighting machine이라고 불리는 로봇을 생산했다. 그리고 이것은 196 피트 떨어진 곳으로부터 ④강력하게 물이나 거품을 분사할 수 있다. 이 기계는 이미 공장 화재에 사용되고 있고 그 자체로 효과적이라는 것이 증명되었다.」

Answer 26.③

2018. 10. 13. 소방공무원 공개경쟁

27 다음 글의 요지로 가장 적절한 것은?

Are you afraid to try something new because you might not be good at it? If you insist on perfection in everything you do, you'll probably keep putting things off and never do anything at all. If, for instance, you have a great idea for a new business or a new product and you're so afraid of not getting it exactly right that you never do anything to implement your idea, chances are you'll be sitting in your living room and hearing on the six o'clock news about someone who did exactly what it was that you were afraid to try. Striving for success doesn't always feel safe; you simply need to trust in your own abilities and embrace the process.

① 용기를 갖고 생각을 실행에 옮길 수 있어야 한다.
② 자신의 적성에 맞는 직업을 찾는 것이 중요하다.
③ 안정적인 환경 속에서 새로운 생각이 잘 떠오른다.
④ 창의적인 생각은 꾸준한 훈련을 통해 키울 수 있다.

TIPS!

implement 시행하다 chances are 아마 ~일 것이다, ~할 가능성이 충분하다 strive 분투 embrace 안다, 받아들이다

「당신은 능숙하지 않을 수 있기 때문에 무언가 새로운 것을 시도하는 것을 두려워하나요? 만약 당신이, 당신이 하는 모든 것에 하는 모든 것에 완벽함을 고집한다면, 당신은 아마도 그것들을 계속 뒤로 미룰 것이고, 어떤 것도 전혀 할 수 없을 것입니다. 예를 들어서, 만약 당신이 새로운 사업이나 새로운 제품에 대한 엄청난 아이디어를 가지고 있는데, 당신이 그것을 정확하게 하지 않은 것을 너무 걱정해서 당신의 아이디어를 실행하기 위해서 어떤 것도 하지 않는다면, 아마 당신은 거실에 앉아 6시 뉴스에서 당신이 시도하는 것을 두려워했던 바로 그 일을 한 누군가에 대해 듣게 될 것이다. 성공을 위해 분투하는 것은 언제나 안전하게 느껴지는 것은 아니다. 당신은 단순하게 자신의 능력을 믿고 그 과정을 받아들일 필요가 있다.」

Answer 27.①

2018. 10. 13. 소방공무원 공개경쟁

28 다음 글에서 전체 흐름과 관계없는 문장은?

Filmed entertainment occupies a special place in the media industry because it drives revenues beyond the box office to many different businesses in the media industries. ① For example, when a motion picture is successful at the box office, it is likely to attract DVD purchases and rentals as well. ② The choice of movies and TV shows is made easier by allowing viewers to search the listings by name, genre, and other keywords. ③ It may spawn a sequel, prequel, or TV series, and its characters may be spun off to other properties. ④ If the movie appeals to children, there may be lucrative licensing opportunities for everything from calendars to bedsheets.

* spawn 낳다, 생산하다

TIPS!

제시된 글은 영화 산업의 성공이 가져올 수 있는 다양한 분야의 수익에 대한 것으로 ②는 글의 내용과 관계가 없다.

occupy 차지하다 revenue 수익 sequel 속편 spawn (어떤 결과상황을) 낳다 spin off 파생되다 lucrative 수익성이 좋은

「영화 산업은 그것이 박스 오피스를 넘어서 미디어 산업의 많은 다른 사업에서 수익을 끌어내기 때문에 미디어 산업에서 특별한 위치를 차지하고 있다. ①예를 들어서, 영화가 박스 오피스에서 성공적일 때, 그것은 DVD 구매와 대여 또한 불러일으키기 쉽다. ②영화나 TV 쇼의 선택은 시청자들을 이름, 장르, 그리고 다른 키워드로 리스트를 검색하게 허용함으로써 점점 쉬워지고 있다. ③그것은 속편, 프리퀄, 혹은 TV 시리즈를 낳을 수 있고, 그것의 등장인물들도 다른 재산권들로 파생될 수 있다. ④만약 영화가 아이들에게 어필한다면, 달력에서부터 침대 시트까지 모든 것에 대해 수익성이 좋은 특허 기회가 된다.」

Answer 28.②

2018. 10. 13. 소방공무원 공개경쟁

29 다음 주어진 문장이 들어가기에 가장 적절한 곳은?

But road traffic crashes and injuries are preventable.

Road traffic injuries are a growing public health issue, disproportionately affecting vulnerable groups of road users, including the poor. (①) More than half the people killed in traffic crashes are young adults aged between 15 and 44 years – often the breadwinners in a family. (②) Furthermore, road traffic injuries cost low-income and middle-income countries between 1% and 2% of their gross national product – more than the total development aid received by these countries. (③) In high-income countries, an established set of interventions have contributed to significant reductions in the incidence and impact of road traffic injuries. (④) These include the enforcement of legislation to control speed and alcohol consumption, mandating the use of seat belts and crash helmets.

* breadwinner 생계를 책임지는 사람

TIPS!

road traffic injury 교통사고 부상 disproportionately 불균형적으로 vulnerable 취약한 breadwinner 가장
intervention 개입 incidence 발생 정도 legislation 입법

「교통사고 부상은 점점 대중의 건강 이슈가 되고 있고, 가난한 사람들을 포함한 도로 이용자들의 취약한 집단에 불균형적으로 영향을 미치고 있다. 교통사고에서 죽는 사람의 절반 이상이 15세에서 44세 사이의 젊은 성인들이다 - 종종 가족의 가장인. 더욱이, 교통사고 부상은 저소득과 중소득 국가들에게 그들 국가총생산량의 1~2%의 비용이 들게 한다 - 이런 나라들에 의해서 받는 전체적인 발전기금보다 많은. 그러나 도로 교통사고와 부상들은 예방할 수 있다. 고소득 국가에서, 확립된 일련의 개입은 교통사고 부상의 영향과 발생 정도의 상당한 감소에 기여했다. 이것들은 속도제한과 술의 소비, 안전벨트와 충돌 헬멧의 의무화에 대한 입법의 강화를 포함한다.」

Answer 29.③

2018. 10. 13. 소방공무원 공개경쟁

30 다음 주어진 문장이 들어가기에 가장 적절한 곳은?

However, if the same fire spreads in an uncontrolled manner, it can be a vicious enemy for the mankind, property and any living creature nearby.

Fire may occur anytime anywhere and in any kind of facility. (①) No one denies that fire is nothing but a chemical reaction ignited by heat energy where the presence of oxygen in the air facilitates the substance to burn. (②) No doubt, it is a great friend of humanity when used in a controlled and safe manner. (③) Thus, a fire-fighting system assumes importance for a building, a public place or an industrial house, etc. (④) Unfortunately, it is a fact that a fire-fighting system is not a priority item while raising a building or holding an event for a certain purpose.

TIPS!

vicious 잔인한 facility 시설, 기능 ignite 불이 붙다 assume (양상을) 띠다 priority 우선사항

「불은 언제 어디서나 그리고 어떤 종류의 시설에서도 발생할 수 있다. 아무도 불이 공기 중에 있는 산소의 존재가 탈 수 있는 물질이 열에너지에 의해 발화하기 용이하게 해주는 화학반응에 지나지 않음을 부인하지 않는다. 의심할 여지없이, 통제되고 안전한 방식으로 사용이 되었을 때는 불은 인간의 매우 좋은 친구이다. ③그러나, 만약 불이 통제되지 않는 방식으로 퍼진다면, 그것은 인간, 재산 그리고 주변에 살아있는 생물에게 잔인한 적이 될 수 있다. 그래서 방재시스템은 빌딩과 공공장소 또는 산업시설 등등에서 중요성을 띤다. 불행하게도, 방재시스템은 빌딩을 올리고 특정 목적의 이벤트를 개최하는 동안에는 우선사항이 아니다.」

Answer 30.③

Let's check it out

02 출제예상문제

국어

한국사

영어

1 다음 글의 내용과 일치하지 않는 것은?

> Chicago's Newberry Library and the Brookfield Zoo were among 10 institutions presented Monday with the National Medal for Museum and Library Service by First Lady Laura Bush at the White House. The annual awards, given by the Institute of Museum and Library Services in Washington, D. C., honor institutions for their collections and community involvement, and include a $10,000 award each. The Brookfield Zoo was honored for programs such as Zoo Adventure Passport, which provides free field trips to low-income families. "Brookfield Zoo is a living classroom for local students," Bush said. The Newberry Library was also honored for its extensive collection of more than half a million maps and its role in helping African-Americans trace their family heritage.

① The Brookfield Zoo ran a program that supports free admission for low-income families.
② The Brookfield Zoo assisted African-American kids in tracing their family history.
③ The Newberry Library and the Brookfield Zoo won a $10,000 award respectively.
④ The Newberry Library was awarded the medal for an extensive number of maps.

TIPS!

extensive 대규모의　respectively 각자, 제각기

① Bookfield 동물원은 저소득 가정들을 위한 무료입장을 지원하는 프로그램을 운영했다.
② Bookfield 동물원은 아프리카계 미국 어린이들의 가족사를 추적하는 것을 도왔다.
③ Newberry 도서관과 Bookfield 동물원은 각각 1만 달러의 상금을 탔다.
④ Newberry 도서관은 지도로 인해 아주 많은 수의 훈장을 받았다.

「시카고의 Newberry 도서관과 Bookfield 동물원은 월요일 백악관에서 영부인 Laura Bush에게 박물관과 도서관 서비스에 대한 국가훈장을 받은 열 개의 기관들 중 하나다. 그 연례적인 상은, 워싱턴에 있는 박물관과 도서관 서비스 협회에서 주어지는데, 기관들에게 그들의 수집품과 지역사회 관여에 대해 영예를 주고 각각 1만 달러의 상금을 포상한다. Bookfield 동물원은 Zoo Adventure Passport와 같은 프로그램들로 인해 수상의 영예를 안았는데, 그것은 저소득 가정들에게 무료 현장학습을 제공한다. Bush는 "Bookfield 동물원은 지역의 학생들을 위한 살아있는 교실입니다"라고 말했다. Newberry 도서관 역시 50만이 넘는 지도들의 대규모 수집과 아프리카계 미국인들이 그들의 가문의 유산을 찾도록 돕는 역할을 해 수상의 영예를 안았다.」

Answer 1.②

2 글의 요지를 가장 잘 나타낸 속담 또는 격언은?

The benefits of exercise extend far beyond physical health improvement. Many people work out as much for mental and spiritual well-being as for staying fit. Can being physically active make you happy? Can it help you deal with life stress? Can it lead to a more spiritual and religious life? For many, the answer is yes. Exercise, such as walking, increases blood flow to the brain. A study of people over 60 found that walking 45 minutes a day at 6 km/h enhanced the participants' thinking skills. They started at 15 minutes of walking and gradually increased exercise time and speed. The result was that the participants were found mentally sharper with this walking program.

① Practice makes perfect.
② A sound mind in a sound body.
③ Experience is the best teacher.
④ Time and tide wait for no man.

TIPS!

extend 확장하다, 연장하다, 포괄하다 enhance 향상시키다, 높이다 participant 참가자 gradually 서서히 sharp 날카로운, 예리한, 날렵한, 영리한

① 연습하면 완벽을 이룰 수 있다.
② 건강한 육체에 건강한 정신.
③ 경험이야말로 최고의 선생님이다.
④ 세월은 누구도 기다려주지 않는다.

「운동의 이점은 신체적인 건강 증진보다 훨씬 더 많은 것을 포괄한다. 많은 사람들은 건강을 유지하기 위한 것일 뿐만 아니라 정신적이고 영적인 건강을 위해서도 운동을 한다. 신체적으로 건강한 것이 행복하게 해줄 수 있는가? 삶의 스트레스를 해결할 수 있게 도와주는가? 더 영적이고 신앙적인 삶으로 이어질 수 있는가? 많은 이들에게 대답은 '그렇다'이다. 걷기와 같은 운동은 뇌로 들어가는 혈액의 흐름을 높여준다. 60세 이상의 사람들을 대상으로 한 여구에서 하루에 시속 6킬로미터로 45분을 걷는 것이 참가자의 사고 능력을 높여주는 것으로 나타났다. 이들은 15분간 걷기에서 시작해 점차 운동 시간과 속도를 높였다. 결과는 참가들이 이런 걷기 프로그램으로 인해 정신적으로 더욱 영리해졌다는 것이다.」

Answer 2.②

3 다음 글에서 전체적인 흐름과 관계없는 문장은?

Some students make the mistake of thinking that mathematics consists solely of solving problems by means of and rules. ① To become successful problem solvers, however, they have to appreciate the theory, recognizing the logical structure and reasoning behind the mathematical methods. ② To do so requires a precision of understanding the exact meaning of a mathematical statement and of expressing thoughts with accuracy and clarity. ③ However, this precision cannot be achieved without real appreciation of the subtleties of language. ④ In fact, anyone can advance much beyond mere problem solving tasks without manipulating mathematical formulas and rules. That is, superior ability in the use of language is a prerequisite to become successful problem solvers.

TIPS!

mathematics 수학 formulas 공식 appreciate 인식하다 logical 타당한, 사리에 맞는, 논리적인 structure 구조, 건물, 조직, 구조물 precision 정확성, 정밀성, 신중함 subtleties of language 언어의 중요한 세부요소들 mere 겨우, 한낱 ~에 불과한 manipulating 조정하다 superior 우수한, 우월한, 우세한 prerequisite 전제 조건

「몇몇 학생들은 수학은 공식들과 법칙들을 사용하여 오로지 문제를 푸는 것으로 구성되어 있다고 생각하는 실수를 범한다. 하지만 성공적으로 문제를 푸는 사람이 되기 위해서는 이론을 정확하게 인식해야만 하며, 논리적 구조와 수학적 방식들 뒤에 가려져 있는 추론을 인식해야 한다. 그러나 이러한 정확성은 언어의 미묘함에 대한 진정한 인식 없이는 얻어질 수 없다. 사실, 누구나 문제를 푸는 것을 넘어 수학적 공식이나 규칙을 능숙하게 다루지 않고서도 많은 진보를 할 수 있다. 즉, 언어 사용에서의 탁월한 능력은 문제를 성공적으로 푸는 사람이 되기 위한 전제조건이다.」

Answer 3.④

4 다음 제시된 글의 내용과 일치하지 않는 것은?

> Fortunately, psychologists believe that books can serve as therapeutic tools – or at least as effective adjuncts to professional therapy – to help children come to terms with their parents' divorce. According to educator-counselor Joanne Bernstein, stories that confront life's problems with candor and credibility may provide insights, promote self-examination, and lead to changes in attitude and behavior. One way stories accomplish this is through identification. Reading about the grief and anxiety of others, she explains, can arouse sudden awareness as problems that have not been consciously or completely recognized are allowed to surface. Introduced to characters who share their difficulties, children may feel less alienated and thus freer to discuss and resolve their own plight.

① Children come to terms with their plight by reading.
② Stories are likely to alienate children from their parents.
③ Books are helpful for children whose parents are divorced.
④ Children identify themselves with characters while reading.

TIPS!

fortunately 다행히, 운이 좋게 therapeutic 치료상의, 건강 유지에 도움이 되는 adjunct 부속물, 보좌 therapy 치료, 요법 divorce 이혼, 분열 educator-counselor 교육상담자 confront 직면하다, 맞서다 candor 정직, 순수 credibility 진실성, 신용 grief 큰 슬픔, 비탄, 재난 awareness 알아채고 있음, 인식 consciously 의식적으로 discuss 논의하다, 토의하다 plight 곤경, 궁지

「다행히, 심리학자들은 책이 어린이들이 부모의 이혼을 타협하는데 도움이 되는 치료적 도구로서 – 또는 적어도 전문적인 치료에 대하여 효과적인 부속물로서 – 역할을 할 수 있다고 믿는다. 교육상담자 Joanne Bernstein에 따르면, 정직과 진실이 필요한 삶의 문제를 직면하는 이야기는 통찰력을 주고, 자기분석을 향상시키고, 태도와 행동의 변화로 이어질지도 모른다. 다른 이들의 슬픔과 걱정에 대한 책을 읽은 것은 의식적으로 또는 완전하게 인식되지 못했던 문제점들을 드러나게 하기 때문에 갑작스런 자각을 자극할 수 있다고 설명한다. 그들의 어려움을 함께 하는 등장인물을 경험하게 하기 때문에 어린이들은 소원함을 덜 느끼고 더 자유롭게 자신만의 곤경을 논의하고 해결할 수 있다고 느끼게 될 지도 모른다.」

Answer 4.②

5 다음 글의 요지로 가장 적절한 것은?

More and more people are turning away from their doctors and, instead, going to individuals who have no medical training and who sell unproven treatments. They go to quacks to get everything from treatments for colds to cures for cancer. And they are putting themselves in dangerous situations. Many people don't realize how unsafe it is to use unproven treatments. First of all, the treatments usually don't work. They may be harmless, but, if someone uses these products instead of proven treatments, he or she may be harmed. Why? Because during the time the person is using the product, his or her illness may be getting worse. This can even cause the person to die.

① Better train should be given to medical students.
② Alternative medical treatments can be a great help.
③ Don't let yourself become a victim of health fraud.
④ It is not always dangerous to use unproven treatments.

TIPS!

quack 돌팔이 의사, 엉터리 치료를 하다 alternative 양자택일, 대안 victim 희생자, 피해자

① 의대생들에게 더 많은 훈련을 시켜야 한다.
② 의학적 치료의 대안이 몹시 필요할 수 있다.
③ 의료사기의 피해자가 되는 것을 스스로 방지하자.
④ 검증되지 않은 치료가 항상 위험한 것은 아니다.

「점점 더 많은 사람들이 의사를 외면하는 대신, 의학에 관한 훈련을 하지 않고 검증되지 않은 치료를 행하는 사람들에게 가고 있다. 그들은 감기부터 암까지 모든 것을 치료받기 위해 돌팔이 의사에게로 간다. 그리고 그들은 위험한 상황에 처하게 된다. 많은 사람들은 검증되지 않은 치료가 얼마나 위험한지를 실감하지 못한다. 무엇보다도 그 치료는 언제나 효과가 없다. 그 치료법들이 해롭지 않을지 몰라도 누군가가 검증된 치료 대신 이런 방법을 사용한다면 그 사람은 해를 입게 될지도 모른다. 왜? 왜냐하면 그 사람이 그런 방법을 사용하는 동안 그 사람의 병이 더욱 악화될지도 모르기 때문이다. 이것은 심지어 그 사람을 죽게 만드는 원인이 될 수도 있다.」

국어

한국사

영어

Answer 5.③

6 다음 글의 제목으로 가장 적절한 것은?

> Dogs have long had special standing in the medical world. Trained to see for the blind, hear for the deaf and move for the immobilized, dogs have become indispensable companions for people with disabilities. However, dogs appear to be far more than four-legged health care workers. One Japanese study found pet owners made 30 percent fewer visits to doctors. A Melbourne study of 6,000 people showed that owners of dogs and other pets had lower cholesterol, blood pressure and heart attack risk compared with people who didn't have pets. Obviously, the better health of pet owners could be explained by a variety of factors, but many experts believe companion animals improve health at least in part by lowering stress.

① The friendliness of dogs
② The healing power of dogs
③ Dogs as health care workers
④ Japanese dogs for the disabled

deaf 귀머거리, 청각장애인 immobilize 지체부자유자 indispensable 없어서는 안 될, 피할 수 없는 companion 친구, 동료 disability 장애, 핸디캡 obviously 명백하게, 분명히 variety 변화, 종류

① 견공들과의 우정
② 견공들의 치유력
③ 건강지킴이로써의 견공들
④ 무능한 일본의 견공들

「견공들은 의료계에서 오랫동안 특별한 위치를 가지고 있다. 시각장애인을 위해 보고, 청각장애인을 위해 듣고, 지체부자유자를 위해 움직이도록 훈련받았기 때문에 견공들은 장애를 가지고 있는 사람들에게는 없어서는 안 될 친구가 되었다. 그러나, 견공은 네발 달린 건강지킴이 그 이상인 것처럼 보여 진다. 일본의 한 연구에서 애완동물을 소유한 사람은 30% 적게 병원을 찾는다는 것이 보고되었다. 6,000명을 대상으로 한 멜버른의 한 연구에서는 견공과 다른 애완동물을 가진 사람들이 그렇지 않은 사람들에 비하여 콜레스테롤수치, 혈압 그리고 심장마비 위험이 더 낮은 것으로 보고되었다. 명백하게, 애완동물을 소유한 사람들의 건강상태가 더 좋은 것을 다양한 원인들을 통해 설명할 수 있으나 많은 전문가들은 친구로서의 동물들이 부분적으로는 적어도 스트레스를 낮춰줌으로써 건강을 회복시킨다고 믿고 있다.」

Answer 6.②

7 다음 밑줄 친 곳에 가장 알맞은 것은?

Stories are not just something we read to put ourselves and our children to sleep, not just something we read in literature class. ____________, they are the thing that lies at the heart of human intelligence. To understand intelligence, we need to understand stories.

① Therefore ② But
③ Though ④ Rather

TIPS!

literature class 문학수업 human intelligence 인지(人智) rather 오히려

앞에서 이야기가 단순히 읽을거리가 아니라 인간 지성의 중심임을 강조하고 있으므로 rather가 적당하다.

「소설은 단지 우리 자신을 위해서 또는 아이들을 재우기 위해서 읽는 어떤 것이 아니며, 단지 문학수업시간에 읽는 어떤 것도 아니다. 오히려 그것들은 인간 지성의 중심에 자리하고 있는 것이다. 지성을 이해하기 위해서 우리는 소설을 이해할 필요가 있다.」

8 다음 글의 밑줄 친 A new science가 의미하는 것은?

A new science started about a hundred and fifty years ago. The new scientists are the people who dig in the earth to find signs of a ancient people. We thought the history began about 4,000 years ago, but now we understand the history of man began about 3,000,000 years ago.

① Physics ② Archaeology
③ Psychology ④ Ecology

TIPS!

dig 발굴하다, 파다, 캐내다 ancient 고대의, 예로부터의, 고령의 physics 물리학 archaeology 고고학 psychology 심리학 ecology 생태학

「새로운 학문은 약 150여년 전부터 시작되었다. 그 새로운 학자들은 고대인의 흔적을 찾기 위해 땅을 파는 사람들이다. 우리는 인류의 역사가 약 4,000여년 전에 시작되었다고 생각했으나, 이제는 인류의 역사가 약 3,000,000여년 전에 시작되었다고 이해한다.」

Answer 7.④ 8.②

9 다음 글에 등장하는 아버지의 성격은?

> When I was a girl, I never argued with my father about anything. Once he made a decision, that was the end of the matter. Discussions didn't make him change his mind, so I didn't even try to persuade him. He would often say, "You're still young; it's better for you to listen to me."

① obstinate
② humorous
③ gracious
④ thoughtful

TIPS!

argue 논의하다, 찬성[반대]론을 주장하다, 입증하다 decision 결정, 결심, 판결, 결단력 discussion 토론, 토의, 논문 persuade 설득하다, 권유하다, ~를 납득시키다, ~을 믿게 하다.

① 완고한 ② 익살스러운 ③ 공손한 ④ 사려깊은

「내가 소녀였을 때 나는 어느 것에 관해서도 아버지와 절대 논의하지 않았다. 그가 한 번 결정하면 그 일은 끝나는 것이었다. 토론도 그의 마음을 바꿀 수 없었기에 나는 그를 설득하고자 노력조차 하지 않았다. 그는 종종 "너는 아직 어리단다. 내 말을 듣는 것이 더 나아."라고 말했다.」

10 다음 글에 등장하는 노인의 성격은?

> The next morning, the old man walked among what was left of his life's work. As he looked at the gray ashes of most of his hopes and dreams, he said, "There is a great lesson in terrible things like this. All our mistakes are burned up. We can start from the beginning again. Thank God."

① 비관적이다
② 다정다감하다
③ 세심하다
④ 강인하다

TIPS!

ash 재, 화산재, 폐허 mistake 실수 terrible 끔찍한

「다음 날 아침, 노인은 그가 평생 동안 이룩해서 남겨진 것 사이를 걸었다. 그의 희망들과 꿈들의 대부분이 회색의 재들로 된 것을 보면서 그는 "이것과 같이 끔찍한 것들 사이에서 하나의 커다란 교훈이 있다. 우리 실수 모두를 태워버리자. 우리는 다시 처음부터 시작할 수 있어. 신께 감사드린다."라고 말했다.」

Answer 9.① 10.④

11 다음 글을 작성한 목적은?

> Sometimes the most important things in our life can't be seen. For example, we've never seen air at all, but every living thing can't live without it. If there is no life on the moon, it is because there is no air.

① to emphasize　　② to inform
③ to enforce　　④ to persuade

emphasize 강조하다　persuade 설득하다, 권유하다
눈에 보이지는 않아도 중요한 것에 대한 정보를 주고 있다.

「때때로 우리의 생활에서 가장 중요한 것들은 보여질 수 없다. 예를 들어 우리는 공기를 절대 볼 수 없으나 모든 살아있는 것은 공기없이는 살 수 없다. 만약 달에 생명체가 없다면, 그것은 그곳에 공기가 없기 때문이다.」

12 다음 글에서 광고하고 있는 것은?

> Apply now for a DLS Diploma Course which will put you on the road to an exciting higher paid career. Use our unique home-study materials to learn in the comfort of your own home, when you want to, how you want to. Millions of satisfied students all over the world! Huge range of courses and opportunities. There's something for everyone, including you.
> Send for you FREE CAREER BOOKLET now.
> DLS, 230-236 Moss Gardens, London SW8 56W 081-788-9623

① 서적판매　　② 통신학습
③ 고소득 부업　　④ 직장알선

TIPS!

material 물질의, 중요한, 요소, 재료, 원료　comfort 위로, 안락, 위안, 위로하다　opportunity 기회　send for 신청하다　free 무료의

Answer　11.②　12.①

「당신에게 재미있으면서도 고소득을 보장해 줄 직장에 들어갈 길을 열어 줄 DLS 졸업장을 얻기 위한 코스에 지금 지원하세요. 당신이 원하는 때, 당신이 하고 싶은 대로 집에서 편안하게 공부하기 위해 우리의 독특한 자택학습 자료를 사용하세요. 전세계에 이 방법에 만족하는 수백만명의 학생들이 있습니다. 다양한 범위의 코스와 기회가 마련되어 있습니다. 당신을 포함한 모든 이들에게 알맞은 것입니다.
지금, 무료직업 안내책자를 신청하세요.
DLS, 230-236 Moss Gardens, London SW8 56W 081-788-9623」

13 **다음은 어떤 글의 일부이다. 이 글의 종류로 가장 알맞은 것은?**

> Acknowledging that there are common elements in the South's proposal for a confederation and the North's proposal for a federation of lower stage as the formulae for achieving reunification, the South and the North agreed to promote reunification in that direction. The South and the North have agreed to promptly resolve humanitarian issues such as exchange visits by separated family members and relatives on the occasion of the August 15 National Liberation Day and the question of former long-term prisoners who had refused to renounce Communism.

① 기행문　　② 신문기사
③ 안내문　　④ 학술논문

acknowledge 인정하다, 승인하다　common 공통의　element 요소　proposal 신청, 제안, 제의　confederation 동맹, 연합　federation 동맹, 연합, 연방　formulae 방식들, 절차들　achieve 이루다, 성취하다, 획득하다　reunification 재통일　agree 동의하다, 일치시키다　promote 진전시키다　promptly 신속히　resolve 용해하다　humanitarian 인도주의의, 인도주의자, 박애가　exchange 교환하다　separate 잘라서 떼어놓다　relative 비교적인, 상대적인　occasion 경우, 때, 이유　National Liberation Day 민족해방일　refuse 거절하다　renounce 포기하다　communism 공산주의　former 전의

「남·북한은 재통일을 이루기 위한 전단계로 연합을 위한 남한의 제안과 연방을 위한 북한의 제안의 공통적 요소들을 인정하면서, 방향에 있어서 재통일을 증진하는 데 동의하였다. 남·북한은 이산가족의 상봉이나 8·15 광복절 관련 행사, 공산주의 포기를 거절한 장기수 문제 등과 같은 인도주의적 쟁점들을 신속히 해결하기로 합의했다.」

Answer 13.②

14 다음 글에서 밑줄 친 It이 구체적으로 가리키는 것은?

> It is the study of relationships among plants and animals and their environment. It includes the study of the biological processes and the needs of plants and animals, as well as the effects that plants, animals and the environment have on each other.

① genetics ② ecology
③ biology ④ zoology

TIPS!

relationship 관계 environment 환경 include 포함하다 biological 생물학적 process 진전, 진행, 경과 effect 영향, 효과, 결과 A as well as B B는 물론 A도

① 유전학 ② 생태학 ③ 생물학 ④ 동물학 ⑤ 식물학

「그것은 식물과 동물 그리고 그들의 환경 사이의 관계에 대한 연구이다. 그것은 식물과 동물 그리고 환경이 서로에게 끼치는 영향은 물론 식물과 동물의 생물학적 작용과정과 필요물들에 관한 연구도 포함한다.」

국어 한국사 영어

Answer 14.②

15 다음 주어진 문장이 들어가기에 가장 적절한 곳은?

> Some researchers at the University of British Columbia in Canada have come up with an interesting way quantifying the seemingly unquantifiable.

> Year after year, a survey sponsored by Scotland's Centre for European Labour Market Research finds the same thing: If you want to be happy in life, be happy in your job. Okay, but what will make me happy in my job? (①) By analyzing life-satisfaction surveys that consider four key factors in job satisfaction, they have figured out how much each is worth when compared with salary increases. (②) For example, trust in management-by far the biggest component of job satisfaction-is worth as much in your overall happiness as a very substantial raise. (③) Say you get a new boss and your trust in your workplace's management goes up a bit. Even that small increase in trust is like getting a thirty six percent pay raise, the researchers calculate. (④) In other words, that will boost your level of overall satisfaction in life by about the same amount as a thirty six percent raise would.

TIPS!

overworked 혹사당하는 anxious 불안해하는 nervous breakdown 신경쇠약 suffocate 질식사하다, 질식사하게하다 macho 으스대는, 남자다움을 과시하는 blackout 정전, 일시적인 의식상실 commonplace 아주 흔한

「해마다, 유럽 노동 시장 연구를 위한 Scotland's Centre의 후원을 받은 조사는 (다음과) 같은 것을 발견했다:만약 당신이 인생에서 행복해지기를 바란다면, 당신의 직업에서 행복을 느껴야 한다. 좋다, 그러나 무엇이 나의 직업 안에서 날 행복하게 만들 것인가? 캐나다의 the University of British Columbia의 몇몇의 연구원들은 겉보기에는 수량화 할 수 없어 보이는 것을 수량화하는 흥미로운 방법을 제시했다. 직업만족에 있어 네 가지 요인을 고려한 생활만족도 조사를 분석함으로써 그들은 임금 인상과 비교해보았을 때 얼마나 가치 있는 것인지 계산해내었다. 예를 들어, 경영진에 대한 믿음-단연코 직업만족에 있어 가장 큰 요소인-은 상당한 임금 인상만큼 당신의 전반적인 행복의 가치가 있다. 연구원들의 계산에 의하면, 더 정확히 말해 믿음에 있어 조금의 증가가 36퍼센트의 임금인상과 같다는 것이다. 다시 말하면, 그것은 36퍼센트의 임금 인상과 거의 같은 양만큼 삶에 있어 전반적인 만족의 단계를 상승시킨다는 것이다.」

Answer 15.①

16 주어진 글 다음에 이어질 글의 순서로 가장 적절한 것은?

Strategic thinking can make a positive impact on any area of life. The first step in strategic thinking is to break down an issue smaller so that you can focus on it more effectively.

(A) He also said, "Only one person in a million can juggle the whole things at the same time and think strategically to create solid, valid plans." He is well known for his habit of splitting tasks.
(B) That's what automotive innovator Henry Ford did when he created the assembly line, and that's why he said, "Nothing is particularly hard if you divide it into small jobs."
(C) Right before the beginning of each weekday, he would think about daily issues, prioritizing the issues for the weekday. He made a rule to deal with the issues only allotted for the day.

① (B) − (A) − (C)　② (B) − (C) − (A)
③ (C) − (A) − (B)　④ (C) − (B) − (A)

TIPS!

automotive 자동차의　innovator 혁신가　assembly line 조립 라인　juggle (두 가지 이상의 일을 동시에) 곡예 하듯 하다　solid 단단한, 고체의　valid 유효한　split 분열되다　allot 할당하다　prioritize 우선순위를 매기다

「전략적인 사고는 삶의 어떠한 부분에도 긍정적인 영향을 준다. 전략적 사고의 첫 번째 단계는 보다 효과적으로 집중하기 위해서 사안을 작게 분해하는 것이다. 그것은 자동차의 혁신가 Henry Ford가 조립라인을 개발했을 때였으며, 그가 '만일 당신이 그것을 작은 일로 세분화 할 수 있다면 아무것도 특별하게 어려울 것이 없다'고 말한 이유였다. 그는 또한 '백만 명중 오직 한 사람만이 동시에 모든 일을 동시에 해낼 수 있고 생각을 전략적으로 하여 견고하고 유효한 계획을 세울 수 있다.'고 말하였다. 그는 또한 일을 분리하는 습관으로도 잘 알려져 있다. 매 주중이 시작되기 바로 직전에 그는 하루의 사안에 대해서 생각하였다. 그리고 주중의 사안에 대하여 우선순위를 정하였다. 그는 하루에 할당된 사안만을 다루는 규칙을 만들었다.」

Answer 16.①

17 다음 빈칸 (A), (B)에 들어갈 말로 가장 적절한 것은?

Many people have faced great obstacles in their lives but have found ways to overcome and actually benefit from these obstacles. (A) , Greg Barton, the 1984, 1988, and 1992 U.S. Olympic medalist in kayaking, was born with a serious disability. He had deformed feet, his toes pointed inward, and as a result, he could not walk easily. Even after a series of operations, he still had limited mobility. Even so, Greg was never defeated. First, he taught himself to walk, and even to run. Then, he competed in his high school running team. He knew, (B) , he would never become an Olympic runner, so he looked for other sports that he could play. Happily, he discovered kayaking, a perfect sport for him because it required minimal leg and foot muscles. Using his upper body strength, he was able to master the sport. Finally, after many years of training and perseverance, Greg made the 1984 Olympic team.

① for example … as a result
② for example … though
③ similarly … moreover
④ similarly … in fact

TIPS!

deformed 기형의 mobility 이동성 defeat 패배시키다 compete 경쟁하다 kayak 카약 perseverance 인내

「많은 사람들이 자신의 인생에 있어 큰 장애를 만나게 된다. 하지만 극복하는 방법과 장애로부터 실질적인 이점을 찾아낸다. (A) 예를 들어, 1984년, 198년, 1992년 미국의 카약 올림픽 메달리스트인 Greg Barton은 심각한 장애를 가지고 태어났다. 그는 발가락이 안쪽으로 향하고 있는 기형의 발을 가지고 있었다. 그 결과 그는 쉽게 걷질 못하였다. 몇 번의 수술 후에도 여전히 이동성에 제한이 있었다. 그럼에도 불구하고 Greg은 절대 포기하지 않았다. 우선 그는 걷는 것을 배우고, 심지어 뛰는 것도 배웠다. 그리고 그는 고등학교 육상부로서 경쟁도 하였다. (B) 하지만 그가 절대 올림픽 주자가 될 수 없다는 것을 그는 알고 있었다. 그래서 그는 그가 할 수 있는 다른 스포츠를 찾았다 행복하게도, 그는 카약을 발견했다. 그것은 작은 다리와 발 근육을 요하기 때문에 그에게 완벽한 스포츠였다. 그의 상체 힘을 이용하여 그는 그 스포츠를 터득할 수 있었다. 결국, 훈련과 인내의 많은 세월이 지나서 Greg는 1984년 올림픽 팀을 만들 수 있었다.」

Answer 17.②

18 A Caucasian territory에 관한 다음 글의 내용과 일치하지 않는 것은?

A Caucasian territory whose inhabitants have resisted Russian rule almost since its beginnings in the late 18th century has been the center of the incessant political turmoil. It was eventually pacified by the Russians only in 1859, though sporadic uprisings continued until the collapse of Tsarist Russia in 1917. Together with Ingushnya, it formed part of the Soviet Union as an Autonomous Soviet Republic within Russian from 1936. Continuing uprising against Russian/Soviet rule, the last of which was in 1934, caused the anger of Stalin. In retaliation, he dissolved Chechnyan autonomy in 1944, and ordered the deportation of the ethnic Chechnyan population to Central Asia, in which half of the population died. They were not allowed to return to their homeland until 1957, when Khrushchev restored an autonomous status for Chechnya.

① 코카서스 지역 주민들은 끊임없이 러시아에 지배에 저항하였다.
② 코카서스 지역은 소비에트 연방의 일부를 형성하게 되었다.
③ 1934년에 일어난 폭동이 스탈린의 분노를 초래했다.
④ 코카서스 지역의 사람들은 1947년에 조국으로 돌아올 수 있었다.

TIPS!

territory 지역, 영토 inhabitant 주민 resist 저항하다 incessant 끊임없는 turmoil 혼란, 소란 pacify 진정시키다, 평정하다 sporadic 산발적인 uprising 봉기, 반란, 폭동 collapse 붕괴, 실패 autonomous 자주적인, 자치의 retaliation 보복, 앙갚음 d issolve 녹다, 용해되다 deportation 국외 추방, 이송 ethnic 민족의

「18세기 말 러시아의 지배에 대한 주민들의 저항이 시작된 이후로 코카서스 지역은 끊임없는 정치적 혼란의 중심지였다. 결과적으로 1859년에 러시아인들에 의해 안정되긴 했지만 산발적인 폭동은 1917년 제정 러시아가 붕괴될 때까지 계속되었다. Ingushnya과 함께 그것은 1936년부터 자치 공화국으로서 소비에트 연방의 일부를 형성하였다. 러시아/소비에트 통치에 대항하는 계속되는 폭동은, 특히 1934년의 폭동은, 스탈린의 분노를 초래했다. 그는 복수로 1944년에 체첸 자치국을 해산시켰고, 체첸 민족을 중앙아시아로 추방했다. 여기서 인구의 반이 죽었다. 그들은 Khrushchev가 체첸의 자치권을 회복시킨 1957년까지 조국으로 돌아오는 것이 허락되지 않았다.」

Answer 18.④

19 다음 글에서 필자가 주장하는 바로 가장 적절한 것은?

Grub's birth rekindled my interest in the nature vs. nurture debate, which was at that time producing bitter arguments in scientific circles. Were we humans mainly the product of our genetic makeup or the product of our environment? In recent years, these flames of controversy have died down, and it is now accepted that in all animals with reasonably complex brains, adult behavior is acquired through a mix of inherited traits and experience gained as the individual goes through life. In other words, our behavior is neither wholly determined by our genes nor wholly free from them. The more sophisticated an animal's brain, the greater the role that learning is likely to play in shaping its behavior, and the more variation we shall find between one individual and another. And the information acquired and lessons learned during infancy and childhood, when behavior is at its most flexible, are likely to have particular significance.

① 유충의 탄생은 유전론 대 환경론의 토론에서 매우 중요하다.
② 유전적인 요소와 환경적인 요소를 따지는 것은 무의미하다.
③ 두뇌가 더 정교할수록 유전적인 요소가 더욱 중요하다
④ 유아기 때 획득한 정보는 아동기때 획득한 정보보다 중요하다.

TIPS!

grub (곤충의) 유충 rekindle 다시 불러일으키다 nature 자연, 천성, 본성 nurture 양육, 육성 die down 차츰 잦아들다 reasonably 상당히, 꽤 acquired 획득한, 기득의 inherited 상속한, 유전의 sophisticated 세련된, 정교한 variation 변화, 변형 infancy 유아기, 초창기 significance 중요성

「유충의 탄생은 그 당시 과학계에 격렬한 논쟁을 일으킨 유전론 대 환경론의 토론에 대한 나의 흥미에 다시 불러일으켰다. 우리 인간은 유전자 구성의 생산물인가 아니면 환경의 생산물인가? 최근에 와서 이런 논쟁의 불씨는 차츰 잦아들었고, 이제는 상당히 복잡한 뇌를 가진 모든 동물들에게서 성인의 행동은 유전적 특징과 개개인이 인생을 살면서 얻은 경험이 섞여서 획득된다고 받아들여진다. 다시 말하면, 우리의 행동은 완전히 유전자에 의해서만 결정되는 것이 아니며, 그렇다고 그것으로부터 완전히 자유롭지도 않다. 동물의 두뇌가 더 정교할수록 학습이 그들의 행동을 형성하는 데에서 역할이 커지며, 개개인 사이의 보다 많은 다양함을 찾을 것이다. 그리고 행동이 가장 유연한 유아기와 아동기 동안 획득한 정보와 학습된 교훈은 특별한 의미를 가질 것이다.」

Answer 19.②

20 다음 글의 주제로 가장 적절한 것은?

Pollution is the addition of any substance or form of energy to the environment at a rate faster than the environment can accommodate it by dispersion, breakdown, recycling, or storage in some harmless form. A pollutant need not be harmful in itself. Carbon dioxide, for example, is a normal component of the atmosphere and a by-product of respiration that is found in all animal tissues ; yet in a concentrated form it can kill animals. Human sewage can be a useful fertilizer, but when concentrated too highly it becomes a serious pollutant, menacing health and causing the depletion of oxygen in bodies of water.

① the relationship of pollution and pollutants
② a double-edged sword: a pollutant
③ a fertilizer as pollutants
④ misunderstanding as to pollutants

TIPS!

pollution 오염, 공해, 오염 물질 addition 추가된 것, 부가물 substance 물질, 실체 accommodate 공간을 제공하다, 수용하다 dispersion 확산, 분산 component 요소, 부품 atmosphere (지구의) 대기 by-product 부산물, 부작용 respiration 호흡 concentrated 집중적인, 농축된 fertilizer 비료 menacing 위협적인, 해를 끼칠 듯한 depletion 고갈, 소모

「공해는 자연환경이 분산, 파괴, 재생 또는 저장을 통하여 무해한 형태로 수용할 수 있는 것보다 빠른 비율로 생기는 어떤 물질 또는 에너지 형태의 부가물이다. 오염물질 자체가 해로운 것은 아니다. 예를 들어, 이산화탄소는 대기 중의 정상정인 구성 요소이고 모든 동물의 조직에서 발견되는 호흡의 부산물이다. 하지만 농축된 형태의 그것은 동물을 죽일 수 있다. 인간의 오물은 유용한 비료가 될 수 있지만, 너무 많이 농축되면 그것은 심각한 오염 물질이 될 수 있으며, 건강을 위협하고 물속 산소의 고갈을 일으킨다.」

Answer 20.②

21 다음 글에서 필자가 주장하는 바로 가장 적절한 것은?

A well-known reply, when demands for expenditure seem unrealistic or wasteful, is that "money doesn't grow on trees." Given these characteristics, the challenge of making a profit from forest management is daunting. Furthermore, because of the long-term nature of forest management, the risk of such investment can be a major deterrent to potential investors. Ironically, investing in forest management is one area where this is particularly true. Apart from a few exceptions, trees grow relatively slowly compared with other crops, timber harvests are infrequent, and forest product prices are held down by competition from other materials.

① 산림 보호를 위해 노력해야 한다.
② 캐시카우인 산림에 전투적으로 투자하라.
③ 산림 산업에서 이윤을 만드는 것은 어렵다.
④ 산림정책은 장기적인 관점에서 접근해야 한다.

TIPS!

expenditure 지출, 소비 particularly ad. 특히, 특별히 apart from ~외에는 exception 예외 relatively 비교적 timber 수목, 목재 infrequent 잦지 않은, 드문 hold down 억압하다, 억제하다 deterrent 제지하는 것 investment 투자 daunting 벅찬, 주눅 들게 하는

「"돈은 나무에서 열리는 것이 아니다."는 소비에 대한 요구가 비현실적이거나 낭비인 것처럼 보일 때, 잘 알려진 대답이다. 아이러니하게도 삼림 관리에 투자하는 것은 특히 그렇다. 몇몇 예외를 제외하고는, 나무는 다른 작물과 비교했을 때 상대적으로 천천히 자라고, 목재 수확은 횟수가 드물며, 목재 상품의 가격은 다른 자재들과의 경쟁으로 인해 억제되어 있다. 게다가 삼림 관리의 장기적인 특성으로 인한 투자의 위험성이 잠재적인 투자자들에게 주된 방해물이 될 수 있다. 이러한 특성들을 고려하면, 삼림 관리에서 이윤을 만들어내고자 하는 도전은 쉽지 않다.」

Answer 21.③

22 주어진 글 다음에 이어질 글의 순서로 가장 적절한 것은?

Children usually feel sick in the stomach when traveling in a car, airplane, or train. This is motion sickness. While traveling, different body parts send different signals to the brain.

(A) When the brain gets timely reports from the various body parts, it finds a relation between the signals and sketches a picture about the body's movement and position at a particular instant. But when the brain isn't able to find a link and isn't able to draw a picture out of the signals, it makes you feel sick.

(B) Eyes see things around and they send signals about the direction of movement. The joint sensory receptors and muscles send signals about the movement of the muscles and the position in which the body is.

(C) The skin receptors send signals about the parts of the body which are in contact with the ground. The inner ears have a fluid in the semicircular canals. This fluid senses motion and the direction of motion like forward, backward, up or down.

① (B) − (A) − (C) ② (B) − (C) − (A)
③ (C) − (A) − (B) ④ (C) − (B) − (A)

TIPS!

motion sickness 멀미 joint sensory receptor 관절 수용기 fluid 유체, 유동체 semicircular canal 반고리관
timely 시기적절한

「아이들은 대개 자동차, 비행기 또는 기차를 타고 여행할 때 메스꺼워한다. 이것이 멀미이다. 여행하는 동안 신체의 다른 기관들은 뇌로 다른 신호들을 보낸다. 눈은 주변의 사물들을 보고 움직임의 방향에 대하여 신호들을 보낸다. 관절수용기와 근육들은 근육의 움직임과 신체가 취하고 있는 자세에 대하여 신호들을 보낸다. 피부 수용기는 땅과 연결되어 있는 신체의 부분에 대한 신호들을 보낸다. 내이(內耳)는 반고리관 안에 액체를 가지고 있다. 이 액체는 움직임을 느끼고, 앞뒤 혹은 위아래와 같은 움직임의 방향을 감지한다. 뇌가 여러 신체 기관으로부터 시기적절한 보고를 받을 때 뇌는 신호들 사이에 관계를 찾고, 특정한 순간에 신체의 움직임과 자세에 대해서 그림을 그린다. 그러나 뇌가 신호들로부터 연결점을 찾지 못하고 그림을 그릴 수 없을 때, 그것은 당신을 메스껍게 만든다.」

Answer 22.②

23 다음 밑줄 친 부분 중 문맥상 낱말의 쓰임이 적절하지 않은 것은?

> Most successful job interviews follow three basic steps. If you know the steps, you ① <u>increase</u> your chances of getting the job. Step 1 lasts about three minutes and occurs when you first introduce yourself. In these three minutes, you need to ② <u>demonstrate</u> that you are friendly and at ease with others. This is the time to shake hands firmly, make eye contact, and smile. During Step 2, you need to explain your skills and abilities. This is your chance to show an employer just how ③ <u>capable</u> you are. Step 3 comes at the end of the interview. Although it lasts only a minute or two, this step is still important. When the employer says, "We'll be in touch," you need to say something like, "I'll check back with you in a few days, if you don't mind." A comment like this indicates your ④ <u>compliment</u> to getting the job.

TIPS!

demonstrate 입증하다 firmly 단호히 capable ~을 할 수 있는, 유능한 indicate 나타내다, 보여 주다
commitment 약속, 전념

「대부분의 성공적인 면접은 3가지 기본적인 단계를 따른다. 만약 당신이 이 단계를 알고 있다면, 직업을 구할 기회를 높일 수 있다. 첫 번째 단계는 약 3분정도 이어지고 처음 자기소개에서 일어난다. 이 3분 동안 당신은 자신이 친절하고 다른 사람들과 잘 지낸다는 것을 입증할 필요가 있다. 이때가 단호하게 악수하고, 눈을 맞추며 미소 지을 순간이다. 2단계에서 당신은 당신의 기술과 능력에 대해서 설명해야 한다. 이때가 고용주에게 당신이 얼마나 능력이 있는지를 보여주어야 할 기회다. 3단계는 면접 마지막에 있다. 비록 겨우 1분 또는 2분이지만, 이 단계 역시 중요하다. 고용주가 "연락드리겠습니다."라고 말할 때 당신은 "괜찮으시다면 며칠 후 제가 당신께 연락드리겠습니다."와 같은 말을 해야 한다. 이런 말은 구직에 대한 당신의 칭찬(→ 전념 commitment)을 보여 준다.」

Answer 23.④

24 다음 글에서 전체 흐름과 관계없는 문장은?

In the twentieth century, architects in large cities designed structures in a way that reduced noise and yet made living as comfortable as possible. ① They used such techniques as making walls hollow and filling this wall space with materials that absorb noise ,and thick carpets and heavy curtains were used to cover floors and windows. ② Those days carpets and curtains were being sold extremely expensive due to their weight. ③ Air conditioners and furnaces were designed to filter air through soundproofing materials. ④ However, after much time and efforts had been spent in making buildings less noisy, it was discovered that people also reacted adversely to the lack of sound. Now architects are designing structures that reduce undesirable noise but retain the kind of noise that people seem to need.

TIPS!

in a way 어느 정도는 hollow (속이) 빈 absorb 흡수하다 furnace 용광로 soundproofing 방음 장치 adversely 불리하게, 반대로

「20세기에, 큰 도시들의 건축가들은 어느 정도 소음을 줄이면서도 생활을 가능한 한 편안하게 만드는 건물들을 설계했다. ① 그들은 벽들을 비게 만들고 이 벽 공간을 소음을 흡수하는 물질들로 채우는 것과 같은 기술들을 사용했고, 두꺼운 카펫들과 무거운 커튼들이 바닥과 창들을 덮기 위해 사용되었다. ② 그 당시 카펫과 커튼은 무게로 인해 굉장히 비싼 값에 팔리고 있었다. ③ 에어컨과 보일러들은 방음 장치가 된 물질들을 통해 공기를 거르도록 설계되었다. ④ 하지만, 많은 시간과 노력이 건물들을 덜 시끄럽게 만드는 데 사용된 후, 소리의 결핍이 사람들에게 불리하게 반응을 일으킨다는 것이 발견되었다. 이제 건축가들은 바람직하지 않은 소음은 줄이지만 사람들이 필요로 하는 것으로 보이는 종류의 소음은 유지하는 건물들을 설계한다.」

국어 한국사 영어

Answer 24.②

25 밑줄 친 She가 가리키는 대상이 나머지 셋과 다른 것은?

Angie was always anxious and impatient. ① She regularly skipped meals and ended up driving through fast-food restaurants to eat just as her blood sugar was crashing. Then she usually felt fuzzy brained and wanted to take a nap. ② She eventually sought the advice of a nutritionally oriented physician for her bouts of fatigue. ③ She recommended better meal planning, more protein and fresh vegetables, and supplements containing B vitamins, magnesium, and F-theanine. Her response to eating more protein – a rotisserie chicken and steamed vegetables on the first day – was nothing short of dramatic. Several months later, Angie's sister described her as a new person – ④ she slept more soundly and woke up feeling alert and energetic.

TIPS!

anxious 불안해하는 impatient 성급한 crash 하락하다 nutritionally 영양상의 protein 단백질 supplement 보조식품; 보완 contain 함유하다, 포함하다. rotisserie 로티세리(고기를 쇠꼬챙이에 끼워 돌려 가면서 굽는 기구) be nothing short of ~와 다름없다. alert 정신이 초롱초롱한

「Angie는 언제나 불안해했고 성급했다. ① 그녀는 자주 끼니를 걸렀고 결국 그녀의 혈당이 뚝 떨어지고 있는 만큼만 먹기 위하여 패스트푸드 식당을 통과해 운전하게 되었다. 그러고 나면 그녀는 대개 정신이 몽롱해졌고 낮잠을 자고 싶어 했다. 결국 ② 그녀는 그녀의 피로에 대한 병치레 때문에 영양을 중시하는 한 내과의사의 조언을 구했다. ③ 그녀(내과의사)는 더 좋은 식사 계획, 더 많은 단백질과 신선한 채소들, 그리고 비타민 B, F-테아닌을 함유한 보조식품들을 권했다. 더 많은 단백질 섭취에 대한 그녀의 반응은-첫 날에 로티세리 치킨과 찐 채소들-극적이라 하기에 부족함이 없었다. 몇 개월 뒤에 Angie의 언니는 그녀를 새로운 사람으로 묘사했다-④ 그녀는 더 푹 잤고 정신이 또렷하고 활기찬 기분을 느끼며 일어났다.」

Answer 25.③

문법

section 1 문장의 형식과 종류

1. 동사의 종류

문장을 구성하는 기본요소는 주어(S), 동사(V), 목적어(O), 보어(C)이고 동사의 종류에 따라 문장형식이 결정된다. 동사는 목적어의 유무에 따라서 자동사와 타동사로 구분된다. 즉 목적어를 필요로 하는 동사는 타동사, 필요로 하지 않는 동사는 자동사라고 한다.

또한, 보어의 유무에 따라서 완전동사와 불완전 동사로 구분되는데, 즉 보어를 필요로 하는 동사는 불완전 동사, 보어를 필요로 하지 않는 동사는 완전동사라고 한다.

(1) 완전자동사

1형식 문장(S + V)에 쓰이는 동사로, 보어나 목적어를 필요로 하지 않는다.

(2) 불완전자동사

2형식 문장(S + V + C)에 쓰이는 동사로, 반드시 보어가 필요하다.

(3) 완전타동사

3형식 문장(S + V + O)에 쓰이는 동사로, 하나의 목적어를 가진다.

(4) 수여동사

4형식 문장(S + V + I.O + D.O)에 쓰이는 동사로, 두 개의 목적어(직접목적어와 간접목적어)를 가진다.

(5) 불완전타동사

5형식 문장(S + V + O + O.C)에 쓰이는 동사로, 목적어와 목적보어를 가진다.

2. 문장의 형식

(1) 1형식[S + V(완전자동사)]

① S + V … 1형식의 기본적인 문장으로 동사를 수식하는 부사구를 동반할 수 있다.

The front door opened very slowly. 현관문이 매우 천천히 열렸다.

② There(Here) V + S + 부사구

There is a book on the table. 탁자 위에 책이 있다.

POINT 뜻에 주의해야 할 완전자동사

matter(중요하다), do(충분하다), work(작동, 작용하다), last(지속되다), pay(이익이 되다), count(중요하다) 등이 있다.]

③ 전치사와 함께 쓰이는 자동사

㉠ account for(설명하다, ~의 원인이 되다, 책임지다)

㉡ agree to 계획, 제안(~에 동의하다)

㉢ agree with 사람(~와 동감이다)

㉣ apologize to(~에게 변명하다)

㉤ complain of/about(~에 대해 불평하다)

㉥ conform to(~을 따르다)

㉦ consist in(~에 있다)

㉧ consist of(~로 구성되다)

㉨ graduate from(~을 졸업하다)

㉩ object to(~에 반대하다)

㉪ result in(그 결과 ~이 되다)

㉫ result from(~로 부터 초래되다)

㉬ strive for(~을 위해 노력하다)

㉭ talk to/with(~와 대화하다)

(2) 2형식[S + V(불완전자동사) + C]

① S + V + C … 2형식의 기본적인 문장이다.

He is a doctor. 그는 의사이다.

② 주격보어의 종류 … 주격보어로는 명사(상당어구), 형용사(상당어구)가 쓰이며 명사는 주어와 동인물, 형용사는 주어의 상태나 속성을 나타낸다.

㉠ 명사

I'm a singer in a rock'n roll band. 나는 락밴드의 가수이다.

㉡ 형용사

He is very handsome. 그는 매우 잘생겼다.

③ 불완전자동사의 유형

㉠ be동사

we are happy. 우리는 행복하다.

㉡ '~이 되다, 변하다'의 뜻을 가지는 동사 : become, grow, go, get, fall, come, run, turn 등이 있다.

It is getting colder. 점점 추워지고 있다.

㉢ 지속의 뜻을 가지는 동사 : continue, hold, keep, lie, remain 등이 있다.

She kept silent all the time. 그녀는 종일 침묵을 지켰다.

㉣ 감각동사 : 반드시 형용사가 보어로 위치하며 feel, smell, sound, taste, look 등이 있다.

That sounds good. 그거 좋군요.

(3) 3형식[S + V(완전타동사) + O]

① S + V + O … 3형식의 기본적인 문장이다.

I shot the sheriff. 나는 보안관을 쏘았다.

② 목적어의 종류(I)

㉠ 명사(절), 대명사

She always wears a ring. 그녀는 항상 반지를 끼고 있다.

I didn't know that he was a singer. 나는 그가 가수였다는 것을 알지 못했다.

I couldn't do anything. 나는 아무것도 할 수가 없었다.

㉡ 부정사 : 부정사만 목적어로 취하는 동사는 주로 미래지향적이며 긍정적인 의미의 동사가 많다.

wish, hope, want, decide, care, choose, determine, pretend, refuse 등이 있다.

Everybody wishes to succeed in life. 누구나 인생에서 성공하기를 원한다.

㉢ 동명사 : 동명사만 목적어로 취하는 동사는 주로 과거지향적이며 부정적인 의미의 동사가 많다.

mind, enjoy, give up, avoid, finish, escape, admit, deny, consider, practise, risk, miss, postpone, resist, excuse 등이 있다.

She really enjoys singing and dancing. 그녀는 노래 부르기와 춤추기를 정말 즐긴다.

㉣ 부정사, 동명사 모두 목적어로 취하면서 의미 차이가 없는 경우 : begin, start, continue, intend, attempt

㉤ 부정사, 동명사 모두 목적어로 취하면서 의미 차이가 있는 경우

remember to V : 미래 사실
remember Ving : 과거 사실

forget to V : 미래사실
forget Ving : 과거사실

regret to V : 유감이다
regret Ving : 후회한다

┌ try to V : 노력한다
└ try ving : 시도한다

┌ stop to V : ~하기 위해서 멈추다
└ stop Ving : ~하는 것을 그만두다

③ 자동사로 오인하기 쉬운 타동사

㉠ 타동사의 목적어가 항상 "을/를"로 해석되지는 않는다.

㉡ 타동사 다음에는 전치사를 쓰면 안 된다.

- attend on/to → attend
- enter into → enter
- inhabit in → inhabit
- marry with → marry
- oppose to → oppose
- reach in → reach
- resemble with → resemble

(4) 4형식[S + V(수여동사) + I.O + D.O]

① S + V + I.O(간접목적어) + D.O(직접목적어) … 4형식의 기본적인 문장으로 직접목적어는 주로 사물이, 간접목적어는 사람이 온다.

He gave me some money. 그는 나에게 약간의 돈을 주었다.

② 4형식 → 3형식 … 4형식의 간접목적어에 전치사를 붙여 3형식으로 만든다.

㉠ 전치사 to를 쓰는 경우 : give, lend, send, loan, post, accord, award, owe, bring, hand, pay, teach, tell 등 대부분의 동사가 이에 해당한다.

Please hand me the book. 나에게 그 책을 건네주세요.

→ Please hand the book to me.

㉡ 전치사 for를 쓰는 경우 : make, buy, get, find, choose, build, prepare, reach, order, sing, cash 등이 있다.

He made me a doll. 그는 나에게 인형을 만들어 주었다.

→ He made a doll for me.

㉢ 전치사 of를 쓰는 경우 : ask, require, demand, beg 등이 있다.

He asked me many questions. 그는 나에게 많은 질문을 했다.

→ He asked many questions of me.

POINT 이중목적어를 취하는 동사

envy, forgive, save, spare, kiss, cost, pardon, forget 등의 동사는 간접목적어에 전치사를 붙여 3형식으로 만들 수 없다.

I envy you your success(O). → I envy your success to you(×).

(5) 5형식[S + V(불완전타동사) + O + O.C]

① S + V + O + O.C … 5형식의 기본적인 문장이다.

I found the cage empty. 나는 그 새장이 비어있는 것을 발견했다.

② 목적보어의 종류 … 목적보어는 목적어와 동격이거나 목적어의 상태, 행동 등을 설명해 준다.

㉠ 명사, 대명사 : 목적어와 동격이다.

They call Chaucer the Father of English poetry. Chaucer는 영시의 아버지라 불린다.

㉡ 형용사 : 목적어의 상태를 나타낸다.

The news made us happy. 그 소식은 우리를 행복하게 했다.

㉢ 부정사, 분사 : 목적어의 행동을 나타낸다.

She want him to come early. 그녀는 그가 일찍 오기를 바란다.

He kept me waiting long. 그는 나를 오래 기다리게 했다.

③ 지각동사 · 사역동사의 목적보어

㉠ 지각동사(see, hear, feel, notice, watch, look at, observe, listen to 등)와 사역동사(have, make, let, bid 등)는 5형식 문장에서 원형부정사를 목적보어로 취한다.

I saw him cross the street. 나는 그가 길을 건너는 것을 보았다.

I make her clean my room. 나는 그녀가 내 방을 치우게 하였다.

㉡ 지각동사 · 사역동사의 목적보어로 쓰이는 원형부정사는 수동문에서 to부정사의 형태를 취한다.

He was seen to cross the street. 그가 길을 건너는 것이 보였다.

She was made to clean my room. 그녀가 내 방을 치웠다.

㉢ 진행 · 능동의 뜻일 때는 현재분사를, 수동의 뜻일 때는 과거분사를 목적보어로 취한다.

I heard him singing in the dark. 나는 그가 어둠 속에서 노래하고 있는 것을 들었다.

She had her watch mended. 그녀는 시계를 수리시켰다.

④ 준 사역 동사의 목적보어 … 다음에 나오는 준 사역 동사는 부정사를 목적보어로 취한다.

expect, with, desire, want, would like, intend, mean, advise, ask, beg, entreat, require, urge, persuade, command, order, cause compel, force, oblige, motivate, enable, encourage, get, allow, permit, leave, forbid

I wish you to go at once. 나는 네가 당장 가주기를 바란다.

I persuaded him to study hard. 나는 그를 설득해서 열심히 공부하게 했다.

section 2 동사의 시제와 일치

시제의 종류에는 총 12가지 시제형태가 있다.

12시제 명칭과 해석

	현재	과거	미래
기본시제	현재(한다)	과거(했다)	미래(할 것이다)
진행형	현재진행(하고 있다)	과거진행(하고 있었다)	미래진행(하고 있을 것이다)
완료형	현재완료(해왔다)	과거완료(해왔었다)	미래완료(해올 것이다)
완료진행형	현재완료진행 (해오고 있는 중이다)	과거완료진행 (해오고 있는 중이었다)	미래완료진행 (해오고 있는 중일 것이다)

12시제 형태

	현재	과거	미래
기본시제	I study	I studied	I will study
진형형	I am studying	I was studying	I will be studying
완료형	I have studied	I had studied	I will have studied
완료진행형	I have been studying	I had been studying	I will have been studying

1. 기본 시제

(1) 현재시제

① 용법

㉠ 현재의 상태나 동작을 나타낸다.

She lives in Busan. 그녀는 부산에 산다.

㉡ 현재의 규칙적인 습관을 나타낸다. 흔히 always, usually, seldom 등의 빈도부사와 결합하여 쓴다.

I always wake up at 6:00 in the morning. 나는 항상 아침 6시에 일어난다.

㉢ 일반적인 사실, 불변의 진리, 속담을 나타낸다.

The earth moves round the sun. 지구는 태양 주위를 돈다.

㉣ 미래의 대용

- 왕래 · 발착 · 개시 · 종료동사가 미래를 나타내는 부사(구)와 함께 쓰일 때 : go, come, start, arrive, leave, get, return, begin, finish 등

We leave here tomorrow. 우리는 내일 여기를 떠난다(확정).

We will leave here soon. 우리는 곧 여기를 떠날 것이다(불확정).

(2) 과거시제

① 과거의 행위, 상태, 습관을 나타낸다.

What did you do last night? 어젯밤에 뭐했니?

② 과거의 경험을 나타내며 현재완료로 고쳐 쓸 수도 있다.

Did you ever see such a pretty girl? 저렇게 예쁜 소녀를 본 적이 있니?

= Have you ever seen such a pretty girl?

③ 역사적 사실은 항상 과거로 나타내며, 시제일치의 영향을 받지 않는다.

He said that Columbus discovered America in 1492.

그는 콜럼버스가 1492년에 미국 대륙을 발견했다고 말했다.

④ 과거완료의 대용 … before, after 등의 시간을 나타내는 접속사와 함께 쓰여 전후관계가 명백할 때에는 과거완료 대신에 과거시제를 쓸 수도 있다.

He read many books after he entered the school(entered = had entered).

그는 학교에 들어간 후 많은 책을 읽었다.

(3) 미래시제

① 단순미래와 의지미래

㉠ 단순미래 : 미래에 자연히 일어날 사실을 나타낸다. 현대 영어에서는 주어의 인칭에 관계없이 'will + 동사원형'으로 쓴다.

I will(shall) be seventeen next year. 나는 내년에 열일곱 살이 될 것이다.

단순미래의 형태

인칭	평서문	의문문
1인칭	I will	Shall I?
2인칭	You will	Will you?
3인칭	He will	Will he?

㉡ 의지미래 : 말하는 사람이나 듣는 사람의 의지를 표현한다. 의지의 주체가 문장의 주어일 때 will로 주어의 의지를 나타내며, 주어가 1인칭인 평서문과 2인칭인 의문문 외에는 언제나 'shall + 동사원형'으로 쓰인다.

You shall have money. 너는 돈을 갖게 될 것이다.

= I will let you have money.

Will you marry her? 그녀와 결혼할 작정이니?

= Do you intend to marry her?

◯ 의지미래의 형태

인칭	주어의 의지	말하는 사람의 의지	상대방의 의지
1인칭	I will	I will	Shall I?
2인칭	You will	You shall	Will you?
3인칭	He will	He shall	Shall he?

② be going to … 앞으로의 예정, 의지, 확실성을 나타낸다.

She is going to have a baby in April. 그녀는 4월에 출산할 것이다.

③ 왕래나 움직임을 나타내는 동사의 현재진행형 … 가까운 미래에 일어날 일을 나타낸다.

My brother is coming to stay in this city. 내 동생이 이 도시에 머물러 올 것이다.

④ 미래를 나타내는 관용적 표현

㉠ be about to do : 막 ~하려던 참이다. 아주 가까운 미래를 나타내므로 시간을 가리키는 부사가 필요 없다.

I am about to go out. 막 나가려던 참이다.

㉡ be to do : ~할 예정이다. 공식적인 예정이나 계획을 나타낸다.

The meeting is to be held this afternoon. 모임은 오늘 오후에 열릴 예정이다.

㉢ be supposed to do : ~하기로 되어 있다. 미래대용으로 쓰인다.

He is supposed to call her at 10. 그는 그녀에게 10시에 전화하기로 되어 있다.

2. 완료시제

(1) 현재완료(have / has + 과거분사)

① 완료 … 과거에 시작된 동작이 현재에 완료됨을 나타낸다. 주로 just, yet, now, already, today 등의 부사와 함께 쓰인다.

He has already arrived here. 그는 여기에 이미 도착했다.

② 결과 … 과거에 끝난 동작의 결과가 현재에도 영향을 미침을 나타낸다.

She has gone to Busan. 그녀는 부산에 가버렸다(그래서 지금 여기에 없다).

③ 계속 … 과거에서 현재까지의 상태 및 동작의 계속을 나타낸다. 주로 since, for, always, all one's life 등의 부사(구)와 함께 쓰인다.

I have studied English for 5 hours. 나는 5시간째 영어공부를 하고 있다.

④ 경험 … 과거에서 현재까지의 경험을 나타낸다. 주로 ever, never, often, before, once 등의 부사와 함께 쓰인다.

Have you ever been to New York? 당신은 뉴욕에 가본 적이 있습니까?

POINT have been과 have gone

㉠ have been to : ~에 다녀온 적이 있다(경험).
I have been to Busan. 부산에 다녀온 적이 있다.

㉡ have been in : ~에 있은 적이 있다(경험).
I have been in Busan. 부산에 있은 적이 있다.

㉢ have gone to : ~에 가버렸다(결과). 주어가 3인칭일 때만 쓸 수 있다.
He has gone to Busan. 그는 부산에 가버렸다.

⑤ 특별용법

㉠ since가 '시간표시'의 접속사(또는 전치사)로 쓰이는 경우 주절의 시제는 현재완료형 또는 현재완료 진행형을 쓰며, since가 이끄는 부사절의 동사는 보통 과거형을 쓴다.

Three years have passed since you returned from England.
당신이 영국에서 돌아온 이래로 3년이 지났다.

POINT 과거와 현재완료의 차이

㉠ 과거 : 과거의 사실에만 관심을 둠
㉡ 현재완료 : 과거에 발생한 일이 현재와 관련을 맺고 있음을 표시

㉡ when, if, after, till, as soon as 등의 접속사로 시작되는 부사절에서는 현재완료가 미래완료의 대용을 한다.

I will read that book when I have read this. 이것을 다 읽으면 저 책을 읽겠다.

POINT 현재완료시제를 쓸 수 없는 경우

현재완료시제는 기준시점이 현재이므로 의문사 when이나 분명한 과거를 뜻하는 부사(구)와 함께 쓸 수 없다.
• I have bought the pen yesterday(×).
→ I bought the pen yesterday(○). 나는 어제 그 펜을 샀다.

(2) 과거완료(had + 과거분사)

① 완료 … 과거 이전의 동작이 과거의 한 시점에 완료됨을 나타낸다.

I had just written my answer when the bell rang. 종이 쳤을 때 나는 막 답을 쓴 뒤였다.

② 결과 … 과거의 어느 한 시점 이전의 동작의 결과를 나타낸다.

Father had gone to America when I came home.
내가 집으로 돌아왔을 때는 아버지가 미국에 가고 계시지 않았다.

③ 계속 … 과거 이전부터의 상태나 동작이 과거의 어느 한 시점까지 계속됨을 나타낸다.

He had loved his wife until he died. 그는 죽을 때까지 그의 아내를 사랑해 왔었다.

④ 경험 … 과거 이전부터 과거의 한 시점에 이르기까지의 경험을 나타낸다.

That was the first time we had ever eaten Japanese food.
우리가 일식을 먹어보기는 그것이 처음이었다.

(3) 미래완료(will + have + 과거분사)

① 완료 … 미래의 어느 한 시점까지 이르는 동안에 완료된 동작을 나타낸다.

He will have arrived in New York by this time tomorrow.
그는 내일 이 시간까지는 뉴욕에 도착할 것이다.

② 결과 … 미래의 어느 한 시점 이전에 끝난 동작의 결과를 나타낸다.

By the end of this year he will have forgotten it.
올해 말이면 그것을 잊을 것이다.

③ 계속 … 미래의 어느 한 시점에 이르기까지 계속된 동작이나 상태를 나타낸다.

She will have been in hospital for two weeks by next Saturday.
다음 토요일이면 그녀는 2주일 동안 입원한 셈이 된다.

④ 경험 … 미래의 어느 한 시점에 이르기까지의 경험을 나타낸다.

If I visit Moscow again, I will have been there twice.
내가 모스크바를 다시 방문한다면, 나는 두 번째로 그 곳에 있게 될 것이다.

3. 진행시제

(1) 현재진행시제(am / are / is + -ing)

① 현재 진행 중인 동작을 나타낸다.

He is learning English. 그는 영어를 배우고 있다.

② 미래를 뜻하는 부사(구)와 함께 쓰여 가까운 미래의 예정을 나타낸다.

They are getting married in September. 그들은 12월에 결혼할 예정이다.

③ 습관적 행위를 나타낸다.

I am always forgetting names. 나는 항상 이름을 잊어버린다.

(2) 과거진행시제(was / were + -ing)

① 과거의 어느 한 시점에서 진행 중인 동작을 나타낸다.

It was snowing outside when I awoke. 내가 깨어났을 때 밖에서 눈이 내리고 있었다.

② 과거의 어느 한 시점에서 가까운 미래에의 예정을 나타낸다.

We were coming back the next week. 우리는 그 다음 주에 돌아올 예정이었다.

(3) 미래진행시제(will / shall + be + -ing)

미래의 어느 한 시점에서 진행 중인 동작을 나타낸다.

About this time tomorrow she will be reading my letter.
내일 이 시간쯤이면 그녀는 내 편지를 읽고 있을 것이다.

(4) 완료진행시제

완료진행시제는 기준시점 이전부터 기준시점(현재, 과거, 미래)까지 어떤 동작이 계속 진행 중임을 강조해서 나타낸다. 완료시제의 용법 중 '계속'의 뜻으로만 쓰인다.

① 현재완료진행(have / has been + -ing) … (현재까지) 계속 ~하고 있다.

She has been waiting for you since you left there.
그녀는 당신이 그 곳을 떠난 이래로 당신을 계속 기다리고 있다.

② 과거완료진행(had been + -ing) … (어느 한 시점과 시점까지) 계속 ~했다.

Her eyes were red ; she had evidently been crying.

그녀의 눈이 빨갛다 ; 그녀는 분명히 계속 울었다.

③ 미래완료진행(will / shall have been + -ing) … (미래의 어느 한 시점까지) 계속 ~할 것이다.

It will have been raining for ten days by tomorrow.

내일부터 10일 동안 비가 계속 내릴 것이다.

(5) 진행형을 쓸 수 없는 동사

① 상태 · 소유 · 감정 · 인식의 동사 … be, seem, resemble, have, belong, like, love, want, know, believe, remember 등

I'm not knowing him(×).

→I don't know him(○). 나는 그를 잘 모른다.

② 지각동사 중 무의지동사 … see, hear, sound, smell, taste 등이며 단 의지적 행위를 나타낼 때에는 진행 시제를 쓸 수 있다.

She is smelling a rose. 그녀는 장미냄새를 맡고 있다.

4. 시제의 일치

(1) 시제일치의 원칙

① 시제일치의 일반원칙 … 주절의 시제가 현재, 현재완료, 미래이면 종속절의 동사는 모든 시제를 쓸 수 있고, 주절의 시제가 과거이면 종속절의 동사는 과거 · 과거완료만 쓸 수 있다.

② 주절의 시제변화에 따른 종속절의 시제변화 … 주절의 시제가 현재에서 과거로 바뀌면 종속절의 시제변화는 아래와 같다.

㉠ 종속절의 시제가 현재일 때 : 과거시제로 바뀐다.

I think it is too late. 나는 너무 늦다고 생각한다.

→I thought it was too late. 나는 너무 늦다고 생각했다.

㉡ 종속절의 시제가 과거일 때 : 과거완료시제로 바뀐다.

I think it was too late. 나는 너무 늦었다고 생각한다.

→I thought it had been too late. 나는 너무 늦었다고 생각했다.

㉢ 종속절에 조동사가 있을 때 : 조동사를 과거형으로 바꾼다.

I think it will be too late. 나는 너무 늦을 것이라고 생각한다.

→I thought it would be too late. 나는 너무 늦을 것이라고 생각했다.

(2) 시제일치의 예외

① 불변의 진리 … 항상 현재형으로 쓴다.

Columbus believed that the earth is round. 콜럼버스는 지구가 둥글다고 믿었다.

② 현재에도 지속되는 습관, 변함없는 사실 … 항상 현재형으로 쓴다.

She said that she takes a walk in the park every morning.

그녀는 매일 아침 공원을 산책한다고 말했다.

③ 역사적인 사실 … 항상 과거형으로 쓴다.

We learned that Columbus discovered America in 1492.

우리는 콜럼버스가 1492년에 미국을 발견했다고 배웠다.

④ than, as 뒤에 오는 절 … 주절의 시제와 관련이 없다.

He did not run so fast as he usually does. 그는 보통 때처럼 빨리 달리지 못했다.

⑤ 가정법 … 시제가 변하지 않는다.

He said to me, "I wish I were rich."

= He told me that he wished he were rich. 그는 나에게 그가 부자였으면 좋겠다고 말했다.

section 3 조동사

국어

한국사

영어

1. be, have, do

(1) be : 진행형, 수동태에서

He is playing computer games.(현재진행)
She was told that she won the first prize.(수동태)

(2) have : 완료형을 만들 때

We have lived there.(현재완료)

(3) do : 의문문, 부정문, 강조, 도치, 대동사

Do I know you?(의문문)
She did leave on Saturday.(강조)
Never did I see such a fool.(도치)
He works harder than I do.(대동사)

2. can, could의 용법

(1) 능력, 가능(= be able to, ~할 수 있다)

He can stand on his hand. 그는 물구나무를 설 수 있다.
= He is able to stand on his hand.

(2) 허가(= may, ~해도 좋다)

의문문에서 could를 쓰면 can보다 더 정중하고 완곡한 표현이 된다.

Could I speak to you a minute? 잠깐만 이야기할 수 있을까요?

(3) 의심, 부정

의문문에서는 강한 의심, 부정문에서는 강한 부정의 추측을 나타내기도 한다.

Can the news be true? No, it can't be true.
그 뉴스가 사실일 수 있습니까? 아니오. 그것이 사실일 리가 없습니다.

POINT can과 관련된 관용적 표현

㉠ cannot help -ing : ~하지 않을 수 없다(= cannot but + 동사원형).
I cannot help falling in love with you. 나는 당신과 사랑에 빠지지 않을 수 없다.
= I cannot but fall in love with you.

㉡ as ~ as can be : 더할 나위 없이~하다.
I am as happy as can be. 나는 더할 나위 없이 행복하다.

㉢ as ~ as one can : 가능한 한 ~(= as ~ as possible)
He ate as much as he could. 그는 가능한 한 많이 먹었다.
= He ate as much as possible.

㉣ cannot ~ too : 아무리 ~해도 지나치지 않다.
You cannot praise him too much. 너는 그를 아무리 많이 칭찬해도 지나치지 않다
= You cannot praise him enough.
= You cannot overpraise him.
= It is impossible to overpraise him.

㉤ cannot so much as ~ : ~조차 하지 못한다.
He cannot so much as write his own name. 그는 자신의 이름조차 쓰지 못한다.

3. may, might의 용법

(1) 허가(= can, ~ 해도 된다)

A : May I smoke here? 제가 여기서 담배를 피워도 될까요?
B : Yes, you may. / No, you must(can) not. 예, 피워도 됩니다. / 아니오, 피우면 안됩니다.

(2) 추측(~ 일지도 모른다, might는 더 완곡한 표현)

I might lose my job. 나는 직장을 잃을지도 모른다.

(3) 기원(부디 ~ 하소서!)

May you succeed!
= I wish you succeed! 부디 성공하기를!

POINT may와 관련된 관용적 표현

㉠ may well ~ : ~하는 것도 당연하다(= have good reason to do, It is natural that S + should + V).
You may well be angry. 네가 화를 내는 것도 당연하다.

㉡ may as well ~ : ~하는 편이 낫다. ~해도 좋다(had better보다 완곡한 표현).
You may as well begin at once. 즉시 시작하는 편이 낫다.

㉢ may(might) as well A as B : B하느니 차라리 A하는 편이 낫다.
You might as well expect a river to flow backward as hope to move me.
내 마음이 움직이기를 바라느니 차라리 강물이 거꾸로 흐르기를 바라는 것이 더 낫다.

㉣ so that + S + may(can, will) ~ : ~할 수 있도록
Come home early so that we may eat dinner together.
함께 저녁식사를 할 수 있도록 일찍 집에 오너라.

4. must의 용법

(1) 명령 · 의무 · 필요

'~해야만 한다[= have(has / had) to do]'의 뜻으로, 과거 · 미래 · 완료시제에서는 have(had) to를 쓴다.

You must be here by 6 o'clock at the latest. 당신은 늦어도 6시까지 여기로 와야 한다.

I had to pay the money(과거). 나는 돈을 지불해야만 했다.

I shall have to work tomorrow afternoon, although it's Saturday(미래).

토요일임에도 불구하고 나는 내일 오후까지 일해야 한다.

POINT 부정의 형태

㉠ must not[= be not allowed(obliged) to do] : ~해서는 안된다(금지).

May I go? No, you must(may) not.

㉡ need not(= don't have to do) : ~할 필요가 없다(불필요).

Must I go? No, you need not.

㉢ 불허가의 표시에는 must not이 보통이지만, may not을 쓰면 공손한 표현이 된다.

(2) 추측

'~임에 틀림없다(부정은 cannot be)'의 뜻으로, 추측의 뜻을 나타낼 때는 have to를 쓰지 않고 must를 써야 한다(과거시제라도 had to를 쓰지 않음).

There's the doorbell. It must be Thomas.

초인종이 울렸다. Thomas임에 틀림없다.

I told him that it must be true.

나는 틀림없이 사실이었다고 그에게 말했다.

(3) 필연(반드시 ~ 하다)

All men must die. 모든 사람은 반드시 죽는다.

5. should, ought to의 용법

(1) 의무 · 당연

should와 ought to는 의무 · 당연을 나타내는 비슷한 뜻의 조동사이다.

You should pay your debts. 너는 빚을 갚아야 한다.

= You ought to pay your debts.

(2) 판단 · 감정

판단, 비판, 감정을 표시하는 주절에 이어지는 that절에서는 should를 쓴다.

① 이성적 판단의 형용사 … It is necessary(natural, important, essential, proper, reasonable, etc) +

that + S + (should) + 동사원형 ~.

It is important that you (should) arrive here on time.

네가 제 시각에 이 곳에 도착하는 것이 중요하다.

② 감성적 판단의 형용사 … It is strange(surprising, amazing, a pity, no wonder, wonderful, etc) + that + S + (should) + 동사원형 ~.

It is strange that he (should) say so. 그가 그렇게 말하다니 이상하다.

(3) 명령, 요구, 주장, 제안 등의 동사 + that + S + (should) + 동사원형

명령, 요구, 주장, 제안, 희망 등의 동사(명사) 다음에 오는 that절에는 should를 쓰기도 하고 생략하여 동사원형만 쓰기도 한다[S + order(command, suggest, propose, insist, recommend) + that + S + (should) + 동사원형].

Mother insist that we (should) start early.
어머니는 우리가 일찍 출발할 것을 주장하셨다.

6. will, would의 특수용법

(1) 현재의 습성, 경향

Children will be noisy. 아이들은 시끄럽다.

(2) 과거의 불규칙적 습관

He would go for a long walk. 그는 오랫동안 산책하곤 했다.

(3) 현재의 거절, 고집

He will have his way in everything. 그는 모든 일을 마음대로 한다.

(4) 과거의 거절, 고집

He would not come to the party after all my invitation.
그는 나의 초대에도 그 파티에 오려고 하지 않았다.

(5) 희망, 욕구

He who would search for pearls, must dive deep. 진주를 찾으려는 사람은 물속 깊이 잠수해야 한다.

7. used to, need의 용법

(1) 'used to + 동사원형 '의 용법

① 과거의 규칙적 · 반복적 습관 … ~하곤 했다.

I used to get up early. 나는 예전에 일찍 일어났었다.

② 과거의 일정기간이 계속된 상태 … 이전에는 ~이었다(현재는 그렇지 않음).

There used to be a tall tree in front of my house.

나의 집 앞에는 키가 큰 나무 한 그루가 있었다(현재는 없다).

POINT 참고

• be used to (동)명사 : ~에 익숙해지다

• be used to v : ~하는 데 사용되다

(2) need의 용법

① 긍정문 … 본동사로 쓰인다.

The boy needs to go there(need는 일반동사). 그 소년은 거기에 갈 필요가 있다.

② 부정문, 의문문 … 조동사로 쓰인다.

㉠ need not : ~할 필요가 없다(= don't have to do).

The boy need not go there. 그 소년은 거기에 갈 필요가 없다.

㉡ need not have p.p. : ~할 필요가 없었는데(실제로는 했음).

I need not have waited for Mary. 나는 Mary를 기다릴 필요가 없었는데.

㉢ Need + S + 동사원형 : ~할 필요가 있느냐?

Need he go now? 그가 지금 갈 필요가 있느냐?

8. had better, had(would) rather의 용법

(1) had better do(~ 하는 편이 좋다)

① had better는 조동사의 역할을 하므로 그 다음에 오는 동사의 형태는 반드시 동사원형이어야 한다.

② 부정형 … had better not do

(2) had(would) rather do(차라리 ~ 하는 편이 좋다, 차라리 ~ 하고 싶다)

① had(would) rather는 조동사의 역할을 하므로 그 다음에 오는 동사의 형태는 반드시 동사원형이어야 한다.

② 부정형 … had(would) rather not do

POINT 조동사 + have + p.p.의 용법

㉠ cannot have + p.p. : ~했을 리가 없다(과거의 일에 대한 강한 부정).
He cannot have said such a thing. 그가 그렇게 말했을리가 없다.
= It is impossible that he said such a thing.

㉡ must have + p.p. : ~했음에 틀림없다(과거의 일에 대한 확실한 추측).
She must have been beautiful when she was young.
그녀는 젊었을 때 미인이었음이 틀림없다.
= It is certain(evident, obvious) that she was beautiful when she was young.
= I am sure that she was beautiful when she was young.

㉢ may have + p.p. : ~했을지도 모른다(과거의 일에 대한 불확실한 추측).
I suspect he may have been aware of the secret.
나는 그가 비밀을 알고 있었는지도 모른다고 의심한다.
= It is probable that he was aware of the secret.

㉣ should(ought to) have + p.p. : ~했어야 했는데(하지 않았다, 과거에 하지 못한 일에 대한 유감 · 후회).
You should(ought to) have followed his advice.
너는 그의 충고를 따랐어야 했는데.
= It is a pity that you did not follow his advice.

㉤ need not have + p.p. : ~할 필요가 없었는데(해버렸다, 과거에 행한 일에 대한 유감 · 후회).
He need not have hurried. 그는 서두를 필요가 없었는데.
= It was not necessary for him to hurry, but he hurried.

section 4 수동태

1. 수동태로의 전환

(1) 능동태와 수동태

① 능동태 : 동작(행위)의 주체가 주어로 오는 것

② 수동태 : 동작의 영향을 받거나 당하는 대상이 주어로 오는 것

(2) 3형식의 전환

① 주어는 'by + 목적격'으로, 목적어는 주어로, 동사는 be + p.p.로 바뀐다.
He broke this window. 그는 이 창문을 깨뜨렸다.
→This window was broken by him.

② 목적어가 that절일 때의 수동태
일반주어 + think/believe/suppose/expect/say/know + that + S + V.

= It + be + thought/believed/supposed/expected/said/known + that + S + V
= S + be + thought/believed/supposed/expected/said/known + to + V
I believe that he is innocent. 나는 그가 무죄라고 믿는다.
= It is believed that he is innocent.
= He is believed to be innocent.

(3) 4형식의 전환

일반적으로 간접목적어(사람)를 주어로 쓰고, 직접목적어(사물)가 주어 자리에 올 때에는 간접목적어 앞에 전치사(to, for of 등)를 붙인다. 이 때 전치사 to는 생략 가능하다.

She gave me another chance. 그녀는 나에게 다른 기회를 주었다.
→ I was given another chance by her(간접목적어가 주어).
→ Another chance was given (to) me by her(직접목적어가 주어).
My mother bought me these books. 나의 어머니가 나에게 이 책들을 사주었다.
→ These books was bought for me by my mother(직접목적어가 주어).
He asked me a question. 그는 나에게 질문을 하였다.
→ I was asked a question by him(간접목적어가 주어).
→ A question was asked of me by him(직접목적어가 주어).

POINT 수동태를 만들 수 없는 경우

㉠ 목적어를 갖지 않는 1·2형식 문장은 수동태를 만들 수 없다.
㉡ 목적어를 갖는 타동사 중에서도 상태를 나타내는 동사(have, resemble, lack, fit 등)는 수동태를 만들 수 없다.
She resembles her mother(○). 그녀는 엄마를 닮았다.
→ Her mother is resembled by her(×).
㉢ 4형식 문장에서 buy, make, bring, read, sing, write, get, pass 등은 간접목적어를 주어로 한 수동태를 만들 수 없다.
He made me a doll. 그는 나에게 인형을 만들어 주었다.
→ A doll was made for me by him(○).
→ I was made a doll by him(×).

(4) 5형식의 전환

목적어가 주어로, 목적보어가 주격보어로 된다.

She always makes me happy. 그녀는 항상 나를 행복하게 한다.
→ I am always made happy by her.

2. 의문문과 명령문의 수동태

(1) 의문문의 수동태

① 일반의문문 … 먼저 평서문으로 전환해서 수동태로 고친 후, 주어와 동사를 도치시켜 의문문을 만든다.

Did he write this letter? 그가 이 편지를 썼습니까?

→He wrote this letter.

→This letter was written by him.

→Was this letter written by him?

② 의문사가 있는 의문문 … 의문사가 있는 의문문의 수동태는 의문사를 문두에 두어야 한다.

㉠ 의문사가 주어일 때

Who invented the telephone?

→The telephone was invented by whom.

→By whom was the telephone invented? 전화는 누구에 의해 발명되었느냐?

㉡ 의문사가 목적어일 때

What did he make?

→He made what.

→What was made by him? 무엇이 그에 의해 만들어졌느냐?

㉢ 의문부사가 있을 때

When did you finish it?

→When you finished it.

→When it was finished (by you).

→When was it finished (by you)? 언제 그것이 끝나겠느냐?

(2) 명령문의 수동태

사역동사 let을 써서 바꾼다.

① 긍정명령문 … let + O + be + p.p.

Play that music. 그 음악을 틀어라.

→Let that music be played.

② 부정명령문 … Don't let + O + be + p.p. = Let + O + not + be + p.p.

Don't forget your umbrella. 우산을 잊지 말아라.

→Don't let your umbrella be forgotten.

→Let your umbrella not be forgotten.

3. 진행형과 완료형의 수동태

(1) 진행형의 수동태(be + being + p.p.)

Tom is painting this house.
→This house is being painted by Tom.(현재진행 수동태) 이 집은 Tom에 의해 페인트칠이 되었다.
Oceanographers were monitoring the surviving whales. →The surviving whales were being monitored by oceanographers.(과거진행 수동태) 생존한 고래들이 해양학자들에 의해 추적 관찰되고 있었다.

(2) 완료형의 수동태(have + been + p.p.)

Your words have kept me awake.
→I have been kept awake by your words.(현재완료 수동태) 나는 너의 말에 의해 눈뜨게 되었다.
He notified the police that his store had been robbed.(과거완료 수동태)
그가 그의 가게에 강도가 들었다고 경찰에 신고했다.

POINT have(get) + O + p.p.
㉠ 사역의 의미(이익의 뜻 내포)
I had(got) my watch mended. 나는 내 시계를 수리하도록 시켰다.
㉡ 수동의 의미(피해의 뜻 내포)
I had(got) my watch stolen. 나는 내 시계를 도둑맞았다.

(3) 조동사의 수동태(can/will/should) + be + p.p)

I can be arrested if I do it again.
다시 이 일을 저지를 경우 나는 체포 당할 수 있습니다.

4. 주의해야 할 수동태

(1) 사역동사와 지각동사의 수동태

① 5형식 문장에서 사역동사와 지각동사의 목적보어로 쓰인 원형부정사는 수동태로 전환할 때 앞에 to를 붙여준다.

I saw them cross the road.
→They were seen to cross the road by me. 그들이 길을 건너는 것이 나에게 보였다.
We made him finish the work.
→He was made to finish the work (by us). (우리는) 그가 일을 끝내게 시켰다.

② 사역동사 let의 수동태 … 사역동사 let이 쓰인 문장의 수동태는 allowed, permitted 등의 유사한 뜻을 가진 단어로 대체한다.

Her mother let her go out.
→She was allowed to go out by her mother.
그녀는 외출하도록 그녀의 어머니에게 허락받았다.

국어
한국사
영어

(2) by 이외의 전치사를 쓰는 수동태

① 기쁨, 슬픔, 놀람 등의 감정을 나타내는 동사 … 주로 수동태로 표현되며, 전치사는 at, with 등을 쓴다.

㉠ be surprised[astonished, frightened] at : ~에 놀라다

The news surprised me.

→I was surprised at the new. 나는 그 소식에 깜짝 놀랐다.

㉡ be pleased[delighted, satisfied, disappointed] with : ~에 기뻐하다(기뻐하다, 만족하다, 실망하다)

The result pleased me.

→I was pleased with the result. 나는 결과에 기뻤다.

POINT 그 외의 관용적인 표현

㉠ be married to : ~와 결혼하다
㉡ be interested in : ~에 관심이 있다
㉢ be caught in : ~을 만나다
㉣ be absorbed in : ~에 몰두하다
㉤ be robbed of : ~을 빼앗기다, 강탈당하다(사람주어)
㉥ be dressed in : ~한 옷을 입고 있다
㉦ be ashamed of : ~을 부끄럽게 여기다
㉧ be convinced of : ~을 확신하다
㉨ be covered with : ~으로 덮이다
㉩ be tired with : ~에 지치다
㉪ be tired of : ~에 싫증나다
㉫ be made of : ~으로 만들어지다(물리적)
㉬ be made from : ~으로 만들어지다(화학적)
㉭ be known + 전치사
- be known to : ~에게 알려지다(대상)
- be known by : ~을 보면 안다(판단의 근거)
- be known for : ~때문에 알려지다(이유)
- be known as : ~으로서 알려지다(자격 · 신분)

(3) 주어가 'no + 명사 '인 문장의 수동태

not(never) ~ by any의 형태로 쓴다.

No scientist understood his idea.
→His idea was not understood by any scientist(○).
그의 생각은 어느 과학자에게도 이해받지 못했다.
→His idea was understood by no scientist(×).

(4) 타동사구의 수동태

'자동사 + (부사) + 전치사'나 '타동사 + 목적어 + 전치사'를 하나의 타동사로 취급한다.

① 자동사 + (부사) + 전치사

㉠ send for : ~을 부르러 보내다

㉡ look for : ~을 찾다(= search)

㉢ account for : ~을 설명하다(= explain)

㉣ ask for : ~을 요구하다(= demand)

㉤ laugh at : ~을 비웃다, 조롱하다(= ridicule)

㉥ add to : ~을 증가시키다(= increase)

㉦ look up to : ~을 존경하다(= respect)

㉧ look down on : ~을 경멸하다(= despise)

㉨ put up with : ~을 참다(= bear, endure)

㉩ do away with : ~을 폐지하다(= abolish)

㉪ speak well of : ~을 칭찬하다(= praise)

㉫ speak ill of : ~을 욕하다, 비난하다(= blame)

We cannot put up with these things.

→ These things cannot be put up with (by us). 이것들은 참을 수 없게 한다.

② 타동사 + 목적어 + 전치사

㉠ take care of : ~을 보살피다.

㉡ pay attention to : ~에 주의를 기울이다.

㉢ take notice of : ~을 주목하다.

㉣ make use of : ~을 이용하다.

㉤ get rid of : ~을 제거하다.

㉥ take advantage of : ~을 이용하다.

She took good care of the children.

→ The children was taken good care of by her. 아이들은 그녀에 의해 잘 보살펴졌다.

→ Good care was taken of the children by her(타동사구 부분의 목적어를 주어로 활용할 수도 있다).

section 5 부정사와 동명사

1. 부정사

(1) 부정사의 용법

① 부정사의 명사적 용법

㉠ 주어 역할 : 문장의 균형상 가주어 it을 문장의 처음에 쓰고 부정사는 문장 끝에 두기도 한다.

To tell the truth is difficult. 진실을 말하는 것은 어렵다.

It is sad to lose a friend(It : 가주어, to lose ~ : 진주어). 친구를 잃는 것은 슬픈 일이다.

㉡ 보어 역할 : be동사의 주격보어로 쓰여 '~하는 것이다'의 뜻을 나타낸다.

To teach is to learn. 가르치는 것이 배우는 것이다.

㉢ 목적어 역할 : 타동사의 목적어로 쓰인다. 특히 5형식 문장에서 believe, find, make, think 등의 동사가 부정사를 목적어로 취할 때에는 목적어 자리에 가목적어 it을 쓰고, 진목적어인 부정사는 문장 뒤에 둔다.

I promised Mary to attend the meeting.

나는 Mary에게 그 모임에 나가겠다고 약속했다.

I made it clear to give up the plan(it : 가목적어, to give up ~ : 진목적어).

나는 그 계획을 포기할 것을 명백하게 밝혔다.

② 부정사의 형용사적 용법

㉠ 한정적 용법 : 명사를 수식해 줄 때 한정적 용법이라고 한다.

She was the only one to survive the crash.

그녀는 충돌사고에서의 유일한 생존자였다.

He has nothing to complain about.

그는 아무런 불평이 없다.

He had the courage to admit his mistakes.

그는 자기의 실수를 인정할 용기가 있었다.

= He had the courage of admitting his mistake.

㉡ 서술적 용법 : 부정사가 보어로 쓰인다.

- seem(appear, happen, prove) + to부정사

She seems to be clever. 그녀는 총명한 것 같다.

= It seems that she is clever.

• be동사 + to부정사의 용법 : 예정[~할 것이다(= be going to)], 의무[~해야 한다(= should)], 가능[~할 수 있다(= be able to)], 운명[~할 운명이다(= be destined to)], 의도(~할 의도이다)

If you are to be a doctor, you should study hard.

만약 네가 의사가 되고자 한다면, 너는 열심히 공부해야 한다.

President is to visit Japan in August. 대통령은 8월에 일본을 방문할 것이다.

You are to eat all your meal. 당신은 당신의 식사를 모두 먹어야 한다.

Her ring was nowhere to be seen. 그녀의 반지는 어디에서도 볼 수 없었다.

They were never to meet again. 그들은 결코 다시 만나지 못할 운명이다.

③ to부정사의 부사적 용법 … 동사 · 형용사 · 부사를 수식하여 다음의 의미를 나타낸다.

㉠ 목적 : '~하기 위하여(= in order to do, so as to do)'의 뜻으로 쓰인다.

To stop the car, the policeman blew his whistle.

차를 세우기 위해 경찰관은 호각을 불었다.

㉡ 감정의 원인 : '~하니, ~해서, ~하다니, ~하는 것을 보니(판단의 근거)'의 뜻으로 쓰이며, 감정 및 판단을 나타내는 어구와 함께 쓰인다.

I am sorry to trouble you. 불편을 끼쳐서 죄송합니다.

㉢ 조건 : '만약 ~한다면'의 뜻으로 쓰인다.

I should be happy to be of service to you. 당신에게 도움이 된다면 기쁘겠습니다.

㉣ 결과 : '(그 결과) ~하다'의 뜻으로 쓰이며 'live, awake, grow (up), never, only + to부정사'의 형태로 주로 쓰인다.

He grew up to be a wise judge. 그는 자라서 훌륭한 판사가 되었다.

= He grew up, and became a wise judge.

㉤ 형용사 및 부사 수식 : '~하기에'의 뜻으로 쓰이며, 앞에 오는 형용사 및 부사(easy, difficult, enough, too, etc)를 직접 수식한다.

His name is easy to remember. 그의 이름은 기억하기에 쉽다.

• A enough to do : ~할 만큼 (충분히) A하다(= so A as to do, so A that + 주어 + can ~).

You are old enough to understand my advice.

당신은 나의 충고를 이해할 만큼 충분히 나이가 들었다.

= You are so old as to understand my advice.

= You are so old that you can understand my advice.

• too A to do : 너무 A하여 ~할 수 없다(= so A that + 주어 + cannot ~).

The grass was too wet to sit on. 그 잔디는 너무 젖어서 앉을 수 없었다.

= The grass was so wet that we couldn't sit on it.

(2) 부정사의 의미상 주어

① 의미상 주어를 따로 표시하지 않는 경우 … 부정사의 의미상 주어는 원칙적으로 'for + 목적격'의 형태로 표시되지만, 다음의 경우에는 그 형태를 따로 표시하지 않는다.

㉠ 문장의 주어나 목적어와 일치하는 경우

She promised me to come early[She(주어)가 come의 의미상 주어와 일치].
그녀는 일찍 오겠다고 나와 약속했다.
He told me to write a letter[me(목적어)가 write의 의미상 주어와 일치].
그는 나에게 편지를 쓰라고 말했다.

㉡ 일반인인 경우

It always pays (for people) to help the poor. 가난한 사람들을 도우면 반드시 보답받는다.

㉢ 독립부정사인 경우

POINT 독립부정사
관용적 표현으로 문장 전체를 수식한다.
㉠ to begin(start) with : 우선
㉡ so to speak : 소위
㉢ strange to say : 이상한 얘기지만
㉣ to be frank(honest) : 솔직히 말해서
㉤ to make matters worse : 설상가상으로
㉥ to make matters better : 금상첨화로
㉦ to cut(make) a long story short : 요약하자면

② 의미상 주어의 형태

㉠ for + 목적격 : It is + 행위판단의 형용사(easy, difficult, natural, important, necessary, etc) + for 목적격 + to부정사

It is natural for children to be noisy. 어린이들이 시끄러운 것은 당연하다.

㉡ of + 목적격 : It is + 성격판단의 형용사(kind, nice, generous, wise, foolish, stupid, careless, etc) + of 목적격 + to부정사

It is generous of her to help the poor. 가난한 이들을 돕다니 그녀는 관대하다.

(3) 부정사의 시제

① 단순부정사 … 'to + 동사원형'의 형태로 표현한다.

㉠ 본동사의 시제와 일치하는 경우

He seems to be rich. 그는 부자처럼 보인다.
= It seems that he is rich.

㉡ 본동사의 시제보다 미래인 경우 : 본동사가 희망동사(hope, wish, want, expect, promise, intend, etc)나 remember, forget 등일 경우 단순부정사가 오면 미래를 의미한다.

Please remember to post the letter. 편지 부칠 것을 기억하세요.

= Please remember that you should post the letter.

② 완료부정사 … 'to + have p.p.'의 형태로 표현한다.

㉠ 본동사의 시제보다 한 시제 더 과거인 경우

He seems to have been rich. 그는 부자였던 것처럼 보인다.

= It seems that he was(has been) rich.

㉡ 희망동사의 과거형 + 완료부정사 : 과거에 이루지 못한 소망을 나타내며, '~하려고 했는데 (하지 못했다)'로 해석한다.

I intended to have married her. 나는 그녀와 결혼하려고 작정했지만 그렇게 하지 못했다.

= I intended to marry her, but I couldn't.

(4) 원형부정사

원형부정사는 to가 생략되고 동사원형만 쓰인 것이다.

① 조동사 + 원형부정사 … 원칙적으로 조동사 뒤에는 원형부정사가 쓰인다.

POINT 원형부정사의 관용적 표현

㉠ do nothing but + 동사원형 : ~하기만 하다.

㉡ cannot but + 동사원형 : ~하지 않을 수 없다(= cannot help + -ing).

㉢ had better + (not) + 동사원형 : ~하는 것이(하지 않는 것이) 좋겠다.

② 지각동사 + 목적어 + 원형부정사 ~ (5형식) … '(목적어)가 ~하는 것을 보다, 듣다, 느끼다'의 뜻으로 see, watch, look at, notice, hear, listen to, feel 등의 동사가 이에 해당한다.

She felt her heart beat hard. 그녀는 심장이 몹시 뛰는 것을 느꼈다.

③ 사역동사 + 목적어 + 원형부정사 ~ (5형식)

㉠ '(목적어)가 ~하도록 시키다, 돕다'의 뜻으로 make, have, bid, let, help 등의 동사가 이에 해당한다.

Mother will not let me go out.

어머니는 내가 외출하지 못하게 하신다.

㉡ help는 뒤에 to부정사가 올 수도 있다.

They helped me (to) paint the wall.

그들은 내가 그 벽에 페인트를 칠하는 것을 도왔다.

(5) 기타 용법

① 부정사의 부정 … 'not, never + 부정사'의 형태로 표현한다.

Tom worked hard not to fail again. Tom은 다시 실패하지 않기 위해 열심히 노력했다.

② 대부정사 … 동사원형이 생략되고 to만 쓰인 부정사로, 앞에 나온 동사(구)가 부정사에서 반복될 때 쓰인다.

A : Are you and Mary going to get married? 너와 Mary는 결혼할거니?

B : We hope to(= We hope to get married). 우리는 그러고(결혼하고) 싶어.

③ 수동태 부정사(to be + p.p.) … 부정사의 의미상 주어가 수동의 뜻을 나타낼 때 쓴다.

There is not a moment to be lost. 한순간도 허비할 시간이 없다.

= There is not a moment for us to lose.

2. 동명사

(1) 동명사의 용법

'동사원형 + -ing'를 이용해 명사형으로 만든 것으로 동사의 성격을 지닌 채 명사의 역할(주어 · 보어 · 목적어)을 한다.

① 주어 역할 … 긴 동명사구가 주어일 때 가주어 It을 문두에 쓰고 동명사구는 문장 끝에 두기도 한다.

Finishing the work in a day or two is difficult.

하루나 이틀 안에 그 일을 끝내기는 힘들다.

= It is difficult finishing the work in a day or two(it : 가주어, finishing ~ : 진주어).

② 보어 역할

My hobby is collecting stamps. 내 취미는 우표수집이다.

③ 목적어 역할

㉠ 타동사의 목적어 : 5형식 문장에서는 가목적어 it을 쓰고, 동명사구는 문장의 끝에 두기도 한다.

He suggested eating dinner at the airport. 그는 공항에서 저녁을 먹자고 제안했다.

I found it unpleasant walking in the rain(it : 가목적어, walking ~ : 진목적어).

나는 빗속을 걷는 것이 유쾌하지 않다는 것을 깨달았다.

㉡ 전치사의 목적어

He gets his living by teaching music. 그는 음악을 가르쳐서 생활비를 번다.

POINT 동명사의 부정

동명사 앞에 not이나 never을 써서 부정의 뜻을 나타낸다.

I regret not having seen the movie. 나는 그 영화를 보지 않았던 것을 후회한다.

(2) 동명사의 의미상 주어

① 의미상 주어를 따로 표시하지 않는 경우 … 문장의 주어 또는 목적어와 일치하거나 일반인이 주어일 때 의미상 주어를 생략한다.

㉠ 문장의 주어 또는 목적어와 일치하는 경우

I've just finished reading that book(주어와 일치). 나는 막 그 책을 다 읽었다.

He will probably punish me for behaving so rudely(목적어와 일치).

내가 무례하게 행동한 것에 대해 그는 아마 나를 나무랄 것이다.

㉡ 일반인인 경우

Teaching is learning(일반인이 주어). 가르치는 것이 배우는 것이다.

② 의미상 주어의 형태

㉠ 소유격 + 동명사 : 의미상 주어가 문장의 주어나 목적어와 일치하지 않을 때 동명사 앞에 소유격을 써서 나타낸다. 구어체에서는 목적격을 쓰기도 한다.

There is no hope of his coming. 그가 오리라고는 전혀 기대할 수 없다.

㉡ 그대로 쓰는 경우 : 의미상 주어가 소유격을 쓸 수 없는 무생물명사나 this, that, all, both, oneself, A and B 등의 어구일 때에는 그대로 쓴다.

I can't understand the train being so late. 나는 그 기차가 그렇게 늦었는지 이해할 수 없다.

(3) 동명사의 시제와 수동태

① 단순동명사 … 본동사와 동일시제 또는 미래시제일 때 사용한다.

He is proud of being rich. 그는 부유한 것을 자랑한다.

= He is proud that he is rich.

② 완료동명사 … having + p.p.의 형태를 취하며, 본동사의 시제보다 하나 앞선 시제를 나타낸다.

He denies having told a lie. 그는 거짓말했던 것을 부인한다.

= He denies that he told a lie.

③ 수동태 동명사 … 동명사의 의미상 주어가 수동의 뜻을 나타낼 때 being + p.p., having been + p.p.의 형태로 쓴다.

I don't like being asked to make a speech(단순시제).

나는 연설청탁받는 것을 싫어한다.

He complained of having been underpaid(완료시제).

그는 급료를 불충분하게 받았던 것을 불평하였다.

POINT 동명사의 관용적 표현

㉠ It is no use + 동명사 : ~해봐야 소용없다(= It is useless to부정사).
It is no use pretending that you are not afraid.
당신이 무서워하지 않는 척 해봐야 소용없다.

㉡ There is no + 동명사 : ~하는 것은 불가능하다(= It is impossible to부정사).
There is no accounting for tastes. 기호를 설명하는 것은 불가능하다.

㉢ cannot help + 동명사 : ~하지 않을 수 없다(= cannot out + 동사원형).
I cannot help laughing at the sight. 나는 그 광경에 웃지 않을 수 없다.

㉣ feel like + 동명사 : ~하고 싶다(= feel inclined to부정사, be in a mood to부정사).
She felt like crying when she realized her mistake.
그녀가 그녀의 실수를 깨달았을 때, 그녀는 울고 싶었다.

㉤ of one's own + 동명사 : 자신이 ~한(= p.p. + by oneself)
This is a picture of his own painting. 이것은 그 자신이 그린 그림이다.

㉥ be on the point(verge, blink) of + 동명사 : 막 ~하려 하다(= be about to부정사).
He was on the point of breathing his last.
그는 막 마지막 숨을 거두려 하고 있었다.

㉦ make a point of + 동명사 : ~하는 것을 규칙으로 하다(= be in the habit of + 동명사).
He makes a point of attending such a meeting.
그는 그러한 모임에 참석하는 것을 규칙으로 한다.

㉧ be accustomed to + 동명사 : ~하는 버릇(습관)이 있다(= be used to + 동명사).
My grandfather was accustomed to rising at dawn.
나의 할아버지는 새벽에 일어나는 습관이 있었다.

㉨ on(upon) + 동명사 : ~하자마자 곧(= as soon as + S + V)
On hearing the news, he turned pale. 그 뉴스를 듣자마자 그는 창백해졌다.

㉩ look forward to + 동명사 : ~하기를 기대하다(= expect to부정사)
He looked forward to seeing her at the Christmas party.
그는 크리스마스 파티에서 그녀를 보기를 기대하였다.

3. 부정사와 동명사의 비교

(1) 부정사만을 목적어로 취하는 동사(주로 미래지향적이면서 긍정적인 의미를 갖는 동사들이 주요하다)

ask, choose, decide, demand, expect, hope, order, plan, pretend, promise, refuse, tell, want, wish 등이 있다.

She pretended to asleep. 그녀는 자는 체했다.

(2) 동명사만을 목적어로 취하는 동사(주로 과거지향적이면서 부정적인 의미를 갖는 동사들이 주요하다)

admit, avoid, consider, deny, enjoy, escape, finish, give up, keep, mind, miss, postpone, practice, stop 등이 있다.

I'd like to avoid meeting her now. 나는 지금 그녀와 만나는 것을 피하고 싶다.

(3) 부정사와 동명사 둘 다를 목적어로 취하는 동사

begin, cease, start, continue, fear, decline, intend, mean 등이 있다.

Do you still intend to go(going) there? 너는 여전히 그 곳에 갈 작정이니?

(4) 부정사와 동명사 둘 다를 목적어로 취하지만 의미가 변하는 동사

① remember(forget) + to부정사 / 동명사 … ~할 것을 기억하다[잊어버리다(미래)] / ~했던 것을 기억하다[잊어버리다(과거)].

I remember to see her. 나는 그녀를 볼 것을 기억한다.

I remember seeing her. 나는 그녀를 보았던 것을 기억한다.

② regret + to부정사 / 동명사 … ~하려고 하니 유감스럽다 / ~했던 것을 후회하다.

I regret to tell her that Tom stole her ring.

나는 Tom이 그녀의 반지를 훔쳤다고 그녀에게 말하려고 하니 유감스럽다.

I regret telling her that Tom stole her ring.

나는 Tom이 그녀의 반지를 훔쳤다고 그녀에게 말했던 것을 후회한다.

③ need(want) + to부정사 / 동명사 … ~할 필요가 있다(능동) / ~될 필요가 있다(수동).

We need to check this page again. 우리는 이 페이지를 재검토할 필요가 있다.

= This page needs checking again. 이 페이지는 재검토될 필요가 있다.

④ try + to부정사 / 동명사 … ~하려고 시도하다, 노력하다, 애쓰다 / ~을 시험삼아 (실제로) 해보다.

She tried to write in fountain pen. 그녀는 만년필로 써보려고 노력했다.

She tried writing in fountain pen. 그녀는 만년필로 써보았다.

⑤ mean + to부정사 / 동명사 … ~할 작정이다(= intend to do) / ~라는 것을 의미하다.

She means to stay at a hotel. 그녀는 호텔에 머무를 작정이다.

She means staying at a hotel. 그녀가 호텔에 머무른다는 것을 의미한다.

⑥ like(hate) + to부정사 / 동명사 … ~하고 싶다[하기 싫다(구체적 행동)] / ~을 좋아하다[싫어하다(일반적 상황)].

I hate to lie. 나는 거짓말하기 싫다.

I hate lying. 나는 거짓말하는 것이 싫다.

⑦ stop + to부정사 / 동명사 … ~하기 위해 멈추다(부사구) / ~하기를 그만두다(목적어).

He stopped to smoke(1형식). 그는 담배를 피우려고 걸음을 멈췄다.

He stopped smoking(3형식). 그는 담배를 끊었다.

section 6 분사

1. 분사의 용법

'동사원형 + -ing(현재분사)'와 '동사원형 + -ed(과거분사)'를 이용해 형용사형으로 만든 것으로 형용사의 역할을 한다.

(1) 명사 앞에서 수식하는 분사

분사가 단독으로 사용될 때 명사 앞에서 수식한다.

① 현재분사 … 진행(자동사의 현재분사), 능동(타동사의 현재분사)의 뜻

a sleeping baby = ≒ a baby who is sleeping 잠자는 아기

A rolling stone gathers no moss. 구르는 돌은 이끼가 끼지 않는다.

② 과거분사 … 완료(자동사의 과거분사), 수동(타동사의 과거분사)의 뜻

fallen leaves = leaves which are fallen(which have fallen) 떨어진 나뭇잎

Two wounded soldiers were sent to the hospital. 두 명의 부상병이 병원으로 이송되었다.

(2) 명사 뒤에서 수식하는 분사

① 분사가 보어나 목적어 또는 부사적 수식어(구)와 함께 구를 이룰 때 명사 뒤에서 수식한다.

Who is the boy reading a letter written in English?

영어로 쓰여진 편지를 읽은 소년은 누구인가?

② 분사가 단독으로 사용될지라도 대명사를 수식할 때에는 뒤에서 수식한다.

Those killed were innumerable. 전사한 사람들이 무수히 많았다.

POINT 현재분사와 동명사의 구별

-ing형이 명사를 수식할 때 현재 진행 중인 동작을 나타내면 현재분사, 용도를 나타내면 동명사이다.

- a dancing girl (현재분사)춤추는 소녀
- a dancing room = a room for dancing(동명사) 무도장

(3) 보어 역할의 분사

2형식에서의 주격보어와 5형식에서의 목적격 보이로 쓰이는 분사

He stood looking at the picture. 그는 그 사진을 보면서 서 있었다.

The mystery remained unsettled. 미스테리는 풀리지 않고 남겨졌다.

He kept me waiting for two hours. 그는 나를 두 시간 동안 기다리게 하였다.

I don't like to see you disappointed. 나는 네가 실망하는 것을 보고 싶지 않다.

2. 분사구문

(1) 분사구문

부사절에서 접속사(의미를 명확하게 하고자 할 때는 접속사를 생략하지 않는다), 주어(주절의 주어와 다를 때는 생략하지 않고 일반인 주어나 예측 가능한 주어일 때는 주절의 주어와 다를지라도 생략할 수 있다)를 생략하고 동사를 분사로 바꾸어 구로 줄인 것을 분사구문이라고 하는데 현재분사가 이끄는 분사구문은 능동의 뜻을, 과거분사가 이끄는 분사구문은 수동의 뜻을 가진다.

① 시간 … '~할 '의 뜻으로 쓰인다(= when, while, as, after + S + V).

Thinking of my home, I felt sad. 집 생각을 할 때면, 나는 슬퍼진다.

= When I think of my home, I felt sad.

POINT 접속사 + 분사구문

주로 시간과 양보의 부사절에서 분사구문의 의미를 명확히 하기 위하여 접속사를 남겨두기도 한다.

While swimming in the river, he was drowned.

강에서 헤엄치는 동안 그는 익사했다.

= While he was swimming in the river, he was drowned.

② 이유 · 원인 … '~하기 때문에, ~이므로'의 뜻으로 쓰인다(= as, because, since + S + V).

Tired with working, I sat down to take a rest. 일에 지쳤기 때문에, 나는 앉아서 휴식을 취했다.

= As I was tired with working, I sat down to take a rest.

③ 조건 … '~한다면'의 뜻으로 쓰인다(= If + S + V).

Once seen, it can never been forgotten. 그것은 한번 보면 잊을 수 없다.

= If it is once seen, it can never been forgotten.

④ 양보 … '비록 ~ 한다 할지라도'의 뜻으로 쓰인다(= though, although + S + V).

Admitting the result, I can't believe him.

그 결과를 인정한다고 할지라도 나는 그를 믿을 수 없다.

= Although I admit the result, I can't believe him.

⑤ 부대상황

㉠ 연속동작 : 그리고 ~하다(= and + 동사).

A fire broke out near my house, destroying some five houses.

우리 집 근처에서 화재가 발생해서 다섯 집 정도를 태웠다.

= A fire broke out near my house, and destroyed some five houses.

㉡ 동시동작 : ~하면서(= as, while)

Smiling brightly, she extended her hand. 그녀는 밝게 웃으면서, 손을 내밀었다.

= While she smiled brightly, she extended her hand.

POINT 분사구문의 부정

분사 앞에 not, never 등을 쓴다.

Not knowing what to do, he asked me for help.

무엇을 해야 할지 몰랐기 때문에 그는 나에게 도움을 청했다.

= As he did not know what to do, he asked me for help.

(2) 독립분사구문

① 독립분사구문 … 주절의 주어와 분사구문의 의미상 주어가 다른 경우를 독립분사구문이라고 하고, 분사 앞에 의미상 주어를 주격으로 표시한다.

It being fine, we went for a walk. 날씨가 맑았으므로, 우리는 산책했다.

= As it was fine, we went for a walk.

② 비인칭 독립분사구문 … 분사구문의 의미상 주어가 일반인(we, you, they, people, etc)일 경우 주어를 생략하고 관용적으로 쓰인다.

㉠ generally speaking : 일반적으로 말하면(= If we speak generally)

㉡ strictly speaking : 엄격히 말한다면(= If we speak strictly)

㉢ roughly speaking : 대충 말한다면(= If we speak roughly)

㉣ frankly speaking : 솔직히 말한다면(= If we speak frankly)

㉤ talking of ~ : ~으로 말할 것 같으면, 이야기가 났으니 말인데

㉥ judging from ~ : ~으로 판단하건대

㉦ compared with ~ : ~와 비교해 보면

㉧ taking ~ into consideration : 모든 것을 고려해 볼 때(considering ~ : ~을 고려해 보니, 생각해 보면, ~으로서는)

㉨ providing that : 만약 ~이면(= provided that)

㉩ supposing that : 만약에 ~하면(= supposed that)

㉪ granting that : 가령 ~라고 치고, 만약 ~이면(= granted that)

㉫ seeing that : ~인 점에서 보면, ~라는 점에 비추어(= now that)

㉬ concerning ~ : ~에 대하여

㉭ notwithstanding ~ : ~에도 불구하고

③ with + 독립분사구문 … 'with + 목적어 + 분사 · 형용사 · 부사(구)'의 형태로, 부대상황을 나타내는 독립분사구문에 with를 함께 써서 묘사적 표현을 강조하며, 해석은 ~하면서, ~한채, ~해서로 해석된다.

He stood there, with his eyes closed. 그는 그 곳에 서서 눈을 감고 있었다.

= He stood there, his eyes (being) closed (by him).

= He stood there, and his eyes were closed (by him).

(3) 분사구문의 시제

① 단순분사구문 … '동사원형 + -ing'로 주절의 시제와 일치한다.

Opening the window, I felt fresh. 창문을 연 후에 나는 상쾌함을 느꼈다.
= After I opened the window, I felt fresh.

② 완료분사구문 … 'Having + p.p.'로 주절의 시제보다 한 시제 앞서거나 완료를 나타낸다.

Having finished my work, I went to bed. 나는 내 일을 끝낸 후에 자러 갔다.
= After I had finished my work, I went to bed.

POINT 분사구문에서 분사의 생략

Being + p.p., Having been + p.p.의 수동형식인 분사구문의 경우 being과 having been이 생략되는 경우가 많다.

(Being) Taken by surprise, he gave up the contest.
그는 불시에 기습을 당했으므로 그 시합을 포기했다.
= As he was taken by surprise, he gave up the contest.

section 7 관계사

1. 관계대명사의 종류와 격

관계대명사는 문장과 문장을 연결하는 접속사의 역할과 대명사의 역할을 동시에 한다. 관계대명사가 이끄는 절은 선행사(관계대명사 앞에 오는 명사)를 수식하는 형용사절이다.

◯ 관계대명사의 종류에 따른 격

선행사	주격	소유격	목적격
사람	who	whose	whom
동물, 사물	which	whose, of which	which
사람, 동물, 사물	that	없음	that

2. 관계대명사 who, which, that, what

(1) 관계대명사 who

관계대명사 who는 선행사가 사람일 때 쓴다.

① who(주격) … 자신이 이끄는 절에서 주어 역할을 하며, 동사의 형태는 선행사의 인칭과 수, 주절의 시제에 좌우된다.

I know the boy who did it. 나는 그 일을 했던 소년을 안다.

→ I know the boy. + He did it.

② whose(소유격) … 명사와 결합하여 형용사절을 이끈다.

A child whose parents are dead is called an orphan.

부모가 돌아가신 아이는 고아라 불린다.

→ A child is called an orphan. + His parents are dead.

③ whom(목적격) … 자신이 이끄는 절에서 타동사와 전치사의 목적어로 쓰인다.

She is the girl whom I am fond of. 그녀는 내가 좋아하는 소녀이다.

→ She is the girl. + I am fond of her(전치사의 목적어).

(2) 관계대명사 which

관계대명사 which는 선행사가 사물 · 동물일 때 쓴다.

① which(주격)

The road which leads to the station is narrow. 역에 이르는 길은 폭이 좁다.

→ The road is narrow. + The road leads to the station.

② of which(= whose, 소유격)

This is the car of which the engine(the engine of which) is of the latest type.

이것은 엔진이 최신형인 차이다.

= This is the car whose engine is of the latest type.

→ This is the car. + Its engine is of the latest type.

③ which(목적격)

This is the book which I bought yesterday. 이것은 내가 어제 산 책이다.

→ This is the book. + I bought it yesterday(타동사의 목적어).

(3) 관계대명사 that

① 관계대명사 that은 who 또는 which를 대신하여 선행사에 관계없이 두루 쓸 수 있다.

I know the boy that broke the window. 나는 그 창문을 깨뜨렸던 소년을 안다.

POINT 관계대명사 that을 쓸 수 없는 경우

㉠ 전치사 + that : 관계대명사 that은 전치사의 목적격으로 쓸 수 없으므로 그 전치사는 문미에 둔다.

This is the book that I spoke of(○). 이것이 내가 말했던 책이다.

→ This is the book of that I spoke(×).

㉡ 계속적 용법 : 관계대명사 that은 한정적 용법으로만 쓰인다. 즉, 콤마(,) 다음에 쓸 수 없다.

I met the man, who did not tell me the truth(○).

나는 그 사람을 만났다. 그러나 그는 나에게 진실을 말하지 않았다.

I met the man, that did not tell me the truth(×).

② 관계대명사 that만을 쓸 수 있는 경우

㉠ 선행사가 최상급, 서수사, the only, the very, the last, the same, every, no 등에 의해 수식될 때

He is the fastest runner that I have ever seen. 그는 내가 본 가장 빠른 주자이다.

㉡ 선행사가 '사람 + 동물(사물)'일 때

He spoke of the men and the things that he had seen.

그는 그가 보았었던 사람들과 일들에 대해서 말했다.

㉢ 선행사가 부정대명사 또는 부정형용사(-thing, -body -one, none, little, few, much, all, any, some, etc)일 때

I'll give you everything that you want. 나는 당신이 원하는 모든 것을 당신에게 줄 것이다.

(4) 관계대명사 what

① 관계대명사 what은 선행사가 포함된 관계대명사로 명사절을 이끌어 문장 속에서 주어, 목적어, 보어의 역할을 한다. 이때 what은 the thing which 등으로 바꿔 쓸 수 있다.

㉠ 주어 역할

What(The thing which, That which) cannot be cured must be endured.

고칠 수 없는 것은 견뎌내어야만 한다.

㉡ 목적어 역할

Don't put off until tomorrow what you can do today.

오늘 할 수 있는 일을 내일로 미루지 말아라.

㉢ 보어 역할

Manners are what makes men different from animals.

예절은 사람을 동물과 다르게 만드는 것이다.

② 관용적 표현

㉠ what is better : 더욱 더 좋은 것은, 금상첨화로

This book is instructive and, what is better, interesting.

이 책은 교육적인 데다가 금상첨화로 재미있기도 하다.

㉡ what is worse : 더욱 더 나쁜 것은, 설상가상으로

It is blowing very hard and, what is worse, it begin to snow hard.
바람이 매우 세차게 불고 있는데, 설상가상으로 눈이 심하게 내리기 시작한다.

㉢ what is more : 게다가

㉣ what is called : 소위, 이른바[= what we(you, they) call]

He is what is called a self-made man. 그는 이른바 자수성가한 사람이다.

㉤ A is to B what C is to D : A와 B의 관계는 C와 D의 관계와 같다.

Reading is to the mind what food is to the body.
독서와 정신의 관계는 음식과 육체의 관계와 같다.
= Reading is to the mind as food is to the body.
= What food is to the body, reading is to the mind.
= Just as food is to the body, so is reading to the mind.

㉥ What + S + be : S의 인격 · 상태

㉦ What + S + have : S의 재산 · 소유물

She is charmed by what he is, not by what he has.
그녀는 그의 재산이 아니라 그의 인격에 반했다.

3. 관계대명사의 한정적 · 계속적 용법

(1) 한정적 용법

선행사를 수식하는 형용사절을 이끌어 수식을 받는 선행사의 뜻을 분명히 해주며 뒤에서부터 해석한다.
He smiled at the girl who nodded to him. 그는 그에게 목례를 한 소녀에게 미소지었다.

(2) 계속적 용법

관계대명사 앞에 'comma(,)'를 붙이며 관계대명사절이 선행사를 보충 설명한다. 문맥에 따라 '접속사(and, but, for, though, etc) + 대명사'로 바꾸어 쓸 수 있다.
He smiled at the girl, who nodded to him. 그는 소녀에게 미소지었고, 그녀는 그에게 목례를 하였다.
= He smiled at the girl, and she nodded to him.

(3) which의 계속적 용법

계속적 용법으로 쓰인 which는 형용사, 구, 절, 또는 앞문장 전체를 선행사로 받을 수 있다.
Tom is healthy, which I am not. Tom은 건강하지만 나는 그렇지 못하다.
= Tom is healthy, but I am not healthy(형용사가 선행사).

4. 관계대명사의 생략

(1) 목적격 관계대명사의 생략

한정적 용법(관계대명사 앞에 콤마가 없는 경우)으로 쓰인 관계대명사가 타동사 또는 전치사의 목적격으로 쓰일 때는 생략할 수 있다.

① 관계대명사가 타동사의 목적어로 쓰일 때

Roses are the flowers (which) I like most. 장미는 내가 제일 좋아하는 꽃이다.

→Roses are flowers. + I like roses most(타동사의 목적어).

② 관계대명사가 전치사의 목적어로 쓰일 때

Things (which) we are familiar with are apt to escape our notice.

우리에게 익숙한 것들은 우리의 주의를 벗어나기 쉽다.

→Things are apt to escape our notice. + We are familiar with things(전치사의 목적어).

POINT 관계대명사를 생략할 수 없는 경우

목적격 관계대명사라 할지라도 다음의 경우 생략할 수 없다.

㉠ 계속적 용법으로 쓰였을 때

I bowed to the gentleman, whom I knew well(whom=for him).

나는 그 신사에게 인사를 했는데, 나는 그를 잘 알고 있었기 때문이다.

㉡ '전치사 + 목적격 관계대명사'가 함께 쓰였을 때

I remember the day on which he went to the front.

나는 그가 전선에 간 날을 기억하고 있다.

㉢ of which가 어느 부분을 나타낼 때

I bought ten pencils, the half of which I gave my brother.

나는 연필 열 자루를 사서, 내 동생에게 그 중의 반을 주었다.

(2) 주격 관계대명사의 생략

주격 관계대명사는 생략할 수 없는 것이 원칙이지만, 다음의 경우에는 생략해도 된다.

① 관계대명사가 보어로 쓰일 때

㉠ 주격보어로 쓰일 때

He is not the man (that) he was. 그는 예전의 그가 아니다.

㉡ 목적격보어로 쓰일 때

I'm not a fool (that) you think me (to be). 나는 당신이 생각하는 그런 바보가 아니다.

② 관계대명사 다음에 'there + be동사'가 이어질 때

He is one of the greatest scholars (that) there are in the world.

그는 세계적인 대학자 중의 하나이다.

③ There is ~, It is ~ 로 시작되는 구문에서 쓰인 주격 관계대명사

There is a man (who) wants to see you. 당신을 만나려는 사람이 있다.

It was he (that) met her yesterday(It ~ that 강조구문).

어제 그녀를 만난 사람은 바로 그였다.

④ '주격 관계대명사 + be동사'의 경우 둘 다를 함께 생략한다.

The cap (which is) on the table belongs to Inho. 탁자 위의 모자는 인호의 것이다.

5. 유사관계대명사

접속사인 as, but, than 등이 관계대명사와 같은 역할을 하는 경우 유사관계대명사라고 한다.

(1) 유사관계대명사 as

① 제한적 용법 … the same, such, as ~ 가 붙은 선행사 뒤에서 상관적으로 쓰인다.

This is the same watch as I lost(유사물). 이것은 내가 잃어버린 것과 같은 시계이다.

This is the very same watch that I lost(동일물). 이것은 내가 잃어버린 바로 그 시계이다.

This book is written in such easy English as I can read(as : 관계대명사).

이 책은 내가 읽을 수 있는 그런 쉬운 영어로 쓰여져 있다.

This book is written in such easy English that I can read it(that : 접속사).

이 책은 매우 쉬운 영어로 쓰여져 있어서 내가 읽을 수 있다.

② 계속적 용법 … 문장 전체를 선행사로 할 때도 있다.

As is usual with him, he was late for school. 그에게는 흔한데, 그는 학교에 늦었다.

(2) 유사관계대명사 but

부정어구가 붙은 선행사 뒤에 쓰여 이중부정(강한 긍정)의 뜻을 지닌다(= who ~ not, which ~ not, that ~ not).

There is no rule but has some exceptions. 예외 없는 규칙은 없다.

= There is no rule that has not exceptions.

= Every rule has exceptions.

(3) 유사관계대명사 than

비교급이 붙은 선행사 뒤에 쓰인다.

Children should not have more money than is needed.

아이들은 필요한 돈보다 더 많은 돈을 가지지 않아야 한다.

6. 관계형용사와 관계부사

(1) 관계형용사

which, what 등이 다음에 오는 명사를 수식하여 관계형용사(접속사 + 형용사)의 역할을 한다.

① what + 명사 = all the + 명사 + that ~

I have sold what few things I had left. 나는 몇 개 안되지만 내가 남겨 두었던 물건 전부를 팔았다.

= I have sold all the few things (that) I had left.

② which + 명사 = 접속사 + 지시형용사 + 명사 … 관계형용사 which는 계속적 용법으로만 쓰인다.

He spoke to me in French, which language I could not understand.

그는 나에게 불어로 말했는데, 나는 그 언어를 이해할 수가 없었다.

= He spoke to me in French, but I could not understand that language.

(2) 관계부사

관계부사는 '접속사 + 부사'의 역할을 하여 선행사를 수식하며, '전치사 + 관계대명사'로 바꿔 쓸 수 있다.

① where(= on, at, in which) … 선행사가 장소를 나타낼 때 쓰이며, 종종 상황이나 입장을 나타낼 때에도 쓰인다.

This is the house where he lived. 이 곳이 그가 살았던 집이다.

= This is the house in which he lived.

② when(= on, at, in which) … 선행사가 시간을 나타낼 때 쓰인다.

I know the time when he will arrive. 나는 그가 도착할 시간을 안다.

= I know the time on which he will arrive.

③ why(= for which) … 선행사가 이유를 나타낼 때 쓰인다.

That is the reason why I was late. 그것이 내가 늦었던 이유이다.

= That is the reason for which I was late.

④ how(= in which) … 선행사가 방법을 나타낼 때 쓰이며, 보통 the way와 how 중 하나를 생략해야 한다.

I don't like (the way) how he talks. 나는 그가 이야기하는 방법을 좋아하지 않는다.

= I don't like the way in which he talks.

POINT 관계부사의 계속적 용법

관계부사 중 when, where는 계속적 용법으로 쓸 수 있다.

Wait till nine, when the meeting will start.

9시까지 기다려라. 그러면 모임을 시작할 것이다.

= Wait till nine, and then the meeting will start.

We went to Seoul, where we stayed for a week.

우리는 서울에 가서, 거기서 1주일간 머물렀다.

= We went to Seoul, and we stayed there for a week.

7. 복합관계사

(1) 복합관계대명사

복합관계대명사는 '관계대명사 + ever'의 형태로서 '선행사 + 관계대명사'의 역할을 하며, 명사절이나 양보의 부사절을 이끈다.

① 명사절을 이끌 때

㉠ whatever, whichever = anything that

I will accept whatever you suggest. 나는 네가 제안하는 것은 무엇이든지 받아들이겠다.

= I will accept anything that you suggest.

㉡ whoever = anyone who

Whoever comes first may take it. 누구든 가장 먼저 오는 사람이 그것을 가져도 좋다.

= Anyone who comes first may take it.

㉢ whosever = anyone whose

Whosever horse comes in first wins the prize. 누구의 말이든 먼저 들어오는 말이 상을 탄다.

= Anyone whose horse comes in first wins the prize.

㉣ whomever = anyone whom

She invited whomever she met. 그녀는 그녀가 만나는 사람은 누구든지 초대하였다.

= She invited anyone whom she met.

② 양보의 부사절을 이끌 때 … 'no matter + 관계대명사'로 바꿔 쓸 수 있다.

㉠ whoever = no matter who : 누가 ~하더라도

Whoever may object, I will not give up.

누가 반대하더라도 나는 포기하지 않을 것이다.

= No matter who may object, I will not give up.

㉡ whatever = no matter what : 무엇이(을) ~하더라도

Whatever may happen, I am ready. 어떤 일이 일어나더라도 나는 준비되어 있다.

= No matter what may happen, I am ready.

㉢ whichever = no matter which : 어느 것을 ~하더라도

Whichever you may choose, you will be pleased. 어느 것을 고르든 마음에 드실 겁니다.

= No matter which you choose, you will be pleased.

(2) 복합관계형용사

복합관계형용사는 '관계형용사 + ever'의 형태로 명사절이나 양보의 부사절을 이끈다.

① 명사절을 이끌 때 … whatever, whichever = any(all the) + 명사 + that ~

Take whatever ring you like best. 당신이 가장 좋아하는 어떤 반지라도 가져라.

= Take any ring that you like best.

② 양보의 부사절을 이끌 때

㉠ whatever + 명사 = no matter what + 명사

Whatever results follow, I will go. 어떠한 결과가 되든 나는 가겠다.

= No matter what results follow, I will go.

㉡ whichever + 명사 = no matter which + 명사

Whichever reasons you may give, you are wrong.

당신이 어떤 이유들을 제시하든 당신은 잘못하고 있다.

= No matter which reasons you may give, you are wrong.

(3) 복합관계부사

복합관계부사는 '관계부사 + ever'의 형태로 '선행사 + 관계부사'의 역할을 하며, 장소 · 시간의 부사절이나 양보의 부사절을 이끈다.

① 장소, 시간의 부사절을 이끌 때

㉠ whenever = at(in, on) any time when

You may come whenever it is convenient to you. 편리할 때면 언제든지 와도 좋다.

= You may come at any time when it is convenient to you.

㉡ wherever = at(in, on) any place where

She will be liked wherever she appears. 그녀는 어디에 나오든지 사랑받을 것이다.

= She will be liked at any place where she appears.

② 양보의 부사절을 이끌 때 … 주로 may를 동반한다.

㉠ whenever = no matter when

Whenever you may call on him, you'll find him reading something.

당신이 언제 그를 찾아가더라도 당신은 그가 어떤 것을 읽고 있는 것을 발견할 것이다.

= No matter when you may call on him, you'll find him reading something.

㉡ wherever = no matter where

Wherever you may go, you will not be welcomed.

너는 어디에 가더라도 환영받지 못할 것이다.

= No matter where you may go, you will not be welcomed.

㉢ however = no matter how

However cold it may be, he will come. 날씨가 아무리 춥더라도 그는 올 것이다.

= No matter how cold it may be, he will come.

section 8 가정법

1. 가정법 과거, 과거완료

(1) 가정법 과거

'If + 주어 + 동사의 과거형(were) ~, 주어 + would(should, could, might) + 동사원형'의 형식이다. 현재의 사실에 반대되는 일을 가정하는 것으로, if절에서는 주어의 인칭 · 수에 관계없이 be동사는 were를 쓰고, 현재형으로 해석한다.

If I were a bird, I could fly to you. 내가 새라면, 당신에게 날아갈 수 있을텐데.

= As I am not a bird, I can't fly to you(직설법 현재).

(2) 가정법 과거완료

'If + 주어 + had + p.p. ~, 주어 + would(should, could, might) + have + p.p.'의 형식이다. 과거의 사실에 반대되는 일을 가정하는 것으로, 해석은 과거형으로 한다.

If you had done it at once, you could have saved him.

내가 그것을 즉시 했었더라면, 그를 구할 수 있었을텐데.

= As you didn't do it at once, you could not save him(직설법 과거).

POINT 혼합가정법

과거의 사실이 현재에까지 영향을 미치고 있는 경우 현재에 영향을 미치는 과거의 사실과 반대되는 일을 가정하는 것으로 'If + 주어 + had p.p.~(가정법 과거완료), 주어 + would(should, could, might) + 동사원형(가정법 과거)'의 형식으로 나타낸다.

If he had not helped her then, she would not be here now.

그가 그때 그녀를 도와주지 않았다면, 그녀는 지금 여기에 없을텐데.

= As he helped her then, she is here now.

= She is here now because he helped her then.

2. 가정법 현재, 미래

(1) 가정법 현재

'If + 주어 + 동사원형(현재형) ~, 주어 + will(shall, can, may) + 동사원형'의 형식이다. 현재 또는 가까운 미래의 불확실한 일을 가정하여 상상한다. 현대 영어에서는 if절의 동사를 주로 현재형으로 쓰며, 거의 직설법으로 취급된다.

If he be(is) healthy, I will employ him. 그가 건강하다면, 나는 그를 고용할 것이다.

(2) 가정법 미래

① If + 주어 + should + 동사원형, 주어 + will[would, shall(should), can(could), may (might)] + 동사원형 … 비교적 실현가능성이 없는 미래의 일에 대한 가정이다.

If I should fail, I will(would) try again. 내가 실패한다면, 다시 시도할 것이다.

② If + 주어 + were to + 동사원형, 주어 + would(should, could, might) + 동사원형 … 절대적으로 실현 불가능한 미래의 일에 대한 가정이다.

If I were to be born again, I would be a doctor.
내가 다시 태어난다면, 나는 의사가 되겠다.

POINT 가정법을 직설법으로 전환하는 방법

㉠ 접속사 If를 as로 바꾼다.
㉡ 가정법 과거는 현재시제로, 가정법 과거완료는 과거시제로 고친다.
㉢ 긍정은 부정으로, 부정은 긍정으로 바꾼다.

If I had money, I could buy it(가정법 과거).
돈이 있다면, 그것을 살 텐데.
= As I don't have money, I can't buy it(직설법 현재).
= I don't have money, so I can't buy it.
If I had been there, I could have seen it(가정법 과거완료).
거기에 있었다면 그것을 볼 수 있었을 텐데.
= As I was not there, I couldn't see it(직설법 과거).
= I was not there, so I couldn't see it.

3. 주의해야 할 가정법

(1) I wish 가정법

① I wish + 가정법 과거 … ~하면 좋을 텐데(아니라서 유감스럽다). 현재사실에 반대되는 소망이다(wish를 뒤따르는 절의 시제는 wish와 같은 시제).

② I wish + 가정법 과거완료 … ~했으면 좋았을 텐데(아니라서 유감스럽다). 과거사실에 반대되는 소망이다(wish를 뒤따르는 절의 시제는 wish보다 한 시제 앞선다).

I wish I were rich. 부자라면 좋을 텐데(아니라서 유감스럽다).
= I am sorry (that) I am not rich.
I wish I had been rich. 부자였다면 좋을 텐데(아니라서 유감스럽다).
= I am sorry (that) I was not rich.
I wished I were rich. 부자였다면 좋았을 텐데(아니라서 유감스러웠다).
= I was sorry (that) I was not rich.
I wished I had been rich. 부자였었다면 좋았을 텐데(아니라서 유감스러웠다).
= I was sorry (that) I had been rich.

POINT I wish 가정법을 직설법으로 전환

㉠ I wish를 I am sorry로, I wished는 I was sorry로 바꾼다.
㉡ wish 뒤의 절에서 과거는 현재시제로, 과거완료는 과거시제로 고친다. wished 뒤의 절에서는 시제를 그대로 둔다.
㉢ 긍정은 부정으로, 부정은 긍정으로 바꾼다.

I wish it were true.
그것이 사실이라면 좋을 텐데(아니라서 유감스럽다).
= I am sorry (that) it is not true.
= It is a pity that it is not true.
I wish it had been true.
그것이 사실이었다면 좋을 텐데(아니라서 유감스럽다).
= I am sorry (that) it was not true.
= It is a pity that it was not true.
I wished it were true.
그것이 사실이었다면 좋았을 텐데(아니라서 유감스러웠다).
= I was sorry (that) it was not true.
= It was a pity that it was not true.
I wished it had been true.
그것이 사실이었었다면 좋았을 텐데(아니라서 유감스러웠다).
= I was sorry (that) it had been true.
= It was a pity that it had not been true.

(2) as if 가정법

'마치 ~처럼'의 뜻으로 쓰인다.

① as if + 가정법 과거 … 마치 ~인 것처럼. 현재의 사실에 대한 반대 · 의심이다(주절과 종속절이 같은 시제).

② as if + 가정법 과거완료 … 마치 ~였던 것처럼. 과거의 사실에 대한 반대 · 의심이다(종속절이 주절보다 한 시제 앞섬).

He looks as if he were sick(in fact he is not sick).
그는 마치 아픈 것처럼 보인다(현재사실의 반대).
He looks as if he had been sick(in fact he was not sick).
그는 마치 아팠던 것처럼 보인다(과거사실의 반대).
He looked as if he were sick(in fact he was not sick).
그는 마치 아픈 것처럼 보였다(과거사실의 반대).
He looked as if he had been sick(in fact he had not been sick).
그는 마치 아팠던 것처럼 보였다(과거 이전 사실의 반대).

(3) if only + 가정법 과거(과거완료)

'~한다면(했다면) 얼마나 좋을(좋았을)까'의 뜻으로 쓰인다.
If only I were married to her! 그녀와 결혼한다면 얼마나 좋을까!
If only I had been married to her! 그녀와 결혼했다면 얼마나 좋았을까!

4. if절 대용어구 & if의 생략

(1) 주어

An wise man would not do such a thing. 현명한 사람이라면 그런 일을 하지 않을텐데.
= If he were an wise man, he would not do such a thing.

(2) without[= but(except) for]

① ~가 없다면 … If it were not for ~ = Were it not for ~ = If there were no ~ (가정법 과거)

Without air and water, we could not live. 공기와 불이 없다면, 우리는 살 수 없을텐데.
= If it were not for air and water, we could not live.

② ~가 없었다면 … If it had not been for ~ = Had it not been for ~ = If there had not been ~ (가정법 과거완료)

Without air and water, we could not have lived.
물과 공기가 없었다면, 우리는 살 수 없었을텐데.
= If it had not been for air and water, we could not have lived.

(3) to부정사

To try again, you would succeed. 한 번 더 시도한다면 당신은 성공할텐데.
= If you tried again, you would succeed.

(4) 직설법 + otherwise(or, or else)

'그렇지 않다면, 그렇지 않았더라면'의 뜻으로 쓰인다.
I am busy now, otherwise I would go with you.
내가 지금 바쁘지 않다면 너와 함께 갈텐데.
= If I were not busy, I would go with you.

(5) if의 생략

조건절의 if는 생략할 수 있으며, 이때 주어와 동사의 어순은 도치된다.
If I should fail, I would not try again. 만일 실패한다면 나는 다시는 시도하지 않을 것이다.
= Should I fail, I would not try again.

section 9 관사와 명사 · 대명사

1. 관사

(1) 부정관사 a / an

셀수 있는 명사 앞에서 "one(하나)", "any(어떤)"이라는 의미로 쓰인다. 명사의 발음이 모음인지 자음인지에 따라서 a(자음일경우), an(모음일경우)를 사용한다.
I bought an apple and a banana.
나는 사과와 바나나를 샀다.

(2) 정관사 the

앞에 언급한 명사를 반복하거나, 말하는 당사자 간에 이미 알고 있는 특정한 명사 앞, 또는 최상급이나 서수 앞에서 쓰인다.
Please open the window. 창문을 열어라.

2. 명사

(1) 명사의 종류

① 보통명사

㉠ a(the) + 단수보통명사 : 복수보통명사로 종족 전체를 나타내는 뜻으로 쓰인다.

A dog is a faithful animal(구어체). 개는 충실한 동물이다.

= The dog is a faithful animal(문어체).

= Dogs are faithful animals(구어체).

㉡ 관사 없이 쓰인 보통명사 : 사물 본래의 목적을 표시한다.

go to sea(선원이 되다), in hospital(입원 중), at table(식사중)

POINT 명사의 전용

the + 보통명사 → 추상명사

The pen is mightier than the sword. 문(文)은 무(武)보다 강하다.

② 집합명사

㉠ family형 집합명사 : 집합체를 하나의 단위로 볼 때는 단수 취급, 집합체의 구성원을 말할 때는 복수 취급(군집명사)한다. family(가족), public(대중), committee(위원회), class(계층), crew(승무원) 등이 있다.

My family is a large one. 우리 가족은 대가족이다.

My family are all very well. 우리 가족들은 모두 잘 지내고 있다.

㉡ police형 집합명사 : the를 붙여 항상 복수 취급한다. police(경찰), clergy(성직자), gentry(신사계급), nobility(귀족계급) 등 사회적 계층이나 신분을 뜻하는 명사를 말한다.

The police are on the murderer's track. 경찰들은 살인범의 흔적을 좇고 있다.

㉢ cattle형 집합명사 : 관사를 붙일 수 없으며 복수 취급한다. people(사람들), poultry(가금), vermin (해충) 등이 있다.

There are many people in the theater. 그 극장에 많은 사람들이 있다.

㉣ 부분을 나타내는 집합명사 : 뒤에 오는 명사에 따라 단 · 복수가 결정된다. part, rest, portion, half, the bulk, the majority, most 등이 있다.

Half of the apple is rotten. 그 사과의 반쪽이 썩었다.

Half of the apples are rotten. 그 사과들의 절반이 썩었다.

POINT people이 '국민, 민족'의 뜻일 경우

이 경우 단수 취급한다.

㉠ many peoples : 많은 민족들

㉡ many people : 많은 사람들

③ **추상명사**… 성질, 상태, 동작 등과 같이 형태가 없는 것을 나타낸다. 관사를 붙일 수 없으며 복수형도 없다. happiness, beauty, peace, success, truth, knowledge, learning, discovery, shopping 등이 있다.

POINT 명사의 전용

a(an) + 추상명사, 복수형 추상명사 → 보통명사

She is a failure as an actress, but a success as a mother.

그녀는 배우로서는 실패자이지만 어머니로서는 성공한 사람이다.

㉠ **of + 추상명사**: 형용사(구)로서 앞의 명사를 수식한다.

This is a matter of importance. 이것은 중요한 문제이다.

= This is an important matter.

㉡ all + 추상명사 = 추상명사 itself = very + 형용사

Mary is all beauty. Mary는 대단히 아름답다.

= Mary is beauty itself.

= Mary is very beautiful.

㉢ 전치사(with, by, in, on 등) + 추상명사 = 부사(구)

I met him by accident. 나는 우연히 그를 만났다.

= I met him accidently.

㉣ **have + the 추상명사 + to + 동사원형**: 대단히 ~하게도 …하다.

She had the kindness to help me. 그녀는 대단히 친절하게도 나를 도와주었다.

= She was kind enough to help me.

= She was so kind as to help me.

= She was so kind that she helped me.

= She kindly helped me.

= It was kind of her to help me.

㉤ 추상명사가 집합명사로 쓰일 때는 복수 취급을 하기도 한다.

Youth(= young people) should respect age(= aged people).

젊은이들은 노인들을 존경해야 한다.

㉥ **추상명사의 가산법(수량표시)**: 보통 a piece of, a little, some, much, a lot of, lots of 등에 의해서 표시된다.

a piece of advice 충고 한 마디, a stroke of good luck 한 차례의 행운

④ **물질명사**… 일정한 형체가 없이 양으로 표시되는 물질을 나타내는 명칭이다. 관사를 붙일 수 없고, 복수형으로 만들 수 없으며 항상 단수 취급한다. gold, iron, stone, cheese, meat, furniture, money 등이 있다.

㉠ **정관사의 사용** : 물질명사가 수식어의 한정을 받을 때에는 정관사 the를 붙인다.

The water in this pond is clear. 이 연못의 물은 깨끗하다.

㉡ **집합적 물질명사** : 물건의 집합체이지만 양으로 다루므로 항상 단수 취급한다. furniture(가구), clothing(의류), baggage(짐), machinery(기계류), produce(제품) 등이 있다.

She bought two pieces of furniture. 그녀는 가구 두 점을 샀다.

㉢ **물질명사의 가산법(수량표시)** : 물질명사를 셀 때에는 단위를 표시하는 말을 사용하여 단·복수를 나타낸다.

a spoon(ful) of sugar 설탕 한 숟가락, a cake of soap 비누 한 개

㉣ **물질명사의 양의 적고 많음을 나타낼 때** : (a) little, some, much, lots of, a lot of, plenty of 등을 쓴다.

There is much beef in the refrigerator. 냉장고에 많은 쇠고기가 있다.

⑤ **고유명사** … 사람, 사물 및 장소의 이름을 나타내는 명칭으로, 유일무이하게 존재하는 것이다. 항상 대문자로 시작하고 대부분 관사를 붙일 수 없으며 복수형도 없다. David Bowie, Central Park, the Korea Herald, July 등이 있다.

국어

한국사

영어

가산명사와 불가산명사

구분		개념
가산명사 (셀 수 있는 명사)	보통명사	같은 종류의 사람 및 사물에 붙인 이름
	집합명사	사람 또는 사물의 집합을 나타내는 이름
불가산명사 (셀 수 없는 명사)	고유명사	특정한 사람 또는 사물의 고유한 이름
	물질명사	일정한 형체가 없는 원료, 재료 등에 붙인 이름

POINT 혼동하기 쉬운 가산명사와 불가산명사

㉠ a poem 시, poetry (총칭적) 시

㉡ a country 국가, country 시골

㉢ a right 권리, right 정의

㉣ a pig 돼지, pork 돼지고기

㉤ a cow 소, beef 쇠고기

㉥ a meal 식사, food 음식

(2) 명사의 수

① 명사의 복수형 만들기

㉠ 규칙변화

- 일반적으로는 어미에 -s를 붙인다.
  cats, desks, days, deaths 등
- 어미가 s, x, sh, ch, z로 끝나면 -es를 붙인다. 단, ch의 발음이 [k]인 경우에는 -s를 붙인다.
  buses, boxes, dishes, inches, stomachs, monarchs 등
- '자음 + y'는 y를 i로 고치고 -es를 붙인다.
  cities, ladies, armies 등
- '자음 + o'는 -es를 붙인다(예외 : pianos, photos, solos, autos 등).
  potatoes, heroes, echoes 등
- 어미가 f, fe로 끝나면 f를 v로 고치고 -es를 붙인다(예외 : roofs, chiefs, handkerchiefs, griefs, gulfs, safes(금고) 등).
  lives, leaves, wolves 등

POINT 불규칙변화

㉠ 모음이 변하는 경우 : man → men, foot → feet, tooth → teeth, mouse → mice, ox → oxen
㉡ 단수, 복수가 같은 경우 : sheep, deer, salmon, corps, series, species, Chinese, Swiss 등
㉢ 외래어의 복수형
- -um, -on → -a : medium → media, phenomenon → phenomena
- -us → -i : stimulus → stimuli, focus → foci, fungus → fungi
- -sis → -ses : oasis → oases, crisis → crises, thesis → theses, analysis → analyses, basis → bases

㉡ 복합명사의 복수형

- 중요한 말이나 명사에 -s를 붙인다.
  step-mother → step-mothers(계모), passer-by → passers-by(통행인)
- 중요한 말이나 명사가 없는 경우 끝에 -s나 -es를 붙인다.
  forget-me-not → forget-me-nots(물망초), have-not → have-nots(무산자),
- 'man, woman + 명사'는 둘 다 복수형으로 고친다.
  man-servant(하인) → men-servants, woman-doctor(여의사) → women-doctors

② 절대 · 상호 · 분화복수

㉠ 절대복수 : 항상 복수형으로 쓰이는 명사이다.

- 짝을 이루는 의류, 도구 : 복수 취급한다(수를 셀 때는 a pair of, two pairs of ~를 씀).
  trousers(바지), braces(멜빵바지), glasses(안경), scissors(가위), 등
- 학문, 학과명(-ics로 끝나는 것), 게임명, 병명 : 단수 취급한다.
  statistics(통계학), billiards(당구), measles(홍역) 등
- 기타 : 복수 취급한다(예외 : news, series, customs는 단수 취급).
  goods(상품), riches(재산), belongs(소유물), savings(저금)

㉡ **상호복수** : 상호 간에 같은 종류의 것을 교환하거나 상호작용을 할 때 쓰는 복수이다.
shake hands with(악수를 하다), change cars(차를 갈아타다)

㉢ **분화복수** : 복수가 되면서 본래의 의미가 없어지거나, 본래의 의미 외에 또 다른 의미가 생겨나는 복수이다.
letter(문자) / letters(문자들, 문학), arm(팔) / arms(팔들, 무기), good(선) / goods(상품), pain(고통) / pains(고생, 수고), force(힘) / forces(군대)

POINT 복수형을 쓰지 않는 경우

㉠ '수사 + 복수명사'가 다른 명사를 수식할 경우 복수형에서 s를 뺀다.
a ten-dollar bill, three-act drama, a five-year plan

㉡ 시간, 거리, 가격, 중량을 한 단위로 취급할 때는 형태가 복수일지라도 단수 취급을 한다.
Ten dollars a day is a good pay.
하루에 10달러는 높은 급료이다.

(3) 명사의 소유격

① **원칙** … 명사가 생물인 경우에는 's를 붙이고, 무생물인 경우에는 'of + 명사'로 표시하며, 복수명사(-s)인 경우에는 '만 붙이는 것을 원칙으로 한다.

POINT 무생물의 소유격

㉠ 일반적으로 'of + 명사'를 쓴다.
the legs of the table(○) 다리가 네 개인 책상
→ the table's legs(×)

㉡ 의인화된 경우 's를 붙인다.
heaven's will 하늘의 의지, fortune's smile 운명의 미소

㉢ 시간, 거리, 가격, 중량 등을 나타내는 명사는 of를 쓰지 않고 -'s를 붙인다.
ten mile's distance 10마일의 거리, a pound's weight 1파운드의 무게

② **독립소유격** … 소유격 뒤에 올 명사가 예측 가능할 때 생략한다.

㉠ 같은 명사의 반복을 피하기 위해 생략한다.
My car is faster than Tom's (car). 내 차는 Tom의 것보다 빠르다.

㉡ 장소 또는 건물 등을 나타내는 명사 house, shop, office, restaurant, hospital 등은 생략한다.
I am going to the dentist's (clinic). 나는 치과에 갈 예정이다.

③ **이중소유격** … a, an, this, that, these, those, some, any, no, another 등과 함께 쓰이는 소유격은 반드시 이중소유격(a + 명사 + of + 소유대명사)의 형태로 해야 한다.
He is an old friend of mine(○). 그는 나의 오랜 친구이다.
→ He is a my old friend(×).
→ He is an old my friend(×).

④ **명사 + of + 명사(목적격)** … '명사 + 명사'의 형태로 변환시킬 수 있다.
a rod of iron = an iron rod 쇠막대기

⑤ 명사(A) + of + a(n) + 명사(B) … 'B와 같은 A'의 뜻으로 해석된다.

a wife of an angel 천사같은 아내

= an angelic wife

3. 대명사

(1) 인칭대명사 it의 용법

① 특정한 단어, 구절을 받을 때 … 이미 한 번 언급된 사물 · 무생물 · 성별불명의 유아 등이나 구절을 가리킬 때 it을 쓴다.

Where is my pen? I left it on the table(it = my pen).

내 펜이 어디에 있니? 나는 그것을 책상 위에 두고 갔어.

② 비인칭주어 … 날씨, 시간, 거리, 계절, 명암 등과 같은 자연현상이나 측정치를 나타내는 비인칭주어로 쓰일 때의 it은 해석하지 않는다.

It is cold outside. 밖은 춥다. It is two o'clock. 2시이다.

③ 가주어 … to부정사나 that절이 문장의 주어로 쓰이는 경우 이를 뒤로 보내고 대신 가주어 it을 문장의 주어로 세울 수 있다.

It is impossible to start at once(to start 이하가 진주어). 즉시 출발하는 것은 불가능하다.

④ 가목적어 … 5형식의 문장에서 목적어로 to부정사나 that절이 올 때 반드시 가목적어 it을 쓰고 to부정사나 that절을 문장의 뒤로 보낸다.

I think it wrong to tell a lie(to tell 이하가 진목적어).

나는 거짓말하는 것을 나쁘다고 생각한다.

⑤ 강조용법 … 문장 내에서 특정한 어구[주어, 목적어, 부사(구 · 절) 등]를 강조하려 할 때 It is ~ that 구문을 쓴다.

I met him in the park yesterday. 나는 어제 그를 공원에서 만났다.

→ It was I that(who) met him in the park yesterday(주어 강조).

어제 공원에서 그를 만난 사람은 나였다.

→ It was him that(whom) I met in the park yesterday(목적어 강조).

어제 공원에서 내가 만난 사람은 그였다.

→ It was in the park that(where) I met him yesterday(부사구 강조).

내가 어제 그를 만난 곳은 공원이었다.

→ It was yesterday that(when) I met him in the park(부사 강조).

내가 공원에서 그를 만난 때는 어제였다.

(2) 지시대명사

① this와 that

㉠ this(these)는 '이것'을, that(those)은 '저것'을 가리키는 대표적인 지시대명사이다.

㉡ this와 that이 동시에 쓰일 경우 this는 후자, that은 전자를 가리킨다.

I can speak English and Japanese ; this is easier to learn than that(this = Japanese, that = English).

나는 영어와 일어를 할 줄 안다. 후자가 전자보다 배우기 쉽다.

② this의 용법

㉠ this는 사물뿐만 아니라 사람을 가리키는 주격 인칭대명사로도 쓰인다.

This is Mrs. Jones. 이쪽은 Jones 부인입니다.

㉡ this는 다음에 이어질 문장의 내용을 지칭할 수 있다.

I can say this. He will never betray you.

나는 이 말을 할 수 있습니다. 그는 결코 당신을 배신하지 않을 것입니다.

③ that의 용법

㉠ those는 주격 관계대명사 who와 함께 쓰여 '~하는 사람들'의 의미를 나타낸다.

Heaven helps those who help themselves. 하늘은 스스로 돕는 자를 돕는다.

㉡ 동일한 명사의 반복을 피하기 위해 that(= the + 명사)을 쓴다. 복수형 명사일 때에는 those를 쓴다.

His dress is that of a gentleman, but his speech and behaviors are those of a clown(that = the dress, those = the speech and behaviors).

그의 옷은 신사의 것이지만 말투나 행동거지는 촌뜨기의 것이다.

(3) such의 용법

앞에 나온 명사 혹은 앞문장 전체를 받을 때 such를 쓴다.

If you are a gentleman, you should behave as such.

만약 당신이 신사라면, 당신은 신사로서 행동해야 한다.

(4) so의 용법

① so는 동사 believe, expect, guess, hope, think, say, speak, suppose, do 등의 뒤에 와서 앞문장 전체 혹은 일부를 대신한다.

A : Is he a liar? 그는 거짓말쟁이니?

B : I think so. / I don't think so. 나는 그렇게(거짓말쟁이라고) 생각해 / 나는 그렇게 생각하지 않아.

② 동의 · 확인의 so … ~도 그렇다.

㉠ 긍정문에 대한 동의(= 주어 + 동사 + too)

- A와 B의 주어가 다른 경우 : So + (조)동사 + 주어
- A와 B의 주어가 같은 경우 : So + 주어 + (조)동사

A : I like watermelons. 나(A)는 수박을 좋아해.

B : So do I(= I like them, too). 나(B)도 그래(좋아해).

So you do. 너(A)는 정말 그래(좋아해).

㉡ 부정문에 대한 동의 : Neither + (조)동사 + 주어[= 주어 + (조)동사 + either]

A : I don't like watermelons. 나(A)는 수박을 좋아하지 않아.

B : Neither do I(= I don't like them, either). 나(B)도 그래(좋아하지 않아).

(5) 부정대명사

① all과 each의 용법

㉠ all의 용법 : '모든 사람(전원) · 것(전부)'을 의미한다.

- all이 사람을 나타내면 복수, 사물을 나타내면 단수로 취급한다.

All were dead at the battle. 모두가 전쟁에서 죽었다.

All that glitters is not gold. 반짝이는 모든 것이 다 금은 아니다.

- all과 인칭대명사 : all of + 인칭대명사 = 인칭대명사 + all(동격대명사)

All of us have to go. 우리들 전원은 가야 한다.

= We all have to go.

㉡ each의 용법 : '각자, 각각'을 의미하는 each는 부정어를 수반하는 동사와 함께 쓰이지 않으며 'each of (the) + 복수명사 + 단수동사 = 복수명사 + each(동격대명사) + 복수동사 = each(형용사) + 단수명사 + 단수동사'의 형태로 단수 취급한다.

Each of the boys has his duty. 그 소년들은 각자 그의 의무를 가지고 있다.

= The boys each have their duty.

= Each boy has his duty.

② both와 either의 용법

㉠ both의 용법 : '둘(두 사람 또는 두 개의 사물) 모두'를 의미하는 both는 'both of the + 복수명사 + 복수동사 = 복수명사 + both(동격대명사)'의 형태로 복수로 취급한다.

Both of the questions were difficult. 질문은 둘 다 어려웠다.

㉡ either의 용법 : '둘(두 사람 또는 두 개의 사물) 중 어느 한쪽'을 의미하는 either는 원칙적으로 단수 취급하지만 'either of (the) + 복수명사 + 단수동사(원칙) / 복수동사(구어)'의 형태로 쓰이기도 한다.

Either of them is(are) good enough. 그 둘 중 어느 쪽도 좋다.

③ none과 neither의 용법

㉠ none의 용법 : no one(아무도 ~않다)을 의미하며 셋 이상의 부정에 사용한다.

- 'none of the + 복수명사 + 단수동사 / 복수동사'의 형태로 단 · 복수를 함께 사용한다.

  None of them goes out. 그들 모두가 외출하지 않는다.

  None of them go out. 그들 중 아무도 외출하지 않는다.

- 'none of the + 물질 · 추상명사 + 단수동사'의 형태로 단수로만 취급하기도 한다. neither은 모두 단수 취급을 한다.

  None of the money is hers. 그 돈은 한 푼도 그녀의 것이 아니다.

㉡ neither의 용법 : both의 부정에 사용되며 '둘 중 어느 쪽도 ~않다[= not ~ either of (the) + 복수명사]'를 의미하는 neither는 원칙적으로 단수 취급하지만, 'neither of (the) + 복수명사 + 단수동사(원칙) / 복수동사(구어) = neither + 단수명사 + 단수동사'의 형태로 쓰이기도 한다.

Neither of his parents is(are) alive. 그의 부모님들 중 한 분도 살아계시지 않다.

④ some과 any의 용법 … '약간'을 의미하는 some과 any는 불특정한 수 또는 양을 나타내는 대명사로 'some /any of the + 단수명사 + 단수동사, some /any of the + 복수명사 + 복수동사'의 형태로 쓰인다.

㉠ some의 용법 : 긍정문, 평서문의 대명사로 쓰인다.

Some of the fruit is rotten. 그 과일 중 몇 개는 썩었다.

㉡ any의 용법 : 부정문, 의문문, 조건문의 대명사로 쓰인다.

Any of the rumors are not true. 그 소문들 중 몇몇은 사실이 아니었다.

⑤ some-, any-, every-, no-와 결합된 대명사 -body, -one, -thing은 단수로 취급한다(no-와 -one은 no one의 형태로 결합).

Someone has left his bag. 누군가 가방을 두고 갔다.

⑥ another와 other의 용법

㉠ another의 용법 : 불특정한 '(또 하나의) 다른 사람 · 것'을 의미하며, 단수로만 쓰인다.

- 하나 더(= one more)

  He finished the beer and ordered another(= one more beer).

  그는 맥주를 다 마시고 하나 더 주문했다.

- 다른(= different)

  I don't like this tie. Show me another(= different tie).

  나는 이 넥타이가 마음에 안들어요. 다른 것을 보여주세요.

㉡ other의 용법

- '(나머지) 다른 사람 · 것'을 의미하며, 정관사 the와 함께 쓰이면 특정한 것을 나타내고, the 없이 무관사로 쓰이면 불특정한 것을 나타낸다.
- 복수형은 others이다.

POINT another와 other의 주요 용법

㉠ A is one thing, B is another : A와 B는 별개이다(다르다).
To say is one thing, to do is another. 말하는 것과 행하는 것은 별개이다.

㉡ some + 복수명사, others ~ : (불특정 다수 중) 일부는 ~, 또 일부는 ~
Some people like winter, others like summer.
어떤 사람들은 겨울을 좋아하고 또 어떤 사람들은 여름을 좋아한다.

㉢ some + 복수명사, the others ~ : (특정 다수 중) 일부는 ~, 나머지는 ~
Some of the flowers are red, but the others are yellow.
몇몇 꽃들은 빨갛지만 나머지들은 노랗다.

㉣ one, the others ~ : (특정 다수 중) 하나는 ~, 나머지는 ~
I keep three dogs ; one is black and the others are white.
나는 개를 세 마리 키운다. 하나는 까맣고 나머지들은 하얗다.

㉤ one, the other ~ : (둘 중) 하나는 ~, 나머지 하나는 ~
There are two flowers in the vase ; one is rose, the other is tulip.
꽃병에 두 송이의 꽃이 있다. 하나는 장미이고 하나는 튤립이다.

㉥ one, another, the other ~ : (셋을 열거할 때) 하나는 ~, 또 하나는 ~, 나머지 하나는 ~
One is eight years, another is ten, the other is twelve.
하나는 여덟 살이고, 또 하나는 열 살이고, 나머지 하나는 열두 살이다.

㉦ one, another, a third ~ : (셋 이상을 열거할 때) 하나는 ~, 또 하나는 ~, 세 번째는 ~
One man was killed, another was wounded, and a third was safe.
하나는 죽고 또 하나는 다치고 세 번째 사람은 무사하였다.

⑦ one의 용법

㉠ 수의 개념을 지니는 부정대명사 one의 복수형은 some이다.
There are some apples. You may take one.
사과가 몇 개 있다. 네가 하나를 가져가도 된다.

㉡ 형용사의 수식을 받는 단수보통명사를 대신해 쓰이며, 이때 복수형은 ones이다.
His novel is a successful one(one = novel). 그의 소설은 성공적이다.

㉢ a + 단수보통명사 = one, the + 단수보통명사 = it
I bought a camera, but I lost it(it = the camera).
나는 카메라를 샀는데, 그것을 잃어버렸다.

(6) 재귀대명사

① 강조용법 … 주어 · 목적어 · 보어의 뒤에 와서 동격으로 그 뜻을 강조하는 경우 생략해도 문장이 성립한다.
You must do it yourself. 너는 네 스스로 그것을 해야 한다.

② 재귀용법 … 문장의 주어와 동일인물이 타동사의 목적어로 쓰이는 경우로 자동사의 의미로 해석될 때가 많다.
enjoy oneself 즐기다, avail oneself of ~을 이용하다, pride oneself on ~을 자랑스럽게 여기다(= take pride in), repeat oneself 되풀이하다

③ 전치사 + 재귀대명사(관용적 표현) … 재귀대명사가 전치사의 목적어로 쓰이는 경우에 해당한다.

for oneself 자기 힘으로, 남의 도움 없이(= without other's help), by oneself 혼자서, 홀로(= alone), beside oneself 제 정신이 아닌(= insane)

국어

(7) 의문대명사

① 의문대명사의 용법

㉠ who : 사람의 이름, 혈연관계 등을 물을 때 사용한다.

A : Who is he? 그는 누구니?

B : He is Jinho, my brother. 그는 내 동생 진호야.

㉡ what : 사람의 직업, 신분 및 사물을 물을 때 사용한다.

A : What is he? 그는 뭐하는 사람이니?

B : He is an English teacher. 그는 영어 선생님이야.

한국사

㉢ which : 사람이나 사물에 대한 선택을 요구할 때 사용한다.

Which do you like better, this or that? 이것과 저것 중 어떤 것이 더 좋으니?

② 의문사가 문두로 나가는 경우 … 간접의문문에서 주절의 동사가 think, suppose, imagine, believe, guess 등일 때 의문사가 문두로 나간다(yes나 no로 대답이 불가능).

A : Do you know what we should do? 우리가 무엇을 해야 할지 알겠니?

B : Yes, I do. I think we should tell him the truth.

응. 내 생각에는 그에게 사실을 말해줘야 해.

영어

A : What you guess we should do? 우리가 무엇을 해야 할 것 같니?

B : I guess we'd better tell him the truth.

내 생각에는 그에게 사실을 말해 주는 것이 낫겠어.

section 10 형용사와 부사

1. 형용사

(1) 형용사의 용법과 위치

① 형용사의 용법

㉠ 한정적 용법

- 명사의 앞 · 뒤에서 직접 명사를 수식한다.

  I saw a beautiful girl. 나는 아름다운 소녀를 보았다.

- 한정적 용법으로만 쓰이는 형용사 : wooden, only, former, latter, live, elder, main 등

  This is a wooden box. 이것은 나무(로 만들어진) 상자이다.

㉡ 서술적 용법

- 2형식 문장에서 주격보어나 5형식 문장에서 목적격보어로 쓰여 명사를 간접적으로 수식한다.

  The girl is beautiful. 그 소녀는 아름답다.

  I think him handsome. 나는 그가 잘생겼다고 생각한다.

- 서술적 용법으로만 쓰이는 형용사 : absent, alive, alike, alone, awake, asleep, aware, afraid 등

  I am afraid of snakes. 나는 뱀을 무서워한다.

POINT 한정적 · 서술적 용법에 따라 뜻이 달라지는 형용사

present(현재의 / 참석한), late(故 / 늦은), ill(나쁜 / 아픈), able(유능한 / 할 수 있는), certain(어떤 / 확실한), right(오른쪽의 / 옳은)

the late Dr. Brown 故 브라운 박사

She was late. 그녀는 늦었다.

② 형용사의 위치

㉠ 형용사가 한정적 용법으로 쓰일 때 보통 형용사가 명사의 앞에서 수식(전치수식)한다.

㉡ 형용사는 원칙적으로 명사의 앞에서 전치수식하지만, 다음의 경우 형용사가 명사의 뒤에 위치한다(후치수식).

- 여러 개의 형용사가 겹칠 때

  She is a lady kind, beautiful, and rich. 그녀는 친절하고 아름답고 부유한 아가씨이다.

- 다른 수식어구를 동반하여 길어질 때

  This is a loss too heavy for me to bear. 이것은 내가 견디기에는 너무 큰 손실이다.

- -thing, -body, -one 등으로 끝나는 부정대명사를 수식할 때

  Is there anything strange about him? 그에게 뭔가 이상한 점이 있나요?

- -ble, -able 등으로 끝나는 형용사가 최상급이나 all, every 등이 붙은 명사를 수식할 때

  Please send me all tickets available. 구할 수 있는 모든 표를 보내주세요.

㉢ all, both, double, such, half 등의 형용사는 맨 먼저 나온다.

㉣ 그 밖의 형용사의 어순

관사 등	서수	기수	성질	대소	상태, 색깔	신구, 재료	소속	명사
those	first	three	brave			young	American	soldiers
her		two	nice	little	black		Swiss	watches
고정적			강조, 관용, 결합성의 관계에 따라 다소 유동적					

③ 주의해야 할 형용사 every … all과 each와의 구별이 중요하다.

㉠ every는 '모든'을 뜻하면서 셋 이상의 전체를 포괄하는 점에서 all과 같으나 둘 이상의 개개의 것을 가리키는 each와 다르다.

㉡ every는 'every + 단수명사 + 단수동사'의 형태로 단수명사를 수식하는 점에서 each와 같으나(each + 단수명사 + 단수동사), 복수명사를 수식하는 all과 다르다(all + 복수명사 + 복수동사).

㉢ every는 형용사로만 쓰이나 all과 each는 형용사 외에 대명사로도 쓰인다.

㉣ 매(每) ~마다 : every + 기수 + 복수명사 = every + 서수 + 단수명사

The Olympic Games are held every four years(every fourth year).

올림픽 경기는 4년마다 개최된다.

(2) 수량형용사와 수사

① 수량형용사

㉠ many와 much : many는 수를, much는 양 · 정도를 나타낸다.

- many : many는 가산명사와 결합하며, 'many a / an + 단수명사 + 단수동사 = many + 복수명사 + 복수동사'의 형태로 쓰인다.

  Many boys are present at the party. 많은 소년들이 그 파티에 참석했다.

  = Many a boy is present at the party.

- much : 'much + 불가산명사 + 단수동사'의 형태로 쓰인다.

  Much snow has fallen this winter. 많은 눈이 이번 겨울에 내렸다.

㉡ few와 little : few는 수를, little은 양이나 정도를 나타내며 a few (= several), a little(= some)은 '약간 있는', few(= not many), little(= not much)은 '거의 없는'의 뜻이다.

- (a) few + 복수(가산)명사 + 복수동사

  She has a few friends. 그녀는 친구가 약간 있다.

  She has few friends. 그녀는 친구가 거의 없다.

- (a) little + 불가산명사 + 단수동사

  I have a little time to study. 나는 공부할 시간이 약간 있다.

  I have little time to study. 나는 공부할 시간이 거의 없다.

㉢ 막연한 수량형용사 : dozens of(수십의), hundreds of(수백의), thousands of(수천의), millions of (수백만의), billions of(수십억의) 등은 막연한 불특정다수의 수를 나타낸다(dozen, hundred, thousand, million, billion 등 수량을 나타내는 명사가 수사와 함께 다른 명사를 직접적으로 수식하는 형용사의 역할을 할 때는 단수형태를 유지해야 하며 복수형태를 취할 수 없음).

dozens of pear 수십 개의 배

② 수사

㉠ 수사와 명사의 결합

- '수사 + 명사'의 표현방법 : 무관사 + 명사 + 기수 = the + 서수 + 명사
- 수사 + 명사(A) + 명사(B) : '수사 + 명사(A)'가 명사(B)를 수식하는 형용사의 역할을 할 경우에는 일반적으로 수사와 명사(A) 사이에 Hypen(-)을 넣으며 명사(A)는 단수로 나타낸다.
- 기수로 표시된 수량을 나타내는 복수형 단위명사가 한 단위를 나타내면 단수로 취급한다.

㉡ 수사 읽기

- 세기 : 서수로 읽는다.

  This armor is 15th century. 이 갑옷은 15세기의 것이다.

  →15th century : the fifteenth (century)
- 연도 : 두 자리씩 나누어 읽는다.

  Between 1898 and 1906, Peary tried five times to reach the North Pole.

  1898 ~ 1906년 사이에 Peary는 북극(점)에 도달하기 위해서 다섯 번 시도하였다.

  →1898 : eighteen ninety-eight, →1906 : nineteen O-six
- 전화번호 : 한 자리씩 끊어 읽으며, 국번 다음에 comma(,)를 넣는다.

  123 – 0456 : one two three, O four five six
- 분수 : 분자는 기수로, 분모는 서수로 읽으며 분자가 복수일 때는 분모에 -s를 붙인다.

  1 / 3 : a third, 2 / 5 : two fifths

POINT 주의해야 할 수사 읽기

㉠ 제2차 세계대전 : World War Two, the Second World War

㉡ 엘리자베스 2세 : Elizabeth the Second

㉢ 7쪽 : page seven, the seventh page

㉣ -5℃ : five degrees below zero Centigrade

㉤ 18℃ : eighteen degrees Centigrade

㉥ 제3장 : chapter three, the third chapter

(3) 주의해야 할 형용사

① 명사 + -ly = 형용사 … neighborly(친절한), worldly(세속적인), shapely(몸매 좋은) 등

② 형용사 + -ly = 형용사 … kindly(상냥한, 친절한) 등

③ 현재분사 · 과거분사 → 형용사 … 감정을 나타내는 타동사의 현재분사(-ing)가 형용사의 역할을 하는 경우 사물 · 동물과 함께 쓰이며, 그 과거분사(-ed)가 형용사의 역할을 하는 경우 사람과 함께 쓰인다.

boring / bored, depressing /depressed, embarrassing / embarrassed, frightening / frightened, exciting / excited, satisfying / satisfied 등

④ 주어를 제한하는 형용사

㉠ 사람을 주어로 할 수 없는 형용사 : convenient, difficult, easy, possible, probable, improbable, necessary, tough, painful, dangerous, useful, delightful, natural, hard, regrettable, useless 등

It is necessary for you to help me. 너는 나를 도울 필요가 있다.

㉡ 사람만을 주어로 하는 형용사 : happy, anxious, afraid, proud, surprised, willing, thankful, excited, sorry, angry, sure, pleased 등의 형용사는 무생물이 주어가 될 수 없다.

I was afraid that he would attack me. 그가 나를 공격할 것이 두려웠다.

POINT 사람이 주어가 될 수 있는 경우

주어가 to부정사의 의미상의 목적어일 경우에는 사람이 주어가 될 수 있다.

It is hard to please him. 그를 만족시키기는 어렵다.

= He is hard to please(주어 He는 to please의 의미상 목적어임).

⑤ be worth -ing = be worthy of -ing = be worthy to be p.p. = be worthwhile to do(doing) ~할 가치가 있다.

These books are worth reading carefully. 이 책들은 신중하게 읽을 가치가 있다.

= These books are worthy of careful reading.

= These books are worthy to be read carefully.

= These books are worthwhile to read(reading) carefully.

2. 부사

(1) 부사의 용법과 위치

① 동사를 수식할 때 … '동사 + (목적어) + 부사'의 어순을 취한다.

He speaks English well. 그는 영어를 잘한다.

POINT '타동사 + 부사'의 2어동사에서 목적어의 위치

㉠ 목적어가 명사일 때 : 부사의 앞 · 뒤 어디에나 올 수 있다.

Put the light out. 불을 꺼라.

= Put out the light.

㉡ 목적어가 대명사일 때 : 반드시 동사와 부사의 사이에 와야 한다.

Give it up(O). 그것을 포기해라.

→ Give up it(×).

② 형용사나 다른 부사(구, 절)를 수식할 때 … 수식하는 단어의 앞에 놓인다.

I am very tired(형용사 수식). 나는 무척 피곤하다.

She works very hard(부사 수식). 그녀는 매우 열심히 일한다.

I did it simply because I felt it to be my duty(부사절 수식).

나는 단지 그것이 내 의무였기 때문에 했다.

③ 명사나 대명사를 수식할 때 … 'even(only) + (대)명사'의 형태를 취한다.

Even a child can do it(명사 수식). 심지어 어린이조차도 그것을 할 수 있다.

Only he can solve the problem(대명사 수식). 오직 그만이 문제를 해결할 수 있다.

④ 문장 전체를 수식할 때 … 주로 문장의 처음에 놓인다.

Happily he did not die. 다행히도 그는 죽지 않았다.

He did not die happily(동사 die 수식). 그는 행복하게 죽지 않았다.

⑤ 주의해야 할 부사의 위치

㉠ 부사의 어순 : 부사가 여러 개일 때는 장소(방향→위치)→방법(양태)→시간의 순이고, 시간 · 장소의 부사는 작은 단위→큰 단위의 순이다.

He will come here at six tomorrow. 그는 내일 6시에 여기 올 것이다.

㉡ 빈도부사의 위치 : always, usually, sometimes, often, seldom, rarely, never, hardly 등 'How often ~?'에 대한 대답이 되는 부사를 말한다. be동사 뒤, 조동사 뒤, 일반동사 앞, used to do와 함께 쓰이면 used의 앞 · 뒤에 위치한다.

㉢ 시간을 나타내는 부사 yesterday, today, tomorrow 등은 항상 문두(강조) 또는 문미(일반)에 위치한다.

㉣ enough의 위치 : 부사로 쓰일 때는 수식하는 단어의 뒤에 놓이며, 형용사로 쓰여 명사를 수식할 때는 주로 명사의 앞에 온다.

(2) 주의해야 할 부사의 용법

① too와 either … '또한, 역시'의 뜻이다.

㉠ too : 긍정문에서 쓰인다(too가 '너무나'의 의미로 형용사 · 부사를 수식할 때에는 형용사 · 부사 앞에서 수식함).

I like eggs, too. 나도 역시 달걀을 좋아한다.

㉡ either : 부정문에서 쓰인다.

I don't like eggs, either. 나도 역시 달걀을 좋아하지 않는다.

② very와 much

㉠ very : 형용사 · 부사의 원급과 현재분사를 수식한다.

He asked me a very puzzling question. 그는 나에게 매우 난처한 질문을 하였다.

㉡ much : 형용사 · 부사의 비교급 · 최상급과 과거분사를 수식한다.

He is much taller than I. 그는 나보다 키가 훨씬 더 크다.

③ ago, before, since

㉠ ago : (지금부터) ~전에, 현재가 기준, 과거형에 쓰인다.

I saw her a few days ago. 나는 몇 년 전에 그녀를 보았다.

㉡ before : (그때부터) ~전에, 과거가 기준, 과거 · 현재완료 · 과거완료형에 쓰인다.

I have seen her before. 나는 이전부터 그녀를 봐왔다.

㉢ since : 과거를 기준으로 하여 현재까지를 나타내고, 주로 현재완료형에 쓰인다.

I have not seen him since. 나는 (그때) 이후로 그를 만나지 못했다.

④ already, yet, still

㉠ already : 긍정문에서 '이미, 벌써'의 뜻으로 동작의 완료를 나타낸다.

I have already read the book. 나는 그 책을 벌써 읽었다.

㉡ yet : 부정문에서 부정어의 뒤에서 '아직 ~않다', 의문문에서 '벌써', 긍정문에서 '여전히, 아직도'의 뜻으로 쓰인다.

I haven't yet read the book. 나는 아직 그 책을 읽지 않았다.
Have you read the book yet? 당신은 벌써 그 책을 읽었습니까?

㉢ still : '여전히, 아직도'의 뜻으로 쓰이며, 그 위치에 따라 '가만히'의 뜻으로 쓰이기도 한다.

I still read the book. 나는 여전히 그 책을 읽는다.
I stood still. 나는 가만히 서 있었다.

⑤ 부정을 나타내는 부사

㉠ 준부정의 부사 never, hardly, scarcely, rarely, seldom 등은 다른 부정어와 함께 사용할 수 없다.

I can hardly believe it. 나는 그것을 거의 믿을 수가 없다.

㉡ 강조하기 위해 준부정의 부사를 문두에 위치시키며 '주어 + 동사'의 어순이 도치되어 '(조)동사 + 주어 + (일반동사의 원형)'의 어순이 된다.

Hardly can I believe it. 나는 거의 그것을 믿을 수 없다.

section 11 비교

1. 원급에 의한 비교

(1) 동등비교와 열등비교

① 동등비교 … as A as B는 'B만큼 A한'의 뜻이다.

I am as tall as she (is tall). 나는 그녀만큼 키가 크다.

I am as tall as her(×).

POINT 직유의 표현 … B처럼 매우 A한

I am as busy as a bee. 나는 꿀벌처럼 매우 바쁘다.

② 열등비교 … not so(as) A as B는 'B만큼 A하지 못한'의 뜻이다.

He is not so tall as I. 그는 나만큼 키가 크지 않다.

= I am taller than he.

(2) 배수사 + as A as B

'B의 몇 배만큼 A한'의 뜻으로 쓰인다.

The area of China is forty times as large as that of Korea.
중국의 면적은 한국 면적의 40배이다.
= The area of China is forty times larger than that of Korea.

(3) as A as possible

'가능한 한 A하게'의 뜻으로 쓰이며, as A as + S + can의 구문과 바꿔쓸 수 있다.

Go home as quickly as possible. 가능한 한 빨리 집에 가거라.
= Go home as quickly as you can.

(4) as A as (A) can be

'더할 나위 없이 ~한, 매우 ~한'의 뜻으로 쓰인다.

He is as poor as (poor) can be. 그는 더할 나위 없이 가난하다.

(5) 최상급의 뜻을 가지는 원급비교

① as A as any + 명사 … 어떤 ~에도 못지않게 A한

She is as wise as any girl in her class. 그녀는 자기 반의 어느 소녀 못지않게 현명하다.

② as A as ever + 동사 … 누구 못지않게 A한, 전례 없이 A한

He was as honest a merchant as ever engaged in business.

그는 지금까지 사업에 종사했던 어느 상인 못지않게 정직한 상인이었다.

③ 부정주어 + so A as B … B만큼 A한 것은 없다.

Nothing is so precious as time. 시간만큼 귀중한 것은 없다.

POINT 원급을 이용한 관용표현

㉠ not so much as A as B = rather B than A = more B than A : A라기보다는 B이다.
He is not so much as a novelist as a poet. 그는 소설가라기보다는 시인이다.
= He is rather a poet than a novelist.
= He is more a poet than a novelist.

㉡ A as well as B = not only B but (also) A : B뿐만 아니라 A도
He is handsome as well as tall. 그는 키가 클 뿐만 아니라 잘생기기도 했다.
= He is not only tall but (also) handsome.

㉢ may as well A as B : B하기보다는 A하는 편이 낫다.
You may as well go at once as stay. 너는 머물기보다는 지금 당장 가는 편이 낫다.

㉣ as good as = almost : ~와 같은, ~나 마찬가지인
The wounded man was as good as dead. 그 부상자는 거의 죽은 것이나 마찬가지였다.
= The wounded man was almost dead.

㉤ A is as B as C : A는 C하기도 한 만큼 B하기도 하다.
Gold is as expensive as useful. 금은 유용하기도 한 만큼 비싸기도 하다.

2. 비교급에 의한 비교

(1) 우등비교와 열등비교

① 우등비교 … '비교급 + than ~'은 '~보다 더 …한'의 뜻이다.

I am younger than he. 나는 그보다 어리다.

POINT 동일인물 · 사물의 성질 · 상태 비교

-er을 쓰지 않고, 'more + 원급 + than'을 쓴다. 여기서 more는 rather의 뜻이다.
He is more clever than wise.
그는 현명하다기보다는 영리하다.

② 열등비교 … 'less + 원급 + than ~'은 '~만큼 …하지 못한'의 뜻이다[= not so(as) + 형용사 + as].

I am less clever than she. 나는 그녀만큼 똑똑하지 못하다.

= I am not so clever as she.

③ 차이의 비교 … '비교급 + than + by + 숫자'의 형태로 차이를 비교한다.

She is younger than I by three years. 그녀는 나보다 세 살 더 어리다.

= She is three years younger than I.

= I am three years older than she.

= I am three years senior to her.

POINT 라틴어 비교급

어미가 -or로 끝나는 라틴어 비교급(senior, junior, superior, inferior, exterior, interior, major, minor, anterior 등)은 than을 쓰지 않고 to를 쓴다.

He is two years senior to me.

그는 나보다 두 살 위이다.

(2) 비교급의 강조

비교급 앞에 much, far, even, still, a lot 등을 써서 '훨씬'의 뜻을 나타낸다.

She is much smarter than he. 그녀는 그보다 훨씬 더 총명하다.

(3) the + 비교급

비교급 표현임에도 불구하고 다음의 경우에는 비교급 앞에 the를 붙인다.

① 비교급 다음에 of the two, for, because 등이 오면 앞에 the를 붙인다.
He is the taller of the two. 그가 두 명 중에 더 크다.
I like him all the better for his faults.
나는 그가 결점이 있기 때문에 그를 더욱 더 좋아한다.
He studied the harder, because his teacher praised him.
선생님이 그를 칭찬했기 때문에 그는 더욱 열심히 공부했다.

② 절대비교급 … 비교의 특정상대가 없을 때 비교급 앞에 the를 붙인다.
the younger generation 젊은 세대

③ The + 비교급 ~, the + 비교급~ … '~하면 할수록 그만큼 더 ~하다'의 관용적인 의미로 쓰인다.
The more I know her, the more I like her. 그녀를 알면 알수록 그녀가 더 좋아진다.

(4) 최상급의 뜻을 가지는 비교급 표현

'부정주어 + 비교급 + than ~'을 사용하여 '~보다 …한 것은 없다'를 나타낸다. '긍정주어 + 비교급 + than any other + 단수명사[all other + 복수명사, anyone(anything) else]'의 구문으로 바꿔 쓸 수 있다.

No one is taller than Tom in his class.
그의 반에서 Tom보다 키가 큰 사람은 아무도 없다.
= Tom is taller than any other student in his class.
= Tom is taller than all other students in his class.
= Tom is taller than anyone else in his class.
= Tom is the tallest student in his class.

(5) 비교급을 이용한 관용표현

① much more와 much less

㉠ much(still) more : ~은 말할 것도 없이(긍정적인 의미)
He is good at French, much more English. 그는 영어는 말할 필요도 없고 불어도 잘한다.

ⓛ much(still) less : ~은 말할 것도 없이(부정적인 의미)

He cannot speak English, still less French.

그는 영어는 말할 필요도 없고, 불어도 못한다.

② no more than과 not more than

㉠ no more than : 겨우, 단지(= only)

I have no more than five dollars. 나는 겨우 5달러밖에 없다.

㉡ not more than : 기껏해야(= at most)

I have not more than five dollars. 나는 기껏해야 5달러 가지고 있다.

③ no less than과 not less than

㉠ no less than : ~만큼이나[= as many(much) as]

He has no less than a thousand dollars. 그는 1,000달러씩이나 가지고 있다.

㉡ not less than : 적어도(= at least)

He has not less than a thousand dollars. 그는 적어도 1,000달러는 가지고 있다.

④ no less ~ than과 not less ~ than

㉠ no less A than B : B만큼 A한[= as (much) A as B]

She is no less beautiful than her sister. 그녀는 언니만큼 예쁘다.

= She is as beautiful as her sister.

㉡ not less A than B : B 못지않게 A한

She is not less beautiful than her sister. 그녀는 언니 못지않게 예쁘다.

= She is perhaps more beautiful than her sister.

⑤ A is no more B than C is D … A가 B가 아닌 것은 마치 C가 D가 아닌 것과 같다[= A is not B any more than C is D, A is not B just as C is D(B = D일 때 보통 D는 생략)].

A bat is no more a bird than a rat is (a bird).

박쥐가 새가 아닌 것은 쥐가 새가 아닌 것과 같다.

= A bat is not a bird any more than a rat is (a bird).

= A bat is not a bird just as a rat is (a bird).

POINT 기타 비교급을 이용한 중요 관용표현

㉠ not more A than B : B 이상은 A 아니다.

㉡ no better than ~ : ~나 다를 바 없는(= as good as)

㉢ no less 명사 than ~ : 다름아닌, 바로(= none other than ~)

㉣ little more than ~ : ~내외, ~정도

㉤ little better than ~ : ~나 마찬가지의, ~나 다름없는

㉥ nothing more than ~ : ~에 지나지 않는, ~나 다름없는

㉦ none the less : 그럼에도 불구하고

3. 최상급에 의한 비교

(1) 최상급의 형식

최상급은 셋 이상의 것 중에서 '가장 ~한'의 뜻을 나타내며 형용사의 최상급 앞에는 반드시 the를 붙인다.
Health is the most precious (thing) of all. 건강은 모든 것 중에서 가장 귀중한 것이다.

POINT 최상급을 이용한 관용표현

㉠ at one's best : 전성기에
㉡ at (the) most : 많아야
㉢ at last : 드디어, 마침내
㉣ at least : 적어도
㉤ at best : 기껏, 아무리 잘 보아도
㉥ at (the) latest : 늦어도
㉦ for the most part : 대부분
㉧ had best ~ : ~하는 것이 가장 낫다(had better ~ : ~하는 것이 더 낫다).
㉨ try one's hardest : 열심히 해보다
㉩ make the best(most) of : ~을 가장 잘 이용하다.
㉪ do one's best : 최선을 다하다.
㉫ not in the least : 조금도 ~않다.

(2) 최상급의 강조

최상급 앞에 much, far, by far, far and away, out and away, the very 등을 써서 '단연'의 뜻을 나타낸다.
He is the very best student in his class. 그는 그의 학급에서 단연 최우수학생이다.

(3) 최상급 앞에 the를 쓰지 않는 경우

① 동일인, 동일물 자체를 비교할 때
The river is deepest at this point. 그 강은 이 지점이 가장 깊다.

② 부사의 최상급일 때
Which season do you like best? 어느 계절을 가장 좋아하세요?

③ 절대최상급 표현일 때 … 비교대상을 명확히 나타내지 않고 그 정도가 막연히 아주 높다는 것을 표현할 때 'a most + 원급 + 단수명사', 'most + 원급 + 복수명사'의 절대최상급 구문을 이용한다(이때 most는 very의 의미).
He is a most wonderful gentleman. 그는 매우 멋진 신사분이다.
= He is a very wonderful gentleman.

④ most가 '매우(= very)'의 뜻일 때
You are most kind to me. 너는 나에게 매우 친절하다.

⑤ 명사나 대명사의 소유격과 함께 쓰일 때
It is my greatest pleasure to sing. 노래하는 것은 나의 가장 큰 기쁨이다.

(4) 최상급을 이용한 양보의 표현

'아무리 ~라도'의 뜻으로, 이 때 최상급 앞에 even을 써서 강조할 수 있다.

(Even) The wisest man cannot know everything.
아무리 현명한 사람이라도 모든 것을 다 알 수는 없다.
= However wise a man may be, he cannot know everything.

(5) The last + 명사

'결코 ~하지 않을'의 뜻으로 쓰인다.

He is the last man to tell a lie. 그는 결코 거짓말을 하지 않을 사람이다.
= He is the most unlikely man to tell a lie.

section 12 접속사와 전치사

1. 접속사

(1) 등위접속사

① 등위접속사 … 단어 · 구 · 절을 어느 한쪽에 종속되지 않고 대등하게 연결해 주는 접속사이다.

㉠ and : '~와, 그리고, (명령문, 명사구 다음) 그러면'의 뜻으로 쓰인다.

Another step, and you are a dead man! 한 발만 더 내디디면 당신은 죽은 목숨이다!

㉡ or : '또는(선택), 즉, 말하자면, (명령문, 명사구 다음) 그렇지 않으면'의 뜻으로 쓰인다.

Will you have coffee or tea? 커피를 마시겠습니까? 아니면 차를 마시겠습니까?
Hurry up, or you will miss the train. 서둘러라. 그렇지 않으면 기차를 놓칠 것이다.

㉢ but

- '그러나(대조, 상반되는 내용의 연결)'의 뜻으로 쓰인다.

He tried hard, but failed. 그는 열심히 노력했지만, 실패하였다.

- not A but B : A가 아니라 B, A하지 않고 B하다.

I did not go, but stayed at home. 나는 가지 않고 집에 있었다.

㉣ for : '~이니까, ~을 보니(앞의 내용에 대한 이유의 부연설명)'의 뜻으로 쓰인다.

We can't go, for it's raining hard. 비가 심하게 와서 갈 수 없겠다.

② 대등절의 평행구조

㉠ 평행구조 : 문장에서 등위접속사는 동일한 성분의 구나 절을 연결해야 하고, 이를 평행구조를 이룬다고 말한다.

㉡ A and(but, or) B일 때 : A가 명사, 형용사, 부사, 부정사, 동명사, 절이면 B도 명사적 어구, 형용사적 어구, 부사적 어구, 부정사, 동명사, 절이어야 한다.

She is kind and beautiful(형용사끼리 연결). 그녀는 친절하고 아름답다.

He look on me questioningly and distrustfully(부사끼리 연결).

그가 나를 미심쩍고 의심스럽게 본다.

(2) 상관접속사

① 상관접속사 … 양쪽이 상관관계를 갖고 서로 짝을 이루게 연결시키는 접속사로 다음 A와 B는 같은 문법 구조를 가진 동일성분이어야 한다.

㉠ both A and B : 'A와 B 둘 다'의 뜻으로 쓰인다.

Both brother and sister are dead. 오누이가 다 죽었다.

㉡ not only A but also B(= B as well as A) : 'A뿐만 아니라 B도'의 뜻으로 쓰인다.

Not only you but also he is in danger. 너뿐만 아니라 그도 위험하다.

= He as well as you is in danger.

㉢ either A or B : 'A 또는 B 둘 중에 하나'의 뜻으로 쓰인다.

He must be either mad or drunk. 그는 제 정신이 아니거나 취했음에 틀림없다.

㉣ neither A nor B : 'A 또는 B 둘 중에 어느 것도 (아니다)'의 뜻으로 쓰인다.

She had neither money nor food. 그녀는 돈도 먹을 것도 없었다.

② 주어와 동사의 일치

㉠ both A and B : 복수 취급한다.

Both you and I are drunk(복수 취급). 너와 나 모두 취했다.

㉡ not only A but also B(= B as well as A) : B에 동사의 수를 일치시킨다.

Not only you but also I am drunk(후자에 일치). 너뿐만 아니라 나도 취했다.

= I as well as you am drunk(전자에 일치).

㉢ either A or B : B에 동사의 수를 일치시킨다.

Either you or I am drunk(후자에 일치). 너와 나 둘 중에 하나는 취했다.

㉣ neither A nor B : B에 동사의 수를 일치시킨다.

Neither you nor I am drunk(후자에 일치). 너도 나도 취하지 않았다.

(3) 종속접속사

① 명사절을 이끄는 종속접속사 … 명사절은 문장 속에서 주어, 보어, 목적어 및 명사와 동격으로 쓰인다.

㉠ that : '~하는 것'의 뜻으로 주어, 보어, 목적어, 동격으로 쓰인다.

That he stole the watch is true(주어로 쓰임). 그가 시계를 훔쳤다는 것은 사실이다.

The fact is that he stole the watch(보어로 쓰임). 사실은 그가 시계를 훔쳤다.

I know that he stole the watch(목적어로 쓰임). 나는 그가 시계를 훔쳤다는 것을 알고 있다.

There is no proof that he stole the watch(동격으로 쓰임).
그가 시계를 훔쳤다는 증거는 없다.

POINT 명사절을 이끄는 종속접속사 that의 생략

㉠ that절이 동사의 목적어 또는 형용사의 보어가 되는 경우 that은 생략해도 된다.
㉡ that절이 주어인 경우 또는 주격보어인 경우 that은 생략할 수 없다.
㉢ that절로 된 명사절이 둘 이상일 때 처음에 나오는 that절의 that은 생략할 수 있으나, 그 다음에 나오는 that절의 that은 생략할 수 없다.

㉡ whether와 if : '~인지(아닌지)'의 뜻으로 쓰인다. whether가 이끄는 명사절은 문장에서 주어, 보어, 목적어로 쓰일 수 있으나 if절은 타동사의 목적어로만 쓰인다.

Whether he will come is still uncertain(주어 – if로 바꿔 쓸 수 없음).
그가 올지는 여전히 불확실하다.

The question is whether I should pay or not(보어 – if로 바꿔 쓸 수 없음).
문제는 내가 돈을 지불하느냐 마느냐이다.

I don't know whether(if) I can do it(타동사의 목적어 – if로 바꿔 쓸 수 있음).
내가 그것을 할 수 있을지 모르겠다.

② 시간의 부사절을 이끄는 종속접속사

㉠ while : ~하는 동안

Make hay while the sun shines. 해가 빛나는 동안 건초를 말려라.

㉡ before : ~전에

I want to take a trip around the world before I die.
나는 죽기 전에 세계일주여행을 하고 싶다.

㉢ after : ~후에

I'll go to bed after I finish studying. 나는 공부를 마친 후에 자러갈 것이다.

㉣ when, as : ~할 때

The event occurred when I was out on a trip.
그 사건은 내가 여행으로 집에 없을 때 일어났다.

He was trembling as he spoke. 그는 이야기할 때 떨고 있었다.

ⓜ whenever : ~할 때마다

Whenever she drinks, she weeps. 그녀는 술 마실 때마다 운다.

ⓑ since : '~한 이래'의 의미로 주로 '현재완료 + since + S + 동사의 과거형 ~[~한 이래 (현재까지) 계속 …하다]'의 형태로 쓰인다.

He has been ill since he had the accident.

그는 그 사고를 당한 이래로 계속 아팠다.

ⓢ not ~ until … : '…할 때까지 ~하지 않다, …하고 나서야 비로소 ~하다'의 의미로 It is not until … that ~ (= ~ only after …) 구문으로 바꿔쓸 수 있다.

He did not come until it grew dark. 그는 어두워진 후에야 왔다.

= It was not until it grew dark that he came.

= Not until it grew dark did he come.

ⓞ as soon as + S + 동사의 과거형 ~, S + 동사의 과거형 ~ : '~하자마자 …했다'의 의미로 다음 구문과 바꿔쓸 수 있다.

- The moment(Immediately) + S + 동사의 과거형 ~, S + 동사의 과거형
- No sooner + had + S + p.p. + than + S + 동사의 과거형
- Hardly(Scarcely) + had + S + p.p. + when(before) + S + 동사의 과거형

As soon as he saw me, he ran away. 그는 나를 보자마자 도망쳤다.

= The moment(Immediately) he saw me, he ran away.

= No sooner had he seen me than he ran away.

= Hardly(Scarcely) had he seen me when(before) he ran away.

③ 원인 · 이유의 부사절을 이끄는 종속접속사

㉠ since, as, now(seeing) that ~ : '~이므로'의 뜻으로 쓰이며, 간접적이거나 가벼운 이유를 나타낸다.

Since it was Sunday, she woke up late in the morning.

일요일이었기에 그녀는 아침 늦게 일어났다.

As he often lies, I don't like him.

그가 종종 거짓말을 했기 때문에 나는 그를 좋아하지 않는다.

Now (that) he is absent, you go there instead.

그가 부재중이므로 당신이 대신 거기에 간다.

㉡ because : '~이기 때문에'의 뜻으로 쓰이며, 강한 인과관계를 표시한다.

Don't despise a man because he is poorly dressed.

초라하게 차려입었다고 사람을 무시하지 마라.

④ 목적 · 결과의 부사절을 이끄는 종속접속사

㉠ 목적의 부사절을 이끄는 종속접속사

- 긍정의 목적 : (so) that : may(can, will) ~(= in order that)의 구문을 사용하며 '~하기 위해, ~하도록(긍정)'의 뜻으로 쓰인다.

I stood up so that I might see better. 나는 더 잘 보기 위해 일어났다.

= I stood up in order that I might see better.

= I stood up in order to see better.

- 부정의 목적 : lest … (should) ~(= for fear that … should ~ = so that … not ~)의 구문을 사용하며 '~하지 않기 위해, ~하지 않도록(부정)'의 뜻으로 쓰인다.

He worked hard lest he should fail. 그는 실패하지 않도록 열심히 일했다.

= He worked hard so that he would not fail.

= He worked hard in case he should fail.

= He worked hard for fear that he should fail.

㉡ 결과의 부사절을 이끄는 종속접속사

- so (that)은 '그래서'의 뜻으로 쓰이며, 이때 so 앞에 반드시 comma(,)가 있어야 한다.
- so(such) : that ~의 구문을 사용하며 '너무 …해서 (그 결과) ~하다'의 뜻으로 쓰인다.

He is so kind a man that everyone likes him[so + 형용사 + (a / an) + 명사].

그는 너무 친절해서 모든 사람들이 좋아한다.

= He is such a kind man that everyone likes him[such + (a / an) + 형용사 + 명사].

⑤ 조건 · 양보 · 양태의 부사절을 이끄는 종속접속사

㉠ 조건의 부사절을 이끄는 종속접속사

- if : '만약 ~라면'의 뜻으로 쓰이며 실현가능성이 있는 현실적 · 긍정적 조건절을 만든다.

We can go if we have the money.

만약 우리가 돈을 가지고 있다면 우리는 갈 수 있다.

- unless : '만약 ~가 아니라면(= if ~ not)'의 뜻이며 부정적 조건절을 만든다.

I shall be disappointed unless you come.

만약 당신이 오지 않는다면 나는 실망할 것이다.

- 조건을 나타내는 어구 : provided (that), providing, suppose, supposing (that) 등이 있다.

I will come provided (that) I am well enough. 건강이 괜찮으면 오겠습니다.

㉡ 양보의 부사절을 이끄는 종속접속사

- whether ~ or not : ~이든 아니든

Whether it rains or not, I will go. 비가 내리든 내리지 않든 나는 갈 것이다.

- though, although, even if : 비록 ~라 할지라도

Even if I am old, I can still fight. 내가 비록 늙었다 할지라도 나는 여전히 싸울 수 있다.

- 형용사 · 부사 · (관사 없는) 명사 + as + S + V ~(= as + S + V + 형용사 · 부사 · 명사) : 비록 ~라 할지라도, ~이지만

  Pretty as the roses are, they have many thorns.

  장미꽃들은 예쁘지만, 그것들은 가시가 많다.
- 동사원형 + as + S + may, might, will, would(= as + S + may, might, will, would + 동사원형) : 비록 ~라 하더라도, ~이지만

  Laugh as we would, he maintained the story was true.

  우리가 웃었지만 그는 그 이야기가 사실이라고 주장하였다.
- no matter + 의문사(what, who, when, where, which, how) + S + V : 비록 (무엇이, 누가, 언제, 어디에서, 어느 것이, 어떻게) ~할지라도, 아무리 ~해도

  No matter what I say or how I say it, he always thinks I'm wrong.

  내가 아무리 무슨 말을 하거나 그것을 어떻게 말해도, 그는 항상 내가 틀렸다고 생각한다.

ⓒ 양태의 부사절을 이끄는 종속접속사 : (just) as를 사용하며 '~하는 대로, ~하듯이'의 뜻으로 쓰인다.

Everything happened just as I had said. 모든 일이 내가 말해 왔던 대로 일어났다.

2. 전치사

(1) 시간을 나타내는 전치사

① 특정한 때를 나타내는 전치사

㉠ at : (시각, 정오, 밤)에

at ten, at noon, at night

㉡ on : (날짜, 요일)에

on July 4, on Sunday

㉢ in : (월, 계절, 연도, 세기, 아침, 오후, 저녁)에

in May, in winter, in 2001, in the 21th century, in the morning(afternoon, evening)

② 기간을 나타내는 전치사

㉠ 'for + 숫자'로 표시되는 기간 : ~동안에

He was in hospital for six months. 그는 여섯 달 동안 병원에 있었다.

㉡ during + 특정기간 : ~동안에

He was in hospital during the summer. 그는 여름 동안 병원에 있었다.

㉢ through + 특정기간 : (처음부터 끝까지) ~내내(기간의 전부)

He worked all through the afternoon. 그는 오후 내내 일하였다.

③ 시간의 추이를 나타내는 전치사

㉠ in : ~안에(시간의 경과)

I will be back in an hour. 나는 1시간 후에 돌아올 것이다.

㉡ within : ~이내에(시간의 범위)

I will be back within an hour. 나는 1시간 이내에 돌아올 것이다.

㉢ after : ~후에(시간의 경과)

I will be back after an hour. 나는 1시간 후에 돌아올 것이다.

④ '~까지는'의 뜻을 가지는 전치사

㉠ until : ~까지(동작 · 상태의 계속)

I will wait until seven. 나는 7시까지 기다릴 것이다.

㉡ by : ~까지는(동작의 완료)

I will come by seven. 나는 7시까지 돌아올 것이다.

㉢ since : ~이래(현재까지 계속)

It has been raining since last night. 어젯밤 이래 계속 비가 내리고 있다.

⑤ 예외적으로 on을 사용하는 경우 … 특정한 날의 아침, 점심, 저녁, 밤 등이거나 수식어가 붙으면 on을 쓴다.

on the evening of August 27th, on Friday morning, on a rainy(clear, gloomy) night

(2) 장소를 나타내는 전치사

① 상하를 나타내는 전치사

㉠ on과 beneath

- on : (표면에 접촉하여) ~위에

  There is a picture on the wall. 벽에 그림이 하나 있다.

- beneath : (표면에 접촉하여) ~아래에

  The earth is beneath my feet. 지구는 내 발 아래에 있다.

㉡ over와 under

- over : (표면에서 떨어져 바로) ~위에

  There is a bridge over the river. 강 위에 다리가 하나 있다.

- under : (표면에서 떨어져 바로) ~아래에

  There is a cat under the table. 탁자 아래에 고양이가 한 마리 있다.

㉢ above와 below

- above : (표면에서 멀리 떨어져) ~위에

  The sun has risen above the horizon. 태양이 수평선 위에 떴다.

- below : (표면에서 멀리 떨어져) ~아래에

  The moon has sunk below the horizon. 달이 수평선 아래로 졌다.

㉣ up과 down

• up : (방향성을 포함하여) ~위로

I climbed up a ladder. 나는 사닥다리 위로 올라갔다.

• down : (방향성을 포함하여) ~아래로

Tears were rolling down his cheeks. 눈물이 그의 볼 아래로 흘러내리고 있었다.

② 방향을 나타내는 전치사

㉠ to, for, toward(s)

• to : ~으로(도착지점으로)

He went to the bank. 그는 은행에 갔다.

• for : ~을 향해(방향, 목표)

He left for New York. 그는 뉴욕으로 떠났다.

• toward(s) : ~쪽으로(막연한 방향)

He walked towards the church. 그는 교회쪽으로 걸었다.

㉡ in, into, out of

• in : ~안에[정지상태(= inside of)]

There was no one in this building. 이 건물 안에는 아무도 없었다.

• into : (밖에서) ~안으로(운동방향)

A car fell into the river. 자동차가 강물에 빠졌다.

• out of : (안에서) ~밖으로(운동방향)

He ran out of the house. 그는 그 집에서 도망쳤다.

③ 앞뒤를 나타내는 전치사

㉠ before : ~앞에(위치)

The family name comes before the first name in Korea.
한국에서는 성이 이름 앞에 온다.

㉡ in front of : ~의 앞에, 정면에(장소)

There are a lot of sunflowers in front of the cafe.
그 카페 앞에는 해바라기가 많이 있다.

㉢ behind : ~뒤에(장소)

The man hid behind the tree. 그 남자는 나무 뒤에 숨었다.

㉣ opposite : ~의 맞은편에(위치)

She sat opposite me at the party. 모임에서 그녀는 내 맞은편에 앉았다.

㉤ after : ~을 뒤쫓아(운동상태), ~다음에(전후순서)

Come after me. 나를 따라와.

B comes after A in the alphabet. B는 알파벳에서 A 다음에 온다.

03 기출문제분석

2019. 4. 6. 소방공무원 공개경쟁

1 다음 밑줄 친 부분 중 어법상 틀린 것은?

> Curiosity is the state of mind in which we are driven to go beyond what we already know and to seek what is novel, new, and ① unexplored. Without regular activation of the brain's curiosity circuits, we can ② subtly settle into what is overly familiar, routine, and predictable. These are not bad things, but excessively predictable ③ lives can lead to stagnation. Indeed, this may be one of the reasons so many people ④ struggling early in their retirement.
> While it can be nice to leave the stress of work behind, the lack of challenge, stimulation, or novelty is sometimes a high price to pay.

TIPS!

① "능동/수동"을 묻고 있다. what is unexplored의 형태로서 "탐구되지 않은 것"이라는 의미로서 수동의 형태로서 올바른 표현이다

② "부사/형용사"의 품사를 묻고 있다. 조동사(can)와 동사원형(settle into) 사이에 들어갈 수 있는 품사는 부사이다.

③ lives는 인생이라는 의미의 life의 복수형으로서 적절한 표현이다.

④ "정동사/준동사"를 묻는 문제로서 주어(many people) 다음에 정동사가 들어갈 위치이다. 따라서 struggle이 맞는 표현이다.

curiosity 호기심 drive 할수 없이 …하게 하다 seek 찾다, 추구하다 novel 신기한, 기발한 unexplored 탐험되지 않은 regular 규칙적인 activation 활동 circuit 회로 subtly 섬세하게 settle into 자리잡다 overly 너무, 과도하게 routine 일상적인 predictable 예측가능한 excessively 과도하게 lead to 이끌다, 초래하다 stagnation 정체 indeed 사실, 실제로 struggle 고군분투하다 retirement 퇴직 leave behind 뒤에 남기다 lack 부족 challenge 도전 stimulation 자극 novelty 신선함 price 대가

「호기심은 우리가 이미 알고 있는 것을 넘고, 신기하고 새롭고 탐구되지 않은 것을 추구하도록 이끌려 지는 마음의 상태이다. 뇌의 호기심 회로의 규칙적인 활동 없이, 우리는 매우 익숙하고 일상적이고 예측 할 수 있는 것에 섬세하게 자리 잡을 수 있다. 이러한 것들은 나쁜 것들은 아니지만, 매우 예측 가능한 삶은 정체를 초래 할 수 있다. 실제로, 이것은 그렇게 많은 사람들이 조기 퇴직에 있어서 고군분투하는 이유들 중 하나이다. 일에 대한 스트레스를 뒤에 남겨 놓는 것이 좋을 수 있지만, 도전, 자극, 신선함의 부족이 때때로 치러야할 값비싼 대가이다.」

Answer 1.④

2019. 4. 6. 소방공무원 공개경쟁

2 다음 밑줄 친 부분 중 어법상 틀린 것은?

When people think of the word philanthropist, they're apt to picture a gran d lady in p earls ① writing out checks with a lot of zeros. But the root meaning of philanthropy is ② much more universal and accessible. In other words, it doesn't mean "writing big checks." Rather, a philanthropist tries to make a difference with whatever ③ riches he or she possesses. For most of us, it's not money — especially these days — but things like our talents, our time, our decisions, our body, and our energy ④ what are our most valuable assets.

TIPS!

① "능동/수동"을 묻고 있다. a grand lady가 수표(checks)를 쓰는 주체이기 때문에 능동태 표현이 적절하다

② 뒤에 나오는 비교급(more)를 강조하는 표현으로 much가 적절하다.

③ 동사(possesses)의 목적어가 필요하기 때문에 부, 재산을 의미하는 riches가 올바른 표현이다. rich는 형용사로서 부적절하다.

④ "what/that(which)"을 묻고 있다. 앞에 선행사 역할을 하는 명사(energy)가 있어서 선행사를 포함하고 있는 what은 부적절하다. what을 that이나 which로 고쳐야 한다.

philanthropist 독지가, 박애주의자 be apt to… …하기 쉽다 grand 웅장한, 당당한 pearl 진주 check 수표 root 근원, 뿌리 philanthropy 박애, 자선 universal 보편적인 accessible 접근할 수 있는 in other words 다른 말로 하면 make a difference 차이를 만들다 rich 부(富) possess 소유하다 talent 재능 valuable 소중한 asset 자산

「사람들이 독지가라는 단어를 생각할 때, 그들은 굉장히 많은 0(영)이 있는 수표를 써주는 진주로 장식한 당당한 여성을 그리기 쉽다. 하지만 독지가라는 단어의 근원은 훨씬 더 보편적이고 (누구든) 접근 가능하다. 다른 말로 하면 그것은 "큰 금액의 수표를 쓰는 것"을 의미하지 않는다. 오히려 독지가는 그 또는 그녀가 소유하고 있는 어떤 재산이든지 그것을 가지고 차이를 만들려고 노력한다. 대부분 우리에게 있어서, 특히나 요즘에는, 그것은 돈이 아니라, 우리의 재능, 우리의 시간, 우리의 결정(할 수 있는 능력), 우리의 신체, 그리고 우리의 가장 소중한 자산인 우리의 에너지와 같은 것들이다.」

Answer 2.④

2018. 10. 13. 소방공무원 공개경쟁

3 다음 밑줄 친 부분 중 어법상 적절하지 않은 것은?

Our ethical behavior is linked to our cognitive and emotional need to be ① seen in a positive light by those we admire. But what ② emerges during adolescence is a concept known as the moral self. Augusto Blasi pioneered the ways in ③ which the moral self motivates our ethical actions. More recently, researchers have been modeling and ④ tests the notion that ethical leaders have a strong moral identity.

TIPS!

④ and로 연결되는 문장의 앞뒤는 같은 형태를 취해야 한다. 따라서 test→have been testing으로 고치는 것이 적절하다.

adolescence 청소년기 notion 개념

「우리의 윤리적 행동은 우리가 존경하는 사람들에게 긍정적인 시각으로 보이고자 하는 인지적, 감정적 필요성과 연관되어 있다. 그러나 청소년기 동안 나타나는 것은 도덕적 자아라고 알려진 개념이다. Augusto Blasi는 도덕적 자아가 우리의 윤리적 행동에 동기를 부여하는 방법을 개척했다. 보다 최근에, 연구원들은 윤리적인 지도자들이 강한 도덕적 정체성을 가지고 있다는 개념을 모델링하고 시험해 왔다.」

2018. 10. 13. 소방공무원 공개경쟁

4 다음 밑줄 친 부분 중 어법상 적절하지 않은 것은?

There are many kinds of love, but most people seek ① its expression in a romantic relationship with a compatible partner. For some, romantic relationships are the most meaningful element of life, ② providing a source of deep fulfillment. The ability to have a healthy, loving relationship ③ is not innate. A great deal of evidence suggests ④ whose the ability to form a stable relationship begins in infancy, in a child's earliest experiences with a caregiver.

TIPS!

④ whose는 소유격이므로 the + 명사가 올 수 없다. 따라서 whose→that으로 고치는 것이 적절하다.

fulfillment 이행, 수행 innate 선천적인 infancy 유아기, 초창기 care-giver 돌보는 사람

「많은 종류의 사랑이 있지만, 대부분의 사람들은 그 표현을 화합할 수 있는 파트너와의 로맨틱한 관계에서 찾는다. 어떤 사람들에게는, 로맨틱한 관계가 인생의 가장 의미 있는 요소이며, 깊은 성취의 원천을 제공한다. 건강하고 사랑스런 관계를 맺는 능력은 선천적인 것이 아니다. 많은 증거들은 안정적인 관계를 형성할 수 있는 능력이 유아기에, 아동의 돌보는 사람과의 초기 경험에서 시작된다는 것을 암시한다.」

Answer 3.④ 4.④

2013. 7. 27. 안전행정부

5 밑줄 친 부분 중 어법상 옳지 않은 것은?

Noise pollution ①is different from other forms of pollution in ②a number of ways. Noise is transient: once the pollution stops, the environment is free of it. This is not the case with air pollution, for example. We can measure the amount of chemicals ③introduced into the air, ④whereas is extremely difficult to monitor cumulative exposure to noise.

TIPS!

④ Whereas는 접속사이다. 따라서 whereas it is 로 완전한 문장이 와야 옳은 문장이 된다.

transient 일시적인, 순간적인 introduce into sth (~속에)넣다 cumulative 누적되는 exposure 노출

「소음공해는 몇 가지 방식에 있어 다른 형태들의 공해와 다르다. 소음은 일시적이다: 일단 공해가 멈추면, 환경은 그것으로부터 벗어난다. 예를 들어 공기오염의 경우는 이렇지 않다. 우리는 공기 안으로 유입된 화학물질의 양을 측정할 수 있다. 반면에 소음에 누적된 노출을 모니터 하는 일은 극도로 어려운 일이다.」

2013. 8. 24. 제1회 지방직

6 밑줄 친 부분 중 어법상 옳지 않은 것은?

A Caucasian territory ①whose inhabitants have resisted Russian rule almost since its beginnings in the late 18th century has been the center of the incessant political turmoil. It was eventually pacified by the Russians only in 1859, ②though sporadic uprisings continued until the collapse of Tsarist Russia in 1917. Together with Ingushnya, it formed part of the Soviet Union as an Autonomous Soviet Republic within Russian from 1936. Continuing uprising against Russian/Soviet rule, ③the last was in 1934, caused the anger of Stalin. In retaliation, he dissolved Chechnyan autonomy in 1944, and ordered the deportation of the ethnic Chechnyan population to Central Asia, in which half of the population died. They were not allowed ④to return to their homeland until 1957, when Khrushchev restored an autonomous status for Chechnya.

Answer 5.④ 6.③

TIPS!

③ 주어와 동사 사이에 접속사 없이 문장이 삽입되어 동사만 2개인 비문이 되었다. 따라서 the last 앞에 접속사가 필요하다.

territory 지역, 영토 inhabitant 주민 resist 저항하다 incessant 끊임없는 turmoil 혼란, 소란 pacify 진정시키다, 평정하다 sporadic 산발적인 uprising 봉기, 반란, 폭동 collapse 붕괴, 실패 autonomous 자주적인, 자치의 retaliation 보복, 앙갚음 dissolve 녹다, 용해되다 deportation 국외 추방, 이송 ethnic 민족의

「18세기 말 러시아의 지배에 대한 주민들의 저항이 시작된 이후로 코카서스 지역은 끊임없는 정치적 혼란의 중심지였다. 결과적으로 1859년에 러시아인들에 의해 안정되긴 했지만 산발적인 폭동은 1917년 제정 러시아가 붕괴될 때까지 계속되었다. 잉구시인들은 러시아인들과 함께 1936년부터 자치 공화국으로서 소비에트 연방을 형성하였다. 러시아/소비에트 통치에 대항하는 계속되는 폭동은, 특히 1934년의 폭동은 스탈린의 분노를 초래했다. 그는 복수로 1944년에 체첸 자치국을 해산시켰고, 체첸 민족을 중앙아시아로 추방했다. 여기서 인구의 반이 죽었다. 그들은 Khrushchev가 체첸의 자치권을 회복시킨 1957년까지 조국으로 돌아오는 것이 허락되지 않았다.」

2013. 9. 7. 서울특별시

7 밑줄 친 부분이 어법상 옳지 않은 것은?

> Most children shift ㉠adaptively between two general strategies for managing emotion. In problem-centered coping, they appraise the situation ㉡as changeable, identify the difficulty, and decide ㉢what to do about it. If this does not work, they engage in ㉣emotional centered coping, ㉤that is internal and private.

① ㉠ ㉡
② ㉢ ㉣
③ ㉣ ㉤
④ ㉡ ㉣
⑤ ㉠ ㉢ ㉣

TIPS!

㉣ '-centered'는 분사 복합어로 '감정 중심의'라는 의미로 쓸 때는 'emotion-centered' 형태로 써야 한다.

㉤ that → which

shift 옮기다, 바꾸다 adaptively 적응하여, 순응적으로 strategy 계획, 전략 cope 대처하다 appraise 살피다, 평가하다

「대부분의 아이들은 감정을 처리하는 데 있어 두 가지 일반적인 전략을 어렵지 않게 바꾼다. 문제 중심 대처법에서 그들은 그 상황을 가변적인 것으로 평가하고 문제를 확인한 후 그에 대해 무엇을 할지 결정한다. 이 방법이 효과가 없으면 그들은 감정 중심의 대처법으로 관심을 돌리는데, 이는 내면적이고 개인적이다.」

Answer 7.③

2013. 9. 7. 국회사무처

8 **다음 중 문법적으로 틀린 곳을 고르시오.**

> The heat wave of the summer ① is hitting the Seoul Metropolitan area this week. With that swelter ② comes the chances of heat stroke or heat exhaustion. Heat stroke occurs when the body loses its ability ③ to regulate its temperature. Heat exhaustion is a bit different because it can develop ④ over several days as a result of ⑤ exposure to high temperatures and the failure to replace fluids.

TIPS!

② 주어가 the chances이므로, comes → come으로 고쳐야 한다.

swelter 무더위에 시달리다 heat stroke 열사병 exhaustion 탈진, 기진맥진 regulate 규제하다 fluid 유체, 유동체

「이번 주 여름의 열기가 서울의 도시권을 강타하고 있다. 그 무더위와 함께 열사병이나 탈진의 가능성이 온다. 열사병은 몸이 온도를 조절하는 능력을 잃을 때 발생한다. 탈진은 조금 다르다. 왜냐하면 그것은 고온에의 노출과 체액들의 교체 실패의 결과로 며칠에 걸쳐서 발병할 수 있기 때문이다.」

2014. 3. 8. 법원사무직

9 **다음 글의 밑줄 친 부분 중 어법상 가장 옳지 않은 것은?**

> Across the nation, East Timor ① has been involved in conflicts for more than 30 years to gain independence from Indonesia. In a ② war-torn country, people with intellectual challenges are often forgotten and abandoned. Alcino Pereira, an intellectually challenged orphan from East Timor, ③ who is unable to speak, has never had access to health care. He can use one of his arms but only in a very limited way and walks with a limp. ④ Although these intellectual and physical challenges, he loves to run. In his worn-out shoes, Pereira runs every day in his home town of Dili. So he got his nickname, the "running man."

Answer 8.② 9.④

TIPS!

across the nation 전국적으로 be involved in ~에 관계되다, 개입되다. independence 독립 conflict 갈등, 분쟁 intellectual challenged 지적 장애(지적으로 많은 노력이 필요한) although 비록 ~이지만 abandon 폐기하다, 버리다. access 접속, 접근 limited 제한적인, 한정된

「동티모르는 30년 이상 전국적으로 분쟁에 개입되어 왔다. 인도네시아로부터 독립을 얻기 위해 전쟁으로 피폐한 나라 안에서 지적 장애가 있는 사람들은 종종 잊히고 버려진다. 지적 장애가 있는 동티모르 출신의 고아 알치노 페레이라는 말을 할 수 없는데 건강보험을 이용해 본 적이 없다. 그는 한 쪽 팔을 매우 제한된 방식으로만 사용할 수 있고 절뚝거리면서 걷는다. 이런 지적 그리고 신체적인 장애에도 불구하고 그는 달리기를 좋아한다. 페레이라는 그의 다 닳은 신발을 신고 매일 그의 고향 마을인 딜리에서 달린다. 그래서 그는 "런닝맨"이라는 별명을 얻었다.」

2014. 3. 8. 법원사무직

10 다음 글의 밑줄 친 부분 중, 어법상 가장 옳지 않은 것은?

> People who are satisfied appreciate what they have in life and don't worry about how it compares to ① <u>which</u> others have. Valuing what you have over what you do not or cannot have ② <u>leads</u> to greater happiness. Four-year-old Alice runs to the Christmas tree and sees wonderful presents beneath it. No doubt she has received fewer presents ③ <u>than</u> some of her friends, and she probably has not received some of the things she most wanted. But at that moment, she doesn't ④ <u>stop to think</u> why there aren't more presents or to wonder what she may have asked for that she didn't get. Instead, she marvels at the treasures before her.

TIPS!

value 가치, ~을 가치 있게 여기다. no doubt 의심할 여지가 없이 ~일 것이다 marvel 경이로워하다.

「만족하는 사람은 그들이 삶에서 가진 것을 감사히 여긴다. 그리고 그것이 다른 사람들이 가진 것에 어떻게 비교되는지에 대해 걱정하지 않는다. 당신이 가진 것을 가치 있게 여기는 것은 당신이 가지고 있지 않거나 가질 수 없는 것을 넘어 더 큰 행복으로 이어진다. 네 살배기 앨리스는 크리스마스트리로 달려가서 그것 아래에 있는 아주 멋진 선물들을 본다. 아마 그녀는 의심할 여지없이 그녀의 친구들 중 몇몇보다 더 적은 선물들을 받았을 것이다. 그리고 그녀는 아마도 그녀가 가장 원하던 것들 중 몇몇을 받지 못했을 것이다. 그러나 그 순간 그녀는 왜 더 많은 선물들이 없는지 생각하려고, 또는 그녀가 원하는 것을 달라고 할 수 있었을지 궁금해 하려고 멈추지 않는다. 대신 그녀는 그녀 앞에 놓인 보물들에 경이로워 한다.」

Answer 10.①

2014. 3. 22. 사회복지직

┃11~12┃ 밑줄 친 부분 중 어법상 옳지 않은 것을 고르시오.

11

Sometimes a sentence fails to say ①what you mean because its elements don't make proper connections. Then you have to revise by shuffling the components around, ②juxtapose those that should link, and separating those that should not. To get your meaning across, you not only have to choose the right words, but you have to put ③them in the right order. Words in disarray ④produce only nonsense.

① what
② juxtapose
③ them
④ produce

TIPS!

② shuffling, separating과 병렬을 이루어야 하므로 juxtapose→juxtaposing로 고쳐야 한다.
element 요소, 성분 juxtapose 병치하다, 나란히 놓다 in disarray 혼란해져, 어지럽게 뒤섞여

「때때로 문장이 당신이 의미하는 바를 나타내지 못할 때가 있는데, 왜냐하면 그 문장의 요소들이 적절한 연결성을 만들어내지 못하기 때문이다. 그러면, 당신은 그 요소들을 섞고, 연결해야 할 것들은 병렬시키고, 그리고 연결하지 않는 것들은 분리시켜 수정해야 한다. 당신이 의미하는 바를 이해시키기 위해서는 정확한 단어들을 선택해야 할 뿐만 아니라, 그 단어들을 올바른 위치에 배치해야 한다. 어지럽게 뒤섞여 있는 단어들은 오직 난센스를 만들어 낼 뿐이다.」

Answer 11.②

12

When I was growing up, many people asked me ① f I was going to follow in my father's footsteps, to be a teacher. As a kid, I remember ② saying, "No way. I'm going to go into business." Years later I found out that I actually love teaching. I enjoyed teaching because I taught in the method ③ in which I learn best. I learn best via games, cooperative competition, group discussion, and lessons. Instead of punishing mistakes, I encouraged mistakes. Instead of asking students to take the test on their own, they ④ required to take tests as a team. In other words, action first, mistakes second, lessons third, laughter fourth.

① if ② saying

③ in which ④ required

TIPS!

④ 시험을 치르도록 요구받는 대상이므로 required → were required의 수동 형태가 적절하다.

follow in somebody's footsteps ~의 선례를 쫓아 나아가다

「내가 자랄 때, 많은 사람들은 내게 나의 아버지의 뒤를 따라 교사가 될 것인지 물었다. 아이일 때 '아뇨. 전 사업 할래요.'라고 대답했던 것을 기억한다. 수년 뒤에 난, 내가 사실 가르치는 것을 매우 좋아한다는 것을 알게 되었다. 나는 내가 가장 잘 배울 수 있는 방법으로 가르쳤기 때문에 가르치는 것이 즐거웠다. 나는 게임과, 협력적 경쟁, 집단토론, 그리고 수업들을 통해 가장 잘 배운다. 실수를 벌하는 대신, 실수들을 장려한다. 학생들로 하여금 그들 혼자서 시험을 치르도록 요구하지 않고, 팀을 이루어 시험을 치르도록 했다. 다시 말해 행동이 먼저였고, 실수가 그 뒤를 따르면, 그것을 통해 교훈을 얻고, 결국에는 웃을 수 있었다.」

Answer 12.④

Let's check it out

03 출제예상문제

1 어법상 옳은 것은?

① While worked at a hospital, she saw her first air show.

② However weary you may be, you must do the project.

③ One of the exciting games I saw were the World Cup final in 2010.

④ It was the main entrance for that she was looking.

TIPS!

① while 다음에 she was가 생략되었다. worked → working
③ One of 복수명사 뒤에는 단수동사를 쓴다. were → was
④ 전치사 뒤에는 관계 대명사 that이 올 수 없다. that → which로 고쳐야 한다.

① 병원에서 일하는 동안 그녀는 생전 처음으로 에어쇼를 보았다.
② 아무리 당신이 지쳐있을지라도, 당신은 그 프로젝트를 해야만 한다.
③ 내가 보았던 가장 흥미진진한 게임 중 하나는 2010년 월드컵 결승전이었다.
④ 그녀가 찾고 있던 것은 현관이었다.

Answer 1.②

2 밑줄 친 부분 중 어법상 옳은 것은?

Compared to newspapers, magazines are not necessarily up-to-the-minute, since they do not appear every day, but weekly, monthly, or even less frequently. Even externally they are different from newspapers, mainly because magazines ① resemble like a book. The paper is thicker, photos are more colorful, and most of the articles are relatively long. The reader experiences much more background information and greater detail. There are also weekly news magazines, ② which reports on a number of topics, but most of the magazines are specialized to attract various consumers. For example, there are ③ women's magazines cover fashion, cosmetics, and recipes as well as youth magazines about celebrities. Other magazines are directed toward, for example, computer users, sports fans, ④ those interested in the arts, and many other small groups.

TIPS!

① resemble like a book → resemble a book
② 선행사가 magazines가 복수이므로 reports → report
③ cover → covering

not necessarily 반드시 ~은 아닌

「신문과 비교해볼 때, 잡지는 매일 나오는 것이 아니라 매주나 매달 또는 그보다 더 드물게 나오기 때문에 반드시 최신판은 아니다. 대게 외면조차도 잡지는 책과 닮았기 때문에 그것들은 신문과는 다르다. 종이는 더 두껍고, 사진은 보다 화려하고, 대부분의 기사들은 비교적 길다. 독자들은 훨씬 많은 배경정보들과 더 많은 세부사항들을 경험하게 된다. 주간 뉴스 잡지는 많은 주제를 보도하지만, 대부분의 잡지들은 다양한 소비자들의 마음을 끌기 위해 특화되어있다. 예를 들면 여성 잡지들은 패션, 화장품, 그리고 요리법을 다루고 청춘 잡지들은 유명 인사들을 다룬다. 다른 잡지들은 컴퓨터 사용자들, 스포츠팬들, 예술에 관심 있는 사람들, 그리고 많은 다른 소그룹을 겨냥한다.」

Answer 2.④

3 밑줄 친 부분에 들어갈 가장 적절한 것은?

A tenth of the automobiles in this district alone _______ stolen last year.

① was
② had been
③ were
④ have been

TIPS!

automobile 자동차 district (특정한) 지구(지역)

주어인 automobiles가 복수이고 과거 시제의 수동형이 되어야 하므로 were가 옳다.

「이 지역에 있는 자동차의 10분의 1이 지난 해 도난당했다.」

4 밑줄 친 부분 중 어법상 옳지 않은 것은?

① In the mid 1990s, ② it was estimated that 9 million Americans ③ were planning a summer vacation alone. Since then, the number of solo travelers ④ have increased.

TIPS!

estimate 추정하다, 평가하다 Since then 그때 이래, 그때부터

④ the number는 단수로 취급되므로 have가 아닌 has를 사용해야 한다.

「1990년대 중반, 9백만명의 미국인 등이 홀로 여름휴가를 계획했던 것으로 추정되었다. 그때부터 점점 혼자 여행하는 사람들의 수가 증가하고 있다.」

Answer 3.③ 4.④

5 다음 문장의 밑줄 친 부분 중에서 어법상 가장 어색한 것은?

In order to ① raise public consciousness ② concerning environmental problems, everyone should distribute leaflets, write to his or her Congressman, ③ as well as ④ signing the necessary petitions.

TIPS!

raise 올리다, 끌어올리다, 일으키다 consciousness 자각, 의식 concerning ~에 관하여, ~에 대하여 environmental 환경의, 주위의 distribute 분배하다, 배포하다 leaflet 작은 잎, 전단, 리플릿 congressman 국회의원 B as well as A A뿐만 아니라 B도 petition 청원, 탄원, 진정서

④ signing→sign, as well as는 등위상관접속사이므로 앞뒤는 병치가 되어야 한다. 따라서 distribute, write, sign 세 동사가 should에 걸려 모두 동사원형이 되어야 한다.

「환경문제에 관하여 대중의 의식을 끌어올리기 위해, 모든 사람들은 필요한 탄원서에 서명해야 할 뿐만 아니라 전단을 배포하고 각자의 국회의원에게 편지를 써야 한다.」

6 다음 밑줄 친 곳에 들어갈 적당한 것은?

Since he ______________, the governor has recommended many practical plans.

① elected
② has elected
③ has been elected
④ was elected

TIPS!

he가 당선된 것이므로 수동형을 쓴다.

「그가 당선된 이후로 관료들은 많은 실용적인 계획안을 제출하였다.」

Answer 5.④ 6.④

| 7~8 | 다음 문장 빈칸에 들어갈 가장 적합한 것을 고르시오.

7

Bill wasn't happy about the delay, and ________________.

① I was neither
② neither I was
③ neither was I
④ either was I

TIPS!

delay 연기되다
'~ 역시 ~하다'는 긍정문에서는 so + V + S이고 부정문에서는 neither + V + S이다.

「Bill은 연기되는 것에 대해 좋아하지 않았고 나도 역시 좋지 않았다.」

8

If you had not helped me, I ____________ alive now.

① should not have been
② should not be
③ will not be
④ shall not be

TIPS!

혼합가정법…if절에 가정법 과거완료, 주절에 가정법 과거를 써서 과거의 사실이 현재에까지 영향을 미치고 있음을 표현한다.

㉠ If I had taken your advice then, I would be happier now.
(만일 내가 그때 네 충고를 들었더라면, 나는 지금 더 행복할텐데.)
= As I did not take your advice then, I am not happier now.

㉡ If it had not rained last night, the road would not be so muddy today.
(어젯밤에 비가 오지 않았더라면, 오늘 땅이 이렇게 질지는 않을텐데.)
= As it rained last night, the road is so muddy today.

「만일 당신이 나를 돕지 않았었다면, 지금 나는 살아있지 못했을 것이다.」

Answer 7.③ 8.②

9 다음 밑줄 친 부분 중 어법상 틀린 것은?

> There is widespread fear among policy makers and the public today ① that the family is disintegrating. ② Much of that anxiety stems from a basic misunderstanding of the nature of the family in the past and a lack of appreciation for its resiliency in response to broad social and economic changes. The general view of the family is that it has been a stable and ③ relative unchanging institution through history and ④ is only now undergoing changes; in fact, change has always been characteristic of it.

TIPS!

disintegrate 분해되다, 산산조각 나다 stem from ~에서 생겨나다 appreciation 감탄, 감상 (올바른) 평가, 판단, 이해; 감상; 가격의 등귀 resiliency 탄성 undergo 겪다, 받다 characteristic 특유의

③ relative → relatively

「오늘날 정책 입안자들과 대중들 사이에는 가족이 붕괴되고 있다는 두려움이 널리 퍼져 있다. 그러한 불안감 중 많은 부분이 과거 가족의 본질에 대한 기본적인 오해와 폭넓은 사회적 · 경제적 변화들에 따른 가족의 탄성(복원력)에 대한 이해 부족에서 비롯된다. 가족에 대한 일반적인 관점은 가족이 역사적으로 안정적이며 비교적 변하지 않는 제도였으며, 그것이 지금에서 변화를 겪고 있을 뿐이라는 것이다; 사실 변화는 항상 가족의 특성이었다.」

10 다음 밑줄 친 부분 중 어법상 틀린 것은?

> Biologists often say ① that the tallest tree in the forest is the tallest not just because it grew from the hardiest seed. They say that is also because no other trees blocked its sunlight, the soil around it was rich, no rabbit chewed through its bark, and no lumberjack ② cut down it before it matured. We all know that successful people come from hardy seeds. But do we know enough about the sunlight that warmed them, the soil ③ where they put down the roots, and the rabbits and lumberjacks they were lucky enough to avoid? They are beneficiary of ④ hidden advantages and extraordinary opportunities and cultural legacies.

Answer 9.③ 10.②

TIPS!

lumberjack 벌목꾼 mature 어른스러운, 성숙한 extraordinary 기이한, 놀라운 cultural legacy 문화유산 accumulation 축적, 누적

② cut down it → cut it down

「생물학자들은 종종 숲에서 가장 키가 큰 나무가 가장 강인한 씨앗에서 자랐기 때문에 가장 큰 것만은 아니라고 말한다. 또한 그들은 햇빛을 가리는 다른 나무들이 없었으며, 나무 주위의 토양이 비옥했으며, 토끼들이 나무의 껍질을 갉아서 뚫지 않았고, 나무가 다 자라기 전에 벌목꾼들이 잘라내어 쓰러뜨리지 않았기 때문이라고 말한다. 우리들 모두는 성공적인 사람들이 강인한 씨앗에서 나온다는 것을 안다. 그러나 우리는 그들을 따뜻하게 덥혀 줄 햇빛과, 그들이 뿌리를 내리는 토양, 그리고 그들이 운 좋게 피한 토끼와 벌목꾼들에 대해 충분히 알고 있을까? 그들은 숨겨진 이점들과 놀라운 기회들과 문화유산들의 수혜자이다.」

11 다음 밑줄 친 부분 중 어법상 틀린 것은?

> The digital world offers us many advantages, but if we yield to that world too ① <u>completely</u> we may lose the privacy we need to develop a self. Activities that require time and careful attention, like serious reading, ② <u>is</u> at risk; we read less and skim more as the Internet occupies more of our lives. And there's a link between self-hood and reading slowly, rather than scanning for quick information, as the Web encourages us ③ <u>to do</u>. Recent work in sociology and psychology suggests that reading books, a private experience, is an important aspect of coming to know ④ <u>who we are</u>.

TIPS!

yield 항복하다, 양도하다 skim 걷어내다, 훑어보다 aspect 측면

② is → are

「디지털 세상은 우리에게 많은 이점들을 제공하지만, 만약 우리가 너무 완전히 그러한 세상에 굴복한다면, 우리는 스스로를 발전시키는 데 필요한 사생활을 잃을지도 모른다. 진지한 독서처럼 시간과 세심한 주의력을 요구하는 활동들이 위기에 처해 있다; 인터넷이 우리의 삶을 더 많이 차지해 감에 따라, 우리는 덜 읽으며 더 훑어본다. 그리고 웹이 우리로 하여금 그렇게 하도록 부추기는 빠른 정보검색보다는, 천천히 읽는 것과 자아 사이에 더 많은 연관성이 있다. 사회학과 심리학의 최근 연구는 개인적 체험인 책을 읽는 것이 우리가 누구인지 알아가게 되는 중요한 측면임을 시사한다.」

Answer 11.②

국어

한국사

영어

12 다음 밑줄 친 부분 중 어법상 틀린 것은?

The heavy eye make-up favored by ancient Egyptians ① may be good for the eyes. Lead is usually a risk to health. But the study by French scientists ② published in the journal Analytical Chemistry suggests that the lead salt in the cosmetics helps prevent and treat eye illness. At very low levels, salts promote the action of cells in the immune system to fight off bacteria ③ that can cause eye infections. The scientists from the Louvre Museum and the CNRS research institute also found that the lead salts ④ found in the make-up could actually have a positive effect to protect people against eye disease.

TIPS!

favor 호의, 친절, 지지 lead 납

① may be → may have been

「고대 이집트인들에게 사랑받은 짙은 눈 화장은 눈에 좋았을지도 모른다. 납은 보통 건강에 해롭다. 그러나 Analytical Chemistry라는 학술지에 발표된 프랑스 과학자들의 연구는 화장품에 들어있는 소금 납이 눈병을 예방하고 치료하는 데에 도움이 된다고 밝힌다. 매우 작은 양의 수준에선, 소금은 눈의 감염을 유발 할 수 있는 박테리아를 퇴치하는 면역체계 내의 세포의 활동을 촉진시킨다. Louvre Museum과 CNRS 연구소의 과학자들은 또한 화장품에서 발견된 소금납이 실제로 눈병으로부터 사람들을 보호하는데 긍정적인 효과를 가짐을 발견하였다.」

13 다음 밑줄 친 부분 중 어법상 틀린 것은?

According to Dr. Weil, green tea is prepared in a ① much more gentle fashion than ordinary black tea. Green tea leaves are steamed, rolled and dried to preserve the antioxidant compounds that give us health benefits. Dr. Weil suggests this antioxidant protects our heart by ② lowering cholesterol and boosting metabolism, and guards against cancer by removing radicals that can damage cells and push them in the direction of uncontrolled growth. Green tea also has antibacterial properties, ③ which help prevent and fight illness. In China, green tea ④ has used as a medicine for at least 400 years, and numerous studies are reporting drinking green tea brings positive aspects to their health.

Answer 12.① 13.④

TIPS!

in (a) ~fashion 방식으로 antioxidant 산화 방지제 compound 복합체, 화합물 metabolism 신진대사 radical 기(基), 라디칼 antibacterial 항균성의 numerous 많은

④ has used → has been used

「Weil 박사에 따르면, 녹차는 보통의 홍차보다 훨씬 더 부드러운 방식으로 만들어진다. 녹차 잎은 우리에게 건강상의 이익을 주는 항산화 성분을 보존하기 위해 쪄지고, 말아져, 건조된다. Weil 박사는 이러한 항산화 성분이 콜레스테롤 수치를 낮추고 신진대사를 촉진시킴으로써 심장을 보호하며, 세포를 손상시키고 그 세포들이 무절제하게 성장하도록 하는 라디칼을 제거함으로써 암이 생기지 않도록 해준다고 한다. 녹차는 또한 항균성질을 가지고 있어 질병을 예방하고, 질병과 싸우는 데 도움을 준다. 중국에서는 녹차가 적어도 400년 동안 약으로 사용되어 왔으며, 수많은 연구들은 녹차를 마시는 것이 건강에 긍정적인 효과를 가져다준다고 보고하고 있다.」

14 다음 문장의 밑줄 친 부분 중 문법적으로 틀린 부분을 고르시오.

When I ① <u>was grown up</u>, I spent ② <u>every</u> summer ③ <u>helping</u> out ④ <u>on</u> my uncle's farm.

TIPS!

① was grown up → was growing

「내가 자랐을 때, 매년 여름 아저씨 농장에서 일손을 도왔다.

15 다음 문장의 밑줄 친 부분 중 문법적으로 틀린 부분을 고르시오.

He did not know ① <u>to deal</u> with the problem ② <u>when</u> ③ <u>his</u> adviser ④ <u>had disappeared</u>.

TIPS!

① to deal → how to deal

「그의 충고자가 사라졌을 때 그 문제를 어떻게 다루어야 할지 몰랐다.」

Answer 14.① 15.①

16 다음 문장의 밑줄 친 부분 중 문법적으로 틀린 부분을 고르시오.

> The ① emphasizing in oratory is on the ② skillful ③ utilization of the ④ voice.

TIPS!

① emphasizing → emphasis

「연설에서 강조는 음성을 잘 활용함으로써 가능하다

17 다음 문장의 밑줄 친 부분 중 문법적으로 틀린 부분을 고르시오.

> Geography depends ① greatly on other fields of knowledge for ② basic information, ③ particularly in some of its ④ specializing branches.

TIPS!

④ specializing → specialized

「지리학은 특히 전문화된 분야에 있어서 기본이 되는 정보를 얻기 위해서는 다른 지식 분야에 상당히 의존하고 있다.」

18 다음 문장의 밑줄 친 부분 중 문법적으로 틀린 부분을 고르시오.

> Jerry ① will not lend you the book because ② he is fearful ③ if you will forget ④ to return it.

TIPS!

③ if → that

「제리는 너가 책을 돌려주는 것을 염려되어 너에 책을 빌려주지 않을 것이다.」

Answer 16.① 17.④ 18.③

19 다음 문장의 밑줄 친 부분 중 문법적으로 틀린 부분을 고르시오.

> The ① biggest single hobby in America, the one ② that Americans ③ spend most time, energy and money ④ is gardening.

TIPS!

② that → on which

「미국인들이 대부분의 시간, 정력, 돈을 쓰는 미국에서 가장 크고 유일한 취미가 정원 가꾸기이다.」

20 다음 문장의 밑줄 친 부분 중 문법적으로 틀린 부분을 고르시오.

> The Greeks ① believed in the power ② of men ③ to control ④ his own destinies.

TIPS!

④ his → their

「컴퓨터를 이용할 방법을 아는 것은 엔지니어에게 매우 중요하다.」

21 다음 문장의 밑줄 친 부분에 가장 적절한 표현을 고르시오.

> Tom called me last night because I ________ him earlier.

① have visited
② paid a visit to
③ would pay a visit to
④ had visited

TIPS!

「톰은 어젯밤에 나에게 전화했다. 왜냐하면 내가 먼저 그를 방문했었기 때문이다.」

Answer 19.② 20.④ 21.④

22 다음 문장의 밑줄 친 부분에 가장 적절한 표현을 고르시오.

> Bill didn't come to his nine o'clock class yesterday.
> He _______ himself.

① must overslept ② must be oversleeping
③ must have overslept ④ must had overslept.

TIPS!
「Bill이 어제 아홉시 수업시간에 오지 않았어.
그는 틀림없이 늦잠 잤을 거야.」

23 다음 문장의 밑줄 친 부분에 가장 적절한 표현을 고르시오.

> Computers and new methods of telecommunication _________ revolutionized the modern office.

① say to be ② say to have
③ are said to be ④ are said to have

TIPS!
「컴퓨터와 새로운 장거리통신 방식이 오늘날의 사무실을 혁신시켜 놓았다는 말이 있다.」

Answer 22.③ 23.④

24 다음 문장의 밑줄 친 부분에 가장 적절한 표현을 고르시오.

> If you hadn't gone with Tom to the party last night, ＿＿＿＿＿＿＿＿＿＿.

① you would meet John already

② you won't have missed John

③ you will have met John

④ you would have met John

TIPS!

「어젯밤에 그 파티에 톰과 함께 가지 않았다면, 넌 존을 만날 수도 있었을 텐데.」

25 다음 문장의 밑줄 친 부분에 가장 적절한 표현을 고르시오.

> I had some advice from my parents.
> Did ＿＿＿＿＿ help you?

① a few of it ② many of it

③ each of it ④ any of it

TIPS!

「부모님한테 얼마간의 충고를 들었어.
그 충고 중에 도움이 되는 게 있었니?」

Answer 24.④ 25.③

26 다음 문장의 밑줄 친 부분에 가장 적절한 표현을 고르시오.

> Many can borrow a pencil if she needs _______.

① any
② one
③ some
④ that

TIPS!

「그녀가 연필을 원한다면 메리가 빌려줄 수 있다.」

27 다음 문장의 밑줄 친 부분에 가장 적절한 표현을 고르시오.

> I want to buy something colorful and ___________ in your store.

① decoration
② decorator
③ decorating
④ decorative

TIPS!

「당신 가게에서 화려한 장식물을 좀 사고 싶습니다.」

28 다음 문장의 밑줄 친 부분에 가장 적절한 표현을 고르시오.

> Can he buy the car? He is as poor as ______ be.

① can
② may
③ man
④ people

TIPS!

「그가 차를 살 수 있을까? 그는 매우 가난해.」

Answer 26.② 27.④ 28.①

04 생활영어

section 1 전화

- This is Mary speaking. I'd like to speak to Mr. Jones.
  Mary입니다. Jones씨 좀 부탁드립니다.
- Who's speaking(calling), please? 누구십니까?
- Whom do you wish to talk to? 누구를 바꿔 드릴까요?
  = Who would you like to speak to, sir?
- Hold the line a moment, please. I'll connect you with Mr. Smith.
  잠시 기다리세요. Smith씨에게 연결해 드리겠습니다.
- The party is on the line. Please go ahead. 연결됐습니다. 말씀하세요.
- What number are you calling? 몇 번에 거셨습니까?
- The line is busy. He's on another phone. 통화중입니다.
- The lines are crossed. 혼선입니다.
- A phone for you, Tom. Tom, 전화 왔어요.
- Please speak a little louder. 좀더 크게 말씀해 주세요.
- Who shall I say is calling, please? 누구라고 전해 드릴까요?
- May I take your message? 전할 말씀이 있나요?
  = Would you like to leave a message.
- May I leave a message, please? 메시지를 남겨 주시겠어요?
- Guess who this is. Guess who? 누구인지 알아 맞춰보시겠어요?
- You have the wrong number. 전화를 잘못 거셨습니다.
- There is no one here by that name. 그런 분은 안계십니다.
- What is she calling for? 그녀가 무엇 때문에 전화를 했지요?
- May I use your phone? 전화를 좀 빌려 쓸 수 있을까요?
- Give me a call(ring, phone, buzz). 나에게 전화하세요.

section 2 길안내

- Excuse me, but could you tell me the way to the station?
  실례지만, 역으로 가는 길을 가르쳐 주시겠습니까?
- Pardon me, but is this the (right) way to the station?
  실례지만, 이 길이 역으로 가는 (바른) 길입니까?
- Where am I(we)? 여기가 어디입니까?
- I'm sorry, but I can't help you(I don't know this area).
  죄송합니다만, 저도 길을 모릅니다.
- (I'm sorry, but) I'm a stranger here myself. (죄송합니다만) 저도 처음(초행길)입니다.
- Turn to the left. 왼쪽으로 가세요.
- Go straight on. 곧장 가세요.
- Walk until you come to the crossing. 교차로가 나올 때까지 계속 걸어가십시오.
- Take the left road. 왼쪽 도로로 가세요.
- Are there any landmarks?
  길을 찾는 데 도움이 되는 어떤 두드러진 건물 같은 것은 없습니까?
- How far is it from here to the station? 이 곳에서 역까지 얼마나 멉니까?
- I'll take you there. 제가 당신을 그 곳에 데려다 드리겠습니다.
- You can't miss it. You'll never miss it. 틀림없이 찾을 것입니다.

section 3 시간

- What time is it? 몇 시입니까?
  = What is the time?
  = Do you have the time?
  = What time do you have?
  = Could you tell me the time?
  = What time does your watch say?
- Do you have time? 시간 있습니까?
- What is the date? 몇 일입니까?
- What day is it today? 오늘이 무슨 요일입니까?

section 4 소개 · 인사 · 안부

(1) 소개

- May I introduce my friend Mary to you? 내 친구 Mary를 소개해 드릴까요?
- Let me introduce myself. May I introduce myself to you? 제 소개를 하겠습니다.
- Miss. Lee, this is Mr. Brown. Lee양, 이 분은 Brown씨입니다.
- I've been wanting to see you for a long time. 오래 전부터 뵙고 싶었습니다.

(2) 인사

① 처음 만났을 때

- How do you do? 처음 뵙겠습니다.
- I'm glad to meet you. 만나서 반가워요.
  = I'm very pleased(delighted) to meet you.
  = It's a pleasure to know you.

② 아는 사이일 때

How are you getting along? 안녕, 잘 있었니? 어떻게 지내니?
= How are you (doing)?
= How are things with you?
= How is it going?
= What happened?
= What's up?

③ 오랜만에 만났을 때

- How have you been? 그간 잘 있었니?
- I haven't seen you for ages(a long time). 정말 오랜만이야.
- Pretty good. It's been a long time, hasn't it? 그래, 오랜만이다, 그렇지 않니?
- I've been fine. It's ages since we met. 잘 지냈어. 우리가 만난 지 꽤 오래됐지.

④ 작별인사

㉠ 작별할 때

- I'd better be going. 이제 가봐야 되겠습니다.
  = I really must be going now.
  = I'm afraid I must go now.
  = I really should be on my way.

= It's time to say good-bye.

= I must be off now.

- So soon? Why don't you stay a little longer?
  이렇게 빨리요? 좀더 있다가 가시지요?

㉡ 작별의 아쉬움을 나타낼 때

- It's really a shame that you have to leave. 떠나셔야 한다니 정말 유감입니다.
- It's too bad that you have to go. 가셔야 한다니 정말 유감입니다.

(3) 안부

- Remember me to Jane. Jane에게 안부 전해 주세요.
  = Give my regards to Jane.
  = Say hello to Jane.
  = Please send my best wishes to Jane.
- Sure, I will. 예, 꼭 그러겠습니다.
  = Certainly.

section 5 제안 · 권유 · 초대

(1) 제안

① 제안할 때

- Let's have a party, shall we? 파티를 열자.
- Why don't we go to see a movie? 영화 보러 가는 게 어때요?

② 제안을 수락할 때

- (That's a) Good idea. 좋은 생각이에요.
- That sounds great, Why not? 좋은 생각(제안)이야.

③ 제안을 거절할 때

- I'm afraid not. 안되겠는데요.
- I'm afraid I have something to do that afternoon.
  그 날 오후에는 할 일이 있어서 안되겠는데요.
- I'd rather we didn't, if you don't mind. 괜찮다면, 그러지 말았으면 합니다만.

(2) 권유

① 권유할 때

- Won't you come and see me next Sunday?
  다음주 일요일에 놀러오지 않으시렵니까?
- How about going to the movies this evening?
  오늘 저녁에 영화 구경가는 것이 어떨까요?
- Would you like to go out this evening?
  오늘 저녁에 외출하지 않으시렵니까?
- I would like to have dinner with you this evening. Can you make it?
  오늘 저녁에 당신과 저녁식사를 같이 하고 싶습니다. 가능하십니까(괜찮으십니까)?

② 권유에 응할 때

- Yes, I'd like to. Yes, I'd love to. 예, 좋습니다.
- Thank you, I shall be very glad to. 감사합니다. 기꺼이 그렇게 하지요.
- That's very kind of you to say so. 그렇게 말씀해 주시니 매우 친절하십니다.

③ 권유를 거절할 때

- I should like to come, but I have something else to do.
  꼭 가고 싶지만 다른 할 일이 있어서요.
- I'm sorry to say, but I have a previous appointment.
  죄송하지만, 선약이 있어서요.

(3) 초대

① 초대할 때

- How about going out tonight? 오늘밤 외출하시겠어요?
- Would you like to come to the party tonight? 오늘밤 파티에 오시겠어요?

② 초대에 응할 때

- That's a nice idea. 그것 좋은 생각이군요.
- Yes. I'd like that. Fine with me. 감사합니다. 그러고 싶어요.

③ 초대를 거절할 때

- I'd love to but I'm afraid I can't. 그러고 싶지만 안될 것 같군요.
- Sorry. I'm afraid I can't make it. Maybe another time.
  죄송합니다만 그럴 수 없을 것 같군요. 다음 기회에 부탁드려요.

(4) 파티가 끝난 후 귀가할 때

- I must be going(leaving) now. I must say good-bye now. 이제 가야 할 시간입니다.
- Did you have a good time? Did you enjoy yourself? 즐거우셨어요?
- I sure did. Yes, really(certainly). 아주 즐거웠습니다.

국어

section 6 부탁 · 요청

- Would you please open the window? 창문을 열어 주시겠습니까?
- All right. Certainly, with pleasure. 예, 알았습니다. 예, 그렇게 하죠.
- Would you mind opening the window? 창문을 열어 주시지 않겠습니까?
- (Would you mind ~?의 긍정의 대답으로) No, I wouldn't. 아니, 그렇게 하죠.
  = No, not at all.
  = No, of course not.
  = Certainly not.
  = Sure(ly).
- (Would you mind ~?의 부정의 대답으로) Yes. I will. 예, 안되겠습니다.
- May I ask a favor of you? 부탁을 하나 드려도 될까요?
- What is it? 무슨 일이죠?
- Sure, (if I can). 물론입니다. 부탁을 들어드리겠습니다.
  = By all means.
  = With great pleasure.
  = I'll do my best for you.
- Well, that depends (on what it is). 글쎄요, (무슨 일인지) 들어보고 해드리죠.
- I'm sorry to trouble you, but would you please carry this baggage for me?
  폐를 끼쳐 죄송하지만, 저를 위해 이 짐 좀 날라다 주시겠습니까?

한국사

영어

Let's check it out

04 기출문제분석

2018. 10. 13. 소방공무원 공개경쟁

1 다음 대화의 빈칸에 들어갈 말로 가장 적절한 것은?

> A: I am totally drained.
> B: What do you mean? You drank too much water?
> A: No, I mean I am exhausted.
> B: You are quite tired today.
> A: Much more than that. I am totally worn out.
> B: Okay. Then you should ______________.

① keep your promise
② find the door and leave
③ take a rest and get some sleep
④ work out at a gym and go hiking

TIPS!

drained 진이 빠진 exhausted 기진맥진한 worn out 매우 지친

「A : 나는 완전히 진이 빠졌어.
B : 무슨 뜻이야? 너무 많은 물을 마셨다고?
A : 아니, 내 말은 나는 기진맥진하다는 뜻이야.
B : 너 오늘 꽤 피곤하구나.
A : 그것보다 훨씬 더해. 나는 완전히 지쳤어.
B : 그래. 그러면 넌 휴식을 취하고 잠을 좀 자야 해.」

Answer 1.③

2018. 5. 19. 제1회 지방직

2 밑줄 친 부분에 들어갈 말로 가장 적절한 것은?

> A : My computer just shut down for no reason. I can't even turn it back on again.
> B : Did you try charging it? It might just be out of battery.
> A : Of course, I tried charging it.
> B : ______________________________
> A : I should do that, but I'm so lazy.

① I don't know how to fix your computer.

② Try visiting the nearest service center then.

③ Well, stop thinking about your problems and go to sleep.

④ My brother will try to fix your computer because he's a technician.

TIPS!

shut down 멈추다 turn on 켜다 charge 충전하다

① 어떻게 네 컴퓨터를 고쳐야 할 지 모르겠어.

② 그럼 가장 가까운 서비스센터를 가봐.

③ 글쎄, 문제에 대한 걱정 그만하고 자러 가.

④ 내 동생이 기술자니까 네 컴퓨터 고쳐 보라고 할게.

「A : 내 컴퓨터가 이유도 없이 멈췄어. 심지어 다시 켤 수도 없네.
B : 충전했어? 배터리가 거의 방전됐을지도 몰라.
A : 물론 충전도 다시 해봤지.
B : 그럼 가장 가까운 서비스센터를 가봐.
A : 그래야 하는데, 내가 너무 게을러.」

국어
한국사
영어

Answer 2.②

2018. 5. 19. 제1회 지방직

3 **밑줄 친 부분에 들어갈 말로 가장 적절한 것을 고르면?**

> A : Where do you want to go for our honeymoon?
> B : Let's go to a place that neither of us has been to.
> A : Then, why don't we go to Hawaii?
> B : ________________________________

① I've always wanted to go there.
② Isn't Korea a great place to live?
③ Great! My last trip there was amazing!
④ Oh, you must've been to Hawaii already.

TIPS!

① 난 늘 그곳에 가고 싶었어.
② 한국은 살기 좋은 곳 아니니?
③ 좋았어! 지난번에 갔던 여행은 정말 멋졌어!
④ 오, 넌 하와이에 벌써 가본 게 틀림없구나.

「A : 신혼여행 어디 가고 싶어?
B : 우리 둘 다 한 번도 간 적 없는 곳으로 가자.
A : 그럼 하와이에 가는 거 어때?
B : 나도 늘 그곳에 가고 싶었어.」

Answer 3.①

2017. 12. 16. 지방직

4 밑줄 친 부분에 들어갈 말로 가장 적절한 것을 고르면?

> A : How do you like your new neighborhood?
> B : It's great for the most part. I love the clean air and the green environment.
> A : Sounds like a lovely place to live.
> B : Yes, but it's not without its drawbacks.
> A : Like what?
> B : For one, it doesn't have many different stores. For example, there's only one supermarket, so food is very expensive.
> A : ____________________
> B : You're telling me. But thank goodness. The city is building a new shopping center now. Next year, we'll have more options.

① How many supermarkets are there?
② Are there a lot of places to shop there?
③ It looks like you have a problem.
④ I want to move to your neighborhood.

TIPS!

drawback 결점, 문제점
① 거기 슈퍼마켓이 몇 개나 있어?
② 거기 쇼핑할 곳이 많아?
③ 문제가 좀 있어 보이네.
④ 나 너희 동네로 이사 가고 싶어.

「A : 새 동네는 어때?
B : 대부분 훌륭해. 깨끗한 공기와 녹지 환경이 좋아.
A : 살기 좋은 곳으로 들리네.
B : 응, 그렇지만 단점이 없지는 않아.

Answer 4.③

국어 한국사 영어

2017. 6. 24. 제2회 서울특별시

5 **대화의 흐름으로 보아 빈칸에 들어갈 가장 적절한 것은?**

> A : Why don't you let me treat you to lunch today, Mr. Kim?
> B : ____________________________________.

① No, I'm not. That would be a good time for me

② Good. I'll put it on my calendar so I don't forget

③ OK. I'll check with you on Monday

④ Wish I could but I have another commitment today

TIPS!

commitment 약속

대화의 흐름상 적절한 답변은 ④번이다.

① 아니요, 그것은 저에게 좋은 시간이 될 것입니다.

② 좋습니다. 제가 잊지 않도록 달력에 적어두겠습니다.

③ 좋아요. 월요일에 함께 체크해 봅시다.

④ 그럴 수 있으면 좋겠지만, 오늘은 다른 약속이 있습니다.

「A : Mr. Kim, 오늘 제가 당신에게 점심을 대접해도 될까요?
B : 그럴 수 있으면 좋겠지만, 오늘은 다른 약속이 있습니다.」

Answer 5.④

┃6~7┃ 밑줄 친 부분에 들어갈 말로 가장 적절한 것을 고르시오.

6

A : I just received a letter from one of my old high school buddies.

B : That's nice!

A : Well, actually it's been a long time since I heard from him.

B : To be honest, I've been out of touch with most of my old friends.

A : I know. It's really hard to maintain contact when people move around so much.

B : You're right. ______________________. But you're lucky to be back in touch with your buddy again.

① The days are getting longer
② People just drift apart
③ That's the funniest thing I've ever heard of
④ I start fuming whenever I hear his name

TIPS!

drift apart 뿔뿔이 흩어지다 fume 화가 나서 씩씩대다

밑줄의 앞부분 move around와 일맥상통하는 drift apart가 있는 ②번이 대화의 흐름상 적절하다.

① 낮이 점점 길어지고 있어.
② 사람들은 뿔뿔이 흩어져.
③ 그것은 내가 들어본 중 제일 웃기다.
④ 내가 그의 이름을 들을 때마다 화가 나기 시작해.

「A : 나 오래된 고등학교 친구 중 한 명에게서 편지를 받았어.
B : 와 멋지다!
A : 응, 사실 그 친구로부터 소식을 들은 지 오래되었지.
B : 솔직히 말하면, 난 내 오랜 친구들과 연락을 못하고 있어.
A : 맞아. 사람들이 이사를 많이 가면 연락을 유지하기가 어려워.
B : 네 말이 맞아. 사람들은 뿔뿔이 흩어져. 하지만 너는 친구와 다시 연락이 닿았다니 행운이다.」

Answer 6.②

7

A : What are you getting Ted for his birthday? I'm getting him a couple of baseball caps.

B : I've been ______________ trying to think of just the right gift. I don't have an inkling of what he needs.

A : Why don't you get him an album? He has a lot of photos.

B : That sounds perfect! Why didn't I think of that? Thanks for the suggestion!

① contacted by him

② sleeping all day

③ racking my brain

④ collecting photo albums

TIPS!

inkling 눈치챔

빈칸에는 선물을 고르기 위해 고민하는 내용이 들어가야 하므로 ③번이 대화의 흐름상 적절하다.

① 그에게 연락을 받아오다.

② 하루 종일 잠을 잤다.

③ 머리를 쥐어짜고 있다.

④ 사진 앨범을 모으고 있다.

「A : Ted 생일선물로 뭐 사줄꺼니? 나는 야구 모자 몇 개를 사주려고 해.

B : 나는 좋은 선물을 생각해 내기 위해 머리를 쥐어짜고 있었어. 나는 그가 필요한 것을 전혀 눈치 채지 못하겠어.

A : 앨범을 사 주는 것은 어때? Ted는 사진을 많이 갖고 있잖아.

B : 완벽한데? 나는 왜 그 생각을 하지 못했지? 제안해줘서 고마워」

Answer 7.③

2017. 4. 8. 인사혁신처

| 8~9 | **밑줄 친 부분에 들어갈 말로 가장 적절한 것을 고르시오.**

8

> A : May I help you?
> B : I bought this dress two days ago, but it's a bit big for me.
> A : ______________________________
> B : Then I'd like to get a refund.
> A : May I see your receipt, please?
> B : Here you are.

① I'm sorry, but there's no smaller size.
② I feel like it fits you perfectly, though.
③ That dress sells really well in our store.
④ I'm sorry, but this purchase can't be refunded.

TIPS!

B가 드레스가 크다고 이야기를 했고 A의 발화 뒤에 B가 환불을 요구하고 있기 때문에 빈 칸에는 ①번 더 작은 사이즈는 없다는 내용이 적절하다.

① 죄송합니다만, 더 작은 사이즈는 없습니다.
② 그런데 제 생각에는 손님에게 딱 맞는 것 같은데요.
③ 그 드레스는 저희 가게에서 매우 잘 팔립니다.
④ 죄송합니다만 이 제품은 환불이 되지 않습니다.

「A : 도와드릴까요?
B : 제가 이 드레스는 이틀 전에 샀는데, 저에게 좀 큰 것 같아요.
A : <u>죄송합니다만, 더 작은 사이즈는 없습니다.</u>
B : 그러면 환불을 하고 싶습니다.
A : 영수증 좀 보여주시겠어요?
B : 여기 있습니다.」

국어 한국사 **영어**

Answer 8.①

9

> A : Every time I use this home blood pressure monitor, I get a different reading. I think I'm doing it wrong. Can you show me how to use it correctly?
> B : Yes, of course. First, you have to put the strap around your arm.
> A : Like this? Am I doing this correctly?
> B : That looks a little too tight.
> A : Oh, how about now?
> B : Now it looks a bit too loose. If it's too tight or too loose, you'll get an incorrect reading.
> A : ______________________
> B : Press the button now. You shouldn't move or speak.
> A : I get it.
> B : You should see your blood pressure on the screen in a few moments.

① I didn't see anything today.
② Oh, okay. What do I do next?
③ Right, I need to read the book.
④ Should I check out their website?

TIPS!

혈압측정기를 사용하는 단계를 묻는 과정으로 빈칸에는 끈을 팔에 두른 뒤 해야 하는 단계의 설명이 나오고 있으므로 ②번이 적절하다.

① 오늘은 아무것도 보지 못했습니다.
② 알겠습니다. 다음에는 무엇을 해야 하나요?
③ 맞습니다. 저는 책을 좀 읽어야겠습니다.
④ 그들의 웹사이트를 체크해 봐야 할까요?

「A : 제가 집에 있는 혈압측정기를 사용할 때마다 다른 결과를 얻게 됩니다. 제가 무엇인가를 잘못하고 있는 것 같은데요. 혈압측정기를 올바르게 사용하는 방법을 알려주실 수 있나요?
B : 물론입니다. 먼저 끈을 팔에 두르세요.
A : 이렇게요? 맞게 하고 있는 건가요?
B : 너무 꽉 조인 것 같습니다.
A : 그럼 지금은 어떤가요?
B : 이번에는 너무 느슨한 것 같습니다. 너무 꽉 조이거나 느슨하다면 잘못된 결과를 얻게 됩니다.
A : <u>알겠습니다. 다음에는 무엇을 해야 하나요?</u>
B : 이제 버튼을 누르세요. 움직이거나 말을 해서는 안 됩니다.
A : 알겠습니다.
B : 잠시 후에 측정기의 화면을 읽어야 합니다.」

Answer 9.②

Let's check it out

04 출제예상문제

1 밑줄 친 부분에 가장 적절한 것은?

> A : Did you see Steve this morning?
> B : Yes. But why does he ______________?
> A : I don't have the slightest idea.
> B : I thought he'd be happy.
> A : Me too. Especially since he got promoted to sales manager last week.
> B : He may have some problem with his girlfriend.

① have such a long face
② step into my shoes
③ jump on the bandwagon
④ play a good hand

TIPS!

① 우울한 얼굴을 하다.
② 내 입장이 돼 봐.
③ 우세한 편에 붙다.
④ 멋진 수를 쓰다.

「A : 오늘 아침에 Steve 봤어?
B : 응, 그런데 왜인지 표정이 안 좋던데?
A : 나는 전혀 모르겠어.
B : 나는 그가 행복할거라 생각했는데.
A : 나도 마찬가지야. 특히 지난주에 영업부장으로 승진도 했잖아.
B : 어쩌면 여자 친구와 문제가 있을지도 몰라.」

Answer 1.①

2 밑줄 친 부분에 가장 적절한 것은?

> A: Excuse me. I'm looking for Nambu Bus Terminal.
> B: Ah, it's right over there.
> A: Where? ________________
> B: Okay. Just walk down the street, and then turn right at the first intersection. The terminal's on your left. You can't miss it.

① Could you be more specific?
② Do you think I am punctual?
③ Will you run right into it?
④ How long will it take from here by car?

TIPS!

① 좀 더 구체적으로 말씀해주실 수 있나요?
② 제가 시간을 엄수했나요?
③ 바로 그곳으로 갈 건가요?
④ 차로 여기서 얼마나 걸릴까요?
intersection 교차로 specific 구체적인, 명확한 punctual 시간을 지키는(엄수하는)

「A: 실례합니다. 제가 남부터미널을 찾고 있는데요.
B: 아, 바로 저기예요.
A: 어디라고요? 좀 더 구체적으로 말씀해주실 수 있나요?
B: 네. 그냥 길 아래로 걸어가다가, 첫 번째 교차로에서 오른쪽으로 꺾으세요. 터미널은 왼쪽에 있어요. 분명히 찾을 수 있을 거예요.」

Answer 2.①

| 3~5 | 대화의 빈칸에 들어갈 말로 가장 적절한 것을 고르시오.

3

A : Would you like to get some coffee
B : That's a good idea.
A : Should we buy Americano or Cafe-Latte?
B : It doesn't matter to me. ________________
A : I think I'll get Americano.
B : Sounds great to me.

① Not really.
② Suit yourself.
③ Come see for yourself.
④ Maybe just a handful or so.

TIPS!

① 그렇지도 않아.
② 네 맘대로 해.
③ 네가 스스로 보러 와라.
④ 아마 한 스푼 또는 그 정도

「A : 커피 마시는 것 어때요?
B : 그거 괜찮은 데요.
A : 아메리카노하고 카페라떼 중 어떤 거 드실래요?
B : 나는 상관없어요. 당신 맘대로 하세요.
A : 아메리카노를 가져올 생각이에요.
B : 좋습니다.」

국어
한국사
영어

Answer 3.②

4 A : ________________________

B : Today is Monday, so you can have it until next Monday.

A : Can I have the book for a few more days?

B : No. Books borrowed should be returned within one week.

A : Is there any way to keep this book for around 10 days?

B : Well, I'm afraid there isn't. You'll just have to renew the book for another week.

① What date is it?

② When is this book due?

③ I'd like to return this book.

④ This book can be checked out in due form, right?

TIPS!

① 무슨 요일이죠?

② 이 책은 언제 반납해야 하나요?

③ 저는 이 책을 돌려 드릴 것입니다.

④ 이 책은 정식으로 대출할 수 있는 것이 맞죠?

「A : 이 책은 언제 반납해야 하나요?

B : 오늘은 월요일이므로, 다음 주 월요일까지 대여가 됩니다.

A : 날짜를 조금 더 연장할 수 있을까요?

B : 아니요. 대여한 책은 일주일 이내에 다시 가져오셔야 되요.

A : 10일 가량 이 책을 빌릴 다른 방법은 없나요?

B : 음, 그럴 수는 없을 것 같네요. 또 다른 주에 그 책을 다시 빌리는 것이 나을 것 같아요.」

5 A : Are you ready to go to the party, Amy?

B : I don't know whether I can go. I'm feeling a little sick, and my dress is really not that nice. Maybe you should just go without me.

A : Come on, Amy. Stop ____________. I know you too well. You're not sick. What is the real root of the problem?

① shaking a leg

② hitting the ceiling

③ holding your horses

④ beating around the bush

Answer 4.② 5.④

TIPS!

① 다리 흔들기
② 봉창 두드리기
③ 말꼬리 잡기
④ 둘러서 말하기

「A : 파티에 갈 준비가 다 되었니, 에이미?
B : 내가 갈 수 있을지 잘 모르겠어. 난 조금 아픈 것 같고, 내 드레스는 정말 좋지 않아. 넌 어쩌면 나 없이 가야할지도 몰라.
A : 에이미, 돌려서 얘기하지 마. 난 너를 잘 알아 넌 아픈 게 아니야. 진짜 문제가 뭐야?」

6 **다음 대화에서 밑줄 친 곳에 들어갈 알맞은 문장은?**

> A : Hello. This is the long distance operator.
> B : Hello, operator. I'd like to make a person-to-person call to Mr. James at the Royal Hotel in Seoul.
> A : Do you know the number of the Hotel?
> B : No, I don't. ____________________
> A : Just a moment, please. The number is 385 – 2824.

① Would you find out for me?
② Would you hold the line, please?
③ May I take a message?
④ What about you?
⑤ Do you know?

person-to-person call : 지명통화

「A : 여보세요. 장거리 전화교환원입니다.
B : 여보세요, 교환원. 서울 로얄호텔에 있는 James씨와 지명통화를 하고 싶은데요.
A : 호텔 전화번호를 아세요?
B : 아니요. 좀 알아봐주시겠어요?
A : 잠깐만 기다리세요. 385 – 2824번입니다.」

Answer 6.①

PART 04

최근기출문제분석

2020. 6. 20. 소방공무원 채용

2020. 6. 20. 소방공무원 채용

1 **다음 편지글에서 고쳐 쓸 단어로 적절하지 않은 것은?**

> 할머니께
>
> 할머니, 작년 여름에 함께 장터에 가서 갈치졸임을 먹었던 기억이 생생해요. 또 할머니께서 만들어 주신 만두국과 떡볶기는 너무 맛있었어요. 할머니! 항상 무리하시면 안 돼요. 저는 할머니가 정말 보고 싶어요. 이번 여름 방학 때 봬요.

① 갈치졸임 → 갈치조림
② 만두국 → 만둣국
③ 떡볶기 → 떡볶이
④ 봬요 → 뵈요

Point

④ '봬요'는 동사 '보다'의 높임말인 '뵈다'의 어간 '뵈'에 어미인 '–어'가 결합하여 '봬'로 축약된다. 그러므로 '뵈어요'의 축약형인 '봬요'가 맞춤법에 맞는 표현이다.
① 졸이다 – 마음이 초조하다 or 국물의 양이 줄어들다('졸다'의 사동사)
조리다 – 양념이 배어들도록 하다
갈치에 양념을 해서 배어들도록 만든 음식이므로 '갈치조림'이 맞는 표현이다.
② 순우리말로 된 합성어의 경우 뒷말의 첫소리가 된소리로 나면 사이시옷을 적어야 한다. 따라서 '만둣국, 북엇국, 순댓국, 고깃국' 등으로 적는다.
③ '떡볶이'가 맞는 표현이다.

Answer. 1.④

2 다음 글에서 알 수 있는 중세 국어의 특징으로 적절하지 않은 것은?

[중세 국어 문헌]
불 · 휘기 · 픈남 · ᄀᆞᆫᄇᆞᄅᆞ · 매아 · 니 : 뮐 · ᄊᆡ
곶 : 됴 · 코여 · 름 · 하ᄂᆞ · 니
: ᄉᆡ · 미기 · 픈 · 므 · 른 · ᄀᆞᄆᆞ · 래아 · 니그 · 츨 · ᄊᆡ
: 내 · 히이 · 러바 · ᄅᆞ · 래 · 가ᄂᆞ · 니

[현대 국어 풀이]
뿌리 깊은 나무는 바람에 움직이지 아니하므로,
꽃 좋고 열매 많습니다.
샘이 깊은 물은 가뭄에 그치지 아니하므로,
내[川]가 이루어져 바다에 갑니다.

① 이어 적기가 적용되었다.
② 모음 조화가 잘 지켜지지 않았다.
③ 주격 조사 '가'는 사용되지 않았다.
④ 소리의 높낮이를 나타내는 방점이 쓰였다.

Point

중세국어 시기에는 모음 조화가 엄격하게 지켜졌다. 지문에 나타난 어휘 중 'ᄇᆞᄅᆞ매, ᄀᆞᄆᆞ래, ᄇᆞᄅᆞ래' 등이 양성모음 'ㆍ' 뒤에 부사격 조사 '애'가 사용되었음을 통해 알 수 있다.
① 이어적기(발음대로 표기) '기픈(깊은)', 므른(믈은)
③ 중세 국어 시기에는 주격조사 '이'만이 사용되었다(ᄉᆡ미). 단 'l' 모음 뒤에서는 생략된다(불휘).
④ 글자 왼쪽에 방점을 찍어 소리의 높낮이를 나타내었다. (평성, 거성 , 상성, 입성을 표시)

Answer 2.②

3 높임법의 쓰임이 다른 것은?

① 내일은 잊지 않고 어머니께 편지를 보내 드려야겠다.
② 오늘도 할머니께서는 경로당에서 시간을 보내셨다.
③ 선생님께서 누나와 함께 와도 좋다고 하셨다.
④ 큰아버지께서는 나를 무척 아끼셨다.

Point

나머지는 모두 문장의 주어를 높이는 주체 높임법이 사용되었으나 ①은 문장의 부사어인 '어머니'를 높이는 객체 높임법이 사용되었다.
② 주어인 할머니를 높이고 있다. (주체 높임법)
③ 주어인 선생님을 높이고 있다. (주체 높임법)
④ 주어인 큰아버지를 높이고 있다. (주체 높임법)

4 어문 규정에 맞지 않는 문장은?

① 이 건물은 학교의 체육관이요, 그 옆 건물은 본관이다.
② 저 두 사람은 부부가 아니오, 친구이다.
③ 늦지 않게 빨리 오시오.
④ 이것은 책이 아니오.

Point

한글 맞춤법 제15항에 따라 '-이오'는 종결형에서 '-이요'는 연결형 어미에 사용된다. 그러므로 ②은 종결형 어미 '-이오'가 아니라 연결형 어미 '-이요'를 써야한다.

Answer 3.① 4.②

5 ㉠의 문맥적 의미와 가장 가까운 것은?

> 문화의 특성도 인간의 성격도 크게 나누어 보면 '심근성(深根性)'과 '천근성(淺根性)'으로 ㉠ 나누어 볼 수 있다. 심근성의 문화는 이념이나 정통에 깊이 뿌리를 박고 있는 대륙형 문화이며, 천근성의 문화는 이식과 수용·적응이 잘되는 해양성 섬 문화이다. 소나무 가지는 한번 꺾이고 부러지면 재생 불가능이지만 버들은 아무 데서나 새 가지가 돋는다. 이렇게 고지식하고 융통성이 없는 깐깐한 소나무 문화와는 달리 버드나무는 뿌리가 얕으므로 오히려 덕을 본다.

① 우리는 그 문제에 대해서 의견을 나누었으나 결론을 내지는 못했다.
② 학생들은 청군과 백군으로 나누어 편을 갈랐다.
③ 형제란 한 부모의 피를 나눈 사람들이다.
④ 이 사과를 세 조각으로 나누자.

Point

㉠의 '나누어'는 '여러 가지가 섞인 것을 구분하여 '분류하다.'의 의미로 쓰였다. ②도 문맥적으로 같은 의미인 '구분하다'는 의미로 사용되었다.
① 말이나 생각 따위를 주고받다.
③ 같은 핏줄로 태어나다.
④ 하나의 대상을 여러 개로 가르다.

Answer 5.②

6 ㉠~㉣에 대한 예로 가장 적절한 것은?

> 특정 음운 환경에서 'ㄱ, ㄷ, ㅂ, ㅅ, ㅈ' 같은 예사소리가 'ㄲ, ㄸ, ㅃ, ㅆ, ㅉ' 같은 된소리로 바뀌는 현상이 일어나는데, 이를 된소리되기 또는 경음화라고 한다. 된소리되기의 종류로는 ㉠ 'ㄱ, ㄷ, ㅂ' 뒤에서 일어나는 된소리되기, ㉡ 어간 받침 'ㄴ, ㅁ' 뒤에서 일어나는 된소리되기, ㉢ 'ㄹ'로 끝나는 한자와 'ㄷ, ㅅ, ㅈ'으로 시작하는 한자가 결합할 때 일어나는 된소리되기, ㉣ 관형사형 어미 '-(으)ㄹ' 뒤에 있는 체언에서 일어나는 된소리되기 등이 있다.

① ㉠ : 잡고 → [잡꼬]
② ㉡ : 손재주 → [손째주]
③ ㉢ : 먹을 것 → [머글껃]
④ ㉣ : 갈등 → [갈뜽]

Point

① 잡고[잡꼬]는 ㉠의 'ㅂ' 받침 뒤에 일어나는 된소리되기이다.
② ㉡ '손'은 어간 받침이 아닌 명사이다.
손재주[손째주]로 발음 되는 것은 합성명사 '손 + 재주'에서 울림소리 'ㄴ'과 안울림소리 'ㅈ'이 만났을 때 뒤의 소리가 된소리로 발음되는 현상이다. ㉠~㉣ 어디에도 해당되지 않는다.
③ 관형사형 어미 뒤의 체언이 된소리로 발음되는 ㉣의 예이다.
④ 갈등(葛藤)은 한자어 사이에서 일어나는 된소리이므로 ㉢의 예이다.

Answer 6.①

7 ㉠, ㉡에 해당하는 문장으로 바르게 연결한 것은?

> 문장 속에 안겨 하나의 성분처럼 기능하는 절을 안긴문장이라고 하며 이러한 절을 포함한 문장을 안은문장이라고 한다. 안은문장에는 ㉠ 명사절을 안은문장, ㉡ 관형절을 안은문장, 부사절을 안은문장, 서술절을 안은문장, 인용절을 안은문장이 있다.

① ㉠ 나는 봄이 오기를 기다린다.
㉡ 그는 열심히 공부하는 그녀를 떠올린다.

② ㉠ 오늘은 밖에 나가기가 싫다.
㉡ 누나는 마음이 넓다.

③ ㉠ 그것은 내가 입을 옷이다.
㉡ 꽃이 활짝 핀 봄을 기다린다.

④ ㉠ 그가 범인임이 밝혀졌다.
㉡ 그녀의 얼굴이 예쁘게 생겼다.

Point

① ㉠은 '나는 기다린다 + 봄이 오다'라는 두 개의 문장이 결합한 겹문장으로 안은문장인 '기다린다'의 목적어로 '봄이 오기'가 목적어로 사용되었으므로 명사절을 안은문장이다. 명사절의 표지로 '–기, –음 ,–ㅁ'이 있다.
㉡은 '그는 그녀를 떠올린다 + 그녀가 열심히 공부한다'의 두 개의 문장이 결합한 겹문장으로 '열심히 공부하는'이 '그녀를' 수식하는 관형절을 안은문장이다.

② ㉠ 명사절을 안은문장
㉡ 서술절을 안은문장

③ ㉠ 관형절을 안은문장
㉡ 서술절을 안은문장

④ ㉠ 명사절을 안은문장
㉡ 부사절을 안은문장

Answer. 7.①

8 다음 글에 드러난 서술상의 특징으로 알맞지 않은 것은?

> 이튿날 출근 끝에 가까운 읍의 수령들이 모여든다. 운봉의 장관, 구례, 곡성, 순창, 옥과, 진안, 장수 원님이 차례로 모여든다. 왼쪽에 행수 군관, 오른쪽에 청령, 사령이 있고 본관 사또는 주인이 되어 한가운데 있어 하인 불러 분부하되,
> "관청색 불러 다과를 올리라. 육고자 불러 큰 소를 잡고, 예방(禮房) 불러 악공을 대령하고, 승발 불러 천막을 대령하라. 사령 불러 잡인을 금하라."
> 이렇듯 요란할 제 온갖 깃발이며 삼현육각 풍류 소리 공중에 떠 있고, 붉은 옷 붉은 치마 입은 기생들은 흰 손 비단 치마 높이 들어 춤을 추고, 지화자 둥덩실 하는 소리에 어사의 마음이 심란하구나.
> "여봐라 사령들아, 너의 사또에게 여쭈어라. 먼 데 있는 걸인이 좋은 잔치에 왔으니 술과 안주나 좀 얻어 먹자고 여쭈어라."
> 저 사령의 거동 보소.
> "우리 사또님이 걸인을 금하였으니, 어느 양반인지는 모르오만 그런 말은 내지도 마오."
> 등을 밀쳐 내니 어찌 아니 명관(名官)인가.
> 운봉 영장이 그 거동을 보고 본관 사또에게 청하는 말이,
> "저 걸인의 의관은 남루하나 양반의 후예인 듯하니 말석에 앉히고 술잔이나 먹여 보냄이 어떠하뇨?"
> 본관 사또 하는 말이,
> "운봉의 소견대로 하오마는."
> '마는' 하는 끝말을 내뱉고는 입맛이 사납겠다. 어사또 속으로,
> "오냐, 도적질은 내가 하마. 오라는 네가 받아라."
> 운봉 영장이 분부하여,
> "저 양반 듭시라고 하여라."
>
> – 작자 미상, 『춘향전(春香傳)』

① 잔치가 열리는 장면이 묘사되어 있다.
② 인물의 심리가 표면적으로 드러나 있다.
③ 인물의 말과 행동을 통해 갈등이 해소되고 있다.
④ 서술자는 직접 말을 건네며 독자와의 거리를 좁히고 있다.

Point

제시문은 어사또(이몽룡)가 변사또의 생일잔치에 자신의 신분을 숨기고 걸인의 차림으로 참석하기를 요청하는 장면이다. 갈등이 해소되기보다는 오히려 갈등이 고조되고 있는 부분이라고 할 수 있다.

① 제시문은 화려한 변사또의 생일잔치가 열리는 장면이 묘사되고 있다.
② 제시문에서 '어사의 마음 심란하구나'와 '어사또 속으로, 오냐 도적질은 내가 하마. 오라는 네가 받아라'라는 부분에서 어사또의 심리가 직접적으로 드러난다.
④ 제시문에서 '저 사령의 거동보소'와 '등 밀쳐 내니 어찌 아니 명관(名官)인가'라는 부분에서 서술자가 작품에 개입하여 독자에게 말을 건네듯 이야기하고 있다.

 8.③

※ 작자미상 〈춘향전〉

〈춘향전〉은 우리나라의 대표적인 고전 소설로, 조선 시대의 한글 소설이며 판소리계 소설이다. 양반인 이몽룡과 기생의 딸 춘향의 신분을 초월한 사랑 이야기로, 해학적이고 풍자적이며 조선 후기의 평민 의식을 담고 있는 작품이다.

[작품해설]

㉠ 갈래 : 판소리계 소설, 염정소설

㉡ 성격 : 풍자적, 해학적

㉢ 배경 : 시간적 – 조선 후기
공간적 – 전라도 남원

㉣ 주제 : 신분을 초월한 남녀 간의 사랑
불의한 지배 계층에 대한 민중의 저항

▌9~11▐ 다음 글을 읽고 물음에 답하시오.

님다히 쇼식(消息)을 아므려나 아쟈 ᄒᆞ니
오늘도 거의로다. ᄂᆡ일이나 사ᄅᆞᆷ 올가.
내 ᄆᆞ음둘 ᄃᆡ 업다. 어드러로 가쟛 말고
잡거니 밀거니 놉픈 뫼히 올라가니
구롬은 ᄏᆞ니와 안개ᄂᆞᆫ 므ᄉᆞ 일고.
산쳔(山川)이 어둡거니 일월(日月)을 엇디 보며
지쳑(咫尺)을 모ᄅᆞ거든 쳔리(千里)를 ᄇᆞ라보랴.
출하리 믈ᄀᆞ의 가 ᄇᆡ 길히나 보랴 ᄒᆞ니
[ᄇᆞ람]이야 믈결이야 어둥졍 된뎌이고.
샤공은 어ᄃᆡ 가고 븬 ᄇᆡ만 걸렷ᄂᆞᆫ고.
강텬(江天)의 혼쟈 셔셔 디ᄂᆞᆫ ᄒᆡ를 구버보니
님다히 쇼식(消息)이 더옥 아득ᄒᆞᆫ뎌이고.
모쳠(茅簷) ᄎᆞᆫ 자리의 밤듕만 도라오니
반벽쳥등(半壁靑燈)은 눌 위ᄒᆞ야 ᄇᆞᆯ갓ᄂᆞᆫ고.
오ᄅᆞ며 ᄂᆞ리며 헤ᄯᅳ며 바니니
져근덧 역진(力盡)ᄒᆞ야 픗ᄌᆞᆷ을 잠간 드니
졍셩(精誠)이 지극ᄒᆞ야 ᄭᅮᆷ의 님을 보니
옥(玉) ᄀᆞᄐᆞᆫ 얼구리 반(半)이나마 늘거셰라.
ᄆᆞ음의 머근 말ᄉᆞᆷ 슬ᄏᆞ장 ᄉᆞᆲ쟈 ᄒᆞ니
눈믈이 바라 나니 말ᄉᆞᆷ인들 어이ᄒᆞ며
졍(情)을 못다ᄒᆞ야 목이조차 메여ᄒᆞ니
오뎐된 계셩(鷄聲)의 ᄌᆞᆷ은 엇디 ᄭᆡ돗던고.
어와, 허ᄉᆞ(虛事)로다. 이 님이 어ᄃᆡ 간고.
결의 니러 안자 창(窓)을 열고 ᄇᆞ라보니
어엿븐 그림재 날 조ᄎᆞᆯ ᄲᅮᆫ이로다.

출하리 싀여디여 낙월(落月)이나 되야이셔
님 겨신 창(窓) 안히 번드시 비최리라.
각시님 돌이야 ᄏᆞ니와 구ᄌᆞᆫ 비나 되쇼셔.

– 정철, 「속미인곡(續美人曲)」

Point

정철의 〈속미인곡〉은 전작(前作)인 〈사미인곡〉의 속편으로 신하가 임금을 그리워하는 마음(충정)을 표현한 충신연주지사(忠臣戀主之詞)의 대표적인 가사 작품의 하나이다.

[작품해설]

㉠ **창작연대** : 선조 18년~22년(1585~1589)
㉡ **갈래** : 양반 가사, 정격 가사, 서정 가사
㉢ **운율** : 4음보 연속체, 3(4) · 4조
㉣ **표현** : 대화체, 은유, 미화법 등
㉤ **어조** : 여성 화자의 애절한 목소리
㉥ **구성** : 서사 – 본사 – 결사의 3단 구성
㉦ **주제** : 연군(戀君)의 정(情)
㉧ **출전** : 송강가사
㉨ **의의**

- 사미인곡과 더불어 가사 문학의 극치를 이룬 작품이다.
- 우리말의 구사가 절묘하여 문학성이 높다.
- 대화 형식으로 된 최초의 작품이다.

9 윗글의 표현상 특징으로 가장 적절한 것은?

① 인물과의 대화를 통해 임에 대한 원망을 드러내고 있다.
② 여성 화자의 목소리를 통해 애절한 마음을 드러내고 있다.
③ 특정한 시어를 반복해 안빈낙도의 염원을 드러내고 있다.
④ 자연과 속세의 대비를 통해 시적 화자의 처지에 대한 만족감을 드러내고 있다.

Point

속미인곡은 화자 자신을 여인(선녀)으로, 임금을 사랑하는 임으로 치환하여 임금에 대한 연군의 정을 여인의 임을 향한 애절한 마음으로 효과적으로 드러낸 작품이다.

① 임에 대한 원망이 아닌 임에 대한 영원한 사랑, 충정을 노래하고 있다.
③ 특정 시어의 반복, 안빈낙도(安貧樂道)의 염원 모두 드러나지 않았다.
④ 강호한정가에 대한 설명으로 이 작품의 내용과는 거리가 멀다.

Answer 9.②

10 윗글에 대한 설명으로 적절하지 않은 것은?

① 화자는 꿈에서 임과 재회하고 있다.
② 밤에서 새벽으로 시간의 경과가 드러나 있다.
③ 임의 소식을 전해 주는 이는 오늘도 오지 않았다.
④ 사공은 화자의 절박한 상황을 알고 도와주고 있다.

Point

'사공은 어디가고 빈 배만 매어있다'는 상황을 통해 사공이 화자의 상황을 알고 도와준다는 진술은 적절하지 않다. 여기서 '빈 배'는 임과 이별한 화자의 외로운 처지를 드러내는 객관적 상관물이다.

① '정셩이 지극ᄒᆞ야 꿈의 님을 보니'에서 화자는 임과 꿈 속에서 재회함을 알 수 있다.
② '모 ᄎᆞᆫ 자리~오뎐된 계셩의 ᄌᆞᆷ은 엇디 ᄡᅵ돗던고'에서 밤에서 새벽으로의 시간이 경과되었음을 알 수 있다.
③ '님다히 쇼식이 더욱 아득ᄒᆞᆫ뎌이고'에서 임의 소식을 전해주는 이가 오지 않음을 알 수 있다.

11 윗글의 ᄇᆞ람과 시적 기능이 가장 먼 것은?

① 구름
② 안개
③ 일월
④ 믈결

Point

'ᄇᆞ람'은 임과 화자 사이를 가로막는 장애물로 구름, 안개, 믈결 모두 같은 기능을 하는 시어이다.

③ '일월'은 임(임금)을 상징하는 시어이다.

Answer 10.④ 11.③

▌12~13▐ 다음 글을 읽고 물음에 답하시오.

사회가 발달하면서 화법과 작문의 윤리에 대한 관심과 요구가 점점 커지고 있다. 화법과 작문의 윤리를 잘 지키지 않으면 사회적 의사소통의 바탕이 되는 상호 신뢰가 깨질 수 있으므로 이를 준수하기 위해 ㉠ 노력한다.
㉡ 그런데 청자나 독자를 존중하고 배려하는 자세를 갖추어야 한다. 말을 하거나 글을 쓸 때에는 상대방의 인격을 모욕하거나 상대방에게 상처를 주는 언어 표현을 사용하지 않아야 한다. 상대방을 존중하고 배려하는 표현을 사용함으로써 화법과 작문의 윤리를 지킬 수 있다. 다음으로, 다른 사람의 글이나 아이디어 등을 표절하거나 도용하지 않아야 한다. 다른 사람의 글이나 아이디어 등을 인용할 때에는 저작자의 허락을 얻거나 인용의 출처를 ㉢ 제출해야 하며, 내용의 과장·축소·왜곡 없이 정확하게 인용해야 한다. 또한 출처를 명시하더라도 과도하게 인용하지 않아야 한다. 과도한 인용은 출처 명시와는 무관하게 화법과 작문의 윤리를 어기는 것이기 때문이다.
화법과 작문의 윤리를 준수한다면 화자나 필자는 청자나 독자로부터 더욱 큰 신뢰를 얻을 수 있다. 그러므로 화자나 필자는 화법과 작문의 윤리를 잘 인식하고 있어야 하며, 말을 하거나 글을 쓸 때 이를 ㉣ 지키고 준수하는 태도를 가져야 한다.

12 ㉠~㉣을 고쳐 쓰기 위한 방안으로 적절하지 않은 것은?

① ㉠ : 문장의 호응을 고려하여 '노력해야 한다'로 수정한다.
② ㉡ : 앞뒤 내용을 자연스럽게 이어 주지 못하므로 '우선'으로 바꾼다.
③ ㉢ : 문맥을 고려하여 '생략'으로 교체한다.
④ ㉣ : 뒤의 단어와 의미상 중복되므로 삭제한다.

Point

㉢의 다음 문장을 보면 '또한 출처를 명시하더라도 과도하게 인용하지 않아야 한다.'라고 되어있다. 따라서 '출처를 밝히다.' 또는 '출처를 명시하다'로 고쳐야 한다.

13 윗글의 제목으로 가장 적절한 것은?

① 화법과 작문의 절차
② 화법과 작문의 목적
③ 화법과 작문의 기능
④ 화법과 작문의 윤리

Point

제시문은 화법과 작문의 윤리를 준수해야 한다는 내용의 글이다. 따라서 제목으로 가장 적절한 것은 ④ '화법과 작문의 윤리'이다.

Answer 12.③ 13.④

| 14~15 | 다음 글을 읽고 물음에 답하시오.

"호오, 호오." 어린 마음에 할머니나 어머니의 입김이 와 닿기는 비단 다쳐서 아파할 때만이 아니었다. 화롯불에 파묻어 말랑말랑 익힌 감자나 밤을 꺼내 껍질을 벗겨 주시면서도 "호오, 호오." 입김을 불어 알맞게 식혀 주셨고, 끓는 국이나 찌개도 그렇게 식혀 주셨다. 먹고 싶은 걸 참느라 침을 꼴깍 삼키며 그분들의 입을 쳐다보면서도 어린 마음속엔 그분들에 대한 신뢰감이 싹텄었다.
어찌 상처나 뜨거운 먹을 것에만 그분들의 입김이 서렸을까? 그분들의 입김은 온 집안에 서렸었다. 학교 갔다가 집에 돌아왔을 때 간혹 어머니가 집에 안 계시면 나는 그것을 대문간에 들어서자마자 알아맞힐 수가 있었다. 집안 전체가 썰렁했다. 썰렁하다는 건 실제의 기온과는 상관없는 순전히 마음의 느낌이었고, 이 마음의 느낌은 한 번도 어긋난 적이 없었다. 학교에서 먹는 도시락에도 어머니의 입김은 서려 있었고, 입고 다니는 옷에도 어머니의 입김은 서려 있었다. 나는 그때 '다꾸앙'이나 달고 끈적끈적해 보이는 멸치볶음, 콩자반 등등 반찬 가게에서 파는 도시락 찬만 가지고 다니는 아이를 속으로 무척 불쌍하게 여기고 나중엔 경멸하는 마음까지 품었던 것이 지금까지 생각난다. 어머니의 입김이 들어가지 않은 걸 허구한 날 먹는 아이가 마치 헐벗은 아이처럼 보였던 것이다.
어린 날, 내가 누렸던 평화를 생각할 때마다 어린 날의 커다란 상처로부터 일용할 양식, 필요한 물건, 입고 다니던 옷, 그리고 식구들 사이, 집안 속 가득히 고루 스며있던 어머니의 입김, 그 따스한 숨결이 어제인 듯 되살아난다. 그것을 빼놓고 평화란 상상도 할 수 없다. 싸우지 않고 다투지 않고 슬퍼하지 않은 어린 날이 어디 있으랴. 다만 그런 일이 어머니의 입김 속에서 이루어졌기 때문에 행복과 평화로 회상되는 것이 아닐까?
그러고 보니 내 자식들이나 내 손자들이 훗날 그들의 어린 날을 어떻게 기억할지 문득 궁금하고 한편 조심스러워진다. 나보다는 내 자식들이, 내 자식들보다는 내 손자들이 따뜻한 입김의 덕을 덜 보고 자라는 게 아닌가 싶다. 하지만 그것이 부모의 허물만은 아니다. 요즘에는 아이들에게 필요한 모든 것이 구태여 입김을 거칠 필요 없이 대량으로 생산되기 때문이다. 아이들을 가르치는 법까지도 매스컴이나 그 밖의 정보를 통해 대량으로 전달되기 때문에 집집마다 대대로 물려오는 입김이 서린 가풍(家風)마저 소멸해 가고 있다. 아이들은 어머니의 입김이 서리지 않은 음식을 먹고도 배부르고, 어머니의 입김이 서리지 않은 옷을 입고도 등이 따뜻하고 예쁘다.
다쳐서 피가 났을 때 입김보다는 충분한 소독과 적당한 약이 더 좋다는 것도 잘 알고 있다. 그러나 텔레비전과 냉장고 속에 먹을 것만 있다면 어머니의 입김이 서리지 않은 집에서도 허전한 걸 모르는 아이들이 많아져 가고 있다는 것은 문제가 아닐 수 없다. 그런 아이는 처음부터 입김이 주는 살아 있는 평화를 모르는 아이일지도 모르기 때문이다. 입김이란 곧 살아 있는 표시인 숨결이고 사랑이 아닐까? 싸우지 않고 미워하지 않고 심심해하지 않는 것이 평화가 아니라 그런 일이 입김 속에서, 즉 사랑 속에서 될 수 있는 대로 활발하게 일어나는 것이 평화가 아닐는지.
세상이 아무리 달라져도 사랑이 없는 곳에 평화가 있다는 것은 억지밖에 안 되리라. 숨결이 없는 곳에 생명이 있다면 억지인 것처럼.

– 박완서, 「사랑의 입김」

Point

박완서 〈사랑의 입김〉은 작가의 어린시절 할머니나 어머니가 입김을 불어 줄 때 느낀 행복과 평화를 떠올리며 현대 사회 속에 메말라가는 인정과 세태에 대한 안타까움과 비판의식을 드러낸 수필이다.

[작품해설]

㉠ 갈래 : 현대 수필, 경수필

㉡ 성격 : 비판적, 회상적, 비유적

㉢ 제재 : 입김

㉣ 주제 : 사랑의 가치와 중요성

㉤ 특징

- 작가의 어린 시절과 오늘날 현대 가정의 모습을 대조적으로 제시
- 설의적 표현을 통해 글쓴이 생각을 부각

14 윗글의 서술상 특징에 대한 설명으로 가장 적절한 것은?

① 과거와 현재의 대비를 통해 주제 의식을 부각하고 있다.
② 내부의 이야기와 외부의 이야기를 반복적으로 교차하고 있다.
③ 공간적 배경을 구체적으로 묘사하여 인물의 성격 변화를 강조하고 있다.
④ 어린 시절의 경험을 바탕으로 인물 간의 갈등을 직접적으로 드러내고 있다.

Point

작가의 어린 시절과 오늘날 현대 가정의 모습을 대조적으로 제시하여 주제를 부각하고 있다. 즉 작가는 어린 시절 추억을 회상하며 과거와는 달리 '입김', '숨결'의 의미가 사라진 현대 사회를 비판적으로 보고 있다.

15 윗글의 '입김'에 대한 이해로 적절하지 않은 것은?

① 어머니에 대한 신뢰감을 가지게 한다.
② 유년 시절의 추억 속에 따뜻하게 스며들어 있다.
③ 요즘의 아이들에게 그 가치를 더욱 인정받고 있다.
④ 물질적 풍요로 점점 그 중요성이 잊히는 데 대한 안타까움이 담겨 있다.

Point

모든 것이 대량으로 생산되고 유통되는 편리한 시대를 살아가는 아이들이 따뜻한 입김을 느끼지 못하는 현실에 대한 안타까움과 비판의식을 담고 있다. 그러므로 입김은 요즘 아이들에게 그 가치를 외면당하고 있다.

Answer 14.① 15.③

16 다음 작품과 가장 관련 있는 한자성어는?

> 이고 진 저 늙은이 짐 풀어 나를 주오
> 나는 젊었거늘 돌인들 무거울까
> 늙기도 설워라커늘 짐을조차 지실까
>
> – 정철, 「훈민가」

① 朋友有信 ② 長幼有序
③ 君臣有義 ④ 夫婦有別

Point

제시된 정철의 훈민가 16수는 어른 공경의 중요성을 가르치고 있는 교훈적 작품이다. 그러므로 어른과 아이 사이의 순서가 있어야 함을 제시한 장유유서(長幼有序)가 의미가 통하는 한자성어이다.

① **붕우유신**(朋友有信) : 친구 사이에 지켜야 할 도리는 믿음이다.
③ **군신유의**(君臣有義) : 임금과 신하 사이의 도리는 의리에 있다.
④ **부부유별**(夫婦有別) : 남편과 아내 사이에는 분별이 있어야 한다.

※ **정철 〈훈민가〉**

교훈적이고 설득적 성격의 연시조이면서 세련된 문학 표현 기교로 작가의 문학적 안목이 잘 드러난 작품

㉠ **갈래** : 시조, 연시조(총 16수)
㉡ **성격** : 교훈적, 설득적
㉢ **주제** : 유교 윤리의 실천 권장

Answer 16.②

▌17~18▌ 다음 글을 읽고 물음에 답하시오.

(가) 눈 마ᄌᆞ 휘여진 ᄃᆡ를 뉘라셔 굽다턴고
　㉠ 구블 절(節)이면 눈 속의 프를소냐
　아마도 세한고절(歲寒孤節)은 너ᄲᅮᆫ인가 ᄒᆞ노라

— 원천석

(나) 동지(冬至)ㅅᄃᆞᆯ 기나긴 밤을 한 허리를 ㉡ 버혀 내어
　춘풍(春風) 니불 아레 서리서리 너헛다가
　어론 님 오신 날 밤이여든 구뷔구뷔 펴리라

— 황진이

(다) 두터비 파리를 물고 두험 우희 치다라 안자
　것넌산 바라보니 백송골(白松鶻)이 떠 잇거늘 가슴이 금즉하여 풀덕 뛰여 내닷다가 두험 아래 잣바지거고
　㉢ 모쳐라 날낸 낼싀만졍 ㉣ 에헐질 번 하괘라

— 작자 미상

Point

(가) 갈래 : 평시조
　성격 : 의지적, 절의적
　제재 : 대나무
　주제 : 고려왕조에 대한 변함없는 충절

(나) 갈래 : 평시조, 서정시
　성격 : 감상적, 낭만적
　제재 : 동짓달 기나긴 밤
　주제 : 임을 향한 사랑과 그리움

(다) 갈래 : 사설시조
　성격 : 해학적, 풍자적, 우의적
　제재 : 두터비
　주제 : 탐관오리의 횡포와 허장성세(虛張聲勢) 풍자

17 윗글에 대한 설명으로 적절하지 않은 것은?

① (가)의 중심 소재는 '디'이다.
② (나)의 화자는 임과의 재회를 바라고 있다.
③ (다)는 종장의 길이가 길어진 시조 형식을 보여 준다.
④ (가)~(다)는 종장 첫 구에 음수의 제약을 갖고 있다.

Point

시조 중 사설시조는 주로 중장이 길어진 형태를 보인다. (다)의 사설시조도 중장이 길어지고 오히려 종장은 평시조의 일반적 형식인 4음보의 율격을 유지하고 있다.

① (가) 시조는 대나무의 절개를 의인화하여 예찬하고 있다.
② (나) 시조의 화자는 동짓달 기나긴 시간을 봄바람 이불 속에 넣어두었다가 임이 오신 날 밤 펴겠다고 하여 임과의 재회를 간절히 바라고 있다.
④ 모든 시조는 종장 첫 구의 글자수를 3음절로 고정하여 지키고 있다.

18 윗글에서 ㉠~㉣의 의미로 적절하지 않은 것은?

① ㉠ : 굽힐
② ㉡ : 잘라 내어
③ ㉢ : 목이 터져라
④ ㉣ : 멍이 들

Point

㉢ '모쳐라'는 '마침' 정도의 의미로 해석된다.

Answer. 17.③ 18.③

19 다음 글의 화제로 가장 적절한 것은?

'낯선 그림'의 대명사인 르네 마그리트가 우리에게 아주 친숙한 미술가로 자리 잡았다. 십여 년 전 서울의 한 백화점 새 단장 당시 그의 작품 「골콘다」가 커다란 가림막 그림으로 사용된 것과 〈르네 마그리트〉전이 서울의 미술관에서 대규모로 열려 많은 관람객을 불러 모은 것이 중요한 계기가 되었다. 초현실주의 화가 마그리트가 관심을 끌게 되면서 그의 주된 창작 기법인 데페이즈망(dé paysement)도 덩달아 관심의 대상이 되었다. 특히 창의력과 상상력이 시장과 교육계의 화두가 되어 버린 요즘, 데페이즈망은 창의력과 상상력을 높여 주고 잠재력을 개발해 주는 의미 있는 수단으로 받아들여지고 있다. 어린이 미술 교육에 활용되고 있고, 기업인을 위한 창의력 교육에도 심심찮게 도움을 주고 있다. 데페이즈망은 우리말로 흔히 '전치(轉置)'로 번역된다. 이는 특정한 대상을 상식의 맥락에서 떼어 내 전혀 다른 상황에 배치함으로써 기이하고 낯선 장면을 연출하는 것을 말한다. 초현실주의 문학의 선구자 로트레아몽의 시에 "재봉틀과 양산이 해부대에서 만나듯이 아름다운"이라는 표현이 있는데, 바로 이것이 전형적인 데페이즈망의 표현법이다. 해부대 위에 재봉틀과 양산이 놓여 있다는 게 통념에 맞지 않지만, 바로 그 기이함이 시적·예술적 상상을 낳아 논리와 합리 너머의 세계에 대한 심층의 인식을 일깨운다.

① 르네 마그리트의 생애
② 초현실주의 유파의 탄생
③ 현대미술과 상상력의 소멸
④ 데페이즈망에 대한 관심과 의의

Point

제시문은 미술가인 르네 마그리트의 주된 작품 창작 기법인 '데페이즈망'이라는 기법이 창의력과 상상력을 높여주고 있으며 잠재력을 개발하는 수단이 되고 있어 관심을 받고 있다는 내용이다. 그러므로 이 글의 중심 화제는 '데페이즈망'이다.

Answer 19.④

20 ㉠과 같은 표현 방법에 해당하지 않는 것은?

> 매운 계절(季節)의 채찍에 갈겨
> 마침내 북방(北方)으로 휩쓸려 오다.
>
> 하늘도 그만 지쳐 끝난 고원(高原)
> 서릿발 칼날진 그 위에 서다
>
> 어데다 무릎을 꿇어야 하나
> 한 발 재겨 디딜 곳조차 없다.
>
> 이러매 눈 감아 생각해 볼밖에
> ㉠ <u>겨울은 강철로 된 무지갠가 보다.</u>
>
> \- 이육사, 「절정」

① 두 볼에 흐르는 빛이 / 정작으로 고와서 서러워라

\- 조지훈, 「승무」

② 아아 님은 갔지만 나는 님을 보내지 아니하였습니다

\- 한용운, 「님의 침묵」

③ 나는 아직 기다리고 있을 테요 찬란한 슬픔의 봄을

\- 김영랑, 「모란이 피기까지는」

④ 나 보기가 역겨워 / 가실 때에는 / 죽어도 아니 눈물 흘리우리다

\- 김소월, 「진달래꽃」

Point

㉠은 표현법상 일제 강점하의 현실을 뜻하는 '겨울'과 희망을 상징하는 '무지개'가 서로 모순되는 역설법이 사용된 구절이다. ④에서는 화자의 진심과 반대되는 진술인 반어법이 사용되었다.

※ 이육사 〈절정〉

암담한 식민지 시대의 절망적 상황 속에서 그것을 초극하려는 의지를 표현한 작품이다. 수난의 현실을 극복하려는 의지와 일제에 대한 저항 의식을 담은 저항시의 백미(白眉)이다.

㉠ **갈래** : 자유시, 서정시
㉡ **제재** : 겨울, 북방, 고원
㉢ **성격** : 상징적, 의지적
㉣ **주제** : 극한 상황을 초극하려는 강렬한 정신

Answer 20.④

2020. 6. 20. 소방공무원 채용

1 다음 자료가 설명하는 나라에 대한 설명으로 옳지 않은 것은?

> 사람을 죽인 자는 즉시 죽이고, 남에게 상처를 입힌 자는 곡식으로 갚는다. 도둑질한 자는 노비로 삼는다. 이를 용서받고자 하는 자는 한 사람마다 50만 전을 내야 한다.
>
> －『한서』

① 영고라는 제천행사가 있었다.
② 사람의 생명과 노동력을 중시하였다.
③ 형벌과 노비가 존재한 계급사회였다.
④ 상·대부·장군 등의 관직이 있었다.

고조선의 '범금(犯禁) 8조'에 관한 내용이다. 해당 법 조항을 통해 살펴본 고조선의 사회 모습은 사유재산의 존재와 계급, 생명 및 노동력을 중시한다는 것을 알 수 있다. 또한 고조선은 상·대부·장군 등의 관직 체계가 존재했다.
① 영고는 부여의 제천행사이다.

2 다음 사건이 일어난 시기를 연표에서 옳게 고른 것은?

> 백제 왕이 가량(加良)과 함께 와서 관산성을 공격하였다. …… 신주의 김무력이 주의 군사를 이끌고 나가 교전하였는데, 비장인 삼년산군 고간(高干) 도도(都刀)가 재빨리 공격하여 백제 왕을 죽였다. 이때 신라 군사들이 승세를 타고 싸워 대승하여 좌평 4명, 병졸 29,600명을 베어 한 필의 말도 돌아가지 못하게 하였다.
>
> －『삼국사기』

(가)	(나)	(다)	(라)

나·제 동맹 체결 / 웅진 천도 / 사비 천도

① (가)
② (나)
③ (다)
④ (라)

Answer 1.① 2.④

Point

6세기 백제 성왕(523-554) 때 신라와 치른 관산성 전투이다. 성왕은 기존의 수도였던 웅진에서 사비성으로 천도(538)를 단행하고 국호를 남부여로 하였다. 천도 이후 행정 체제를 개편(22부, 5부 5방)하고, 일본에 불교 전파하는 등 중앙집권 체제 정비에 힘쓰고, 대외적으로는 신라와 연합하여 한강유역을 수복했다. 하지만 한강유역을 둘러싸고 신라와의 주도권 경쟁 과정에서 관산성 전투를 치렀으나 패배하였다.

- **나제동맹** : 고구려 장수왕의 남하정책에 대해 신라와 백제 간에 동맹 체결(5세기)
- **웅진천도** : 고구려 장수왕이 백제의 한성을 공격하여 백제 문주왕이 웅진성으로 천도(5세기)

3 밑줄 친 '이 시기'에 볼 수 있었던 모습으로 옳은 것은?

> 혜공왕 이후 진골 귀족들의 왕위 쟁탈전이 치열해진 <u>이 시기</u>에는 집사부 시중보다 상대등의 권한이 강화되었고, 20명의 왕이 교체되는 등 정치적인 혼란이 거듭되었다. 또한 중앙 정부의 통제력이 약화되면서 김헌창의 난 등이 발생하였다.

① 우산국을 정벌하는 장군
② 『계원필경』을 저술하는 6두품
③ 김흠돌의 난을 진압하는 군인
④ 노비안검법 시행을 환영하는 농민

Point

8세기 말경 이후 나타난 신라 하대의 사회 모습이다. 신라 하대에는 진골 귀족들 간의 왕위쟁탈전이 심화되면서 신문왕 때 폐지된 녹읍이 부활하고 화백회의를 주관하던 진골 귀족의 대표 상대등의 권한이 강화되기 시작하였다. 반면 집사부 시중의 권한은 약화되면서 지방에서는 대규모의 민란이 발생하기도 했다. 6두품 세력들은 골품제에 반발하며 지방호족세력과 연합하는 등의 반신라적 성격을 보이거나 당나라 빈공과에 급제해 관리가 되기도 하였다. 당대를 대표하는 6두품으로는 최치원이나 최승우가 있었다. 계원필경은 최치원이 저술하였다.

① 6세기 신라 지증왕 때 이사부
③ 7세기 신라 신문왕
④ 10세기 고려 광종

Answer. 3.②

4 다음 자료가 설명하는 나라에 대한 설명으로 옳지 않은 것은?

> 그 넓이는 2,000리이고, 주 · 현의 숙소나 역은 없으나 곳곳에 마을이 있는데, 대다수가 말갈의 마을이다. 백성은 말갈인이 많고 원주민은 적다. 모두 원주민을 마을의 우두머리로 삼는데, 큰 마을은 도독이라 하고 그다음 마을은 자사라 한다. 백성들은 마을의 우두 머리를 수령이라고 부른다.
>
> －『유취국사』

① 전국을 5경 15부 62주로 정비하였다.
② 정당성의 대내상이 국정을 총괄하였다.
③ 수도는 당의 수도인 장안을 본떠 건설하였다.
④ 중앙에서 지방을 견제하기 위해 외사정을 파견하였다.

Point

발해에 관한 설명이다. 발해는 대조영이 건국한 이후 소수의 고구려 출신이 지배층, 다수의 말갈족이 피지배층을 형성하였다. 전국을 5경 15부 62주로 정비하였으며 중앙 행정체제는 당의 3성 6부제를 모방하였으나 그 운영 방식과 기구의 명칭은 독자성을 유지하였다. 중앙 행정은 정당성을 중심으로 운영되었으며 정당성의 대내상이 국정을 총괄하였다. 관리들을 감찰하기 위한 기구로 중정대를 설치하여 운영하였다.
④ 외사정은 신라의 지방 세력 감찰기구이다.

5 (가) 부대에 대한 설명으로 옳은 것은?

> 개경으로 환도하면서 날짜를 정하여 기일 내에 돌아가게 하였으나 (가) 은/는 다른 마음이 있어 따르지 아니하였다. 그리하여 (가) 은/는 난을 일으키고 나라를 지키려는 자는 모이라고 하였다.

① 근거지를 옮기며 몽골에 저항하였다.
② 처인성에서 적장 살리타를 사살하였다.
③ 신기군, 신보군, 항마군으로 구성되었다.
④ 포수, 사수, 살수 등 삼수병으로 조직되었다.

Point

(가)는 고려 최씨 무신정권기에 조직된 삼별초이다. 13세기 몽고의 침략으로 고려 조정은 강화도로 천도를 하고 대몽항쟁을 이어나갔지만 몽고의 기세에 개경으로 환도를 하게 되었다. 이 과정에서 삼별초는 개경 환도를 거부하고 이후 강화도에서 진도, 제주도로 이동하면서 대몽항쟁을 이어나갔다.
② 김윤후가 이끈 처인성 전투
③ 윤관의 별무반
④ 조선 후기 훈련도감

Answer. 4.④ 5.①

6 다음 인물에 대한 설명으로 옳은 것은?

> • 승과 합격
> • 승려 10여 명과 신앙 결사를 약속
> • 결사문 완성
> • 신앙 결사 운동 전개
> • 돈오점수 · 정혜쌍수 강조

① 『천태사교의』를 저술하였다.
② 조계산에서 수선사를 개창하였다.
③ 속장경의 제작에 주도적으로 참여하였다.
④ 참회수행과 염불을 통한 백련결사를 주장하였다.

고려 후기 지눌이다. 지눌은 불교의 세속화와 종파 대립을 비판하고 신앙결사 운동을 전개하였다. 그는 정혜결사를 조직하고 수선사를 중심으로 신앙 결사 운동을 전개하면서 돈오점수(頓悟漸修), 정혜쌍수(定慧雙修)를 주장하였다. 참선을 강조하였으며 혜심(유불 일치설), 요세(만덕사 → 백련결사 제창) 등에 의해 발전하였다.

① 고려 전기 고승 제관이 천태종의 중심사상을 요약한 불교경전
③ 초조대장경을 보완한 것으로 의천이 주도하였다.
④ 고려 후기 승려 요세

7 밑줄 친 '이 왕'의 재위기간에 있었던 사실로 옳은 것은?

> <u>이 왕</u>이 원의 제국대장공주와 결혼하여 고려는 원의 부마국이 되었고, 도병마사는 도평의사사로 개편되었다.

① 만권당을 설치하였다.
② 정동행성을 설치하였다.
③ 정치도감을 설치하였다.
④ 입성책동 사건이 일어났다.

Point

고려 후기 충렬왕이다. 원의 내정 간섭을 받기 시작하면서 고려는 원의 부마국으로 전락하고 왕실 용어도 격하되었다. 기존의 2성 6부 체제는 첨의부와 4사 체제로 전환되었고, 중추원은 밀직사로 변경되는 등의 관제에도 변화가 나타났다. 뿐만 아니라 고려 조정을 감시하기 위해 정동행성이 설치되고 감찰관인 다루가치가 상주하였다.

① 고려 후기 충선왕 때 원나라 연경(북경)에 설치한 독서당
③ 고려 후기 충목왕 때 설치된 정치개혁 기구
④ 고려 후기 충선왕 때 정동행성과 별개의 행성을 설치하는 친원세력의 제안

Answer 6.② 7.②

8 다음 자료에 나타난 토지제도에 대한 설명으로 옳은 것은?

> 자삼(紫衫) 이상은 18품으로 나눈다. …… 문반 단삼(丹衫) 이상은 10품으로 나눈다. …… 비삼(緋衫) 이상은 8품으로 나눈다. …… 녹삼(綠衫) 이상은 10품으로 나눈다. …… 이하 잡직 관리들에게도 각각 인품에 따라서 차이를 두고 나누어 주었다.
>
> -『고려사』

① 토지를 전지와 시지로 분급하였다.
② 관료들의 수조지는 경기도에 한정되었다.
③ 관(官)에서 수조지의 조세를 거두어 관리들에게 지급하였다.
④ 인품과 행동의 선악, 공로의 대소를 고려하여 토지를 차등 있게 주었다.

Point

고려 경종 때 시행된 시정전시과이다. 시정전시과는 관리들의 관품과 인품을 고려하여 관리들에게 전지와 시지를 차등 지급하였다. 이후 개정전시과(목종), 경정전시과(문종)을 거치면서 전시과 체제는 정비되었다.
② 고려 말에 시행된 과전법이다.
③ 조선 전기에 시행된 관수관급제이다.
④ 고려 초에 시행된 역분전이다.

9 (가) 왕이 실시한 정책으로 옳은 것은?

> (가) 은/는 붕당 사이의 대립이 심해지면서 왕권이 불안해지자 국왕을 중심으로 정치 세력 간의 균형을 유지하려 하였다. 또한 붕당의 근거지였던 서원을 정리하고, 민생 안정을 위해 신문고를 부활시키는 등의 정책을 실시하였다.

① 비변사를 철폐하였다.
② 속대전을 편찬하였다.
③ 장용영을 설치하였다.
④ 삼정이정청을 설치하였다.

Answer 8.① 9.②

Point

조선 후기 영조이다. 영조는 붕당정치의 폐단을 개혁하고 왕권을 강화하기 위해 탕평책을 시행하였다. 이를 위해 탕평파를 육성하고 서원을 정리, 이조전랑직의 권한 축소, 산림의 공론 축소를 시행하였고 속대전을 편찬하였다. 또한 민생 안정을 위해 신문고를 부활하는 등의 정책을 시행하였다.

① 세도정치의 폐단을 개혁하기 위해 흥선대원군이 시행하였다.

③ 조선 후기 왕권 강화를 위해 정조가 시행하였다.

④ 조선 후기 삼정의 문란을 시정하기 위하여 철종이 설치하였다.

10 다음 건축물과 관련 있는 학자에 대한 설명으로 옳은 것은?

〈오죽헌〉

〈자운서원〉

①『주자서절요』를 저술하였다.

② 양명학을 수용하여 강화학파를 형성하였다.

③ 주자의 학설을 비판하여 사문난적으로 몰렸다.

④ 이(理)는 두루 통하고 기(氣)는 국한된다고 하였다.

Point

율곡 이이와 관련된 건축물이다. 서인의 대표적 성리학자였던 이이는 주기론(主氣論)을 주장하면서 경험적 세계의 현실 문제의 개혁을 중시하였다. 그는 이기일원론(理氣一元論)을 주장하면서 이통기국론(理通氣局論), 이기지묘설(理氣至妙說), 사회경장론(社會更張論)을 강조하였다. 대표적인 저서로는 성학집요, 격몽요결 등이 있다.

① 이황

② 정제두

③ 윤휴, 박세당

Answer. 10.④

11 다음의 지도가 편찬된 당시에 재위한 왕의 업적으로 옳은 것은?

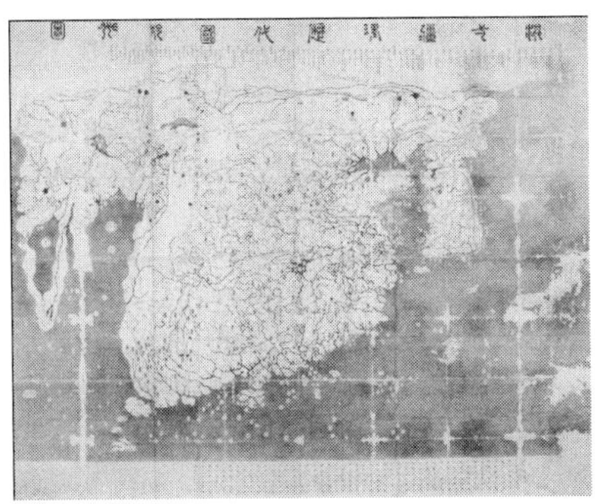

이 지도는 아라비아 지도학의 영향을 받아 만들어진 원나라의 세계 지도를 참고하고 여기에 한반도와 일본 지도를 첨가한 것이다. 현재 원본은 전하지 않으며 후대에 그린 모사본이 일본에 전한다.

① 집현전을 설치하였다.
② 호패법을 실시하였다.
③ 『경국대전』을 반포하였다.
④ 진관 체제를 도입하였다.

Point

조선 태종 대에 제작된 혼일강리역대국도 지도이다. 혼일강리역대국도 지도는 당시의 세계관을 반영한 세계지도로 조선과 중국, 일본, 아프리카, 유럽, 인도 등이 묘사되어 있다. 태종 대에는 강력한 중앙집권체제를 확립하기 위하여 6조직계제를 실시하고 사병을 혁파하였다. 또한 백성 통제를 위해 호패법을 실시하기도 하였다.

① 조선 세종 ③ 조선 성종 ④ 조선 세조

Answer 11.②

12 밑줄 친 발언을 한 인물에 대한 설명으로 옳은 것은?

> 어느 공회 석상에서 음성을 높여 여러 대신에게 말하기를 "나는 천리(千里)를 끌어다 지척(咫尺)을 삼겠으며 태산(泰山)을 깎아 내려 평지를 만들고 또한 남대문을 3층으로 높이려 하는데, 여러 공들은 어떠시오"라고 하였다. …… 대저 천리 지척이라 함은 종친을 높인다는 뜻이요, 남대문 3층이라 함은 남인을 천거하겠다는 뜻이요, 태산 평지라 함은 노론을 억압하겠다는 뜻이다.
>
> –『매천야록』

① 평시서를 설치하였다.
② 소격서를 폐지하였다.
③ 삼군부를 부활시켰다.
④『대전통편』을 편찬하였다.

흥선대원군의 세도정치 폐단의 개혁에 관한 내용이다. 흥선대원군은 세도정치를 혁파하여 왕권강화 정책을 시도하였다. 이를 위해 비변사 철폐, 서원 정리, 의정부와 삼군부의 기능을 부활시켰다. 뿐만 아니라 민생 안정을 위해 삼정의 문란을 시정했지만, 경복궁 중건 과정에서 부역 노동 강화, 당백전 발행 등은 사회적 혼란과 민심 이반을 초래하였다.

① 조선 세조 때 설치된 물가 조절 기구
② 조선 중종 때 조광조의 개혁정치에서 시행
④ 조선 정조

13 다음 자료가 발표되기 이전에 나타난 정책으로 옳은 것은?

> • 청국에 의존하는 관념을 버리고 자주독립의 기초를 세운다.
> • 왕실 사무와 국정 사무는 반드시 분리하여 서로 뒤섞이는 것을 금한다.
> • 조세의 부과와 징수, 경비의 지출은 모두 탁지아문에서 관할한다.

① 대한국국제를 발표하였다.
② 태양력을 사용하도록 하였다.
③ 6조를 8아문으로 개편하였다.
④ 건양이라는 연호를 제정하였다.

1894년 갑오 2차 개혁 당시 고종이 반포한 '홍범 14조'이다. 갑오 2차 개혁은 김홍집, 박영효 연립내각이 수립되어 정치적으로는 내각 제도 실시(의정부), 8아문을 7부로 개편, 지방 행정 체계 개편(8도→23부), 지방관 권한 축소, 재판소 설치(사법권을 행정권에서 분리) 등이 이루어졌다.

③ 6조를 8아문으로 개편한 것은 갑오 1차 개혁에서 이루어졌다.
① 대한제국 수립 직후(1899)
②④ 을미개혁(1895)

Answer 12.③ 13.③

14 다음을 선언한 민족 운동에 대한 설명으로 옳은 것은?

> • 금일 오인(吾人)의 이 거사는 정의 인도 생존 존영을 위하는 민족적 요구이니, 오직 자유적 정신을 발휘할 것이요, 결코 배타적 감정으로 일주(逸走)지 말라.
> • 최후의 한사람까지, 최후의 한순간까지 민족의 정당한 의사를 쾌히 발표하라.
> • 일체의 행동은 가장 질서를 존중하여 오인의 주장과 태도로 하여금 어디까지든지 광명정대하게 하라.

① 대한매일신보의 후원을 받았다.
② 신간회의 지원을 받아 전국으로 확산되었다.
③ 대한민국 임시 정부 수립의 계기가 되었다.
④ 원산 노동자들의 총파업을 이끈 운동이었다.

Point

1919년 3.1 운동의 계기가 된 기미독립선언서 '공약 3장'이다. 3.1 운동은 계급을 초월한 전민족적 운동으로 그 결과 일제의 식민통치 방식이 문화 통치를 바뀌고, 중국 및 동남아시아의 독립운동에 영향을 주었다. 또한 조직적인 민족 독립 운동의 열망 속에 1919년 12월에는 상하이 임시정부가 수립되는 계기가 되었다.

① 신민회(1907~1911)
② 광주학생항일운동(1929)
④ 사회주의 노동운동(1920년대 후반)

15 다음 글을 저술한 인물에 대한 설명으로 옳은 것은?

> 대개 국교 · 국학 · 국어 · 국문 · 국사는 혼(魂)에 속하는 것이요, 전곡 · 군대 · 성지 · 함선 · 기계 등은 백(魄)에 속하는 것으로 혼의 됨됨은 백에 따라서 죽고 사는 것이 아니다. 그러므로 국교와 국사가 망하지 않으면 그 나라도 망하지 않는 것이다. 오호라! 한국의 백은 이미 죽었으나 소위 혼은 남아 있는 것인가?

① 유교구신론을 발표하여 유교 개혁을 주장하였다.
② 조선심을 강조하며 역사 대중화를 위해 노력하였다.
③ 의열단의 기본 정신이 나타난 조선혁명선언을 저술하였다.
④ 민족 문화의 고유성과 세계성을 찾으려는 조선학 운동에 참여하였다.

Point

민족의 혼(정신)을 강조한 대표적 민족주의 역사학자 박은식이다. 박은식은 성리학 중심의 보수적 유교 질서 체제를 비판하고 실천적 유학 정신을 강조하면서 '유교구신론'(1909)을 저술하였다. 이후 일제강점기에도 민족 정신을 강조하면서 '한국통사', '한국독립운동지혈사'를 저술하였다.

② 문일평 ③ 신채호 ④ 정인보

Answer 14.③ 15.①

16 ㈎~㈑의 사건들을 발생 순서대로 옳게 나열한 것은?

> ㈎ 조선민족전선연맹 산하에 조선의용대를 창설하였다.
> ㈏ 대한독립군단이 자유시에서 참변을 당하였다.
> ㈐ 한국독립군이 한 · 중연합 작전으로 쌍성보에서 전투를 전개하였다.
> ㈑ 임시 정부에서 한국광복군을 조직하였다.

① ㈎ → ㈏ → ㈐ → ㈑
② ㈎ → ㈏ → ㈑ → ㈐
③ ㈏ → ㈎ → ㈐ → ㈑
④ ㈏ → ㈐ → ㈎ → ㈑

Point

㈏ 대한독립군단이 자유시에서 소련의 적군에 의해 참변을 당함(1921)
㈐ 지청천이 이끈 한국독립군이 중국 호로군과 연합하여 한 · 중연합 작전 전개(1932)
㈎ 김원봉이 중심이 되어 중국의 한커우에서 창립되었고 중국 관내에서 결성된 우리나라 최초의 독립군 부대(1938)
㈑ 임시 정부가 충칭으로 이동한 이후 한국광복군 조직(1940)

17 ㈎, ㈏ 자료에 나타난 사건 사이에 있었던 사실로 옳지 않은 것은?

> ㈎ 우리 국모의 원수를 생각하며 이미 이를 갈았는데, 참혹한 일이 더하여 우리 부모에게서 받은 머리털을 풀 베듯이 베어 버리니 이 무슨 변고란 말인가.
> ㈏ 군사장 허위는 미리 군비를 신속히 정돈하여 철통과 같이 함에 한 방울의 물도 샐 틈이 없는지라. 이에 전군에 전령하여 일제히 진군을 재촉하여 동대문 밖으로 진격하였다.

① 외교권이 박탈되고 통감부가 설치되었다.
② 고종이 강제로 퇴위되고 군대가 해산되었다.
③ 안중근이 하얼빈에서 이토 히로부미를 저격하였다.
④ 헤이그에 이상설, 이준, 이위종을 특사로 파견하였다.

Point

㈎는 을미사변과 단발령에 반발하여 발생한 을미의병(1895)이고 ㈏는 을사늑약 체결에 반발하여 발생한 을사의병(1905)이다. 안중근이 하얼빈에서 이토 히로부미를 저격한 것은 1909년이다.
① 을사늑약(1905)
②④ 헤이그 특사 파견이 발각된 이후 일제는 고종의 강제퇴위와 군대를 강제 해산(1907)

 16.④ 17.③

18 (가)~(라) 시기에 해당하는 사실로 옳은 것은?

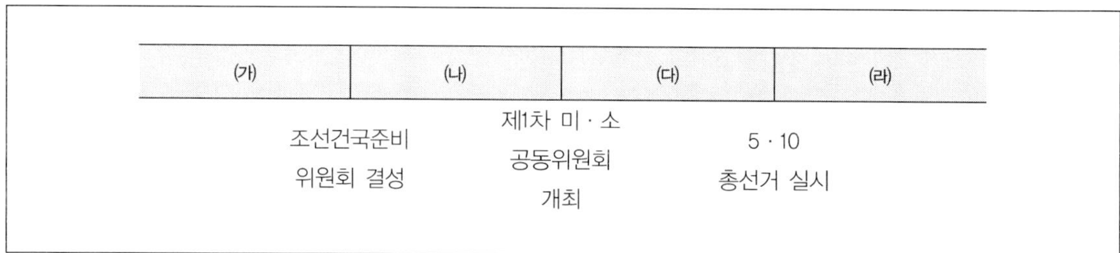

① (가) : 모스크바 3국 외상회의가 개최되었다.
② (나) : 반민족행위특별조사위원회가 설치되었다.
③ (다) : 김구와 김규식이 남북 협상을 제안하여 평양에서 회의가 개최되었다.
④ (라) : 좌우합작 7원칙이 발표되었다.

Point

조선건국준비위원회는 해방 직후 여운형과 안재홍이 주도하여 결성한 건국 준비 단체(1945), 제1차 미소공동위원회는 모스크바 3상 회의에서 결정된 한반도 신탁 통치안을 둘러싼 문제 해결을 위해 개최(1946), 5.10 총선거는 UN 소총회의에서 남한만의 단독 총선거가 실시가 결정되고 나서 제헌 의원 선출(1948).

③ (다) 김구와 김규식은 남한만의 단독 총선거에 반대하면서 김일성과 남북협상을 진행
① (가) 1945년 12월 16일
② (나) 제헌의회에서 관련 법률 제정(1948)
④ (라) 좌우합작위원회(1946)

Answer 18.③

19 (가) 시기에 있었던 사실로 옳은 것은?

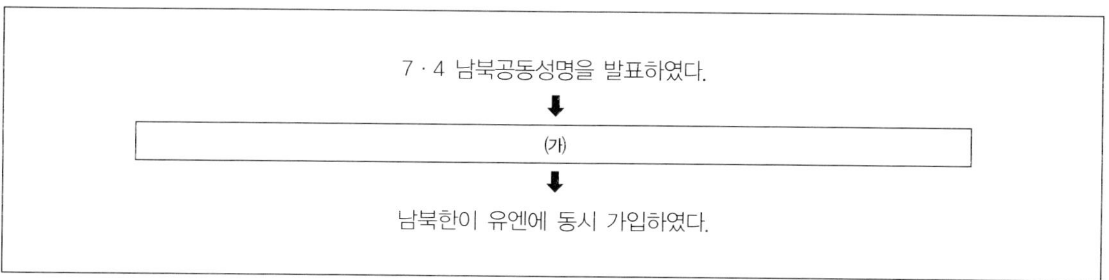

① 금강산 해로 관광이 시작되었다.
② 6 · 15 남북공동선언이 발표되었다.
③ 최초로 이산가족 상봉을 위한 남북 적십자 회담이 열렸다.
④ 민족자존과 통일 번영을 위한 특별 선언(7 · 7선언)이 발표되었다.

7.4 남북공동성명(1972)은 박정희 정부 때 체결된 남북합의문으로 평화 통일 3대 원칙인 자주 통일, 평화 통일, 민족적 대화합의 원칙을 제시하였다. 남북한이 동시에 유엔에 가입한 시기는 노태우 정부 때인 1991년이다. 7.7선언(1988)은 소련을 중심으로 하는 공산권 국가들이 개혁 개방을 선언하던 시대적 흐름에 따라 남북관계와 북방정책에 관한 노태우 정부의 방향이 제시된 특별선언이다.

① 김대중 정부(1998)
② 김대중 정부(2000)
③ 박정희 정부(1971)

Answer 19.④

20 다음 사건이 일어난 시기를 연표에서 옳게 고른 것은?

• 아군은 38선 이북에서 대대적인 철수를 계획하였다.
• 아군과 피난민들이 흥남부두에서 모든 선박을 동원하여 해상으로 철수를 시작하였다.

(가)	(나)	(다)	(라)

북한군 남침 시작 — 인천상륙작전 개시 — 평양 탈환

① (가)
② (나)
③ (다)
④ (라)

6.25 전쟁에서 중공군이 참전하여 발생한 1.4 후퇴이다. 연합군과 미군의 참전 속에서 인천상륙작전이 성공하면서 국군은 평양을 탈환하고 북진하여 압록강까지 진격하던 중 예고 없이 중공군이 참전하면서 전세가 역전되는 상황이 발생하였다.

Answer. 20.④

2020. 6. 20. 소방공무원 채용

1 빈칸에 들어갈 말로 가장 적절한 것은?

> __________ occurs when a foreign object lodges in the throat, blocking the flow of air. In adults, a piece of food often is the cause. Young children often swallow small objects.

① Sore throat ② Heart attack
③ Choking ④ Food poisoning

Choking 숨막힘, 질식 lodge 박히다, 들어가다 swallow 삼키다 sore throat 후두염 heart attack 심장발작 food poisoning 식중독

「질식은 이물질이 목구멍에 박혀 공기의 흐름을 차단할 때 발생한다. 어른들의 경우, 음식 한 조각이 종종 원인이다. 어린 아이들은 종종 작은 물건들을 삼킨다.」

2 빈칸에 들어갈 말로 가장 적절한 것은?

> Always watch children closely when they're in or near any water, no matter what their swimming skills are. Even kids who know how to swim can be at risk for drowning. For instance, a child could slip and fall on the pool deck, lose consciousness, and fall into the pool and possibly drown. __________ is the rule number one for water safety.

① Superstition ② Foundation
③ Collision ④ Supervision

drown 익사하다 deck 갑판, 덱 consciousness 의식 supervision 감독 superstition 미신 foundation 설립, 기초 collision 충돌

「수영 실력이 어떻든 간에, 아이들이 어떤 물속이나 물 근처에 있을 때는 항상 가까이서 아이들을 지켜봐라. 수영을 할 줄 아는 아이들도 익사할 위험이 있다. 예를 들어, 아이는 수영장 덱에 미끄러져 넘어지고 의식을 잃고 수영장에 빠져 익사할 수도 있다. 감독은 수상 안전을 위한 규칙 1호이다.」

Answer 1.③ 2.④

3 밑줄 친 부분의 뜻으로 가장 적절한 것은?

> A : 119, what is your emergency?
> B : There is a car accident.
> A : Where are you?
> B : I'm not sure. I'm somewhere on Hamilton Road.
> A : Can you see if anyone is hurt?
> B : One of the drivers is lying on the ground unconscious and the other one is bleeding.
> A : Sir, <u>I need you to stay on the line</u>. I'm sending an ambulance right now.
> B : Okay, but hurry!

① 전화 끊지 말고 기다려 주세요.
② 차선 밖에서 기다려 주세요.
③ 전화번호를 알려 주세요.
④ 차례를 기다려 주세요.

emergency 응급상황 unconscious 의식이 없는 bleed 피를 흘리다

「A : 119입니다. 무슨 응급상황이세요?
B : 교통사고가 났어요.
A : 어디 있어요?
B : 잘 모르겠어요. 해밀턴 로드 어딘가에 있어요.
A : 누가 다쳤는지 알 수 있나요?
B : 운전자 중 한 명은 의식을 잃고 바닥에 누워 있고 다른 한 명은 피를 흘리고 있어요.
A : 선생님, <u>전화 끊지 말고 기다리세요</u>. 지금 구급차를 보내겠습니다.
B : 네, 하지만 서둘러 주세요!」

Answer 3.①

4 밑줄 친 부분이 가리키는 대상이 나머지 셋과 다른 것은?

The London Fire Brigade rushed to the scene and firefighters were containing the incident when an elderly man approached the cordon. ① He told one of the crew that he used to be a fireman himself, as a member of the Auxiliary Fire Service in London during World War Ⅱ. Now 93 years old, ② he still remembered fighting fires during the Blitz—a period when London was bombed for 57 nights in a row. ③ He asked the officer if he could do anything to help. The officer found himself not ready for a proper response at that moment and ④ he just helped him through the cordon. Later, he invited him to his fire station for tea and to share his stories with him.

Point

contain 방지하다, 억제하다 incident 사건 cordon 저지선 Auxiliary Fire Service 보조 소방서 blitz 대공습 bomb 폭격하다 in a row 연속으로

「런던 소방대가 현장으로 달려갔고 소방관들은 한 노인이 저지선에 접근할 때 그 사건을 진압하고 있었다. ① 그는 대원 중 한 명에게 제2차 세계 대전 중 런던의 보조 소방서의 일원으로 소방관이었다고 말했다. 현재 93세인 ② 그는 런던이 57일 연속 폭격을 당했던 기간인 대공습 기간 동안 화재와 싸웠던 것을 여전히 기억했다. ③ 그는 장교에게 도울 일이 없느냐고 물었다. 그 장교는 그 자신이 그 순간 적절한 대응을 할 준비가 되어 있지 않다는 것을 알았고 ④ 그는 단지 저지선을 통과해 그를 도왔다. 나중에 그는 그를 소방서에 초대하여 차를 마시게 하고 그의 이야기를 나누게 했다.」

①②③은 93세의 노인을, ④는 the officer를 가리킨다.

Answer. 4.④

5 밑줄 친 They(they)/their가 가리키는 대상으로 가장 적절한 것은?

> They monitor the building for the presence of fire, producing audible and visual signals if fire is detected. A control unit receives inputs from all fire detection devices, automatic or manual, and activates the corresponding notification systems. In addition, they can be used to initiate the adequate response measures when fire is detected. It is important to note that their requirements change significantly depending on the occupancy classification of the building in question. Following the right set of requirements is the first step for a code-compliant design.

① fire alarm systems
② fire sprinklers
③ standpipes
④ smoke control systems

presence 존재 audible 청취할 수 있는 input 입력 automatic 자동의 manual 수동의 activate 활성화시키다 corresponding 상응하는 notification 통지 in addition 게다가 initiate 시작하다 adequate 적절한 measure 조취 requirement 요구사항 significantly 상당히 occupancy 점유 classification 분류 in question 논의되고 있는 fire sprinkler 화재 스프링클러 standpipe 급수탑 smoke control system 연기 제어 시스템

「그것들은 화재의 발생에 대해 건물을 감시하여 화재가 감지되면 청각 및 시각 신호를 생성한다. 제어부는 모든 화재 감지 장치로부터 자동 또는 수동으로 입력을 수신하고, 해당 알림 시스템을 활성화한다. 또한 그것들은 화재가 감지되면 적절한 대응 조치를 시작하는 데 사용할 수 있다. 논의 중인 해당 건물의 사용 구분에 따라 그것들의 요건이 크게 변경된다는 것을 주목하는 것이 중요하다. 올바른 요구 사항 집합을 따르는 것이 코드 준수 설계의 첫 번째 단계다.」

Answer 5.①

6 다음 글에서 필자가 주장하는 바로 가장 적절한 것은?

Judge Nicholas in Brooklyn supplied much-needed shock treatment by preventing New York City from hiring firefighters based on a test that discriminated against black and Hispanic applicants. At the time, only 2.9 percent of firefighters were black, even though the city itself was 27 percent black. One of the biggest obstacles to fairness has been a poorly designed screening test measuring abstract reasoning skills that have little to do with job performance. So it is time to design and develop a new test that truthfully reflects skills and personality characteristics that are important to the firefighter's job. It would be fairer if it is more closely tied to the business of firefighting and ensures all the candidates who are eligible to be hired can serve as firefighters, no matter whether they are blacks or not.

① 신속한 소방 활동을 위해 더 많은 소방관을 채용해야 한다.
② 소방관 채용에서 백인에 대한 역차별 문제를 해소해야 한다.
③ 소방관의 직무와 직결된 공정한 소방관 선발 시험을 개발해야 한다.
④ 소방관 선발 시험을 고차원적 사고 기능 중심으로 출제해야 한다.

Point

discriminate 차별하다 applicant 지원자 fairness 공정성 screening test 선발 검사 have little to do with ~와 거의 관련이 없다 ensure 보장하다 candidate 후보자 be eligible to ~할 자격이 있는

「브루클린의 니콜라스 판사는 흑인과 히스패닉계 지원자를 차별하는 시험을 바탕으로 뉴욕시가 소방관을 고용하는 것을 막음으로써 매우 필요한 충격 치료를 제공했다. 당시 도시 자체가 27%의 흑인임에도 불구하고 소방관의 2.9%만이 흑인이었다. 공정성에 가장 큰 장애물 중 하나는 직무 수행과 거의 관련이 없는 추상적 추론 기술을 측정하는 형편없게 설계된 선발 시험이었다. 따라서 소방관의 직업에 중요한 기술과 성격 특성을 진정으로 반영하는 새로운 테스트를 설계하고 개발해야 할 때다. 소방사업과 더 밀접하게 연계되고 채용될 자격이 있는 모든 후보자들이 흑인이든 아니든 소방관으로서 역할을 할 수 있다는 것을 보장한다면 더 공정할 것이다.」

Answer 6.③

7 다음 글의 주제로 가장 적절한 것은?

Weather plays a big part in determining how far and how fast a forest fire will spread. In periods of drought, more forest fires occur because the grass and plants are dry. The wind also contributes to the spread of a forest fire. The outdoor temperature and amount of humidity in the air also play a part in controlling a forest fire. Fuel, oxygen and a heat source must be present for a fire to burn. The amount of fuel determines how long and fast a forest fire can burn. Many large trees, bushes, pine needles and grass abound in a forest for fuel. Flash fires occur in dried grass, bushes and small branches. They can catch fire quickly and then ignite the much heavier fuels in large trees.

① 산불 확대 요인
② 다양한 화재 유형
③ 신속한 산불 진압 방법
④ 산불 예방을 위한 주의사항

Point

play a part 역할을 하다 drought 가뭄 occur 발생하다 contribute to 기여하다 humidity 습도 control 통제하다 determine 결정하다 bush 수풀 pine needle 솔잎 abound 풍부하다 ignite 불을 붙이다

「산불이 얼마나 멀리, 얼마나 빨리 번질지 결정하는 데 날씨가 큰 역할을 한다. 가뭄의 시기에는 풀과 식물이 건조하기 때문에 산불이 더 많이 발생한다. 바람은 산불 확산에도 기여한다. 야외 온도와 공기 중의 습도도 산불을 진압하는 데 한몫을 한다. 불이 연소하려면 연료, 산소, 열원이 있어야 한다. 연료의 양은 산불이 얼마나 오래 그리고 빨리 연소할 수 있는지를 결정한다. 많은 큰 나무, 덤불, 솔잎, 풀들이 연료를 위해 숲에 넘쳐난다. 불똥불은 마른 풀, 덤불, 작은 가지에서 발생한다. 그들은 빨리 불이 붙어서 큰 나무에서 훨씬 더 무거운 연료에 불을 붙일 수 있다.」

Answer 7.①

8 다음 글의 요지로 가장 적절한 것은?

> Perhaps every person on Earth has at least once been in a situation when he or she has an urgent task to do, but instead of challenging it head on, he or she postpones working on this task for as long as possible. The phenomenon described here is called procrastination. Unlike many people got used to believing, procrastination is not laziness, but rather a psychological mechanism to slow you down and give you enough time to sort out your priorities, gather information before making an important decision, or finding proper words to recover relationship with another person. Thus, instead of blaming yourself for procrastinating, you might want to embrace it — at least sometimes.

① Stop delaying work and increase your efficiency.
② Procrastination is not a bad thing you have to worry about.
③ Challenge can help you fix a relationship with another person.
④ Categorize your priorities before making an important decision.

urgent 긴급한 head on 정면으로 procrastination 지연 · 미룸 laziness 게으름 sort out 분류하다 priority 우선순위 proper 적절한 recover 회복하다 blame 비난하다 embrace 받아들이다

「지구상의 모든 사람들은 적어도 한 번은 해야 할 급한 일이 있을 상황에 처했을지 모르지만, 정면으로 도전하는 대신, 가능한 한 오랫동안 이 일을 하는 것을 미룬다. 여기서 설명된 현상을 미루기라고 한다. 많은 사람들이 믿는 것에 익숙해진 것과 달리, 미루기는 게으름이 아니라, 오히려 여러분을 늦추고 여러분의 우선순위를 정리하고, 중요한 결정을 내리기 전에 정보를 수집하거나, 다른 사람과의 관계를 회복하기 위해 적절한 단어를 찾는 충분한 시간을 주는 심리적 메커니즘이다. 따라서, 당신은 미루는 것에 대해 자신을 비난하는 대신에, 적어도 때때로 그것을 받아들이고 싶을 것이다.」

① 일을 미루지 말고 효율성을 높여라.
② 지연은 걱정해야 할 나쁜 일이 아니다.
③ 도전은 당신이 다른 사람과의 관계를 고치는 데 도움이 될 수 있다.
④ 중요한 결정을 내리기 전에 우선순위를 분류하라.

Answer 8.②

9 다음 글에서 전체 흐름과 관계없는 문장은?

Social media is some websites and applications that support people to communicate or to participate in social networking. ① That is, any website that allows social interaction is considered as social media. ② We are familiar with almost all social media networking sites such as Facebook, Twitter, etc. ③ It makes us easy to communicate with the social world. ④ It becomes a dangerous medium capable of great damage if we handled it carelessly. We feel we are instantly connecting with people around us that we may not have spoken to in many years.

Point

application 응용프로그램 participate 참여하다 interaction 상호작용 medium 매체 handle 다루다 carelessly 부주의하게

「소셜 미디어는 사람들이 소셜 네트워킹에 참여하거나 의사 소통을 지원하는 일부 웹사이트 및 응용 프로그램이다. ① 즉, 사회적 상호작용을 허용하는 모든 웹사이트는 소셜 미디어로 간주된다. ② 우리는 페이스북, 트위터 등 거의 모든 소셜 미디어 네트워킹 사이트에 익숙하다. ③ 그것은 우리를 소셜 세계와 쉽게 의사소통하게 한다. ④ 만약 우리가 그것을 부주의하게 다루면 큰 피해를 줄 수 있는 위험한 매체가 된다. 우리는 우리가 수년 동안 이야기하지 않았을지도 모르는 우리 주변의 사람들과 즉시 연결되어 있다고 느낀다.」

10 빈칸 (A)와 (B)에 들어갈 말로 가장 적절한 것은?

At one time, all small retail businesses, such as restaurants, shoe stores, and grocery stores, were owned by individuals. They often gave the stores their own names such as Lucy's Coffee Shop. For some people, owning a business fulfilled a lifelong dream of independent ownership. For others, it continued a family business that dated back several generations. These businesses used to line the streets of cities and small towns everywhere. Today, ____(A)____, the small independent shops in some countries are almost all gone, and big chain stores have moved in to replace them. Most small independent businesses couldn't compete with the giant chains and eventually failed. ____(B)____, many owners didn't abandon retail sales altogether. They became small business owners once again through franchises.

Answer 9.④ 10.①

(A)	(B)
① in contrast	However
② in addition	Furthermore
③ in contrast	Therefore
④ in addition	Nevertheless

retail business 소매 업체 fulfill 성취하다 line 일렬로 늘여 세우다 eventually 결국 abandon 포기하다

「한때 식당, 신발 가게, 식료품점과 같은 모든 소규모 소매 업체는 개인 소유였다. 그들은 종종 가게들에 루시의 커피숍과 같은 그들만의 이름을 지어주었다. 어떤 사람들은 창업으로 독립적인 소유에 대한 평생의 꿈을 성취하기도 했다. 다른 사람들은 몇 세대 전으로 거슬러 올라가는 가족 사업을 계속했다. 이 사업체들은 도시와 작은 마을들의 거리를 일렬로 늘여 세우곤 했다. 이와는 대조적으로 오늘날 일부 국가의 작은 독립 상점들은 거의 모두 사라졌고, 대형 체인점들은 그것들을 대체하기 위해 이사했다. 대부분의 소규모 독립기업들은 거대 체인점들과 경쟁할 수 없었고 결국 실패했다. 하지만 많은 소유주들이 소매 판매를 완전히 포기하지는 않았다. 그들은 프랜차이즈를 통해 다시 한번 소상공인이 되었다.」

② 게다가 / 더욱이
③ 대조적으로 / 그러므로
④ 게다가 / 그럼에도 불구하고

11 밑줄 친 부분과 의미가 가장 가까운 것은?

Predicting natural disasters like earthquakes in advance is an imprecise science because the available data is limited.

① accurate ② inexact
③ implicit ④ integrated

predict 예측하다 in advance 미리 imprecise 부정확한 accurate 정확한 implicit 암묵적인 integrate 통합하다

「지진과 같은 자연 재해를 미리 예측하는 것은 이용 가능한 데이터가 제한되어 있기 때문에 부정확한 과학이다.」

Answer. 11.②

12 밑줄 친 부분과 의미가 가장 가까운 것은?

> The rapid spread of fire and the smoke rising from the balcony made a terrible reminder of the Lacrosse building fire in Melbourne in 2014. It also reminds us of the Grenfell Tower inferno in London. This catastrophe took the lives of 72 people and <u>devastated</u> the lives of more people.

① derived ② deployed
③ deviated ④ destroyed

reminder 생각나게 하는 사람(것) catastrophe 큰 재해 devastate 황폐화시키다 derive 유래하다 deploy 배치하다 deviate 벗어나다

「빠르게 번지는 불길과 발코니에서 솟아오르는 연기는 2014년 멜버른에서 발생한 라크로스 건물 화재를 떠올리게 하는 끔찍한 계기가 되었다. 그것은 또한 우리에게 런던의 그렌펠 타워 화재를 생각나게 한다. 이 재앙은 72명의 목숨을 앗아갔고 더 많은 사람들의 삶을 <u>황폐화시켰다</u>.」

13 빈칸에 들어갈 말로 가장 적절한 것은?

> Firefighters are people whose job is to put out fires and ________ people. Besides fires, firefighters save people and animals from car wrecks, collapsed buildings, stuck elevators and many other emergencies.

① endanger ② imperil
③ rescue ④ recommend

put out 끄다 rescue 구조하다 besides 이외에 wreck 난파선 collapse 붕괴하다 endanger 위험에 빠뜨리다 imperil 위태롭게 하다 recommend 추천하다

「소방관들은 불을 끄고 사람들을 <u>구출하는</u> 일을 하는 사람들이다. 화재 외에도 소방관들은 부서진 차, 붕괴된 건물, 멈춘 엘리베이터 및 기타 많은 비상 사태로부터 사람과 동물을 구한다.」

Answer. 12.④ 13.③

14 빈칸에 들어갈 말로 가장 적절한 것은?

A well known speaker started off his seminar by holding up a $20 bill. In the room of 200, he asked, "Who would like this $20 bill?" Hands started going up. He said, "I am going to give this $20 to one of you but first, let me do this." He proceeded to crumple the dollar bill up. He then asked, "Who still wants it?" Still the hands were up in the air. "My friends, no matter what I did to the money, you still wanted it because it did not decrease in value. It was still worth $20. Many times in our lives, we are dropped, crumpled, and ground into the dirt by the decisions we make and the circumstances that come our way. We feel as though we are worthless. But no matter what has happened or what will happen, you will never ______________. You are special. Don't ever forget it."

① lose your value
② suffer injury
③ raise your worth
④ forget your past

proceed 나아가다, 전진하다 crumple 구기다, 찌부러 뜨리다 ground 지상에 떨어지다 worthless 가치없는

「잘 알려진 한 연설가는 20달러짜리 지폐를 들고 세미나를 시작했다. 200명이 있는 방에서 그는 "누가 이 20달러짜리 지폐를 좋아합니까?"라고 물었다. 손이 올라가기 시작했다. 그는 "제가 여러분 중 한 분께 이 20달러를 드릴 겁니다. 그런데 우선 제가 이렇게 하도록 하죠."라고 말했다. 그는 계속해서 달러 지폐를 구겨버렸다. 그러고 나서 그는 "누가 아직도 이것을 원합니까?"라고 물었다. 여전히 손은 공중에 들려 있었다. "나의 친구들이여, 제가 이 돈에 어떤 행동을 했든 간에, 그것의 가치가 감소하지 않았기 때문에 여러분들은 여전히 그것을 원했습니다. 그것은 여전히 20달러의 가치가 있습니다. 우리는 살면서 여러 번 우리가 내리는 결정과 우리에게 닥쳐오는 상황에 의해 떨어지고, 구겨지고, 진흙탕으로 좌초됩니다. 우리는 마치 우리가 가치 쓸모없다고 느낄 것입니다. 그러나 무슨 일이 일어났든, 무슨 일이 일어나든 결코 여러분은 가치를 잃지 않을 것입니다. 여러분은 특별합니다. 절대 잊지 마십시오."」

Answer 14.①

15 주어진 글 다음에 이어질 글의 순서로 가장 적절한 것은?

> In World War II, Japan joined forces with Germany and Italy. So there were now two fronts, the European battle zone and the islands in the Pacific Ocean.

> (A) Three days later, the United States dropped bombs on another city of Nagasaki. Japan soon surrendered, and World War II finally ended.
> (B) In late 1941, the United States, Britain and France participated in a fight against Germany and Japan; the U.S. troops were sent to both battlefronts.
> (C) At 8:15 a.m. on August 6, 1945, a U.S. military plane dropped an atomic bomb over Hiroshima, Japan. In an instant, 80,000 people were killed. Hiroshima simply ceased to exist. The people at the center of the explosion evaporated. All that remained was their charred shadows on the walls of buildings.

① (A) – (B) – (C)
② (B) – (A) – (C)
③ (B) – (C) – (A)
④ (C) – (A) – (B)

Point

front 전선 cease 그만두다 explosion 폭발 evaporate 증발하다 remain 남다 char 까맣게 태우다 surrender 항복하다

「제2차 세계대전에서 일본은 독일과 이탈리아와 힘을 합쳤다. 그래서 이제 유럽 전투 지역과 태평양에 있는 섬 두 개의 전선이 있었다.
(B) 1941년 말, 미국, 영국, 프랑스는 독일과 일본에 대항하는 싸움에 참가했다; 미군은 두 전선에 모두 파견되었다.
(C) 1945년 8월 6일 오전 8시 15분, 미군 비행기가 일본 히로시마 상공에 원자 폭탄을 투하했다. 순식간에 8만 명이 목숨을 잃었다. 히로시마는 그저 존재하지 않게 되었다. 폭발의 중심에 있던 사람들이 증발했다. 남은 것은 건물 벽에 새까맣게 그을린 그림자뿐이었다.
(A) 3일 후, 미국은 다른 도시 나가사키에 폭탄을 투하했다. 일본은 곧 항복했고, 제2차 세계대전은 마침내 끝났다.」

Answer. 15.③

16 주어진 글 다음에 이어질 글의 순서로 가장 적절한 것은?

Trivial things such as air conditioners or coolers with fresh water, flexible schedules and good relationships with colleagues, as well as many other factors, impact employees' productivity and quality of work.

(A) At the same time, there are many bosses who not only manage to maintain their staff's productivity at high levels, but also treat them nicely and are pleasant to work with.

(B) In this regard, one of the most important factors is the manager, or the boss, who directs the working process.

(C) It is not a secret that bosses are often a category of people difficult to deal with: many of them are unfairly demanding, prone to shifting their responsibilities to other workers, and so on.

① (A) – (B) – (C)　　② (B) – (A) – (C)

③ (B) – (C) – (A)　　④ (C) – (B) – (A)

Point

trivial 사소한　productivity 생산성　in this regard 이러한 측면에서　category 범주　demanding 요구가 많은　prone ~하기 쉬운

「에어컨이나 신선한 물이 든 쿨러, 유연한 일정, 동료들과의 좋은 관계 등의 사소한 것들은 물론 많은 다른 요소들도 직원들의 생산성과 업무 질에 영향을 미친다.

(B) 이런 점에서 가장 중요한 요인 중 하나는 업무 프로세스를 지휘하는 관리자 또는 상사이다.

(C) 상사가 다루기 어려운 사람들의 범주인 것은 비밀이 아니다. 그들 중 많은 사람들은 부당하게 요구하고, 책임을 다른 노동자들에게 전가시키기 쉽다.

(A) 동시에, 직원들의 생산성을 높은 수준으로 유지하면서도 잘 대해주고 함께 일하기에 즐거운 상사들도 많다.」

Answer 16.③

17 밑줄 친 부분 중 어법상 틀린 것은?

Australia is burning, ① being ravaged by the worst bushfire season the country has seen in decades. So far, a total of 23 people have died nationwide from the blazes. The deadly wildfires, ② that have been raging since September, have already burned about 5 million hectares of land and destroyed more than 1,500 homes. State and federal authorities have deployed 3,000 army reservists to contain the blaze, but are ③ struggling, even with firefighting assistance from other countries, including Canada. Fanning the flames are persistent heat and drought, with many pointing to climate change ④ as a key factor for the intensity of this year's natural disasters.

Point

ravage 황폐화시키다 bushfire (잡목림 지대의) 산불 blaze 화염 deadly 치명적인 rage 격노, 격정 reservist 예비군 contain 억제하다 fan 부채질하다 persistent 지속적인 intensity 강도

「호주는 수십 년 만에 최악의 산불 시즌에 의해 파괴되어 불타고 있다. 지금까지, 총 23명의 사람들이 화재로 인해 전국적으로 사망했다. 9월부터 맹위를 떨치고 있는 이 치명적인 산불은 이미 약 500만 헥타르의 땅을 불태우고 1,500채 이상의 집을 파괴했다. 주와 연방 당국은 화재 진압을 위해 3,000명의 육군 예비군을 배치했지만 캐나다를 포함한 다른 나라들의 소방 지원에도 불구하고 어려움을 겪고 있다. 불길을 부채질하는 것은 지속적인 더위와 가뭄으로, 많은 사람들이 올해 자연재해 강도의 핵심 요인으로 기후변화를 지적한다.」

② 관계대명사 that은 콤마 뒤에 계속적 용법으로 쓰일수 없다. 따라서 which로 바꾸어야 한다.

① 수동 분사구문으로 being은 옳은 표현이고, 생략도 가능하다

③ struggle은 '고군분투하다'는 자동사의 의미로 쓰여서 올바른 표현이다.

④ '~로서'라는 의미의 전치사로 쓰였다.

Answer. 17.②

18 밑줄 친 부분 중 어법상 틀린 것은?

It can be difficult in the mornings, especially on cold or rainy days. The blankets are just too warm and comfortable. And we aren't usually ① excited about going to class or the office. Here are ② a few tricks to make waking up early, easier. First of all, you have to make a definite decision to get up early. Next, set your alarm for an hour earlier than you need to. This way, you can relax in the morning instead of rushing around. Finally, one of the main reasons we don't want to get out of bed in the morning ③ are that we don't sleep well during the night. That's ④ why we don't wake up well-rested. Make sure to keep your room as dark as possible. Night lights, digital clocks, and cell phone power lights can all prevent good rest.

Point

blanket 담요 definite 분명한

「특히 춥거나 비가 오는 날에는 아침에 어려울 수 있다. 담요는 너무 따뜻하고 편안하다. 그리고 우리는 보통 수업이나 사무실에 가는 것에 흥분하지 않는다. 여기 일찍 일어나는 것을 쉽게 만드는 몇 가지 묘수가 있다. 우선 일찍 일어나려면 확실한 결정을 내려야 한다. 다음으로, 필요한 시간보다 한 시간 일찍 알람을 설정하라. 이렇게 하면, 당신은 뛰어다니지 않고 아침에 휴식을 취할 수 있다. 마지막으로, 우리가 아침에 침대에서 일어나기 싫은 주된 이유 중 하나는 우리가 밤중에 잠을 잘 자지 않기 때문이다. 그래서 우리는 잠에서 잘 깨지 못하는 것이다. 가능한 한 방을 어둡게 유지하도록 하라. 야간 조명, 디지털 시계, 휴대폰 전원 빛은 모두 좋은 휴식을 막을 수 있다.」

③ 주어, 동사의 수 일치를 묻는 문제로서 주어는 one이고, 동사는 are이다. 따라서 are를 is로 바꾸어야 한다.
① 분사를 묻는 문제로서 주어가 사람(we)이기 때문에 excited가 옳다.
② 수량형용사 + 명사 수 일치를 묻는 문제로서 tricks가 셀 수 있는 명사 복수이기 때문에 a few가 맞는 표현이다.
④ That's why는 뒤에 결과가 나와야 된다. 우리가 잠에서 잘 깨지 못한다는 결과의 내용이기 때문에 맞는 표현이다.

Answer. 18.③

19 빈칸에 들어갈 말로 가장 적절한 것은?

Thunberg, 16, has become the voice of young people around the world who are protesting climate change and demanding that governments around the world ______________. In August 2018, Thunberg decided to go on strike from school and protest in front of the Swedish parliament buildings. She wanted to pressure the government to do something more specific to reduce greenhouse gases and fight global warming. People began to join Thunberg in her protest. As the group got larger, she decided to continue the protests every Friday until the government met its goals for reducing greenhouse gases. The protests became known as Fridays for Future. Since Thunberg began her protests, more than 60 countries have promised to eliminate their carbon footprints by 2050.

① fear the people
② give free speech
③ save more money
④ take more action

protest 시위하다 demand 요구하다 take action 조치를 취하다 go on strike 파업하다 parliament 의회 pressure 압박하다 eliminate 제거하다 carbon footprint

「툰버그(16)는 기후변화에 항의하고 전 세계 정부들이 더 많은 조치를 취할 것을 요구하는 전 세계 젊은이들의 목소리가 됐다. 2018년 8월, 툰버그는 학교에서 파업을 벌이며 스웨덴 의회 건물 앞에서 시위를 벌이기로 결정했다. 그녀는 정부가 온실가스를 줄이고 지구 온난화와 싸우기 위해 좀 더 구체적인 일을 하도록 압력을 가하기를 원했다. 사람들은 그녀의 항의에 툰버그와 합류하기 시작했다. 이 단체가 규모가 커지면서, 그녀는 정부가 온실가스를 줄이기 위한 목표를 달성할 때까지 매주 금요일 시위를 계속하기로 결정했다. 그 시위는 미래를 위한 금요일로 알려지게 되었다. 툰버그가 시위를 시작한 이후, 60개 이상의 나라들이 2050년까지 탄소 발자국을 제거하겠다고 약속했다.」

① 사람들을 두려워 하도록
② 자유 연설을 하도록
③ 더 많은 돈을 절약하도록

Answer 19.④

20 다음 글의 내용과 일치하지 않는 것은?

Dear Sales Associates,

The most recent edition of The Brooktown Weekly ran our advertisement with a misprint. It listed the end of our half-price sale as December 11 instead of December 1. While a correction will appear in the paper's next issue, it is to be expected that not all of our customers will be aware of the error. Therefore, if shoppers ask between December 2 and 11 about the sale, first apologize for the inconvenience and then offer them a coupon for 10% off any item they wish to purchase, either in the store or online.

Thank you for your assistance in this matter.

General Manger

① The Brooktown Weekly에 잘못 인쇄된 광고가 실렸다.
② 반값 할인 행사 마감일은 12월 1일이 아닌 12월 11일이다.
③ 다음 호에 정정된 내용이 게재될 예정이다.
④ 10% 할인 쿠폰은 구매하고자 하는 모든 품목에 적용된다.

misprint 오인, 오식 correction 수정 inconvenience 불편함

「친애하는 영업사원분들께,
The Brooktown Weekly 최신호에 실은 우리 광고에 오자(誤字)가 있었습니다. 그것은 우리의 반값 세일의 종료를 12월 1일이 아닌 12월 11일로 기재했습니다. 다음 호에는 수정 사항이 나오겠지만, 우리 고객 모두가 오류를 인지하지는 못할 것으로 예상됩니다. 따라서 12월 2일에서 11일 사이에 구매자들이 판매에 대해 물어본다면, 먼저 불편함을 사과한 후 매장이나 온라인에서 구매하고자 하는 물품에 대해 10% 할인 쿠폰을 제공해 주십시오.
총괄 매니저」

Answer. 20.②

MEMO

MEMO